Algoritmi in Java

TERZA EDIZIONE

*Ad Adam, Andrew, Brett, Robbie,
e, specialmente, a Linda*

Algoritmi in Java

TERZA EDIZIONE

FONDAMENTI

STRUTTURE DATI

ORDINAMENTO

RICERCA

Robert Sedgewick

Princeton University

PEARSON

Addison
Wesley

Copyright © 2003 Pearson Education Italia S.r.l.

Via Fara, 28

20124 Milano

Tel. 02/67 39 76 392   Fax 02/67 39 76 503

E-mail: hpeitalia@pearsoned-ema.com

Web: http://hpe.pearsoned.it

Le informazioni contenute in questo libro sono state verificate e documentate con la massima cura possibile. Nessuna responsabilità derivante dal loro utilizzo potrà venire imputata all'Autore, alla Pearson Education Italia o a ogni persona e società coinvolta nella creazione, produzione e distribuzione di questo libro.

Traduzione: Claudio Gentile

Revisione tecnica: Paolo Massazza

Copy editing: Monica De Marinis

Composizione: Elisabetta Bozzi

Grafica di copertina: Gianni Gilardoni

Stampa: Arti Grafiche Battaia – Zibido S. Giacomo (MI)

ISBN 88-7192-169-0

Printed in Italy

1ª edizione: luglio 2003

Sommario

Fondamenti

Strutture dati

Ordinamento

Ricerca

Presentazione
dell'edizione italiana

Il nome di Robert Sedgewick è da anni un punto di riferimento nel mondo degli algoritmi. La sua attività di ricerca e le sue numerose collaborazioni internazionali lo collocano tra i personaggi di spicco del mondo degli "algoritmisti".

Questa terza edizione della sua famosa opera sugli algoritmi conferma la validità di un progetto che ha già riscosso un notevole successo con le edizioni precedenti. In questo caso non si tratta, però, di una semplice revisione, poiché le modifiche apportate a un impianto già valido sono numerose. La linea scelta è stata quella dell'approfondimento di argomenti ormai classici nell'area degli algoritmi e delle strutture dati, insieme a una presentazione di temi e idee derivate direttamente dalla ricerca effettuata in questi ultimi anni.

L'approccio adottato è estremamente interessante: viene stimolata la comprensione degli argomenti trattati attraverso un processo di sperimentazione diretta dei programmi presentati e di progettazione ex novo di esperimenti altamente significativi. A tale riguardo, non passa inosservato il fatto che la qualità del codice riportato è, questa volta, di livello superiore rispetto a quello offerto dalle passate edizioni.

Un altro punto a favore di quest'opera è costituito dal fatto che il salto nel passaggio dalla pratica alla teoria non viene quasi mai avvertito. La costruzione dei modelli per lo studio delle caratteristiche delle strutture dati e degli algoritmi, insieme alla successiva analisi matematica, risulta sempre naturale e "autoconsistente": siamo in presenza di un testo che pone solide basi per un successivo approfondimento, basato su un uso di strumenti matematici avanzati per l'analisi degli algoritmi.

La scelta dei temi trattati differisce da quella effettuata nel passato. In questo volume, l'autore ha deciso di privilegiare argomenti classici e basilari quali i problemi di ordinamento e di ricerca. La ricchezza e la vastità delle passate edizioni hanno lasciato il posto a una maggior profondità e precisione, aprendo nel contempo la strada a opere successive dedicate a trattare con ugual rigore e completezza numerosi temi di non secondario interesse.

Paolo Massazza
Università degli Studi dell'Insubria
Dipartimento di Informatica e Comunicazione

Prefazione[1]

Questo libro intende esaminare i principali algoritmi tra quelli attualmente utilizzati, indicando al crescente numero di interessati le tecniche fondamentali di programmazione. Può essere usato come un libro di testo per corsi del secondo, terzo o quarto anno di informatica, dopo che gli studenti abbiano acquisito una certa pratica con i calcolatori e la programmazione, prima però che abbiano affrontato corsi specialistici in aree più avanzate di tale disciplina. Il libro può, inoltre, risultare utile per l'autodidatta, oppure come guida di riferimento per coloro che sono coinvolti nello sviluppo di sistemi informatici o programmi applicativi, in quanto contiene implementazioni di algoritmi utili e dettagliate informazioni sulle loro prestazioni. L'ampiezza dei contenuti rende il libro una valida introduzione all'argomento.

In questa nuova edizione, il testo è stato completamente riscritto e sono stati aggiunti oltre 1000 nuovi esercizi, più di 100 nuove figure e dozzine di nuovi programmi, con ricchi e approfonditi commenti. Questo nuovo materiale introduce nuovi argomenti e, al contempo, fornisce una più ampia spiegazione di molti degli algoritmi classici. L'enfasi sui tipi di dati astratti posta nel libro rende i programmi più utili negli attuali ambienti di programmazione a oggetti. Coloro che hanno letto edizioni passate di questo libro troveranno molto materiale nuovo. Il lettore troverà nel testo un gran numero di strumenti didattici che forniscono un accesso efficace ai concetti fondamentali.

---

[1]   La presente prefazione è stata modificata rispetto a quella originale, per meglio rispecchiare le caratteristiche dell'edizione italiana (N.d.E.).

Questo libro non è rivolto unicamente ai programmatori e agli studenti di informatica. Quasi tutti coloro che usano un computer desiderano che esso esegua calcoli in modo veloce o che risolva problemi di dimensioni sempre maggiori. Gli algoritmi in questo libro rappresentano un corpo di conoscenze che sono state sviluppate nel corso degli ultimi 50 anni e sono divenute indispensabili per un uso efficace dei calcolatori in moltissime applicazioni. Dai problemi di simulazione di N corpi in fisica, a quelli sulle sequenze genetiche in biologia molecolare, i metodi di base descritti in questo libro sono diventati essenziali nella ricerca scientifica. Dai database ai motori di ricerca di Internet, questi metodi sono diventati imprescindibili nei moderni sistemi software. Dato che l'ambito di applicazione dei computer si allarga sempre di più, l'impatto dei metodi descritti in questo libro è in progressiva crescita. L'obiettivo di questo libro è quello di servire come risorsa per studenti e professionisti interessati a conoscere e usare intelligentemente questi fondamenti algoritmici che costituiscono gli strumenti di base per una qualsivoglia applicazione dei sistemi di elaborazione dati.

Obiettivi

I contenuti di questo libro sono suddivisi in 16 capitoli, raggruppati in quattro parti principali: fondamenti, strutture dati, ordinamento e ricerca. L'esposizione intende fornire al lettore la capacità di comprendere le proprietà fondamentali di una vasta gamma di algoritmi. L'obiettivo primario nello scrivere quest'opera è stato quello di rendere accessibili i migliori metodi finora conosciuti per la soluzione di problemi in numerosi campi.

Al fine di apprezzare il materiale qui presentato, si raccomanda al lettore di apprendere le nozioni di base dell'informatica e della programmazione: potrebbe essere sufficiente un corso di programmazione in un linguaggio ad alto livello come il C, il C++ o il Java, insieme a un corso sugli aspetti fondamentali dello sviluppo dei sistemi informatici. Questo libro è, quindi, un valido strumento per chi abbia familiarità con un moderno linguaggio di programmazione e conosca le caratteristiche fondamentali di un calcolatore. Nel testo sono, comunque, indicati alcuni riferimenti bibliografici che forniscono le conoscenze di base per affrontare la lettura di questo libro.

La maggior parte degli argomenti matematici impiegati per mostrare risultati quantitativi non richiede ulteriori conoscenze (oppure tali risultati sono dichiarati andare al di là degli scopi del libro). Quindi, le conoscenze matematiche richieste sono modeste, sebbene una buona capacità di trattare concetti matematici sia sicuramente utile.

Uso del libro nell'ambito di un corso

Il materiale contenuto nel presente libro offre ampia flessibilità didattica, dipendendo solo dall'orientamento dell'insegnante e dalla preparazione degli studenti. Il libro contiene materiale sufficiente sia per un corso di base di strutture dati che per un corso avanzato di algoritmi. Alcuni docenti potrebbero voler enfatizzare nel proprio corso aspetti più implementativi e pragmatici, altri potrebbero voler sottolineare invece aspetti più propriamente teorici relativi all'analisi degli algoritmi.

Un corso di base di "algoritmi e strutture dati" potrebbe utilizzare le strutture dati di base della Parte 2 e il loro uso nelle implementazioni delle Parti 3 e 4. Un corso intermedio di "progettazione e analisi di algoritmi" potrebbe partire dal materiale di base presentato nella Parte 1 e nel Capitolo 5, e quindi studiare il modo in cui gli algoritmi descritti nelle Parti 3 e 4 raggiungono buone prestazioni asintotiche. Un corso di ingegneria del software potrebbe tralasciare gli algoritmi e le tecniche matematiche avanzate, preoccupandosi di integrare le implementazioni qui presentate nel contesto di programmi o sistemi di grandi dimensioni. Un corso di "algoritmi", infine, potrebbe presentare in forma introduttiva i singoli aspetti di ciascuna delle aree trattate nel libro.

Le precedenti versioni di questo libro, basate su altri linguaggi di programmazione, sono state impiegate nei college e nelle università di tutto il mondo come testo per un corso del secondo o del terzo anno di informatica, ma anche come manuale di riferimento per altri corsi. All'Università di Princeton, la nostra esperienza ci ha mostrato che l'ampiezza di contenuti di questo libro da un lato fornisce ai nostri specializzandi un'introduzione all'informatica che può essere arricchita in seguito attraverso corsi avanzati di analisi degli algoritmi, programmazione di sistema e informatica teorica, e offre dall'altro ai sempre più numerosi studenti di altre discipline una vasta gamma di strumenti che possono agevolmente essere messi in pratica.

Gli esercizi, moltissimi dei quali sono nuovi, sono suddivisi in varie categorie. Alcuni di essi sono intesi a verificare la comprensione del materiale esposto, chiedendo al lettore di esaminare esempi o applicare concetti descritti nel testo. Altri richiedono l'implementazione e la combinazione di algoritmi, oppure di eseguire studi sperimentali che confrontino versioni diverse di un medesimo algoritmo, allo scopo di apprenderne meglio le caratteristiche. Altri ancora sviluppano importanti considerazioni a un livello di approfondimento che sarebbe inappropriato per l'esposizione principale fatta nel testo. Il tempo speso sugli esercizi si rivelerà un proficuo investimento per ogni lettore di questo libro.

Algoritmi di uso pratico

Chiunque voglia sfruttare al massimo le potenzialità di un calcolatore, può usare questo libro come riferimento o come base per uno studio da autodidatta. Chi ha esperienza di programmazione può trovare informazioni su argomenti specifici. I capitoli possono essere letti in modo indipendente, sebbene in qualche caso vi siano algoritmi che fanno uso di tecniche introdotte in capitoli precedenti.

L'orientamento del libro è quello di introdurre algoritmi che possano essere utilizzati nella pratica. Abbiamo cercato di insegnare agli studenti il modo in cui utilizzare i loro strumenti di lavoro, così da introdurli all'implementazione, all'esecuzione e al debugging di algoritmi utili. Il testo contiene le implementazioni complete dei metodi analizzati, unite alla descrizione dell'applicazione di questi programmi su un insieme apprezzabile di esempi. Poiché gli algoritmi sono descritti in codice vero (e non in pseudo-codice), i programmi possono essere immediatamente eseguiti. La lista dei programmi è disponibile nella pagina web del libro.

Questi programmi possono essere utilizzati in vari modi per supportare lo studio degli algoritmi. Vi invitiamo a leggerli per verificare il livello di comprensione dei dettagli di un algoritmo, o per vedere in che modo vengono gestite inizializzazioni, condizioni di terminazione e altri aspetti un po' ostici che rendono non facile la programmazione. Vi invitiamo altresì a eseguirli per vederli applicati, per studiare le loro prestazioni in modo empirico e controllare che corrispondano a quanto riportato in questo libro, o anche per provare modifiche o miglioramenti.

Le caratteristiche degli algoritmi e le situazioni in cui essi potranno risultare utili sono oggetto di estesa discussione nel libro. Le connessioni con l'analisi degli algoritmi e con i normali metodi dell'informatica teorica non sono troppo enfatizzate, ma sono riportate quando il contesto lo richiede. Per illustrare il motivo per cui certi algoritmi siano da preferire ad altri, sono opportunamente presentati taluni risultati teorici o sperimentali. In alcuni casi interessanti, si confrontano prestazioni teoriche degli algoritmi e prestazioni sperimentali. In tutto il libro si possono, inoltre, trovare specifiche informazioni su prestazioni e implementazioni degli algoritmi trattati.

Linguaggio di programmazione

Il linguaggio di programmazione adottato per tutte le implementazioni è Java. I programmi utilizzano un'ampia gamma di costrutti standard del linguaggio Java, che vengono comunque tutti concisamente descritti nel testo.

Insieme a Mike Schidlowsky abbiamo sviluppato uno stile di programmazione Java basato su tipi di dati astratti che ci sembra un modo efficace di presentare algoritmi e strutture dati come programmi reali. Abbiamo cercato di scrivere implementazioni eleganti, compatte, efficienti e portabili. Lo stile viene mantenuto coerente per quanto possibile, quindi programmi simili appaiono tali anche quando vengono descritti nel linguaggio di programmazione.

Per molti degli algoritmi di questo libro tali somiglianze permangono anche indipendentemente dal linguaggio: Quicksort rimane Quicksort (tanto per prendere un esempio importante) anche se viene espresso in Ada, in Algol-60, in Basic, in Fortran, in C, in C++, in Mesa, in Modula-3, in Pascal, in PostScript, in Smalltalk, o in qualsiasi altro linguaggio o ambiente di programmazione dove si è mostrato efficace come metodo di ordinamento. Da una parte, il nostro modo di scrivere codice è ispirato dall'esperienza nell'implementazione di algoritmi in questi e numerosi altri linguaggi (sono già disponibili versioni in C e in C++ di questo libro), dall'altra, alcune delle loro proprietà sono influenzate dall'esperienza dei progettisti di questi linguaggi con strutture dati e algoritmi qui considerati.

Il Capitolo 1 esemplifica in modo dettagliato questo approccio nello sviluppare implementazioni Java efficienti, mentre il Capitolo 2 descrive la metodologia seguita per analizzarle. I Capitoli 3 e 4 sono dedicati alla descrizione e alla giustificazione dei meccanismi di base impiegati per l'implementazione dei tipi di dati e degli ADT. Questi quattro capitoli preparano il terreno per il resto del libro.

Ringraziamenti

Sono molte le persone che mi hanno fornito utili commenti su versioni precedenti di questo libro. Centinaia di studenti delle Università di Princeton e Brown hanno "subìto" bozze preliminari di questo libro negli anni precedenti alla presente edizione. Un ringraziamento speciale va a Trina Avery e a Tom Freeman per il loro aiuto nella produzione della prima edizione; a Janet Incerpi per la sua creatività e ingegnosità nel persuadere il nostro primitivo sistema di videoscrittura a produrre la prima edizione; a Marc Brown per le sue ricerche sulla visualizzazione di algoritmi che sono state poi la genesi di molte delle figure di questo libro; e a Dave Hanson e Andrew Appel per la buona volontà dimostrata nel rispondere a tutte le mie domande sui linguaggi di programmazione. Vorrei, inoltre, ringraziare i molti lettori che mi hanno fornito commenti sulle varie edizioni, fra i quali includo Guy Almes, Jon Bentley, Marc Brown, Jay Gischer, Allan Heydon, Kennedy Lemke, Udi Manber, Dana Richards, John Reif, M. Rosenfeld, Stephen Seidman, Michael Quinn e William Ward.

Nella produzione di questa nuova edizione ho avuto il piacere di lavorare con Peter Gordon ed Helen Goldstein della Addison-Wesley, che hanno pazientemente guidato il progetto durante la sua evoluzione da aggiornamento ordinario a completa riscrittura. Ho anche avuto il piacere di collaborare con molti altri membri dello staff della Addison-Wesley. La natura di questo progetto ha reso questo libro una sfida un po' inusuale per molti di loro, e ho avuto più volte occasione di apprezzare la loro pazienza. In particolare, Marilyn Rash ha compiuto un lavoro straordinario per gestire la produzione del libro entro i ristretti margini di tempo disponibile.

Ho avuto tre nuovi consiglieri nella scrittura di questo libro, e vorrei esprimere la mia particolare gratitudine proprio a essi. Il primo, Steve Summit, che ha controllato con attenzione e dal punto di vista tecnico le versioni precedenti del manoscritto, fornendomi migliaia di commenti dettagliati, specialmente sui programmi. Steve ha compreso appieno i miei obiettivi di produrre implementazioni eleganti, efficienti ed efficaci, e i suoi commenti non solo mi hanno aiutato a rendere le implementazioni coerenti, ma anche a migliorare in modo sostanziale molte di esse. Anche la seconda, Lyn Dupré, ha fornito migliaia di commenti particolareggiati sul manoscritto, che si sono rivelati preziosissimi non solo nel correggere errori grammaticali, ma anche e soprattutto per mantenere una coerenza di stile espositivo che è stata di grande aiuto per mettere insieme la scoraggiante quantità di materiale tecnico

xviii

contenuta in questo libro. Il terzo, Chris Van Wyk, in un lungo di scambio di vivaci email ha pazientemente difeso i precetti fondamentali della programmazione orientata agli oggetti e mi ha aiutato a sviluppare uno stile di programmazione capace di sfruttarne i vantaggi e, allo stesso tempo, chiaro e preciso. L'approccio di base già sviluppato per il C++ ha fortemente influenzato il codice Java di questo libro, e certamente influenzerà le edizioni future (anche per la versione in C). Sono estremamente contento dell'opportunità avuta di imparare da Steve, da Lyn e da Chris: il loro input è stato di importanza vitale nello sviluppo di questo libro.

Molto di quello che ho scritto in questo testo è il frutto degli insegnamenti e dello studio degli scritti di Don Knuth, il mio supervisore a Stanford. Sebbene Don non abbia avuto alcuna influenza diretta su questo lavoro, la sua presenza si può comunque sentire nel libro: sono i suoi studi pionieristici sugli algoritmi che hanno reso possibile la scrittura di un testo come questo. Una simile influenza l'ha avuta il mio amico e collega Philippe Flajolet, che è stato uno dei principali artefici dello sviluppo di metodi avanzati per lo studio di algoritmi.

Sono molto grato per il supporto avuto dall'Università di Princeton, dall'Università di Brown e dall'Institut National de Recherche en Informatique et Automatique (INRIA), dove ho svolto gran parte del mio lavoro. Sono grato anche all'Institute for Defence Analyses e allo Xerox Palo Alto Research Center, dove ho svolto parte del lavoro come visitatore. Molte parti di questo libro sono il frutto di ricerche generosamente finanziate dalla National Science Foundation e dall'Office of Naval Research. Infine, vorrei ringraziare Bill Bowen, Aaron Lemonick e Neil Rudenstine per il loro aiuto nel creare un ambiente accademico a Princeton, all'interno del quale, nonostante numerosi altri impegni, ho potuto scrivere il libro.

Robert Sedgewick
Marly-le-Roi, Francia, febbraio 1983
Princeton, New Jersey, gennaio 1990, 1992
Jamestown, Rhode Island, agosto 1997
Princeton, New Jersey, 1998, 2002

Prefazione del consulente di Java

Nell'ultimo decennio Java è diventato il linguaggio scelto per un'ampia varietà di applicazioni. Coloro che hanno sviluppato tale linguaggio, d'altro canto hanno più volte avuto occasione di riferirsi a testi come *Algoritmi in C* di Sedgewick per la soluzione di comuni problemi di programmazione. Si sentiva la mancanza di un testo comparabile agli *Algoritmi in C*, ma basato sul linguaggio Java. Questo libro va a colmare tale lacuna.

Abbiamo scritto i programmi come metodi utili in una varietà di contesti. Questo è il motivo per cui non abbiamo usato il meccanismo Java dei package. Allo scopo di concentrarci sugli algoritmi (e per illustrare le basi algoritmiche di molte classi di libreria) abbiamo deliberatamente evitato la libreria standard di Java a favore di tipi di livello più elementare. I controlli sugli errori e gli altri normali meccanismi di controllo avrebbero aumentato sensibilmente la quantità di codice e distratto il lettore dai principi algoritmici fondamentali. È ovvio che chi sviluppa programmi deve includere tali controlli qualora questi programmi siano parte di un'applicazione di grandi dimensioni.

Sebbene gli algoritmi che presentiamo siano indipendenti dal linguaggio, abbiamo curato con attenzione le peculiarità di Java nell'influenzarne le prestazioni. I tempi di calcolo che riportiamo in questo libro sono da intendersi utili per il *confronto* di algoritmi, e varieranno chiaramente in funzione della macchina virtuale sottostante. Man mano che gli ambienti Java evolveranno, i programmi diventeranno sempre di più simili come velocità al codice compilato. Queste evoluzioni, d'altra parte, non influenzeranno le prestazioni *relative* degli algoritmi.

Vorrei ringraziare Mike Zamensky per i suoi consigli e la sua devozione nell'insegnamento dell'informatica, e Daniel Chaskes, Jason Sanders, James Percy per il loro continuo supporto. Vorrei, inoltre, ringraziare la mia famiglia sia per il supporto che per il computer che ha visto nascere i miei primi programmi. Conciliare Java con i classici algoritmi dell'informatica è stato uno sforzo molto stimolante per il quale sono molto grato all'autore di questo libro. Grazie Bob, per l'opportunità che mi hai offerto.

Michael Schidlowsky
Oakland Gardens, New York, 2002

Note sugli esercizi

Classificare gli esercizi è un'attività piena di insidie, poiché i lettori di un libro come questo si avvicinano al materiale in esso contenuto avendo preparazione ed esperienza eterogenea. Ciononostante, riteniamo che un qualche principio guida sia appropriato. Allo scopo di aiutare il lettore, molti degli esercizi riportano uno di quattro possibili contrassegni.

Esercizi che servono a *verificare la comprensione* del materiale sono contrassegnati con un triangolino, come ad esempio:

▷ **9.54** Disegnate una coda binomiale di dimensione 29, usando la rappresentazione per alberi binomiali.

Spesso, questi esercizi sono direttamente legati agli esempi contenuti nel testo, e non dovrebbero presentare alcuna difficoltà particolare. La loro soluzione, tuttavia, potrebbe mettere in luce fatti o concetti che sono stati trascurati durante la lettura del testo principale.

Esercizi che *aggiungono nuovo materiale* e che spingono alla riflessione ulteriore sono contrassegnati con un circolino vuoto, come ad esempio:

○ **14.19** Scrivete un programma che inserisca N interi casuali in una tabella di dimensione $N/100$ usando concatenazioni separate, e che poi determini la lunghezza della lista più corta e di quella più lunga. Assumete i valori $N = 10^3$, 10^4, 10^5, 10^6.

Questi esercizi incoraggiano a riflettere su concetti importanti legati al materiale del testo, o a rispondere a domande che il lettore potrebbe essersi posto durante la lettura del medesimo. Leggere questi esercizi può rivelarsi utile, anche se non si ha il tempo di risolverli.

Esercizi che sono intesi a *sfidare le capacità* del lettore sono contrassegnati da un pallino nero, come ad esempio:

● **8.45** Supponete che il Mergesort sia implementato in modo da spezzare il file in una posizione casuale, piuttosto che esattamente a metà. Quanti confronti sono eseguiti mediamente da questo algoritmo per ordinare un file di N elementi?

Questi esercizi possono richiedere anche parecchio tempo per essere risolti, in funzione dell'esperienza di ciascuno. Di solito, l'approccio più produttivo per risolverli è quello di lavorarci a più riprese.

Ci sono, poi, alcuni esercizi che sono *estremamente difficili* da risolvere (se confrontati con gli altri). Essi sono contrassegnati da due pallini neri, come ad esempio:

●● **15.30** Dimostrate che l'altezza di un trie costituito da N stringhe di bit casuali è circa 2 lg N.

Questi esercizi sono assimilabili a questioni che possono porsi nella letteratura scientifica, anche se il materiale di questo libro può fornire la preparazione necessaria tale da divertire il lettore nel cercare di risolverli (magari, con successo).

Questa classificazione degli esercizi deve intendersi come *neutra* rispetto alla preparazione matematica e all'esperienza di programmazione del lettore. Gli esercizi che richiedono preparazione matematica o esperienza di programmazione particolari sono piuttosto manifesti. Incoraggiamo tutti i lettori a controllare la comprensione degli algoritmi tramite la loro implementazione. Un esercizio come quello seguente potrebbe risultare immediato per un programmatore esperto o uno studente che segua corsi di programmazione, ma richiedere una certa quantità di lavoro per chi non abbia mai programmato o abbia smesso di farlo da tempo:

● **1.22** Modificate il Programma 1.4 in modo da generare a caso coppie di interi fra 0 ed $N-1$ invece di leggerli da standard input e ciclare fino a quando $N-1$ operazioni union sono state completate. Eseguite il programma per $N = 10^3$, 10^4, 10^5 e 10^6 e stampate il numero totale di lati generati per ciascuno dei valori di N.

In tal modo, tutti i lettori sono incoraggiati a studiare a fondo il sostegno teorico-analitico delle nostre conoscenze circa le proprietà degli algoritmi. Esercizi come il seguente potrebbero essere immediati per un ricercatore o uno studente che segua corsi di matematica discreta, ma richiedere una certa quantità di lavoro per chi non abbia mai eseguito analisi matematiche o abbia smesso di farlo da tempo:

1.12 Calcolate la distanza media fra un nodo e la radice nel caso peggiore di un albero con 2^n nodi, costruito dall'algoritmo di quick-union pesata.

Questo libro contiene troppi esercizi perché un singolo lettore li possa leggere e assimilare tutti. Il nostro auspicio è che vi siano, invece, abbastanza esercizi che stimolino una comprensione di più ampio respiro proprio degli argomenti giudicati più interessanti e non solo quella fornita dalla semplice lettura del testo.

PARTE
PRIMA

Fondamenti

CAPITOLO UNO

Introduzione

L'OBIETTIVO DI QUESTO LIBRO è lo studio di un vasto numero di importanti e utili algoritmi, intesi come metodi per la risoluzione di problemi, adatti a essere implementati su elaboratori elettronici. Verranno affrontate applicazioni appartenenti ad aree differenti, cercando sempre di concentrarsi sugli algoritmi fondamentali che è importante conoscere e interessante studiare. Si dedicherà a ciascun algoritmo analizzato uno spazio sufficiente a comprenderne le caratteristiche essenziali e i dettagli. Il nostro scopo è quello di descrivere una vasta gamma di algoritmi tra i più importanti e frequenti ai nostri giorni, a un livello sufficiente da consentirne l'uso e l'apprezzamento.

Per essere compreso a fondo, un algoritmo deve essere implementato ed eseguito; per questo motivo la strategia raccomandata per la comprensione degli algoritmi presentati in questo libro prevede implementazione e verifica, sperimentazione delle varianti e successiva applicazione a problemi reali. Gli algoritmi verranno descritti e implementati utilizzando il linguaggio di programmazione C; a ogni modo, lo stile di programmazione adottato assicura una facile traduzione dei programmi presentati in un qualsiasi altro moderno linguaggio di programmazione.

Verrà posta anche una certa attenzione alle prestazioni degli algoritmi descritti, allo scopo di apportare migliorie, confrontare algoritmi diversi che risolvono lo stesso problema e fornire criteri (certi o stimati) sulle prestazioni offerte da tali algoritmi su problemi di grandi dimensioni. La comprensione di come un algoritmo si possa realmente comportare richiede un metodo di analisi sia sperimentale che teorica. Forniremo informazioni dettagliate su molti dei più importanti algoritmi, sviluppando risultati analitici direttamente (quando la cosa risulti agevole) oppure richiamando i risultati già presenti in letteratura.

Per illustrare il nostro metodo nello sviluppo di soluzioni algoritmiche, in questo capitolo, prendiamo in considerazione un esempio dettagliato che prevede l'uso di parecchi algoritmi per risolvere uno specifico problema. Non si tratta di un problema banale. È un problema computazionale di importanza basilare, e le soluzioni che andremo sviluppando sono in effetti usate in svariate applicazioni reali. Inizieremo con una soluzione algoritmica semplice, cercheremo di comprenderne le caratteristiche e alla luce di queste cercheremo di migliorarla. Dopo un certo numero di iterazioni di questo tipo giungeremo all'elaborazione di un algoritmo efficiente e utile per la soluzione del problema di partenza. Questo esempio verrà ripreso a livello metodologico in tutto il libro.

Concluderemo il capitolo con un rapido excursus sui contenuti del libro, descrivendo brevemente quali ne siano le parti principali e come queste siano legate fra loro.

I.I Algoritmi

Quando si realizza un programma, generalmente si vuole implementare un metodo progettato in precedenza per la soluzione di un problema. Solitamente, questo metodo non dipende dall'elaboratore che si sta utilizzando e probabilmente è ugualmente appropriato per la maggior parte dei computer e dei linguaggi di programmazione. In ogni caso, se si vuole imparare ad affrontare il problema, è necessario studiare il metodo che lo risolve e non il programma che lo implementa. In informatica, il termine *algoritmo* si riferisce a un metodo per la soluzione di un problema, adatto a essere implementato sotto forma di programma. Gli algoritmi sono il "pane" dell'informatica, in quanto rappresentano l'oggetto di studio principale in molte aree del settore (se non nella totalità).

La maggior parte degli algoritmi più interessanti coinvolge metodi sofisticati per l'organizzazione dei dati utilizzati nelle elaborazioni. Gli oggetti creati con questi metodi vengono chiamati *strutture dati* e costituiscono un altro elemento centrale degli studi informatici. Algoritmi e strutture dati sono, quindi, strettamente correlati: essendo importanti sia nella rappresentazione dei dati di input che nei risultati, una buona comprensione degli uni richiede un attento studio delle altre. Algoritmi semplici possono richiedere strutture dati complesse e, viceversa, algoritmi complicati possono utilizzare strutture dati semplici. In questo libro verranno studiate le proprietà di molte strutture dati; perciò, un titolo alternativo del volume avrebbe potuto essere *Algoritmi e strutture dati in Java*.

Quando usiamo un calcolatore per risolvere un problema, ci troviamo tipicamente dinanzi a un buon numero di possibili alternative. Per problemi di piccole dimensioni l'approccio usato per la soluzione è, di solito, poco rilevante. D'altro canto, per problemi di grandi dimensioni (oppure anche in applicazioni che richiedono la soluzione di un gran numero di problemi semplici) la motivazione a progettare metodi che usino le risorse del sistema nel modo più efficiente possibile diventa irrinunciabile.

La ragione principale per cui gli algoritmi vengono studiati è quella di consentire ampi margini di risparmio di risorse, anche fino al punto di rendere praticabili compiti che altrimenti non lo sarebbero. In un'applicazione in cui si stiano elaborando milioni di elementi non è inusuale rendere il programma milioni di volte più veloce scegliendo un algoritmo ben progettato. Ne vedremo un primo esempio nel Paragrafo 1.2 e molti altri in seguito. Per confronto, si noti che investire tempo o denaro per l'acquisto e l'installazione di un computer più potente potrà ottenere un fattore di guadagno al più di 10 o 100. La progettazione di algoritmi costituisce, quindi, una parte estremamente importante nella soluzione di un problema di grandi dimensioni, qualunque ne sia l'area di applicazione.

Dovendo sviluppare un programma di grandi dimensioni, un primo grande sforzo consiste nel cercare di comprendere e definire il problema da risolvere, gestendone la complessità e scomponendolo in sottoproblemi più piccoli che siano facilmente implementabili. È spesso vero che parecchi algoritmi da utilizzare, dopo una simile scomposizione, risultano banali da implementare. Comunque, nella maggior parte dei casi, il momento critico si riduce alla scelta di quei pochi algoritmi che, durante la loro esecuzione, utilizzano la maggior parte delle risorse del sistema: questi sono gli algoritmi sui quali ci concentreremo. In questo libro, verranno studiati diversi algoritmi fondamentali che rappresentano la base di programmi più grandi in molte aree applicative.

La condivisione di programmi è sempre più diffusa per cui, mentre un utente effettivo si servirà di gran parte degli algoritmi presenti nel libro, potrà doverne implementare solo una piccola parte. Ad esempio, le librerie Java contengono implementazioni di molti algoritmi fondamentali. D'altra parte, implementare versioni semplici di algoritmi di base ci aiuta a comprenderli meglio, e quindi a fare un uso più efficace delle versioni più avanzate disponibili in una libreria. Inoltre, la necessità di provvedere a una reimplementazione degli algoritmi di base si manifesta di frequente nella pratica. La ragione principale di ciò risiede nel fatto che ci si trova troppo spesso dinanzi ad ambienti di programmazione completamente nuovi (sia hardware che software), con caratteristiche che le implementazioni precedenti potrebbero non sfruttare nel modo migliore. In altri termini, spesso gli algoritmi di base vengono implementati ritagliandoli sul problema specifico da risolvere, invece di renderli più portabili e di vita più lunga. Un'ulteriore tipica ragione per reimplementare gli algoritmi di base è quella che, nonostante le caratteristiche avanzate incorporate in Java, i meccanismi impiegati per condividere software non sono sempre così potenti da consentirci di ritagliare programmi di libreria che svolgano in modo efficiente i compiti che vogliamo.

Spesso i programmi in circolazione sono ultra-ottimizzati. Potrebbe non valere la pena cercare di rendere l'implementazione di un algoritmo più efficiente possibile, a meno che esso non debba essere applicato a un problema di notevoli dimensioni oppure non debba essere applicato moltissime volte. In caso contrario, può risultare sufficiente un'implementazione relativamente semplice: una volta sicuri del suo funzionamento, questa potrà essere anche cinque o dieci volte più lenta della migliore versione possibile e richiedere qualche secondo di esecuzione in più. Viceversa, la scelta dell'algoritmo più adatto può introdurre una differenza di un fattore cento, mille o anche maggiore. Questa differenza si può tradurre in minuti od ore di tempo di esecuzione. Per tale motivo, in questo libro sono presentate le implementazioni più semplici degli algoritmi migliori. Prestiamo particolare attenzione a codificare le porzioni critiche degli algoritmi e ci curiamo di notare le situazioni nelle quali ottimizzare a basso livello potrebbe rivelarsi vantaggioso.

La scelta dell'algoritmo in assoluto migliore per un dato problema può essere un processo estremamente complicato, che richiede strumenti sofisticati di analisi matematica. Il settore dell'informatica che affronta questo tipo di problemi prende il nome di *analisi degli algoritmi*. Per molti degli algoritmi studiati in questo testo, si possono mostrare prestazioni eccellenti per via analitica; altri algoritmi ancora, invece, sono ritenuti validi solamente grazie all'esperienza acquisita su di essi. Il nostro compito principale è in generale quello di far apprendere un insieme di algoritmi efficienti per risolvere problemi fondamentali, dedicando una certa attenzione al confronto delle prestazioni. Un algoritmo non verrà utilizzato senza avere un'idea delle risorse che esso consumerà, e quindi impareremo a essere consapevoli delle prestazioni attese dai vari algoritmi.

1.2 Un esempio: il problema della connettività

Si supponga di avere a disposizione una sequenza di coppie di numeri interi, dove ogni intero rappresenta un oggetto di qualche tipo. La coppia p–q è da interpretare come "l'oggetto p è connesso con l'oggetto q". Si assuma che la relazione "è connesso con" sia transitiva: se p è connesso con q e q è connesso con r, allora p è connesso con r. Il nostro obiettivo è quello di scrivere un programma che filtri le coppie estranee dall'insieme di partenza: avendo in ingresso la coppia p–q, il programma dovrà restituire in uscita tale coppia solo se le coppie che il programma ha esaminato in precedenza non implicano che p sia connesso con q. In caso contrario, il programma dovrà semplicemente ignorare la coppia p–q e procedere con la coppia in ingresso successiva. La Figura 1.1 esemplifica tale processo.

La questione è quella di ideare un programma che possa memorizzare informazioni sulle coppie esaminate che siano sufficienti per metterlo nelle condizioni di decidere se una nuova coppia di elementi sia connessa o meno. In via informale, ci riferiremo a tale problema come al *problema della connettività*. Tale questione ricorre con una certa frequenza in importanti applicazioni; la sua fondamentale natura è evidenziata dai tre esempi che consideriamo brevemente qui di seguito.

Per esempio, i numeri interi potrebbero rappresentare i calcolatori di una rete di grandi dimensioni, e le coppie rappresentare le connessioni fra calcolatori. Quindi, il nostro programma potrebbe essere impiegato per determinare se sia necessario stabilire ex-novo una connessione diretta fra p e q oppure se per comunicare (anche in modo indiretto) p e q possano utilizzare connessioni già esistenti. In questo tipo di applicazioni potrebbe essere necessario esaminare milioni di nodi e miliardi di connessioni di rete, e forse anche di più. Come avremo occasione di vedere, sarebbe impossibile risolvere questo problema se non disponessimo di algoritmi di soluzione efficienti.

Similmente, i numeri interi potrebbero rappresentare i punti di contatto di una rete elettrica e le coppie rappresentare i cavi che connettono tali punti. In questo caso, il nostro programma potrebbe determinare se sia possibile connettere tutti i punti della rete senza ulteriori connessioni. Non c'è alcuna garanzia che i cavi già presenti siano sufficienti per connettere tutti i punti della rete. Rispondere a tale quesito sarà una delle più immediate applicazioni del nostro programma.

La Figura 1.2 illustra questi due tipi di applicazione attraverso un esempio non banale. Un primo esame di questa figura ci fornisce un'i-

3-4	3-4	
4-9	4-9	
8-0	8-0	
2-3	2-3	
5-6	5-6	
2-9		2-3-4-9
5-9	5-9	
7-3	7-3	
4-8	4-8	
5-6		5-6
0-2		0-8-4-3-2
6-1	6-1	

Figura 1.1
Esempio di connettività

Data in input una sequenza di coppie di interi che rappresentano connessioni fra elementi (a sinistra), il compito di un algoritmo di connettività è quello di produrre in output quelle coppie che costituiscono nuove connessioni (al centro). Per esempio, la coppia 2-9 non è parte dell'output poiché la connessione 2-3-4-9 è implicata da connessioni precedenti (ciò è mostrato nella parte destra).

**Figura 1.2
Esempio di connettività
di dimensioni maggiori**

*Gli elementi in un problema di con-
nettività potrebbero rappresentare
punti di connessione, mentre le coppie potrebbero essere connessioni
fra tali punti. In questo esempio, le
connessioni potrebbero essere i fili
elettrici che connettono palazzi in
una città oppure componenti di un
chip all'interno di un calcolatore.
Questa rappresentazione grafica
consente di determinare i nodi non
connessi tra loro, ma resta ovviamente inteso che l'algoritmo deve
essere in grado di lavorare solo a
partire dalle coppie di interi in input.
I due nodi indicati nella figura con
un punto più grande sono connessi?*

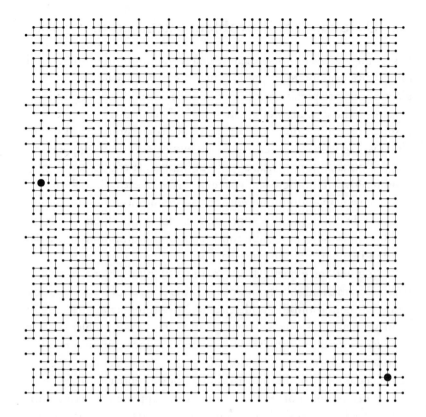

dea della difficoltà del problema: come possiamo riorganizzare la figura per poter dire con velocità se un'arbitraria coppia di nodi sia connessa o meno?

Un ulteriore esempio di applicazione ci è dato da alcuni ambienti di programmazione nei quali è consentito dichiarare come equivalenti
nomi diversi di variabili. Il problema è quello di stabilire se, a seguito
di una sequenza di dichiarazioni di questo tipo, due dati nomi di variabili risultino equivalenti. Si tratta di una di quelle applicazioni che
hanno motivato storicamente l'elaborazione di algoritmi di connettività.
Come vedremo, tale applicazione ci lega a una semplice astrazione del
problema che rende i nostri algoritmi di più ampia utilità.

Applicazioni come quella appena descritta, sull'equivalenza fra nomi di variabili, richiedono di associare un numero intero a ogni nome di
variabile. Tale associazione è chiaramente implicita nei due problemi precedenti sulle reti di calcolatori e sui circuiti elettrici. Nei Capitoli dal 10
al 16 di questo libro, avremo modo di considerare svariati algoritmi che

realizzano in modo efficiente quest'associazione. Senza perdere in generalità, in questo capitolo possiamo quindi assumere di avere a disposizione N elementi aventi per nome i numeri interi da 0 a $N-1$.

Vogliamo un programma che svolga un compito ben preciso e definito. Vi sono molti altri problemi collegati che vorremmo poter risolvere. Una delle prime questioni che dobbiamo affrontare nello sviluppare un algoritmo è quella di accertarci che il *problema* sia stato specificato in modo ragionevole. Più cose ci aspettiamo che un algoritmo faccia, più questo sarà esigente in termini di risorse (tempo e spazio). È impossibile quantificare a priori tale relazione: non poche volte ci si trova a modificare le specifiche del problema nel momento in cui ci si accorge che esso è troppo difficile o addirittura impossibile da risolvere, oppure ancora, in circostanze fortunate, nel momento in cui ci si avvede di come l'algoritmo possa fornire informazioni più interessanti rispetto a quanto previsto nelle specifiche iniziali.

Per esempio, le specifiche del nostro problema di connettività richiedono solamente che il nostro programma in qualche modo sappia se ogni data coppia p–q è connessa o meno, ma non che esso sia in grado di mostrare un modo o tutti i modi in cui p e q siano connessi. L'aggiunta di una tale specifica renderebbe il problema più difficoltoso e ci porterebbe a considerare una diversa famiglia di algoritmi (cosa che faremo brevemente nel Capitolo 5).

Le specifiche or ora menzionate necessitano di informazioni maggiori di quelle che la nostra specifica originale richiede. Potremmo anche andare in direzione opposta ed elaborare specifiche meno esigenti. Per esempio, potremmo voler essere in grado di rispondere solo alla domanda: "Le M connessioni esistenti sono sufficienti a connettere fra loro tutti gli N elementi?". Questo problema illustra come per ottenere algoritmi efficienti sia spesso necessario un ragionamento più ad alto livello circa gli elementi astratti che dobbiamo elaborare. In questo caso, un fondamentale risultato di teoria dei grafi implica che gli N elementi sono connessi se e solo se il numero di coppie restituite in uscita dall'algoritmo di connettività è esattamente $N-1$ (si veda il Paragrafo 5.4). In altre parole, un algoritmo di connettività non darà mai in uscita più di $N-1$ coppie perché, dal momento in cui avrà dato in output la $N-1$-esima coppia, tutte le coppie che incontrerà in seguito saranno connesse. Quindi, possiamo realizzare un programma che risponda alla domanda sì-no appena posta, modificando il programma che risolve il problema della connettività in modo che esso incrementi un contatore piuttosto che dare in output ogni coppia che non era connessa in precedenza. Il programma, quindi, risponde "sì" se il contatore raggiunge $N-1$ e "no" altrimenti.

Questo è solo un esempio di una serie di quesiti che potremmo voler risolvere a proposito della connettività. L'insieme delle coppie in input si dice *grafo*, mentre l'insieme delle coppie in output costituisce un *albero di copertura* (*spanning tree*) per quel grafo. Un albero di copertura connette tutti gli elementi fra loro.

È utile cercare di identificare le operazioni fondamentali che dovremo svolgere, in modo tale da rendere gli algoritmi sviluppati per il problema della connettività utili anche in contesti similari. In particolare, ogni volta che leggiamo una nuova coppia dobbiamo per prima cosa stabilire se essa è una nuova connessione, poi, in caso di risposta positiva, memorizzare l'informazione sulla nuova connessione tenendo conto del modo in cui l'algoritmo "capisce" le connessioni fra elementi, in maniera che esso sia in grado di vagliare correttamente le connessioni che vedrà in seguito. Esprimiamo questi due compiti come *operazioni astratte*, considerando i valori interi in ingresso come elementi di un insieme astratto e, quindi, progettando algoritmi e strutture dati che siano in grado di svolgere le due operazioni seguenti:

- *find*: trova l'insieme che contiene un dato elemento
- *union*: sostituisci gli insiemi che contengono due dati elementi con l'unione dei due insiemi.

Esprimere i nostri algoritmi con queste operazioni astratte non sembra precludere alcuna via nella soluzione del problema della connettività. D'altro canto, tali operazioni potrebbero essere utili anche per altri problemi. Sviluppare livelli di astrazione ancora più potenti è una delle metodologie essenziali dell'informatica in generale e del progetto di algoritmi in particolare. In questo capitolo, usiamo il processo di astrazione in modo informale al puro scopo di farci guidare nello sviluppo di algoritmi che siano capaci di risolvere il nostro problema della connettività. Nel Capitolo 4, vedremo come introdurre meccanismi di astrazione nel codice Java.

Il problema della connettività è presto risolto per mezzo delle operazioni astratte *find* e *union*. Dopo aver visto in ingresso una nuova coppia p–q, eseguiamo una *find* per ciascun membro della coppia. Se i due membri si trovano nello stesso insieme andiamo a considerare la coppia successiva, altrimenti eseguiamo una *union* e scriviamo in uscita la coppia. Gli insiemi rappresentano *componenti connesse*, vale a dire sottoinsiemi di elementi aventi la proprietà che, presi due arbitrari elementi p e q nella componente connessa, risulta che p e q sono tra loro connessi. Questo approccio riduce lo sviluppo della soluzione algoritmica per il problema della connettività a quello di definire una struttura dati che rappresenti gli insiemi e di elaborare algoritmi *union* e *find* che siano in grado di usare tale struttura efficientemente.

Ci sono molti modi per rappresentare ed elaborare insiemi astratti; alcuni di questi verranno considerati nel Capitolo 4. In questo capitolo, il nostro obiettivo è quello di trovare rappresentazioni che supportino in modo efficiente le operazioni *union* e *find* che sono necessarie per lo specifico problema della connettività.

Esercizi

1.1 Mostrate l'output che un algoritmo di connettività dovrebbe produrre avendo in ingresso 0-2, 1-4, 2-5, 3-6, 0-4, 6-0 e 1-3.

1.2 Elencate tutti i modi diversi di connettere due elementi differenti, seguendo l'esempio nella Figura 1.1.

1.3 Descrivete un metodo semplice per contare il numero di insiemi che rimangono, dopo aver usato le operazioni *union* e *find* nella soluzione del problema della connettività secondo quanto indicato nel testo.

1.3 Algoritmi union-find

Il primo passo nel processo di sviluppo di un programma efficiente per risolvere un dato problema è quello di implementare un algoritmo semplice per quel problema. Se dobbiamo risolvere solo alcune semplici istanze del problema, allora, forse, il nostro compito è già terminato. Se invece abbiamo bisogno di un algoritmo più sofisticato, l'implementazione del semplice algoritmo di cui sopra ci fornisce comunque un modo per controllare la correttezza su istanze semplici, oltre a costituire la base di partenza per la valutazione delle prestazioni. Il nostro obiettivo sarà sempre quello dell'efficienza computazionale, ma resta evidente che nello scrivere il primo programma per risolvere un dato problema la preoccupazione primaria deve essere quella di assicurare che tale programma sia almeno una soluzione *corretta* per tale problema.

La prima idea che potrebbe venirci in mente è semplicemente quella di memorizzare tutte le coppie in ingresso, quindi di scrivere una funzione che le esamini tutte, per sapere se la nuova coppia sia formata da elementi connessi. Useremo un approccio diverso. Per prima cosa, in un'applicazione pratica potrebbe accadere che il numero delle coppie sia così grande da impedirci di poterle salvare tutte in memoria. D'altro canto, ed entriamo più nel merito della questione, non è affatto detto che vi siano metodi immediati per determinare se due elementi sono connessi a partire dall'esame di tutte le connessioni, anche se queste ultime vengono tutte salvate in memoria! Nel Capitolo 5 tratteremo un metodo di base che segue tale approccio. Invece, i metodi che consideriamo in questo capitolo sono più semplici, poiché risolvono un problema meno difficoltoso, ma anche più efficienti, perché non vanno a memorizzare tutte le coppie. Questi metodi usano tutti un array di interi, una componente per ciascun elemento, mantenendo le informazioni necessarie per applicare le operazioni *union* e *find*.

Gli array sono una struttura dati elementare che presenteremo in dettaglio nel Paragrafo 3.2. Qui, li utilizzeremo nella loro forma più semplice: creiamo un array di N interi scrivendo int id[] = new int[N]; quindi, ci riferiremo all'i-esimo intero dell'array scrivendo id[i], per $0 \le i < 1000$.

Il Programma 1.1 è un'implementazione di un semplice algoritmo chiamato *algoritmo quick-find* per risolvere il problema della connettività. (si vedano il Paragrafo 3.1 e il Programma 3.1 per informazioni di base sui programmi Java). Il cuore di questo algoritmo è un array di interi con la proprietà che p e q sono connessi se e solo se il p-esimo e il q-esimo elemento dell'array sono uguali (diremo che p e q hanno lo stesso *nome*). Inizializziamo l'i-esimo elemento dell'array al valore i, per $0 \le i < N$. Per implementare l'operazione *union* su p e q, percorriamo l'array, cambiando solo gli elementi che abbiano lo stesso nome di p, in modo che dopo il cambiamento abbiano lo stesso nome di q. Questa scelta è arbitraria; avremmo potuto decidere di modificare gli elementi dell'array con lo stesso nome di q, in modo da avere dopo il cambiamento lo stesso nome di p.

La Figura 1.3 mostra i cambiamenti che l'array subisce in seguito all'applicazione di *union* sull'esempio nella Figura 1.1. Per implementare l'operazione *find*, facciamo semplicemente un test di uguaglianza per gli elementi dell'array indicati (di qui il nome *quick-find*, "trova veloce"). Si noti che l'operazione *union*, invece, richiede di esaminare l'intero array per ogni coppia in ingresso.

Proprietà 1.1 *L'algoritmo quick-find esegue almeno M N istruzioni per risolvere un problema di connettività con N elementi che comporti M operazioni* union.

Per ognuna delle M operazioni *union*, iteriamo il ciclo for N volte. Ogni iterazione richiede almeno un'istruzione (se non altro per verificare che il ciclo sia terminato). ∎

Possiamo eseguire decine o centinaia di milioni di istruzioni al secondo su un moderno calcolatore, quindi tale costo è irrisorio se M e N sono piccoli. Nelle applicazioni attuali, però, potremmo trovarci a dover

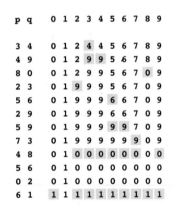

p q	0	1	2	3	4	5	6	7	8	9
	0	1	2	3	4	5	6	7	8	9
3 4	0	1	2	4	4	5	6	7	8	9
4 9	0	1	2	9	9	5	6	7	8	9
8 0	0	1	2	9	9	5	6	7	0	9
2 3	0	1	9	9	9	5	6	7	0	9
5 6	0	1	9	9	9	6	6	7	0	9
2 9	0	1	9	9	9	6	6	7	0	9
5 9	0	1	9	9	9	9	9	7	0	9
7 3	0	1	9	9	9	9	9	9	0	9
4 8	0	1	0	0	0	0	0	0	0	0
5 6	0	1	0	0	0	0	0	0	0	0
0 2	0	1	0	0	0	0	0	0	0	0
6 1	1	1	1	1	1	1	1	1	1	1

Figura 1.3
Esempio di quick-find (con unione lenta)

Questa sequenza raffigura il contenuto dell'array id *dopo che ogni coppia sulla sinistra è stata elaborata dall'algoritmo quick-find (Programma 1.1). Gli elementi ombreggiati sono quelli modificati dalla* union. *Quando esaminiamo la coppia* p q, *cambiamo gli elementi con valore* id[p] *in modo che assumano il nuovo valore* id[q].

Programma 1.1   Algoritmo quick-find per il problema della connettività

Il programma prende un intero N dalla riga di comando, legge da standard input una sequenza di coppie di interi (interpretando la coppia p q come "connetti l'elemento p con l'elemento q") e stampa in uscita coppie che rappresentano elementi non ancora connessi. Il programma mantiene un array id tale che id[p] e id[q] sono uguali se e solo se p e q sono connessi. I metodi In e Out che usiamo per input e output sono descritti nell'appendice, mentre il meccanismo Java standard per ricevere parametri dalla riga di comando è illustrato nel Paragrafo 3.7.

```
public class QuickF
  { public static void main(String[] args)
    { int N = Integer.parseInt(args[0]);
      int id[] = new int[N];
      for (int i = 0; i < N ; i++) id[i] = i;
      for( In.init(); !In.empty(); )
        { int p = In.getInt(), q = In.getInt();
          int t = id[p];
          if (t == id[q]) continue;
          for (int i = 0; i < N; i++)
            if (id[i] == t) id[i] = id[q];
          Out.println(" " + p + " " + q);
        }
    }
  }
```

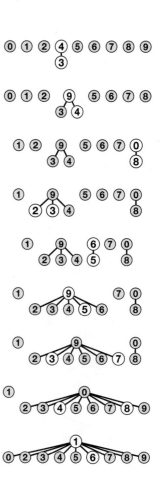

Figura 1.4
Rappresentazione ad albero di quick-find

Rappresentazione grafica dell'esempio illustrato nella Figura 1.3. Le connessioni, qui, non rappresentano necessariamente le connessioni in input. Per esempio, nella struttura al fondo della figura, la connessione 1–7 non è una connessione letta dall'input, deriva invece dalla sequenza di connessioni 7–3–4–9–5–6–1.

elaborare miliardi di elementi e milioni di coppie di elementi. L'inevitabile conclusione è che non siamo in grado di risolvere il problema entro tempi ragionevoli con l'algoritmo quick-find (si veda l'Esercizio 1.10). Quantificheremo con precisione tale conclusione nel Capitolo 2.

La Figura 1.4 è una rappresentazione grafica della Figura 1.3. Possiamo pensare ad alcuni elementi come i rappresentanti dell'insieme a cui essi stessi appartengono; ognuno degli altri elementi ha un link al rappresentante del proprio insieme. La ragione per cui utilizziamo questa rappresentazione grafica di un array sarà chiarita fra breve. Si osservi che le connessioni fra elementi in questa rappresentazione (link) non sono necessariamente le connessioni fra le coppie in input, sono invece le informazioni che l'algoritmo decide di mantenere per poter stabilire se le coppie che vedrà in futuro sono connesse o meno.

Il prossimo algoritmo che consideriamo è un metodo complementare che chiameremo *algoritmo quick-union*. È fondato sulla stessa struttura dati, un array indicizzato da nomi di elementi, ma usa un'interpretazione differente dei valori, e ciò ci conduce a strutture astratte più complesse. Ogni elemento punta a un altro elemento nello stesso insieme, all'interno di una struttura priva di cicli. Per sapere se due elementi appartengono allo stesso insieme, partiamo da ciascuno dei due elementi e seguiamo i link fino a raggiungere elementi che puntano a se stessi. I due elementi di partenza sono nello stesso insieme se e solo se tale processo conduce allo stesso elemento finale. Se gli elementi di partenza non sono nello stesso insieme, il processo termina su due elementi differenti (che puntano a se stessi). Per eseguire la *union* semplicemente colleghiamo il primo elemento al secondo, da qui il nome *quick-union* ("unione veloce").

La Figura 1.5 mostra la rappresentazione grafica corrispondente a quella della Figura 1.4 per l'esecuzione dell'algoritmo quick-union sull'esempio della Figura 1.1. La Figura 1.6 mostra i corrispondenti cambiamenti nell'array id. La rappresentazione grafica della struttura dati rende piuttosto agevole la comprensione dell'algoritmo: le coppie in ingresso, che sono connesse nei dati di input, sono anche connesse fra loro nella struttura dati. Come si è già detto, è importante osservare sin dal principio che le connessioni nella struttura dati non sono necessariamente quelle implicate dalle coppie in ingresso; tali connessioni sono invece costruite dall'algoritmo per consentire l'implementazione efficiente di *union* e *find*.

Le componenti connesse rappresentate nella Figura 1.5 sono dette *alberi*; si tratta di strutture combinatorie fondamentali che incontreremo spesso nel resto del libro. Le proprietà degli alberi verranno analizzate in dettaglio nel Capitolo 5. Per le operazioni *union* e *find* gli alberi nella Figura 1.5 sono piuttosto utili, poiché sono veloci da costruire e hanno la proprietà che due elementi sono connessi nell'albero se e solo se tali elementi sono connessi in input. Percorrendo l'albero verso l'alto, giungiamo rapidamente alla radice dell'albero contenente ciascun elemento e abbiamo, quindi, un modo per determinare se gli elementi siano connessi o meno. Ogni albero ha esattamente un elemento con un link a se stesso, detto *radice* dell'albero. Il link a se stesso non è mostrato nelle figure. Quando partiamo da un elemento, muovendoci verso l'elemento che il primo referenzia, quindi verso quello referenziato dal secondo e così via, terminiamo il nostro cammino sempre alla radice dell'albero. Possiamo mostrare questa proprietà per semplice induzione: essa è vera all'inizio, quando nell'array ogni elemento ha un link a se stesso, è vera prima di ogni *union*, ed è certamente vera dopo.

I diagrammi rappresentati nella Figura 1.4, relativi all'algoritmo quick-find, hanno le medesime proprietà. L'unica differenza è che, a par-

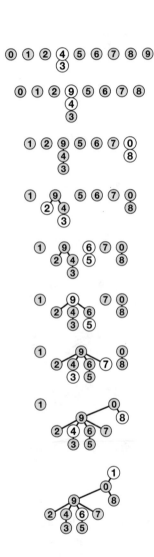

Figura 1.5
Rappresentazione
ad albero di quick-union

Rappresentazione grafica dell'esempio illustrato nella Figura 1.3. L'elemento i e l'elemento id[i] *sono collegati da una linea.*

Programma 1.2 Algoritmo quick-union per il problema della connettività

Se sostituiamo il corpo del ciclo for del Programma 1.1 con il codice seguente, otteniamo un programma con gli stessi requisiti di specifica del Programma 1.1, ma con un tempo di calcolo che è inferiore per *union* e superiore per *find*. I cicli for e le successive istruzioni if specificano in questo codice le condizioni necessarie e sufficienti sull'array id affinché p e q siano connessi. L'istruzione di assegnamento id[i] = j implementa l'operazione *union*.

```
int i, j, p = In.getInt(), q = In.getInt();
for (i = p; i != id[i]; i = id[i]);
for (j = q; j != id[j]; j = id[j]);
if (i == j) continue;
id[i] = j;
Out.println(" " + p + "" + q);
```

---

tire da ogni nodo con gli alberi di quick-find, raggiungiamo la radice in un solo passo, mentre con gli alberi di quick-union potremmo dover fare più passi.

Il Programma 1.2 è un'implementazione delle operazioni *union* e *find* che costituiscono l'algoritmo quick-union per risolvere il problema della connettività. L'algoritmo quick-union sembra più veloce dell'algoritmo quick-find, dato che non necessita di esaminare tutto l'array per ogni coppia in ingresso. Ci possiamo chiedere: "Di quanto è più veloce?". Questa è una domanda alla quale è più difficile rispondere. Qui il tempo di calcolo dipende in maniera sostanziale dalla natura dell'input. Attraverso studi empirici o analisi teoriche (si veda il Capitolo 2), possiamo convincerci di come il Programma 1.2 sia molto più efficiente del Programma 1.1 e che sia da considerarsi utilizzabile per problemi di grandissime dimensioni. Discuteremo uno di questi studi sperimentali alla fine di questo paragrafo. Per il momento, possiamo intendere quick-union come un miglioramento rispetto a quick-find, dato che il primo rimuove il principale svantaggio di quick-find (cioè, quello di richiedere almeno $N M$ istruzioni per eseguire M operazioni union su N elementi).

La differenza fra quick-union e quick-find rappresenta di certo un miglioramento, anche se in effetti non possiamo *garantire* che quick-union sia sostanzialmente più rapido di quick-find in tutti i casi, in quanto potrebbero esserci dati in ingresso che rendono l'operazione *find* piuttosto lenta.

p	q	0	1	2	3	4	5	6	7	8	9
3	4	0	1	2	4	4	5	6	7	8	9
4	9	0	1	2	4	9	5	6	7	8	9
8	0	0	1	2	4	9	5	6	7	0	9
2	3	0	1	9	4	9	5	6	7	0	9
5	6	0	1	9	4	9	6	6	7	0	9
2	9	0	1	9	4	9	6	6	7	0	9
5	9	0	1	9	4	9	6	9	7	0	9
7	3	0	1	9	4	9	6	9	9	0	9
4	8	0	1	9	4	9	6	9	9	0	0
5	6	0	1	9	4	9	6	9	9	0	0
0	2	0	1	9	4	9	6	9	9	0	0
6	1	1	1	9	4	9	6	9	9	0	0
5	8	1	1	9	4	9	6	9	9	0	0

Figura 1.6
Esempio di quick-union (con find non molto veloce)

Questa sequenza raffigura il contenuto dell'array id dopo che ciascuna delle coppie sulla sinistra è stata elaborata dall'algoritmo quick-union (Programma 1.2). Gli elementi ombreggiati sono quelli che cambiano in seguito all'esecuzione di union (solo uno per ogni chiamata). Quando esaminiamo la coppia p q seguiamo i link a partire da p fino a ottenere un elemento i tale che id[i] == i, quindi seguiamo i puntatori da q fino a ottenere un elemento j tale che id[j] == j. Se i e j sono diversi poniamo id[i] = id[j]. Quando invochiamo find sulla coppia 5-8 (ultima riga), i assume i valori 5 6 9 0 1, mentre j assume i valori 8 0 1.

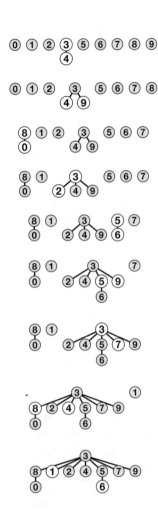

**Figura 1.7
Rappresentazione
ad albero della quick-
union pesata**

*La sequenza raffigura il risultato dei
cambiamenti occorsi quando l'algoritmo quick-union è modificato in
modo che la radice dell'albero più
piccolo punti a quella dell'albero più
grande. La distanza di ciascun nodo
alla radice è inferiore, e quindi l'operazione find risulta più efficiente.*

Proprietà 1.2 *Per $M > N$, l'algoritmo quick-union può richiedere più
di $M\,N/2$ istruzioni per risolvere un problema di connettività con M coppie di N elementi.*

Si supponga che le coppie in ingresso siano nell'ordine 1–2, 2–3, 3–4, ecc.
Dopo $N - 1$ di tali coppie otteniamo N elementi tutti appartenenti allo stesso insieme e l'albero costruito da quick-union è in effetti una sequenza diritta, dove N ha un link verso $N - 1$, il quale a sua volta ha
un link verso $N - 2$, il quale ha un link verso $N - 3$, ecc. Nell'eseguire
l'operazione *find* l'algoritmo deve seguire tutti questi link, quindi il numero medio di link seguiti per le prime N coppie è

$$(0 + 1 + \ldots + (N - 1))/N = (N - 1)/2.$$

Si supponga, ora, che tutte le coppie restanti connettano N con qualche altro elemento. L'operazione *find* su ognuna di queste coppie coinvolge almeno $(N - 1)$ link. Quindi il numero totale di operazioni per
M invocazioni di find su questa sequenza di coppie in ingresso è certamente maggiore di $M\,N/2$. ∎

Fortunatamente, possiamo apportare una semplice modifica all'algoritmo garantendo che casi limite di questo tipo non si verifichino. Nel-
l'eseguire una *union*, invece che collegare in modo arbitrario il secondo
albero al primo, teniamo traccia del numero dei nodi di ciascun albero e
colleghiamo sempre l'albero più piccolo all'albero più grande. Questa modifica richiede solo un po' più di codice e un ulteriore array che tenga il
conto del numero dei nodi, come mostrato nel Programma 1.3. Il guadagno in efficienza è, però, sostanziale. Ci riferiremo a questo come al-
l'*algoritmo di quick-union pesata*.

La Figura 1.7 mostra la foresta di alberi costruita dalla versione pesata dell'algoritmo union-find sull'input della Figura 1.1. Anche su questo esempio ridotto, i cammini negli alberi ottenuti sono sostanzialmente
più corti di quelli della versione non pesata della Figura 1.5. La Figura
1.8 illustra ciò che accade nel caso peggiore, cioè quando le dimensioni degli insiemi che *union* deve fondere sono uguali (e pari a una potenza di 2). Questa strutturazione ad albero è più complessa, ma possiede la semplice proprietà per cui il massimo numero di link che dobbiamo seguire per giungere alla radice di un albero di 2^n nodi è n. Inoltre, dall'unione di due alberi di 2^n nodi si ottiene un albero di 2^{n+1} nodi nel quale la massima distanza dai nodi alla radice è ora $n + 1$.
Quest'osservazione si può generalizzare per fornire una dimostrazione
formale del fatto che l'algoritmo pesato sia molto più efficiente dell'algoritmo non pesato.

Programma 1.3 Versione pesata di quick-union

Questo programma è una variante dell'algoritmo quick-union (Programma 1.2) che aggiorna un array addizionale sz allo scopo di mantenere, per ogni elemento i tale che id[i] == i, il numero di nodi dell'albero associato. Ciò per consentire all'operazione *union* di collegare l'albero più piccolo, fra i due alberi specificati, a quello più grande. Questo evita la creazione di cammini lunghi negli alberi.

```java
public class QuickUW
  { public static void main(String[] args)
    { int N = Integer.parseInt(args[0]);
      int id[] = new int[N], sz[] = new int[N];
      for (int i = 0; i < N ; i++)
        { id[i] = i; sz[i] = 1; }
      for(In.init(); !In.empty(); )
        { int i, j, p = In.getInt(), q = In.getInt();
          for (i = p; i != id[i]; i = id[i]);
          for (j = q; j != id[j]; j = id[j]);
          if (i == j) continue;
          if (sz[i] < sz[j])
              { id[i] = j; sz[j] += sz[i]; }
          else { id[j] = i; sz[i] += sz[j]; }
          Out.println(" " + p + " " + q);
        }
    }
}
```

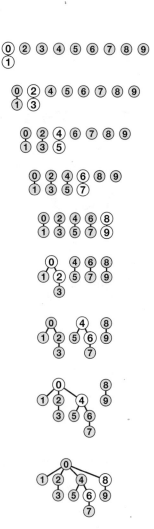

Figura 1.8
Quick-union pesata (caso peggiore)

Il caso peggiore per l'algoritmo di quick-union pesata è quello in cui ogni operazione union collega alberi di uguale dimensione. Se il numero di elementi è inferiore a 2^n la distanza di ciascun nodo di un albero dalla sua radice risulta inferiore a n.

Proprietà 1.3 *L'algoritmo di quick-union pesata segue al più* $2 \lg N$ *link per determinare se due elementi, fra N, siano connessi.*

Si può dimostrare che l'operazione *union* preserva la proprietà per la quale il numero di link seguiti da ogni nodo alla radice in un insieme di k elementi non è più grande di $\lg k$ (escludendo il link a se stessa della radice). Quando combiniamo un insieme di i nodi con un insieme di j nodi, con $i \le j$, incrementiamo di uno il numero di link che devono essere seguiti a partire da nodi dell'insieme più piccolo. D'altro canto, tali link sono adesso in un insieme di dimensione $i + j$, e quindi la proprietà è preservata dato che $1 + \lg i = \lg(i + i) \le \lg(i + j)$. ∎

L'implicazione pratica della Proprietà 1.3 è quella che l'algoritmo di quick-union pesata esegue un numero di operazioni *al più* pari a una costante moltiplicata per $M \lg N$ per trattare M connessioni su N elementi (si veda l'Esercizio 1.9). Questo risultato è in completo contrasto

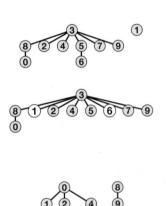

Figura 1.9
Compressione dei cammini

Possiamo accorciare ulteriormente i cammini negli alberi facendo in modo che ogni elemento raggiunto punti direttamente alla radice dell'albero, come mostrato in questi due esempi. L'esempio in alto mostra il risultato corrispondente alla Figura 1.7. Per cammini brevi l'operazione di compressione dei cammini non sortisce alcun effetto, ma quando consideriamo la coppia 1 6, facciamo in modo che 1, 5 e 6 puntino a 3, ottenendo così un albero che è più piatto di quello della Figura 1.7. L'esempio in basso mostra il risultato corrispondente alla Figura 1.8. Possono formarsi cammini più lunghi di uno o due archi, ma quando tali cammini sono attraversati vengono subito appiattiti. In questo caso, quando si esamina la coppia 6 8, l'albero viene appiattito facendo puntare 4, 6 e 8 tutti a 0.

con il nostro risultato in base al quale quick-find esegue sempre (e quick-union qualche volta) almeno $M\,N/2$ istruzioni. La conclusione è che l'algoritmo di quick-union pesata garantisce di poter risolvere problemi di rilevanza pratica di notevoli dimensioni entro un tempo ragionevole (si veda l'Esercizio 1.11). Al prezzo di alcune righe di codice aggiuntive, quindi, abbiamo ottenuto un'algoritmo che è letteralmente milioni di volte più rapido sui problemi di grandissime dimensioni riscontrabili in pratica.

Le figure evidenziano come i nodi lontani dalla radice siano relativamente pochi. Studi sperimentali su problemi di grandi dimensioni ci suggeriscono che l'algoritmo di quick-union pesata espresso dal Programma 1.3 è in grado di risolvere problemi pratici in tempo sostanzialmente lineare, cioè proporzionale al tempo richiesto per leggere l'input. Non possiamo aspettarci di far meglio.

Veniamo subito alla questione di stabilire se esista o meno un algoritmo con tempo lineare garantito su tutti i dati in ingresso. Si tratta di una questione estremamente difficile che ha impegnato i ricercatori per molti anni (si veda il Paragrafo 2.7). Esistono vari modi di migliorare ulteriormente e in modo semplice l'algoritmo di quick-union pesata. La situazione ideale è naturalmente quella in cui ogni nodo referenzi direttamente la radice del suo albero. Non vorremmo però pagare il prezzo di dover modificare un gran numero di link, come accadeva nell'algoritmo quick-find. Possiamo approssimare la situazione ideale facendo in modo che ognuno dei nodi che ci capita di esaminare punti direttamente alla radice. Questa modifica, apparentemente drastica, è in realtà piuttosto facile da implementare. Non c'è davvero nulla di inviolabile nella struttura di questi alberi: se siamo in grado di modificarli rendendo l'algoritmo più efficiente, ben vengano le modifiche. Questo metodo, che prende il nome di *compressione dei cammini*, è facilmente implementabile facendo un'altra passata attraverso l'albero una volta trovata la radice, aggiornando il valore di id di ciascun vertice incontrato in modo da avere un link verso la radice. Il risultato finale ottenuto è quello di appiattire gli alberi quasi completamente, approssimando quindi la situazione ideale ottenuta dall'algoritmo quick-find (come illustrato nella Figura 1.9). Anche se il metodo appena descritto è semplice ed efficiente, l'analisi che ne sancisce le proprietà risulta estremamente complessa. La Figura 1.11 mostra il risultato di una compressione dei cammini su un esempio di grandi dimensioni.

Ci sono svariati altri modi di implementare la compressione dei cammini. Ad esempio, il Programma 1.4 è un'implementazione che esegue la

Tabella 1.1 Studio empirico di algoritmi union-find

La tabella riporta i tempi relativi impiegati dai vari algoritmi union-find per risolvere problemi di connettività generati casualmente. I tempi mostrano l'efficacia della versione pesata dell'algoritmo quick-union. Il miglioramento ulteriore offerto dalla compressione dei cammini sembra meno importante. In questi esperimenti, M è il numero di connessioni casuali generate fino a connettere tutti gli N elementi. Questo processo richiede molte più operazioni *find* che *union*, quindi quick-union risulta sostanzialmente più lento di quick-find. Né quick-find né quick-union sono da ritenersi praticabili per valori di N molto grandi. Chiaramente, il tempo di calcolo dei metodi pesati è più o meno proporzionale a M.

N	M	F	U	W	P	H
1000	3819	63	53	17	18	15
2500	12263	185	159	22	19	24
5000	21591	698	697	34	33	35
10000	41140	2891	3987	85	101	74
25000	162748			237	267	267
50000	279279			447	533	473
100000	676113			1382	1238	1174

Legenda:

F quick-find (Programma 1.1)
U quick-union (Programma 1.2)
W quick-union pesata (Programma 1.3)
P quick-union pesata con compressione dei cammini (Esercizio 1.16)
H quick-union pesata con compressione dei cammini per dimezzamento (Programma 1.4)

Figura 1.10
Compressione dei cammini per dimezzamento

Possiamo quasi dimezzare la lunghezza dei cammini verso la radice, prendendo due connessioni per volta e facendo in modo che quella di sotto punti allo stesso nodo a cui punta quella di sopra. Ciò è mostrato in questo esempio. Se eseguiamo tale operazione su ogni cammino attraversato, il risultato asintotico che ne deriva è lo stesso di quello ottenuto per compressione dei cammini completa.

compressione dei cammini facendo in modo che ogni puntatore punti al successivo nodo incontrato durante il cammino verso la radice (un esempio è illustrato nella Figura 1.10). Questo metodo è leggermente più semplice da implementare della compressione dei cammini completa (si veda l'Esercizio 1.16) e ottiene lo stesso risultato finale. Chiameremo questa variante *quick-union pesata con compressione dei cammini per dimez-*

Figura 1.11
Effetto della compressione dei cammini su un esempio di grandi dimensioni

Questa sequenza raffigura il risultato dell'elaborazione di coppie scelte casualmente fra 100 elementi con l'algoritmo di quick-union pesata con compressione dei cammini. Tutti i nodi dell'albero, tranne due, hanno distanza al più due dalla radice.

zamento. Quale di questi metodi è il più efficiente? Il guadagno sui tempi di calcolo ottenuti ripaga il tempo aggiuntivo speso per implementare la compressione dei cammini? Esistono altre tecniche che dovremmo considerare? Rispondere a queste domande comporta la necessità di analizzare con maggior cura gli algoritmi e le loro implementazioni. Torneremo sulla questione nel Capitolo 2, nel contesto della discussione sull'analisi degli algoritmi.

Il risultato conclusivo della serie di algoritmi che abbiamo considerato per risolvere il problema della connettività è più o meno il massimo che possiamo sperare di ottenere in pratica. Abbiamo ottenuto algoritmi di facile implementazione e il cui tempo di calcolo è garantito essere al più pari a quello richiesto per leggere i dati in ingresso (a meno di una costante moltiplicativa). Inoltre, gli algoritmi sono *online*, nel senso che considerano ogni connessione una sola volta, usando uno spazio di memoria proporzionale al numero di elementi. Quindi, non c'è alcun limite al numero di connessioni che possono gestire. Le analisi empiriche riportate nella Tabella 1.1 confermano le nostre conclusioni circa il fatto che il Programma 1.3 e le sue varianti di compressione di cammino siano utilizzabili anche per applicazioni pratiche di grandissime dimensioni. Quale sia la scelta migliore fra questi algoritmi è una questione che richiede un'analisi accorta e sofisticata (si veda il Capitolo 2).

Programma 1.4   Compressione dei cammini per dimezzamento

Se sostituiamo i cicli `for` nel Programma 1.3 con il codice di sotto, dimezziamo la lunghezza di ogni cammino che attraversiamo. Il risultato finale di questa modifica è che dopo una lunga sequenza di operazioni l'albero diventa quasi completamente piatto.

```
for (i = p; i != id[i]; i = id[i])
   id[i] = id[id[i]];
for (j = q; j != id[j]; j = id[j])
   id[j] = id[id[j]];
```

Esercizi

▷ **1.4** Mostrate il contenuto dell'array `id` dopo ogni operazione union quando l'algoritmo impiegato per risolvere il problema della connettività sulla sequenza 0-2, 1-4, 2-5, 3-6, 0-4, 6-0 e 1-3 è quick-find (Programma 1.1). Per ogni coppia in ingresso, contate anche il numero di volte che il programma accede all'array `id`.

▷ **1.5** Ripetete l'Esercizio 1.4 usando l'algoritmo quick-union (Programma 1.2).

▷ **1.6** Fornite il contenuto dell'array `id` dopo ogni operazione union usando l'algoritmo di quick-union pesata in esecuzione sugli esempi corrispondenti alle Figure 1.7 e 1.8.

▷ **1.7** Ripetete l'Esercizio 1.4 usando l'algoritmo di quick-union pesata (Programma 1.3).

▷ **1.8** Ripetete l'Esercizio 1.4 usando l'algoritmo di quick-union pesata con compressione dei cammini per dimezzamento (Programma 1.4).

1.9 Calcolate un limite superiore sul numero di istruzioni macchina necessarie a elaborare M connessioni su N elementi usando il Programma 1.3. Potete assumere, per esempio, che ogni istruzione di assegnamento in Java richieda non più di c istruzioni macchina per una qualche costante c fissata.

1.10 Stimate il minimo numero di giorni che sarebbero necessari a quick-find (Programma 1.1) per risolvere un problema con 10^9 elementi e 10^6 coppie in ingresso, su un computer in grado di eseguire 10^9 istruzioni per secondo. Assumete che ogni iterazione del ciclo `for` interno richieda almeno 10 istruzioni.

1.11 Stimate il numero massimo di secondi che sarebbero richiesti all'algoritmo di quick-union pesata (Programma 1.3) per risolvere un problema con 10^9 elementi e 10^6 coppie in ingresso, su un computer in grado di eseguire 10^9 istruzioni per secondo. Assumete che ogni iterazione del ciclo `for` esterno richieda al più 100 istruzioni.

1.12 Calcolate la distanza media fra un nodo e la radice nel caso peggiore di un albero con 2^n nodi, costruito dall'algoritmo di quick-union pesata.

▷ **1.13** Disegnate un diagramma, come quello nella Figura 1.10, iniziando con otto nodi invece di nove.

○ **1.14** Trovate una sequenza di coppie che, date in ingresso all'algoritmo di quick-union pesata (Programma 1.3), producano in uscita un cammino di lunghezza 4.

● **1.15** Fornite una sequenza di coppie che, date in ingresso all'algoritmo di quick-union pesata con compressione dei cammini per dimezzamento (Programma 1.4), producano in uscita un cammino di lunghezza 4.

1.16 Mostrate come modificare il Programma 1.3 per implementare la compressione dei cammini completa, dove terminiamo ogni operazione union facendo in modo che ogni nodo visitato abbia un link verso la radice dell'albero.

▷ **1.17** Rifate l'Esercizio 1.4 usando l'algoritmo di quick-union pesata con compressione dei cammini completa (Esercizio 1.16).

●● **1.18** Trovate una sequenza di coppie che, date in ingresso all'algoritmo di quick-union pesata con compressione dei cammini completa (Esercizio 1.16), producano in uscita un cammino di lunghezza 4.

○ **1.19** Fornite un esempio che dimostri come aggiungere la compressione dei cammini completa (Esercizio 1.16) all'algoritmo quick-union (Programma 1.2) non sia sufficiente ad assicurare che gli alberi non abbiano cammini lunghi.

● **1.20** Modificate il Programma 1.3 in modo da usare l'altezza degli alberi (cioè la massima fra le lunghezze dei cammini dai nodi alla radice) invece che il peso (numero dei nodi) per decidere se eseguire l'assegnamento id[i] = j oppure l'assegnamento id[j] = i. Eseguite studi empirici per confrontare questa variante con il Programma 1.3.

●● **1.21** Mostrate che la Proprietà 1.3 vale per l'algoritmo descritto nell'Esercizio 1.20.

● **1.22** Modificate il Programma 1.4 in modo da generare a caso coppie di interi fra 0 ed $N-1$ invece di leggerli da standard input e ciclare fino a quando $N-1$ operazioni union sono state completate Eseguite il programma per $N = 10^3$, 10^4, 10^5 e 10^6 e stampate il numero totale di lati generati per ciascuno dei valori di N.

● **1.23** Modificate il programma scritto per l'Esercizio 1.22 in modo che tracci un grafico del numero di lati necessari a connettere N elementi, per $100 \leq N \leq 1000$.

●● **1.24** Fornite una funzione di N che approssimi il numero di lati casuali necessari a connettere N elementi.

1.4 Prospettive

Ognuno degli algoritmi considerati nel Paragrafo 1.3 sembra esprimere un processo di evoluzione per il quale un algoritmo migliora quello precedente. Il nostro percorso descrittivo beneficia, in effetti, delle conoscenze già acquisite. Esso è troppo lineare per ricalcare il vero processo di evoluzione storica nello studio degli algoritmi (si veda la sezione bibliografica). Le implementazioni sono semplici e il problema è ben specificato, così da poter valutare i vari algoritmi attraverso uno studio sperimentale e quantificarne le prestazioni relative (si veda il Capitolo 2). Non tutti gli ambiti applicativi considerati in questo libro sono così sviluppati come quello esaminato in questo capitolo. In seguito potremo imbatterci in algoritmi complicati, difficili da confrontare, e in problemi matematici difficili da risolvere. Ci sforzeremo di fornire giudizi scientifici oggettivi sugli algoritmi che useremo e, allo stesso tempo, cercheremo di acquisire esperienza di carattere sperimentale sulle proprietà di questi algoritmi, facendoli girare su dati provenienti da applicazioni reali oppure anche su dati artificiali generati casualmente.

Questo è il modo in cui esamineremo i vari algoritmi contenuti nel libro. Quando le circostanze lo consentiranno, seguiremo lo stesso schema adottato nel Paragrafo 1.2 per gli algoritmi union-find. Alcuni dei punti salienti di questo schema sono evidenziati qui di seguito:

- Decidere sull'enunciato di un problema, che sia ben specificato e completo, includendo l'identificazione delle fondamentali operazioni astratte che sono intrinseche del problema.

- Sviluppare con attenzione un'implementazione sintetica di un algoritmo immediato.

- Migliorare le implementazioni attraverso un processo di raffinamenti successivi, confermando l'efficacia dei miglioramenti attraverso studi empirici e analisi formali.

- Determinare rappresentazioni astratte ad alto livello delle strutture dati o degli algoritmi impiegati, allo scopo di consentire l'effettiva progettazione ad alto livello delle versioni successive.

- Sforzarsi di fornire delle garanzie sulle prestazioni nel caso peggiore quando possibile, ma accettare anche buone prestazioni su dati reali quando queste ultime sono disponibili.

Lo straordinario miglioramento potenziale nelle prestazioni che possiamo raggiungere in pratica, come si è visto nel Paragrafo 1.2, rende la progettazione di algoritmi un campo di ricerca di irresistibile fascino e di grande importanza; sono poche le attività di progetto che hanno il potenziale di conseguire fattori di guadagno di milioni, miliardi o anche più.

Inoltre, è importante osservare che man mano che la velocità dei calcolatori e la dimensione dei problemi reali aumentano, la differenza fra algoritmi lenti e veloci tende a crescere. Un calcolatore nuovo potrebbe essere 10 volte più rapido a elaborare dati di un calcolatore vecchio, ma se sul primo viene fatto girare un algoritmo quadratico (come quick-find) su un problema 10 volte più grande, l'esecuzione richiederà un tempo 10 volte più lungo di quello richiesto dal calcolatore vecchio sul problema originale! Sebbene possa sembrare controintuitiva questa asserzione è facilmente verificata dalla semplice identità $(10N)^2/10 = 10N^2$ (considerazioni di questo tipo verranno particolareggiate nel Capitolo 2). L'aumento delle capacità di calcolo ci consente di risolvere problemi di dimensioni sempre maggiori, e di conseguenza aumenta anche l'importanza di disporre di algoritmi efficienti.

Sviluppare algoritmi efficienti è un'attività appagante dal punto di vista intellettuale e che, nel contempo, ha ricadute pratiche immediate. Come il nostro problema della connettività suggerisce, un problema semplice da descrivere ci può condurre verso lo studio di algoritmi che non sono solamente utili e interessanti, ma anche complicati e stimolanti da comprendere. Incontreremo in seguito molti algoritmi ingegnosi, che sono stati sviluppati nel corso degli anni per una gran quantità di problemi. Nel mondo d'oggi aumenta la possibilità d'impiego di soluzioni computazionali a problemi scientifici e commerciali. Aumenta, di conseguenza, l'importanza di essere in grado di applicare algoritmi efficienti a problemi già noti e di sviluppare soluzioni algoritmiche nuove per problemi nuovi.

Esercizi

1.25 Supponete di usare l'algoritmo di quick-union pesata per elaborare, su un nuovo computer 10 volte più veloce di uno più vecchio, un numero di connessioni 10 volte più grande di quello elaborato dal computer vecchio. Quanto tempo richiederà il nuovo computer per portare a termine il suo lavoro rispetto a quello necessario al vecchio per completare il suo?

1.26 Rispondete all'Esercizio 1.25 assumendo di usare un algoritmo che esegue N^3 istruzioni.

1.5 Sommario degli argomenti

Viene data ora una breve descrizione delle parti che compongono il libro, elencando gli specifici argomenti affrontati e dando alcune indicazioni circa l'orientamento seguito nel proporre il materiale. Si intende analizzare il maggior numero possibile di algoritmi fondamentali. Alcune delle aree trattate rappresentano il nucleo dell'informatica e il loro studio consente di discutere algoritmi di base applicabili a un vasto insieme di problemi. Altre aree costituiscono settori di studio più avanzati non solo dell'informatica, ma anche di discipline correlate e toccano argomenti come l'analisi numerica e la ricerca operativa (in questi casi, il trattamento loro riservato può essere visto come un'introduzione a queste discipline, attraverso l'analisi dei metodi di base che le identificano).

In questo volume trattiamo gli algoritmi e le strutture dati più usate. Tali strutture dati possono intendersi come un primo livello di astrazione di una collezione di elementi con chiave, che supportano un'ampia varietà di algoritmi di base. Gli algoritmi che studieremo sono il frutto di decenni di ricerca e sviluppo, e continuano a giocare un ruolo essenziale nel sempre più esteso panorama di applicazioni computazionali.

I fondamenti (Parte 1) sono, nel contesto di questo libro, i principi e le metodologie di base che seguiamo per implementare, analizzare e confrontare algoritmi. Il materiale del Capitolo 1 motiva l'esigenza di studiare i criteri di progetto e di analisi di algoritmi. Il Capitolo 2 considera alcuni metodi introduttivi per quantificarne le prestazioni.

Le strutture dati (Parte 2) sono strettamente legate agli algoritmi. Svilupperemo in modo completo metodi di rappresentazione dei dati che verranno usati nel resto del libro. Inizieremo, nel Capitolo 3, con un'introduzione ad alcune concrete strutture dati, come array, liste concatenate e stringhe. Nel Capitolo 4 considereremo alcuni fondamentali ADT (*Abstract Data Types*, tipi di dati astratti), come stack e code, insieme alla loro rappresentazione per mezzo di strutture dati elementari. Quindi, nel Capitolo 5 passeremo allo studio di algoritmi e strutture dati ricorsive e, in particolare, di alberi e dei relativi algoritmi di manipolazione.

Gli algoritmi di ordinamento (Parte 3) sono di importanza basilare. Studieremo a fondo un buon numero di algoritmi di ordinamento, come Shellsort, Quicksort, l'ordinamento per fusione (*Mergesort*), Heapsort e l'ordinamento digitale (*radix sort*). Avremo modo di incontrare algoritmi utili in svariati altri contesti collegati, come le code con priorità e gli algoritmi per problemi di selezione e di fusione. Molti di questi costituiranno la base per ulteriori algoritmi che verranno studiati ancor più avanti nel libro.

Gli algoritmi di ricerca (Parte 4) sono anch'essi di fondamentale importanza per individuare specifici elementi all'interno di una vasta collezione di elementi. Discuteremo tanto metodi di base quanto metodi avanzati che impiegano alberi e trasformazioni di chiavi digitali, come alberi binari di ricerca, alberi bilanciati, metodi di hashing, alberi e trie di ricerca digitali e metodi adatti per file di grandissime dimensioni. Porremo in relazione tali metodi fra loro, li confronteremo con gli algoritmi di ordinamento e riporteremo i risultati degli studi comparativi.

Lo studio degli algoritmi è interessante perché è un settore nuovo (quasi tutti gli algoritmi che studiamo hanno meno di 50 anni e alcuni di essi sono stati scoperti solo di recente), ma con una ricca tradizione (alcuni algoritmi sono noti da migliaia di anni). Di continuo se ne scoprono di nuovi, ma non tutti vengono compresi a fondo. In questo libro sono presi in esame tanto algoritmi intricati, complessi e difficili quanto algoritmi semplici ed eleganti. La sfida lanciata consiste nel comprendere gli uni e apprezzare gli altri in un contesto costituito da diverse applicazioni potenziali. Nel fare questo, sarà presa in considerazione una varietà di utili strumenti, sviluppando nel contempo una sorta di "stile di pensiero algoritmico" che risulterà prezioso nelle future sfide computazionali.

CAPITOLO DUE

Principi di progettazione degli algoritmi

L'ANALISI È LA CHIAVE per poter capire gli algoritmi in sufficiente dettaglio da poterli applicare efficacemente in problemi pratici. Anche se non avremo modo di condurre studi sperimentali estesi e analisi matematiche approfondite di ogni programma incontrato in questo libro, possiamo operare all'interno di uno schema di base che prevede sia test empirici che analisi formali approssimate. Ciò sarà di aiuto per determinare le proprietà principali degli algoritmi in esame e, quindi, per confrontare tali algoritmi in vista delle applicazioni reali.

L'idea di descrivere in modo accurato le prestazioni di un algoritmo complesso solo attraverso l'analisi matematica pare sin dall'inizio una prospettiva scoraggiante, per tale motivo richiameremo spesso risultati presenti in letteratura quando tale analisi richieda studi matematici complessi. Sebbene il nostro proposito non sia quello di trattare tali metodi matematici, né tantomeno quello di passarli in rassegna, ci pare importante sottolineare sin dal principio che, quando cerchiamo di confrontare metodologie differenti, ci stiamo fondando su una solida base scientifica. Tra l'altro, un'attenta applicazione di poche ed elementari tecniche ha messo a disposizione in letteratura un vasto numero di informazioni dettagliate su molti dei più importanti algoritmi che tratteremo. Risultati analitici e metodi di analisi basilari saranno enfatizzati, specialmente quando la loro comprensione ci aiuta a capire la struttura intrinseca di algoritmi fondamentali. Il nostro obiettivo primario in questo capitolo è quello di fornire il contesto e gli strumenti di cui avremo bisogno per lavorare in modo razionale con gli algoritmi.

L'esempio nel Capitolo 1 ci offre un contesto che illustra molti dei concetti di fondo dell'analisi degli algoritmi; quindi, richiameremo spesso le prestazioni degli algoritmi union-find per avere esempi concreti. Nel Paragrafo 2.6, considereremo in dettaglio un paio di nuovi esempi.

L'analisi matematica è importante in ogni fase del processo di progettazione e implementazione degli algoritmi. Come abbiamo già visto, con appropriate scelte algoritmiche possiamo guadagnare fattori di migliaia o milioni nel tempo di esecuzione. Quanto più gli algoritmi che consideriamo sono efficienti tanto più diventa impegnativo sceglierne uno fra essi; ciò giustifica lo studio sempre più dettagliato delle proprietà di questi algoritmi. Nel processo di ricerca del *miglior* algoritmo (in un qualche preciso senso tecnico) ci troviamo a imbatterci sia in algoritmi di utilità pratica sia in questioni teoriche stimolanti da risolvere.

Un trattamento completo dei metodi per l'analisi degli algoritmi potrebbe essere l'oggetto di un libro a sé (si veda il paragrafo dedicato ai riferimenti bibliografici), ma vale la pena soffermarci almeno sui concetti di base. Ciò allo scopo di:

- illustrare il processo
- raccogliere in un solo punto del testo le convenzioni matematiche usate
- fornire una base di discussione per questioni di livello più avanzato
- poter apprezzare il modo in cui le nostre conclusioni sul confronto di algoritmi sono sostenute da argomenti di carattere scientifico.

È importante sottolineare che algoritmi e loro analisi sono spesso intrecciati. In questo libro non approfondiremo difficili argomentazioni matematiche e utilizzeremo invece la matematica sufficiente a far comprendere la natura degli algoritmi che stiamo trattando e il loro uso più conveniente.

2.1 Implementazioni e analisi empiriche

Progettiamo e sviluppiamo algoritmi stratificando operazioni astratte che ci aiutino a comprendere l'essenza dei problemi computazionali che vogliamo risolvere. Negli studi teorici questo processo, sebbene prezioso, potrebbe sviarci dal contesto dei problemi reali che vogliamo considerare. Quindi in questo libro, avendo come obiettivo gli algoritmi, descriveremo tutti quelli trattati in un vero linguaggio di programmazione: il linguaggio Java. Questo approccio qualche volta rende confusa la distinzione fra algoritmo e sua implementazione, ma crediamo esso sia un prezzo piuttosto ragionevole da pagare per poter lavorare e imparare da implementazioni concrete.

Infatti, programmi scritti in modo attento in un vero linguaggio di programmazione forniscono uno strumento efficace per esprimere gli algoritmi. In questo libro, considereremo un gran numero di importanti ed efficienti algoritmi descrivendoli per mezzo di implementazioni Java concise ed efficienti. Descrizioni in linguaggio naturale o rappresentazioni astratte ad alto livello sono troppo spesso vaghe o incomplete. Le implementazioni reali ci costringono a scoprire rappresentazioni parsimoniose che ci evitano di essere sommersi dai dettagli.

Anche se descriviamo i nostri algoritmi in Java, questo deve essere considerato come un libro di algoritmi e non come un libro sulla programmazione Java. Chiaramente, consideriamo implementazioni Java per molti problemi importanti e, quando risulterà particolarmente conveniente o efficiente risolvere un problema in Java, ne trarremo vantaggio. Vogliamo, però, sottolineare che la stragrande maggioranza delle decisioni implementative che operiamo sono da ritenersi opportune in qualsiasi ambiente di programmazione moderno. Tradurre i programmi del Capitolo 1 e la maggior parte degli altri programmi che compaiono nel libro in un altro linguaggio di programmazione, è cosa immediata. Qualche volta ci capiterà di notare se qualche altro linguaggio possa fornire meccanismi più appropriati per il particolare problema in esame. Resta chiaro che il nostro obiettivo è quello di impiegare il linguaggio Java come mezzo per descrivere gli algoritmi che consideriamo, piuttosto che soffermarsi sulle sue caratteristiche specifiche.

Se un algoritmo deve essere implementato come parte di un sistema più grande, useremo i tipi di dati astratti (o un meccanismo similare) per consentire di apportare modifiche agli algoritmi o alle implementazioni dopo aver determinato quale parte di tale sistema merita la nostra attenzione maggiore. Sin dall'inizio, però, dobbiamo avere un'idea del tipo di prestazioni che ciascun algoritmo può offrire. Ciò perché le esigenze di progetto del sistema possono avere una profonda influenza. Si tratta di decisioni di progetto che vanno assunte con attenzione, perché spesso accade che le prestazioni globali del sistema dipendano dalle prestazioni di un qualche algoritmo di base, come ad esempio quelli studiati in questo libro.

Le implementazioni degli algoritmi di questo libro sono state effettivamente usate in un'ampia varietà di programmi di grandi dimensioni, da sistemi operativi a programmi applicativi. Il nostro obiettivo è quello di descrivere gli algoritmi e, attraverso esperimenti con le implementazioni fornite, porre l'attenzione sulle loro proprietà dinamiche.

Per alcune applicazioni le implementazioni fornite possono risultare utilizzabili così come sono; per altre, invece, potrebbe essere necessario ulteriore lavoro di adattamento. Ad esempio, quando si stanno progettando sistemi reali, è spesso giustificato l'uso di uno stile di programmazione più conservativo di quello usato nel libro. Si dovrebbero controllare e
riferire condizioni di errore, e i programmi dovrebbero essere scritti in modo che si interfaccino bene con le altre parti del sistema, che siano trasportabili su altri ambienti di programmazione e che altri programmatori siano in grado di modificarli, leggerli e capirli velocemente.

A prescindere da ciò, il nostro metodo nell'analizzare gli algoritmi sarà quello di considerare le prestazioni di importanza basilare. Ciò
per concentrare la nostra attenzione sugli aspetti essenziali che influenzano le prestazioni degli algoritmi. Saremo sempre interessati a conoscere algoritmi che abbiano prestazioni migliori di altri, specialmente
se tali algoritmi sono semplici.

Per usare un algoritmo in modo efficace abbiamo bisogno di co-
noscerne le prestazioni, sia quando vogliamo risolvere un problema di
grandissime dimensioni altrimenti non risolvibile, sia quando vogliamo fornire un'implementazione efficiente di una componente critica di
un sistema. Sviluppare questa conoscenza è l'obiettivo dell'analisi degli
algoritmi.

Uno dei primi passi che compiamo per conoscere le prestazioni
degli algoritmi è l'*analisi empirica*. Il metodo è ovvio: dati due algoritmi che risolvono lo stesso problema, li eseguiamo entrambi per capire
quale dei due impiega più tempo! Potrebbe sembrare un concetto troppo ovvio da menzionare, ma è purtroppo una delle omissioni più frequenti nello studio comparativo degli algoritmi. Il fatto che un algoritmo sia 10 volte più veloce di un altro è difficile che non venga notato da chi aspetta 3 secondi per la fine del primo e 30 per quella del
secondo. D'altro canto, questa differenza sarebbe facilmente trascurata dall'analisi matematica che la qualificherebbe come un modesto fattore costante. Quando controlliamo le prestazioni di accurate implementazioni su input tipici, otteniamo misure che non solo forniscono
un diretto indicatore di efficienza ma anche le informazioni necessarie a confrontare algoritmi e a confermare le analisi teoriche che si potrebbero condurre (si veda ad esempio la Tabella 1.1). Quando uno studio empirico comincia a richiedere troppo tempo, l'analisi formale diventa una necessità. Attendere un'ora o un giorno per la terminazione
di un programma non pare un modo produttivo per scoprire se questo sia lento o veloce, specialmente se un'analisi immediata potrebbe
darci la stessa informazione.

La prima sfida che dobbiamo affrontare nell'analisi empirica è quella di sviluppare un'implementazione corretta e completa. Per alcuni algoritmi complessi quest'esigenza potrebbe costituire un significativo ostacolo. In tali casi ciò di cui vorremmo solitamente disporre, attraverso l'analisi o ricorrendo all'esperienza su programmi simili, è una qualche indicazione di quanto un programma possa essere efficiente, senza dover compiere uno sforzo eccessivo per implementarlo.

La seconda sfida che dobbiamo affrontare nell'analisi empirica è quella di determinare la natura dei dati in ingresso, insieme ad altri fattori che hanno una diretta influenza sugli esperimenti da compiere. Di solito, abbiamo tre scelte possibili: usare dati reali, usare dati generati casualmente, usare dati che rappresentano il caso peggiore. I dati reali ci consentono di misurare il costo del programma in esecuzione; i dati casuali ci assicurano che i nostri esperimenti sono in grado di testare l'algoritmo (ma non i dati); i dati indicativi del caso peggiore ci assicurano che i nostri programmi possono gestire ogni input che viene loro presentato. Per esempio, quando testiamo algoritmi di ordinamento li eseguiamo su dati come le parole del romanzo *Moby Dick*, su interi generati a caso e su file di numeri che hanno tutti lo stesso valore. Il problema di determinare quale input usare nel confronto fra gli algoritmi ricorre anche quando analizziamo gli algoritmi per via matematica.

È piuttosto facile commettere errori quando si confrontano implementazioni, specialmente se sono coinvolte macchine, compilatori o sistemi operativi diversi, oppure se ci troviamo a dover confrontare programmi enormi con input mal specificati. Il principale pericolo nel confronto sperimentale di algoritmi è che un'implementazione possa essere codificata in modo più accurato di un'altra. Chi inventa un nuovo algoritmo presta verosimilmente grande attenzione a ogni aspetto della sua implementazione, e meno all'implementazione di algoritmi concorrenti già noti. Per essere sicuri dell'accuratezza di uno studio empirico di confronto di algoritmi, dobbiamo considerare con la stessa attenzione tutte le implementazioni.

Un approccio che spesso adottiamo in questo libro, come si è visto nel Capitolo 1, è quello di derivare algoritmi facendo poche modifiche su altri algoritmi che risolvono lo stesso problema, in modo tale che gli studi comparativi siano realmente validi. Più in generale, cerchiamo di identificare operazioni astratte essenziali e iniziamo a confrontare gli algoritmi sulla base dell'uso che questi fanno di tali operazioni. Per esempio, i risultati di confronto empirico che abbiamo esaminato nella Tabella 1.1 sono verosimilmente trasportabili su altri linguaggi e ambienti di programmazione, poiché tali risultati si riferiscono a programmi simili fra loro e che fanno uso delle stesse operazioni di base. Per un dato ambiente di programmazione, siamo agevolmente in grado di legare questi numeri a effettivi tempi di calcolo. Spesso ci interessa semplicemente sapere quale fra due programmi sia più veloce o in che misura una certa modifica migliorerà tempo o spazio richiesti da un certo programma.

Forse, lo sbaglio più comune nella scelta di un algoritmo è quello di ignorare le caratteristiche legate alle prestazioni. Algoritmi più veloci sono spesso più complicati di soluzioni "brutali", e chi implementa algoritmi è spesso disposto ad accettarne di più lenti per evitare questa ulteriore complessità. Come abbiamo avuto occasione di vedere con gli algoritmi union-find, a volte è possibile conseguire guadagni enormi solo con qualche riga di codice in più. È sorprendente vedere come vi sia un gran numero di utenti di calcolatori che perdono tempo ad aspettare che un semplice algoritmo quadratico termini, quando esistono algoritmi con tempo $N \log N$ o lineare appena più complessi che potrebbero svolgere lo stesso compito in una frazione del tempo. Quando abbiamo a che fare con problemi di dimensioni grandissime non abbiamo scelta: dobbiamo cercare un algoritmo migliore.

Forse, il secondo errore più comune quando si sceglie un algoritmo è quello di prestare troppa attenzione alle caratteristiche legate alle prestazioni. Migliorare il tempo di calcolo di un programma di un fattore 10 è ininfluente se tale programma impiega solo alcuni microsecondi. Anche se il programma impiega alcuni minuti, potrebbe non valere la pena cercare di renderlo 10 volte più veloce, specialmente se ci aspettiamo di doverlo usare solo poche volte. Il tempo totale richiesto per implementare e mettere a punto un algoritmo migliore potrebbe essere sostanzialmente più lungo di quello necessario per la semplice esecuzione di un programma leggermente più lento, senza contare il fatto che in quest'ultimo caso è il computer che esegue il lavoro. Ancor peggio, potrebbe capitare di impiegare una quantità di tempo considerevole per implementare idee che in teoria dovrebbero migliorare un programma ma che in effetti non lo fanno.

Non possiamo eseguire test empirici su un programma che non è ancora stato scritto, ma possiamo analizzarne le proprietà e stimare la potenziale efficacia di una sua modifica. Non tutte le modifiche che apportiamo danno effettivamente luogo a miglioramenti nelle prestazioni, dobbiamo allora comprendere la misura di questi benefici in ogni singolo passaggio. Inoltre, potrebbe essere conveniente includere dei parametri nella nostra implementazione e usare argomenti analitici per fissarne i valori. La conoscenza delle proprietà fondamentali dei nostri programmi e dei meccanismi di base con cui essi usano le risorse ci dà la possibilità di valutare la loro efficienza sui calcolatori del futuro e di confrontarli con gli algoritmi di domani. Nel Paragrafo 2.2 abbozzeremo il metodo seguito per sviluppare le conoscenze di base sulle prestazioni degli algoritmi.

Esercizi

2.1 Traducete i programmi del Capitolo 1 in un altro linguaggio di programmazione e rispondete all'Esercizio 1.22 usando la vostra implementazione.

2.2 Quanto tempo occorre per contare fino a un miliardo (ignorando possibili overflow)? Determinate il tempo di calcolo del programma qui sotto nel vostro ambiente di programmazione, per $N = 10$, 100, e 1000. Se il vostro compilatore ha opzioni di compilazione che dovrebbero rendere i programmi compilati più efficienti, verificate se ciò accade effettivamente su questo programma.

```
int i, j, k, count = 0;
for (i = 0; i < N; i++)
  for (j = 0; j < N; j++)
    for (k = 0; k < N; k++)
      count++;
```

2.2 Analisi degli algoritmi

In questo paragrafo tracciamo il contesto nel quale l'analisi matematica può giocare un ruolo significativo nel confrontare le prestazioni degli algoritmi. Ciò ci permetterà di apprezzare risultati analitici di base, quando verranno applicati agli algoritmi fondamentali considerati in questo libro. Prenderemo in esame gli strumenti matematici di base per l'analisi degli algoritmi, sia per capire alcuni classici studi analitici su algoritmi fondamentali, sia per poter utilizzare i risultati già disponibili in letteratura.

Quelle che seguono sono solo alcune delle ragioni per cui l'analisi matematica degli algoritmi è opportuna:

- per confrontare algoritmi diversi che risolvono lo stesso problema

- per essere in grado di stimare le prestazioni degli algoritmi in ambienti (hardware e software) nuovi

- per fissare i valori dei parametri degli algoritmi.

Incontreremo svariati esempi di tali motivazioni nel corso della nostra trattazione. Anche se lo studio empirico può essere sufficiente per alcuni di questi obiettivi, l'analisi matematica può risultare più istruttiva (e meno costosa!), come avremo modo di vedere.

In effetti, l'analisi degli algoritmi può rivelarsi un compito molto impegnativo. Alcuni degli algoritmi di questo libro sono stati ben studiati, al punto che le analisi matematiche eseguite risultano così accurate da poter stimare il tempo di calcolo anche nelle situazioni pratiche. Tali analisi sono state sviluppate con un attento studio dei programmi, allo scopo di determinare le quantità matematiche fondamentali che influenzano i tempi di calcolo. Su tali quantità si è poi eseguita una precisa analisi di tipo matematico. D'altro canto, incontreremo in questo libro anche algoritmi le cui prestazioni sono meno studiate, qualche volta perché la loro analisi conduce a questioni matematiche irrisolte, qualche altra perché le implementazioni note sono troppo complesse per consentire analisi ragionevoli, altre ancora (e più probabilmente) perché il genere di dati di ingresso a questi algoritmi non è descrivibile in modo accurato.

A ben vedere, in effetti, ci sono vari fattori che di solito un programmatore non può influenzare. Primo fra tutti è il fatto che i programmi Java sono tradotti in bytecode, e che il bytecode viene interpretato o ancora tradotto in codice per una macchina virtuale. Il compilatore, il traduttore e l'implementazione della macchina virtuale hanno tutti un effetto nel determinare quali istruzioni vengono precisamente eseguite su una particolare macchina reale. Può, quindi, risultare difficile stabilire quanto tempo impieghi l'esecuzione di una singola istruzione Java. In ambienti a risorse condivise, poi, lo stesso programma può avere prestazioni diverse in momenti diversi. Secondo, molti programmi sono estremamente sensibili ai dati in ingresso, e quindi le prestazioni possono subire ampie fluttuazioni in funzione dell'input. Terzo, molti programmi di uso comune non sono stati completamente studiati e risultati matematici precisi per essi potrebbero non essere disponibili. Infine, due programmi potrebbero anche essere del tutto non confrontabili: risultando il primo molto più veloce per certi tipi di input e il secondo più efficiente in altre circostanze.

Malgrado tutto ciò, è spesso possibile prevedere con precisione quanto tempo un particolare programma impiegherà oppure stabilire se un programma sarà meglio di un altro in particolari situazioni. Inoltre, siamo spesso in grado di acquisire tale conoscenza usando un insieme relativamente ristretto di strumenti matematici. Il compito di chi analizza un algoritmo è quello di scoprire quanto più possibile circa le prestazioni dell'algoritmo; il compito di un programmatore, invece, è quello di applicare tali informazioni nella scelta degli algoritmi da utilizzare. In questo e in molti dei successivi paragrafi, ci muoveremo nel mondo ideale dell'analista. Qualche volta, per usare gli algoritmi nel miglior modo possibile, entrare in questo mondo è necessario.

Il primo passo nell'analisi di un algoritmo è quello di identificare le operazioni astratte su cui esso si fonda, in modo da separare l'analisi dall'implementazione. Quindi, per esempio, separiamo lo studio di quante volte una delle nostre implementazioni union-find esegue il frammento di codice `i = a[i]` dall'analisi di quanti nanosecondi potrebbero essere richiesti per eseguire quel particolare frammento di codice sul nostro computer. Abbiamo bisogno di entrambi questi elementi per determinare il tempo effettivo di calcolo del programma su un particolare calcolatore. Il primo dei due è determinato dalle proprietà dell'algoritmo, il secondo dalle proprietà del calcolatore. Spesso, questa separazione ci consente di confrontare algoritmi in modo indipendente dalla particolare implementazione o dalla particolare macchina.

Il numero di operazioni astratte eseguite da un algoritmo può essere grande, ma solitamente accade che le sue prestazioni dipendano solo da alcune quantità, e di solito le più importanti di queste sono facili da identificare. Uno dei modi per identificarle, per esempio, è quello di usare un'opzione di "profiling" (opzione disponibile in molti ambienti Java, che fornisce statistiche sulla frequenza di esecuzione delle istruzioni) per determinare le parti del programma più frequentemente eseguite. Altre volte, come per gli algoritmi union-find del Paragrafo 1.3, l'implementazione è basata su poche operazioni astratte. In entrambi i casi, l'analisi consiste nello stabilire la frequenza di esecuzione di alcune fondamentali operazioni. Pertanto, il modus operandi adottato in questo libro consisterà nel classificare i programmi in base ai risultati di stime approssimate del tempo di esecuzione, confortati dal fatto che, se necessario, sarà sempre possibile eseguire un'analisi più dettagliata. Per giunta, come vedremo, si potranno combinare risultati analitici approssimati con studi empirici per predire prestazioni in modo accurato.

Naturalmente si tratterà anche di studiare e modellare i dati su cui gli algoritmi operano. Nell'analisi seguiremo generalmente due approcci: o assumere che l'input sia casuale e, quindi, studiare le prestazioni dei programmi nel *caso medio*, oppure cercare input "difficili" e, quindi, studiare le prestazioni nel *caso peggiore*. Caratterizzare input casuali è spesso difficile per molti algoritmi, anche se per altri ciò risulta immediato e ci porta a risultati analitici che forniscono utili informazioni. Anche se il caso medio potrebbe rivelarsi un artificio matematico non rappresentativo di alcun dato effettivo su cui il programma sarà eseguito, e il caso peggiore potrebbe rivelarsi estremamente bizzarro e non ricorrere mai nella pratica, queste analisi rimangono comunque utili. Per esempio, potremmo pensare di verificare risultati analitici con risultati sperimentali (Paragrafo 2.1); se concordano, la nostra fiducia in essi crescerà, in caso contrario, possiamo comunque servirci delle differenze riscontrate per capire meglio l'algoritmo e il modello dei dati.

Nei prossimi tre paragrafi faremo una rapida panoramica degli strumenti matematici usati nel resto del libro. Si tratta di materiale che può considerarsi una digressione dai temi principali del testo. I lettori con forte background matematico oppure coloro che non siano interessati ai dettagli dei risultati teorici sulle prestazioni, possono continuare la lettura dal Paragrafo 2.6 e ritornare a questo materiale quando sia necessario. Gli aspetti matematici che considereremo, comunque, non sono di difficile comprensione e si trovano spesso a essere troppo vicini ad aspetti centrali della progettazione degli algoritmi per poterli ignorare.

Nel Paragrafo 2.3 tratteremo le funzioni matematiche che sono comunemente impiegate per descrivere le prestazioni degli algoritmi. Quindi, nel Paragrafo 2.4 considereremo la *notazione O grande*, e la nozione di *è proporzionale a*, che ci consentirà di eliminare taluni dettagli dall'analisi matematica. Nel Paragrafo 2.5 studieremo le *relazioni di ricorrenza* e gli strumenti analitici di base che impiegheremo per rappresentare gli aspetti relativi alle prestazioni degli algoritmi in forma di equazioni matematiche. A seguire, nel Paragrafo 2.6, saranno considerati esempi in cui si utilizzano questi strumenti di base per analizzare algoritmi specifici.

Esercizi

● **2.3**   Sviluppate un'espressione del tipo $c_0 + c_1 N + c_2 N^2 + c_3 N^3$ che descriva in modo accurato il tempo di calcolo del programma usato nell'Esercizio 2.2. Confrontate i tempi ottenuti da quest'espressione con i tempi reali, per $N = 10, 100, 1000$.

● **2.4**   Sviluppate un'espressione che descriva accuratamente il tempo di calcolo del Programma 1.1 in termini di M e N.

2.3 Velocità di crescita delle funzioni

Il tempo di esecuzione della maggior parte degli algoritmi dipende da un *parametro primario N* che influenza significativamente il tempo di calcolo. Tale parametro potrebbe essere il grado di un polinomio, la dimensione di un file da ordinare o in cui effettuare una ricerca, il numero di caratteri di una stringa di testo, o qualche altra misura astratta della dimensione del problema oggetto di studio: è, di solito, direttamente proporzionale alla dimensione dell'insieme dei dati da elaborare. In presenza di più di un parametro di questo tipo (come M ed N negli algoritmi union-find del Paragrafo 1.3), spesso riduciamo l'analisi a un singolo parametro, esprimendo gli altri parametri in funzione del primo oppure considerando un parametro per volta (tenendo gli altri costanti). Quindi, possiamo restringerci al caso di un singolo parametro N senza perdita di generalità. Il nostro obiettivo è quello di esprimere le risorse impiegate dai programmi (solitamente il tempo di calcolo) in funzione di N, usando formule matematiche che siano semplici e accurate per valori di N grandi. Praticamente, tutti gli algoritmi presentati in questo libro hanno un tempo di esecuzione proporzionale a una delle seguenti funzioni.

1   La maggior parte delle istruzioni di molti programmi sono eseguite una sola volta o al più poche volte. Se tutte le istruzioni di un programma hanno questa proprietà, diciamo che il programma richiede un tempo di esecuzione *costante*.

$\log N$ Quando il tempo di esecuzione di un programma è *logaritmico*, il programma rallenta solo leggermente al crescere di N. Queste prestazioni sono comuni nei programmi che risolvono grossi problemi, riducendone la dimensione di un fattore costante e trasformandoli così in una serie di problemi più piccoli. In questi casi il tempo di esecuzione viene considerato poco meno di una "grossa" costante, il cui valore dipende (anche se in minima parte) dalla base del logaritmo: se N è 1000, $\log N$ vale 3 se la base è 10 e circa 10 se la base è 2; se N è 1000000 il valore di $\log N$ è solo il doppio. Quando N raddoppia il proprio valore, $\log N$ si incrementa di un valore costante, ma non raddoppia fino a quando N non diventa N^2.

N Il tempo di esecuzione di un programma è *lineare* quando questo esegue poche operazioni su ogni elemento dell'input. Quando N è 1000000, altrettanto vale il tempo di esecuzione. Se N raddoppia, lo stesso fa il tempo di esecuzione. Questa è la situazione ottimale per un algoritmo che deve elaborare N elementi in input (o produrre N elementi in output).

$N \log N$ Queste prestazioni sono tipiche di un algoritmo che risolve un problema dividendolo in sottoproblemi più piccoli, risolvendo questi ultimi in modo indipendente e combinandone i risultati per ottenere la soluzione generale. In assenza di un aggettivo migliore (*linearitmico?*), diremo che un algoritmo di questo genere ha un tempo di esecuzione di $N \log N$. Se N vale 1000000, $N \log N$ è circa 20000000. Se N raddoppia, il tempo di esecuzione diventa poco più del doppio.

N^2 Un algoritmo con un tempo di esecuzione *quadratico* è applicabile solo per risolvere problemi abbastanza piccoli. Tempi di esecuzione di questo genere si verificano solitamente in algoritmi che elaborano gli elementi dell'input a coppie (solitamente, all'interno di due cicli nidificati). Se N vale 1000, il tempo di esecuzione diventa 1000000 e ogniqualvolta N raddoppi, il tempo di esecuzione quadruplica.

N^3 Analogamente al caso precedente, un algoritmo che elabora terne di valori in ingresso (perlopiù, all'interno di tre cicli nidificati) ha un tempo di esecuzione *cubico* e è praticamente applicabile soltanto a problemi piccoli. In questo caso, se N vale 100, il tempo di esecuzione è 1000000. Se N raddoppia, il tempo di esecuzione viene moltiplicato per otto.

2^N Pochi algoritmi con tempo di esecuzione *esponenziale* sono applicabili a problemi pratici, nonostante rappresentino una soluzione immediata a vari problemi. Se N vale 20 il tempo di esecuzione è di circa 1000000. Se N raddoppia, il tempo di esecuzione viene elevato al quadrato.

Il tempo di esecuzione di un particolare programma è, solitamente, il risultato della moltiplicazione di una costante per uno dei valori precedenti (il *termine principale*), al quale va aggiunto un termine più piccolo. I valori della costante e del termine aggiuntivo dipendono sia dai risultati dell'analisi che dai dettagli implementativi. Il coefficiente moltiplicativo del termine principale dipende approssimativamente dal numero di istruzioni presenti nel ciclo più interno, per cui è conveniente cercare di ridurre tale numero durante la progettazione dell'algoritmo. Per grandi valori di N il termine principale diventa il fattore dominante; per N piccolo o per algoritmi attentamente progettati, altri fattori finiscono per incidere sugli indici di prestazione rendendo più difficoltoso il confronto. Nella maggior parte dei casi si farà riferimento a tempi di esecuzione "lineari", "$N \log N$", "cubici", ecc. La giustificazione di ciò verrà fornita in dettaglio nel Paragrafo 2.4.

Alla fine, per ridurre il tempo di calcolo totale di un programma, ci concentreremo sulla minimizzazione del numero di istruzioni del ciclo più interno. Ogni istruzione dovrà essere attentamente vagliata da domande del tipo: "Quest'istruzione è veramente necessaria?", "Esiste un modo più efficiente per ottenere lo stesso risultato?". Alcuni programmatori sono convinti che gli strumenti di ottimizzazione automatica forniti dai compilatori Java moderni siano sufficienti a produrre il miglior codice macchina, oppure che le moderne macchine virtuali siano in grado di ottimizzare le prestazioni del codice; altri, invece, credono che la strada migliore sia quella di scrivere i metodi più critici direttamente in C o in codice macchina. Non ci addentreremo così dettagliatamente nei problemi di ottimizzazione del codice, sebbene qualche volta ci possa capitare di contare il numero di istruzioni macchina necessarie a eseguire certe operazioni. Questo ci aiuterà a spiegare il motivo per cui, in un contesto pratico, un algoritmo risulti più rapido di un altro.

Per problemi di dimensione modesta, fa poca differenza quale metodo usiamo; un computer moderno terminerà il lavoro in un istante. Ma quando la dimensione del problema comincia a crescere, i numeri con cui abbiamo a che fare possono diventare enormi, come indicato nella Tabella 2.1. Quando il numero di istruzioni che un algoritmo lento si trova a dover eseguire diventa realmente enorme, il tempo necessario rende il compito praticamente irrealizzabile, anche sui computer più veloci. La Figura 2.1 ci fornisce i fattori di conversione da secondi a giorni, mesi, anni e così via; gli esempi della Tabella 2.2 ci mostrano come sia la velocità degli algoritmi e non quella dei calcolatori ad aiutarci nel risolvere problemi senza temere tempi di calcolo esorbitanti.

Talvolta, l'analisi di un algoritmo dà come risultato una funzione diversa da quelle precedenti. Ad esempio, un algoritmo con un input dell'ordine di N^2 avente un tempo di esecuzione cubico rispetto a N viene classificato come $N^{3/2}$. Altre volte alcuni algoritmi scompongono il sottoproblema in due passaggi, con la conseguenza di richiedere un tempo di esecuzione proporzionale a $N \log^2 N$. Come la Tabella 2.1 evidenzia, per grandi valori di N entrambe le funzioni dovrebbero essere ritenute più vicine a $N \log N$ che a N^2.

La funzione logaritmo (log) gioca un ruolo particolare nel progetto e nell'analisi di algoritmi. Riteniamo, quindi, opportuno considerarla nel dettaglio. Dato che spesso avremo a che fare con risultati analitici specificati a meno di un fattore costante, useremo la notazione "$\log N$" sen-

secondi	
10^2	1.7 minuti
10^4	2.8 ore
10^5	1.1 giorni
10^6	1.6 settimane
10^7	3.8 mesi
10^8	3.1 anni
10^9	3.1 decenni
10^{10}	3.1 secoli
10^{11}	*mai*

Figura 2.1
Conversione di secondi

L'enorme differenza fra numeri come 10^4 e 10^8 diventa più evidente quando li usiamo per misurare tempi in secondi e poi li convertiamo in unità di tempo più familiare. Possiamo lasciare che un programma giri per 2.8 ore, ma saremmo meno inclini a pensare di poterlo far girare per 3.1 anni. Dato che 2^{10} è approssimativamente pari a 10^3, questa tabella è utile anche per potenze di 2. Per esempio, 2^{32} secondi è all'incirca 124 anni.

Tabella 2.1 Valori di funzioni comunemente incontrate

Questa tabella indica i valori relativi assunti da alcune funzioni che incontreremo nell'analisi degli algoritmi. La funzione quadratica chiaramente domina, specialmente per grandi valori di N. Le differenze che ci sono fra funzioni più piccole potrebbero non essere ciò che ci aspettiamo quando N è piccolo. Per esempio, $N^{3/2}$ è più grande di $N\lg^2 N$ per grandi valori di N, ma è più piccolo per i valori di N più contenuti che potremmo incontrare in pratica. Una caratterizzazione precisa del tempo di calcolo di un algoritmo potrebbe essere data da una combinazione lineare di tali funzioni. Possiamo facilmente distinguere algoritmi veloci da algoritmi lenti, data l'enorme differenza, per esempio, fra $\lg N$ ed N o fra N ed N^2. D'altro canto, una distinzione più fine fra gli algoritmi veloci richiede un esame più attento.

$\lg N$	$\sqrt{N}$	N	$N\lg N$	$N(\lg N)^2$	$N^{3/2}$	N^2
3	3	10	33	110	32	100
7	10	100	664	4414	1000	10000
10	32	1000	9966	99317	31623	1000000
13	100	10000	132877	1765633	1000000	100000000
17	316	100000	1660964	27588016	31622777	10000000000
20	1000	1000000	19931569	397267426	10000000000	1000000000000

za specificare la base. Il cambiamento di base del logaritmo ne modifica il valore solamente di una costante moltiplicativa, ma specifiche scelte della base di solito sono ovvie per il particolare contesto. In matematica, il *logaritmo naturale* (base $e = 2.71828\ldots$) è così importante che viene usata una speciale abbreviazione per esso: $\log_e N = \ln N$. In informatica, capita molto più spesso di utilizzare il *logaritmo binario* (base 2). Una sua usuale abbreviazione è $\log_2 N = \lg N$.

Il più piccolo intero maggiore di $\lg N$ è il numero di bit necessari a rappresentare N in forma binaria, così come il più piccolo intero maggiore di $\log_{10} N$ è il numero di cifre necessarie a rappresentare N in decimale. L'istruzione Java

```
for (lgN = 0; N > 0; lgN++, N /= 2) ;
```

è un semplice esempio per calcolare il più piccolo intero più grande di $\lg N$. Un metodo simile per calcolare questa funzione è

Tabella 2.2   Tempi di calcolo per risolvere problemi di grandissime dimensioni

Per molte applicazioni, la nostra unica possibilità per risolvere problemi di grandissime dimensioni è quella di usare algoritmi efficienti. Questa tabella riporta la minima quantità di tempo richiesto per risolvere problemi di dimensione 1 milione e 1 miliardo, usando algoritmi lineari, $N \log N$ e quadratici su computer capaci di eseguire 1 milione, 1 miliardo, e 1000 miliardi di istruzioni al secondo. Un algoritmo veloce ci consente di risolvere il problema anche su una macchina lenta, ma una macchina veloce non ci è d'aiuto quando si tratta di usare algoritmi lenti.

operazioni al secondo	dimensione del problema 1 milione			dimensione del problema 1 miliardo		
	N	$N \lg N$	N^2	N	$N \lg N$	N^2
10^6	secondi	secondi	settimane	ore	ore	mai
10^9	istantaneo	istantaneo	ore	secondi	secondi	decenni
10^{12}	istantaneo	istantaneo	secondi	istantaneo	istantaneo	settimane

```
for (lgN = 0, t = 1; t < N; lgN++, t += t) ;
```

questa versione evidenzia che $2^{n-1} \le N < 2^n$ quando n è il più piccolo intero maggiore di $\lg N$.

Qualche volta, ci capiterà di iterare il logaritmo, cioè lo applicheremo ripetutamente a un numero molto grande. Per esempio $\lg \lg 2^{256} = \lg 256 = 8$. Come illustrato da questo esempio, generalmente consideriamo $\log \log N$ come costante per tutti gli scopi pratici, dato che il suo valore è piccolo anche per valori di N esorbitanti.

Quando si tratterà di fornire concise descrizioni delle proprietà dei programmi, faremo frequente uso di un certo numero di funzioni speciali e della classica notazione dell'analisi matematica. La Tabella 2.3 riporta le più familiari di queste funzioni; specificheremo brevemente alcune delle loro più importanti proprietà.

Gli algoritmi e le relative analisi spesso trattano entità discrete, quindi avremo bisogno di funzioni speciali che convertano numeri reali in numeri interi:

$\lfloor x \rfloor$ (base di x): il più grande intero minore o uguale a x

$\lceil x \rceil$ (tetto di x): il più piccolo intero maggiore o uguale a x.

Tabella 2.3   Funzioni e costanti speciali

Questa tabella sintetizza la notazione matematica che useremo per
le funzioni e le costanti che ricorrono nelle formule che descrivono
le prestazioni degli algoritmi. Le approssimazioni indicate nell'ultima colonna possono essere rese più accurate (si veda il paragrafo sui
riferimenti bibliografici).

funzione	nome	valore tipico	approssimazione
$\lfloor x \rfloor$	funzione base	$\lfloor 3.14 \rfloor = 3$	x
$\lceil x \rceil$	funzione tetto	$\lceil 3.14 \rceil = 4$	x
$\lg N$	logaritmo binario	$\lg 1024 = 10$	$1.44 \ln N$
F_N	numeri di Fibonacci	$F_{10} = 55$	$\phi^N/\sqrt{5}$
H_N	numeri armonici	$H_{10} \approx 2.9$	$\ln N + \gamma$
$N!$	funzione fattoriale	$10! = 3628800$	$(N/e)^N$
$\lg(N!)$		$\lg(100!) \approx 520$	$N \lg N - 1.44\,N$

$$e = 2.71828\ldots$$
$$\gamma = 0.57721\ldots$$
$$\phi = (1 + \sqrt{5})/2 = 1.61803\ldots$$
$$\ln 2 = 0.693147\ldots$$
$$\ln e = 1/\ln 2 = 1.44269\ldots$$

Per esempio $\lfloor \pi \rfloor$ e $\lceil e \rceil$ sono entrambi uguali a 3, mentre $\lceil \lg(N+1) \rceil$
è il numero di bit nella rappresentazione binaria di N. Un altro im-
portante uso di queste funzioni è quello in cui vogliamo dividere un
insieme di N elementi in due. Non possiamo farlo esattamente se N è
dispari, quindi, per essere precisi, dividiamo in un sottoinsieme di $\lfloor N/2 \rfloor$
elementi e in un altro di $\lceil N/2 \rceil$ elementi. Se N è pari, i due sottoinsiemi hanno ugual dimensione $\lfloor N/2 \rfloor = \lceil N/2 \rceil$. Se N è dispari, la loro dimensione differirà di $1(\lfloor N/2 \rfloor + 1 = \lceil N/2 \rceil)$. In Java, possiamo calcolare
queste funzioni direttamente quando operiamo su interi (per esempio,
se $N \geq 0$, allora `N/2` è $\lfloor N/2 \rfloor$ e `N-(N/2)` è $\lceil N/2 \rceil$), mentre quando operiamo con numeri in virgola mobile possiamo usare le funzioni `floor`
and `ceil` in `java.lang.Math`.

I *numeri armonici* sono una versione discreta della funzione logaritmo naturale, che ricorre con una certa frequenza nell'analisi degli algoritmi. L'N-esimo numero armonico è definito dall'equazione

$$H_N = 1 + \frac{1}{2} + \frac{1}{3} + \ldots + \frac{1}{N}.$$

Il logaritmo naturale $\ln N$ è l'area sotto la curva $1/x$ fra 1 ed N; il numero armonico H_N è l'area sotto la funzione a gradino che definiamo valutando la funzione $1/x$ sugli interi fra 1 ed N. Questa relazione è illustrata nella Figura 2.2. La formula

$$H_N \approx \ln N + \gamma + 1/(12N),$$

dove $\gamma = 0.57721 \ldots$ (questa costante è nota come la *costante di Eulero*) fornisce un'eccellente approssimazione di H_N. In confronto a $\lfloor \lg N \rfloor$ ed $\lceil \lg N \rceil$, vediamo che è meglio usare il metodo `log` di `java.lang.Math` per calcolare H_N piuttosto che usare direttamente la sua definizione.

I numeri della sequenza

0 1 1 2 3 5 8 13 21 34 55 89 144 233 377 . . .

definiti dalla formula

$$F_N = F_{N-1} + F_{N-2}, \quad \text{per } N \geq 2 \text{ con } F_0 = 0 \text{ e } F_1 = 1$$

sono noti come i *numeri di Fibonacci* e possiedono diverse interessanti proprietà. Per esempio, il rapporto fra due consecutivi numeri di Fibonacci si avvicina sempre più al *rapporto aureo* $\phi = (1 + \sqrt{5})/2 \approx 1.61803 \ldots$ Un'analisi più dettagliata mostra che F_N è $\phi^N/\sqrt{5}$ arrotondato all'intero più vicino.

Avremo anche modo di incontrare la nota funzione *fattoriale N!*. Come la funzione esponenziale, il fattoriale ricorre spesso quando vengono date soluzioni immediate ai problemi e ha un tasso di crescita troppo elevato perché queste soluzioni possano dirsi praticabili. Il fattoriale ricorre anche nell'analisi di algoritmi, dato che esso rappresenta il numero dei modi possibili di ordinare N elementi. Per approssimare $N!$ usiamo la *formula di Stirling*:

$$\lg N! \approx N \lg N - N \lg e + \lg \sqrt{2\pi N}.$$

Ad esempio, tale formula ci dice che il numero di bit della rappresentazione binaria di $N!$ è all'incirca $N \lg N$.

Molte delle formule che consideriamo in questo libro sono espresse nei termini delle poche funzioni che abbiamo descritto in questo paragrafo e che sono sintetizzate nella Tabella 2.3. Chiaramente, altre funzioni particolari possono essere necessarie nell'analisi di algoritmi. Per esempio, la classica *distribuzione binomiale* e la relativa *approssimazione di Poisson* giocano un ruolo importante nella progettazione e nell'analisi di alcuni fondamentali algoritmi di ricerca, che considereremo nei

Figura 2.2
Numeri armonici

I numeri armonici sono un'approssimazione dell'area sotto la curva $y = 1/x$. La costante γ rappresenta la differenza fra H_N e $\ln N = \int_1^N dx/x$.

Capitoli 14 e 15. Discuteremo le funzioni che non abbiamo qui elencato, quando le incontreremo per la prima volta.

Esercizi

▷ **2.5** Per quali valori di N accade che $10N^t\lg N > 2N^2$?

▷ **2.6** Per quali valori di N la funzione $N^{3/2}$ è fra $N(\lg N)^2/2$ e $2N(\lg N)^2$?

2.7 Per quali valori di N accade che $2NH_N - N < N\lg N + 10N$?

○ **2.8** Qual è il più piccolo valore di N per cui $\log_{10}\log_{10} N > 8$?

○ **2.9** Dimostrate che $\lfloor \lg N \rfloor + 1$ è il numero di bit necessari per rappresentare N in binario.

2.10 Aggiungete alla Tabella 2.2 le colonne relative a $N(\lg N)^2$ e $N^{3/2}$.

2.11 Aggiungete alla Tabella 2.2 le righe per 10^7 e 10^8 istruzioni al secondo.

2.12 Scrivete una funzione Java che calcoli H_N usando il metodo `log` di `java.lang.Math`.

2.13 Scrivete una funzione Java efficiente che calcoli $\lceil \lg \lg N \rceil$, senza usare alcuna funzione di libreria.

2.14 Quante cifre ci sono nella rappresentazione decimale di 1000000 fattoriale?

2.15 Quanti bit ci sono nella rappresentazione binaria di $\lg(N!)$?

2.16 Quanti bit ci sono nella rappresentazione binaria di H_N?

2.17 Calcolate un'espressione semplice per $\lfloor \lg F_N \rfloor$.

○ **2.18** Calcolate i più piccoli valori di N per cui $\lfloor H_N \rfloor = i$ per $1 \le i \le 10$.

2.19 Calcolate il più grande valore di N per poter risolvere un problema che richiede almeno $f(N)$ istruzioni su una macchina che può eseguire 10^9 istruzioni al secondo, dove $f(N)$ è una delle funzioni seguenti: $N^{3/2}$, $N^{5/4}$, $2NH_N$, $N\lg N\lg\lg N$, $N^2\lg N$.

2.4 Notazione O grande

L'astrazione matematica che permette di trascurare i dettagli quando analizziamo gli algoritmi è chiamata *notazione O grande* ed è definita come segue.

Definizione 2.1 *Una funzione $g(N)$ è detta essere $O(f(N))$ se esistono costanti c_0 ed N_0 tali che $g(N) < c_0 f(N)$ per tutti gli $N > N_0$.*

Usiamo la notazione O grande per tre scopi distinti:

- limitare l'errore che commettiamo quando ignoriamo i termini più piccoli nelle formule matematiche

- limitare l'errore che commettiamo ignorando parti trascurabili di un programma che dobbiamo analizzare

- classificare gli algoritmi in funzione di limiti superiori al loro tempo di calcolo totale.

Considereremo il terzo punto nel Paragrafo 2.7; vediamo ora, brevemente, gli altri due.

Le costanti c_0 ed N_0 implicite nella notazione O grande spesso nascondono dettagli implementativi che sono importanti in pratica. Chiaramente, dire che un algoritmo ha tempo di calcolo $O(f(N))$ non dice alcunché circa il tempo di calcolo se N è inferiore a N_0; per giunta, potrebbe capitare che, durante la stesura dell'algoritmo, il tentativo di evitare un caso peggiore molto sfavorevole porti a una costante c_0 estremamente elevata. Un algoritmo che usi N^2 nanosecondi sarebbe certo da preferire a uno che impieghi $\log N$ secoli, ma questa notazione ci rende difficile la scelta.

Spesso gli esiti dell'analisi matematica non sono esatti, sono piuttosto approssimazioni in un preciso senso tecnico: il risultato potrebbe essere un'espressione formata da una sequenza di termini decrescenti. Così come siamo interessati solo alle istruzioni del ciclo più interno di un programma, qui siamo interessati maggiormente ai termini principali (i più grandi) di un'espressione matematica. Quando manipoliamo espressioni matematiche approssimate, la notazione O grande ci consente di tener traccia dei soli termini principali, trascurando i termini più piccoli e, in definitiva, ci permette di formulare asserzioni concise che forniscono approssimazioni accurate delle quantità che analizziamo.

Alcune delle manipolazioni di base che usiamo nel lavorare con espressioni contenenti O grande sono l'oggetto degli Esercizi dal 2.20 al 2.25. Molte di queste manipolazioni sono intuitive, anche se il lettore più interessato agli aspetti matematici potrebbe voler risolvere l'Esercizio 2.21 per dimostrare la validità di queste operazioni a partire dalla pura definizione di O grande. In sostanza, questi esercizi ci dicono che possiamo espandere espressioni algebriche usando la notazione O grande come se la O non ci fosse, e quindi eliminare tutti i termini tranne il più grande. Per esempio, se espandiamo l'espressione

$$(N + O(1))(N + O(\log N) + O(1)),$$

otteniamo un'espressione con sei termini

$$N^2 + O(N) + O(N \log N) + O(\log N) + O(N) + O(1),$$

di cui possiamo mantenere il termine O grande più rilevante. Ciò conduce all'approssimazione

$$N^2 + O(N \log N).$$

Quindi, N^2 è una buona approssimazione di questa espressione quando N è grande. Queste manipolazioni sono intuitive, anche se la notazione O grande ci consente di esprimerle in modo rigoroso e preciso. Chiameremo le formule in cui appaiono termini O grande *espressioni asintotiche*.

Un esempio più rilevante è il seguente. Si supponga che, a seguito di una qualche analisi matematica, siamo riusciti a determinare che un particolare algoritmo ha un ciclo interno che viene iterato $2N H_N$ volte in media, una sezione esterna che viene iterata N volte, e una porzione di inizializzazione che è eseguita solo una volta. Si supponga, inoltre, di aver determinato (dopo attento esame dell'implementazione) che ogni iterazione del ciclo interno richieda a_0 nanosecondi, che la sezione esterna richieda a_1 nanosecondi, e che l'inizializzazione richieda a_2 nanosecondi. Sappiamo, quindi, che il tempo medio di calcolo del programma (in nanosecondi) è pari a

$$2a_0 N H_N + a_1 N + a_2.$$

È anche vero, però, che il tempo di calcolo è

$$2a_0 N H_N + O(N).$$

Questa forma più semplice è significativa perché afferma che, per N grande, non abbiamo la necessità di conoscere i valori di a_1 o di a_2 per approssimare il tempo di calcolo. In effetti, potrebbero anche esserci molti altri termini nell'espressione matematica esatta del tempo di calcolo, alcuni dei quali potrebbero anche essere di difficile analisi. La notazione O grande fornisce un modo di esprimere approssimazioni per N grande senza curarci di questi ultimi termini.

Continuando con questo esempio, possiamo usare la notazione O grande anche per esprimere il tempo in termini di una funzione più familiare come $\ln N$. Utilizzando la notazione O grande, la Tabella 2.3 ci dice che $H_N = \ln N + O(1)$. Quindi, $2a_0 N \ln N + O(N)$ è un'espressione asintotica per il tempo totale del nostro algoritmo. Ci aspettiamo che il tempo di calcolo sia prossimo al valore $2a_0 N \ln N$ per N grande. Il fattore costante a_0 dipende dal tempo impiegato dalle istruzioni nel ciclo più interno.

Inoltre, non abbiamo necessità di conoscere il valore di a_0 per sapere che il tempo di calcolo per input di dimensione $2N$ sarà circa il doppio di quello per input N, quando N è grande. Infatti

$$\frac{2a_0(2N)\ln(2N) + O(2N)}{2a_0 N\ln N + O(N)} = \frac{2\ln(2N) + O(1)}{\ln N + O(1)} = 2 + O(\frac{1}{\log N}).$$

Vale a dire, la formula asintotica ci consente di fare stime precise senza curarci dei dettagli di implementazione o di analisi. Si noti che tale stima non sarebbe possibile se avessimo solo un'approssimazione O grande del termine principale.

Quando vogliamo stimare o confrontare tempi di calcolo di algoritmi, questo tipo di ragionamento ci permette di concentrarci sui soli termini principali. Accade così spesso di voler contare il numero di volte in cui operazioni a costo fisso sono eseguite (di norma teniamo traccia del solo termine principale), rimanendo implicita la possibilità di operare un'analisi più precisa (come quella vista sopra) se necessario.

Quando una funzione $f(N)$ è asintoticamente più grande di un'altra funzione $g(N)$, vale a dire quando $g(N)/f(N) \to 0$ per $N \to \infty$, usiamo qualche volta la terminologia (decisamente poco tecnica) *all'incirca $f(N)$*, per indicare $f(N)+O(g(N))$. Ciò che perdiamo in precisione matematica lo acquistiamo in chiarezza, dato che siamo più interessati alle prestazioni degli algoritmi che ai dettagli matematici. In questi casi possiamo tranquillamente assicurare che, per N grande (se non per tutte le N), la quantità in questione sarà vicina a $f(N)$. Per esempio, anche se sappiamo che una certa quantità è $N(N-1)/2$, possiamo riferirci a essa come all'incirca $N^2/2$. Questo modo di esprimere il risultato è, certo, più immediatamente comprensibile del risultato esatto e, nella fattispecie, l'approssimazione devia dal risultato vero del solo 0.1 per cento quando $N = 1000$. La precisione che perdiamo in questi casi è irrisoria rispetto a quella della più comune notazione $O(f(N))$. Quando descriviamo le prestazioni degli algoritmi, il nostro obiettivo è quello di essere sia precisi che sintetici.

Allo stesso modo, diremo talvolta che il tempo di calcolo di un algoritmo è *proporzionale a $f(N)$*, quando esso è uguale a $cf(N) + g(N)$, dove $g(N)$ è asintoticamente più piccola di $f(N)$. Quando questo tipo di limitazione vale, possiamo stimare il tempo di calcolo su $2N$ a partire da quello osservato su N, come nell'esempio che abbiamo discusso poco sopra. La Figura 2.3 fornisce i fattori di conversione che potremmo usare nelle nostre stime per funzioni che si incontrano di norma nell'analisi degli algoritmi. Combinato con lo studio empirico (ve-

1	nessuna
$\lg N$	leggera crescita
N	doppio
$N \lg N$	leggermente più del doppio
$N^{3/2}$	fattore $2\sqrt{5}$
N^2	fattore 4
N^3	fattore 8
2^N	quadrato

**Figura 2.3
Influenza del raddoppio della dimensione del problema sul tempo di calcolo**

Prevedere l'effetto del raddoppio della dimensione del problema sul tempo di calcolo è un compito piuttosto semplice quando il tempo di calcolo è proporzionale a certe funzioni semplici, come quelle indicate nella tabella qui sopra. Non possiamo affidarci in generale a queste stime, a meno che N non sia grandissimo, anche se tale metodo si rivela spesso di efficacia sorprendente. Viceversa, un metodo rapido per determinare la crescita funzionale del tempo di calcolo di un programma è quello di lanciarlo, raddoppiare la dimensione dell'input fissando N al valore più grande possibile, e quindi usare la tabella qui sopra in direzione opposta.

di il Paragrafo 2.1), questo approccio ci solleva dalla necessità di determinare in dettaglio le costanti dipendenti dall'implementazione. Oppure, lavorando in direzione contraria, possiamo sviluppare un'ipotesi circa la crescita funzionale del tempo di esecuzione di un programma, osservando l'effetto che produce il raddoppio di N.

Le differenze fra limitazioni O grande, proporzionale a e all'incirca sono illustrate nelle Figure 2.4 e 2.5. Usiamo la notazione O grande principalmente per apprezzare il comportamento asintotico di massima di un algoritmo; usiamo proporzionale a quando vogliamo stimare le prestazioni per estrapolazione da studi sperimentali; usiamo all'incirca quando il nostro scopo è quello di confrontare le prestazioni oppure stimare prestazioni assolute.

Esercizi

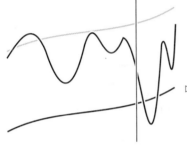

Figura 2.4
Limitazione di una funzione con un'approssimazione O grande

In questo diagramma schematico la curva che oscilla rappresenta una funzione $g(N)$ che stiamo cercando di approssimare. La curva in nero dall'andamento dolce rappresenta un'altra funzione, $f(N)$, che stiamo cercando di usare per la nostra approssimazione. La curva grigia dolce rappresenta $cf(N)$, per una qualche costante c non specificata. La linea verticale demarca un valore N_0 che indica che l'approssimazione deve valere per $N > N_0$. Quando diciamo che $g(N) = O(f(N))$, intendiamo semplicemente che il valore di $g(N)$ cade sotto una qualche curva della stessa forma di $f(N)$, quando N sta sulla destra di una qualche linea verticale. Al di fuori di ciò, il comportamento di $f(N)$ potrebbe anche essere molto irregolare (per esempio, $f(N)$ potrebbe non essere continua).

▷ **2.20** Dimostrate che $O(1)$ è lo stesso di $O(2)$.

2.21 Dimostrate che è possibile eseguire ognuna delle trasformazioni seguenti in un'arbitraria espressione che contiene O grande:

$$f(N) \rightarrow O(f(N)),$$
$$cO(f(N)) \rightarrow O(f(N)),$$
$$O(cf(N)) \rightarrow O(f(N)),$$
$$f(N) - g(N) = O(h(N)) \rightarrow f(N) = g(N) + O(h(N)),$$
$$O(f(N))O(g(N)) \rightarrow O(f(N))g(N)),$$
$$O(f(N)) + O(g(N)) \rightarrow O(g(N)) \text{ se } f(N) = O(g(N)).$$

○ **2.22** Mostrate che $(N + 1)(H_N + O(1)) = N \ln N + O(N)$.

2.23 Mostrate che $N \ln N = O(N^{3/2})$.

● **2.24** Mostrate che $N^M = O(\alpha^N)$ per ogni M e ogni costante $\alpha > 1$.

● **2.25** Dimostrate che $N/(N + O(1)) = 1 + O(1/N)$.

2.26 Si supponga che $H_k = N$. Fornite una formula approssimata che esprima k in funzione di N.

● **2.27** Si supponga che $\lg(k!) = N$. Fornite una formula approssimata che esprima k in funzione di N.

○ **2.28** Supponete di sapere che il tempo di calcolo di un certo algoritmo è $O(N \log N)$ e che quello di un altro algoritmo è $O(N^3)$. Cosa implicano queste asserzioni circa le prestazioni relative dei due algoritmi?

○ **2.29** Supponete di sapere che il tempo di calcolo di un certo algoritmo è sempre all'incirca $N \log N$ e che quello di un altro algoritmo è $O(N^3)$. Cosa implicano queste asserzioni circa le prestazioni relative dei due algoritmi?

○ **2.30** Supponete di sapere che il tempo di calcolo di un certo algoritmo è sempre all'incirca $N \log N$ e che quello di un altro algoritmo è sempre all'incirca N^3. Cosa implicano queste asserzioni circa le prestazioni relative dei due algoritmi?

○ **2.31** Supponete di sapere che il tempo di calcolo di un certo algoritmo è sempre proporzionale a $N \log N$ e che quello di un altro algoritmo è sempre proporzionale a N^3. Cosa implicano queste asserzioni circa le prestazioni relative dei due algoritmi?

○ **2.32** Derivate i fattori che appaiono nella Figura 2.3: per ogni funzione $f(N)$ che compare a sinistra, determinate l'espressione asintotica per $f(2N)/f(N)$.

2.5 Ricorrenze fondamentali

Come vedremo durante tutto il libro, una gran quantità di algoritmi sono basati sul principio della scomposizione ricorsiva di un problema grande in uno o più problemi piccoli, e quindi nella ricombinazione delle soluzioni dei problemi piccoli per risolvere il problema originale. Tratteremo questo argomento in dettaglio nel Capitolo 5, principalmente da un punto di vista pratico incentrato su implementazioni e applicazioni. Ne considereremo un esempio anche nel Paragrafo 2.6. Qui, invece, tratteremo i metodi fondamentali per analizzare questi algoritmi e per derivare le soluzioni di alcune formule standard che ricorrono nell'analisi di molti degli algoritmi che studieremo. La comprensione delle proprietà matematiche delle formule di questo paragrafo ci permetterà di capire a fondo le prestazioni degli algoritmi studiati.

La scomposizione ricorsiva effettuata da un algoritmo si riflette in modo diretto sulla sua analisi. Ad esempio, il tempo di calcolo di questi algoritmi è determinato da dimensione e numero dei sottoproblemi e dal tempo richiesto per la scomposizione. Dal punto di vista matematico, la dipendenza del tempo di calcolo su input di dimensione N dal tempo di calcolo su input più piccoli è facilmente esprimibile con formule chiamate *relazioni di ricorrenza*. Queste formule descrivono in modo preciso le prestazioni degli algoritmi in esame: per determinare il tempo di calcolo non facciamo altro che risolvere la ricorrenza. Avremo modo di usare argomenti più rigorosi quando incontreremo algoritmi specifici. Per il momento, concentriamoci sulle sole formule.

Formula 2.1   Questa ricorrenza si usa per un programma ricorsivo che cicla sull'input eliminando un elemento per volta:

$$C_N = C_{N-1} + N, \qquad \text{per } N \geq 2, \text{ dove } C_1 = 1.$$

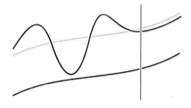

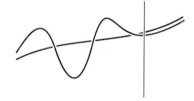

Figura 2.5
Approssimazione funzionale

Quando diciamo che $g(N)$ è proporzionale a $f(N)$ (disegno in alto), intendiamo che la prima avrà da un certo punto in poi la stessa crescita della seconda, a meno di una costante moltiplicativa ignota. Noto che sia un valore di $g(N)$, ciò ci consente di stimare tale funzione per valori di N più grandi. Quando diciamo che $g(N)$ è all'incirca $f(N)$ (disegno in basso), ci aspettiamo di poter usare f per stimare accuratamente il valore di g per N grande.

Soluzione: C_N è all'incirca $N^2/2$. Per risolvere questa ricorrenza, riduciamo l'equazione per sostituzioni successive:

$$
\begin{aligned}
C_N &= C_{N-1} + N \\
&= C_{N-2} + (N-1) + N \\
&= C_{N-3} + (N-2) + (N-1) + N \\
&\ \ \vdots
\end{aligned}
$$

continuando in questo modo arriviamo a

$$
\begin{aligned}
C_N &= C_1 + 2 + \ldots + (N-2) + (N-1) + N \\
&= 1 + 2 + \ldots + (N-2) + (N-1) + N \\
&= \frac{N(N+1)}{2}
\end{aligned}
$$

Valutare la somma $1 + 2 + \ldots + (N-2) + (N-1) + N$ è elementare: addizioniamo la somma a se stessa, ma in ordine inverso, termine per termine. Il risultato ottenuto, pari a due volte la somma da valutare, consiste di N termini ciascuno dei quali è uguale a $N+1$.

Formula 2.2 Questa ricorrenza si usa tipicamente con un programma ricorsivo che dimezza l'input a ogni passo:

$$C_N = C_{N/2} + 1, \qquad \text{per } N \geq 2, \text{ dove } C_1 = 1.$$

Soluzione: C_N è all'incirca $\lg N$. Così come è scritta, questa equazione ha significato solo se N è un numero pari, a meno che $N/2$ non sia intesa come divisione intera. Per il momento, assumeremo che $N = 2^n$, in modo che la ricorrenza sia sempre ben definita (si noti che ciò equivale a $n = \lg N$). In tal caso questa ricorrenza si semplifica anche più facilmente di quella precedente:

$$
\begin{aligned}
C_{2^n} &= C_{2^{n-1}} + 1 \\
&= C_{2^{n-2}} + 1 + 1 \\
&= C_{2^{n-3}} + 3 \\
&\ \ \vdots \\
&= C_{2^0} + n \\
&= n + 1.
\end{aligned}
$$

La soluzione precisa per N arbitrario dipende dall'interpretazione di $N/2$. Se $N/2$ si intende come $\lfloor N/2 \rfloor$ abbiamo una soluzione piuttosto semplice: C_N conta il numero di bit nella rappresentazione binaria di N, e sappiamo che tale numero è $\lfloor \lg N \rfloor + 1$ per definizione. Tale conclusione segue immediatamente dal fatto che l'eliminazione del bit più a destra nella rappresentazione binaria di un intero $N > 0$ trasforma il numero in $\lfloor N/2 \rfloor$ (si veda la Figura 2.6).

Formula 2.3 Questa ricorrenza si usa con un programma ricorsivo che dimezza l'input ed esamina, eventualmente, ogni elemento di esso:

$$C_N = C_{N/2} + N, \qquad \text{per } N \geq 2 \text{ dove } C_1 = 0.$$

Soluzione: C_N è all'incirca $2N$. La ricorrenza viene espansa nella somma $N + N/2 + N/4 + N/8 + \ldots$ (come la Formula 2.2 tale ricorrenza è ben definita solo quando N è una potenza di 2). Se la sequenza fosse infinita, la serie geometrica risultante avrebbe come limite esattamente $2N$. Poiché qui usiamo la divisione intera e ci fermiamo a 1, tale limite è un'approssimazione per eccesso della risposta esatta. La soluzione precisa alla ricorrenza dipende dalle proprietà della rappresentazione binaria di N.

Formula 2.4 Questa ricorrenza si usa con un programma ricorsivo che deve eseguire una scansione lineare dell'input prima, durante, oppure dopo aver suddiviso tale input in due parti:

$$C_N = 2C_{N/2} + N, \qquad \text{per } N \geq 2 \text{ dove } C_1 = 0.$$

Soluzione: C_N è all'incirca $N \lg N$. Questa è la soluzione alla quale ci riferiremo più frequentemente nel testo, perché la relazione di ricorrenza si applica in modo naturale a una nota famiglia di algoritmi *divide et impera*.

$$C_{2^n} = 2C_{2^{n-1}} + 2^n$$

$$\frac{C_{2^n}}{2^n} = \frac{C_{2^{n-1}}}{2^{n-1}} + 1$$

$$= \frac{C_{2^{n-2}}}{2^{n-2}} + 1 + 1$$

$$\vdots$$

$$= n.$$

Nel calcolare la soluzione abbiamo seguito essenzialmente lo stesso procedimento usato per la Formula 2.2, ma con l'ulteriore accortezza di dividere al secondo passaggio entrambi i membri della ricorrenza per 2^n. Ciò al fine di semplificare notevolmente la formula risultante.

N	$(N)_2$	$\lfloor \lg N \rfloor + 1$
1	1	1
2	10	2
3	11	2
4	100	3
5	101	3
6	110	3
7	111	3
8	1000	4
9	1001	4
10	1010	4
11	1011	4
12	1100	4
13	1101	4
14	1110	4
15	1111	4

**Figura 2.6
Funzioni intere e rappresentazioni binarie**

Data la rappresentazione binaria di un numero N (al centro), otteniamo $\lfloor N/2 \rfloor$ rimuovendo il bit più a destra. Cioè, il numero di bit nella rappresentazione binaria di N è uno in più del numero di bit della rappresentazione binaria di $\lfloor N/2 \rfloor$. Quindi $\lfloor \lg N \rfloor + 1$, numero di bit nella rappresentazione binaria di N, è la soluzione alla Formula 2.2 nel caso in cui $N/2$ sia inteso come $\lfloor N/2 \rfloor$.

Formula 2.5 Questa ricorrenza si usa con un programma ricorsivo che dimezza l'input ed esegue una quantità di lavoro addizionale costante (si veda il Capitolo 5).

$$C_N = 2C_{N/2} + 1, \qquad \text{per } N \geq 2 \text{ dove } C_1 = 1.$$

Soluzione: C_N è all'incirca $2N$. Per derivare tale soluzione si procede in modo analogo a quanto fatto per la Formula 2.4.

Le stesse tecniche dimostrative usate qui sopra ci permettono di risolvere semplici varianti di queste formule, per esempio con condizioni iniziali diverse, o leggere differenze nel termine additivo. Dobbiamo però essere consapevoli del fatto che, sebbene alcune ricorrenze appaiano simili a quelle analizzate fin qui, la loro soluzione potrebbe risultare piuttosto difficile. Esistono varie tecniche generali per trattare queste equazioni con rigore matematico (si veda il paragrafo dedicato ai riferimenti bibliografici). Incontreremo ricorrenze più complesse nei capitoli successivi, durante i quali discuteremo la loro soluzione.

Esercizi

▷ **2.33** Fornite una tabella dei valori di C_N nella Formula 2.2 per $1 \leq N \leq 32$, interpretando $N/2$ come $\lfloor N/2 \rfloor$.

▷ **2.34** Rispondete all'Esercizio 2.33 con l'interpretazione di $N/2$ come $\lceil N/2 \rceil$.

▷ **2.35** Rispondete all'Esercizio 2.34 utilizzando la Formula 2.3.

○ **2.36** Supponete che f_N sia proporzionale a una costante e che $C_N = C_{N/2} + f_N$, per $N \geq t$, con $0 \leq C_N < c$ per $N < t$, dove c e t sono costanti. Dimostrate che C_N è proporzionale a $\lg N$.

● **2.37** Enunciate e dimostrate versioni generalizzate delle Formule dalla 2.3 alla 2.5 che siano analoghe alla versione generalizzata della Formula 2.2 data nell'Esercizio 2.36.

2.38 Fornite una tabella dei valori di C_N nella Formula 2.4 per $1 \leq N \leq 32$ nei tre casi seguenti: (1) interpretando $N/2$ come $\lfloor N/2 \rfloor$; (2) interpretando $N/2$ come $\lceil N/2 \rceil$; (3) interpretando $2C_{N/2}$ come $C_{\lfloor N/2 \rfloor} + C_{\lceil N/2 \rceil}$.

2.39 Risolvete la Formula 2.4 con l'interpretazione di $N/2$ come $\lfloor N/2 \rfloor$ usando, analogamente alla dimostrazione della Formula 2.2, una corrispondenza con la rappresentazione binaria di N. *Suggerimento*: considerate tutti i numeri minori di N.

2.40 Risolvete la ricorrenza

$$C_N = C_{N/2} + N^2, \qquad \text{per } N \geq 2 \text{ dove } C_1 = 0,$$

quando N è una potenza di 2.

2.41 Risolvete la ricorrenza

$$C_N = C_{N/\alpha} + 1, \qquad \text{per } N \geq 2 \text{ dove } C_1 = 0,$$

quando N è una potenza di α.

○ **2.42** Risolvete la ricorrenza

$$C_N = \alpha C_{N/2}, \qquad \text{per } N \geq 2 \text{ dove } C_1 = 1,$$

quando N è una potenza di 2.

○ **2.43** Risolvete la ricorrenza

$$C_N = (C_{N/2})^2, \qquad \text{per } N \geq 2 \text{ dove } C_1 = 1,$$

quando N è una potenza di 2.

● **2.44** Risolvete la ricorrenza

$$C_N = (2 + \frac{1}{\lg N}) C_{N/2}, \qquad \text{per } N \geq 2 \text{ dove } C_1 = 1,$$

quando N è una potenza di 2.

● **2.45** Considerate la famiglia delle ricorrenze come quelle espresse nella Formula 2.2, in cui interpretiamo $N/2$ come $\lfloor N/2 \rfloor$ o come $\lceil N/2 \rceil$, e in cui richiediamo solo che la ricorrenza sia valida per $N > c_0$, con $C_N = O(1)$ per $N \leq c_0$. Dimostrate che $\lg N + O(1)$ è la soluzione di tutti i membri di questa famiglia di ricorrenze.

●● **2.46** Sviluppate, come nell'Esercizio 2.45, ricorrenze generalizzate e relative soluzioni per le Formule dalla 2.3 alla 2.5.

2.6 Esempi di analisi di algoritmi

Armati degli strumenti forniti nei tre paragrafi precedenti, consideriamo ora l'analisi della *ricerca sequenziale* e della *ricerca binaria*: due fondamentali algoritmi per determinare se un elemento appartenga o meno a una data sequenza di elementi. Il nostro scopo è quello di illustrare il modo in cui confrontiamo algoritmi, piuttosto che di descrivere in dettaglio questi specifici algoritmi di ricerca. Per semplicità, assumiamo che gli elementi in questione siano numeri interi. Tratteremo applicazioni più generali nei Capitoli dal 12 al 16. Le semplici versioni considerate qui non solo ci aiutano a esporre vari aspetti legati alla progettazione e all'analisi degli algoritmi, ma hanno anche parecchie applicazioni immediate.

Potremmo, per esempio, immaginarci la seguente situazione. Una società che gestisce carte di credito ha N crediti a rischio, poiché N carte di credito fra quelle gestite sono state rubate. La società vuole controllare se fra M transazioni registrate ve ne sia qualcuna relativa alle N carte di credito rubate. Per concretezza, in questa applicazione potremmo pensare che N sia un numero grande (diciamo in un ordine di grandezza fra 10^3 e 10^6) e che M sia molto grande (diciamo fra 10^6 e 10^9). L'obiettivo dell'analisi è quello di stimare i tempi di calcolo degli algoritmi quando i valori dei parametri cadono in questi intervalli.

Il Programma 2.1 implementa una soluzione immediata al problema della ricerca. Tale soluzione è espressa come metodo Java che opera, per questioni di compatibilità, su un array (si veda il Capitolo 3) con altro codice che esamineremo per lo stesso problema nella Parte 4. Non è, però, necessario capire i dettagli implementativi per capire l'algoritmo: memorizziamo tutti gli elementi in un array, quindi, per ciascuna transazione, scandiamo l'array sequenzialmente, dall'inizio alla fine, controllando ogni elemento per sapere se è quello che cerchiamo.

Per analizzare l'algoritmo, notiamo da subito che il tempo di calcolo dipende dal fatto che l'elemento cercato stia o meno nell'array. Possiamo concludere che la ricerca non ha avuto esito positivo solo dopo aver scandito tutti gli N elementi dell'array. D'altro canto, una ricerca che ha avuto esito positivo può terminare anche dopo uno o due passaggi.

Quindi, il tempo di calcolo dipende dai dati in input. Se tutte le ricerche si riferiscono sempre al numero in prima posizione dell'array, la ricerca sarà chiaramente veloce. All'estremo opposto, se tutte le ricerche si riferiscono sempre al numero in ultima posizione, l'algoritmo sarà lento. Analizzeremo nel Paragrafo 2.7 la distinzione fra l'essere in grado di *garantire* le prestazioni di un algoritmo e l'essere in grado di *stimare* tali prestazioni. In questo caso, la migliore garanzia che possiamo dare è che l'algoritmo non esaminerà più di N numeri.

Per stimare le prestazioni, invece, occorre fare assunzioni sui dati. In questo caso, potremmo assumere che i numeri in input siano scelti in modo del tutto casuale. Quest'ipotesi implica, tra l'altro, che tutti i numeri nell'array hanno uguale probabilità di essere l'elemento cercato. Una breve riflessione ci porta a concludere che proprio questa è la caratteristica critica dell'algoritmo, perché sarà poco probabile avere una ricerca con esito positivo (si veda l'Esercizio 2.48). Per alcune applicazioni, il numero di transazioni che portano a una ricerca con esito positivo potrebbe essere elevato, per altre potrebbe essere modesto. Per evitare confusione fra modello e proprietà dell'applicazione, separiamo i due casi (ricerca con esito positivo e ricerca con esito negativo) e li analizziamo indipendentemente. Questo esempio mostra che una delle parti più critiche di un'analisi efficace è lo sviluppo di un modello ragionevole per l'applicazione in esame. I nostri risultati analitici dipenderan-

---

Programma 2.1   Ricerca sequenziale

Questa funzione verifica se il numero v si trova all'interno di un insieme di numeri precedentemente memorizzati in a[1], a[1+1], ..., a[r]. Ciò viene fatto confrontando v con ciascun numero in modo sequenziale, partendo dall'inizio. Se raggiungiamo la fine senza aver trovato il numero v, restituiamo il valore -1. Altrimenti, restituiamo l'indice della posizione dell'array che contiene il numero.

```
static int search(int a[], int v, int l, int r)
  { int i;
    for (i = l; i <= r; i++)
      if (v == a[i]) return i;
    return -1;
  }
```

---

no dalla quantità delle ricerche con esito positivo. Tali risultati ci daranno informazioni utili per scegliere, proprio sulla base di questo parametro, fra diversi algoritmi per differenti applicazioni.

Proprietà 2.1   *La ricerca sequenziale esamina mediamente N numeri per ogni ricerca con esito negativo e all'incirca N/2 numeri per ogni ricerca con esito positivo.*

Se tutti i numeri nell'array hanno ugual probabilità di essere quello cercato, allora

$$(1 + 2 + \ldots + N)/N = (N + 1)/2$$

è il costo medio della ricerca. ∎

La Proprietà 2.1 implica che il tempo di calcolo del Programma 2.1 è proporzionale a N, con l'implicita assunzione che il costo medio di confronto fra due numeri sia costante. Quindi, per esempio, ci possiamo aspettare che raddoppiando il numero degli elementi, raddoppi anche il tempo richiesto per una ricerca.

Possiamo velocizzare la ricerca sequenziale con esito negativo, se i numeri nell'array sono memorizzati in modo ordinato. L'ordinamento di numeri è oggetto dei Capitoli dal 6 all'11. Un buon numero fra gli algoritmi che considereremo risolvono tale problema in tempo proporzionale a $N \log N$, valore trascurabile al confronto del costo della ricerca quando M è molto grande. In un array ordinato possiamo terminare la ricerca non appena incontriamo un numero che è maggiore di quello che stiamo cercando. Questa modifica riduce il costo della ricerca sequenziale a circa *N*/2 numeri esaminati anche quando la ricerca ha esito negativo.

Proprietà 2.2 *La ricerca sequenziale in un array ordinato esamina nel caso peggiore N numeri e all'incirca N/2 numeri nel caso medio.*

Dobbiamo ancora specificare un modello per la ricerca con esito negativo. Il risultato segue dall'assunzione che la ricerca termini con ugual probabilità in uno degli $N + 1$ intervalli determinati dagli N numeri nell'array. Ciò conduce immediatamente all'espressione

$$(1 + 2 + \ldots + N + N)/N = (N + 3)/2.$$

Il costo di una ricerca con esito negativo, che termina prima o dopo l'ennesimo elemento dell'array, è lo stesso: N. ∎

Un altro modo di enunciare il risultato della Proprietà 2.2 è dire che il tempo di calcolo della ricerca sequenziale è proporzionale a *MN* su *M* transazioni, sia nel caso medio che in quello peggiore. Se raddoppiamo il numero di transazioni oppure il numero di elementi, ci aspettiamo che il tempo di calcolo raddoppi; se raddoppiamo entrambi, ci aspettiamo che il tempo di calcolo cresca di un fattore 4. Il risultato ci dice anche che il metodo non è appropriato per array estremamente grandi. Se per esaminare un singolo numero ci occorrono *c* microsecondi, allora per $M = 10^9$ ed $N = 10^6$ il tempo di esecuzione di tutte le transazioni sarà di almeno $(c/2)10^9$ secondi, cioè circa 16*c* anni, che naturalmente è un tempo proibitivo.

Il Programma 2.2 è una classica soluzione al problema di ricerca, che risulta essere molto più efficiente della ricerca sequenziale. È fondata sull'idea che se i numeri nell'array sono ordinati, possiamo eliminarne metà, confrontando il numero da cercare con quello posto nel mezzo dell'array. Se questi due numeri sono uguali, la ricerca termina con esito positivo, se il primo è minore del secondo, applichiamo lo stesso metodo alla metà di sinistra dell'array, se il primo è maggiore del secondo, applichiamo il metodo alla metà di destra. La Figura 2.7 è un esempio delle operazioni svolte da questa ricerca su un campione di numeri interi.

Proprietà 2.3 *La ricerca binaria esamina al massimo* ⌊lg *N*⌋ + 1 *numeri.*

La dimostrazione di questa proprietà illustra l'uso delle relazioni di ricorrenza nell'analisi degli algoritmi. Chiamiamo T_N il numero di confronti richiesti nel caso peggiore da una ricerca binaria. Il modo in cui l'algoritmo riduce la ricerca da un array di dimensione *N* a uno di dimensione dimezzata, ci porta immediatamente a

1488	1488			
1578	1578			
1973	1973			
3665	3665			
4426	4426			
4548	4548			
5435	5435	5435	5435	5435
5446	5446	5446	5446	
6333	6333	6333		
6385	6385	6385		
6455	6455	6455		
6504				
6937				
6965				
7104				
7230				
8340				
8958				
9208				
9364				
9550				
9645				
9686				

Figura 2.7
Ricerca binaria

Per verificare se il numero 5025 sia o meno nella tabella di numeri della colonna di sinistra, lo confrontiamo prima con 6504; ciò ci porta a considerare la prima parte dell'array. Quindi, lo confrontiamo con 4548 (l'elemento di mezzo della prima metà); ciò ci porta a concentrarci sulla seconda metà della prima metà dell'array. Continuiamo, lavorando con porzioni di array sempre più piccole che conterranno il numero cercato (se esso è, in effetti, nella tabella). Andando avanti ci ridurremo a considerare un array di un solo elemento. Poiché tale elemento non è uguale a 5025, concludiamo che 5025 non è nella tabella.

Programma 2.2   Ricerca binaria

Questo programma ha le stesse funzionalità del Programma 2.1, ma risulta essere molto più efficiente.

```
static int search(int a[], int v, int l, int r)
  {
    while (r >= l)
      { int m = (l+r)/2;
        if (v == a[m]) return m;
        if (v < a[m]) r = m-1; else l = m+1;
      }
    return -1;
  }
```

$$T_N \leq T_{N/2} + 1, \qquad \text{per } N \geq 2 \text{ dove } T_1 = 1.$$

Per cercare in un'array di dimensione N, esaminiamo l'elemento di mezzo, quindi cerchiamo in un'array di dimensione non più grande di $\lfloor N/2 \rfloor$. Il costo reale potrebbe essere inferiore sia perché la ricerca potrebbe terminare prima con esito positivo, sia perché il sottoarray in cui cercare potrebbe avere dimensione $\lfloor N/2 \rfloor - 1$ (se N è pari). Così come abbiamo fatto per la Formula 2.2, possiamo mostrare immediatamente che $T_N \leq n + 1$ se $N = 2^n$, e quindi verificare il risultato generale per induzione. ∎

La Proprietà 2.3 ci consente di risolvere problemi di ricerca molto grandi con 1 miliardo di numeri, operando al più 30 confronti per transazione. Ciò è verosimilmente inferiore al tempo necessario su molti calcolatori per leggere o scrivere un numero, utilizzando una routine di input/output. Il problema della ricerca è di estrema importanza pratica. Molti metodi, anche più veloci di questo, sono stati sviluppati nel corso degli anni. Ci ritorneremo nel Capitoli dal 12 al 16.

Si noti che le Proprietà 2.1 e 2.2 sono espresse nei termini delle operazioni che vengono eseguite più spesso sui dati. Come abbiamo osservato a commento della Proprietà 2.1, ci aspettiamo che ciascuna operazione richieda tempo costante; possiamo, quindi, concludere che il tempo di calcolo della ricerca binaria è proporzionale a $\lg N$ (invece che a N, valore relativo alla ricerca sequenziale). Se raddoppiamo N, il tempo di calcolo della ricerca binaria cambia di pochissimo, mentre quello della ricerca sequenziale raddoppia. Quando N cresce, la differenza fra i due metodi diventa abissale.

Tabella 2.4 Studio empirico sulla ricerca sequenziale e binaria

Questi tempi relativi convalidano i nostri risultati analitici che affermano che, per M ricerche in una tavola di N elementi, la ricerca sequenziale impiega tempo proporzionale a MN, mentre la ricerca binaria impiega tempo proporzionale a $M \lg N$. Quando aumentiamo N di un fattore 2, il tempo delle ricerche sequenziali aumenta anch'esso di un fattore 2, mentre quello di una ricerca binaria è sostanzialmente lo stesso. Una ricerca sequenziale non è fattibile per grandissimi valori di M quando N cresce, mentre una ricerca binaria rimane veloce anche per tabelle estremamente grandi.

N	$M = 1000$		$M = 10000$		$M = 10000$	
	S	B	S	B	S	B
125	3	3	36	12	357	126
250	6	2	63	13	636	130
500	13	1	119	14	1196	137
1250	26	1	286	15	2880	146
2500	57	1	570	16		154
5000	113	1	1172	17		164
12500	308	2	3073	17		173
25000	612	1		19		183
50000	1217	2		20		196
100000	2682	2		21		209

Legenda:

S   ricerca sequenziale (Programma 2.1)
B   ricerca binaria (Programma 2.2)

Possiamo verificare i risultati analitici forniti dalle Proprietà 2.1 e 2.2 implementando e testando gli algoritmi. Per esempio, la Tabella 2.4 mostra i tempi di calcolo della ricerca binaria e della ricerca sequenziale per M ricerche su un array di dimensione N (per la ricerca binaria abbiamo incluso anche il costo per l'ordinamento dell'array), per diversi valori di M ed N. Non considereremo ora l'implementazione del programma per eseguire questi esperimenti. Questo perché nei Capitoli 6 e 11 avremo modo di analizzare nel dettaglio programmi simili, e anche perché nel Capitolo 3 tratteremo l'uso di metodi di libreria e i particolari della composizione di programmi a partire dai loro elementi costitutivi. Per il momento ci limitiamo a sottolineare che i test empirici sono parte integrante del processo di valutazione dell'efficienza di un algoritmo.

La Tabella 2.4 conferma le nostre osservazioni, per le quali la crescita della funzione che descrive il tempo di calcolo ci permette di stimare le prestazioni relative a casi di grandissime dimensioni sulla base di studi empirici applicati a casi più piccoli. La combinazione fra analisi matematica e studio empirico fornisce dati indiscutibili sul fatto che la ricerca binaria sia da preferire.

Questo esempio è l'archetipo del nostro approccio generale al confronto fra algoritmi. Analizziamo in modo matematico la frequenza con cui gli algoritmi eseguono le operazioni astratte più critiche, quindi usiamo tali risultati per dedurre la forma funzionale del tempo di calcolo la quale, a sua volta, ci consente di verificare ed estendere l'indagine sperimentale. Quando svilupperemo soluzioni algoritmiche più raffinate e avremo bisogno di analisi matematiche più avanzate, richiameremo risultati della letteratura scientifica per rimanere concentrati sugli algoritmi in quanto tali. Non ci sarà possibile eseguire sia un'analisi matematica che un'analisi sperimentale completa per ogni algoritmo che incontreremo. Cercheremo, invece, di identificarne le caratteristiche essenziali sapendo che, potenzialmente, saremmo comunque in grado di sviluppare una base scientifica sufficiente a consentire una scelta ragionata fra i diversi algoritmi in applicazioni critiche.

Esercizi

▷ **2.47** Calcolate il numero medio di confronti effettuati dal Programma 2.1 nel caso in cui αN ricerche abbiano esito positivo, dove $0 \leq \alpha \leq 1$.

●● **2.48** Stimate la probabilità che almeno uno fra M numeri casuali a 10 cifre appartenga a un dato insieme di N numeri, per $M = 10, 100, 1000$ e $N = 10^3, 10^4, 10^5, 10^6$.

2.49 Scrivete un programma che generi M numeri interi a caso, li ponga in un array e quindi conti quanti fra N numeri interi casuali corrispondono a uno dei numeri contenuti nell'array usando una ricerca sequenziale. Eseguite il programma per $M = 10, 100, 1000$ ed $N = 10, 100, 1000$.

● **2.50** Enunciate e dimostrate una proprietà per la ricerca binaria analoga alla Proprietà 2.2.

2.7 Tempo garantito, tempo stimato e limitazioni

Il tempo di calcolo di molti algoritmi dipende dai dati in ingresso. Il nostro obiettivo è quello di eliminare in qualche modo tale dipendenza. Tratteremo le prestazioni dei programmi dipendendo il meno possibile dal loro input, dato che di solito non conosciamo in anticipo su quali specifici input i programmi verranno eseguiti. Gli esempi del Paragrafo 2.6 illustrano i due principali approcci che useremo allo scopo: l'analisi del caso peggiore e l'analisi del caso medio.

Lo studio delle prestazioni degli algoritmi nel caso peggiore è interessante perché ci permette di dare *garanzie* circa il tempo di calcolo dei programmi. Diciamo che il numero di volte che talune operazioni astratte sono eseguite è inferiore a una qualche funzione del numero di dati in input, indipendentemente dal particolare valore di questi dati in input. La Proprietà 2.3 è un esempio di asserzione di questo tipo per la ricerca binaria, così come lo è la Proprietà 1.3 per l'algoritmo di quick-union pesata. Se queste asserzioni ci garantiscono tempi di calcolo contenuti, come è per la ricerca binaria, allora ci troviamo nella situazione più favorevole, perché siamo riusciti a eliminare i casi in cui l'algoritmo potrebbe risultare lento. Costruire programmi con buone prestazioni nel caso peggiore è un obiettivo fondamentale per la progettazione di algoritmi.

Esistono, però, svariati problemi nell'analisi relativa al caso peggiore. Per prima cosa, potrebbe esserci una differenza significativa fra il tempo che un algoritmo impiega su input di caso peggiore e input che è più verosimile incontrare in pratica. Ad esempio, quick-union richiede tempo proporzionale a N nel caso peggiore e proporzionale a $\log N$ per dati "tipici". Per giunta, non si può sempre dimostrare che esiste un input per cui il tempo di calcolo dell'algoritmo è esattamente uguale a una certa quantità. Spesso, si può solamente garantire che tale tempo di calcolo sia al di sotto di questa quantità. Ancora, per alcuni problemi capita che algoritmi con buone prestazioni nel caso peggiore siano parecchio più complicati di altri per i quali tali prestazioni non possono essere garantite. Ci troviamo spesso nella situazione di disporre di algoritmi con buone prestazioni nel caso peggiore, che però risultano nella pratica più lenti di algoritmi più semplici, oppure per i quali l'aumento di prestazioni nella pratica non è sufficiente a giustificare lo sforzo aggiuntivo per renderli più veloci nel caso peggiore. Per molte applicazioni, altre considerazioni (portabilità, affidabilità, ecc.) sono preminenti rispetto alla necessità di ottenere migliori prestazioni nel caso peggiore. Ad esempio, per l'algoritmo di quick-union pesata con compressione dei cammini, che abbiamo incontrato nel Capitolo 1, possiamo dimostrare analiticamente prestazioni nel caso peggiore migliori di quelle dell'algoritmo di quick-union pesata, anche se i due algoritmi in pratica hanno all'incirca lo stesso tempo di calcolo.

Lo studio delle prestazioni degli algoritmi nel caso medio è interessante perché ci consente di formulare *stime* circa il tempo di calcolo dei programmi. Nelle situazioni più semplici è possibile definire in modo preciso l'input di un algoritmo: ad esempio, un algoritmo di ordinamento potrebbe operare su un array di N interi a caso, così come un algoritmo geometrico potrebbe elaborare un insieme di N punti del piano presi a caso e aventi coordinate comprese fra 0 e 1. In questi casi, calcolando il numero medio di volte che ogni istruzione viene eseguita, è possibile determinare il tempo medio di esecuzione del programma semplicemente moltiplicando la frequenza di ciascuna istruzione per il tempo necessario alla sua esecuzione, sommando poi tra loro i valori così ottenuti.

Questo modo di operare introduce però vari problemi. Per prima cosa, il modello che rappresenta i dati in ingresso difficilmente potrà descrivere in modo accurato la forma dei dati incontrati in pratica. Potrebbe addirittura essere impossibile formulare un modello di questo tipo. Per esempio, modelli come "file ordinati casualmente" per un algoritmo di ordinamento o "insiemi casuali di punti" per un algoritmo geometrico sembrano modelli ragionevoli, e per essi è possibile derivare risultati matematici di stima accurata delle prestazioni dei programmi su applicazioni reali. Ma come sarebbe possibile, però, caratterizzare l'input di un programma per la gestione di testi in inglese? Per alcune applicazioni, anche sugli algoritmi di ordinamento potrebbero esserci interessanti modelli diversi da quelli di file ordinati casualmente. In secondo luogo, l'analisi stessa del caso medio rappresenta spesso un problema matematico sofisticato. Per esempio, l'analisi del caso medio degli algoritmi union-find risulta essere parecchio difficile. Anche se la dimostrazione di questi risultati è, di norma, al di là degli scopi del libro, avremo modo di illustrarne i contorni attraverso un buon numero di esempi classici. Quando lo riterremo opportuno, poi, faremo riferimento ai risultati in letteratura (fortunatamente, molti degli algoritmi qui presentati sono stati ampiamente analizzati nella letteratura scientifica). Infine, la sola conoscenza del valor medio del tempo di calcolo potrebbe non essere sufficiente: potrebbe essere necessario conoscere la deviazione standard o altre proprietà della distribuzione del tempo di calcolo, la determinazione delle quali potrebbe risultare ancor più difficoltosa. Ad esempio, spesso è utile sapere che probabilmente l'algoritmo impiegherà molto più del tempo medio.

In alcuni casi, possiamo rispondere alla prima delle tre obiezioni menzionate sopra girando la casualità a nostro vantaggio. Per esempio, se prima di ordinare un array, ne mischiamo casualmente gli elementi, allora l'ipotesi secondo cui gli elementi sono in un ordine casuale è accurata. Per questi algoritmi, detti *algoritmi randomizzati*, l'analisi del caso medio fornisce stime del tempo medio di calcolo in senso strettamente probabilistico. Inoltre, per questi algoritmi siamo spesso in grado di dimostrare che la probabilità che essi siano più lenti del valore atteso del loro tempo di calcolo è trascurabile. Esempi in tal senso includono quicksort (Capitolo 9), BST (*Binary Search Trees*, "alberi binari di ricerca") randomizzati (Capitolo 13) e algoritmi di hashing (Capitolo 14).

La *complessità computazionale* è quella branca dell'analisi degli algoritmi che studia le fondamentali limitazioni incontrate nella progettazione di algoritmi. Lo scopo ultimo è quello di determinare, a meno di un fattore costante, il tempo di calcolo nel caso peggiore del miglior algoritmo per un dato problema. Questo tempo di calcolo rappresenta la *complessità* del problema.

L'uso della notazione O grande nell'analisi del caso peggiore svincola l'analista dal considerare le peculiari caratteristiche della macchina. L'affermazione secondo cui il tempo di calcolo di un algoritmo è $O(f(N))$ prescinde dal particolare input ed è un modo utile per classificare gli algoritmi in modo indipendente dai dettagli implementativi; essa ci consente, cioè, di separare l'analisi di un algoritmo da quella di una sua possibile implementazione. Nell'analisi, trascuriamo i fattori costanti. In molti casi, quando vogliamo sapere se il tempo di calcolo di un algoritmo è proporzionale a N o è proporzionale a $\log N$, non importa se l'algoritmo dovrà essere eseguito su un nanocomputer o su un supercomputer, e se il ciclo più interno è stato implementato in modo accorto con poche istruzioni oppure in modo inefficiente con molte istruzioni.

Quando dimostriamo che il tempo di calcolo nel caso peggiore di un algoritmo che risolve un certo problema è $O(f(N))$, asseriamo che $(f(N)$ è un *limite superiore* alla complessità del problema. In altri termini, il tempo di calcolo del miglior algoritmo per quel problema non è superiore a quello di un qualsiasi algoritmo che lo risolve.

Ci sforzeremo costantemente di modificare e migliorare i nostri algoritmi, ma prima o poi raggiungeremo un punto in cui le modifiche non abbasseranno ulteriormente i tempi di calcolo. È interessante sapere quando fermarci nel tentativo di trovare versioni migliorate degli algoritmi: per tale motivo, cercheremo anche *limiti inferiori* alla complessità dei problemi. Per svariati problemi è possibile dimostrare che un qualsiasi algoritmo che li risolve deve necessariamente eseguire un certo numero di operazioni fondamentali. Dimostrare limiti inferiori richiede la costruzione di accurati modelli matematici di macchine e, quindi, l'elaborazione di complicate costruzioni teoriche di dati in input che si dimostrino "difficili" per ogni algoritmo. Raramente, in questo libro, toccheremo il problema di dimostrare limiti inferiori. Essi rappresentano però barriere computazionali che guidano nella progettazione degli algoritmi. Quindi, ne faremo menzione tutte le volte che tali limiti inferiori si riveleranno utili.

Quando i risultati di complessità computazionale affermano che i limiti superiori e quelli inferiori coincidono, possiamo con una certa fiducia concludere che è inutile cercare algoritmi molto più veloci di quelli già esistenti, e possiamo quindi iniziare a concentrarci sulle implementazioni. Per esempio, la ricerca binaria è ottimale, nel senso che non esiste alcun algoritmo basato esclusivamente su confronti che esegua la ricerca con un numero di confronti che sia inferiore nel caso peggiore a quello della ricerca binaria.

Esistono in letteratura anche limiti superiori e inferiori coincidenti per algoritmi union-find basati su puntatori. Nel 1975 Tarjan dimostrò che l'algoritmo di quick-union pesata con compressione dei cammini deve seguire meno di $O(\lg^* V)$ puntatori nel caso peggiore, ma anche che un qualsiasi algoritmo basato su puntatori è costretto a seguire un numero non costante di puntatori per alcuni ingressi. Alla luce di questi risultati, non ha più molto senso cercare nuovi algoritmi che risolvano problemi di union-find con un numero lineare di operazioni `i = a[i]` nel caso peggiore. In termini pratici, questa differenza non è significativa perché $\lg^* V$ è estremamente piccola: per tutti gli scopi pratici possiamo considerarla una costante. Nonostante ciò, quello di trovare un semplice algoritmo lineare per questo problema fu un tentativo intrapreso dai ricercatori per molti anni. Il limite inferiore di Tarjan non ha fatto altro che spostare l'attenzione della ricerca da questo ad altri problemi. Questa vicenda mostra tra l'altro che non esistono funzioni che possiamo scartare a priori, perché queste funzioni, come la complicata funzione log*, fanno riferimento a proprietà intrinseche del problema.

Molti degli algoritmi trattati in questo libro sono stati oggetto di analisi matematiche così dettagliate e studi sulle prestazioni così complessi da non poter essere discussi approfonditamente nel testo. Comunque, è proprio sulla base di questi studi che siamo in grado di consigliare l'uso di molti degli algoritmi che tratteremo.

Non tutti gli algoritmi meritano un'attenta disamina: infatti, durante la progettazione, è preferibile lavorare con indici di prestazione approssimati in grado di guidare il processo di sviluppo senza introdurre dettagli superflui. Una volta entrati nei particolari della realizzazione, diventa necessario applicare strumenti sofisticati. Spesso la progettazione origina studi dettagliati sulla complessità che portano alla definizione di algoritmi "teorici" lontani da ogni possibile applicazione. È un errore comune affermare che un'analisi approssimativa fatta a partire da studi di complessità si traduca in efficienti algoritmi pratici: solitamente, tale assunto produce solo spiacevoli sorprese. D'altra parte, la complessità computazionale è un potente strumento in grado di stabilire quando i limiti teorici sulle prestazioni sono stati raggiunti e, quindi, anche di suggerire i punti di partenza nella progettazione di nuovi algoritmi.

Il punto di vista che esprimiamo in questo libro è quello per cui la progettazione di algoritmi, l'implementazione accurata, l'analisi matematica, l'indagine teorica e quella sperimentale contribuiscono tutte in misura importante allo sviluppo di programmi efficienti ed eleganti. Vogliamo trarre informazioni sulle proprietà dei programmi attraverso ogni mezzo a nostra disposizione, e quindi essere in grado di modificare tali programmi o di svilupparne di nuovi sulla base di queste informazioni. Non sarà certo possibile analizzare e verificare in modo esaustivo ogni algoritmo che eseguiremo su tutti gli ambienti di programmazione e su tutte le macchine. Possiamo, però, usare implementazioni accurate ed efficienti di tali algoritmi e quindi cercare di raffinarle (e confrontarle), quando sono necessarie elevate prestazioni. Considereremo, quindi, i metodi più importanti abbastanza dettagliatamente da poter chiarire la ragione per cui sono efficienti.

Esercizi

○ **2.51** Supponete di sapere che la complessità di tempo di un problema è $N \log N$ e che quella di un altro problema è N^3. Che cosa implica questa asserzione circa le prestazioni relative degli specifici algoritmi che risolvono i due problemi?

Riferimenti bibliografici per la Parte 1

La grande quantità di testi introduttivi alla programmazione non ci consente di raccomandarne uno in particolare. Il riferimento standard a Java è il libro di Arnold e Gosling. I libri di Gosling, Yellin, e il "Java Team" sono riferimenti indispensabili per i programmatori Java.

Le numerose varianti degli algoritmi union-find del Capitolo 1 sono efficacemente classificate e confrontate da van Leeuwen e Tarjan.

Il libro di Bentley descrive, anch'esso con uno stile simile a quello di questo libro, una casistica dettagliata sulla valutazione di vari approcci allo sviluppo di algoritmi e implementazioni per numerosi problemi di interesse.

Il libro di Aho, Hopcroft e Ullman è il riferimento classico sull'analisi degli algoritmi basata su prestazioni asintotiche nel caso peggiore. I libri di Knuth trattano approfonditamente l'analisi relativa al caso medio e costituiscono un riferimento bibliografico autorevole per specifiche proprietà di numerosi algoritmi. Il libro di Gonnet e Baeza-Yates e quello di Cormen, Leiserson e Rivest sono più recenti. Entrambi contengono un'estesa bibliografia sulla letteratura scientifica.

Il libro di Graham, Knuth e Patashnik tratta aspetti di tipo matematico che comunemente si incontrano nell'analisi degli algoritmi. Questo materiale si trova, in effetti, sparso anche nei libri di Knuth. Un'introduzione completa a questi aspetti si trova nel libro di Sedgewick e Flajolet.

A. V. Aho, J. E. Hopcroft, J. D. Ullman, *The Design and Analysis of Algorithms,* Addison-Wesley, Reading, MA, 1975.

K. Arnold e J. Gosling, *The Java Programming Language*, Addison-Wesley, Reading, MA, 1996.

R. Baeza-Yates e G. H. Gonnet, *Handbook of Algorithms and Data Structures*, seconda edizione, Addison-Wesley, Reading, MA, 1984.

J. L. Bentley, *Programming Pearls*, seconda edizione, Addison-Wesley, Boston, MA, 2000; *More Programming Pearls*, Addison-Wesley, Reading, MA, 1988.

T. H. Cormen, C. E. Leiserson e R. L. Rivest, *Introduction to Algorithms*, seconda edizione, MIT Press/McGraw-Hill, Cambridge, MA, 2002.

J. Gosling, F. Yellin e il "Java Team", *The Java Application Programming Interface. Volume 1: Core Packages*, Addison-Wesley, Reading, MA, 1996; *Volume 2: Window Toolkit and Applets*, Addison-Wesley, Reading, MA, 1996.

R. L. Graham, D. E. Knuth e O. Patashnik, *Concrete Mathematics: A Foundation for Computer Science*, seconda edizione, Addison-Wesley, Reading, MA, 1994.

D. E. Knuth, *The Art of Computer Programming. Volume 1: Fundamental Algorithms*, terza edizione, Addison-Wesley, Reading, MA, 1997; *Volume 2: Seminumerical Algorithms*, terza edizione, Addison-Wesley, Reading, MA, 1998; *Volume 3: Sorting and Searching*, seconda edizione, Addison-Wesley, Reading, MA, 1998.

R. Sedgewick, P. Flajolet, *An Introduction to the Analysis of Algorithms*, Addison Wesley, Reading, MA, 1996.

J. van Leeuwen, R. E. Tarjan, "Worst-case analysis of set-union algorithms," *Journal of the ACM*, 1984.

PARTE
SECONDA

Strutture dati

CAPITOLO TRE

Strutture dati elementari

IN QUESTO CAPITOLO vengono discusse le tecniche di base per organizzare i dati che verranno elaborati dai programmi. Per molte applicazioni la scelta della struttura dati adatta è l'unica decisione importante della fase di implementazione: una volta fatta questa scelta, sono necessari soltanto algoritmi semplici. Per uno stesso insieme di dati, vi sono strutture dati che richiedono più spazio di altre; per uno stesso insieme di operazioni sui dati, alcune strutture dati portano a implementare algoritmi più efficienti di altri. Questo è un tema ricorrente e mostra come la scelta delle strutture dati e quella degli algoritmi siano strettamente correlate, portando così l'utente a prendere decisioni appropriate per guadagnare tempo o spazio.

Una struttura dati non è un oggetto passivo; bisogna sempre tenere in considerazione le operazioni che devono essere eseguite su di essa, e quindi gli algoritmi necessari. Questo concetto viene formalizzato dalla nozione di *tipo di dato*. In questo capitolo, il nostro interesse primario riguarderà implementazioni concrete degli approcci fondamentali alla strutturazione dei dati. Considereremo metodi basilari di organizzazione e manipolazione dei dati, illustrando attraverso vari esempi i vantaggi di ciascuno di questi metodi. Tratteremo, inoltre, questioni collegate come la gestione della memoria. Nel Capitolo 4 presenteremo estesamente i *tipi di dati astratti*, in cui vi è una netta separazione fra la definizione dei tipi di dati e l'implementazione.

Tratteremo le proprietà degli array, delle liste concatenate e delle stringhe. Queste classiche strutture dati hanno una vasta applicabilità e, unitamente agli alberi (Capitolo 5), costituiscono la base di quasi tutti gli algoritmi di questo libro. Considereremo operazioni primitive per manipolare queste strutture dati, costruendo così gli strumenti di base per sviluppare algoritmi per problemi complessi.

Studiare il modo in cui memorizzare dati in oggetti di dimensione variabile e in strutture dati concatenate richiede la conoscenza di come il sistema gestisce la memoria che alloca per i vari programmi. Non avremo modo di trattare in profondità la questione, perché molte delle considerazioni importanti che sarebbero da fare sono dipendenti dalla macchina e dal sistema operativo. Tra l'altro, una delle caratteristiche principali di Java è proprio quella di affrancare i programmatori da questi problemi di base. Presenteremo, invece, semplici approcci alla gestione della memoria e ne illustreremo alcuni meccanismi di fondo.

Alla fine del capitolo saranno considerati svariati esempi di *strutture composte*, come array di liste concatenate e array di array. La costruzione di meccanismi astratti di complessità maggiore, a partire da altri a livello inferiore, è un tema ricorrente in questo libro. Gli esempi che forniremo in questo capitolo saranno la base di partenza per algoritmi più complessi che incontreremo nei capitoli successivi.

Le strutture dati di base prese in esame in questo capitolo possono essere usate in modo naturale in Java, così come in molti altri linguaggi di programmazione. Nel Capitolo 5 considereremo un'altra importante struttura dati: gli *alberi*. Array, stringhe, liste concatenate e alberi sono gli elementi di base di molti degli algoritmi considerati in questo libro. Nel Capitolo 4 ci occuperemo di come usare le rappresentazioni concrete sviluppate nel presente capitolo per la costruzione di alcuni tipi di dati astratti di base che possono essere usati in un gran numero di applicazioni. Nel resto del libro svilupperemo parecchie varianti di questi strumenti di base (alberi e tipi di dati astratti). Ciò ci permetterà di risolvere problemi più complessi e sarà la base di tipi di dati astratti di più alto livello.

3.1 Costrutti di base

In questo paragrafo, passiamo in rassegna i principali costrutti a basso livello del linguaggio Java per memorizzare ed elaborare le informazioni. Tutti i dati che vengono elaborati su un calcolatore alla fine sono scomposti in singoli bit, ma scrivere programmi che elaborino direttamente questi bit sarebbe quanto meno noioso. I *tipi* ci consentono di specificare come andremo a usare un particolare insieme di bit, mentre i *metodi* permettono di definire le operazioni che verranno eseguite sui dati. Usiamo le *classi* Java per descrivere le informazioni che elaboriamo, per definire i metodi che agiscono su queste informazioni e per costruire oggetti che le memorizzino effettivamente. Tutte le nostre strutture dati sono formate da oggetti e da *riferimenti* a oggetti. In questo paragrafo, consideriamo questi meccanismi di base del Java, posti nel contesto di un approccio generale all'organizzazione dei programmi. Il nostro obiettivo primario è quello di gettare le basi, qui e anche nei Capitoli 4 e 5, per la comprensione dei costrutti di livello più elevato che ci serviranno ancor più avanti.

Quando scriviamo programmi, di solito vogliamo elaborare informazioni derivanti da qualche descrizione formale (matematica) o informale del mondo in cui viviamo. Quindi, gli ambienti di programmazione devono già avere in sé gli elementi di base di queste descrizioni, vale a dire numeri e caratteri. In Java i programmi sono costruiti a partire da pochi tipi di dati di base:

- valori booleani (`boolean`)
- caratteri (`char`)
- numeri interi a 8 bit (`byte`)
- numeri interi a 16 bit (`short`)
- numeri interi a 32 bit (`int`)
- numeri interi a 64 bit (`long`)
- numeri in virgola mobile a 32 bit (`float`)
- numeri in virgola mobile a 64 bit (`double`).

Di solito, ci si riferisce a questi tipi di base col loro nome in Java, `int`, `float`, `char` e così via, anche se spesso useremo i termini generici di *numero intero*, *numero in virgola mobile* e *carattere*. Usiamo dati di tipo `boolean` per memorizzare i valori logici `true` (vero) e `false` (falso), solitamente per mantenere informazioni relative ad altri dati che influenzano decisioni da prendere successivamente nella computazione. I caratteri sono più frequentemente adoperati in astrazioni di livello più elevato, ad esempio per costruire parole e frasi, quindi riprenderemo la loro trattazione nel Paragrafo 3.6. Tutti gli altri tipi primitivi sono impiegati per rappresentare numeri.

Utilizziamo una quantità prefissata di bit per rappresentare numeri. Quindi, quando usiamo numeri interi, dobbiamo essere consci del fatto che stiamo, in effetti, lavorando con un intervallo limitato di valori che dipende dal numero di bit impiegati per rappresentarli. I numeri in virgola mobile approssimano i numeri reali. Il numero di bit usati per rappresentarli influenza la precisione con cui i numeri reali possono essere approssimati. Nel linguaggio Java possiamo scambiare spazio con accuratezza scegliendo fra i tipi `int`, `long`, `short` o `byte` per i numeri interi e fra i tipi `float` e `double` per i numeri in virgola mobile.

Su molti sistemi questi tipi corrispondono alle effettive rappresentazioni hardware, ma il numero di bit usati nella rappresentazione, e quindi l'intervallo dei valori assunti (nel caso dei numeri interi) o la precisione (nel caso dei numeri in virgola mobile) sono garantiti dal linguaggio Java per tutti i tipi. In questo libro useremo normalmente `int` e `double`.

Nella programmazione moderna, siamo inclini a pensare a un tipo di dato più in termini di necessità del programma che in termini di capacità della macchina. Ciò, principalmente, per motivi di portabilità dei programmi. Quindi, ad esempio, pensiamo a uno `short` come a un oggetto che assume valori fra −32.768 e 32.767, piuttosto che a un oggetto rappresentato con 16 bit. Inoltre, il nostro concetto di numero intero comprende anche le operazioni che su di essi possiamo eseguire: addizione, moltiplicazione, ecc.

Definizione 3.1 *Un **tipo di dato** è definito da un insieme di valori e da una collezione di operazioni su questi valori.*

Sono le operazioni a essere associate ai tipi, non viceversa. Quando eseguiamo un'operazione, dobbiamo assicurare che tanto gli operandi quanto il risultato siano del tipo corretto. Trascurare questo fatto è un errore di programmazione molto comune. In alcuni casi, Java esegue conversioni di tipo in modo automatico; in altri usiamo il *cast*, cioè l'esplicita conversione di tipo. Ad esempio, se x ed N sono interi, l'espressione

```
((float) x) / N
```

include entrambi i tipi di conversione: `(float)` è un cast che converte il valore di x in virgola mobile, perciò, seguendo le regole di Java, una conversione implicita è eseguita su N per rendere `float` entrambi gli argomenti dell'operatore di divisione.

Molte delle operazioni associate a tipi di dati standard (ad esempio, le operazioni aritmetiche) sono in effetti già incorporate nel linguaggio Java, altre operazioni sono implementate sotto forma di metodi in librerie standard di Java, altre ancora sono costituite dai metodi Java definiti nei programmi che scriviamo. Quindi, il concetto di tipo di dato ha rilevanza non solo per i tipi primitivi `int`, `float` e `char`. Spesso abbiamo bisogno di definire i *nostri* tipi di dati per organizzare i programmi in modo efficace. Quando definiamo un nuovo metodo in Java stiamo in effetti creando un nuovo tipo di dato, dove l'operazione eseguita da quella funzione andrà ad aggiungersi alle operazioni che possono eseguirsi sui tipi di dati rappresentati dai parametri di quel metodo. In un certo senso, ogni programma Java è un tipo di dato, poiché astrattamente possiamo vederlo come una lista di insiemi di valori (di tipo primitivo o meno) con operazioni associate (metodi). Questo punto di vista è forse un po' troppo astratto per dirsi utile, ma vedremo in seguito che una corretta interpretazione dei programmi in termini di tipi di dati si rivelerà preziosa.

Tutti i programmi Java sono basati sul meccanismo delle classi. Il programma Java più semplice che si possa scrivere è quello di una classe formata dal solo metodo main, come nei programmi del Capitolo 1. Il primo passo nell'organizzazione di un programma di grandi dimensioni è quello di dividerlo in pezzi più piccoli definendo altri metodi, come illustrato nel Programma 3.1. Il secondo programma Java più semplice è quello formato da una classe con vari metodi (uno dei quali si chiama main) che in qualche modo si chiamano a vicenda. Questo stile di programmazione si rivela di grande utilità, ma produce programmi di grandi dimensioni con complesse relazioni fra i metodi e i dati su cui tali metodi operano. In questo paragrafo e nel Capitolo 4 descriveremo un processo di costruzione di programmi complessi attraverso la definizione di tipi di dati implementati come classi.

Una delle preoccupazioni principali quando scriviamo un programma è quello di organizzarlo in modo tale da poterlo applicare alla più ampia varietà possibile di situazioni. La ragione per cui ciò ci interessa è quella di poter riutilizzare il programma su un altro problema, magari completamente scollegato da quello originario. Innanzi tutto, se riusciamo a capire e a specificare con precisione le operazioni che un programma esegue, possiamo facilmente estenderlo a tutti i tipi di dati che supportano queste operazioni. Inoltre, se riusciamo a capire e a specificare con precisione ciò che il programma fa, possiamo aggiungere l'operazione astratta che esso esegue alle operazioni già a nostra disposizione per risolvere problemi nuovi.

Spesso, ci capiterà di voler costruire strutture dati che consentono di manipolare collezioni di dati. La struttura dati potrebbe essere estremamente grande, oppure essere utilizzata un gran numero di volte. Siamo, quindi, particolarmente interessati a identificare le operazioni principali che vengono eseguite su questi dati e a implementarle in modo efficiente. Questo obiettivo è il primo passo verso la costruzione di astrazioni di livello più elevato a partire da quelle di livello più basso. Questo processo è direttamente supportato da Java e, in effetti, ci consente di sviluppare programmi ancor più potenti.

Una caratteristica delle classi è quella di essere aggregati di tipi di dati che possiamo usare per definire collezioni di dati manipolabili come un tutt'uno, preservando al contempo la possibilità di accedere tramite nome alle componenti individuali di ciascun dato. Le classi non

Programma 3.1 Definizione di un metodo

In Java, per implementare nuove operazioni sui dati, *definiamo* metodi in *classi*, secondo le modalità indicate qui sotto. Ogni programma Java è una classe che include una definizione del metodo `main`. Questo programma include anche una definizione del metodo `lg`.

Ogni classe Java è mantenuta in un file avente lo stesso nome della classe e l'estensione `.java` (`LogTable.java`, in questo caso). Gli ambienti differiscono nel modo in cui compiliamo o interpretiamo i programmi e nel modo in cui questi ultimi sono effettivamente eseguiti: alcuni ambienti offrono interfacce grafiche interattive, mentre altri rispondono semplicemente alla digitazione di comandi come `java LogTable`.

Il metodo `lg` implementa una funzione matematica a un solo argomento che corrisponde al logaritmo intero in base 2 (si veda il Paragrafo 2.3). In Java, gli argomenti vengono detti parametri e il valore della funzione è chiamato *valore di ritorno*. Un metodo può avere un numero di parametri arbitrario, ma al più un valore di ritorno. Il metodo `main` qui sotto prende in ingresso un parametro (qui non usato) che contiene informazioni dalla linea di comando utilizzata per far partire l'applicazione, ma non ha valore di ritorno (si veda l'Appendice).

La definizione di un metodo inizia con la sua *segnatura* (*signature*), che definisce il tipo del suo valore di ritorno, il suo nome e i tipi dei suoi parametri. Queste informazioni identificano il metodo e sono necessarie ad altri metodi per poter *invocare* (o *chiamare*) il primo, usando oggetti del tipo appropriato al posto di ciascun parametro. Il metodo chiamante può usare il metodo chiamato in espressioni, nello stesso modo in cui usa variabili dello stesso tipo del valore di ritorno del metodo chiamato. Alla segnatura segue, racchiuso fra parentesi, il codice Java che implementa il metodo. Nella definizione di un metodo diamo un nome ai parametri ed esprimiamo i calcoli nei termini di quei nomi, come se essi fossero variabili locali. Quando il metodo è chiamato, queste variabili sono inizializzate ai valori forniti dal chiamante al momento della chiamata, dopodiché il codice viene eseguito. L'istruzione `return` termina l'esecuzione del metodo e fornisce il valore di ritorno al chiamante.

```
class LogTable
  {
    static int lg(int N)
      { int i = 0;
        while (N > 0) { i++; N/= 2; }
        return i;
      }
    public static void main(String[] args)
      {
        for (int N = 1000; N <= 1000000000; N *= 10)
          Out.println(lg(N) + " " + N);
      }
  }
```

sono nello stesso livello di astrazione dei tipi primitivi come int o float in Java, poiché le uniche operazioni definite su di esse (oltre al riferimento alle loro componenti) sono la creazione di oggetti e la manipolazione dei riferimenti a essi. La creazione di un oggetto di una data classe si dice *istanziazione*. Possiamo, quindi, usare una classe per definire un nuovo tipo di dato, dare un nome alle variabili e passare queste variabili come parametri ai metodi. Dobbiamo, però, definire in modo specifico come metodi tutte le operazioni che vogliamo eseguire.

Per fare un esempio concreto, quando elaboriamo dati geometrici potremmo aver bisogno di lavorare con la nozione astratta di punto nel piano. Possiamo, quindi, scrivere

```
class Point { double x; double y; }
```

per indicare che useremo Point per creare oggetti formati da coppie di numeri in virgola mobile. Per istanziare oggetti, usiamo l'operatore Java new. Ad esempio, il codice

```
Point a = new Point(), b = new Point();
```

crea due oggetti Point e mette i riferimenti a essi nelle variabili a e b. Possiamo, quindi, riferirci ai membri di un oggetto attraverso il loro nome. Ad esempio, le istruzioni

```
a.x = 1.0; a.y = 1.0; b.x = 4.0; b.y =5.0;
```

fanno in modo che a rappresenti il punto (1,1) e che b rappresenti il punto (4,5).

Quando creiamo una variabile di tipo int o double oppure di qualsiasi altro tipo primitivo, il nome che adottiamo è un sinonimo di una locazione di memoria contenente le informazioni per quella variabile. Per tutti gli altri oggetti, il nome è sinonimo di quello che in Java viene detto *riferimento*. Un riferimento specifica l'indirizzo di una locazione di memoria, che a sua volta contiene l'indirizzo della locazione di memoria contenente le informazioni. La Figura 3.1 illustra questo livello ulteriore di indirezione per il nostro esempio Point. Riferirsi a un oggetto per via indiretta attraverso un riferimento è spesso più conveniente che riferirvisi in modo diretto, e può anche rivelarsi più efficiente, soprattutto per oggetti di grandi dimensioni. Avremo occasione di incontrare molti esempi in tal senso nei Paragrafi dal 3.3 al 3.7. Ancora più importante, come vedremo, è il fatto di poter usare riferimenti per strutturare i dati in modo da supportare per essi algoritmi di elaborazione efficienti. I riferimenti sono, in effetti, la base costitutiva di molte strutture dati e di molti algoritmi.

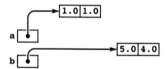

Figura 3.1
Rappresentazione di un oggetto

Questo diagramma mostra il modo in cui Java rappresenta semplici oggetti che aggregano dati per i due oggetti della classe Point *descritta nel testo. I dati contenuti in ciascun oggetto sono memorizzati in blocchi di memoria contigui, mentre i programmi che accedono a tali dati lo fanno tramite un riferimento. Il riferimento al punto a è un indirizzo di memoria del blocco in cui sono memorizzati i valori* 1.0 *e* 1.0*. Il riferimento al punto b è un indirizzo di memoria del blocco in cui sono memorizzati i valori* 4.0 *e* 5.0*. Per accedere a tali dati il sistema Java sottostante deve chiaramente seguire i riferimenti. D'altro canto, nei programmi possiamo servirci del riferimento a un oggetto per significare tanto il riferimento quanto l'oggetto stesso.*

Ad esempio, i riferimenti rendono agevole il passaggio di oggetti come parametro ai metodi. Il codice

```
double distance(Point a, Point b)
  { double dx = a.x - b.x; dy = a.y - b.y;
    return Math.sqrt(dx*dx + dy*dy); }
```

definisce un metodo che calcola la distanza fra due dati punti, e risulta particolarmente semplice perché i riferimenti passati come parametri consentono un accesso diretto ai dati relativi ai punti.

Nel linguaggio C e in molti altri linguaggi, i riferimenti sono noti col nome di *puntatori*, e vengono spesso utilizzati. In Java, invece, non vi è distinzione fra un riferimento e un oggetto, quindi non c'è altra scelta che accedere agli oggetti tramite riferimenti. Questa caratteristica di Java semplifica molti aspetti dei nostri programmi, anche se questa semplificazione ha un costo. Quando gli oggetti sono di grandi dimensioni, è molto più efficiente usare puntatori per manipolarli invece che spostare i dati. D'altro canto, quando gli oggetti sono piccoli, seguire i puntatori ogni volta che ci serve un dato è pur sempre un'inefficienza. Le ragioni specifiche che hanno condotto i progettisti di Java verso questo approccio vanno al di là degli scopi di questo libro. Ritorneremo, comunque, sull'argomento tutte le volte che sarà necessario (ad esempio, nello studio delle prestazioni degli algoritmi).

In altri termini, le classi consentono di aggregare dati. Possiamo definire una classe che specifica tutti i tipi di dati che vogliamo raccogliere, creare oggetti di quel tipo (con quei tipi di dati) e scrivere codice che acceda a quegli oggetti attraverso riferimenti a essi. La classe Point appena trattata è un semplice esempio di classe che aggrega due dati dello stesso tipo. In generale, come illustreremo nel seguito di questo capitolo, è possibile combinare diversi tipi di dati all'interno di una classe.

Di solito, ci spingiamo più in là e usiamo il meccanismo delle classi Java per definire tipi di dati, e non solo dati aggregati. Vale a dire che specifichiamo anche metodi che definiscono operazioni che eseguiremo sui dati medesimi. Ad esempio, il Programma 3.2 è una classe che incorpora la nostra definizione di tipo di dato per punti nel piano. Il programma specifica che i punti sono un tipo aggregato che comprende coppie di numeri in virgola mobile e un insieme di operazioni che possiamo eseguire sui punti.

Tutte le classi sono formate da una collezione di *campi dato,* che determinano l'insieme dei valori del corrispondente tipo di dato, e da

---

Programma 3.2 Implementazione della classe Point

Questo codice, tenuto in un file chiamato `Point.java`, è un'implementazione di un tipo di dato per punti nel piano. Esso specifica che tutti i punti devono avere due valori `double` rappresentanti le rispettive coordinate *x* e *y*, e definisce sei metodi che i programmi possono utilizzare per manipolare i punti. I primi due sono costruttori: un programma client può creare un nuovo oggetto `Point` tramite `new`, sia con coordinate casuali (in tal caso, non ci sono parametri) che con coordinate scelte (in tal caso, ci sono due parametri). Le operazioni che i programmi possono eseguire sugli oggetti `Point` (oltre alla loro creazione) sono il calcolo delle coordinate polari, il calcolo della distanza da un altro punto e il calcolo di una stringa che rappresenti il punto (per poterne stampare il valore).

```java
class Point
  { double x, y;
    Point()
      { x = Math.random(); y = Math.random(); }
    Point(double x, double y)
      { this.x = x; this.y = y; }
    double r()
      { return Math.sqrt(x*x + y*y); }
    double theta()
      { return Math.atan2(y, x); }
    double distance(Point p)
      { double dx = x -p.x, dy = y -p.y;
        return Math.sqrt(dx*dx + dy*dy);
      }
    public String toString()
      { return "(" + x + ", " + y +")"; }
  }
```

---

una collezione di *metodi* che operano su questi dati. Osserveremo, inoltre, che i campi dato e i metodi sono i *membri* della classe. Il Programma 3.2 possiede due campi dato (x e y) e sei metodi (due POINT, r, theta, distance e toString).

I metodi che hanno lo stesso nome della classe e che sono sprovvisti di tipo di ritorno sono chiamati *costruttori*. Quando un costruttore viene invocato attraverso `new`, Java crea un oggetto, e quindi passa il controllo al metodo costruttore che generalmente inizializza i campi dato. Ad esempio, possiamo servirci del codice `Point a = new Point(1.0, 1.0);` per usare la classe del Programma 3.2 allo scopo di creare un oggetto a che rappresenti il punto (1, 1); scriviamo `Point b = new Point(4.0, 5.0);` per creare un oggetto b che rappresenti il punto (4, 5), e `Point c`

= new Point(); per creare un nuovo punto con coordinate casuali. Tutti gli altri metodi sono invocati per mezzo di oggetti punto. Ad esempio, possiamo usare l'espressione c.r() per calcolare la distanza di c dall'origine, oppure l'espressione a.distance(b) (o b.distance(a)) per calcolare la distanza fra a e b.

L'uso di nomi identici per metodi differenti si dice *overloading* e si tratta di una pratica del tutto accettabile, se il sistema è in grado di distinguerli tramite le differenze nelle loro segnature. Nel Programma 3.2 sul costruttore c'è overloading: i due metodi Point sono diversi in virtù del fatto che il primo non ha parametri, mentre il secondo ne ha due. Anche i tipi dei parametri e la presenza o l'assenza di un valore di ritorno possono servire a distinguere fra loro metodi aventi lo stesso nome.

Questo stile di programmazione, che è qualche volta chiamato programmazione *object-oriented* ("orientata agli oggetti"), è supportato in modo diretto dal costrutto class di Java. Possiamo pensare alle classi come a un meccanismo che ci consente non solo di aggregare dati ma anche di definire operazioni su quei dati. Anche se ci sono diversi oggetti che appartengono a una classe, tutti questi oggetti sono simili nel senso che i valori assumibili dai loro dati membro sono gli stessi e che l'insieme delle operazioni che possono essere eseguite sui dati membro è lo stesso. In breve, essi sono istanze dello stesso tipo di dato. Nella programmazione object-oriented sono gli oggetti che elaborano i loro dati membro (invece di avere metodi liberi che agiscono sui dati memorizzati negli oggetti).

Si potrebbe anche, in via opzionale, premettere la parola chiave static all'implementazione del metodo distance fornita più sopra, la quale prende due punti come parametri, e includerlo come ulteriore metodo della classe Point. L'attributo static è adatto a metodi che sono associati direttamente alla classe e *non* agli oggetti della classe. Sono metodi che vengono invocati usando il nome della classe invece del nome di un oggetto. Se facessimo questa modifica, ad esempio, le espressioni Point.distance(a, b), a.distance(b) e b.distance(a) rappresenterebbero tutte lo stesso valore, e ciascuna di esse potrebbe essere la forma più adatta al particolare contesto di programmazione.

Ogni definizione di classe è mantenuta in un file separato avente lo stesso nome della classe e un'estensione .java. Tutti i programmi Java possono far uso di quella classe, come ad esempio i Programmi 3.7 e 3.18 che sfruttano l'astrazione implementata dal Programma 3.2.

Usiamo classi come Point per definire tipi di dati tutte le volte

Programma 3.3 Statistiche su una sequenza di numeri casuali

Questo programma calcola la media μ e la deviazione standard σ di una sequenza $x_1, x_2, \ldots, x_N$ di interi casuali non negativi di 4 cifre seguendo le definizioni matematiche

$$\mu = \frac{1}{N} \sum_{1 \le i \le N} x_i \quad e \quad \sigma^2 = \frac{1}{N} \sum_{1 \le i \le N} (x_i - \mu)^2 = \frac{1}{N} \sum_{1 \le i \le N} x_i^2 - \mu^2.$$

Si noti che l'implementazione diretta a partire dalla definizione di σ^2 richiede una prima lettura per calcolare la media e una seconda per calcolare la somma dei quadrati delle differenze fra i membri della sequenza e la media. Riorganizzando la formula possiamo, però, calcolare σ^2 con un solo passaggio sui dati (senza doverne memorizzare alcuno).

```
class PrintStats
  {
    public static void main(String[] args)
      { int N = Integer.parseInt(args[0]);
        double m = 0.0, s = 0.0;
        for (int i = 0; i < N; i++)
          { int x = (int) (Math.random()*10000);
            double d = (double) x;
            m += d/N; s += (d*d)/ N;
          }
        s = Math.sqrt(s - m*m);
        Out.println(" Avg.: " + m);
        Out.println("Std. dev.: " + s);
      }
  }
```

che ci è possibile, perché esse incorporano la definizione del tipo di dato in modo chiaro e diretto. Di solito, andiamo un po' oltre, e ciò per assicurare che altri programmi possano usare i punti senza dover fare assunzioni sul modo in cui sono rappresentati. Questi meccanismi sono, in effetti, oggetto di studio del Capitolo 4, ma ne daremo breve trattazione qui di seguito.

Il Programma 3.3 implementa un semplice calcolo su numeri a quattro cifre: esso calcola media e deviazione standard di una lunga sequenza di numeri casuali. Si tratta di un calcolo interessante dal punto di vista algoritmico, perché calcola entrambe le statistiche in un solo passaggio sui numeri. Calcolare la media con una sola lettura è semplice, ma un'implementazione diretta della deviazione standard, che derivi in modo immediato dalla definizione matematica, richiederebbe di memorizzare tutti i numeri per poter sommare i quadrati delle differenze dalla media. Questa differenza fa sì che il Programma 3.3 possa calcolare media e deviazione standard di una lunghissima sequenza di numeri limitata solo dal tempo che potrebbe impiegare il calcolatore, mentre l'implementazione diretta è limitata anche dalla quantità di memoria a disposizione.

Quali sono le modifiche da apportare al Programma 3.3 per farlo funzionare anche con altri tipi di numeri, ad esempio numeri in virgola mobile nell'intervallo [0, 1]? Ci sono molte possibilità. Per un programma così piccolo, la più semplice è fare una copia del file e sostituire le due righe in cui compare x con

```
double d = Math.random();
```

Anche per un programma di dimensioni così modeste questo approccio si rivela poco conveniente, perché ci lascia con due copie del programma principale e con il problema di dover assicurare che ogni modifica futura sia ripetuta su entrambe le copie.

In Java, un approccio alternativo è quello di definire un tipo di dato separato per le sequenze di numeri:

```
class NumberSeq
  { public double next() { return Math.random(); } }
```

Per usare questa classe nel Programma 3.3 dobbiamo inserire il codice seguente prima del ciclo for:

```
NumberSeq NS = new NumberSeq();
```

(per creare un oggetto che ci fornisca sequenze di numeri), e sostituire le due righe del Programma 3.3 in cui compare x con

```
double d = NS.next();
```

(per usare quell'oggetto). Queste modifiche permettono di usare il Programma 3.3 per verificare diversi tipi di numeri (sostituendo diverse implementazioni di NumberSeq), senza apportare alcuna modifica a esso.

Se riscriviamo il Programma 3.3 nei termini della classe NumberSeq ne estendiamo la potenziale utilità. Possiamo eseguire gli stessi calcoli per numeri di 3 cifre, di 20 cifre, oppure ancora in virgola mobile, o per qualunque altro tipo di numero. Possiamo anche fare in modo che il Programma 3.3 elabori oggetti di tipo Point definendo il modo in cui vogliamo estrarre valori di tipo double da sequenze di punti:

```
class NumberSeq
  { double next() { return (new Point()).r(); } }
```

Se usiamo quest'implementazione di NumberSeq insieme al Programma 3.3 generiamo punti casuali e calcoliamo media e deviazione standard della loro distanza dall'origine (si veda l'Esercizio 3.11). In generale, questo tipo di approccio tenderà ad aumentare il tempo di vita di un programma. Se una nuova applicazione, un nuovo compilatore o un nuovo computer comporta di dover gestire tipi di numeri diversi, ci è sufficiente cambiare il tipo di dato per adattare il programma alle nuove esigenze. Dal punto di vista concettuale queste modifiche corrispondono a suddividere la computazione in tre parti distinte:

- un'*interfaccia*, che dichiara i metodi da usare
- un'*implementazione* dei metodi indicati nell'interfaccia
- un programma *client* che utilizza i metodi dell'interfaccia per lavorare a un livello di astrazione più elevato.

Possiamo considerare l'interfaccia come la definizione di un tipo di dato. In un certo senso, è un "contratto" fra programma client e implementazione. Il client accetta il fatto di poter accedere ai dati solo tramite i metodi definiti nell'interfaccia, mentre il codice per i metodi indicati viene fornito dall'implementazione.

Nell'esempio appena considerato l'interfaccia è il nome della classe NumberSeq, con i metodi NumberSeq() e next(). Cambiando le due righe in cui compare x, in modo da usare NumberSeq come descritto, si ottiene un client di quest'interfaccia.

L'implementazione dell'interfaccia contiene il codice Java che definisce il corpo dei metodi. Se nel file NumberSeq.java scriviamo un'altra versione di NumberSeq con codice diverso per ciascuno dei metodi e lo compiliamo con un client, otteniamo un programma dal comportamento diverso, ma senza aver apportato alcuna modifica al codice del client.

Se vogliamo provare operazioni diverse da quelle aritmetiche, prima o poi ci troviamo nella necessità di aggiungere ulteriori operazioni al tipo di dato. Ad esempio, se vogliamo stampare i numeri dobbiamo implementare un metodo toString. Tutte le volte in cui è necessario sviluppare un tipo di dato attraverso l'identificazione delle operazioni più importanti che un programma deve eseguire, ci troviamo a dover inevitabilmente bilanciare il livello di generalità nell'operare e la facilità di implementazione che ne risulta.

Spesso, ci troviamo a dover costruire un nuovo tipo di dato arricchendone uno già esistente. Per agevolare questo tipico compito Java offre la possibilità di definire una classe che ne *estende* un'altra. Il tipo di dato definito dalla classe estesa è determinato dai membri della classe base più tutti i membri della classe estesa. La classe estesa può tanto definire nuovi membri quanto ridefinire membri della classe base. Diremo che la classe estesa *eredita* i membri della classe base. Ad esempio, estendiamo la classe Point, ottenendo una classe in cui è possibile associare a ciascun punto una stringa, nel modo seguente:

```
class LabeledPoint extends Point
  {
    String id;
    void label(String name) { id = name; }
    public String toString()
      { return name + "(" + x + ", " + y + ")"; }
  }
```

La parola chiave extends significa che LabeledPoint eredita tutti i campi dato e tutti i metodi di Point. Aggiungiamo il nuovo campo dato String e ridefiniamo il metodo toString senza per questo dover fare un'altra copia (o conoscere i dettagli) di Point.

La possibilità di usare operazioni ad alto livello definite in precedenza, anche per tipi nuovi, è una delle peculiarità di maggior rilevanza della programmazione Java. Le classi estese forniscono un modo conveniente per costruire nuovi programmi, avendo come base quelli vecchi. Si tratta di una parte integrante di tutti i sistemi di programmazione a oggetti. Tuttavia, utilizzeremo raramente l'ereditarietà in questo libro. Ciò perché essa di solito tende a nascondere parte delle interfacce, mentre è importante ai fini della nostra trattazione che le interfacce corrispondenti a tipi di dati fondamentali vengano rese del tutto esplicite.

Esistono molti altri modi per supportare tipi di dati oltre allo schema client-interfaccia-implementazione che abbiamo appena descritto. Noi non continueremo a distinguere tra le diverse alternative, perché esse sono più attinenti a un contesto di programmazione che a uno di progettazione algoritmica (per tale materia rimandiamo il lettore ai riferimenti bibliografici). Faremo, però, spesso uso di questa organizzazione progettuale di base perché essa offre un modo naturale per sostituire implementazioni con altre implementazioni più efficienti e quindi, in definitiva, per facilitare il confronto fra diversi algoritmi sullo stesso problema applicativo. Il Capitolo 4 è dedicato a questo argomento.

La programmazione orientata agli oggetti si fonda sulla nostra capacità di definire, tramite classi, nuovi tipi di dati per associazione fra dati e operazioni che andremo a eseguire su tali dati (insieme alle strutture dati e agli algoritmi che li supportano). Le classi sono l'elemento fondante del codice che compare in questo libro. Prima di considerare in modo più approfondito la metodologia qui solo accennata, è il caso di menzionare vari meccanismi di associazione e manipolazione di dati a livello più basso.

Fino a questo punto, abbiamo parlato principalmente della definizione di frammenti individuali di informazione da elaborare. In molti casi dovremo, invece, lavorare con enormi quantità di dati. È giunto il momento di vedere le modalità in cui possiamo organizzarli. Useremo, in generale, il nome di *struttura dati* per riferirci a un meccanismo di organizzazione delle informazioni allo scopo di fornire efficienti operazioni di accesso e manipolazione. Molte strutture dati importanti si basano su uno dei due elementari approcci seguenti: il primo approccio è quello di usare un *array*, dove organizziamo gli oggetti secondo una modalità sequenziale fissa, rendendo l'accesso più facile della manipolazione. Il secondo approccio è quello di usare una *lista*, dove i dati sono organizzati in modo logicamente sequenziale, rendendo la manipolazione più agevole dell'accesso.

Esercizi

▷ **3.1** Definite una classe che sia adatta a rappresentare il gioco delle carte, e che includa metodi per controllare se due carte sono dello stesso seme e per verificare se una ha valore maggiore dell'altra. Includete anche un metodo toString().

▷ **3.2** Scrivete una classe che usi la classe Point per implementare un tipo di dato per triangoli contenuti nel quadrato unitario. Includete tanto un metodo per verificare se un triangolo è retto, quanto un metodo toString per stampare le coordinate dei vertici.

3.3 Scrivete un programma client che usi il tipo di dato del Programma 3.2 per leggere una sequenza di punti (coppie di numeri in virgola mobile) da standard input e, quindi trovate fra questi il punto che è più vicino al primo di essi.

● **3.4** Aggiungete un metodo al tipo di dato point (Programma 3.2) che determini se tre dati punti sono collineari (cioè, giacciono sulla stessa retta, *NdT*) a meno di un termine di tolleranza di 10^{-4}. Assumete che tutti i punti appartengano al quadrato unitario.

▷ **3.5** Fornite un'implementazione di NumberSeq che vi consenta di usare il Programma 3.3 (modificato in modo da essere un client di NumberSeq, come descritto nel testo) per stampare media e deviazione standard di una sequenza di interi casuali a 4 cifre.

● **3.6** Aggiungete alla vostra classe dell'Esercizio 3.2 un metodo per il calcolo dell'area di un triangolo. Quindi, scrivete un'implementazione di myNUMBER che vi permetta di utilizzare il Programma 3.3 (modificato come descritto nel testo) per generare triangoli casuali e calcolarne la media delle aree.

3.7 Verificate il generatore di numeri casuali del vostro sistema, generando N numeri interi fra 0 ed $r-1$ con ((int) (1000*Math.random())) % r e calcolando medie e deviazioni standard per $r = 10, 100, 1000$ ed $N = 10^3$, $10^4, 10^5, 10^6$.

3.8   Verificate il generatore di numeri casuali del vostro sistema, generando N numeri interi fra 0 ed $r-1$ tramite `((int) (r*Math.random()))` e calcolando medie e deviazioni standard per $r = 10, 100, 1000$ ed $N = 10^3$, $10^4, 10^5, 10^6$.

○ **3.9**   Ripetete gli Esercizi 3.7 e 3.8 per $r = 2, 4$ e 16.

3.10   Implementate le necessarie modifiche per far sì che il Programma 3.3 usi bit casuali (numeri che assumono i soli valori 0 e 1).

● **3.11**   Fornite un'espressione analitica per la distanza attesa dall'origine di un punto casuale nel quadrato unitario e confrontatela con il risultato ottenuto usando il Programma 3.3 (nel modo descritto nel testo) per trovare media e deviazione standard di questa quantità, tramite N punti casuali, dove $N = 10^3, 10^4, 10^5, 10^6$.

3.2 Array

Fra tutte le strutture dati, forse la più importante è l'*array*. L'array, in Java come nella maggior parte dei linguaggi di programmazione, è definito come una primitiva del linguaggio. Negli esempi del Capitolo 1 abbiamo già visto l'uso di array come base per lo sviluppo di algoritmi efficienti: in questo paragrafo, analizzeremo molti altri esempi.

Un array è un insieme fissato di elementi dello stesso tipo memorizzati in modo contiguo e accessibili per mezzo di un indice. Denoteremo l'i-esimo elemento di un array `a` con `a[i]`. È responsabilità del programmatore memorizzare informazioni utili negli elementi di un array prima di accedervi. Nel linguaggio Java è lasciato al programmatore anche l'uso corretto degli indici, i quali dovranno essere numeri interi non negativi minori della dimensione dell'array. Trascurare queste istanze è uno degli errori di programmazione più comuni.

L'importanza degli array deriva anche dal fatto che, su quasi tutti gli elaboratori, questi hanno una corrispondenza diretta con la memoria centrale. Nel linguaggio macchina per ottenere il valore di una parola di memoria di un computer è necessario specificarne l'indirizzo. Quindi, si potrebbe pensare alla memoria di un computer come a un array nel quale gli indici corrispondono a indirizzi di celle di memoria. La maggior parte dei compilatori traduce i programmi che utilizzano array in codice efficiente in grado di accedere direttamente alla memoria; in tal modo possiamo essere certi che l'accesso a un array con `a[i]` si tradurrà in poche istruzioni macchina.

Un semplice esempio di uso di array è dato dal Programma 3.4,

---

Programma 3.4   Crivello di Eratostene

Lo scopo di questo programma è quello di stampare tutti i numeri primi minori del numero intero dato sulla linea di comando. Per fare ciò, il programma calcola un array a di valori booleani in cui a[i] è impostato a true, se i è primo, e a false, se i non è primo. Il programma inizializza a true tutti gli elementi dell'array, per significare che all'inizio non conosce alcun numero non primo. Quindi, pone a false gli elementi dell'array che corrispondono a indici non primi (perché sono multipli di numeri primi già esaminati). Se a[i] rimane true dopo che tutti i multipli di numeri primi più piccoli sono stati posti a false, allora concludiamo che l'indice i è un numero primo.

```
classPrimes
  {
    public static void main(String[] args)
      { int N = Integer.parseInt(args[0]);
        boolean[] a = new boolean[N];
        for (int i = 2; i < N; i++) a[i] = true;
        for (int i = 2; i < N; i++)
          if (a[i] != false)
              for (int j = i; j*i < N; j++)
                a[i*j] = false;
        for (int i = 2; i < N; i++)
          if(i > N -100)
            if (a[i]) Out.print(" " + i);
        Out.println();
      }
  }
```

i	2	3	5	a[i]
2	1			1
3	1			1
4	1	0		
5	1			1
6	1	0		
7	1			1
8	1	0		
9	1		0	
10	1	0		
11	1			1
12	1	0	0	
13	1			1
14	1	0		
15	1		0	
16	1	0		
17	1			1
18	1	0	0	
19	1			1
20	1	0		
21	1		0	
22	1	0		
23	1			1
24	1	0	0	
25	1			0
26	1	0		
27	1		0	
28	1	0		
29	1			1
30	1	0	0	0
31	1			1

**Figura 3.2
Crivello di Eratostene**

Per calcolare i numeri primi minori di 32, inizializziamo gli elementi dell'array a 1 (seconda colonna), per indicare che all'inizio non conosciamo alcun numero non primo (a[0] e a[1] non sono usati e, quindi, non sono mostrati in figura). Quindi, poniamo a 0 gli elementi dell'array i cui indici sono multipli di 2, 3 e 5, dato che sappiamo che questi multipli non sono numeri primi. Gli indici corrispondenti a elementi dell'array che rimangono a 1 sono numeri primi (colonna più a destra).

che stampa tutti i numeri primi minori di un valore specificato. Il metodo usato, che risale al terzo secolo a.C., è chiamato *crivello di Eratostene* ed è un tipico algoritmo che sfrutta la possibilità di accedere in modo efficiente a ogni elemento dell'array a partire dall'indice dell'elemento. La Figura 3.2 traccia le operazioni del programma durante il calcolo dei primi minori di 32. Per brevità, nella figura usiamo i numeri 1 e 0 per indicare, rispettivamente, i valori true e false. L'implementazione ha quattro cicli, tre dei quali accedono agli elementi dell'array sequenzialmente, dall'inizio alla fine. Il quarto ciclo scandisce l'array saltando i elementi per volta. In alcuni casi l'elaborazione sequenziale è essenziale, in altri è solo una delle tante possibili. Ad esempio, possiamo modificare il primo ciclo del Programma 3.4 in

```
for (i = N−1; i > 1; i--) a[i] = true;
```

senza alcuna influenza sulle funzionalità dell'algoritmo. Possiamo anche invertire nello stesso modo l'ordine nel ciclo interno o anche cambiare il ciclo finale, per fargli stampare i numeri primi in ordine decrescente. Non possiamo invece cambiare l'ordine del ciclo esterno principale, perché la primalità di a[i] dipende dal fatto che tutti gli interi minori di i devono essere elaborati in precedenza.

Non analizzeremo il tempo di calcolo del Programma 3.4 in dettaglio, perché ciò richiederebbe una digressione nella teoria dei numeri. Rimane, però, chiaro che esso è proporzionale a

$$N + N/2 + N/3 + N/5 + N/7 + N/11 + \ldots$$

che è inferiore a $\quad N + N/2 + N/3 + N/4 + \ldots = N H_N \sim N \ln N$.

Come per altri oggetti, i riferimenti ad array sono significativi perché ci permettono di manipolare in modo efficiente array come oggetti di livello astratto più elevato. In particolare, possiamo passare un riferimento ad array come parametro a un metodo, e quindi consentire a quel metodo di accedere agli elementi dell'array senza doverne fare una copia. Questa possibilità è indispensabile quando abbiamo a che fare con array di grandi dimensioni. I metodi di ricerca esaminati nel Paragrafo 2.6, ad esempio, sfruttano questa caratteristica. Altri esempi ancora verranno illustrati nel Paragrafo 3.7.

Il secondo meccanismo usato nel Programma 3.4, è l'operatore new che alloca durante l'esecuzione la quantità di memoria di cui il nostro array ha bisogno, restituendo un riferimento a tale array. L'allocazione dinamica è uno strumento essenziale per i programmi che devono manipolare array diversi, alcuni dei quali di grandi dimensioni. In questo caso, in assenza di allocazione dinamica, dovremmo preallocare array di dimensione pari alla massima dimensione consentita all'utente. In programmi estesi, che usano magari molti array, ciò diventa chiaramente impraticabile. Nel linguaggio Java il meccanismo che sta alla base di new è il medesimo per tutti gli oggetti, ma il suo uso è particolarmente importante nel caso di array, dato che questi possono essere anche molto grandi. Una versione più affidabile del Programma 3.4 è quella che controlla che vi sia anche memoria sufficiente per allocare l'array, come illustrato nel Programma 3.5.

Mentre da una parte gli array riflettono da vicino i meccanismi a basso livello di accesso alla memoria di molti calcolatori, dall'altra essi trovano uso diffusissimo, perché corrispondono direttamente a metodi naturali di organizzazione dei dati in molte applicazioni. Per esempio,

---

Programma 3.5 Allocazione affidabile di un array

Se un utente del Programma 3.4 digitasse come argomento sulla riga di comando un numero estremamente grande, si produrrebbe nel sistema un'eccezione OutOfMemoryError (mancanza di memoria). È buona pratica di programmazione tenere sotto controllo tutti gli errori che possono capitare. Quindi, potrebbe essere utile sostituire le righe di codice che creano l'array booleano del Programma 3.4 con il codice qui sotto. Ci capiterà spesso, in questo libro, di allocare array. Per brevità, tutti questi test sulla mancanza di memoria verranno omessi.

```
boolean[] a;
try
  { a = new boolean[N]; }
catch (OutOfMemoryError e)
  { Out.println("Out of memory"); return; }
```

---

gli array corrispondono in modo diretto ai *vettori*, termine matematico per indicare liste indicizzate di elementi.

La libreria standard di Java fornisce la classe Vector, un oggetto astratto che possiamo indicizzare come un array ma che può anche crescere e ridursi. Tale classe offre alcuni dei vantaggi di operare con array, permettendo al contempo di eseguire operazioni astratte di ingrandimento o riduzione dell'array senza dover conoscere i dettagli della loro codifica. I programmi che usano gli oggetti Vector sono meno concisi di quelli che usano array, perché per accedere all'*i*-esimo elemento di un Vector dobbiamo invocare il suo metodo get, invece di usare le parentesi quadre. L'implementazione di Vector userà verosimilmente un array interno, quindi usare un Vector invece di un array porta solo a un ulteriore livello di indirezione. Di conseguenza, per motivi di semplicità ed efficienza useremo array in tutti i programmi di questo libro. Resta, comunque, intesa la possibilità di adattare tali programmi all'uso di Vector (si veda l'Esercizio 3.15).

Il Programma 3.6 è un esempio di programma di simulazione che usa array. Il programma simula una sequenza di *prove bernoulliane*, un classico concetto astratto della teoria della probabilità. Se lanciamo una moneta N volte, la probabilità che esca k volte testa è pari a

$$\binom{N}{k}\frac{1}{2^N} \approx \frac{e^{-(k-N/2)^2/N}}{\sqrt{\pi N/2}}.$$

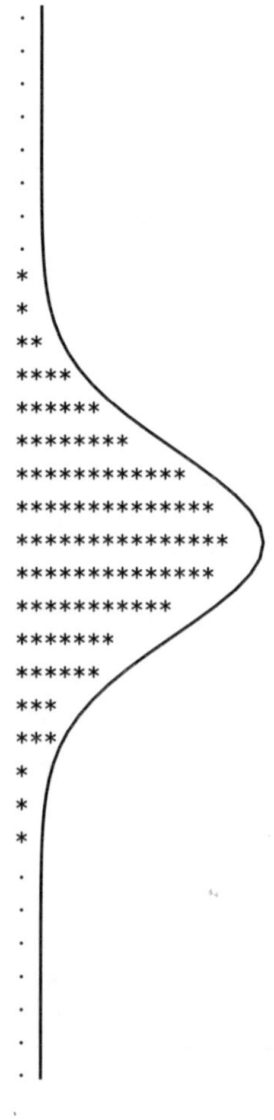

Figura 3.3
Simulazione del lancio di monete

Questa tabella mostra il risultato dell'esecuzione del Programma 3.6 con N = 32 ed N = 1000, che simula 1000 esperimenti sul lancio di una moneta per 32 volte. Il numero di volte che esce testa è approssimato dalla funzione di distribuzione normale che abbiamo disegnato sopra i dati.

Programma 3.6 Simulazione del lancio di monete

Se lanciamo una moneta N volte, ci aspettiamo di ottenere $N/2$ volte testa. Il numero di volte che esce testa può, in realtà, essere un qualsiasi numero intero fra 0 ed N. Questo programma esegue l'esperimento M volte, leggendo sia N che M dalla riga di comando, usando un array f per memorizzare le occorrenze dell'evento "i volte testa", per $0 \leq i \leq N$. Il programma, quindi, stampa un istogramma del risultato degli esperimenti, usando un asterisco per rappresentare 10 occorrenze.

L'operazione su cui questo programma si basa (indicizzazione di un array con un valore calcolato) è critica per l'efficienza di molte procedure di calcolo.

```java
class CoinFlip
  {
    static boolean heads()
      { return Math.random() < 0.5; }
    public static void main(String[] args)
      { int i, j, cnt;
        int N = Integer.parseInt(args[0]);
        int M = Integer.parseInt(args[1]);
        int[] f = new int[N+1];
        for (j = 0; j <= N; j++) f[j] = 0;
        for(i = 0; i < M;i++, f[cnt]++)
          for (cnt = 0, j = 0; j <= N; j++)
            if (heads()) cnt++;
        for (j = 0; j <= N; j++)
          {
            if (f[j] == 0) Out.print(".");
            for (i = 0; i < f[j]; i+=10)
              Out.print("*");
            Out.println();
          }
      }
  }
```

L'approssimazione è nota con il nome di *approssimazione normale*, l'usuale curva a forma di campana. La Figura 3.3 illustra l'output del Programma 3.6 per 1000 ripetizioni dell'esperimento del lancio ripetuto (32 volte) di una moneta. Molti dettagli sulla distribuzione di Bernoulli e sull'approssimazione normale si possono trovare nei libri sulla teoria della probabilità. Per adesso, il nostro interesse nei calcoli è quello di usare i numeri come indici di un array per contare la loro frequenza di oc-

---

Programma 3.7   Calcolo del punto più vicino

Il programma illustra l'uso di un array di oggetti, ed è rappresentativo della tipica situazione in cui memorizziamo degli oggetti in un array al fine di elaborarli successivamente. Il programma sfrutta la definizione di tipo di dati punto introdotta nel Paragrafo 3.1 e conta il numero di coppie di punti, fra gli N disposti a caso nel quadrato unitario, che possono essere connessi da un segmento di lunghezza inferiore a d. Il tempo di calcolo è $O(N^2)$, quindi il programma non può essere usato per N molto grande. Una soluzione più efficiente è fornita dal Programma 3.18.

```
class ClosePoints
  { public static void main(String[] args)
     { int cnt = 0, N = Integer.parseInt(args[0]);
       double d = Double.parseDouble(args[1]);
       Point[] a = new Point[N];
       for (int i = 0; i < N; i++)
         a[i] = new Point();
       for (int i = 0; i < N; i++)
         for (int j = i+1; j < N; j++)
           if (a[i].distance(a[j]) < d) cnt++;
       Out.print(cnt + " pairs ");
       Out.println("closer than " + d);
     }
  }
```

---

correnza. La capacità degli array di supportare questo tipo di operazioni è uno dei loro principali vantaggi.

I Programmi 3.4 e 3.6 calcolano entrambi indici di array a partire dai dati elaborati. In un certo senso, quando usiamo un valore calcolato per indicizzare un array di dimensione N, stiamo tenendo in conto N possibilità con una sola operazione. Questo guadagno in efficienza, a pensarci, è estremamente importante. Troveremo più avanti altri algoritmi che utilizzano gli array in questo modo.

Usiamo gli array per organizzare i più svariati tipi di elementi, non solo i numeri interi. In Java, possiamo dichiarare array di ogni tipo primitivo o classe. Un array di interi contiene il valore degli interi stessi, e la stessa cosa vale per qualsiasi altro tipo primitivo. Un array di oggetti, d'altra parte, è solo un array di riferimenti a tali oggetti (Figura 3.4).

Il Programma 3.7 illustra l'uso di un array di punti nel piano, usando la definizione di classe del Paragrafo 3.1. Questo programma mostra anche un altro modo comune di usare gli array, cioè quello di memo-

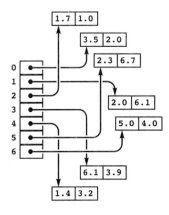

Figura 3.4
Array di punti

In Java, un array di oggetti è, in realtà, un array di riferimenti a oggetti, come mostrato in questo disegno di un array di oggetti di tipo Point.

rizzare dati a cui si possa avere accesso in modo veloce e organizzato in un secondo momento. Fra l'altro, il Programma 3.7 è interessante anche come esempio tipico di algoritmo quadratico il quale, controllando tutte le coppie su un insieme di N elementi, ha appunto tempo di calcolo proporzionale a N^2. In questo libro cerchiamo sempre, ove possibile, di perfezionare un algoritmo quadratico, perché esso diventa impraticabile quando N cresce. Nella fattispecie, il Paragrafo 3.7 mostra come sia possibile eseguire gli stessi calcoli in tempo lineare scegliendo un'opportuna struttura dati composta.

Possiamo creare tipi composti di arbitraria complessità in modo simile: possiamo avere non solo array di oggetti, ma anche array di array od oggetti che contengono array. Tratteremo dettagliatamente queste possibilità nel Paragrafo 3.7. Prima di ciò sarà, però, opportuno esaminare le liste concatenate, la principale alternativa agli array nell'organizzare un insieme di elementi.

Esercizi

3.12 Modificate la nostra implementazione del crivello di Eratostene (Programma 3.4) in modo che usi un array di interi, invece di valori booleani. Vagliate gli effetti di queste modifiche sullo spazio di memoria e sul tempo di esecuzione richiesti dal programma.

▷ **3.13** Usate il crivello di Eratostene per determinare quanti sono i numeri primi minori di N, per $N = 10^3$, 10^4, 10^5, 10^6.

○ **3.14** Usate il crivello di Eratostene per tracciare un grafico del numero dei primi minori di N, dove N varia fra 1 e 1000.

○ **3.15** Il package `java.util` include il tipo di dato `vector` come alternativa agli array. Trovate il modo di usare questo tipo di dato e determinate l'effetto sul tempo di calcolo della sostituzione dell'array con un `vector` nel Programma 3.4.

● **3.16** Determinate empiricamente l'effetto della rimozione del test di `a[i]` dal ciclo interno del Programma 3.4 e fornite una spiegazione di ciò che osservate. Ponete $N = 10^3$, 10^4, 10^5, 10^6.

▷ **3.17** Supponete che a sia dichiarato come `int[] a = new int[99]`. Fornite il contenuto dell'array a seguito dell'esecuzione delle due istruzioni seguenti:

```
for (i = 0; i < 99; i++) a[i] = 98-i;
for (i = 0; i < 99; i++) a[i] = a[a[i]];
```

▷ **3.18** Scrivete un programma che conti, in una data sequenza di numeri in ingresso, il numero di interi distinti minori di 1000.

○ **3.19** Scrivete un programma che determini empiricamente il numero di interi positivi casuali minori di 1000 che vi aspettate di dover generare, prima di ottenere un valore ripetuto.

○ **3.20** Scrivete un programma che determini empiricamente il numero di interi positivi casuali minori di 1000 che vi aspettate di dover generare, prima di ottenere ciascun valore almeno una volta.

3.21 Modificate il Programma 3.6 per simulare una situazione in cui la probabilità che esca testa sia p. Eseguite 1000 prove di un esperimento con 32 lanci di monete per $p = 1/6$. Confrontate l'output ottenuto con la Figura 3.3.

3.22 Modificate il Programma 3.6 per simulare una situazione in cui la probabilità che esca testa sia λ/N. Eseguite 1000 prove di un esperimento con 32 lanci di monete, confrontando l'output ottenuto con la Figura 3.3. Questa distribuzione è la classica distribuzione di *Poisson*.

○ **3.23** Modificate il Programma 3.7 in modo che stampi le coordinate della coppia di punti più vicini.

● **3.24** Generalizzate il Programma 3.7, affinché lavori in d dimensioni (invece che in 2, *NdT*).

3.3 Liste concatenate

Quando abbiamo necessità di scandire una collezione di elementi in modo sequenziale, uno dopo l'altro, una scelta conveniente è quella di organizzare gli elementi in una *lista concatenata*. In una lista concatenata, ogni elemento contiene le informazioni necessarie per accedere all'elemento successivo. Il vantaggio principale che una lista concatenata ha su un array è quello della flessibilità di modifica. Il principale svantaggio è quello dell'onerosità nell'accesso ai suoi elementi: l'unico modo per raggiungere un dato elemento della lista è quello di seguire le connessioni della lista dall'inizio.

Definizione 3.2 *Una **lista concatenata** è un insieme di elementi, dove ogni elemento è inserito in un **nodo** contenente anche un **link** (cioè una connessione o riferimento) a un (altro) nodo.*

Abbiamo definito i nodi in termini di riferimenti ad altri nodi. Per questa ragione le liste concatenate sono dette qualche volta strutture *autoreferenzianti*. Inoltre, sebbene di solito i link di un nodo puntino ad altri nodi, tali link potrebbero anche puntare al nodo medesimo, e quindi dar luogo a strutture *circolari*. Le implicazioni di questi due fatti diventeranno chiare nel momento in cui inizieremo a considerare esempi concreti.

Di norma, pensiamo a una lista concatenata come a una struttura che implementa una disposizione sequenziale di elementi: a partire da un dato nodo, consideriamo l'elemento in esso contenuto come il primo elemento della sequenza, quindi seguiamo il suo link a un altro nodo, il quale ci fornisce il secondo elemento della sequenza, e così via. In linea di principio, la lista potrebbe essere ciclica e la sequenza risultante potrebbe, quindi, sembrare infinita. Di solito, però lavoreremo con liste che corrispondono a una semplice organizzazione sequenziale di un insieme finito di elementi e adotteremo una delle seguenti convenzioni per il link del nodo finale:

- è un *link nullo* che non punta ad alcun nodo
- punta a un *nodo fittizio* che non contiene alcun elemento
- punta indietro al primo nodo della lista, creando quindi una *lista circolare.*

In ognuno di questi casi, comunque, se seguiamo i link dal nodo iniziale a quello finale visitiamo in sequenza tutti gli elementi. Anche gli array organizzano elementi in modo sequenziale. Quest'organizzazione in un array è, però, data in modo implicito dalla posizione nell'array (il quale supporta anche l'accesso diretto agli elementi per indice, cosa che in una lista non è possibile).

Considereremo dapprima nodi con esattamente un link e, in molte applicazioni, lavoreremo con liste unidimensionali dove tutti i nodi, salvo eventualmente il primo e l'ultimo, hanno esattamente un link che punta a essi. Ciò rappresenta la situazione più semplice (e anche la più interessante per noi), in cui le liste concatenate corrispondono a sequenze finite di elementi. Tratteremo situazioni un po' più complicate a tempo debito.

Le liste concatenate sono costrutti primitivi in alcuni linguaggi di programmazione, ma non in Java. In effetti, i costrutti primitivi che abbiamo esaminato nel Paragrafo 3.1 sono ben adatti a implementarle. Possiamo, in particolare, usare oggetti per i nodi e riferimenti a oggetti per i link:

```
class Node
  { Object item; Node next; }
```

Questo non è altro che il codice Java relativo alla Definizione 3.2. Implementiamo i nodi delle liste come oggetti di tipo Node: ciascun nodo è composto da un elemento (il cui tipo non è specificato qui) e da un riferimento a un nodo. Quindi, usiamo riferimenti a nodi per implementare link. Nel Capitolo 4 vedremo rappresentazioni più articolate che offrono maggiore flessibilità ed efficienza implementativa, ma per il momento la semplice rappresentazione mostrata qui sopra è sufficiente per trattare i fondamentali metodi di elaborazione delle liste. Per le altre strutture concatenate che incontreremo nel libro useremo convenzioni simili.

L'allocazione di memoria è un problema centrale nell'uso efficiente di liste concatenate. Abbiamo definito una singola classe Node, ma avremo molti oggetti che sono istanza di questa classe, tanti quanti sono i nodi che intendiamo usare. Tutte le volte che abbiamo bisogno di un nuovo nodo dobbiamo creare un oggetto di tipo Node. Ad esempio, come per qualsiasi altra classe, la riga di codice

```
Node x = new Node();
```

crea un oggetto di tipo Node e restituisce un riferimento a esso, ponendolo in x. Nel Paragrafo 3.5 considereremo brevemente il modo in cui il sistema riserva memoria. Si tratta, infatti, di una notevole applicazione delle liste concatenate.

Quando lavoriamo con strutture concatenate è buona pratica inizializzare tutti i membri di ciascun oggetto in fase di creazione. Dato che l'invocazione di un costruttore è parte del processo di istanziazione di un oggetto, ci è sufficiente assegnare valori a ciascun campo dato in ogni costruttore. Ad esempio, possiamo definire i nodi di una lista con

```
Class Node
  { Object item; Node next;
   Node(Object v)
     { item = v; next = null; }
  }
```

In tal caso, l'istruzione t = new Node(x); non solo riserva memoria per un nodo e pone un riferimento a esso in t, ma inizializza il campo item del nodo al valore v e il campo next al valore null. L'uso appropriato di costruttori aiuta a evitare errori di programmazione legati alla mancanza di inizializzazione dei dati.

A questo punto, una volta che un nodo della lista è creato, come possiamo riferirci all'informazione in esso contenuta (dati e link)? Le operazioni che ci servono le abbiamo già incontrate. Dobbiamo solo usare i nomi dei campi dato della classe: l'informazione nel nodo riferito da x (che è un Object) è x.item, mentre il link (che è un riferimento a un Node) è x.next. Quando parliamo di riferimenti in Java, usiamo talmente spesso la locuzione "il nodo riferito dal link x" che tenderemo ad abbreviarla in "nodo x", cioè chiameremo un nodo attraverso il link a quel nodo.

La corrispondenza fra link e riferimenti in Java è essenziale, anche se dobbiamo sempre tenere presente che il primo è un'astrazione, mentre il secondo è una rappresentazione concrèta. Possiamo progettare algoritmi che usano nodi e link e scegliere una fra le molte implementazioni possibili. Ad esempio, potremmo anche rappresentare link con indici di array, come vedremo alla fine di questo paragrafo.

Le Figure 3.5 e 3.6 mostrano le due principali operazioni sulle liste concatenate. Possiamo *cancellare* un qualunque elemento dalla lista, riducendone la lunghezza di uno, così come possiamo *inserire* un elemento nella lista in qualsiasi posizione, aumentandone la lunghezza di uno. Per semplicità, in queste figure assumeremo che le liste siano circolari e che non degenerino mai in liste vuote. Avremo occasione di considerare link nulli, nodi fittizi e liste vuote nel Paragrafo 3.4. Come le due figure mostrano, inserimento e cancellazione richiedono solo due istruzioni Java. Per cancellare il nodo che segue il nodo x, usiamo le istruzioni

```
t = x.next; x.next = t.next;
```

o semplicemente

```
x.next = x.next.next;
```

Per inserire il nodo t nella lista appena dopo il nodo x, usiamo le istruzioni

```
t.next = x.next; x.next = t;
```

La semplicità delle operazioni di inserimento e cancellazione è la ragion d'essere delle liste concatenate. Le stesse operazioni sarebbero innaturali e poco convenienti in un array, perché richiederebbero di spostare tutti gli elementi dell'array successivi a quello coinvolto. D'altro canto, le liste concatenate non sono molto adatte per eseguire operazioni come l'accesso al *k*-esimo elemento (ovvero l'accesso diretto per indice). In un array, troviamo il *k*-esimo elemento semplicemente leggendo a[k]. In una lista dobbiamo attraversare invece *k* link. Un'altra operazione piuttosto innaturale su liste concatenate semplici è quella di "trovare l'elemento che precede un elemento dato".

Quando cancelliamo un nodo da una lista concatenata tramite x.next = x.next.next, potrebbe capitare di perdere il riferimento a quel nodo. In Java, non dobbiamo preoccuparci oltremodo, dato che è il sistema che *automaticamente* rende di nuovo disponibile la memoria per la quale non esistono riferimenti. In molti altri linguaggi di programmazione è necessario, invece, informare il sistema quando la memoria occupata può essere nuovamente impiegata per altri scopi. Ciò

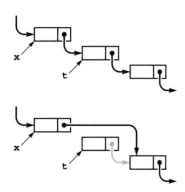

**Figura 3.5
Cancellazione in una lista concatenata**

Per cancellare il nodo che segue un dato nodo x da una lista concatenata, facciamo puntare t al nodo che deve essere rimosso, quindi cambiamo il link di x in modo che punti a t.next. Il riferimento t può essere utilizzato per accedere al nodo rimosso (ad esempio, per aggiungerlo a qualche altra lista). Sebbene il suo link si riferisca ancora a un nodo nella lista, generalmente non facciamo più uso di tale link dopo la rimozione del nodo dalla lista.

è particolarmente critico quando abbiamo a che fare con liste i cui elementi occupano molto spazio oppure con liste molto lunghe. Torneremo sulla questione nel Paragrafo 3.5.

Nei prossimi capitoli vedremo moltissimi esempi di applicazione di queste e altre operazioni di base relative alle liste concatenate. Poiché tali operazioni richiedono solo alcune istruzioni, tenderemo a manipolare le liste direttamente, senza definire metodi di inserimento, cancellazione, ecc. Come esempio, consideriamo ora un programma che risolve il cosiddetto *problema di Giuseppe Flavio*, che è utile confrontare con il crivello di Eratostene.

Immaginiamo che N persone debbano eleggere un leader nel modo seguente: le persone si dispongono in cerchio, eliminano una persona ogni M, seguendo l'ordine nel cerchio, e richiudendo il cerchio a ogni eliminazione. Il problema è quello di scoprire quale persona rimarrà per ultima (un leader potenziale con inclinazioni matematiche capirà in anticipo in quale posizione del cerchio dovrà mettersi). L'identità del leader eletto è funzione di N ed M. Chiameremo questa funzione la *funzione di Giuseppe Flavio*. Più in generale, potremmo voler sapere l'ordine in cui le persone verranno eliminate. Per esempio, come la Figura 3.7 mostra, se $N = 9$ ed $M = 5$, le persone sono eliminate nell'ordine 5 1 7 4 3 6 9 2, e quindi 8 è il leader eletto. Il Programma 3.8 prende in input N ed M e stampa in output questo ordine. Il programma usa una lista concatenata circolare per simulare l'elezione in modo diretto. Per prima cosa, costruiamo la lista per le persone da 1 a N. A partire dalla lista circolare contenente la persona 1, inseriamo nodo dopo nodo i nodi per le persone da 2 a N, usando il codice per l'inserimento della Figura 3.6. Quindi scandiamo la lista, contando $M - 1$ elementi, cancellando quello successivo per mezzo del codice di Figura 3.5 e continuando fino a quando non sia rimasto che un solo nodo (che perciò punterà a se stesso).

Il crivello di Eratostene e il problema di Giuseppe Flavio illustrano chiaramente la distinzione fra l'uso di array e l'uso di liste concatenate per rappresentare collezioni di elementi organizzati in modo sequenziale. Se nel crivello di Eratostene usassimo una lista concatenata invece di un array, le operazioni sarebbero molto più costose perché l'efficienza dell'algoritmo dipende dalla capacità di accedere velocemente a posizioni arbitrarie di un array. Similmente, se usassimo un array invece di una lista concatenata nel problema di Giuseppe Flavio, otterremmo ancora operazioni costose perché l'efficienza dell'algoritmo dipende qui dall'abilità di cancellare velocemente gli elementi.

Quando scegliamo una struttura dati, dobbiamo prevedere gli effetti che questa scelta avrà sull'efficienza degli algoritmi che elabora-

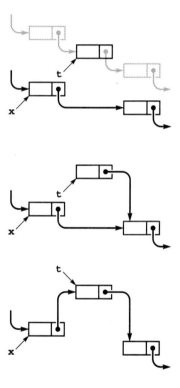

**Figura 3.6
Inserimento in una lista concatenata**

Per inserire un nodo t *in una lista concatenata nella posizione successiva a quella occupata da un dato nodo* x *(in alto), poniamo* t .next *a* x .next *(al centro), e quindi* x .next *a* t *(in basso).*

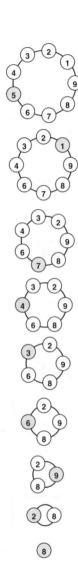

Figura 3.7
Esempio di elezione alla Giuseppe Flavio

Questo diagramma mostra il risultato di un'elezione "alla Giuseppe Flavio". Il gruppo è disposto in cerchio: si contano i posti attorno al cerchio, si elimina la quinta persona e si chiude il cerchio.

Programma 3.8   Esempio di lista circolare (problema di Giuseppe Flavio)

Per rappresentare persone disposte in cerchio costruiamo una lista concatenata circolare dove, per ogni persona, un link connette tale persona a quella alla sua immediata sinistra nel cerchio.

```
class Josephus
  {
    static class Node
      { int val; Node next;
        Node(int v) { val = v; }
      }
    public static void main(String[] args)
      { int N = Integer.parseInt(args[0]);
        int M = Integer.parseInt(args[1]);
        Node t = new Node(1);
        Node x = t;
        for (int i = 2; i <= N; i++)
          x = (x.next = new Node(i));
        x.next = t;
        while (x != x.next)
          {
            for (int i = 1; i < M;i++) x = x.next;
            x.next = x.next.next;
          }
        Out.println("Survivor is " + x.val);
      }
  }
```

---

no i dati. L'interazione fra strutture dati e algoritmi è un tema centrale nella progettazione di algoritmi e sarà uno dei temi ricorrenti di questo libro.

Nel linguaggio Java oggetti e riferimenti a oggetti forniscono un modo diretto e concreto di implementare il concetto astratto di lista concatenata. Il valore essenziale di questa astrazione, tuttavia, non dipende dalla particolare implementazione. Ad esempio, nella Figura 3.8 mostriamo come poter usare array di interi per implementare la lista concatenata del problema di Giuseppe Flavio. Possiamo, infatti, rappresentare liste concatenate per mezzo di indici di array invece di riferimenti a oggetti. Quindi, le liste concatenate sono utili anche nei più semplici ambienti di programmazione, e sono perciò usate da tempi molto anteriori a quelli in cui i moderni linguaggi di programmazione come Java hanno messo a disposizione costrutti come oggetti e riferimenti a oggetti. Anche nei sistemi più moderni comunque, talvolta, l'implementazione di liste con indici di array è più conveniente.

Esercizi

▷ **3.25** Scrivete un metodo che calcoli il numero di nodi di una lista circolare, prendendo in ingresso un riferimento a un nodo della lista.

3.26 Scrivete un frammento di codice che calcoli in una lista circolare il numero di nodi che stanno fra i nodi puntati da due dati puntatori x e t.

3.27 Scrivete un frammento di codice che, dati i riferimenti x e t a nodi posti in due liste circolari disgiunte, inserisca, appena dopo x, tutti i nodi della lista contenente il nodo t nella lista contenente il nodo x.

● **3.28** Dati i riferimenti x e t ai nodi di una lista circolare, scrivete un frammento di codice che sposti il nodo che segue t nella posizione che segue il nodo che segue x nella lista.

3.29 Modificate il Programma 3.8 in modo che esso mantenga una lista circolare dopo l'inserimento di ciascun nodo.

3.30 Trovate, a meno di un fattore costante, il tempo di calcolo del Programma 3.8 in funzione di M ed N.

3.31 Usate il Programma 3.8 per determinare il valore della funzione di Giuseppe Flavio per $M = 2, 3, 5, 10$, ed $N = 10^3, 10^4, 10^5, 10^6$.

3.32 Usate il Programma 3.8 per tracciare il grafico della funzione di Giuseppe Flavio rispetto a $N = 2, \ldots, 1000$, fissando $M = 10$.

○ **3.33** Riscrivete la tabella della Figura 3.8, assumendo che l'elemento i si trovi inizialmente nella posizione N – i dell'array.

3.34 Sviluppate una versione del Programma 3.8 che usi un array di indici per implementare la lista concatenata (si veda la Figura 3.8).

3.4 Elaborazione elementare di liste

Le liste concatenate ci conducono verso metodi di manipolazione dei dati che sono molto diversi da quelli richiesti da array e classi semplici. Con un array o una classe possiamo memorizzare un oggetto e successivamente riferirci a esso per nome (o per indice), più o meno come quando inseriamo una scheda in uno schedario o un indirizzo in un'agenda. Con una lista concatenata, invece, il modo in cui memorizziamo le informazioni rende più difficile il loro accesso, ma più semplice la loro riorganizzazione. L'insieme delle tecniche usate per elaborare dati organizzati in liste concatenate è detto *elaborazione di liste* (*list processing*).

	0	1	2	3	4	5	6	7	8
val	1	2	3	4	5	6	7	8	9
next	1	2	3	4	5	6	7	8	0

5	1	2	3	4	5	6	7	8	9
	1	2	3	5	5	6	7	8	0

1	1	2	3	4	5	6	7	8	9
	1	2	3	5	5	6	7	8	1

7	1	2	3	4	5	6	7	8	9
	1	2	3	5	5	7	7	8	1

4	1	2	3	4	5	6	7	8	9
	1	2	5	5	5	7	7	8	1

3	1	2	3	4	5	6	7	8	9
	1	5	5	5	5	7	7	8	1

6	1	2	3	4	5	6	7	8	9
	1	7	5	5	5	7	7	8	1

9	1	2	3	4	5	6	7	8	9
	1	7	5	5	5	7	7	1	1

2	1	2	3	4	5	6	7	8	9
	1	7	5	5	5	7	7	7	1

Figura 3.8
Rappresentazione con array di una lista concatenata

Questa sequenza mostra la lista concatenata per il problema di Giuseppe Flavio (Figura 3.7), costruita con due array tramite indici invece che con riferimenti. L'indice dell'elemento che segue l'elemento di indice 0 nella lista è next[0]*, e così via. Inizialmente (nelle prime tre righe), l'elemento corrispondente alla persona i ha indice i-1. Formiamo una lista circolare ponendo* next[i] *a i+1, per i = 0, ...,8, e* next[8] *a 0. Per simulare l'elezione alla Giuseppe Flavio, modifichiamo i link (elementi dell'array* next*) ma non spostiamo gli elementi dell'array. Ogni coppia di righe mostra il risultato dello spostamento lungo la lista per quattro volte con* x = next[x]*, e della cancellazione del quinto elemento (mostrato a sinistra) con* next[x] = next[next[x]]*.*

Nell'usare array dobbiamo prestare attenzione a errori come l'accesso con indici che cadono fuori dall'array. L'errore di programmazione più comune quando si usano liste concatenate è, in un certo senso, simile: quello di referenziare un oggetto indefinito. Un altro errore che si incontra di frequente è l'uso di riferimenti i cui valori sono stati inconsapevolmente cambiati. Uno dei motivi per cui ciò è così frequente si deve alla possibilità di avere, senza saperlo, più riferimenti a uno stesso nodo. Il Programma 3.8 aggira questi potenziali errori usando una lista circolare che non è mai vuota. In tal modo, ogni link si riferisce a un nodo ben definito e ciascuno può essere interpretato come *il* riferimento alla lista.

Scrivere codice efficiente e corretto per applicazioni di list processing è una capacità che si acquisisce con la pratica e la pazienza. In questo paragrafo, consideriamo esempi ed esercizi che aumenteranno la familiarità del lettore con i programmi di list processing. Seguiranno numerosi altri esempi nel resto del libro, dato che le strutture concatenate sono il cuore di molti degli algoritmi più noti.

Come abbiamo già osservato nel Paragrafo 3.3, facciamo uso di un certo numero di convenzioni per il primo e l'ultimo link di una lista. Alcune di esse vengono considerate in questo paragrafo, anche se tenderemo a riservare il nome di *lista concatenata* per il caso più semplice.

Definizione 3.3 *Una lista concatenata consta di un link nullo oppure di un link a un nodo, che contiene un elemento e un link a una lista concatenata.*

Questa definizione è più restrittiva della Definizione 3.2, ma corrisponde in modo più preciso all'idea che abbiamo di una lista quando scriviamo codice per elaborarla. Tale definizione non esclude a priori le altre possibili convenzioni sulle liste concatenate, né crediamo valga la pena fornire definizioni specifiche (come la Definizione 3.3) per tutte le possibili convenzioni. Il particolare tipo di lista concatenata che adottiamo risulterà chiaro dal contesto.

Il Programma 3.9 è un'implementazione di una semplice operazione: quella di invertire l'ordine dei nodi di una lista. Il programma riceve come parametro una lista concatenata e restituisce una lista concatenata con gli stessi nodi, ma con ordine invertito. La Figura 3.9 mostra le modifiche che il metodo effettua su ogni nodo durante l'esecuzione del suo ciclo. Questa figura consente di verificare con facilità che ogni istruzione del programma modifica esattamente i link che vogliamo. I programmatori usano spesso diagrammi di questo tipo per analizzare le operazioni svolte da programmi di elaborazione di liste.

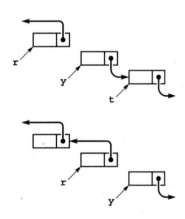

Figura 3.9
Inversione di una lista

Per invertire l'ordine di una lista, manteniamo un puntatore r alla porzione di lista già elaborata, e un puntatore y alla porzione di lista da elaborare. Questo diagramma mostra come i puntatori di ogni nodo della lista si modificano. Memorizziamo in t un puntatore al nodo che segue y, cambiamo il link di y in modo che punti a r, e quindi spostiamo r su y e y su t.

Programma 3.9   Inversione di una lista

Questo metodo inverte i link di una lista, restituendo un puntatore al nodo finale il quale a sua volta punta al penultimo, e così via. Il link del primo nodo nella lista originale è posto a NULL. Per effettuare le operazioni è necessario mantenere link a tre nodi consecutivi nella lista.

```
static Node reverse(Node x)
  { Node t, y = x, r = null;
    while (y != null)
      { t = y.next; y.next = r; r = y; y = t; }
    return r;
  }
```

Una delle più comuni operazioni su liste è quella dell'*attraversamento*: scandiamo tutti gli elementi della lista in modo sequenziale, eseguendo una qualche operazione su ognuno dei nodi. Ad esempio, se x referenzia il primo nodo di una lista, l'ultimo nodo ha un link a null e visit è un metodo che prende un elemento come parametro, possiamo scrivere

```
for (Node t = x; t != null; t = t.next) visit(t.item);
```

per attraversare la lista. Questo ciclo (o la sua versione equivalente con il while) è comunissimo in programmi di elaborazione di liste, così come lo è il ciclo della forma for (int i = 0; i < N; i++) quando si elaborano vettori.

Il Programma 3.10 illustra l'implementazione di altre tre elaborazioni di base su liste concatenate: costruire una lista a partire da una sequenza di numeri letti da standard input, riorganizzare i nodi di una lista in modo che gli elementi contenuti siano ordinati, stampare la sequenza ordinata. Il tempo di calcolo atteso di questo programma è, come osserveremo nel Capitolo 6, proporzionale a N^2, quindi non è praticabile per N grande. Rimandiamo la trattazione delle caratteristiche di questo specifico algoritmo di ordinamento al Capitolo 6, poiché nei Capitoli dal 6 al 10 approfondiremo una vasta gamma di algoritmi di ordinamento. Il nostro scopo per ora è quello di presentare tale algoritmo come un esempio di elaborazione di liste.

Le liste nel Programma 3.10 mostrano un'altra convenzione comunemente usata: manteniamo un nodo fittizio chiamato *nodo testa* (*head node*) all'inizio di ogni lista. Trascuriamo il campo item del nodo

Programma 3.10 Ordinamento per inserzione su lista

Questo codice costruisce una lista concatenata con un nodo per numero letto da standard input (metodo `create`), quindi riordina i nodi in modo che i numeri appaiano in ordine quando la lista viene attraversata (metodo `sort`), e infine stampa i numeri in modo ordinato (metodo `print`). Per eseguire l'ordinamento manteniamo due liste, la prima (non ordinata) di input e la seconda (ordinata) di output. A ogni iterazione spostiamo un nodo dalla lista di input per inserirlo al suo posto nella lista di output. Il codice è semplificato dall'uso di nodi di testa contenenti i link ai primi elementi delle due liste.

```
class ListSortExample
  {
    static class Node
      { int val; Node next;
        Node(int v, Node t) { val = v; next = t; }
      }
    static Node create()
      { Node a = new Node(0, null);
        for (In.init(); !In.empty(); )
          a.next = new Node(In.getInt(), a.next);
        return a;
      }
    static Node sort(Node a)
      { Node t, u, x, b = new Node(0, null);
        while (a.next != null)
          {
            t = a.next; u = t.next; a.next = u;
            for (x = b; x.next != null; x = x.next)
              if (x.next.val > t.val) break;
            t.next = x.next; x.next = t;
          }
        return b;
      }
    static void print(Node h)
      { for (Node t = h.next; t != null; t = t.next)
        Out.println(t.val + ""); }
    public static void main(String[] args)
      { print(sort(create())); }
  }
```

testa, ma consideriamo il suo link come il riferimento al primo elemento della lista. Il programma usa due liste: una per raccogliere l'input casuale generato (primo ciclo) e l'altra per memorizzare l'output ordinato (secondo ciclo). Nella Figura 3.10 sono indicate le modifiche che il

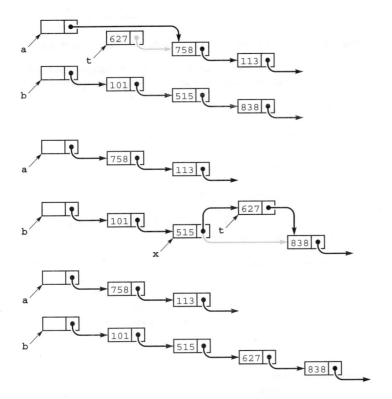

Figura 3.10
Ordinamento di una lista concatenata

Il diagramma raffigura un passaggio della trasformazione da lista concatenata non ordinata (puntata da a) a lista concatenata ordinata (puntata da b), usando un ordinamento per inserzione. Manteniamo un puntatore t al primo nodo della lista non ordinata (in alto). Quindi, scandendo la lista puntata da b, cerchiamo il primo nodo x con x.next.item > t.item (oppure con x.next = null) e inseriamo t nella lista appena dopo x (al centro). Queste operazioni riducono di uno la lunghezza della lista a e aumentano di uno quella della lista b, mantenendo quest'ultima in ordine (in basso). Ripetendo il procedimento, giungiamo prima o poi a esaurire a e ad avere in b la lista ordinata dei nodi.

Programma 3.10 esegue durante un'iterazione del suo ciclo principale: il programma estrae il successivo nodo dalla lista di input, determina la sua posizione nella lista di output e, poi, esegue l'inserimento.

La ragione principale per cui viene usato il nodo testa diventa chiara, quando consideriamo il problema di inserire il primo nodo nella lista ordinata. Questo nodo è quello che nella lista di input contiene l'elemento più piccolo e potrebbe trovarsi ovunque in tale lista. Abbiamo tre possibilità:

- duplicare il ciclo for che trova l'elemento più piccolo e predisporre una lista di un solo nodo, come nel Programma 3.8

- controllare che la lista di output non sia vuota ogni volta che dobbiamo inserire un nodo

- usare un nodo testa fittizio il cui link punti al primo nodo della lista, come nell'implementazione che abbiamo dato.

La prima opzione è poco elegante e richiede codice aggiuntivo. La seconda opzione è anch'essa poco elegante e richiede tempo aggiuntivo.

Tabella 3.1 Convenzioni su testa e coda in liste concatenate

Questa tabella fornisce l'implementazione di alcune operazioni fondamentali per elaborare liste concatenate. Sono indicati quattro modi convenzionali di rappresentare le liste concatenate. Questo codice viene usato in applicazioni semplici dove l'elaborazione di lista deve essere in-line.

Circolare, mai vuota

primo inserimento:	`head.next = head`
inserisci t dopo x:	`t.next = x.next; x.next = t`
cancella dopo x:	`x.next = x.next.next`
ciclo di attraversamento:	`t = head`
	`do { ... t = t.next; } while (t != head);`
testa se un solo elemento:	`if (head.next == head)`

Riferimento in testa, coda a `null`

inizializza:	`head = null`
inserisci t dopo x:	`if (x == null) { head = t; head.next = null; }`
	`else { t.next = x.next; x.next = t; }`
cancella dopo x:	`t = x.next; x.next = t.next;`
ciclo di attraversamento:	`for (t = head; t != null; t = t.next)`
testa se vuota:	`if (head == null)`

Nodo fittizio in testa, coda a `null`

inizializza:	`head = new Node();`
	`head.next = null;`
inserisci t dopo x:	`t.next = x.next; x.next = t;`
cancella dopo x:	`t = x.next; x.next = t.next;`
ciclo di attraversamento:	`for (t = head.next; t != null; t = t.next)`
testa se vuota:	`if (head.next == null)`

Nodi fittizi in testa e in coda

inizializza:	`head = new Node();`
	`z = new Node();`
	`head.next = z; z.next = z,`
inserisci t dopo x:	`t.next = x.next; x.next = t;`
cancella dopo x:	`x.next = x.next.next;`
ciclo di attraversamento:	`for (t = head.next; t!= z; t = t.next)`
testa se vuota:	`if (head.next == z)`

Per inciso, notiamo che il sintentico corpo del metodo `main` del Programma 3.10 fornisce un esempio di ciò che è noto col nome di *programmazione funzionale*, formata interamente da invocazioni di metodi (chiamate di funzioni).

L'uso di un nodo testa ha un costo aggiuntivo (l'ulteriore nodo testa, appunto) e in alcune applicazioni può essere, in effetti, evitato. Per esempio, potremmo anche vedere il Programma 3.9 come se avesse una lista in input (la lista originale) e una lista di output (la lista invertita). Tale programma, tuttavia, non necessita di un nodo testa perché tutti gli inserimenti nella lista di output sono all'inizio. Vedremo anche esempi di applicazioni che diventano più facili da scrivere, se usiamo un nodo fittizio in coda alla lista, piuttosto che un link nullo. Non ci sono regole predefinite per stabilire se convenga o meno usare nodi fittizi: la scelta dipende sia da questioni di stile che dal modo in cui tali nodi influenzano le prestazioni. Un buon programmatore cercherà di adottare la convenzione che semplifica maggiormente il suo compito. Nel resto del libro presenteremo molti esempi del modo in cui vengono bilanciate esigenze di questo tipo.

Alcune delle convenzioni adottate per liste concatenate si trovano nella Tabella 3.1, altre ancora sono trattate negli esercizi. In tutti i casi riportati nella Tabella 3.1, usiamo un riferimento head per riferire la lista e assumiamo che i programmi manipolino riferimenti a nodi attraverso il codice indicato per le varie operazioni. Istanziare nodi e riempirli con le informazioni opportune non dipende dalla particolare convenzione adottata. Metodi che implementano queste stesse operazioni in modo più affidabile dovrebbero, naturalmente, avere codice aggiuntivo per controllare condizioni di errore (ad esempio, ogni utilizzo di new andrebbe posto in un blocco try-catch, come nel Programma 3.5). Lo scopo di questa tabella è solo quello di presentare analogie e differenze fra le diverse opzioni.

Fino a questo punto, i nostri programmi hanno implementato l'astrazione della lista concatenata attraverso codice che manipola direttamente i campi dato (dati e link) all'interno dei nodi, e hanno sfruttato convenzioni di programmazione specifiche per assicurare che le liste stesse avessero la struttura desiderata. Una possibile alternativa è quella di definire un tipo di dato per le liste, facendo sì che le convenzioni diventino una parte esplicita dell'implementazione. Questo approccio svincola i programmi client da noiose operazioni di basso livello. Ad esempio, il Programma 3.11 è una classe che implementa l'astrazione lista circolare, mentre il Programma 3.12 è il problema di Giuseppe Flavio (Programma 3.8) espresso come client che utilizza questa classe. La classe Circular-List deve assicurare che la lista su cui si opera sia sempre una lista circolare, facendo sì che il client lavori con operazioni di alto livello come "inserisci un nuovo nodo nella lista", piuttosto che con operazioni di livello più basso come l'assegnamento di specifici valori ai link.

Programma 3.11 Classe per liste circolari

Questa classe implementa le operazioni fondamentali su liste concatenate circolari. Il suo scopo è quello di permettere ai programmi client di manipolare tali liste in modo indipendente dai dettagli implementativi. I client possono inserire (insert) nuovi nodi con un dato valore nella posizione seguente a quella occupata da un nodo specificato, o anche creare una lista contenente un solo nodo, se il primo parametro è null. I client possono altresì cancellare (remove) il nodo che segue un dato nodo (remove non produce effetti, se la lista contiene un solo nodo). I metodi accessori next e val forniscono ai client i valori di campi: il loro uso ci fornisce la possibilità di modificare l'implementazione (si veda il Capitolo 4).

```
class CircularList
  {
    static class Node
      { int val; Node next;
        Node(int v) { val = v; }
      }
    Node next(Node x)
      { return x.next; }
    int val(Node x)
      { return x.val; }
    Node insert(Node x, int v)
      { Node t = new Node(v);
        if (x == null) t.next = t;
        else { t.next = x.next; x.next = t; }
        return t;
      }
    void remove(Node x)
      { x.next = x.next.next; }
  }
```

Nel Paragrafo 3.5 presenteremo un'implementazione del tutto differente ma con la stessa interfaccia. Questo esempio è un'ulteriore illustrazione dello schema client-interfaccia-implementazione che utilizziamo in tutto il libro. Siamo liberi di usare una qualsivoglia implementazione della classe, purché abbia gli stessi metodi, senza per questo toccare il Programma 3.12. Identificare le operazioni più rilevanti di una computazione e incorporarle tutte in una sola classe è un'operazione che porta a un duplice vantaggio:

- possiamo lavorare a un livello di astrazione più elevato nel client

- possiamo considerare diverse implementazioni concrete di operazioni critiche e verificarne l'efficacia.

Programma 3.12 Soluzione del problema di Giuseppe Flavio tramite liste circolari

Questo programma per il problema di Giuseppe Flavio è un esempio di client che impiega la classe per liste circolari del Programma 3.13. I dettagli di basso livello sul mantenimento della struttura della lista sono lasciati all'implementazione della classe.

```
class JosephusY
  {
    public static void main(String[] args)
      { int N = Integer.parseInt(args[0]);
        int M = Integer.parseInt(args[1]);
        CircularList L = new CircularList();
        CircularList.Node x = null;
        for (int i = 1; i <= N; i++)
          x = L.insert(x, i);
        while (x != L.next(x))
          {
            for (int i = 1; i < M;i++)
              x = L.next(x);
            L.remove(x);
          }
        Out.println("Survivor is " + L.val(x));
      }
  }
```

In questo caso, il nostro scopo sarà quello di illustrare i meccanismi di base e non quello di trovare implementazioni più efficienti.

Alcuni programmatori preferiscono incapsulare tutte le operazioni relative a strutture dati (come le liste concatenate), definendo nella classe opportuni metodi per ogni operazione necessaria, come nel Programma 3.11. Come abbiamo appena visto e come si vedrà nel Capitolo 4, il meccanismo delle classi in Java rende questa impostazione piuttosto agevole. D'altro canto, l'ulteriore livello di astrazione nasconde qualche volta il fatto che solo alcune operazioni di basso livello siano coinvolte. In questo libro, quando implementiamo interfacce di livello superiore, solitamente scriviamo le operazioni di livello più basso direttamente sulle strutture concatenate. Ciò rende chiari i dettagli essenziali degli algoritmi e delle strutture dati. Ne vedremo molti esempi nel Capitolo 4.

Aggiungendo dei link a una lista concatenata semplice possiamo anche rendere possibile l'attraversamento all'indietro della lista. Per esempio, l'operazione "determinare l'elemento che precede un dato elemento" è facilmente implementabile utilizzando una *lista doppiamente concatenata* (o più semplicemente *lista doppia*), nella quale ciascun nodo contiene un link tanto al nodo che lo segue (next) quanto a quello che lo precede (prev). Usando nodi fittizi o liste circolari possiamo garantire che x, x.next.prev e x.prev.next siano lo stesso link per ogni nodo x di una lista doppia. Le Figure 3.11 e 3.12 mostrano le manipolazioni di base dei link per implementare in una lista doppia *cancella, inserisci dopo* e *inserisci prima*. Si noti che per cancellare un nodo non abbiamo bisogno di informazioni circa il nodo precedente (o successivo) nella lista, come invece succede per liste concatenate semplici. Queste informazioni sono contenute nel nodo stesso.

In altre parole, il motivo principale per cui si usa una lista doppia è proprio la possibilità di cancellare un nodo, avendo come informazione il solo link a esso. Situazioni tipiche sono quella in cui il link è passato come parametro a metodi e quella in cui il nodo ha altri link ed è parte di qualche altra struttura dati. Aggiungere questa possibilità circa la cancellazione di nodi, raddoppia lo spazio richiesto per memorizzare i puntatori di ogni nodo e raddoppia il numero di operazioni sui link per ognuna delle operazioni di base. Quindi, l'uso di liste doppie rispetto a quelle semplici diventa conveniente solo quando la specifica applicazione lo richiede. Ne vedremo un esempio nel Paragrafo 9.5.

In questo libro usiamo liste concatenate sia come esempio di base di implementazione di ADT (si veda il Capitolo 4) sia come componenti di strutture dati concatenate più complesse. Le liste concatenate costituiscono per molti programmatori la prima esperienza con una struttura dati astratta che possa essere controllata direttamente. Esse rappresentano uno strumento essenziale per lo sviluppo di strutture dati astratte di livello superiore e, come vedremo, sono la base di partenza per la strutturazione di dati in molti problemi.

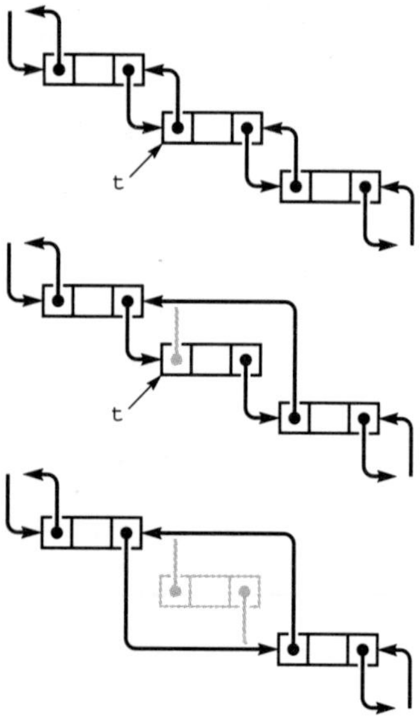

**Figura 3.11
Cancellazione in una lista doppiamente concatenata**

In una lista doppiamente concatenata, un riferimento a un nodo è l'informazione che ci serve per poterlo rimuovere, come è mostrato in questa figura. Dato t, poniamo t.next.prev *a* t.prev *(al centro) e* t.prev.next *a* t.next *(in basso).*

Esercizi

▷ **3.35** Scrivete un metodo che sposti l'elemento più grande di una data lista nell'ultimo nodo della lista.

3.36 Scrivete un metodo che sposti l'elemento più piccolo di una data lista nel primo nodo della lista.

3.37 Scrivete un metodo che riordini una lista in modo che i nodi in posizione pari appaiano dopo quelli in posizione dispari, preservando l'ordine relativo fra nodi pari e fra nodi dispari.

3.38 Scrivete un frammento di codice per una lista concatenata che scambi le posizioni dei nodi che si trovano appena dopo i nodi riferiti da due dati link t e u.

○ **3.39** Scrivete un metodo che prenda in ingresso un link a una lista e restituisca un link a una copia della lista (cioè, una nuova lista che contiene le stesse informazioni nello stesso ordine).

3.40 Scrivete un metodo avente due parametri, un link a una lista e un oggetto con un metodo avente a sua volta un link come parametro, che cancelli tutti gli elementi della lista data su cui il metodo (secondo parametro) restituisce valore non nullo.

3.41 Risolvete l'Esercizio 3.40, facendo però una copia dei nodi che passano il test e ritornando un link a una lista che contiene questi nodi, nell'ordine in cui essi appaiono nella lista originale.

3.42 Implementate una versione del Programma 3.9 che usi un nodo testa.

3.43 Il metodo `create()` del Programma 3.10 costruisce una lista in cui i numeri appaiono, uno per nodo, in ordine inverso a quello in cui appaiono su standard input. Fornite un'implementazione di quel metodo che preservi l'ordine originario.

3.44 Implementate una versione del Programma 3.10 che usi un nodo testa.

3.45 Implementate una funzione che scambi due dati nodi di una lista doppia.

○ **3.46** Inserite un'altra voce nella Tabella 3.1 per una lista che non è mai vuota, che è nota attraverso un link al primo nodo, e il cui nodo finale ha un link a se stesso.

3.47 Inserite una voce nella Tabella 3.1 per una lista circolare che abbia un nodo fittizio che serve tanto da testa quanto da coda.

3.5 Allocazione di memoria per liste

Uno dei vantaggi delle liste concatenate rispetto agli array è che le prime possono crescere e ridursi nell'arco del loro utilizzo. In particolare, la loro dimensione massima non deve necessariamente essere nota in anticipo. Un'importante conseguenza di quest'osservazione è che si possono avere strutture dati diverse che condividono lo stesso spazio in memoria, senza che ciò comporti di dover prestare particolare attenzione alle loro dimensioni relative.

Il punto cruciale consiste nel considerare ciò che succede quando usiamo new per istanziare un oggetto che deve essere usato come nodo di una lista. Come fa il sistema a decidere quale parte della memoria riservare per quell'oggetto? Ad esempio, quando cancelliamo un nodo da una lista è nostra cura riorganizzare i link in modo che il nodo non sia più agganciato alla lista. Ma cosa fa il sistema con lo spazio di memoria occupato da quel nodo? E come fa il sistema a riutilizzare tale spazio, in modo da poter sempre trovare spazio sufficien-

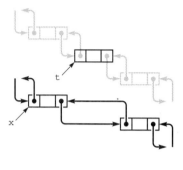

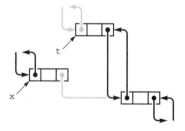

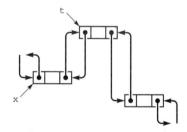

Figura 3.12
Inserimento in una lista doppiamente concatenata

Per inserire un nodo in una lista doppiamente concatenata, dobbiamo modificare quattro riferimenti. Possiamo inserire un nuovo nodo dopo un dato nodo (come la figura illustra) oppure anche prima. Inseriamo un nodo t *dopo un nodo* x *ponendo* t.next *a* x.next *e* x.next.prev *a* t *(al centro), e quindi ponendo* x.next *a* t *e* t.prev *a* x *(in basso).*

	0	1	2	3	4	5	6	7	8
val	1	2	3	4	5	6	7	8	9
next	1	2	3	4	5	6	7	8	0

	1	2	3	4	5	6	7	8	9
4	1	2	3	5		6	7	8	0

	1	2	3	4	5	6	7	8	9
0	4	2	3	5		6	7	8	1

	1	2	3	4	5	6	7	8	9
6	4	2	3	5		7	0	8	1

	1	2	3	4	5	6	7	8	9
3	4	2	5	6		7	0	8	1

	1	2	3	4	5	6	7	8	9
2	4	5	3	6		7	0	8	1

	1	2	3	4	5	6	7	8	9
5	4	7	3	6		2	0	8	1

	1	2	3	4	5	6	7	8	9
8	4	7	3	6		2	0	1	5

	1	2	3	4	5	6	7	8	9
1	4	8	3	6		2	0	7	5

**Figura 3.13
Rappresentazione con array
di una lista concatenata,
nella versione con free list**

Questa versione della Figura 3.8 mostra il risultato del mantenimento di una free list dei nodi cancellati da una lista circolare, dove l'indice del primo nodo della free list è indicato sulla sinistra. Al termine, la free list è una lista concatenata contenente tutti gli elementi cancellati. Seguendo i link, a cominciare da 1, esaminiamo gli elementi in quest'ordine: 2 9 6 3 4 7 1 5. Quest'ordine è l'inverso di quello in cui tali elementi sono stati cancellati.

te quando new è invocata? I meccanismi che stanno dietro a questi problemi ci danno un ulteriore esempio dell'utilità dell'elaborazione di liste.

Alcuni linguaggi di programmazione, come il C++, offrono un operatore delete che è la controparte di new. Quando abbiamo finito di usare una certa area di memoria in un programma C++, chiamiamo delete per informare il sistema che questa area di memoria è disponibile per usi successivi. L'*allocazione dinamica della memoria* è il processo nel quale si gestisce la memoria, servendo le chiamate new e delete provenienti dai programmi client. In Java non si usa esplicitamente un metodo per rilasciare la memoria; è il sistema che deve farsi carico di utilizzare implicitamente meccanismi di allocazione dinamica.

Quando invochiamo new direttamente nelle applicazioni, come ad esempio nei Programmi 3.8 e 3.10, tutte le chiamate richiedono blocchi di memoria della stessa dimensione. Si tratta di un caso tipico, e un semplice metodo per tener traccia della memoria disponibile è immediato: si usa una lista concatenata! I nodi che non stanno in alcuna delle liste usate vengono raccolti in un'unica lista concatenata che chiameremo *free list*. Quando dobbiamo allocare spazio per un nodo, preleviamo il nodo cancellandolo dalla free list; quando dobbiamo cancellare un nodo da una delle liste che stiamo usando, ce ne liberiamo inserendolo di nuovo nella free list.

Il Programma 3.13 è una classe che implementa la stessa interfaccia definita nel Programma 3.11, ma che opera in modo autonomo l'allocazione di memoria per i nodi di una lista. I client non si riferiscono ai nodi della lista, salvo che per dichiarare variabili di tipo Node e usarle come parametri di metodi definiti nell'interfaccia. Questo programma implementa la stessa interfaccia del Programma 3.11, quindi può essere usato con un client come il Programma 3.12 (per calcolare lo stesso risultato!) senza alcuna modifica al codice.

Quest'implementazione non è diretta a un uso pratico. Essa serve piuttosto a descrivere con precisione il modo in cui può essere costruito un allocatore di memoria in un linguaggio che opera a un livello più basso, in cui possiamo concepire la memoria disponibile come un array e fornire ai client gli indici dell'array (numeri interi) come riferimenti ai nodi (cosa che accadeva nella Figura 3.8). Continuando questo esempio, la Figura 3.13 illustra la crescita della free list man mano che i nodi sono rilasciati dal Programma 3.12. Il Programma 3.13 non è un'implementazione diretta di questa situazione, perché lavora con un array di riferimenti a nodi e non con un array di nodi. Comunque sia,

Programma 3.13   Classe per liste circolari con allocazione di memoria

Questo programma fornisce un'implementazione alternativa della classe per liste circolari del Programma 3.11 e illustra un metodo standard di allocare memoria per nodi di dimensione fissata. Creiamo un array per mantenere tutti i nodi, quindi costruiamo una free list inizializzata col massimo numero di nodi di cui il nostro programma avrà bisogno. Quando un programma client crea un nodo, cancelliamo quel nodo dalla free list; quando lo rilascia, colleghiamo di nuovo quel nodo alla free list.

```
class CircularList
  {
    static class Node
      { int val; int next; }
    static Node M[];
    static int free, max = 10000;
    CircularList()
      {
        M = new Node[max+1];
        for (int i = 0; i < max; i++)
          { M[i] = new Node(); M[i].next = i+1; }
        M[max] = new Node(); M[max].next = 0;
        free = 0;
      }
    Node next(Node x)
      { return M[x.next]; }
    int val(Node x)
      { return x.val; }
    Node insert(Node x, int v)
      {
        int i = free; free = M[free].next;
        M[i].val = v;
        if (x == null) M[i].next = i;
        else { M[i].next = x.next; x.next = i; }
        return M[i];
      }
    void remove(Node x)
      { int i = x.next; x.next = M[i].next;
        M[i].next = free; free = i;
      }
  }
```

tutti questi dettagli sono nascosti ai client: il problema della gestione della memoria è del tutto separato da quello di risolvere un problema come quello di Giuseppe Flavio.

In questo caso, il mantenimento di una free list per nodi della stessa dimensione è un problema piuttosto banale, avendo a disposizione le fondamentali operazioni di inserimento e cancellazione di nodi. L'implementazione del meccanismo generale di allocazione di memoria di Java è molto più complesso di quanto il nostro semplice esempio non ci suggerisca, e certamente l'implementazione di new è ben più complicata di quella offerta dal Programma 3.13. Una delle differenze fondamentali risiede nel fatto che new deve gestire l'allocazione di blocchi di memoria di dimensione variabile, da molto piccoli a enormi, oltre che identificare nodi non referenziati da inserire nella free list (ciò che viene chiamata operazione di *garbage collection,* letteralmente "raccolta dell'immondizia"). Molti algoritmi ingegnosi sono stati sviluppati per gestire la memoria tramite garbage collection. Nel linguaggio Java è il sistema che si occupa di tali operazioni.

I programmi che sfruttano informazioni particolari su una data applicazione sono spesso più efficienti di programmi più generici. L'allocazione di memoria non fa eccezione. Un algoritmo progettato per gestire blocchi di memoria a dimensione variabile non può sapere in anticipo che il programma utente richiederà l'allocazione di blocchi di dimensione fissata, e quindi non può trarre vantaggio da questa circostanza. Paradossalmente, un altro motivo per evitare metodi di libreria generali è quello di rendere i programmi più portabili. Possiamo, infatti, salvaguardarci da inattesi peggioramenti delle prestazioni, quando le librerie cambiano o quando trasportiamo il programma da un sistema a un altro. Molti programmatori hanno rilevato che l'uso di un semplice meccanismo di gestione della memoria, come quello illustrato dal Programma 3.13, costituisce un metodo efficace e portabile per sviluppare programmi che usano liste concatenate. Non sono pochi gli algoritmi trattati in questo libro che hanno analoghe necessità di allocazione di memoria. Questo approccio si può applicare a tutti questi algoritmi.

Detto questo, useremo nel resto di questo libro l'operatore standard new di Java per creare oggetti, lasciando la gestione della memoria e la garbage collection al sistema.

Esercizi

○ **3.48** Scrivete un metodo che cancelli tutti i nodi di una lista circolare, avendo in ingresso un riferimento a uno dei nodi della lista.

▷ **3.49** Scrivete un programma che cancelli tutti i nodi di una lista circolare che si trovino in posizione divisibile per 5 (il quinto, il decimo, il quindicesimo, ecc.), partendo da un dato nodo.

○ **3.50** Scrivete un programma che cancelli tutti i nodi di una lista circolare che si trovino in posizione pari (il secondo, il quarto, il sesto, ecc.), partendo da un dato nodo.

3.51 Eseguite studi empirici che confrontino i tempi di esecuzione delle implementazioni di liste circolari nei Programmi 3.11 e 3.13 sul Programma 3.12 con $M = 2$ ed $N = 10^3$, 10^4, 10^5, 10^6.

3.52 Integrate il Programma 3.13 in modo che esso fornisca una traccia come quella della Figura 3.13.

○ **3.53** Supponete di avere un insieme di nodi senza link nulli (ogni nodo referenzia se stesso o a qualche altro nodo nell'insieme). Dimostrate che, se partite da un nodo arbitrario e seguite i puntatori, prima o poi entrate in un ciclo.

● **3.54** Assumendo le ipotesi dell'Esercizio 3.53, scrivete un frammento di codice che, dato un link a un nodo, calcoli il numero di nodi distinti che vengono raggiunti seguendo i puntatori a partire da quel nodo. Si richiede che non vengano apportate modifiche ai nodi e che venga usata solo una quantità costante di memoria aggiuntiva.

●● **3.55** Assumendo le ipotesi dell'Esercizio 3.53, scrivete un metodo che determini se due dati link, quando vengono seguiti, finiscono o meno nello stesso ciclo.

3.6 Stringhe

Nel linguaggio C e in altri linguaggi di programmazione, il termine *stringa* si riferisce a un array di caratteri di lunghezza variabile, definito da un punto di inizio e da un carattere marcatore di fine stringa. I programmatori usano spesso funzioni di libreria per elaborare stringhe, lavorando direttamente anche sulla rappresentazione a basso livello. In Java, le stringhe sono un'astrazione di livello più alto corredata da strumenti di elaborazione messi a disposizione direttamente dal linguaggio, in grado di nascondere l'effettiva rappresentazione. Per poter lavorare a più basso livello, i programmatori passano da stringhe a rappresentazioni concrete come array di caratteri. In questo paragrafo, presenteremo alcuni esempi che servono a illustrare la questione. Le stringhe sono preziose per due ordini di motivi. Primo, molte applicazioni richiedono l'elaborazione di dati testuali che possono essere rappresentati direttamente con stringhe. Secondo, molti sistemi consentono l'accesso diretto ed efficiente ai byte della memoria, i quali corrispondono in modo diretto ai caratteri delle stringhe. Quindi, in moltissime situazioni, l'astrazione delle stringhe armonizza le necessità delle applicazioni con le capacità della macchina utilizzata.

La nozione astratta di sequenza di caratteri può essere implementata in molti modi; potremmo, ad esempio, servirci di liste concatenate. Ciò ci farebbe spendere esattamente un riferimento per carattere, ma renderebbe più efficiente talune operazioni tipiche, come quella di concatenare due stringhe lunghe per formarne una terza. Sono molti gli algoritmi che si basano sulla rappresentazione concreta di stringhe come vettori (nello stile del linguaggio C). D'altro canto, ve ne sono altri che dipendono da rappresentazioni diverse. In generale, assumeremo di poter eseguire le due operazioni seguenti in tempo costante:

- indicizzare una stringa (cioè, accedere al suo k-esimo carattere, per un dato k)

- determinare il numero di caratteri di una stringa.

Facciamo queste assunzioni nonostante la prima delle due non valga per stringhe rappresentate come liste concatenate e la seconda non valga per stringhe rappresentate nello stile del linguaggio C. Tra l'altro, non abbiamo alcuna garanzia che esse valgano per le stringhe Java, perché la loro rappresentazione è comunque nascosta. Nei casi in cui le prestazioni sono un aspetto critico, oppure quando è evidente che un algoritmo risulta meglio descritto utilizzando una particolare rappresentazione, siamo solitamente in grado di passare a quella rappresentazione specifica senza particolari difficoltà.

Una delle operazioni più importanti che si eseguono su stringhe è quella del *confronto*. Il confronto fra due stringhe ci dice quale delle due apparirà per prima nel vocabolario. Quest'operazione è implementata dal metodo `compareTo` della classe `String`, ma per gli scopi di questa trattazione, assumiamo di avere un vocabolario idealizzato (dato che le regole specifiche per stringhe che contengono punteggiatura, lettere maiuscole e minuscole, numeri, ecc., sono piuttosto complesse) e di confrontare le stringhe carattere per carattere, dall'inizio alla fine. Quest'ordine sulle stringhe è chiamato ordine *lessicografico*. Il metodo di confronto convenzionalmente restituisce un numero negativo se la prima stringa ad argomento precede la seconda nell'ordine lessicografico, restituisce 0 se le due stringhe sono uguali e restituisce 1 se la prima stringa segue la seconda. In particolare, possiamo usare il metodo di confronto per sapere se due stringhe sono uguali. È importante notare che il test di uguaglianza fra stringhe non è equivalente a stabilire la coincidenza fra due riferimenti a stringa: se i due riferimenti coincidono, allora è chiaro che le due stringhe riferite sono la stessa stringa, ma se i riferimenti non coincidono, essi potrebbero ugualmente riferirsi a stringhe coincidenti (cioè, aventi

---

Programma 3.14   Ricerca su stringhe

Questo metodo determina tutte le occorrenze della stringa pattern p (presumibilmente corta), passata come primo parametro, all'interno della stringa di testo s (presumibilmente lunga) passata come secondo parametro.

Per ogni posizione di partenza i nella stringa di testo s, cerchiamo una corrispondenza fra la sottostringa che inizia da quella posizione e la stringa p, controllando l'uguaglianza carattere per carattere. Quando giungiamo alla fine di p con esito positivo, incrementiamo il contatore del numero di occorrenze.

```java
static int countMatches(String p, String s)
  {
    int cnt = 0, M = p.length(), N = s.length();
    if (M > N) return 0;
    for (int i = 0; i < N;i++)
      { int j;
        for(j = 0; j < M;j++)
          if (s.charAt(i+j) != p.charAt(j)) break;
        if (j == p.length()) cnt++;
      }
    return cnt;
  }
```

---

identiche sequenze di caratteri). Sono numerose le applicazioni che si basano sulla memorizzazione di informazione sotto forma di stringhe e sull'accesso e l'elaborazione di quest'informazione attraverso il confronto fra stringhe. Il confronto è quindi, un'operazione particolarmente critica.

Il Programma 3.14 è un'implementazione di una semplice operazione su stringhe: il conteggio del numero di occorrenze di una data stringa all'interno di una lunga stringa di testo. Sono stati elaborati nel corso del tempo algoritmi ingegnosi e sofisticati per risolvere questo problema specifico. A noi ciò serve solo per illustrare molte delle funzionalità di base che il linguaggio Java mette a disposizione per l'elaborazione di stringhe. In pratica, poi, spesso siamo più interessati a varianti di tale problema, quale ad esempio quella che determina la posizione nella stringa di testo dove l'occorrenza si verifica (si vedano gli Esercizi 3.56 e 3.57).

L'elaborazione di stringhe offre un convincente esempio della necessità di essere ben informati sulle prestazioni dei metodi di libreria.

Per esempio, consideriamo un'implementazione in cui determinare la lunghezza di una stringa richieda tempo proporzionale alla sua lunghezza, come per stringhe nello stile C. Trascurare questo fatto può influenzare in modo piuttosto serio le prestazioni dei nostri programmi.

Si supponga, ad esempio, di disporre di un tale metodo per il calcolo della lunghezza e di scrivere un ciclo for come il seguente:

```
for (i = 0; i < s.length(); i++)
```

Questo frammento di codice impiega tempo proporzionale ad almeno il quadrato della lunghezza di s, indipendentemente dal codice presente nel corpo del ciclo! Il costo di questa svista può essere considerevole, o addirittura proibitivo: eseguire questo programma per controllare se questo libro (che ha più di un milione di caratteri) contiene una data parola, richiederebbe migliaia di miliardi di operazioni. Problemi di questo tipo non sono facili da rilevare, perché il programma potrebbe comportarsi bene durante il *debugging* ("messa a punto") con stringhe di lunghezza modesta, ma poi rivelarsi lentissimo (o addirittura non terminare mai) nella pratica. Questi problemi si possono evitare solo se ne abbiamo conoscenza; non c'è alcun modo di sapere se qualche futuro utente Java si imbatterà in un metodo lento per il calcolo della lunghezza, poiché la rappresentazione delle stringhe Java è, comunque, nascosta.

Errori di questo tipo sono detti *errori di prestazione*, perché sebbene sia corretto, il codice non è efficiente quanto (implicitamente) ci aspettiamo. Prima di iniziare lo studio di algoritmi efficienti è bene esser certi di aver eliminato errori di prestazione di questo tipo. Sebbene le strutture primitive dei linguaggi e le librerie standard abbiano molti vantaggi, dobbiamo essere a conoscenza dei pericoli nei quali incorriamo quando le usiamo per semplici metodi come questo. In questo caso specifico non c'è molto di che preoccuparsi, perché le tipiche implementazioni Java sono provviste di codice sorgente che possiamo esaminare per verificare le nostre ipotesi sulle prestazioni e, fra l'altro, offrono metodi di indicizzazione e calcolo della lunghezza in tempo costante.

Le stringhe Java sono immutabili, nel senso che non possono essere cambiate. Quando usiamo l'operatore + per concatenare due stringhe creiamo una *nuova* stringa risultato della concatenazione. Di conseguenza, quando implementiamo algoritmi che eseguono molte modifiche su una String, convertiamo tale stringa in un array di caratteri, eseguiamo i calcoli e riconvertiamo nuovamente l'array di caratteri risultante in una String. Questo approccio produce codice sintetico e con prestazioni certe.

Programma 3.15 Manipolazione di stringhe

Questo metodo restituisce una stringa uguale alla stringa data come parametro, dove però ogni sequenza di caratteri spazio è sostituita da un singolo carattere spazio. Dato che gli oggetti Java `String` non possono essere cambiati, adottiamo il tipico approccio per manipolare stringhe: copiamo la stringa in un array di caratteri (tramite il metodo `toCharArray` della classe `String`), quindi modifichiamo l'array di caratteri, e infine creiamo una nuova stringa risultato della manipolazione (tramite un costruttore `String`).

L'indice `N` si riferisce al successivo carattere del risultato: il ciclo principale copia il successivo carattere della stringa in `a[N]` quando esso non è uno spazio, oppure quando `a[N-1]` non è uno spazio.

```
static String squeeze(String s)
  {
    char[] a = s.toCharArray();
    int N = 1;
    for (int i = 1; i < a.length; i++)
      {
        a[N] = a[i];
        if (a[N] != ' ') N++;
        else if (a[N-1] != ' ') N++;
      }
    return new String(a, 0, N);
  }
```

Il Programma 3.15 è un esempio in tal senso; il programma sostituisce sequenze di spazi presenti in una stringa con un singolo spazio. Concettualmente, possiamo pensare di implementare quest'operazione nel modo seguente: tutte le volte che incontriamo una sequenza di spazi, spostiamo la coda della stringa a sinistra per sovrascrivere tutti gli spazi tranne uno. In effetti, la libreria `System` offre un'operazione `arraycopy` che potremmo usare come base per la nostra implementazione. Non seguiamo questo approccio perché potrebbe essere molto lento: se, ad esempio, abbiamo una stringa molto lunga piena di spazi, il tempo di esecuzione si avvicinerà al *prodotto* fra la lunghezza della stringa e il numero di sequenze di spazi, che si rivela essere eccessivo o persino proibitivo. Per contro, l'implementazione del Programma 3.15 ha tempo di calcolo proporzionale alla lunghezza della stringa.

Allocare memoria per le stringhe è, di solito, più difficile che per le liste concatenate, perché le stringhe hanno dimensione variabile. Di nuovo, è il sistema Java che si prende cura di questi dettagli. In effetti, un meccanismo generale per riservare spazio di memoria per stringhe non è altro che un meccanismo generale di allocazione di spazio per oggetti Java generici. Come osservato nel Paragrafo 3.6, sono stati ideati vari algoritmi per risolvere questo problema; le loro prestazioni dipendono in modo significativo dal sistema e dalla macchina sottostanti. Spesso, l'allocazione di memoria è un problema meno serio di quanto non sembri, quando lavoriamo con stringhe. Ciò perché ci troviamo generalmente a lavorare con riferimenti a stringhe, piuttosto che direttamente con i caratteri.

Esercizi

▷ **3.56** Modificate il Programma 3.14 in modo che esso stampi tutte le posizioni nel testo in cui si trova una data sottostringa.

▷ **3.57** Modificate il Programma 3.14 in modo che esso restituisca una lista concatenata contenente tutte le posizioni nel testo in cui si trova una data sottostringa.

▷ **3.58** Scrivete un metodo che prenda una stringa come parametro e che stampi una tabella contenente, per ogni carattere che appare nella stringa, il carattere e la sua frequenza di occorrenza.

▷ **3.59** Scrivete un metodo che verifichi se una data stringa è palindroma (cioè, non cambia se è letta al contrario), trascurando gli spazi. Per esempio, sulla stringa `if i had a hifi` il programma dovrebbe rispondere in modo affermativo.

3.60 Scrivete un metodo che prenda una stringa come parametro e legga una sequenza di parole (sequenze di caratteri separati da spazi) da standard input, stampando in output le parole che sono sottostringhe della stringa presa per parametro.

3.61 Scrivete un metodo che prenda una stringa e un carattere come parametri e che restituisca una stringa risultato della rimozione di tutte le occorrenze del carattere dalla stringa. La vostra implementazione dovrebbe avere tempo di calcolo proporzionale alla lunghezza della stringa.

○ **3.62** Scrivete un metodo efficiente che calcoli la lunghezza della più lunga sequenza di spazi all'interno di una data stringa, esaminando il minor numero possibile di caratteri. *Suggerimento*: il programma dovrebbe diventare più veloce all'aumentare della lunghezza della sequenza di spazi.

3.63 Scrivete una versione del Programma 3.15 che, invece di un array di caratteri, usi un'interfaccia che supporta due metodi: il primo che restituisce il successivo carattere in una stringa, e il secondo che appende un carattere a una stringa.

3.64 Implementate la vostra interfaccia dell'Esercizio 3.63 usando una rappresentazione tramite array di caratteri. Verificate l'implementazione con il vostro programma client dell'Esercizio 3.63.

3.65 Implementate la vostra interfaccia dell'Esercizio 3.63 usando una rappresentazione per liste concatenate. Verificate l'implementazione con il vostro programma client dell'Esercizio 3.63.

3.7 Strutture dati composte

Array, liste concatenate e stringhe forniscono semplici metodi per strutturare dati sequenzialmente. Tali costrutti sono il primo livello di astrazione che ci consente di organizzare elementi in modo da poterli elaborare efficientemente. Una volta fissate, queste astrazioni ci permettono di costruire strutture più complesse in modo gerarchico. Possiamo pensare di usare array di array, array di liste, array di stringhe, e così via. In questo paragrafo, consideriamo alcuni esempi di queste strutture.

Se gli array unidimensionali corrispondono ai vettori, quelli *bidimensionali* (con due indici) corrispondono alle *matrici*, e sono molto usati nelle applicazioni matematiche. Ad esempio, possiamo usare il codice Java double[][] c = new double[N][N]; per dichiarare che abbiamo intenzione di usare un array bidimensionale c per rappresentare una matrice $N \times N$. Quindi, per impostare tutte le componenti di c a 0.0, possiamo scrivere

```
for (i = 0; i < N; i++)
  for(j = 0; j < N;j++)
    c[i][j] = 0.0;
```

Se le due matrici a e b hanno rappresentazioni analoghe, possiamo usare il codice seguente per moltiplicare a e b e porre il risultato in c:

```
for (i = 0; i < N; i++)
  for(j = 0; j < N;j++)
    for(k = 0; k < N;k++)
      c[i][j] += a[i][k]*b[k][j];
```

Incontreremo con una certa frequenza operazioni matematiche espresse in modo naturale attraverso array multidimensionali.

Oltre alle applicazioni matematiche, un modo familiare di strutturare l'informazione è quella di usare una tabella di numeri organizzata in righe e colonne. Una tabella dei voti ("grade") degli studenti in un dato corso potrebbe avere una riga per ogni studente e una colonna per ogni compito. Tale tabella verrebbe rappresentata tramite un array bidimensionale con un indice per la riga e uno per la colonna. Se avessimo 100 studenti e 10 compiti, scriveremmo grade[100][10] per dichiarare l'array e, quindi, potremmo accedere al voto dell'*i*-esimo

Figura 3.14
Ordinamento di stringhe

Quando elaboriamo stringhe, di solito lavoriamo con riferimenti a un buffer di sistema contenente gli oggetti stringa (in alto). In Java, la rappresentazione delle stringhe è nascosta, quindi ciò che mostriamo qui è una rappresentazione stilizzata formata dalle lunghezze seguite da array di caratteri contenenti i caratteri delle stringhe. Per manipolare stringhe i programmi spostano i loro riferimenti, senza modificare i caratteri delle stringhe. Per esempio, l'applicazione di un algoritmo di ordinamento sulle stringhe porta a riordinare i soli riferimenti in modo tale che accedendo a essi in ordine si ottenga la sequenza delle stringhe in ordine alfabetico (lessicografico).

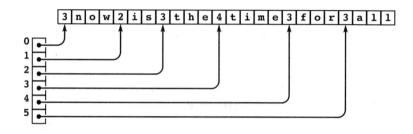

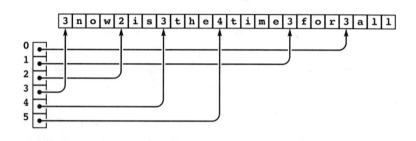

studente nel *j*-esimo compito con `grade[i][j]`. Ad esempio, per calcolare il voto medio di un dato compito, sommiamo gli elementi di una colonna e dividiamo per il numero di righe mentre, per calcolare la media dei voti di un dato studente, sommiamo gli elementi di una riga e dividiamo per il numero di colonne. Gli array bidimensionali sono molto usati in applicazioni di questo tipo. In un calcolatore è spesso conveniente e immediato usare più di due dimensioni: un insegnante potrebbe aver bisogno di un terzo indice, per conservare le tabelle dei voti degli studenti per una sequenza di anni.

Gli array bidimensionali sono, in effetti, solo una convenienza notazionale, poiché i numeri sono alla fine scritti nella memoria del calcolatore, che è essenzialmente un array unidimensionale. In molti ambienti di programmazione, gli array bidimensionali sono ordinati *per righe* in un array unidimensionale: nell'array `a[M][N]` le prime N posizioni sono occupate dalla prima riga (gli elementi da `a[0][0]` ad `a[0][N−1]`), le seconde N posizioni dalla seconda riga (gli elementi da `a[1][0]` ad `a[1][N−1]`), e così via. Con l'ordinamento per righe, l'ultima riga del codice sulla moltiplicazione di matrici visto all'inizio del paragrafo diventa equivalente a

```
c[N*i+j] = a[N*i+k]*b[N*k+j]
```

Lo stesso schema si generalizza al caso di array con più di due dimensioni. Nel linguaggio Java gli array multidimensionali possono essere im-

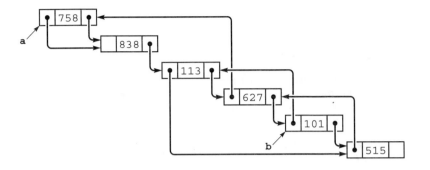

Figura 3.15
Una multilista

Possiamo connettere nodi aventi due link in due liste indipendenti: la prima usa il primo link di ogni nodo e la seconda usa il secondo link. In questa figura, il link destro connette i nodi in un certo ordine (per esempio, l'ordine in cui i nodi sono stati via via aggiunti alla lista), mentre il link sinistro li connette in un ordine diverso (in questo caso, l'ordine ottenuto da un algoritmo di ordinamento per inserzione che ha usato il solo link sinistro). Seguendo i link di destra a partire da a, *visitiamo i nodi nell'ordine di creazione della lista; seguendo i link di sinistra a partire da* b, *visitiamo i nodi in modo ordinato.*

plementati in un modo più generale: possiamo definirli come strutture composte (array di array). Questo ci dà, per esempio, la flessibilità di avere un array che contiene a sua volta array di dimensioni diverse.

Gli strumenti di base messi a disposizione da Java rendono agevole la creazione e l'elaborazione di strutture dati composte. Ad esempio, un array di stringhe in Java è un array di riferimenti a stringhe. Quando le stringhe sono rappresentate come array di caratteri, ciò corrisponde essenzialmente a un array di array aventi dimensione diversa. Agendo sui riferimenti otteniamo l'effetto di manipolare le stringhe. Ad esempio, come illustrato nella Figura 3.14, possiamo ottenere l'effetto di riordinare le stringhe semplicemente riordinando i riferimenti nell'array. Per realizzare tale ordinamento in Java possiamo, ad esempio, usare il metodo `Arrays.sort` nel package delle utilità oppure, come descritto nel Capitolo 6, applicare uno dei tanti algoritmi di ordinamento.

Abbiamo, in effetti, già incontrato array di stringhe parlando dell'array `argv` usato per passare parametri stringa al `main` di un programma Java. In questo caso il sistema crea una stringa per ogni stringa digitata dall'utente sulla linea di comando, e passa a `main` un array di riferimenti a quelle stringhe. Per alcuni parametri si usano metodi di conversione per calcolare valori numerici corrispondenti alle stringhe, mentre altri parametri si usano direttamente come stringhe.

Strutture dati composte possono essere costruite anche per mezzo dei soli link. La Figura 3.15 mostra un esempio di una *lista multipla* (o *multilista*), dove i nodi hanno più link e appartengono a liste concatenate indipendenti. Nella progettazione di algoritmi si usano spesso link multipli per costruire strutture dati complesse tali da consentire l'elaborazione efficiente dei dati. Ad esempio, una lista doppia è una particolare multilista che soddisfa il vincolo per cui sia `x.l.r` che `x.r.l` sono uguali a `x`. Nel Capitolo 5, esamineremo un'altra strut-

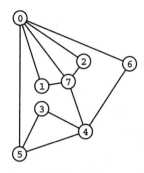

Figura 3.16
Un grafo e la sua rappresentazione con matrice di adiacenza

Un grafo è un insieme di vertici e un insieme di archi che connettono i vertici. Per semplicità, assegniamo indici numerici (numeri interi non negativi, a partire da 0) ai vertici. Una matrice di adiacenza è un array bidimensionale di valori booleani tramite cui rappresentiamo un grafo. Poniamo il valore true *in riga* i *e colonna* j *se esiste un arco dal vertice* i *al vertice* j, false *altrimenti (in questo diagramma indichiamo per comodità* true *con 1 e* false *con 0). La matrice è simmetrica rispetto alla diagonale. Per convenzione, poniamo a* true *i valori sulla diagonale (a significare che ogni vertice è connesso con se stesso). Per esempio, la sesta riga (e la sesta colonna) della matrice ci dice che il vertice 6 è connesso con i vertici 0, 4 e 6.*

	0	1	2	3	4	5	6	7
0	1	1	1	0	0	1	1	1
1	1	1	0	0	0	0	0	1
2	1	0	1	0	0	0	0	1
3	0	0	1	1	1	0	0	0
4	0	0	0	1	1	1	1	0
5	1	0	0	1	1	1	0	0
6	1	0	0	0	1	0	1	0
7	1	1	1	0	1	0	0	1

Programma 3.16 Rappresentazione di grafo tramite matrice di adiacenza

Questo programma legge un insieme di archi che definiscono un grafo non orientato e costruisce una matrice di adiacenza che rappresenta il grafo ponendo a[i][j] e a[j][i] a true, se esiste un arco da i a j oppure da j ad i, e a false, se un tale arco non esiste.

```
class AdjacencyMatrix
  {
    public static void main(String[] args)
      { int V = Integer.parseInt(args[0]);
        int E = Integer.parseInt(args[1]);
        boolean adj[][] = new boolean[V][V];
        for (int i = 0; i < V; i++)
          for (int j = 0; j < V; j++)
            adj[i][j] = false;
        for (int i = 0; i < V; i++)
          adj[i][i] = true;
        for (In.init(); !In.empty() ;)
          {
            int i = In.getInt(), j = In.getInt();
            adj[i][j] = true; adj[j][i] = true;
          }

      }
  }
```

---

tura dati concatenata con due link per nodo che riveste notevolissima importanza.

Se una matrice multidimensionale è *sparsa* (cioè, solo pochi elementi della matrice sono non nulli), allora possiamo pensare di usare una multilista piuttosto che un array multidimensionale per rappresentarla. Possiamo usare un nodo per ogni elemento della matrice e un link per ogni dimensione, dove un link punta al successivo nodo per quella dimensione. Quest'organizzazione riduce lo spazio di memoria richiesto: dal prodotto dei valori massimi degli indici in ogni dimensione a una quantità proporzionale al numero di elementi non nulli. Lo svantaggio principale è che aumenta il tempo di esecuzione degli algoritmi, dato che l'accesso agli elementi della matrice comporta l'attraversamento di liste.

Al solo scopo di illustrare ulteriori esempi di strutture dati composte e di sottolineare la distinzione fra strutture dati concatenate e strutture dati indicizzate, consideriamo adesso strutture dati per la rappre-

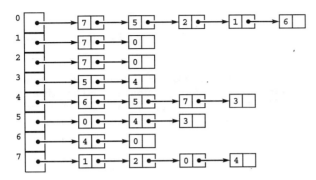

Figura 3.17
Rappresentazione di un grafo con liste di adiacenza

Questa rappresentazione del grafo della Figura 3.16 usa un array di liste. Lo spazio richiesto è proporzionale al numero di vertici più il numero di archi. Per trovare gli indici dei vertici connessi a un dato vertice i, consideriamo l'i-esima posizione in un array che contiene un riferimento a una lista concatenata, che possiede un nodo per ogni vertice connesso a i.

sentazione di grafi. Un *grafo* è un'entità combinatoria di fondamentale importanza, definito semplicemente come un insieme di elementi (detti *vertici*) e un insieme di connessioni fra vertici (detti *archi*). Abbiamo già avuto occasione di incontrare i grafi nel problema di connettività descritto nel Capitolo 1.

Assumiamo che un grafo con V vertici ed E archi sia definito da un insieme di E coppie di interi fra 0 e $V - 1$. In altre parole, assumiamo che i vertici siano etichettati con gli interi $0, 1, \ldots, V - 1$ e che gli archi siano specificati da coppie di vertici. Come per il Capitolo 1, la coppia i-j definisce la connessione fra i e j, e quindi ha lo stesso significato della coppia j-i. I grafi formati da archi di questo tipo sono detti grafi *non orientati*.

Un metodo immediato per rappresentare un grafo è quello di usare un array bidimensionale, chiamato *matrice di adiacenza*. Con una matrice di adiacenza possiamo determinare facilmente se vi sia o meno un arco fra i vertici *i* e *j*, semplicemente controllando se l'elemento della matrice di riga *i* e colonna *j* è true. Per i grafi non orientati qui considerati, se l'elemento di riga *i* e colonna *j* della matrice è true, allora lo sarà anche quello di riga *j* e colonna *i*. In altre parole, la matrice di adiacenza di un grafo non orientato è simmetrica. La Figura 3.16 offre un esempio di matrice di adiacenza di un grafo non orientato, mentre il Programma 3.16 mostra un modo per costruire una matrice di adiacenza a partire dalla sequenza di archi.

Un'altra rappresentazione immediata di un grafo è quella che usa un array di liste concatenate, chiamate *liste di adiacenza*. Manteniamo una lista concatenata per ogni vertice *v* del grafo, con un nodo per ogni vertice connesso al vertice *v*. Per i grafi non orientati, se esiste un nodo per il vertice *j* nella lista associata al vertice *i*, allora deve esserci anche un nodo per il vertice *i* nella lista associata a *j*. La Figura 3.17 fornisce un esem-

Programma 3.17   Rappresentazione di grafo con liste di adiacenza

Questo programma legge un insieme di archi che definiscono un grafo e ne costruisce una rappresentazione usando liste di adiacenza. Una lista di adiacenza di un grafo è un array di liste, una per ogni vertice, dove la *j*-esima lista è una lista concatenata dei nodi del grafo connessi al *j*-esimo vertice.

```
class AdjacencyLists
  {
    static class Node
      { int v; Node next;
        Node (int v, Node t)
          { this.v = v; next = t; }
      }
    public static void main(String[] args)
      { int V = Integer.parseInt(args[0]);
        int E = Integer.parseInt(args[1]);
        Node adj[] = new Node[V];
        for (int i = 0; i < V; i++) adj[i] = null;
        for (In.init(); !In.empty() ;)
          {
            int i = In.getInt(), j = In.getInt();
            adj[j] = new Node(i, adj[j]);
            adj[i] = new Node(j, adj[i]);
          }
      }
  }
```

pio di rappresentazione di un grafo non orientato attraverso liste di adiacenza, mentre il Programma 3.17 illustra un modo per creare una rappresentazione per liste di adiacenza a partire dalla sequenza di archi.

Entrambe le rappresentazioni sono array di semplici strutture dati, una per ogni vertice, che descrivono gli archi incidenti su quel vertice. Per una matrice di adiacenza, questa semplice struttura dati è implementata come un array indicizzato, mentre per le liste di adiacenza, essa è implementata come una lista concatenata.

Perciò, anche quando dobbiamo rappresentare un grafo, torniamo ad affrontare l'usuale compromesso sullo spazio di memoria. Una matrice di adiacenza occupa spazio proporzionale a V^2, mentre le liste di adiacenza usano spazio proporzionale a $V + E$. Se il grafo ha un numero di archi relativamente basso (tali grafi si dicono grafi *sparsi*), allora la rappresentazione per liste di adiacenza userà molto meno memoria. Se invece la maggior parte delle coppie di vertici sono connesse da archi (tali grafi si dicono grafi *densi*), allora la rappresentazione per matrice di adiacenza potrebbe essere migliore, perché non basata su link. Alcuni algoritmi sono più efficienti su matrici di adiacenza, perché esse consentono di rispondere in tempo costante alla domanda "Esiste un arco fra i vertici i e j?", mentre altri algoritmi sono più efficienti su liste di adiacenza, perché esse permettono di elaborare tutti gli archi di un grafo in tempo proporzionale a $V + E$, piuttosto che a V^2. Tratteremo un esempio specifico di queste differenze nel Paragrafo 5.8.

Tanto la rappresentazione tramite matrice di adiacenza quanto quella attraverso liste di adiacenza possono essere immediatamente generalizzate per gestire altri tipi di grafi (si veda, ad esempio, l'Esercizio 3.74).

Per concludere questo capitolo, consideriamo un esempio che mostra l'uso di strutture dati composte per fornire una soluzione efficiente al semplice problema geometrico incontrato nel Paragrafo 3.2. Dato d, vogliamo sapere quante coppie, su un insieme di N punti nel quadrato unitario, possono essere connesse da un segmento di lunghezza minore di d.

Il Programma 3.18 usa un array bidimensionale di liste concatenate per migliorare il tempo di calcolo del Programma 3.7 di un fattore circa $1/d^2$, per N grande. Tale programma opera dividendo il quadrato unitario in una griglia di quadratini di uguale dimensione. Quindi, per ogni quadratino, costruisce una lista concatenata di tutti i punti che cadono in quel quadratino. L'array bidimensionale ci dà la possibilità di accedere in modo immediato all'insieme dei punti che si trovano vicini a un dato punto. Le liste di adiacenza permettono di memorizzare i punti nei quadrati in cui cadono, senza richiedere conoscenza preventiva del numero di punti che giacciono in ogni quadratino.

Lo spazio usato dal Programma 3.18 è proporzionale a $1/d^2 + N$, ma il tempo di calcolo risulta essere $O(d^2 N^2)$ che, quando d è piccolo, costituisce un sostanziale miglioramento rispetto all'approccio algoritmico immediato del Programma 3.7. Ad esempio, per $N = 10^6$ e $d = 0.001$, possiamo effettivamente risolvere il problema in tempo e spazio lineare, mentre il Programma 3.7 richiederebbe un tempo proibitivo. Possiamo usare questa struttura dati come base per risolvere molti altri problemi geometrici. Ad esempio, se combinata con un algoritmo union-find del Capitolo 1, essa fornisce un algoritmo pressoché lineare per determinare se N punti disposti a caso nel piano possano essere connessi fra loro con segmenti di lunghezza d. Questo è un problema di fondamentale importanza nel progetto di reti e di circuiti.

Programma 3.18   Un array bidimensionale di liste

Il programma illustra l'efficacia della scelta di strutture dati appropriate ai problemi da risolvere. In particolare, qui si considera il problema geometrico già affrontato dal Programma 3.7. Il programma qui sotto divide il quadrato unitario in una griglia e mantiene un'array bidimensionale di liste concatenate, dove ogni elemento dell'array corrisponde a un quadratino della griglia. La granularità della griglia è scelta in modo tale che, per ogni dato punto, tutti i punti a distanza ≤ *d* da quel punto sono nello stesso quadratino oppure in uno adiacente.

```
class ClosePoints
  {
    static class Node
      { Point p; Node next;
        Node(Point x, Node t) { p = x;next = t; }
      }
    static int G, cnt = 0;
    static double d;
    static Node[][] g;
    static void gridInsert(Point p)
      { int X = (int)(p.x*G)+1, Y = (int)(p.y*G)+1;
        Node s, t = new Node(p, g[X][Y]);
        for (int i = X-1; i <= X+1; i++)
          for (int j = Y-1; j <= Y+1; j++)
            for (s = g[i][j]; s != null; s = s.next)
              if (s.p.distance(t.p) < d) cnt++;
        g[X][Y] = t;
      }
    public static void main(String[] args)
      { int i, N = Integer.parseInt(args[0]);
        d = Double.parseDouble(args[1]);
        G = (int) (1.0/d);
        g = new Node[G+2][G+2];
        for (i = 0; i < G+2; i++)
          for (int j = 0; j < G+2; j++)
            g[i][j] = null;
        for(i = 0; i < N;i++)
          gridInsert(new Point());
        Out.print(cnt + " pairs ");
        Out.println("closer than " + d);
      }
  }
```

Come gli esempi di questo paragrafo suggeriscono, non c'è limite potenziale alla complessità delle strutture che possiamo costruire a partire da costrutti elementari. Possiamo usare tali costrutti per strutturare dati di tipo diverso in oggetti e, quindi, organizzare tali oggetti in sequenze, tanto in modo esplicito, per mezzo di link, quanto in modo implicito. Questi esempi non ci consentono ancora la piena generalità nella strutturazione dei dati, come vedremo nel Capitolo 5. Prima dobbiamo considerare le fondamentali strutture dati astratte, che liste concatenate e array ci permettono di costruire. Queste strutture astratte sono strumenti basilari per sviluppare il livello di generalità successivo nella strutturazione dei dati.

Esercizi

3.66 Estendete il Programma 3.18 (e il Programma 3.2) a tre dimensioni, in modo che esso calcoli il numero di coppie di punti fra N generati a caso nel cubo unitario, che possono essere connessi da un segmento di lunghezza minore di d.

3.67 Scrivete un programma che legga stringhe da standard input e le stampi in modo ordinato, avendo il numero di stringhe da ordinare sulla linea di comando.

3.68 Scrivete un programma che riempia un array bidimensionale con valori booleani ponendo a[i][j] a true se il massimo comun divisore di i e j è 1, e a false altrimenti.

3.69 Usate il Programma 3.18 insieme al Programma 1.4 per sviluppare un programma efficiente che determini se un insieme di N punti possono essere connessi con segmenti di lunghezza minore di d.

3.70 Scrivete un programma per convertire una matrice sparsa da un array bidimensionale a una multilista con nodi associati ai soli elementi non nulli della matrice.

● **3.71** Implementate la moltiplicazione di matrici, quando le matrici sono rappresentate da multiliste.

▷ **3.72** Mostrate la matrice di adiacenza costruita dal Programma 3.16, avendo in input le coppie 0-2, 1-4, 2-5, 3-6, 0-4, 6-0, 1-3.

▷ **3.73** Mostrate le liste di adiacenza costruite dal Programma 3.17, avendo in input le coppie 0-2, 1-4, 2-5, 3-6, 0-4, 6-0, 1-3.

○ **3.74** Un grafo orientato è un grafo in cui le connessioni fra vertici hanno un verso: gli archi vanno da un vertice a un altro. Ripetete gli Esercizi 3.72 e 3.73, assumendo che le coppie in input rappresentino un grafo orientato, dove i-j indica un arco da i a j. Inoltre, disegnate il grafo usando frecce per indicare il verso degli archi.

○ **3.75** Scrivete un metodo che usi la matrice di adiacenza di un grafo per calcolare, dati i vertici a e b, il numero di vertici c per i quali esiste un arco da a a c e un arco da c ad a.

○ **3.76** Ripetete l'Esercizio 3.75, usando liste di adiacenza.

CAPITOLO QUATTRO

Tipi di dati astratti

L O SVILUPPO DI MODELLI ASTRATTI dei dati e dei modi in cui i programmi elaborano i dati costituisce un ingrediente essenziale nel processo di risoluzione di problemi attraverso un calcolatore. Ciò risulta chiaro tanto nella scrittura ordinaria di programmi (per esempio, quando usiamo array e liste concatenate, come osservato nel Capitolo 3) quanto, a livello di astrazione più elevato, nella soluzione generale di problemi (come abbiamo visto nel Capitolo 1, quando abbiamo usato foreste union-find per risolvere il problema della connettività). In questo capitolo, consideriamo i cosiddetti ADT (*Abstract Data Type*, "tipi di dati astratti") che ci consentiranno di scrivere programmi per mezzo di astrazioni di alto livello. Con gli ADT possiamo tenere distinte le trasformazioni concettuali operate dai programmi sui dati dalla specifica strutturazione dei dati e dalle specifiche implementazioni algoritmiche.

Tutti i calcolatori sono organizzati per *livelli di astrazione* successivi: usiamo il modello astratto di un bit, come un'entità che assume i valori 0 e 1, astraendo dalle proprietà fisiche del silicio e di altri materiali; inoltre, usiamo un modello astratto di macchina a partire dalle proprietà dinamiche dei valori di certi insiemi di bit; e ancora, usiamo un modello astratto di linguaggio di programmazione che ci serve per istruire il calcolatore con programmi scritti in linguaggio macchina; a livello ancora superiore, adottiamo la nozione astratta di algoritmo, implementato come un programma scritto in Java. I tipi di dati astratti ci permettono di arrivare a un livello di astrazione ancora più elevato: ci consentono di sviluppare meccanismi astratti per certi tipi di problemi, a un livello più alto di quello possibile con il linguaggio Java; ci consentono, inoltre, di sviluppare meccanismi astratti per applicazioni specifiche utili per risolvere problemi in svariati domini applicativi, e di costruire meccanismi astratti di livello superiore che utilizzano quei meccanismi di base. I tipi di dati astratti ci offrono, insomma, un insieme espandibile di strumenti che possiamo impiegare per cercare di risolvere problemi nuovi.

L'uso di meccanismi astratti ci svincola dai dettagli implementativi. D'altro canto, quando le prestazioni sono veramente importanti, abbiamo la necessità di conoscere con precisione i costi delle operazioni di base. Usiamo diverse astrazioni di base che sono implementate direttamente nell'hardware della macchina e che forniscono il supporto per le istruzioni macchina; ne implementiamo altre scrivendo software; ne utilizziamo altre ancora che sono fornite da programmi di sistema operativo. Spesso, ci troviamo a costruire meccanismi astratti di livello elevato sfruttando quelli primitivi o di livello più basso. Lo stesso principio di base vale per tutti i livelli di astrazione: vogliamo identificare le operazioni critiche nei nostri programmi e le caratteristiche più rilevanti dei dati per poter definire entrambe in termini astratti, ma anche per poter sviluppare efficienti meccanismi concreti che supportino operazioni e dati.

Per poter sviluppare nuovi livelli di astrazione, dobbiamo definire gli oggetti astratti che vogliamo manipolare e le operazioni che vogliamo eseguire su di essi. Dobbiamo rappresentare i dati con una qualche struttura dati e implementare le operazioni che agiscono su di essa; dobbiamo, altresì, assicurare che gli oggetti definiti siano convenienti per risolvere il problema da affrontare. Vogliamo, inoltre, tenere separati programmi client e implementazione. In tal modo, un singolo client ha la possibilità di utilizzare diverse implementazioni, e una medesima implementazione può essere usata da più client, senza dover cambiare il codice di alcun programma. Nei sistemi Java questo è un concetto piuttosto familiare: la macchina virtuale Java è da intendersi come un livello di astrazione che separa i programmi Java dalle implementazioni. Così, sappiamo di poter trasportare un programma Java da un computer a uno diverso senza modifiche al codice. In questo capitolo, consideriamo il modo di adattare il meccanismo di base delle classi Java per ottenere, tramite codice Java, lo stesso tipo di struttura per livelli di astrazione.

Definizione 4.1 *Un **ADT** (Abstract Data Type) è un tipo di dato (cioè un insieme di valori e una collezione di operazioni su questi valori) accessibile solo attraverso un'interfaccia. Chiameremo **programma client** un programma che usa un ADT, e **implementazione** un programma che specifica il tipo di dato.*

La distinzione chiave che rende ADT un tipo di dato risiede nella parola *solo*: con un ADT un programma client non ha accesso ai dati, se non attraverso le operazioni fornite dall'interfaccia. La rappresentazione dei dati e i metodi che implementano le operazioni stanno nell'implementazione e sono tenuti completamente separati dal programma client attraverso l'interfaccia. Diremo in proposito che l'interfaccia è *opaca*, intendendo con questo che il client non può vedere attraverso l'interfaccia i dettagli dell'implementazione.

Nei programmi scritti in Java di solito facciamo una distinzione più sottile, perché il modo più semplice di organizzare un'interfaccia comporta l'inclusione della rappresentazione dei dati nell'interfaccia medesima, specificando allo stesso tempo che i programmi client non possono accedere ai dati in modo diretto. In altre parole, i client possono conoscere la rappresentazione dei dati, senza però in alcun modo far uso di questa conoscenza.

Come esempio iniziale, l'interfaccia per il tipo di dato punto (Programma 3.2) nel Paragrafo 3.1 dichiara esplicitamente che i punti sono rappresentati come classe con una coppia di numeri in virgola mobile, con campi dato chiamati x e y. In effetti, quest'uso dei tipi di dati è abbastanza diffuso nei grandi sistemi software: si stabiliscono una serie di convenzioni su come i dati vengono rappresentati (definendo anche un insieme di operazioni associate) e si rendono tali convenzioni disponibili in un'interfaccia che verrà usata dai programmi client che compongono il sistema. Il tipo di dato assicura che tutte le componenti del sistema siano in accordo circa la rappresentazione di strutture dati basilari per l'intero sistema. Sebbene sia valida, questa strategia presenta un serio inconveniente: se abbiamo bisogno di modificare la rappresentazione dei dati, dobbiamo anche cambiare tutti i programmi client che fanno uso di tali dati. Il Programma 3.2 ne fornisce un semplice esempio: una ragione per sviluppare tipi di dati è quella di rendere facile la manipolazione di punti da parte dei programmi client, i quali presumibilmente accederanno alle singole coordinate quando è necessario. Ma non possiamo cambiare la rappresentazione (ad esempio, usando coordinate polari, o tre dimensioni invece che due, o anche solo usare tipi di dati diversi per le singole coordinate), senza che questo implichi la modifica di tutti i programmi client.

Il Programma 4.1 è una versione più elaborata del Programma 3.2 (ancora utilizzabile col Programma 3.7) che include due metodi addizionali e alcune modifiche per renderlo un'implementazione di ADT. La caratteristica essenziale che rende il suo tipo di dato un tipo di dato astratto ha a che fare con l'accesso alle informazioni. Ciò è regolato dalla parola chiave `private` ("privato"). Un membro privato di una classe può essere riferito solo all'interno della classe, mentre un membro non privato può essere riferito anche da altre classi. Membri privati pos-

Programma 4.1   Implementazione della classe punto

Questa classe definisce un tipo di dato che consiste dell'insieme dei valori "coppie di numeri in virgola mobile" (che sono presumibilmente interpretati come punti nel piano cartesiano). La classe include otto metodi: due costruttori, due *metodi di accesso* che restituiscono il valore dei campi dato, due metodi per trasformare in coordinate polari, un metodo per calcolare la distanza da un altro `Point` e un metodo `toString`. La rappresentazione dei dati è `private` e si può avere accesso a essa o modificarla solo tramite i metodi della classe, ma i metodi in sé possono essere utilizzati da qualunque client.

```java
class Point
  {
    private double x, y;
    Point()
      { x = Math.random(); y = Math.random(); }
    Point(double x, double y)
      { this.x = x; this.y = y; }
    double x() { return x; }
    double y() { return y; }
    double r() { return Math.sqrt(x*x + y*y); }
    double theta() { return Math.atan2(y, x); }
    double distance(Point p)
      { double dx = this.x() - p.x();
        double dy = this.y() - p.y();
        return Math.sqrt(dx*dx + dy*dy);
      }
    public String toString()
      { return "(" + x + ", " + y +")"; }
  }
```

sono essere tanto campi quanto metodi. Nel Programma 4.1, ad esempio, solo i campi sono privati, mentre vedremo in seguito numerosi altri esempi di classi che contengono anche metodi privati.

Ad esempio, in un programma client che usi `Point` non possiamo accedere ai campi dato `p.x`, `q.y`, ecc. (come, invece, può un qualsiasi client della classe `Point` del Programma 3.2), perché i campi `x` e `y` sono privati. Tutto quello che i client possono fare è usare i metodi pubblici per elaborare i punti. Questi metodi hanno accesso diretto ai membri di un qualsiasi oggetto nella classe. Per esempio, quando un client invoca il metodo `distance` nel Programma 4.1 con la chiamata `p.distance(q)` il nome `x` all'interno del metodo si riferisce al campo dato x del punto p (perché distance è stata invocata come membro dell'istanza p), mentre il nome p.x si riferisce al dato membro x nel punto q (perché q è il parametro attuale corrispondente al parametro formale p). Per eliminare possibili ambiguità o confusioni potremmo scrivere this.x invece di x. La parola chiave this si riferisce all'oggetto per cui un metodo è invocato.

I membri di una classe Java hanno quattro possibili attributi di accesso: private, protected ("protetto"), public ("pubblico") e l'attributo di default (predefinito) che non richiede alcuna parola chiave. Parlando in termini informali, in questo libro useremo il termine *privato* per indicare tanto private quanto protected e il termine *pubblico* per indicare tanto public quanto il valore di default. È una convenzione che seguiamo al solo scopo di fare economia nella presentazione dei nostri programmi: molti dei membri delle nostre classi non hanno attributo di accesso (o meglio, hanno quello di default); quelli che devono essere nascosti sono private, mentre alcuni (come toString) sono public per rispettare le convenzioni di sistema di Java.

I due metodi x() e y() aggiunti nel Programma 4.1 forniscono ai programmi client la possibilità di leggere i valori dei campi dato (poiché non vi possono accedere direttamente). Questi metodi non modificano i campi dell'oggetto su cui sono chiamati, ne forniscono solo i valori e sono noti col nome di *metodi di accesso*. Includiamo spesso metodi di questo tipo nelle nostre classi Java. Si noti che non offriamo alcun modo di modificare i valori dei campi dato una volta che l'oggetto è costruito: gli oggetti che non possono modificarsi sono detti *immutabili* e sono piuttosto comuni in Java. Ad esempio, per definire un Point diverso che si muove, possiamo aggiungere un metodo move con lo stesso codice del costruttore a due parametri, che consenta ai client di modificare i valori dei campi x e y.

Il Programma 4.2 illustra la ragione essenziale per la quale risulta necessario prestare attenzione nel definire gli ADT: se non permettiamo ai client di accedere direttamente alla rappresentazione dei dati, siamo liberi di cambiarla! In questo caso, passiamo alle coordinate polari per rappresentare punti, ma i programmi client eseguono gli stessi calcoli sia con una rappresentazione che con l'altra.

Perché dovremmo voler effettuare queste modifiche? La ragione più comune è quella di apportare miglioramenti all'implementazione. Si supponga di avere a che fare con un sistema di grandi dimensioni con un gran numero di programmi client che usano un certo ADT, e di aver scoperto un errore nell'implementazione di uno dei metodi, che fornisce, in talune circostanze, risposte sbagliate. Non abbiamo alcun

Programma 4.2   Classe Point (implementazione alternativa)

Quest'implementazione del tipo di dati per i punti usa coordinate polari come rappresentazione interna. In linea di principio, i client come i Programmi 3.7 e 3.8 dovrebbero essere in grado di sostituire quest'implementazione a quella fornita dal Programma 4.1 senza notare la differenza, eccetto eventuali differenze di prestazioni.

```
class Point
  {
    private double r, theta;
    Point()
      { double x = Math.random(), y = Math.random();
        this = new Point(x, y); }
    Point(double x, double y)
      { r = Math.sqrt(x*x + y*y);
        theta = Math.atan2(y, x); }
    double r() { return r; }
    double theta() { return theta; }
    double x() { return r*Math.cos(theta); }
    double y() { return r*Math.sin(theta); }
    double distance(Point p)
      { double dx = x() - p.x();
        double dy = y() - p.y();
        return Math.sqrt(dx*dx + dy*dy);
      }
    public String toString()
      { return "(" + x() + ", " + y() + ")"; }
  }
```

modo per sapere in che misura tale errore influenzi i programmi client. Possiamo, però, correggere l'errore nell'implementazione senza alcuna modifica ai client medesimi. Nel caso della classe Point potremmo, ad esempio, notare che il metodo r() è usato più frequentemente di altri e potremmo pensare di migliorare le prestazioni dei client passando al Programma 4.2. In questo caso, il guadagno di prestazioni è relativamente modesto, ma presenteremo in seguito molti esempi nei quali i miglioramenti sono molto più marcati. Studieremo, infatti, varie situazioni in cui esistono margini di miglioramento delle prestazioni che possono allargare fortemente l'ambito di applicazione dei programmi client. Il tutto senza alcuna modifica a questi ultimi.

Per molte applicazioni la possibilità di modificare l'implementazione è un requisito necessario. Supponiamo, ad esempio, di dover sviluppare software per un'azienda che ha bisogno di elaborare mailing list di potenziali utenti. Con una classe Java possiamo definire metodi che consentono ai programmi client di manipolare i dati senza accedervi direttamente. Con un ADT forniamo, invece, metodi che restituiscono i dati che interessano. Ad esempio, possiamo offrire ai client un'interfaccia che definisce operazioni come l'estrazione del nome di un utente o l'aggiunta di un record relativo a un nuovo utente. L'implicazione più importante di questa strutturazione è quella di poter utilizzare gli stessi programmi client anche se dobbiamo cambiare il formato usato per le mailing list. Possiamo, quindi, cambiare la rappresentazione dei dati e l'implementazione dei metodi che accedono a tali dati senza dover cambiare i client.

Possiamo, inoltre, sfruttare questa flessibilità offerta dagli ADT nell'implementare metodi: se usiamo invocazioni come `p.x()` invece di riferimenti a campi come `p.x` nell'implementazione di `distance` del Programma 4.1, non dobbiamo cambiare quel codice servendoci di una rappresentazione dei dati diversa. Rendendo questi metodi privati ci possiamo permettere questa flessibilità anche in classi in cui non vogliamo che i client abbiano accesso ai dati.

Come si lega il concetto di classe Java allo schema client-interfaccia-implementazione e agli ADT? Le classi sono un supporto diretto fornito dal linguaggio, che è però sufficientemente generale da consentire un certo numero di approcci diversi. Adotteremo, di solito, la convenzione che *le segnature dei metodi che non sono privati in una classe costituiscono la sua interfaccia*, ovvero, *i membri di una classe che non fanno parte dell'interfaccia sono privati*. In altri termini, manteniamo la rappresentazione dei dati nella parte privata della classe, dove non si può avere accesso a essa tramite programmi che fanno uso di quella classe (i programmi client). Tutto ciò che i client "sanno" sulla classe è l'informazione non privata sui suoi metodi (nome, tipo di valore restituito e tipo dei parametri).

Volendo enfatizzare la natura dell'interfaccia definita da una classe, in questo libro si prende in esame prima l'interfaccia e quindi l'implementazione. Il punto essenziale è che questo modo di organizzare le cose facilita altre implementazioni con differenti rappresentazioni dei dati e differenti implementazioni dei metodi, e quindi anche il test e il confronto fra implementazioni diverse, senza dover toccare i programmi client. La convenzione che seguiamo nella definizione delle interfacce è illustrata nel Programma 4.3: otteniamo la definizione di un'interfaccia dall'implementazione di una classe cancellando i membri privati, l'implementazione dei metodi pubblici e i nomi dei parametri, la-

---

Programma 4.3   Interfaccia per l'ADT Point

Per convenzione otteniamo l'interfaccia associata all'implementazione di un ADT, cancellando le parti private e sostituendo le implementazioni dei metodi con le loro segnature. L'interfaccia che segue è ottenuta in questo modo dai Programmi 4.1 e 4.2 (che implementano la stessa interfaccia). Possiamo usare diverse implementazioni aventi la medesima interfaccia senza cambiare in alcun modo il codice dei programmi client che usano l'ADT.

```
class Point // interfaccia di ADT
  { // implementazioni e membri privati nascosti
    Point()
    Point(double, double)
    double x()
    double y()
    double r()
    double theta()
    double distance(Point)
    public String toString()
  }
```

---

sciando quindi solo le segnature dei metodi pubblici. Se facciamo quest'operazione su due classi che implementano l'interfaccia, dovremmo ottenere la stessa interfaccia. L'ordine in cui appaiono le segnature dei metodi potrebbe essere diverso, ma ciò è irrilevante. Queste definizioni di interfacce non sono codice Java, ma ciascuna di esse serve a descrivere in modo conciso e completo il "contratto" fra programmi client e implementazione che sta alla base di un'efficace progettazione di ADT.

Il nostro utilizzo delle classi Java per implementare ADT con la convenzione per cui le segnature dei metodi pubblici costituiscono l'interfaccia presenta delle imperfezioni, perché interfaccia e implementazione non sono completamente separate, e tra l'altro, per definire interfacce ci serviamo di un metodo convenzionale che non è codice Java. Nel Paragrafo 4.6 esamineremo brevemente lo strumento Java `inteface` ("interfaccia"), che non supporta pienamente gli ADT per come li abbiamo definiti. Ad esempio, non possiamo mettere costruttori in una `interface` Java, e quindi i client accedono ai costruttori senza passare attraverso l'interfaccia, il che viola la Definizione 4.1.

. Implementazioni di classi siffatte sono qualche volta chiamate *tipi di dati concreti*. Un tipo di dato che segue queste convenzioni, in effetti, rispetta la nostra definizione di ADT (Definizione 4.1). La distinzione più sottile passa attraverso la precisa definizione di parole come "accede", "riferisce" e "specifica", la cui difficoltà oggettiva lasceremo ai teorici dei linguaggi di programmazione. Infatti, la Definizione 4.1 non specifica cosa sia un'interfaccia o come i tipi di dati e le operazioni debbano essere descritti. Questa "imprecisione" si rivela necessaria, poiché specificare tali informazioni in generale richiede un linguaggio matematico formale e conduce a problemi teorici di difficile soluzione, basilari nella progettazione dei linguaggi di programmazione. Tratteremo ancora il problema della specifica dopo aver considerato alcuni esempi di ADT.

Gli ADT si sono affermati come un meccanismo efficace per supportare la programmazione modulare come principio di organizzazione dei moderni sistemi software di grandi dimensioni. Gli ADT offrono un modo per limitare la dimensione e la complessità del collegamento tra algoritmi con strutture dati associate (potenzialmente complessi) e programmi (potenzialmente numerosi) che li utilizzano. Quest'organizzazione facilita la comprensione della struttura generale di programmi applicativi di grandi dimensioni. Inoltre, a differenza dei tipi di dati semplici, gli ADT forniscono la flessibilità necessaria per rendere agevoli modifiche e miglioramenti di fondamentali strutture dati e di algoritmi di base del sistema. L'interfaccia di un ADT definisce un "contratto" fra utenti e implementatori che impiega precisi strumenti di comunicazione fra i due contraenti.

Un ADT progettato con attenzione ci consente di sfruttare la separazione fra client e implementazioni in molti modi. Ad esempio, usiamo comunemente programmi pilota nello sviluppo o nel debugging di implementazioni di ADT. Similmente, durante la costruzione di sistemi usiamo spesso implementazioni incomplete di ADT, dette *stub* ("troncone" o "ceppo", *NdT*), per apprendere le caratteristiche dei programmi client.

In questo capitolo, esaminiamo approfonditamente gli ADT perché essi giocano un ruolo importante anche nello studio di strutture dati e algoritmi. In effetti, la motivazione principale per lo sviluppo di quasi tutti gli algoritmi presentati in questo libro è stata quella di fornire implementazioni efficienti delle operazioni di base per alcuni ADT di fondamentale importanza in molti problemi di natura computazionale. Progettare un ADT è solo il primo passo per poter soddisfare le richieste dei programmi applicativi. Dovremo anche sviluppare efficaci implementazioni delle operazioni associate e delle strutture dati sottostanti. Questi sono i nostri argomenti principali. Inoltre, utilizziamo in modo diretto modelli astratti per sviluppare e confrontare le prestazioni degli algoritmi e delle strutture dati, così come abbiamo fatto nel Capitolo 1: solitamente, sviluppiamo un programma applicativo chè usa un ADT per risolvere un dato problema, e poi sviluppiamo più implementazioni dell'ADT e ne confrontiamo l'efficacia. Nel presente capitolo, ci soffermiamo su questo modo generale di operare analizzandone numerosi esempi.

I programmatori Java usano regolarmente tipi di dati e ADT. Quando elaboriamo numeri interi servendoci delle sole operazioni fornite da Java per gli interi, stiamo essenzialmente sfruttando un'astrazione dei numeri interi fornita dal sistema. Su una macchina diversa la rappresentazione degli interi e l'implementazione delle operazioni su di essi potrebbero essere differenti, ma un programma che utilizzi solo le operazioni specificate per gli interi funzionerà correttamente anche sulla nuova macchina. In questo caso, le varie operazioni Java sugli interi costituiscono l'interfaccia, i programmi scritti da noi sono i client e la macchina virtuale Java fornisce l'implementazione. Possiamo eseguire i nostri programmi su macchine differenti che hanno, per esempio, diverse rappresentazioni per i numeri interi o in virgola mobile, senza dover ritoccare in alcun modo i programmi.

Molte delle classi Java sono esempi di implementazioni di tipi di dati, sebbene esse siano da inserirsi in un contesto più complesso di quello che abbiamo tratteggiato. È bene sottolineare, inoltre, che tali classi non sempre seguono gli standard qui indicati.

Le classi Java ci permettono non solo di usare diverse implementazioni dei metodi, ma anche di basarle su strutture dati sottostanti diverse. Di nuovo, dato che ai tipi di dati si accede solo tramite l'interfaccia, la distinzione chiave che caratterizza gli ADT è che possiamo realizzare queste modifiche senza cambiare in alcun modo i programmi client. In Java, imponiamo questa restrizione rendendo tutto privato, salvo i metodi pubblici che costituiscono l'interfaccia.

In questo capitolo, tratteremo molti esempi di implementazioni di ADT tramite classi Java. Dopo aver reso al lettore l'idea intuitiva di questo concetto, torneremo a presentare aspetti filosofici e implicazioni pratiche verso la fine del capitolo.

Esercizi

▷ **4.1**   Supponete di voler modificare i Programmi 3.7 e 4.1 in modo da contare il numero di coppie di punti che cadono entro un quadrato di dimensione *d*. Fornite due differenti versioni di client e implementazione per risolvere questo problema: prima modificate il metodo `distance` in modo opportuno nell'implementazione (in modo che il client non debba essere cambiato), poi mostrate come risolvere il problema modificando il client in modo che esso usi i metodi di accesso nell'implementazione (in maniera tale che l'implementazione non debba essere cambiata).

▷ **4.2** Fornite un'implementazione dell'interfaccia per i punti (Programma 4.3), che tratti punti a tre coordinate.

4.3 Diciamo che due punti coincidono, se la loro distanza è minore di 10^{-6}. Aggiungete un metodo all'interfaccia Point, che verifichi se due punti coincidono. Scrivete, quindi, un programma client che prenda in ingresso un intero N dalla linea di comando e riempia un array con N punti, ciascuno non coincidente con gli altri.

○ **4.4** Modificate entrambe le implementazioni di Point (Programmi 4.1 e 4.2) in modo che il costruttore senza parametri crei un punto casuale nel cerchio unitario.

4.1   Collezioni di oggetti

Le strutture dati che usiamo nelle applicazioni spesso contengono una gran quantità di informazioni di vari tipi, e può capitare che alcune di queste informazioni siano parte di diverse strutture dati indipendenti. Ad esempio, un file di dati sul personale di un'azienda può contenere record con nomi, indirizzi e altre informazioni circa gli impiegati, ma questi record potrebbero a loro volta appartenere a un'opportuna struttura dati per eseguire ricerche sugli impiegati, a un'ulteriore struttura dati per rispondere a interrogazioni di natura statistica, e così via.

Nonostante la loro diversità e complessità, un'ampia classe di applicazioni computazionali richiede solo manipolazioni generiche di dati e l'accesso alle informazioni associate a questi dati per alcune e ben definite ragioni. Gli ADT ci permettono di rendere esplicita qualsiasi assunzione sulle operazioni da eseguire sui dati.

Molte delle manipolazioni richieste hanno a che fare con collezioni di dati. Osserveremo, in effetti, che tali manipolazioni sono il naturale risultato prodotto da procedure computazionali, e sono quindi richieste in un ampio spettro di applicazioni. Molti degli algoritmi fondamentali che trattiamo in questo libro possono essere applicati effettivamente nella costruzione di un livello di astrazione che fornisca ai programmi client la possibilità di effettuare queste manipolazioni in modo efficiente. Quindi, considereremo in dettaglio numerosi ADT associati a queste manipolazioni. Questi ADT definiscono varie operazioni su collezioni di dati, valide per molti tipi di dati.

In particolare, molte delle strutture dati e degli algoritmi studiati in questo libro sono impiegati per implementare ADT fondamentali, costituiti da collezioni di elementi astratti e costruiti a partire dalle sole due operazioni seguenti:

- *insert* ("inserisci") un nuovo elemento nella collezione
- *delete* ("cancella") un elemento dalla collezione.

Chiameremo questi ADT col nome di *code generalizzate*. Per convenienza, includeremo tipicamente anche esplicite operazioni per costruire le strutture dati (*costruttori*) e per contare il numero di elementi nella struttura dati (oppure solo per verificare se è vuota). Potremmo anche avere bisogno di un'operazione che effettua una *copia* della struttura dati (cioè, una "clonazione"). Rimandiamo l'argomento al Paragrafo 4.9.

Quando usiamo *insert* per inserire un elemento, il nostro intento è chiaro. Quale elemento otteniamo, però, quando usiamo *delete* per cancellare elementi dalla collezione? Criteri differenti per decidere quale elemento rimuovere con *delete* e differenti convenzioni associate a ciascuno di questi criteri, danno luogo ad ADT differenti. Incontreremo, tra l'altro, un buon numero di classiche operazioni, oltre a *insert* e *delete*. Molti degli algoritmi e delle strutture dati che appaiono in questo libro sono stati progettati per supportare implementazioni efficienti di vari sottoinsiemi di queste operazioni, al variare dei criteri di cancellazione degli elementi dalla collezione e di ulteriori convenzioni associate alla cancellazione. Questi ADT sono concettualmente semplici e di uso piuttosto comune. Essendo il cuore di una grandissima quantità di soluzioni computazionali, meritano una particolare attenzione.

In questo capitolo, considereremo molte strutture dati di questo tipo, ne studieremo le proprietà, esamineremo esempi di applicazione e, allo stesso tempo, useremo queste strutture dati come esempi paradigmatici per illustrare i meccanismi di base nello sviluppo di ADT. Nel Paragrafo 4.2 considereremo gli *stack*, dove la regola di rimozione di elementi riguarda quello più recentemente inserito. Vedremo alcune applicazioni degli stack nel Paragrafo 4.3 e alcune possibili implementazioni nel Paragrafo 4.4, insieme a un approccio specifico per mantenere separate applicazioni e implementazioni. Di seguito, considereremo il processo di creazione di un nuovo ADT, nel contesto dell'astrazione union-find, presentata nel Capitolo 1 sul problema della connettività. Ancora più avanti, torneremo a trattare collezioni di elementi attraverso le code FIFO, le code generalizzate (che differiscono dagli stack sul piano astratto solo perché prevedono regole differenti di rimozione di elementi) e le code generalizzate senza elementi duplicati.

Come si è visto nel Capitolo 3, gli array e le liste concatenate forniscono i meccanismi di base per inserire e cancellare specifici elementi. In effetti, array e liste concatenate sono le strutture dati che stanno alla base di molte implementazioni di code generalizzate che consideriamo qui. Come sappiamo, il costo di un inserimento o di una cancellazione dipende dalla specifica struttura dati che impieghiamo e anche dal particolare elemento da inserire o rimuovere. Per un dato ADT, il nostro obiettivo è quello di scegliere una struttura dati che ci consenta di eseguire le operazioni richieste in modo efficiente. In questo capitolo approfondiremo vari esempi di ADT per i quali array e liste concatenate forniscono soluzioni adeguate. ADT che supportano operazioni più potenti hanno bisogno di implementazioni più sofisticate. Quest'esigenza è, in effetti, il principale impulso per molti algoritmi studiati in questo libro.

Tipi di dati che comprendono collezioni di elementi (code generalizzate) sono un argomento di studio centrale nell'informatica, perché essi supportano in modo diretto un fondamentale paradigma di calcolo. Sono moltissimi i problemi computazionali nei quali, pur dovendo lavorare con un gran numero di elementi, siamo costretti a esaminare un solo elemento per volta. Quindi, in questa circostanza, mentre elaboriamo un particolare elemento, dobbiamo memorizzare tutti gli altri. Ciò potrebbe comportare di dover riesaminare elementi già memorizzati in precedenza o aggiungerne di nuovi alla collezione. Capita non di rado che le operazioni di memorizzazione e di recupero degli elementi secondo dati criteri siano la parte essenziale del calcolo. Come avremo modo di osservare, molti classici algoritmi e strutture dati rientrano in questo quadro.

4.2 Tipo di dato astratto stack

Lo *stack* o "pila" è il più importante fra i tipi di dati che supportano le operazioni *insert* e *delete* su collezioni di elementi.

Uno stack è un po' come una pila di fogli sulla scrivania di un professore affaccendato: le cose da fare crescono impilandosi sulla scrivania e, quando il professore ha la possibilità di portare a termine un lavoro, questo viene prelevato dalla cima della pila. L'elaborato di uno studente potrebbe benissimo rimanere sul fondo della pila per un giorno o due, anche se un professore scrupoloso si organizzerà in modo da svuotare lo stack entro la fine della settimana. Come vedremo, i programmi per computer sono per loro natura organizzati in questo modo. I programmi spesso rimandano qualche operazione, mentre ne svolgono un'altra, e spesso hanno bisogno di ritornare al compito che è stato pro-

```
L        L
A        L A
*     A  L
S        L S
T        L S T
I        L S T I
*     I  L S T
N        L S T N
*     N  L S T
F        L S T F
I        L S T F I
R        L S T F I R
*     R  L S T F I
S        L S T F I S
T        L S T F I S T
*     T  L S T F I S
*     S  L S T F I
O        L S T F I O
U        L S T F I O U
*     U  L S T F I O
T        L S T F I O T
*     T  L S T F I O
*     O  L S T F I
*     I  L S T F
F        L S T F
*     F  L S T
T        L S
*     T  L S
S        L
*     S
      L
```

Figura 4.1
Esempio di stack
(coda LIFO)

Questa lista mostra il risultato di una sequenza di operazioni indicate nella colonna di sinistra (dall'alto in basso), dove una lettera denota una push e un asterisco denota una pop. Ogni linea raffigura l'operazione, la lettera estratta (nel caso di pop) e il contenuto dello stack dopo l'operazione, in ordine dall'elemento meno recentemente inserito a quello più recentemente inserito, da sinistra a destra.

Programma 4.4   Interfaccia per un ADT stack

Usando le stesse convezioni adottate nel Programma 4.3, definiamo un ADT stack che contiene interi tramite le segnature dei metodi, in modo tale che la rappresentazione dello stack e ogni altra porzione di codice dipendente dall'implementazione sia definita come privata. Possiamo, allora, cambiare implementazione senza modificare il codice del client. Il parametro del costruttore `stack` specifica il massimo numero di elementi che possono essere inseriti.

```
class intStack // interfaccia di ADT
  { // implementazioni e membri privati nascosti
    intStack(int)
    int empty()
    void push(int)
    int pop()
  }
```

crastinato più di recente. Quindi, gli stack risultano essere una fondamentale struttura dati per molte applicazioni.

Definizione 4.2   *Uno **stack** è un ADT che supporta due operazioni di base: inserimento (**push**, inserisci in cima) di un nuovo elemento e cancellazione (**pop**, preleva dalla cima) dell'elemento che è stato inserito più di recente.*

Quando parliamo dell'ADT stack, quindi, ci riferiamo a una descrizione delle operazioni *push* e *pop* che sia sufficientemente dettagliata da consentire ai programmi client di far uso di esse, e anche a una qualche implementazione delle operazioni che rispetti la regola che caratterizza uno stack: gli elementi sono rimossi secondo una politica *LIFO* (*Last In, First Out*, "l'ultimo a entrare è il primo a uscire").

La Figura 4.1 mostra come uno stack evolva durante una serie di operazioni *push* e *pop*. Ogni *push* aumenta la dimensione dello stack di uno e ogni *pop* la decrementa di uno. Nella figura gli elementi nello stack sono listati nell'ordine in cui sono stati inseriti, in tal modo diventa chiaro che l'elemento più a destra nella lista è quello in cima allo stack (è l'elemento che dovrà essere restituito, se la successiva operazione è *pop*). Nell'implementazione siamo liberi di organizzare gli elementi nel modo che desideriamo, purché diamo l'illusione ai programmi client che gli elementi siano organizzati in questo modo.

Come abbiamo evidenziato, per scrivere programmi che utilizzino l'astrazione dello stack dobbiamo per prima cosa definire l'interfaccia. A questo scopo, la nostra convenzione è quella di dichiarare una collezione di metodi pubblici di cui servirci, come si nota nel Programma 4.4, nelle implementazioni delle classi. Teniamo privati tutti gli altri membri della classe in modo tale che il sistema Java possa assicurare che questi metodi siano la sola connessione fra programmi client e implementazioni. Questo meccanismo ci consente di scrivere programmi che usano queste operazioni astratte. Per rafforzare tale astrazione utilizziamo le classi; esse ci permettono di nascondere la struttura dati e l'implementazione al client. Nel Paragrafo 4.3 presenteremo esempi di programmi client che usano l'astrazione dello stack, mentre nel Paragrafo 4.4 analizzeremo alcune implementazioni.

L'interfaccia dell'ADT stack del Programma 4.4 definisce stack di interi, mentre la nostra esigenza sarebbe quella di poter lavorare con stack di elementi di qualsiasi tipo. In effetti, il nostro esempio della Figura 4.1 usa stack di caratteri, circostanza che richiederebbe la definizione di un'interfaccia come il Programma 4.4 per classi charStack in cui il parametro di push e il valore di ritorno di pop siano di tipo char. Per separare la trattazione dell'implementazione e uso degli stack da quella su stack generici, rimandiamo i dettagli su questi ultimi al Paragrafo 4.5.

In un ADT lo scopo dell'interfaccia è quello di servire da accordo fra client e implementazione. Se tanto i client quanto l'implementazione usano metodi con le segnature indicate nell'interfaccia, allora siamo certi che le chiamate nel programma client corrispondano alle definizioni dei metodi nell'implementazione. D'altro canto, l'interfaccia non contiene alcuna informazione su come queste funzioni sono implementate o anche su come esse si comportano. Come facciamo a "spiegare" a un programma client che cosa sia uno stack? Per strutture semplici come gli stack, una possibilità è quella di mostrare il codice, ma questa soluzione è chiaramente inefficace in generale. Spesso, i programmatori fanno ricorso a descrizioni in linguaggio naturale, accompagnando il codice con opportuna documentazione.

Un trattamento rigoroso di questa situazione richiederebbe una descrizione completa, in un qualche formalismo matematico, del modo in cui i metodi dovrebbero comportarsi. A volte, questa descrizione è chiamata *specifica*. Scrivere specifiche, generalmente, è un compito piuttosto difficile. La specifica deve descrivere in un linguaggio meta-matematico ogni possibile programma che implementa i metodi, anche se noi siamo abituati a specificare il comportamento di metodi attraverso codice scritto in un qualche linguaggio di programmazione. In pratica, quello che facciamo è descrivere il comportamento di funzioni usando il linguaggio naturale. Non vorremmo però addentrarci oltremodo in questioni epistemologiche. In questo libro, diamo esempi dettagliati, descrizioni in lingua italiana e implementazioni multiple della maggior parte degli ADT che prendiamo in considerazione.

Volendo sottolineare il fatto che la nostra specifica dell'ADT stack è sufficiente per scrivere programmi client significativi, forniamo nel Paragrafo 4.3, e quindi prima di qualsiasi implementazione, due programmi client che fanno uso di uno stack.

Esercizi

▷ **4.5** Nella sequenza

$$E A S * Y * Q U E * * * S T * * * I O * N * * *$$

una lettera significa *push* e un asterisco significa *pop*. Fornite la sequenza di valori restituiti dalle operazioni *pop*.

4.6 Usando le stesse convenzioni dell'Esercizio 4.5, elaborate un modo per inserire asterischi nella sequenza E A S Y tale che la sequenza dei valori restituiti dalle operazioni *pop* sia: (1) E A S Y, (2) Y S A E, (3) A S Y E, (4) A Y E S, oppure mostrate nei vari casi che non esiste alcun modo per ottenerle.

●● **4.7** Date due sequenze, scrivete un algoritmo per determinare se sia possibile o meno inserire asterischi, in modo che la prima sequenza produca la seconda, quando la prima è interpretata come una sequenza di operazioni su stack nel senso dell'Esercizio 4.6.

4.3 Esempi di client dell'ADT stack

Vedremo molte applicazioni relative agli stack nei capitoli che seguono. Come esempio introduttivo, consideriamo adesso l'uso di uno stack per valutare operazioni aritmetiche. Per esempio, supponiamo di voler trovare il valore di una semplice espressione aritmetica che coinvolge operazioni di addizione e moltiplicazione fra interi, come la seguente:

```
5 * ( ( ( 9 + 8 ) * ( 4 * 6 ) ) + 7 )
```

Il calcolo richiede di memorizzare risultati intermedi: ad esempio, se calcoliamo prima 9 + 8, dobbiamo memorizzarne il risultato 17 mentre, per esempio, si calcola 4 * 6. Uno stack è il meccanismo ideale per memorizzare risultati intermedi in questi calcoli.

Iniziamo col considerare un problema più semplice, dove l'espressione da valutare è in una forma per cui ogni operatore appare *dopo* i suoi due argomenti, piuttosto che essere in mezzo. Come vedremo, ogni espressione aritmetica può essere sempre riorganizzata in questa forma, chia-

mata forma *postfissa*, per distinguerla da quella *infissa*, che di solito si usa.
La rappresentazione postfissa dell'espressione precedente è

    5 9 8 + 4 6 * * 7 + *

Opposta alla notazione postfissa è la notazione *prefissa* o *polacca* (chiamata
così perché inventata dal logico polacco Lukasiewicz). In forma infissa abbiamo bisogno di parentesi per distinguere, per esempio,

    5 * (((9 + 8) * (4 * 6)) + 7)

da

    ((5 * 9) + 8) * ((4 * 6) + 7)

Ma le parentesi non sono necessarie in forma postfissa (o prefissa). Per
capire il perché, possiamo considerare la seguente procedura per convertire un'espressione postfissa in una infissa: sostituiamo tutte le occorrenze di due operandi seguiti da un operatore con la forma infissa
equivalente (con parentesi), a indicare che il risultato può essere visto
come un nuovo operando. In altre parole, sostituiamo ogni occorrenza
di a b * e di a b + rispettivamente con (a * b) e con (a + b). Quindi, eseguiamo la stessa trasformazione sull'espressione risultante, continuando fino a quando tutti gli operatori sono stati esaminati. Per il nostro esempio, le trasformazioni sono le seguenti:

    5 9 8 + 4 6 * * 7 + *
    5 (9 + 8) (4 * 6) * 7 + *
    5 ((9 + 8) * (4 * 6)) 7 + *
    5 (((9 + 8) * (4 * 6)) + 7) *
    (5 * (((9 + 8) * (4 * 6)) + 7))

Possiamo determinare gli operandi associati a ogni operatore nell'espressione postfissa in questo modo, perciò le parentesi non sono necessarie.

In alternativa, con l'uso di uno stack possiamo eseguire le operazioni
e valutare una qualsiasi espressione postfissa, come la Figura 4.2 illustra.
Muovendoci da sinistra a destra, interpretiamo ogni operando come il comando di "inserire (*push*) l'operando nello stack", mentre ogni operatore verrà interpretato come il comando di "estrarre (*pop*) gli operandi dalla cima dello stack, eseguire l'operazione e quindi reinserire il risultato nello stack". Il Programma 4.5 è un'implementazione Java di questo processo.

La notazione postfissa combinata con uno stack ci fornisce un modo naturale di organizzare una sequenza di calcoli. Alcuni calcolatori e
alcuni linguaggi basano in modo esplicito i loro calcoli su operazioni
postfisse e stack: ogni operazione estrae i suoi argomenti dallo stack e
restituisce il risultato, reinserendolo nello stack.

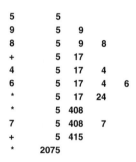

5	5		
9	5	9	
8	5	9	8
+	5	17	
4	5	17	4
6	5	17	4	6
*	5	17	24
*	5	408	
7	5	408	7
+	5	415	
*	2075		

**Figura 4.2
Valutazione di un'espressione postfissa**

*Questa sequenza mostra l'uso di uno
stack per valutare l'espressione postfissa 5 9 8 + 4 6 * * 7 + *. Procedendo da sinistra a destra nell'espressione, se incontriamo un numero lo
inseriamo (push) nello stack, mentre
se incontriamo un operatore, inseriamo nello stack il risultato dell'applicazione dell'operatore ai due operandi
che si trovano sulla cima dello stack.*

Programma 4.5   Valutazione di un'espressione postfissa

Questo programma è un client di uno stack. Il programma legge un'espressione postfissa in cui compaiono operazioni di addizione e moltiplicazione di interi, valuta l'espressione (salvando i risultati intermedi nello stack) e stampa il risultato del calcolo. Quando incontriamo operandi, li inseriamo nello stack; quando incontriamo operatori, estraiamo i due operandi in cima allo stack e inseriamo nuovamente il risultato dell'applicazione dell'operatore nello stack.

Il programma assume che gli interi e gli operatori siano delimitati da caratteri di qualche tipo (ad esempio, spazi), ma non fa alcun controllo di correttezza sintattica dell'input. L'ultima istruzione `if` e il ciclo `while` eseguono calcoli simili a quelli del metodo Java `Integer.parseInt` che converte interi espressi da stringhe in valori interi.

```
class Postfix
  {
    public static void main(String[] args)
      { char[] a = args[0].toCharArray();
        int N = a.length;
        intStack s = new intStack(N);
        for (int i = 0; i < N; i++)
          {
            if (a[i] == '+')
              s.push(s.pop() + s.pop());
            if (a[i] == '*')
              s.push(s.pop() * s.pop());
            if ((a[i] >= '0') && (a[i] <= '9'))
              s.push(0);
            while((a[i] >= '0') && (a[i] <= '9'))
              s.push(10*s.pop() + (a[i++]-'0'));
          }
        Out.println(s.pop() + "");
      }
  }
```

Un esempio è rappresentato dal linguaggio PostScript, che è stato usato anche per stampare questo libro. Si tratta di un linguaggio di programmazione completo, dove i programmi sono scritti in forma postfissa e sono interpretati con l'aiuto di uno stack interno, esattamente come avviene per il Programma 4.5. Sebbene non possiamo trattare tutti gli aspetti del linguaggio in questa sede (rimandiamo al paragrafo dei riferimenti bibliografici), questo è sufficientemente semplice da consentirci di studiare alcuni programmi, per apprezzare l'utilità della notazione postfissa e dell'astrazione fornita da uno stack. La stringa

```
5 9 8 add 4 6 mul mul 7 add mul
```

è un esempio di programma PostScript. I programmi PostScript sono formati da operatori (come add e mul) e da operandi (come gli interi). Così come si è fatto nel Programma 4.5, interpretiamo un programma leggendolo da sinistra a destra: se incontriamo un operando lo mettiamo nello stack, mentre se incontriamo un operatore ne estraiamo dallo stack gli operandi (se ce ne sono) e inseriamo il risultato (se c'è). L'esecuzione di questo programma è pienamente descritta dalla Figura 4.2: il programma lascia nello stack il valore 2075.

Il PostScript ha un numero di operatori primitivi che costituiscono le istruzioni per un dispositivo grafico astratto. L'utente può anche definire operatori o funzioni proprie, simili ai metodi Java. Tali funzioni sono invocate con argomenti sullo stack come qualsiasi altra funzione. Ad esempio, il codice PostScript

```
0 0 moveto 144 hill 0 72 moveto 72 hill stroke
```

corrisponde alla sequenza di azioni "chiama moveto con argomenti 0 e 0, quindi chiama hill con argomento 144, . . .". Alcuni operatori si riferiscono direttamente allo stack. Per esempio, l'operatore dup duplica l'elemento in cima allo stack. Quindi, ad esempio, il codice PostScript

```
144 dup 0 rlineto 60 rotate dup 0 rlineto
```

corrisponde alla sequenza di azioni "chiama rlineto con argomenti 144 e 0, quindi chiama rotate con argomento 60, quindi chiama rlineto con argomento 144 e 0, . . .". Il programma PostScript nella Figura 4.3 definisce e usa la funzione hill. Le funzioni in PostScript sono come le macro: la sequenza /hill { A } def fa in modo che il nome hill sia equivalente alla sequenza di operatori fra parentesi graffe. La Figura 4.3 è un esempio di programma PostScript che definisce una funzione e disegna un semplice diagramma.

In questo contesto il nostro interesse verso il linguaggio PostScript deriva dal fatto che questo diffuso linguaggio di programmazione è basato sull'astrazione fornita dagli stack. In effetti, molti computer implementano le operazioni di base su stack direttamente a livello hardware, perché esse realizzano in modo naturale il meccanismo di chiamata delle funzioni: "memorizza in uno stack il contesto al momento della chiamata della procedura, quindi ripristina tale contesto al termine dell'esecuzione della procedura prelevandolo dallo stack". Come vedremo nel Capitolo 5, questa connessione fra stack e programmi orga-.

```
/hill {
    dup 0 rlineto
    60 rotate
    dup 0 rlineto
    -120 rotate
    dup 0 rlineto
    60 rotate
    dup 0 rlineto
    pop
} def
0 0 moveto
144 hill
0 72 moveto
72 hill
stroke
```

Figura 4.3
Esempio di programma PostScript

Il diagramma qui sopra è stato tracciato dal sottostante programma PostScript. Il programma è un'espressione postfissa che usa le funzioni predefinite moveto, rlineto, rotate, stroke e dup, insieme alla funzione definita dall'utente (vedi testo). I comandi grafici sono istruzioni per un dispositivo che traccia disegni: moveto dice al dispositivo di andare alla specificata posizione nella pagina (le coordinate sono espresse in punti, dove un punto è 1/72 di pollice); rlineto dice al dispositivo di muoversi a una specificata posizione espressa in coordinate relative alla posizione corrente, aggiungendo la linea che traccia al suo cammino corrente; rotate dice di girare a sinistra di un certo numero di gradi; infine, stroke dice al dispositivo di disegnare il cammino tracciato.

Programma 4.6   Conversione da forma infissa a forma postfissa

Questo programma è un altro esempio di client di uno stack. In questo caso, lo stack contiene caratteri. Per trasformare (A+B) nella sua forma postfissa AB+ operiamo nel modo seguente: per prima cosa ignoriamo la parentesi aperta, poi trasformiamo A in forma postfissa, quindi memorizziamo il + nello stack, quindi trasformiamo B in forma postfissa e infine, dopo aver letto la parentesi chiusa, preleviamo dalla cima dello stack con una *pop* e diamo in output il +.

```
class InfixToPostfix
  {
    public static void main(String[] args)
      { char[] a = args[0].toCharArray();
        int N = a.length;
        charStack s = new charStack(N);
        for (int i = 0; i < N; i++)
          {
            if (a[i] == ')')
              Out.print(s.pop() + " ");
            if ((a[i] == '+') || (a[i] == '*'))
              s.push(a[i]);
            if ((a[i] >= '0') && (a[i] <= '9'))
              Out.print(a[i] + " ");
          }
        Out.println("");
      }
  }
```

```
(
5   5
*        *
(        *
(        *
(        *
9   9    *
+        *   +
8   8    *   +
)   +    *
*        *   *
(        *   *
4   4    *   *
*        *   *   *
6   6    *   *   *
)   +    *   *
)        *   *
+        *   +
7   7    *   +
)   +    *
)        *
```

Figura 4.4
Conversione di un'espressione infissa in postfissa

Questa sequenza mostra l'uso di uno stack per convertire l'espressione infissa (5*(((9+8)*(4*6))+7)) *nella sua forma postfissa* 5 9 8 + 4 6 * * 7 + *. *Procediamo da sinistra a destra nell'espressione: se incontriamo un numero lo scriviamo in output; se incontriamo una parentesi aperta la ignoriamo; se incontriamo un operatore lo inseriamo nello stack; se incontriamo una parentesi chiusa scriviamo l'operatore che sta in cima allo stack in output.*

nizzati per funzioni che invocano altre funzioni è un fondamentale paradigma di calcolo.

Ritornando al nostro problema originale, possiamo anche usare uno stack per convertire espressioni aritmetiche infisse, con parentesi che racchiudono ogni operazione, in espressioni postfisse. Al fine di eseguire questa conversione, illustrata dalla Figura 4.4, inseriamo gli operatori in uno stack, mentre gli operandi sono dati direttamente in output. Ogni parentesi chiusa indica che entrambi gli argomenti dell'ultima operazione sono stati dati in output, perciò l'operatore può essere estratto dallo stack e dato anch'esso in output. Si noti che gli argomenti appaiono nell'espressione postfissa nello stesso ordine dell'espressione infissa. È anche curioso osservare che le parentesi aperte non sono necessarie in un'espressione infissa. Le parentesi aperte sarebbero necessarie, invece, se potessimo avere operatori con un numero di argomenti differente (si veda l'Esercizio 4.11). Il Programma 4.6 è un'implementazione di questo processo applicato a uno stack di caratteri.

Oltre a fornire due diversi esempi dell'uso di uno stack come astrazione, l'intero algoritmo che abbiamo sviluppato in questo paragrafo per valutare espressioni infisse è di per sé un esercizio di astrazione: prima si converte l'input in una rappresentazione intermedia (postfissa) e quindi, per interpretare e valutare l'espressione, si simula l'operazione di una macchina astratta basata su stack. Questo stesso schema è adottato da molti recenti traduttori di linguaggi di programmazione, per motivi sia di efficienza che di portabilità. Ad esempio, il problema di compilare un programma Java su un particolare computer è spezzato in due problemi che hanno a che fare con rappresentazioni intermedie; quindi, proprio come abbiamo fatto in questo paragrafo, il problema di tradurre un programma viene separato dal problema di eseguirlo. Nel Paragrafo 5.7 avremo modo di esaminare una rappresentazione intermedia legata a quella trattata ora.

Quest'applicazione illustra anche l'utilità degli ADT e la necessità di implementazioni generiche. Non solo facciamo uso di due diversi stack, ma uno dei due contiene elementi di tipo char (operatori), mentre l'altro contiene elementi di tipo int (operandi). Potremmo persino combinare i due client appena considerati in un unico programma che abbisogna di entrambi gli stack (si veda l'Esercizio 4.15). Nel Paragrafo 4.5 illustreremo l'idea di usare una sola implementazione per entrambi gli stack. Sebbene questa soluzione sia piuttosto attraente, potrebbe non essere quella da preferire, dato che implementazioni distinte possono avere prestazioni differenti. Quindi, possiamo non voler decidere a priori che un'implementazione serva a entrambi gli scopi. In effetti, il nostro interesse principale è rivolto alle implementazioni e alle loro prestazioni, motivo per cui analizzeremo ora questi aspetti relativi agli stack.

Esercizi

▷ **4.8** Estendete i Programmi 4.5 e 4.6 in modo da includere le operazioni − (sottrazione) e / (divisione).

▷ **4.9** Trasformate in forma postfissa l'espressione

(5 * ((9 * 8) + (7 * (4 + 6)))) .

▷ **4.10** Fornite, nello stesso stile della Figura 4.2, il contenuto dello stack durante la valutazione della seguente espressione da parte del Programma 4.5

5 9 * 8 7 4 6 + * 2 1 3 * + * + * .

4.11 Estendete la soluzione data nell'Esercizio 4.8 in modo da includere gli operatori unari – (meno) e $ (radice quadrata). Modificate anche lo stack astratto nel Programma 4.5 in modo da poter usare numeri in virgola mobile. Per esempio, data l'espressione

```
(-(-1) + $((-1) * (-1)-(4 * (-1))))/2
```

il programma dovrebbe stampare in uscita il valore 1.618034.

4.12 Scrivete un programma PostScript che tracci la seguente figura:

○ **4.13** Mostrate per induzione che il Programma 4.5 valuta correttamente ogni espressione postfissa.

○ **4.14** Scrivete un programma che trasformi un'espressione postfissa in infissa usando uno stack.

● **4.15** Combinate i Programmi 4.5 e 4.6 in una singola classe che usi entrambi gli stack (un `intStack` e un `charStack`).

●● **4.16** Implementate un compilatore e un interprete per un linguaggio di programmazione, in cui ogni programma consista di una singola operazione aritmetica, preceduta da una sequenza di istruzioni di assegnamento in cui possono comparire espressioni aritmetiche che coinvolgono interi e variabili il cui nome è dato da una singola lettera minuscola. Per esempio, dato l'ingresso

```
(x = 1)
(y = (x + 1))
(((x + y) * 3) + (4 * x))
```

il vostro programma dovrebbe dare in uscita il valore 13.

4.4 Implementazione dell'ADT stack

In questo paragrafo consideriamo due implementazioni dell'ADT stack: la prima basata sugli array, la seconda sulle liste concatenate. Entrambe sono applicazioni immediate degli strumenti basilari esaminati nel Capitolo 3, e differiscono, verosimilmente, solo per le prestazioni.

Se usiamo un array per rappresentare uno stack, tutti i metodi dichiarati nel Programma 4.4 sono banali da implementare (Programma 4.7). Inseriamo gli elementi nell'array esattamente come illustrato nella Figura 4.1, tenendo traccia dell'indice della cima dello stack. L'esecuzione di una *push* corrisponde a memorizzare l'elemento nella posizione dell'array puntata da tale indice e, quindi, nell'incremento dell'indice; l'esecuzione di una *pop* corrisponde a decrementare l'indice e, quindi, a restituire l'elemento che esso indica. L'operazione di costru-

Programma 4.7 Implementazione di uno stack per mezzo di array

Quando ci sono N elementi in uno stack, quest'implementazione li mantiene in s[0],..., s[N-1], in ordine di inserimento dal meno recente al più recente. La cima dello stack (cioè la posizione in cui il successivo elemento andrà inserito per mezzo di una *push*) è s[N]. Il programma client passa il massimo numero di elementi che inserirà nello stack come parametro al costruttore intStack, che allocherà un array di quella dimensione. Il codice qui sotto non controlla condizioni di errore come l'esecuzione di una *push* su uno stack pieno o di una *pop* su uno stack vuoto.

```
class intStack
  {
    private int[] s;
    private int N;
    intStack(int maxN)
      { s = new int[maxN]; N = 0; }
    boolean isEmpty()
      { return (N == 0); }
    void push(int item)
      { s[N++] = item; }
    int pop()
      { return s[--N]; }
  }
```

zione (*costruttore*) alloca un array della dimensione specificata, mentre il test sul fatto che lo stack sia vuoto o meno corrisponde a controllare se l'indice di cima dello stack sia 0. Questo codice fornisce un efficiente stack di interi che risulta essere più che adeguato per client come il Programma 4.5.

Per implementare la classe charStack per stack di caratteri necessaria al Programma 4.6, possiamo sfruttare lo stesso codice del Programma 4.7, cambiando in char il tipo di s, i parametri di push e il valore di ritorno di pop. Ciò corrisponde, in effetti, a implementare e definire un'interfaccia di un ADT differente. Potremmo seguire lo stesso approccio per implementare stack per ogni tipo di elementi. Si tratta di un approccio che ha il potenziale vantaggio di consentirci di scrivere implementazioni che sono specifiche per il tipo di elementi da memorizzare nello stack, e il potenziale svantaggio di portare alla proliferazione di implementazioni di classi che di fatto sono lo stesso codice. Avremo occasione di tornare sulla questione ma, per il momento, il no-

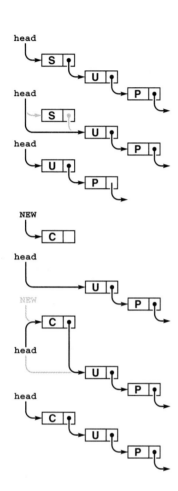

Figura 4.5
Stack implementato
con lista concatenata

Lo stack è rappresentato da un puntatore head *che punta al primo elemento (quello inserito più di recente). Per eseguire una* pop *(in alto), rimuoviamo il primo nodo della lista facendo puntare* head *al link di questo nodo. Per eseguire una* push *(in basso), creiamo un nuovo nodo e lo connettiamo alla lista, ponendo il link del nodo a* head *e, quindi, facendo in modo che* head *punti a quel nodo.*

stro obiettivo è quello di presentare modi diversi di implementare stack di interi.

Un potenziale svantaggio dell'uso di array lo conosciamo già, ed è tipico di tutte le strutture dati basate su array: dobbiamo conoscere in anticipo la massima dimensione dell'array in modo da poter allocare memoria per esso. In quest'implementazione prendiamo tale informazione come parametro del costruttore. Questo modo di agire è, in effetti, una conseguenza della nostra scelta di usare un'implementazione basata su array; non è certo un aspetto imprescindibile dell'ADT stack. Potrebbe non essere semplice stimare a priori il massimo numero di elementi che un programma inserisce in uno stack: se scegliamo un valore arbitrariamente elevato, l'implementazione farà un uso inefficiente della memoria, e ciò potrebbe non essere desiderabile in applicazioni in cui la memoria è una risorsa preziosa; d'altro canto, se scegliamo un valore troppo piccolo, il nostro programma potrebbe non funzionare a dovere. L'uso di un ADT ci permette di considerare implementazioni alternative senza dover cambiare in alcun modo il programma client.

Per esempio, se vogliamo che lo stack cresca e si contragga in modo progressivo, possiamo pensare di implementarlo, come nel Programma 4.8, attraverso una lista concatenata. Manteniamo lo stack in ordine inverso rispetto all'ordine dell'implementazione con array e gli elementi in ordine di inserimento dal più recente al meno recente. Ciò allo scopo di facilitare le operazioni sullo stack, illustrate nella Figura 4.5. Per eseguire una *pop* rimuoviamo il nodo dalla testa della lista e ne restituiamo il contenuto; per eseguire una *push* allochiamo un nuovo nodo e lo aggiungiamo in testa alla lista. Dato che tutte le operazioni si svolgono all'inizio della lista, non abbiamo bisogno di un nodo fittizio in testa alla lista. Si noti che in quest'implementazione il costruttore ignora il suo primo parametro. Potremmo anche cambiare i tipi nel Programma 4.8 per avere implementazioni della classe charStack per stack di caratteri o classi per stack di qualsiasi tipo di elementi. Come abbiamo già osservato nel Programma 4.7, si tratta di un approccio che ha lo svantaggio di lasciarci classi diverse che includono essenzialmente il medesimo codice. Nel prossimo paragrafo analizzeremo approcci alternativi che consentono di riutilizzare codice esistente, invece di dover scrivere una nuova classe tutte le volte che vogliamo cambiare il tipo dei dati nello stack.

I Programmi 4.7 e 4.8 sono due diverse implementazioni dello stesso ADT. Possiamo sostituire una con l'altra senza dover in alcun modo modificare i programmi client, come ad esempio quelli presentati nel Paragrafo 4.3. Le due implementazioni differiscono solo nelle prestazioni.

Programma 4.8 Implementazione di uno stack con lista concatenata

Il programma qui sotto implementa un ADT stack, usando una lista concatenata. La rappresentazione dei nodi della lista è quella usuale (si veda il Paragrafo 3.3), e include un costruttore per i nodi che riempie un nodo nuovo con un dato e un link.

```
class intStack
  {
    private Node head;
    private class Node
      {
        int item; Node next;
        Node(int item, Node next)
          { this.item = item; this.next = next; }
      }
    intStack(int maxN)
      { head = null; }
    boolean isEmpty()
      { return (head == null); }
    void push(int item)
      { head = new Node(item, head); }
    int pop()
      { int v = head.item; Node t = head.next;
        head = t; return v; }
  }
```

L'implementazione con array occupa uno spazio necessario a memorizzare il massimo numero di elementi attesi durante il calcolo. L'implementazione con lista richiede più tempo nelle operazioni *push* e *pop* per allocare e deallocare memoria, ma necessita di uno spazio proporzionale al numero di elementi presenti, anche se utilizza uno spazio aggiuntivo (un link) per ciascun elemento. Se l'applicazione usa stack di grandissime dimensioni che si prevede saranno quasi sempre pieni, allora l'implementazione con array è da preferire, mentre se l'applicazione è tale per cui gli stack cambiano di dimensione in modo molto rapido e lo spazio rilasciato può essere sfruttato da altre strutture dati, allora potremmo prediligere un'implementazione con lista concatenata.

Come vedremo nel resto del libro, le stesse considerazioni circa l'uso di spazio di memoria valgono per molte implementazioni di ADT. Ci troviamo spesso a dover scegliere fra la capacità di accedere agli elementi velocemente, dovendo però stabilire a priori il massimo numero di elementi necessari (implementazione con array), e la flessibilità offerta dall'occupazione di spazio proporzionale al numero di elementi realmente in uso, senza però poter accedere in modo immediato a ogni elemento (implementazione con lista).

Oltre alle questioni relative all'occupazione di memoria, siamo interessati anche alle differenze di prestazioni che riguardano i tempi di calcolo. Nel caso specifico delle due implementazioni di stack la differenza, in questo senso, è minima.

Proprietà 4.1   *Le operazioni **push** e **pop** dell'ADT stack usano tempo costante sia nell'implementazione con array che in quella con liste concatenate.*

Ciò risulta immediatamente da un rapido esame dei Programmi 4.7 e 4.8. ∎

Il fatto che gli elementi siano tenuti in ordine diverso nell'array rispetto alla lista concatenata, è questione che non riguarda i programmi client. Le implementazioni sono libere di usare qualsiasi struttura dati, purché esse mantengano l'"illusione" di uno stack. Sia con array che con liste, l'implementazione sembra essere un'efficiente entità astratta in grado di eseguire le operazioni richieste con poche istruzioni macchina. Uno degli obiettivi primari di questo libro è quello di trovare strutture dati e implementazioni efficienti per alcuni dei più importanti ADT.

L'implementazione con liste concatenate suggerisce l'idea di uno stack che possa crescere senza limiti. Un tale stack è naturalmente impossibile dal punto di vista pratico: a un certo punto, malloc restituirà il valore NULL per mancanza di memoria. Si potrebbe anche pensare di strutturare l'implementazione con array in modo da far crescere la struttura dati in modo dinamico, per esempio raddoppiando la dimensione dell'array quando lo stack è pieno e dimezzandola quando lo stack è occupato per meno della metà. I particolari di quest'implementazione sono trattati in un esercizio nel Capitolo 14, quando avremo occasione di approfondire questo processo su un'applicazione più avanzata.

Esercizi

▷ **4.17** Fornite il contenuto di s[0], ..., s[4] dopo l'esecuzione delle operazioni illustrate nella Figura 4.1 con il Programma 4.7.

○ **4.18** Supponete di modificare l'interfaccia dello stack realizzando il controllo che lo stack non sia vuoto attraverso *count*, che restituisce il numero di elementi nella struttura dati. Fornite un'implementazione per *count*, usando sia array (Programma 4.7) che liste concatenate (Programma 4.8).

4.19 Modificate l'implementazione di uno stack basata su array (Programma 4.7) in modo che vengano lanciate eccezioni se non esiste memoria sufficiente per l'operazione new all'interno del costruttore, se il client cerca di effettuare una pop su uno stack vuoto o se il client cerca di effettuare una push sù uno stack pieno.

4.20 Modificate l'implementazione di uno stack basata su lista concatenata (Programma 4.8) in modo che vengano lanciate eccezioni se non esiste memoria sufficiente per l'operazione new all'interno di una push, se il client cerca di effettuare una pop su uno stack vuoto o se il client cerca di effettuare una push su uno stack pieno. *Suggerimento*: provate a usare un contatore per il numero di elementi nello stack.

4.21 Modificate lo stack basato su lista concatenata implementato nel Programma 4.8 in modo che esso usi un array di interi e un array di indici per implementare la lista (Figura 3.7).

4.22 Scrivete un'implementazione di uno stack basata su liste concatenate, che mantenga gli elementi nello stack in ordine di inserimento dal meno recente al più recente. Potrebbe essere utile usare liste doppiamente concatenate.

● **4.23** Sviluppate un ADT che fornisca agli utilizzatori due diversi stack. Fate uso di un array nell'implementazione. Mantenete uno stack a partire dall'inizio dell'array e un altro a partire dalla fine. Osservate che se il programma client fa crescere uno stack mentre l'altro decresce, allora questa implementazione è sicuramente più efficace di altre alternative.

● **4.24** Implementate un programma per la valutazione di espressioni infisse sugli interi basato sui Programmi 4.5 e 4.6 (si veda l'Esercizio 4.15). Utilizzate l'ADT dell'Esercizio 4.23. *Nota*: dovete gestire il fatto che entrambi gli stack contengono elementi dello stesso tipo.

4.5 Implementazioni generiche

In che modo possiamo sviluppare un'implementazione di stack che ci permetta di costruire sia stack di interi sia stack di caratteri, a seconda delle esigenze dei client, come ad esempio nel Paragrafo 4.3? Il metodo più immediato per farlo in Java è quello di usare l'ereditarietà: definiamo un'interfaccia e un'implementazione per stack di elementi di tipo Object, e quindi assegniamo tramite un cast a ciascun elemento il tipo desiderato nel momento in cui lo estraiamo dallo stack. Dato che tutti gli oggetti in Java sono derivati dal tipo Object, il cast è sempre valido.

Il Programma 4.9 è un'implementazione generica di uno stack che utilizza una rappresentazione tramite array. È lo stesso codice del Programma 4.7, salvo che per il tipo di s, del parametro di push e il valo-

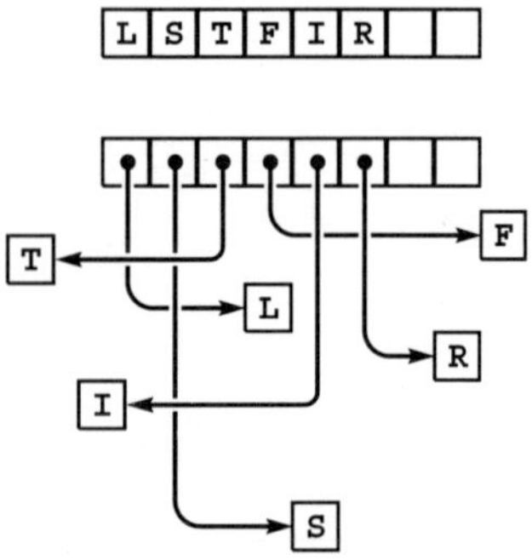

Figura 4.6
Rappresentazione tramite array

Quando usiamo array per rappresentare uno stack contenente elementi di tipo predefinito come caratteri (in alto), riserviamo lo spazio di un carattere per ogni componente dello stack. Per altri tipi di oggetti dobbiamo riservare spazio per un riferimento per ciascuna componente dello stack, in aggiunta a quello necessario per l'oggetto stesso (in basso).

Programma 4.9 Stack generico

Questo codice implementa un ADT stack per il tipo `Object`. Non implementa l'interfaccia del Programma 4.4 perché il parametro di `push` e il valore di ritorno di `pop` non corrispondono alle specifiche. Il codice per `pop` è più complesso di quello del Programma 4.7 perché il riferimento nell'array all'elemento estratto deve essere sostituito da `null`. In caso contrario, il sistema di garbage collection di Java non avrebbe alcun modo per sapere che questo riferimento non verrà mai più usato, e non avrebbe quindi alcun modo per rendere nuovamente disponibile la memoria associata all'elemento estratto.

```
class Stack
  {
    private Object[] s;
    private int N;
    Stack(int maxN)
      { s = new Object[maxN]; N = 0; }
    boolean isEmpty()
      { return (N == 0); }
    void push(Object item)
      { s[N++] = item; }
    Object pop()
      { Object t = s[--N]; s[N] = null; return t; }
  }
```

---

re di ritorno di `pop`, tutti cambiati in `Object`. Possiamo inserire nello stack qualsiasi oggetto Java, e quindi usare un cast per assegnargli il tipo richiesto nel momento successivo in cui lo estraiamo dallo stack. Ad esempio, se a e b sono oggetti di tipo `Item`, il codice seguente li scambia:

```
Stack S = new Stack(2);
s.push(a); s.push(b);
a = ((Item) s.pop());
b = ((Item) s.pop());
```

Si tratta di un approccio ampiamente seguito per sviluppare implementazioni generiche in Java, anche se presenta almeno un paio di limiti. Per prima cosa, per usare stack di oggetti di tipo `Object` con tipi primitivi come `int` o `char`, dobbiamo impiegare classi wrapper come `Integer` o `Character`. Ad esempio, piuttosto che scrivere `s.push(x)` per inserire una variabile x di tipo `int` nello stack, dobbiamo scrivere

```
s.push(new Integer(x)).
```

Allo stesso modo, piuttosto che usare s.pop() come valore intero in un'espressione, siamo obbligati a usare

```
((Integer) s.pop()).intValue() .
```

Questo approccio aggiunge un ulteriore livello di indirezione (Figura 4.6): uno stack di oggetti è, in effetti, uno stack di riferimenti. In applicazioni in cui stiamo usando un gran numero di elementi di tipo predefinito, questo costo ulteriore dovuto all'indirezione potrebbe rivelarsi inaccettabile.

Il secondo problema nell'uso dell'ereditarietà da Object per sviluppare implementazioni generiche è quello di esporci a sottili errori di programmazione che potrebbero non essere rilevati, se non in fase di esecuzione. Ad esempio, nulla vieta a un programmatore di inserire nello stesso stack elementi di tipo diverso, salvo poi riscontrare problemi di *type-checking* ("controllo di tipo") in esecuzione, come nel caso del codice seguente:

```
Apple a = new Apple();
Orange b = new Orange();
s.push(a);
s.push(b);
a = ((Apple) s.pop()); // lancia una ClassCastException
b = ((Orange) s.pop());
```

Questo semplice esempio illustra un problema di base che potrebbe sorgere anche su stack i cui elementi sono dello stesso tipo. Non è possibile fare un controllo sui tipi in questo codice durante la compilazione: potrebbe esserci un cast scorretto nel contesto di un programma piuttosto complesso, che si manifesta solo in particolari circostanze dell'esecuzione del programma. Errori di questo tipo devono essere evitati a tutti i costi, perché possono presentarsi molto tempo dopo che il software è stato consegnato a un cliente, il quale, dal canto suo, non può avere alcun modo per porvi rimedio.

In altre parole, quando operiamo un cast sui tipi con un'implementazione come quella del Programma 4.9 allo scopo di riutilizzare codice per elementi di tipo diverso, stiamo effettivamente assumendo che i programmi client applichino un cast corretto sugli oggetti che vengono estratti. Questa assunzione implicita contraddice la nostra necessità di rendere le operazioni di un ADT accessibili solo attraverso un'interfaccia esplicita. Una ragione per la quale i programmatori utilizzano ADT definiti precisamente, come il Programma 4.4, è quello di proteggere client futuri da errori che potrebbero derivare da assunzioni implicite come questa.

Programma 4.10   Classe adattatrice per stack di interi

Questo codice implementa l'interfaccia del Programma 4.4. In questo modo, possiamo riutilizzare il codice del Programma 4.9 per tipi di dati diversi, assicurando che programmi client e implementazioni siano in accordo sulla base di un'esplicita interfaccia.

```
class intStack
  {
    private Stack S;
    intStack(int maxN)
      { S = new Stack(maxN); }
    boolean isEmpty()
      { return S.isEmpty(); }
    void push(int item)
      { S.push(new Integer(item)); }
    int pop()
      { return ((Integer) S.pop()).intValue(); }
  }
```

Il Programma 4.10 presenta un modo di affrontare il problema, cioè quello di utilizzare la classe generica Stack per implementare l'interfaccia intStack. Abbiamo sempre bisogno di una classe per ciascun tipo di elemento, ma le loro implementazioni sono banali, e non dobbiamo duplicare le (potenzialmente complicate) implementazioni di algoritmo e struttura dati. È, in effetti, piuttosto comune nella programmazione Java definire una classe il cui solo scopo sia quello di far corrispondere le esigenze di un programma client con quanto offerto da una classe preesistente. Una classe di questo tipo viene detta *classe adattatrice*.

Un altro approccio che potremmo seguire per consentire la rilevazione di errori di tipo in fase di compilazione è quello di definire un ADT per gli elementi che abbiamo intenzione di inserire negli stack, in modo da ottenere stack di elementi di tipo diverso tramite diverse implementazioni di quell'ADT. Questo è il modo di procedere che seguiremo per i complicati algoritmi e strutture dati che tratteremo nelle Parti 3 e 4, perché tali algoritmi fanno alcune assunzioni sui tipi di elementi che costituiscono l'ADT. Questo approccio ci lascia ancora una volta con un ulteriore livello di indirezione per i tipi predefiniti e richiede l'uso di classi adattatrici se vogliamo, ad esempio, stack di due tipi diversi in uno stesso programma.

Nei programmi client usiamo classi specifiche come intStack. Riusciamo, allora, a sistemare o un'implementazione diretta per tipi predefiniti o un'implementazione generica con una classe adattatrice, utilizzando lo stesso codice che, circa la corrispondenza di tipi, può tranquillamente essere controllato in fase di compilazione.

Esercizi

▷ **4.25** Fornite una classe che implementi la stessa interfaccia del Programma 4.9 ma che usi una rappresentazione per liste concatenate.

4.26 Scrivete un metodo statico generico che scambi due elementi di un array. Verificate il vostro codice con un programma pilota che crea un array di elementi di tipo Integer e un altro array di tipo Character, e quindi utilizza il vostro metodo per scambiare gli elementi all'interno dei due array.

• **4.27** Implementate un programma di valutazione di espressioni infisse per interi che sia basato sui Programmi 4.5 e 4.6, e che usi la classe generica stack del Programma 4.9. *Nota*: dovete gestire la situazione per la quale lo stack deve contenere elementi di tipo diverso (si veda l'Esercizio 4.23).

•• **4.28** Scrivete una classe adattatrice per stack di tipo String, quindi usatela in un client che prenda in ingresso semplici programmi PostScript e disegni l'output corrispondente sfruttando la libreria Java Graphics. Il vostro programma dovrebbe gestire almeno moveto, lineto e stroke. Cercate di gestire il sottoinsieme di PostScript più ampio possibile.

4.6 Creazione di nuovi ADT

I Paragrafi dal 4.2 al 4.4 presentano un esempio completo di codice Java che implementa una delle più importanti astrazioni di questo libro: lo stack. L'*interfaccia* del Paragrafo 4.2 definisce le operazioni di base; i programmi *client*, trattati nel Paragrafo 4.3, possono far uso di tali operazioni senza dipendere in alcun modo dal criterio con cui esse sono state implementate; le *implementazioni*, oggetto del Paragrafo 4.4, forniscono la rappresentazione concreta e il codice necessari per la realizzazione di quest'astrazione.

Nel progettare un nuovo ADT spesso operiamo nel modo seguente. Iniziamo sviluppando un programma che risolva un dato problema applicativo. Identifichiamo le operazioni che sembrano fondamentali, e cioè ci chiediamo: cosa vorremmo essere in grado di fare con i dati? Definiamo, quindi, un'interfaccia e scriviamo il codice per il programma client per verificare se l'esistenza di un ADT renderebbe più agevole la scrittura del programma stesso. A questo punto, valutiamo se siamo o meno in

---

Programma 4.11   Interfaccia per l'ADT delle relazioni di equivalenza

Il meccanismo dell'interfaccia di un ADT rende conveniente codificare con precisione la decisione di considerare il problema della connettività nei termini di una classe che supporta tre operazioni astratte *inizialize*, che inizializza una struttura dati astratta per registrare delle connessioni fra i nodi, *find* (trova), che determina se due dati nodi sono connessi e *unite* (unisci), che combina i due argomenti in modo che essi vengano considerati connessi d'ora in avanti.

```
class UF // interfaccia di ADT
  { // implementazioni e membri privati nascosti
    UF(int)
    boolean find(int, int)
    void unite(int, int)
  }
```

---

grado di implementare le operazioni previste dall'ADT con ragionevole efficienza. Se non lo siamo, potremmo magari cercare di comprendere la ragione per cui l'efficienza non può essere ottenuta e cercare di apportare modifiche all'interfaccia, in modo da includere operazioni che più si prestano a un'implementazione efficiente. Queste modifiche hanno ripercussioni sul programma client, che andrà cambiato di conseguenza. Dopo un paio di iterazioni di questo processo, otteniamo un programma client funzionante e un'implementazione funzionante. Possiamo, quindi, fissare quell'interfaccia senza modifiche ulteriori. Ora, lo sviluppo di programmi client e quello di implementazioni alternative dell'interfaccia procedono in modo indipendente: possiamo scrivere altri programmi client che fanno uso dello stesso ADT (all'inizio può essere indicato scrivere alcuni programmi pilota che verifichino l'ADT), così come altre implementazioni le cui prestazioni possano essere confrontate.

In altre circostanze potrebbe essere utile definire prima l'ADT. In tal caso potremmo chiederci: quali operazioni di base i programmi client vorrebbero eseguire sui dati a disposizione? Quali operazioni sappiamo implementare in modo efficiente? Dopo aver sviluppato un'implementazione potremmo verificarne l'efficacia su alcuni programmi client. Tali test potrebbero condurre ad aggiustare l'interfaccia e a eseguire test ulteriori, sino a quando, soddisfatti, decideremo di fissare quell'interfaccia senza ulteriori modifiche.

Programma 4.12 Client dell'ADT delle relazioni di equivalenza

L'ADT del Programma 4.11 separa l'algoritmo di connettività del Programma 1.1 dall'implementazione union-find, rendendo entrambi più accessibili. Ad esempio, l'uso di un ADT ci consente di provare diverse implementazioni union-find, come quelle dei Programmi dall'1.2 all'1.4, senza dover cambiare in alcun modo il codice della connettività.

```
class Equivalence
  {
    public static void main(String[] args)
      { int p, q, N = Integer.parseInt(args[0]);
        UF info = new UF(N);
        for (In.init(); !In.empty(); )
          { p = In.getInt(); q = In.getInt();
            if (!info.find(p, q))
              {
                info.unite(p, q);
                Out.println(p + "-" + q);
              }
          }
      }
  }
```

Nel Capitolo 1 abbiamo considerato un esempio dettagliato in cui l'agire a un livello astratto ci ha consentito di trovare un algoritmo efficiente per risolvere un problema complesso. Presenteremo fra poco l'approccio generale usato in questo capitolo per incapsulare le specifiche operazioni astratte delineate nel Capitolo 1.

Il Programma 4.11 definisce l'interfaccia in termini di due operazioni (oltre alla costruzione) che sembrano caratterizzare gli algoritmi esaminati nel Capitolo 1 per il problema della connettività a un livello di astrazione elevato. Qualunque siano gli algoritmi e le strutture dati sottostanti, vorremmo poter stabilire se due nodi siano o meno connessi e dichiarare una connessione diretta tra due nodi specificati.

Il Programma 4.12 è un client che sfrutta l'interfaccia del Programma 4.11 per risolvere il problema della connettività. Un immediato beneficio dell'uso di ADT è quello della facilità di comprensione del programma, dato che esso è scritto in termini di astrazioni che consentono di esprimere la computazione in modo piuttosto naturale.

Programma 4.13 Implementazione dell'ADT delle relazioni di equivalenza

Questo codice della quick-union pesata del Capitolo 1 implementa l'interfaccia del Programma 4.11. Il codice è organizzato in una forma che ne consente l'uso in altre applicazioni.

```
class UF
  {
    private int[] id, sz;
    private int find(int x)
      { while (x != id[x]) x = id[x]; return x; }
    UF(int N)
      { id = new int[N]; sz = new int[N];
        for (int i = 0; i < N; i++)
          { id[i] = i; sz[i] = 1; }
      }
    boolean find(int p, int q)
      { return (find(p) == find(q)); }
    void unite(int p, int q)
      { int i = find(p), j = find(q);
        if (i == j) return;
        if (sz[i] < sz[j])
              { id[i] = j; sz[j] += sz[i]; }
        else { id[j] = i; sz[i] += sz[j]; }
      }
  }
```

Il Programma 4.13 è un'implementazione dell'interfaccia union-find definita nel Programma 4.11, che si basa su una foresta di alberi rappresentata da due array per memorizzare le informazioni di connettività già acquisite, come si è fatto nel Paragrafo 1.3. Gli algoritmi considerati nel Capitolo 1 non sono altro che diverse implementazioni di questo ADT: possiamo verificarle come tali, senza toccare in alcun modo il programma client.

Questo ADT conduce a programmi leggermente meno efficienti di quelli del Capitolo 1, perché essi non sfruttano la specifica proprietà di quel client, per la quale ogni operazione *union* è immediatamente preceduta da un'operazione *find*. Qualche volta il prezzo da pagare per potersi muovere a un livello di astrazione più alto è proprio di questo tipo. Ci sono vari modi per eliminare quest'inefficienza, magari rendendo l'interfaccia o l'implementazione più complicate (si veda l'Esercizio 4.30). In pratica, i cammini negli alberi sono piuttosto brevi (specialmente se utilizziamo la compressione dei cammini) e, quindi, tali costi aggiuntivi sembrano trascurabili in questa specifica circostanza.

I Programmi 4.12 e 4.13 sono equivalenti al Programma 1.3. Vogliamo, però, sottolineare come l'aver suddiviso il programma in due parti rappresenti, in effetti, un approccio più efficace. Tale approccio, infatti:

- separa la soluzione del problema astratto (problema della connettività) da quella del problema più concreto (problema union-find), permettendoci di lavorare sui due problemi in modo indipendente;
- fornisce un modo naturale di confrontare algoritmi e strutture dati differenti per risolvere lo stesso problema;
- fornisce un'astrazione che possiamo usare per sviluppare altri algoritmi;
- definisce, attraverso l'interfaccia, un modo per verificare che il software si comporti come ci si aspetta;
- ci offre un meccanismo che consente aggiornamenti alla rappresentazione (nuove strutture dati o nuovi algoritmi), senza dover apportare modifiche al programma client.

Questi benefici sono spesso utili in molti problemi in cui si tratti di scrivere programmi su calcolatori, e questa è la ragione per cui i principi di progetto che stanno alla base degli ADT sono ampiamente seguiti.

Come facciamo a passare da un'implementazione all'altra? Il modo più semplice è quello di ridenominare i file. Java si aspetta sempre che l'implementazione della classe UF, ad esempio, si trovi in un file chiamato UF.java. Quindi, possiamo sostituire un'implementazione diversa ridenominandola UF.java (presumibilmente, dopo aver dato a quella vecchia un altro nome o averla salvata da qualche parte). In effetti, avere a che fare con molti file che portano lo stesso nome può confondere. Questo fatto è così comune che molti ambienti Java forniscono specifici meccanismi di supporto: un programmatore può specificare un cammino che segnali all'interprete in quale directory cercare il codice che implementa le classi. Quindi, si può mantenere un'implementazione in una directory e un'altra in un'altra directory, e scegliere a posteriori quale utilizzare specificando il cammino appropriato.

Il nostro codice del Programma 4.13 combina interfaccia e implementazione, e quindi non offre la piena separazione di client, interfaccia e implementazione che vorremmo avere in un ADT. Tramite private possiamo liberare i programmi client da qualsiasi dipendenza dalla rappresentazione dei dati, ma se apportiamo modifiche all'implementazione che richiedono cambiamenti nella rappresentazione dei dati siamo costretti a ricompilare tutti i client. In molti contesti di progettazione software non abbiamo alcuna informazione circa i client, e quindi ciò si potrebbe rivelare una circostanza piuttosto sfavorevole. In altri contesti, invece, questa strutturazione del software può risultare adeguata. Per un ADT estremamente grande e complesso possiamo pensare di decidere a priori rappresentazione dei dati e interfaccia, e quindi far sì che programmatori diversi operino su parti diverse dell'implementazione. In questo caso, la parte pubblica dell'interfaccia rappresenta il "contratto" fra programmatori e programmi client, mentre la parte privata serve da "contratto" fra i soli programmatori. Spesso, questa strategia è esattamente ciò che ci serve, quando vogliamo considerare algoritmi diversi che utilizzano la medesima struttura dati. Ciò potrebbe permettere di guadagnare in termini di prestazioni per mezzo di una modifica localizzata all'interno di un sistema software estremamente grande.

Il linguaggio Java fornisce un meccanismo espressamente progettato per consentire la stesura di programmi con un'interfaccia ben definita che separi in modo completo i client dalle implementazioni. Si tratta di un meccanismo che si basa sul concetto di ereditarietà. Per mezzo dell'ereditarietà possiamo aggiungere membri a una classe esistente o ridefinire uno qualunque dei suoi metodi. Includendo `abstract` ("astratto") nella dichiarazione di un metodo, intendiamo affermare che quel metodo deve necessariamente essere ridefinito in una qualche classe estesa. Una classe con metodi astratti si dice *classe astratta*. In una classe astratta, non è data alcuna implementazione dei metodi astratti che la compongono (è necessaria solo la segnatura): tali implementazioni verranno fornite da qualche classe estesa. Una classe astratta i cui metodi pubblici sono tutti astratti è simile a quella che chiamiamo interfaccia di un ADT.

Il linguaggio Java è, inoltre, provvisto di un meccanismo di *interfaccia*, simile a una classe astratta i cui metodi sono tutti astratti. Una classe che estende un'interfaccia deve definire tutti i metodi dell'interfaccia. Quindi, nella nostra terminologia, si tratta di un'implementazione. I client possono usare l'interfaccia, e il sistema Java può far rispettare il "contratto" fra client e implementazioni anche nel caso in cui client e implementazione siano compilati separatamente. Ad esempio, il Programma 4.14 mostra un'interfaccia `uf` per relazioni di equivalenza. Cambiando la prima riga del Programma 4.13 in

```
class UF implements uf
```

indichiamo che `UF` definisce (almeno) tutti i metodi di `uf`; è, in altri termini, un'implementazione dell'interfaccia `uf`.

Programma 4.14   Classe astratta per l'ADT relazioni di equivalenza

Questo codice Java costituisce un'interfaccia per l'ADT relazioni di equivalenza che offre piena separazione fra client e implementazione (si veda il testo).

```
interface uf
  {
    int find(int x);
    boolean find(int p, int q);
    void unite(int p, int q);
  }
```

Sfortunatamente, l'uso di classi astratte o di `interface` risulta abbastanza oneroso per il tempo di calcolo, dato che ogni chiamata a un metodo astratto richiede di seguire almeno un riferimento in una tabella di riferimenti a metodi. Dal momento che gli algoritmi e le strutture dati che consideriamo in questo libro si trovano spesso nelle parti critiche di un sistema per quanto riguarda le prestazioni, non vogliamo necessariamente pagare il prezzo della diminuita efficienza a vantaggio della flessibilità che le classi astratte e l'`interface` Java offrono. Inoltre, non c'è un'esatta corrispondenza fra il meccanismo di interfaccia di Java e l'interfaccia di un ADT che abbiamo esaminato in precedenza. Ad esempio, i costruttori non possono essere parte di un'interfaccia Java, mentre un'interfaccia di ADT propriamente detta deve specificare proprio quali costruttori i client hanno la facoltà di usare e quali implementazioni devono includere. Inoltre, un'interfaccia Java non può avere metodi statici, mentre potremmo averne bisogno in un'interfaccia di ADT.

Un'altra ragione per la quale usiamo un meccanismo informale per definire interfacce piuttosto che un costrutto del linguaggio è che quando sfruttiamo l'ereditarietà per estendere una classe stiamo, in effetti, definendo un'interfaccia implicita il cui ambito non è necessariamente specificato con precisione. Per esempio, i metodi `equals`, `hashCode`, `clone`, `getClass` e `finalize` sono definiti per tutti gli oggetti Java tramite ereditarietà, ma certamente non li elenchiamo in tutte le interfacce che scriviamo. La convenzione che adottiamo è molto simile allo standard seguito per documentare le classi di una libreria Java: per descrivere ciò che i programmi client si possono aspettare da una classe, elenchiamo le segnature dei suoi metodi pubblici.

La flessibilità raggiungibile con interfacce ed ereditarietà lascia aperta la possibilità che il "contratto" fra client e implementazioni circa la nozione di ADT possa essere rotto nel futuro, magari in modo inconsapevole. Tutti questi meccanismi assicurano che i programmi client e le implementazioni siano legati nel modo opportuno, ma fanno anche sì che essi siano interdipendenti in un modo non facile da specificare formalmente. Ad esempio, si supponga che un programmatore disinformato trovi il nostro algoritmo di quick-union pesata troppo difficile da comprendere, e decida quindi di sostituirlo con un algoritmo di quick-find (o peggio, con un'implementazione che non fornisce neppure la risposta corretta). Abbiamo insistito sulla necessità di rendere agevoli queste modifiche, ma in questo caso esse potrebbero rallentare un client in un'applicazione critica dipendente dal fatto che l'implementazione abbia buone prestazioni su problemi molto grandi. La programmazione è piena di aneddoti su problemi di questo tipo e cautelarsi contro di essi non è impresa facile.

Queste considerazioni conducono, in effetti, a esplorare le proprietà dei linguaggi, dei compilatori, degli interpreti e delle macchine virtuali, cosa che ci porterebbe piuttosto lontano dal contesto degli algoritmi. Quindi, molto più spesso ci limiteremo ad adottare lo schema dei due file in cui implementiamo ADT con classi Java, dove i metodi pubblici costituiscono l'interfaccia. Il motivo principale di quest'organizzazione risiede nel fatto che le classi sono un modo conveniente e compatto di esprimere strutture dati e algoritmi. Se per una data applicazione abbiamo bisogno dell'ulteriore flessibilità offerta dagli altri approcci sopra menzionati, possiamo sempre ristrutturare le nostre classi seguendo le linee indicate precedentemente.

Esercizi

4.29 Fornite una classe che implementi la stessa interfaccia del Programma 4.13, ma che usi l'euristica di compressione dei cammini per dimezzamento.

4.30 Eliminate l'inefficienza menzionata nel testo, aggiungendo al Programma 4.11 un'operazione che combini *union* e *find*. Inserite l'implementazione nel Programma 4.13 e modificate il Programma 4.12 di conseguenza.

○ **4.31** Modificate l'interfaccia (Programma 4.11) e l'implementazione (Programma 4.13) per le relazioni di equivalenza in modo da fornire un metodo che restituisca il numero di nodi che sappiamo essere connessi a un dato nodo.

4.32 Modificate il Programma 4.13, in modo che usi come struttura dati sottostante un array di oggetti invece che array paralleli.

○ **4.33** Costruite una soluzione per il problema della valutazione di espressioni postfisse, usando una `interface` Java per l'interfaccia di un ADT stack di interi. Assicuratevi che il vostro programma client (la vostra versione del Programma 4.5) possa essere compilato separatamente dall'implementazione dello stack (la vostra versione del Programma 4.7).

● **4.34** Scrivete un'implementazione completa dell'ADT relazioni di equivalenza che sia basata su una `interface` Java. Confrontate le prestazioni con quelle del Programma 4.13 su un problema di connettività molto grande, seguendo lo stile della Tabella 1.1.

4.7 Code FIFO e code generalizzate

La coda FIFO (*First-In, First-Out*) è un altro fondamentale ADT. Una coda FIFO è simile a uno stack, ma usa la regola opposta per decidere quale elemento eliminare in una cancellazione. Piuttosto che eliminare l'ultimo elemento inserito, qui viene rimosso quello che è rimasto nella coda più a lungo. Magari, il nostro professore affaccendato del Paragrafo 4.2 dovrebbe operare come una coda FIFO, poiché le richieste che arrivano per prime dovrebbero essere soddisfatte per prime. D'altro canto, in questo modo il professore rischierebbe di non poter mai rispondere al telefono o di non poter mai andare a lezione... Con uno stack, un appunto su un foglietto di carta potrebbe anche rimanere sepolto in fondo alla pila per sempre, mentre le richieste urgenti potrebbero essere evase immediatamente. In una coda FIFO, invece, ciascuna richiesta viene elaborata nell'ordine in cui è giunta.

Le code FIFO sono comunissime nella vita di tutti i giorni. Quando aspettiamo in fila per entrare al cinema o per acquistare qualcosa in panetteria, le nostre istanze sono elaborate secondo una politica FIFO. Similmente, le code FIFO sono molto usate nei calcolatori per memorizzare istanze (per esempio, da parte di programmi in esecuzione), che saranno soddisfatte sulla base dei tempi in cui sono giunte. Un altro esempio, utile a illustrare la differenza fra stack e coda FIFO, è quello della disposizione dei prodotti deperibili in una drogheria. Se il droghiere mette i nuovi prodotti sugli scaffali nella parte anteriore e i clienti li prelevano sempre dalla parte anteriore, siamo dinanzi a un meccanismo a stack che risulta problematico per il droghiere, perché i prodotti nel fondo degli scaffali potrebbero stazionarvi per molto tempo col rischio di deperimento. Se, invece, i nuovi prodotti vengono inseriti dal fondo degli scaffali, il droghiere potrà esser certo che il tempo di permanenza di un prodotto sullo scaffale non sarà mai superiore a quello necessario perché i clienti acquistino il massimo numero di pezzi che lo scaffale può

> **Programma 4.15 Interfaccia per l'ADT coda FIFO**
>
> Quest'interfaccia è identica a quella di uno stack contenuta nel Programma 4.4, tranne che per i nomi dei metodi. I due ADT differiscono solo nella specifica, ma ciò non traspare dal codice dell'interfaccia sottostante.
>
> ```
> class intQueue // interfaccia di ADT
>   { // implementazioni e membri privati nascosti
>     intQueue(int)
>     int empty()
>     void put(int)
>     int get()
>   }
> ```

```
F      F
I      F I
R      F I R
S      F I R S
*  F   I R S
T      I R S T
*  I   R S T
I      R S T I
N      R S T I N
*  R   S T I N
*  S   T I N
*  T   I N
F      I N F
I      I N F I
*  I   N F I
R      N F I R
S      N F I R S
*  N   F I R S
*  F   I R S
*  I   R S
T      R S T
*  R   S T
O      S T O
U      S T O U
T      S T O U T
*  S   T O U T
*  T   O U T
*  O   U T
*  U   T
*  T
```

Figura 4.7
Esempio di coda FIFO

Questa sequenza mostra il risultato di una serie di operazioni indicate nella colonna di sinistra (dall'alto verso il basso), dove una lettera indica una put *e un asterisco indica una* get. *Ogni riga mostra l'operazione, la lettera restituita dalla* get *e il contenuto della coda ordinato dall'elemento inserito meno di recente a quello inserito più di recente, da sinistra a destra.*

ospitare. Lo stesso principio di base si applica a numerose altre situazioni simili.

Definizione 4.3   *Una **coda FIFO** è un ADT che include due operazioni di base: **put** (inserisci) un nuovo elemento e **get** (preleva e cancella) l'elemento che è stato inserito meno recentemente.*

Il Programma 4.15 è un'interfaccia per un ADT coda FIFO. Quest'interfaccia differisce da quella per lo stack, esaminata nel Paragrafo 4.2, solo nella terminologia: un compilatore, ad esempio, considererebbe le due interfacce del tutto identiche! Quest'osservazione sottolinea il fatto che l'astrazione (che i programmatori, di solito, non definiscono formalmente) è di per sé la componente essenziale di un ADT. Per applicazioni di grandi dimensioni che potrebbero richiedere numerosi ADT, il problema di definire gli ADT in modo preciso è un aspetto centrale della progettazione. In questo libro trattiamo ADT che esprimono concetti essenziali; evitiamo descrizioni formali, se non quelle fornite dalle specifiche implementazioni. Per comprendere la natura degli ADT dobbiamo considerare esempi del loro uso, insieme a specifiche implementazioni.

La Figura 4.7 mostra l'evoluzione di una coda FIFO a seguito di una sequenza di operazioni *get* e *put*. Ogni *get* riduce la dimensione della coda di uno e ogni *put* la aumenta di uno. Nella figura gli elementi della coda sono elencati nell'ordine in cui sono stati inseriti, quindi risulta chiaro che il primo elemento in quest'elenco è quello che verrà restituito dall'operazione *get*. Ancora una volta, in un'implementazione siamo liberi di organizzare gli elementi nel modo che più ci aggrada, pur di dare l'illusione all'esterno che essi siano regolati da una disciplina FIFO.

Programma 4.16 Implementazione di una coda FIFO con una lista concatenata

La differenza fra una coda FIFO e uno stack (Programma 4.8) risiede nel fatto che i nuovi elementi sono inseriti alla fine invece che all'inizio. Questa classe mantiene un puntatore `tail` all'ultimo nodo della lista. In tal modo, il metodo `put` può aggiungere un nuovo nodo collegandolo a quello riferito da `tail`, e aggiornando `tail` in modo da referenziare il nuovo nodo. Il costruttore e i metodi `get` ed `empty` sono identici alle loro controparti su stack del Programma 4.8. Il costruttore di nodi ha un solo parametro, perché i nuovi nodi sono sempre inseriti alla fine della lista e, quindi, hanno un campo `next` nullo.

```
class intQueue
  {
    private class Node
      { int item; Node next;
        Node(int item)
          { this.item = item; next = null; }
      }
    private Node head, tail;
    intQueue(int max)
      { head = null; tail = null; }
    boolean empty()
      { return (head == null); }
    void put(int item)
      { Node t = tail; tail = new Node(item);
        if (empty()) head = tail; else t.next = tail;
      }
    int get()
      { int v = head.item; Node t = head.next;
        head = t; return v; }
  }
```

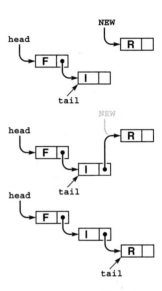

**Figura 4.8
Coda implementata
con lista concatenata**

In questa rappresentazione di una coda tramite lista concatenata inseriamo i nuovi elementi alla fine, quindi gli elementi nella lista sono ordinati da quello inserito meno recentemente a quello inserito più recentemente. La coda è rappresentata da due puntatori head *e* tail *che puntano rispettivamente all'elemento iniziale e a quello finale. Per estrarre (*get*) un elemento dalla coda, cancelliamo l'elemento dalla testa della lista, come per gli stack (Figura 4.5). Per inserire (*put*) un nuovo elemento nella coda, impostiamo il campo link del nodo referenziato da* tail *in modo da puntare al nuovo nodo (al centro), e quindi aggiorniamo* tail *(sotto).*

Per implementare l'ADT coda FIFO con una lista concatenata, manteniamo gli elementi nella lista in ordine, dal più recentemente inserito al meno recentemente inserito (Figura 4.7). Rispetto all'implementazione dello stack, qui gli elementi sono ordinati in modo inverso. D'altra parte, è proprio quest'ordine che ci consente di sviluppare implementazioni efficienti delle operazioni sulla coda. Utilizziamo due puntatori alla lista: uno all'inizio (in modo da poter estrarre con una *get* il primo elemento), e uno alla fine (in modo da poter accodare con una *put* un nuovo elemento). La Figura 4.8 illustra le operazioni eseguite dall'implementazione del Programma 4.16.

Possiamo anche usare un array per implementare una coda FIFO, anche se dobbiamo prestare attenzione nel mantenere costanti i tempi di esecuzione di *put* e *get*. Quest'obiettivo non ci consente di spostare gli elementi della coda nell'array, nonostante ciò che potrebbe suggerirci un'interpretazione immediata della Figura 4.7. Quindi, analogamente a quanto abbiamo fatto per l'implementazione con lista concatenata, manteniamo due indici nell'array: uno indica l'inizio della coda e l'altro ne indica la fine. Interpretiamo il contenuto della coda come l'insieme delle celle dell'array che stanno fra i due indici. Per eseguire una *get* di un elemento, cancelliamo l'elemento dall'inizio (head) della coda e incrementiamo l'indice head; per eseguire una *put* di un elemento, aggiungiamo l'elemento in fondo (tail) alla coda e incrementiamo l'indice tail. Una sequenza di operazioni *put* e *get* fa muovere la coda lungo l'array. Una rappresentazione grafica è fornita dalla Figura 4.9. Quando la coda raggiunge la fine dell'array, facciamo in modo che essa si "riavvolga" all'inizio. I dettagli implementativi si trovano nel codice del Programma 4.17.

Proprietà 4.2 *Possiamo implementare le operazioni **get** e **put** per l'ADT coda FIFO in tempo costante sia usando array che usando liste concatenate.*

Questo fatto diventa immediato se esaminiamo il codice dei Programmi 4.16 e 4.17. ■

Le stesse considerazioni del Paragrafo 4.4 circa lo spazio di memoria si applicano alle code FIFO. La rappresentazione con array richiede di predisporre spazio sufficiente a contenere il massimo numero di elementi che la coda potrà contenere durante l'esecuzione. La rappresentazione per lista concatenata, invece, usa spazio proporzionale al numero di elementi contenuti effettivamente nella struttura dati, a costo di occupare spazio per i link e di dover allocare e rilasciare memoria per ciascuna operazione.

Più avanti useremo gli stack molto più frequentemente di quanto non faremo per le code FIFO. Ciò è dovuto alla fondamentale relazione fra stack e programmi ricorsivi (si veda il Capitolo 5). D'altro canto, incontreremo anche algoritmi per cui la coda costituisce la struttura dati di supporto più naturale. Come abbiamo già avuto modo di notare, uno degli usi più comuni di stack e code nelle applicazioni è quello di posporre i calcoli. Anche se molte applicazioni che hanno a che fare con code di lavori in sospeso operano in modo corretto indipendentemente dalla regola adottata per la cancellazione, l'uso di risorse complessivo (tempo, spazio, ecc.) potrebbe dipendere da quella specifica regola. Quando

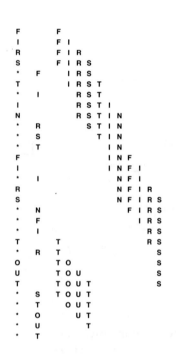

**Figura 4.9
Esempio di coda FIFO implementata con array**

Questa sequenza mostra la manipolazione dei dati che stanno alla base della rappresentazione astratta della Figura 4.7, quando la coda è implementata memorizzando gli elementi in un array, mantenendo due indici all'inizio e alla fine della coda e facendo ritornare tali indici all'inizio, quando questi raggiungono la fine dell'array. In questo esempio, l'indice alla fine della coda torna all'inizio quando la seconda T *è inserita, mentre l'indice all'inizio della coda torna all'inizio quando la seconda* S *è cancellata.*

Programma 4.17 Implementazione di una coda FIFO tramite array

Il contenuto della coda è costituito dagli elementi dell'array fra `head` e `tail`, tenendo in considerazione il riavvolgimento sullo 0 quando si raggiunge la fine dell'array. Se `head` e `tail` sono uguali la coda è vuota, ma se una `put` li rende uguali allora la coda è da considerarsi piena. Come al solito, non controlliamo queste condizioni di errore, ma facciamo in modo che la dimensione dell'array sia di uno maggiore del numero massimo di elementi che il client si aspetta di vedere nella coda, in modo tale da poter modificare questo programma per effettuare questi controlli.

```
class intQueue
  {
    private int[] q; private int N, head, tail;
    intQueue(int maxN)
      { q = new int[maxN + 1];
        N = maxN + 1; head = N; tail = 0; }
    boolean empty()
      { return (head % N == tail); }
    void put(int item)
      { q[tail++] = item; tail = tail % N; }
    int get()
      { head = head % N; return q[head++]; }
  }
```

queste applicazioni richiedono un gran numero di inserimenti e cancellazioni su strutture dati di grandi dimensioni, le differenze di prestazioni diventano di importanza prevalente. È questo il motivo per cui dedichiamo grande attenzione a questi ADT. Se trascurassimo le prestazioni, potremmo definire un singolo ADT che racchiude operazioni generiche di inserimento e cancellazione. Ma poiché non possiamo trascurare le prestazioni, ci troviamo a dover definire un ADT per ogni specifica regola di inserimento e cancellazione. Per valutare l'efficacia di un particolare ADT dobbiamo considerare due aspetti: il costo di implementazione, dipendente dalla nostra scelta degli algoritmi e delle strutture dati, e la misura in cui le nostre scelte influenzano le prestazioni del programma client. A conclusione di questo paragrafo saranno presentati vari ADT che approfondiremo più avanti.

Stack e code FIFO sono un caso particolare di un ADT più generale, la *coda generalizzata*. I vari esempi di coda generalizzata differiscono fra loro solo per la regola con cui gli elementi sono cancellati. Per gli stack la regola è "cancella l'elemento inserito per ultimo", mentre per le code FIFO la regola è "cancella l'elemento inserito per primo". Ci sono varie altre possibilità, alcune delle quali andiamo ora a considerare.

Un'alternativa semplice e potente è quella offerta dalla *coda casuale*, in cui la regola di cancellazione è "cancella un elemento a caso". In questa situazione, l'utilizzatore può vedersi restituito un qualsiasi elemento della coda con ugual probabilità. Possiamo implementare le operazioni di una coda casuale in tempo costante rappresentandola come un array (si veda l'Esercizio 4.47). L'array naturalmente necessita di spazio allocato preventivamente. La rappresentazione tramite lista concatenata è meno conveniente, dato che l'implementazione efficiente delle operazioni di inserimento e cancellazione è un problema piuttosto difficile (si veda l'Esercizio 4.48). Le code casuali possono essere impiegate come struttura di supporto per algoritmi randomizzati, i quali evitano (con alta probabilità) prestazioni associate al caso peggiore (Paragrafo 2.7).

Abbiamo descritto stack e code FIFO identificando gli elementi in base al tempo in cui essi sono inseriti nella struttura dati. In alternativa, potremmo descrivere questi concetti astratti in termini di un ordinamento sequenziale degli elementi, e considerare le operazioni di base di inserimento e cancellazione di elementi all'inizio o alla fine di questa sequenza. Se inseriamo alla fine e cancelliamo alla fine, otteniamo uno stack (esattamente quello della nostra implementazione con array). Se inseriamo all'inizio e cancelliamo all'inizio, otteniamo ancora uno stack (quello della nostra implementazione con lista concatenata). Se inseriamo alla fine e cancelliamo all'inizio, otteniamo una coda FIFO (esattamente quella implementata con lista concatenata). Infine, se inseriamo all'inizio e cancelliamo alla fine, otteniamo ancora una coda FIFO. Quest'ultima opzione però non corrisponde ad alcuna delle nostre implementazioni. Potremmo però modificare la nostra implementazione con array per ottenerla. Una lista concatenata, d'altro canto, non sembra appropriata, dato che sarebbe necessario ripristinare il puntatore di fine lista quando cancelliamo l'elemento che si trova proprio alla fine della lista. Partendo da ciò, arriviamo rapidamente alla cosiddetta *coda doppia* (o *deque*, double-ended queue), nella quale possiamo sia inserire che cancellare da entrambi gli estremi. Lasciamo come esercizio per il lettore l'implementazione di questa coda (Esercizi dal 4.42 al 4.46), non senza notare che l'implementazione basata su array è un'immediata estensione del Programma 4.17, mentre l'implementazione basata su liste concatenate richiede una lista doppia, a meno di non consentire la cancellazione a una sola estremità.

Nel Capitolo 9 vengono trattate le *code con priorità*, in cui gli elementi sono provvisti di chiavi e la regola di cancellazione è "cancella l'elemento con chiave minore". L'ADT coda con priorità è utile in molte applicazioni. Il problema di trovare implementazioni efficienti per questo ADT è stato un obiettivo di ricerca dell'informatica per molti anni. Identificare e usare questo ADT nelle applicazioni è stato un fattore importante in queste ricerche. Possiamo, infatti, ottenere un'indicazione immediata sulla correttezza di un nuovo algoritmo semplicemente sostituendo un'implementazione vecchia con una nuova, nel contesto di un'applicazione estremamente complessa, e verificando se si ottengono gli stessi risultati. Inoltre, possiamo ottenere un'indicazione immediata sull'efficienza relativa di due algoritmi, osservando in che misura la sostituzione con la nuova implementazione porta a un miglioramento del tempo di calcolo complessivo. Le strutture dati e gli algoritmi che considereremo nel Capitolo 9 per risolvere questo problema sono estremamente interessanti, ingegnose ed efficaci.

Nei Capitoli dal 12 al 16 sono analizzate le *tabelle di simboli*. Si tratta di code generalizzate in cui gli elementi hanno chiavi e nelle quali la regola di cancellazione è la seguente: "cancella un elemento la cui chiave è uguale a una data chiave, se un tale elemento esiste". Questo ADT è forse il più importante fra quelli che tratteremo, esaminandone dozzine di implementazioni.

Ciascuno di questi ADT dà luogo anche a un insieme di ADT collegati, come conseguenza dell'attento studio dei programmi client e delle prestazioni delle implementazioni. Nei Paragrafi 4.7 e 4.8 considereremo numerosi esempi di varianti delle code generalizzate, che conducono a ulteriori ADT che saranno studiati più avanti in questo libro.

Esercizi

▷ **4.35** Fornite il contenuto di q[0], ..., q[4] dopo l'esecuzione delle operazioni illustrate nella Figura 4.7, usando il Programma 4.17. Assumete che, come nella Figura 4.8, maxN sia 10.

▷ **4.36** Nella sequenza

        EAS*Y*QUE***ST***IO*N***

una lettera significa *put* e un asterisco significa *get*. Fornite la sequenza di valori restituiti dalle operazioni *get*, quando queste operazioni sono eseguite partendo da una coda FIFO vuota.

4.37 Modificate l'implementazione di coda FIFO basata su array data nel testo (Programma 4.17) in modo da lanciare eccezioni quando non vi sia abbastanza memoria affinché una new del costruttore allochi la coda, e quando l'utilizzatore cerchi di eseguire una *get* su una coda vuota o una *put* su una coda piena.

4.38 Modificate l'implementazione di coda FIFO basata su liste concatenate data nel testo (Programma 4.16) in modo da lanciare eccezioni quando il client cerchi di eseguire una *get* su una coda vuota o una *put* su una coda piena, oppure quando non vi sia memoria sufficiente per una new richiesta da una *put*.

▷ **4.39** Nella sequenza

$$E A s + Y + Q U E {}^*{}^* + s t + {}^* + I O {}^* n + + {}^*$$

una lettera maiuscola significa *put* all'inizio di una coda doppia, una lettera minuscola significa *put* alla fine della coda, un segno + indica *get* dall'inizio della coda e un asterisco significa *get* dalla fine della coda. Fornite la sequenza di valori restituiti dalle operazioni *get*, quando queste operazioni sono eseguite partendo da una coda doppia vuota.

▷ **4.40** Usando le convenzioni dell'Esercizio 4.39, cercate il modo di inserire + e * nella sequenza E a s Y in modo tale che la sequenza dei valori restituiti dalle operazioni *get* sia: (1) E s a Y; (2) Y a s E; (3) a Y s E; (4) a s Y E; oppure, in ciascun caso, mostrate che una tale sequenza non esiste.

● **4.41** Date due sequenze, sviluppate un algoritmo per determinare se sia o meno possibile aggiungere + e * alla prima sequenza in modo tale che essa produca la seconda sequenza, quando la prima è intesa come una sequenza di operazioni in una coda doppia, nel senso dell'Esercizio 4.40.

▷ **4.42** Scrivete un'interfaccia ADT per l'ADT coda doppia.

4.43 Fornite un'implementazione per l'interfaccia della coda doppia dell'Esercizio 4.42, che usi un array come struttura dati sottostante.

4.44 Fornite un'implementazione per l'interfaccia della coda doppia dell'Esercizio 4.42, che usi una lista doppiamente concatenata come struttura dati sottostante.

4.45 Fornite un'implementazione dell'interfaccia della coda FIFO esaminata nel testo (Programma 4.15), che usi una lista circolare come struttura dati sottostante.

4.46 Scrivete un programma client che verifichi l'ADT coda doppia dell'Esercizio 4.42, che legga come primo argomento sulla linea di comando una stringa di comandi come quelli dati nell'Esercizio 4.39, e quindi esegua le operazioni indicate. Aggiungete un metodo DQdump all'interfaccia e all'implementazione e stampate il contenuto della coda dopo ogni operazione, secondo lo stile della Figura 4.7.

○ **4.47** Costruite un ADT coda casuale scrivendo un'interfaccia ADT e un'implementazione che sfrutti un array come struttura dati sottostante. Fate in modo che ogni operazione richieda tempo costante.

●● **4.48** Costruite un ADT coda casuale scrivendo un'interfaccia e un'implementazione che sfrutti una lista concatenata come struttura dati sottostante. Fornite implementazioni delle operazioni di inserimento e cancellazione che siano più efficienti che potete, e quindi analizzate il loro costo nel caso peggiore.

$\triangleright$ **4.49** Scrivete un programma client che serva a estrarre numeri per una lotteria. Il programma pone i numeri da 1 a 99 in una coda casuale, e quindi stampa il risultato della rimozione (*get*) di cinque di questi numeri.

4.50 Scrivete un programma client che prenda un intero $N < 11$ dalla linea di comando e, quindi, stampi N mani di poker, ponendo 52 elementi in una coda casuale (si veda l'Esercizio 3.1) e stampando il risultato della selezione di cinque carte dalla coda, per N volte.

● **4.51** Scrivete un programma che risolva il problema della connettività, inserendo all'inizio tutte le coppie in una coda casuale e, quindi, estraendole man mano dalla coda. Usate l'algoritmo quick-union pesata (Programma 1.3).

4.8 Elementi duplicati ed elementi indice

Per molte applicazioni gli elementi astratti che elaboriamo sono *unici*. Ciò ci porta alla possibilità di modificare la nostra idea su come stack, code FIFO e code generalizzate debbano operare. In particolare, in questo paragrafo consideriamo modifiche nelle specifiche originarie di stack, code FIFO e code generalizzate in modo da vietare nella struttura dati la presenza di elementi duplicati. Vaglieremo le conseguenze di queste modifiche.

Si consideri, ad esempio, un'azienda che mantiene una mailing list dei suoi clienti. L'azienda potrebbe aver necessità di far crescere tale lista eseguendo operazioni di inserimento da altre mailing list provenienti da fonti diverse, ma vuole evitare di inserire di nuovo un cliente che è già nella lista. Vedremo che lo stesso problema ricorre in un certo numero di applicazioni. Come esempio ulteriore, si consideri il problema dell'instradamento di un messaggio all'interno di una complessa rete di comunicazione. Potremmo cercare di percorrere simultaneamente diversi cammini lungo la rete ma, essendoci un solo messaggio, ogni nodo della rete vuole memorizzare una sola copia del messaggio nelle sue strutture dati interne.

Un possibile approccio nella gestione di questa situazione è quello di lasciare ai programmi client il compito di assicurare che elementi duplicati non siano presentati all'ADT, compito che i client potrebbero presumibilmente assolvere usando qualche altro ADT. Ma dato che l'obiettivo degli ADT è proprio quello di offrire ai client soluzioni chiare nelle applicazioni, si potrebbe anche argomentare che la rilevazione

```
L            L
A            L A
*     A      L
S            L S
T            L S T
I            L S T I
*     I      L S T
N            L S T N
*     N      L S T
F            L S T F
I            L S T F I
R            L S T F I R
*     R      L S T F I
S            L S T F I
T            L S T F I
*     I      L S T F
*     F      L S T
*     T      L S
O            L S O
U            L S O U
*     U      L S O
T            L S O T
*     T      L S O
*     O      L S
*     S      L
```

Figura 4.10
Stack senza duplicati

Questa sequenza mostra il risultato delle operazioni viste nella Figura 4.1 su uno stack che non ammette elementi duplicati. I quadratini grigi indicano i casi in cui lo stack rimane immutato, perché l'elemento da inserire è già presente nello stack. Il numero di elementi nello stack è limitato dal numero di possibili elementi distinti.

e la risoluzione dei duplicati è parte del problema su cui un ADT deve fornire supporto.

Il non ammettere elementi duplicati è una modifica dell'astrazione fornita da un ADT: l'interfaccia, il nome delle operazioni, ecc., per un tale ADT sono le stesse di quelle del corrispondente ADT che non adotta questa politica, ma il comportamento dell'implementazione deve cambiare in modo sostanziale. In generale, tutte le volte che modifichiamo la specifica di un ADT, otteniamo un ADT completamente nuovo, con proprietà del tutto differenti. Tale circostanza mostra, in un certo senso, anche la natura precaria della specifica di un ADT: assicurare che tanto i programmi client quanto l'implementazione aderiscano alla specifica in un'interfaccia è sicuramente difficile, ma imporre una politica ad alto livello come questa è tutt'altra questione. Tuttavia, siamo interessati ad algoritmi che siano in grado di far questo, affinché i client possano sfruttare queste proprietà per risolvere problemi in modo nuovo, e affinché le implementazioni possano trarre vantaggio da tali restrizioni per fornire soluzioni ancor più efficienti.

La Figura 4.10 mostra come un ADT stack senza duplicazioni operi sull'esempio della Figura 4.1. La Figura 4.11 mostra l'effetto di questa modifica su code FIFO.

Dobbiamo, in generale, fare alcune scelte quando un programma client esegue un'istanza di inserimento di un elemento già presente nella struttura dati. Dobbiamo procedere come se l'istanza non fosse stata avanzata oppure come se l'utilizzatore avesse eseguito prima una cancellazione e poi un inserimento? Questa decisione influenza l'ordine in cui gli elementi alla fine sono elaborati in ADT come stack e code FIFO (si veda la Figura 4.12), e questa differenza è significativa per i client. Ad esempio, l'azienda che impiega tale ADT per una mailing list potrebbe scegliere di usare il nuovo elemento (magari, assumendo che contenga informazioni più aggiornate sul cliente), mentre il meccanismo di instradamento dei messaggi che usa tale ADT potrebbe voler ignorare il nuovo elemento (perché, magari, può aver già preso delle decisioni sulla via da seguire). Tra l'altro, queste scelte influenzano anche le implementazioni: la politica "dimentica il vecchio elemento" è di solito più difficile da implementare della politica "ignora il nuovo elemento", perché la prima richiede modifiche alla struttura dati.

Per implementare code generalizzate senza elementi duplicati abbiamo bisogno di un metodo per verificare l'uguaglianza fra elementi. Il metodo `equals` è definito per tutti gli oggetti, ma l'implementazione di default è quella che considera un oggetto uguale solo a se stesso, mentre è chiaro che in questo contesto vorremmo basare il criterio di

Figura 4.11
Coda FIFO senza duplicati, politica "ignora il nuovo elemento"

Questa sequenza mostra il risultato delle operazioni viste nella Figura 4.7 su una coda che non ammette elementi duplicati. I quadratini grigi indicano i casi in cui la coda rimane immutata, perché l'elemento da inserire è già presente nella coda.

```
F           F
I           F  I
R  S        F  I  R
S       F   I  R  S
T       I   I  R  S  T
*       I   R  S  T
I           R  S  T  I
N           R  S  T  I  N
*       R   S  T  I  N
*       R   S  T  I  N
*       T   I  N
F           I  N  F
I       I   N  F  [ ]
*       I   N  F
R  S        N  F  R
R  S        N  F  R  S
*       N   F  R  S
*       F   R  S
*       R   S  T
T           S  T
*       S   T  T
O           T  T  O
U           T  O  U
T           T  O  U  [ ]
*       T   O  U
*       O   U
*       U
```

uguaglianza sul contenuto dei campi. Pur disponendo di una tale operazione, sarebbe sempre necessario determinare se un nuovo elemento da inserire si trovi o meno nella struttura dati. Questa situazione nella sua generalità corrisponde a dover implementare l'ADT tabella di simboli, quindi, la considereremo nel contesto delle implementazioni date nei Capitoli dal 12 al 15.

In un caso particolare piuttosto importante la soluzione è immediata ed è illustrata nel Programma 4.18 per l'ADT stack. Quest'implementazione assume che gli elementi siano interi fra 0 ed $M - 1$. Viene usato un secondo array, indicizzato dagli elementi, per determinare se un dato elemento sia presente o meno nello stack. Quando inseriamo l'elemento i, poniamo la i-esima componente del secondo array a true; quando cancelliamo l'elemento i, poniamo la i-esima componente del secondo array a false. Per il resto, usiamo lo stesso codice di prima per inserire e cancellare elementi, ma con un ulteriore test in fase di inserimento, per stabilire se l'elemento da inserire sia presente o meno nello stack. In caso affermativo, semplicemente ignoriamo la *push*. Questa soluzione non dipende dal fatto di usare un array o una lista concatenata (o qualche altra cosa ancora) per rappresentare lo stack. L'implementazione della politica "ignora il vecchio elemento" richiede del lavoro aggiuntivo (si veda l'Esercizio 4.56).

Per ricapitolare, un modo di implementare uno stack senza elementi duplicati adottando una politica "ignora il nuovo elemento" è quello di mantenere *due* strutture dati: la prima contiene gli elementi nello stack, con il solito scopo di tener traccia dell'ordine in cui gli elementi sono stati inseriti, mentre la seconda è un array che ci consente di registrare quali elementi sono presenti nello stack utilizzandoli come indici. L'uso di array secondo questa modalità è un caso particolare di implementazione di una tabella di simboli e verrà trattato nel Paragrafo 12.2. Quando gli elementi sono interi fra 0 ed $M - 1$ possiamo adottare lo stesso metodo su una qualsiasi coda generalizzata.

Il caso particolare considerato qui sopra ricorre in pratica con una certa frequenza. L'esempio di applicazione più importante è quello in cui gli elementi nella struttura dati sono essi stessi indici di array. Li chiameremo *elementi indice*. La situazione tipica è quella in cui abbiamo un insieme di M elementi, posti in un qualche array, che abbiamo bisogno di passare a una coda generalizzata come parte di un algoritmo più complesso. Gli elementi sono posti nella coda per indice ed elaborati nel momento in cui sono rimossi, con il vincolo che ogni elemento deve essere elaborato esattamente una volta. L'uso di indici di array in una coda senza duplicati realizza quest'obiettivo in modo diretto.

Figura 4.12
Coda FIFO senza duplicati, politica "dimentica il vecchio elemento"

Questa sequenza mostra il risultato delle operazioni viste nella Figura 4.11 su una coda che adotta una politica (più difficile da implementare), per la quale aggiungiamo sempre il nuovo elemento alla fine della coda. Se c'è un duplicato, lo rimuoviamo.

Programma 4.18 Stack con elementi indice senza duplicati

Quest' implementazione di uno stack assume che gli elementi siano interi fra 0 e maxN-1, rendendo possibile mantenere un array t contenente valori booleani in corrispondenza degli elementi contenuti nello stack. L'array consente un'implementazione efficiente della strategia "ignora il nuovo elemento", dove push non esegue alcunché, se il suo parametro è già nello stack.

```
class intStack
  {
    private int[] s;
    private boolean[] t;
    private int N;
    intStack(int maxN)
      { s = new int[maxN]; N = 0;
        t = new boolean[maxN];
        for (int i = 0; i < maxN; i++) t[i] = false;
      }
    boolean empty()
      { return N == 0; }
    public void push(int item)
      { if (t[item]) return;
        s[N++] = item;
        t[item] = true;
      }
    public int pop()
      { t[s[--N]] = false; return s[N]; }
  }
```

Ciascuna di queste scelte (vietare o meno duplicati, usare o meno il nuovo elemento) porta ad ADT diversi. Le differenze potrebbero apparire di poco conto, ma esse influenzano in modo ovvio tanto la dinamica dell'ADT, per come essa è vista dai programmi client, quanto la nostra scelta di algoritmi e strutture dati per implementare le operazioni. Pertanto, non ci sono molte alternative a quella di considerare tutti questi ADT come ADT differenti. Inoltre, ci sono varie altre opzioni da considerare: ad esempio, potremmo voler modificare l'interfaccia per informare il client, quando tenta di inserire un elemento duplicato, o per dare al client la possibilità di scelta fra l'ignorare il nuovo elemento o dimenticare il vecchio.

Quando informalmente usiamo termini come *stack, coda FIFO, coda doppia, coda con priorità* o *tabella di simboli* ci stiamo potenzialmente riferendo a una *famiglia* di ADT, ciascuno con le sue operazioni e le sue convenzioni circa il significato di queste operazioni, che possono richiedere implementazioni diverse e sofisticate per poter supportare quelle operazioni in modo efficiente.

Esercizi

▷ **4.52** Disegnate una figura corrispondente alla Figura 4.10 per un ADT stack che vieti duplicati, usando la politica "dimentica il vecchio elemento".

4.53 Modificate l'implementazione standard dello stack basata su array del Paragrafo 4.4 (Programma 4.7) in modo da non ammettere duplicati, seguendo la politica "ignora il nuovo elemento". Usate un approccio immediato che scandisca l'intero stack.

4.54 Modificate l'implementazione standard dello stack basata su array del Paragrafo 4.4 (Programma 4.7) in modo da non ammettere duplicati, seguendo la politica "dimentica il vecchio elemento". Usate un approccio immediato che scandisca, ed eventualmente riordini, l'intero stack.

• **4.55** Ripetete gli Esercizi 4.53 e 4.54 per l'implementazione dello stack basata su lista concatenata del Paragrafo 4.4 (Programma 4.8).

○ **4.56** Sviluppate un'implementazione per lo stack che non ammetta duplicati, usando la politica "dimentica il vecchio elemento" in cui gli elementi sono interi fra 0 ed $M - 1$, e che usi tempo costante sia per *push* che per *pop*. *Suggerimento*: utilizzate una lista concatenata doppia per rappresentare lo stack e mantenete i riferimenti ai nodi, invece di valori true e false, in un array indicizzato da elementi dello stack.

4.57 Ripetete gli Esercizi 4.53 e 4.54 per l'ADT coda FIFO.

4.58 Ripetete l'Esercizio 4.55 per l'ADT coda FIFO.

4.59 Ripetete l'Esercizio 4.56 per l'ADT coda FIFO.

4.60 Ripetete gli Esercizi 4.53 e 4.54 per l'ADT coda casuale.

4.61 Scrivete un programma client per l'ADT dell'Esercizio 4.60, che faccia uso di una coda casuale senza duplicazioni.

4.9 ADT di prima categoria

Gli ADT ci aiutano, tramite livelli di astrazione successivi, a gestire la complessità di programmi client che devono rispondere alle esigenze di applicazioni sempre più complesse. Durante questo processo nasce naturalmente l'esigenza di usare i tipi di dati nei programmi allo stesso modo in cui vengono usati tipi predefiniti come int o float. In questo paragrafo, consideriamo gli inconvenienti che possono nascere nell'operare in questo modo.

Definizione 4.4 *Un tipo di dato di **prima categoria** è un tipo di dato che possiamo usare nei programmi nello stesso modo in cui usiamo tipi di dati predefiniti.*

Se a un tipo di dato di prima categoria si ha accesso solo tramite un'interfaccia, questo tipo di dato è un ADT di prima categoria.

In generale, possiamo affermare che il linguaggio Java non supporta tipi di dati di prima categoria, poiché i suoi tipi di dati predefiniti sono essenzialmente diversi dai tipi di dati (le classi) definiti dagli utenti. Java offre anche supporto diretto per il tipo String, rendendolo diverso tanto dai tipi predefiniti, quanto dalle classi. Per prima cosa, notiamo che le operazioni aritmetiche, come + e *, sono definite per tipi di dati predefiniti (+ è definito anche per il tipo String), ma non possiamo certo scrivere a + b, quando a e b sono oggetti di tipo definito dall'utente. Notiamo, inoltre, che possiamo definire metodi per classi, ed estenderle, ma non possiamo farlo per tipi predefiniti. E, infine, che il significato dell'istruzione a = b dipende dal fatto che a e b siano o meno di tipo predefinito: se sono di tipo predefinito a riceve una copia del valore di b, mentre se non lo sono a riceve una copia di un riferimento a b. Lo stesso vale per parametri di metodi e valori di ritorno.

Come per le altre definizioni legate ai tipi di dati, non possiamo essere del tutto precisi nel definire tipi di prima categoria senza incorrere in questioni complicate legate alla semantica delle operazioni. Come vedremo, un requisito importante è la possibilità di scrivere a = b quando a e b sono oggetti di una classe definita dall'utente. Specificare con precisione il significato di quest'istruzione è, però, ben più difficile.

Idealmente, possiamo immaginare che tutti i tipi di dati abbiano un qualche insieme universale di metodi ben definiti (un esempio è la convenzione secondo cui tutti gli oggetti Java posseggono un metodo toString), mentre in pratica ogni tipo di dato è caratterizzato dal proprio insieme di metodi. Questa differenza fra tipi di dati si oppone di per sé a una definizione precisa del concetto di tipo di dato di prima categoria, perché implica di dover fornire definizioni di tutte le operazioni applicabili su tipi di dati predefiniti, cosa che raramente facciamo. Più spesso, ci accontentiamo di usare solo alcune operazioni di importanza cruciale per i nostri scopi nello stesso modo in cui utilizziamo operazioni per tipi di dati predefiniti.

Come esempio illustrativo, consideriamo un ADT per l'astrazione dei numeri complessi. Il nostro scopo è quello di poter scrivere programmi che effettuino operazioni algebriche su numeri complessi, usando le operazioni definite in un ADT. Vogliamo dichiarare e inizializzare numeri complessi, e usare operazioni aritmetiche all'interno di espressioni in cui compaiono numeri complessi. Come si è appena osservato, non siamo in grado di scrivere programmi client che usano operazioni aritmetiche come + e * su numeri complessi. Dobbiamo definire e utilizzare metodi appropriati per queste operazioni. Resta, comunque, l'esigenza di poter eseguire calcoli su numeri complessi allo stesso modo in cui lo facciamo per numeri reali o interi.

Andiamo, ora, a fare una breve digressione su alcune proprietà matematiche dei numeri complessi. In un certo senso, questa non è nemmeno una digressione, dato che è comunque interessante considerare le relazioni fra i numeri complessi come astrazione matematica e la rappresentazione astratta di tali oggetti in un programma per computer.

Il numero $i = \sqrt{-1}$ è un numero *immaginario*. Sebbene $\sqrt{-1}$ non abbia significato come numero reale, lo chiamiamo i ed eseguiamo con esso delle manipolazioni algebriche, sostituendo i^2 con -1 tutte le volte che appare. Un *numero complesso* consta di due parti, una parte reale e una parte immaginaria, e può essere scritto nella forma $a + bi$, dove a e b sono reali. Per moltiplicare numeri complessi, applichiamo le usuali regole algebriche e in più sostituiamo i^2 con -1. Così, ad esempio

$$(a + bi)(c + di) = ac + bci + adi + bdi^2 = (ac - bd) + (ad + bc)i.$$

La parte reale o quella immaginaria possono cancellarsi (cioè, avere valore 0), quando eseguiamo una moltiplicazione. Ad esempio

$$(1 - i)(1 - i) = 1 - i - i + i^2 = -2i,$$
$$(1 + i)^4 = 4i^2 = -4,$$
$$(1 + i)^8 = 16.$$

Dividendo entrambi i membri dell'ultima equazione per $16 = (\sqrt{2})^8$, otteniamo che

$$\left(\frac{1}{\sqrt{2}} + \frac{i}{\sqrt{2}}\right)^8 = 1.$$

In generale, esistono molti numeri complessi che restituiscono il valore 1 quando sono elevati a una certa potenza. Questi numeri sono le cosiddette *radici complesse dell'unità*. In effetti, per ogni N intero positivo, esistono esattamente N numeri complessi z per cui $z^N = 1$. Si può facilmente dimostrare che i numeri

$$\cos(\frac{2\pi k}{N}) + i\sin(\frac{2\pi k}{N}),$$

```
0  1.000  0.000 1.000 0.000
1  0.707  0.707 1.000 0.000
2  0.000  1.000 1.000 0.000
3 -0.707  0.707 1.000 0.000
4 -1.000  0.000 1.000 0.000
5 -0.707 -0.707 1.000 0.000
6  0.000 -1.000 1.000 0.000
7  0.707 -0.707 1.000 0.000
```

Figura 4.13
Radici complesse dell'unità

Questa tabella fornisce l'output prodotto dal Programma 4.19 se fosse invocato con `a.out 8`*, con un'implementazione del metodo* `toString` *su cui si è fatto overloading per produrre le formattazioni opportune (si veda l'Esercizio 4.70). Le otto radici complesse dell'unità sono ± 1, $\pm i$, e*

$$\pm\frac{\sqrt{2}}{2} \pm \frac{\sqrt{2}}{2}i$$

(le due colonne più a sinistra). Tutti questi otto numeri danno come risultato $1 + 0i$, quando sono elevati all'ottava potenza (le due colonne più a destra).

Programma 4.19 Programma pilota per numeri complessi (radici dell'unità)

Questo programma client esegue calcoli su numeri complessi servendosi di un ADT che consente di operare direttamente sulle astrazioni a cui siamo interessati, usando oggetti di tipo `Complex`. Il programma verifica l'adeguatezza dell'implementazione dell'ADT, calcolando le potenze delle radici complesse dell'unità. Con un appropriato metodo `toString` (si veda l'Esercizio 4.70), esso stampa una tabella come quella della Figura 4.13.

```java
public class RootsOfUnity
  {
    public static void main(String[] args)
      { int N = Integer.parseInt(args[0]);
        Out.println(N + " roots of unity");
        for (int k = 0; k < N; k++)
          { double x = Math.cos(2.0*Math.PI*k/N),
                   y = Math.sin(2.0*Math.PI*k/N);
            Complex t = new Complex(x, y);
            Out.print(k + ": "+ t);
            Complex z = (Complex) t.clone();
            for (int j = 0; j < N-1; j++) z.mult(t);
            Out.println(" " + z);
          }
      }
  }
```

per $k = 0, 1, \ldots, N-1$, posseggono questa proprietà (si veda l'Esercizio 4.63). Per esempio, che, ponendo $k = 1$ ed $N = 8$ in questa formula, ritroviamo la particolare radice ottava dell'unità vista poco sopra.

Come esempio di client, consideriamo il problema di scrivere un programma che calcola le N radici N-esime dell'unità ed eleva ciascuna di esse all'N-esima potenza. L'output prodotto dovrebbe essere quello mostrato nella Figura 4.13: ci aspettiamo che ciascun numero elevato all'N-esima potenza fornisca lo stesso risultato, vale a dire 1 oppure $1 + 0i$. Le parti reali e immaginarie calcolate potrebbero non essere esattamente 1 e 0 per la limitata precisione dei calcoli.

Come facciamo a moltiplicare due numeri complessi? Idealmente, vorremmo poter scrivere espressioni del tipo

```java
a = b * c;
```

Programma 4.20 Interfaccia ADT per numeri complessi

Quest'interfaccia per numeri complessi permette alle implementazioni di creare oggetti di tipo `Complex` (inizializzati con due valori `double`), di accedere alle parti reale e immaginaria, e di utilizzare il metodo `mult`. Sebbene non indicato esplicitamente, i meccanismi di default del sistema a supporto delle classi consentono di usare oggetti `Complex` come parametri e valori di ritorno di metodi. Il metodo `clone()` offre la possibilità ai client di imitare istruzioni di assegnamento (copia del valore di un `Complex` in un altro, si veda il testo).

```
class Complex implements Cloneable // interfaccia di ADT
  { // implementazioni e membri privati nascosti
    Complex(double re, double im)
    double re()
    double im()
    Complex mult(Complex rhs)
    public Object clone()
    public String toString()
  }
```

---

dove a, b, e c sono tutti di tipo `Complex`. Di nuovo, però, Java non supporta questo stile di programmazione. Una possibilità è quella di imitare questo stile scrivendo un metodo statico che prenda due oggetti `Complex` come parametri e restituisca un valore `Complex`, in modo tale da poter scrivere

```
a = Complex.mult(b, c);
```

Un altro approccio è quello di usare un metodo `mult` a un solo parametro per moltiplicare un oggetto `Complex` con il parametro dato; ciò simula espressioni come a `*=` b per tipi predefiniti. Abbiamo già esaminato un compromesso simile nel Paragrafo 3.1, quando abbiamo analizzato l'implementazione di un metodo per il calcolo della distanza fra due punti. Qui, però, riscontriamo un'importante differenza di prestazioni: quando usiamo il metodo statico a due parametri, dobbiamo creare un nuovo `Complex` (per il risultato) ogni volta che eseguiamo un'operazione aritmetica. In espressioni aritmetiche complesse, o da reiterare, è verosimile che questa scelta lasci molti oggetti per il garbage collector di sistema. Se usiamo il metodo a un solo parametro indicato prima, non abbiamo invece questo svantaggio (si veda l'Esercizio 4.63).

Programma 4.21 Implementazione dell'ADT numeri complessi

Questo codice implementa l'ADT definito nel Programma 4.20, usando `double` per rappresentare la parti reale e immaginaria di ciascun numero complesso. Come `toString`, esiste un'implementazione di default del metodo `clone()` (che effettua una copia dei campi dato di questo oggetto nel nuovo oggetto) e si trova in `Object`. Quest'implementazione può essere ridefinita, ma deve preservare la segnatura.

```
class Complex implements Cloneable
  {
    private double re, im;
    Complex(double re, double im)
      { this.re = re; this.im = im; }
    double re()
      { return re; }
    double im()
      { return im; }
    void add(Complex rhs)
      {
        re = re() + rhs.re();
        im = im() + rhs.im();
      }
    void mult(Complex rhs)
      { double t = re();
        re = re() * rhs.re() - im() * rhs.im();
        im = t *rhs.im() + im() * rhs.re();
      }
    public String toString()
      { return re() + " " + im(); }
  }
```

Si supponga di avere un `float` chiamato `t` e un `int` chiamato `N`, e di voler calcolare il valore di `t` elevato all'`N`-esima potenza. Se `N` non è grande, un modo naturale di eseguire questo calcolo è il seguente:

```
float z = t;
for (int j = 0; j < N-1; j++) z *= t;
```

Quindi, se `t` è un `Complex`, ci aspetteremmo di poter scrivere

```
Complex z = t;
for (int j = 0; j < N-1; j++) z.mult(t);
```

che è, però, un'aspettativa subito disattesa, dato che `z` e `t` sono riferimenti allo stesso oggetto `Complex`, e non a oggetti diversi. Questo codice, in effetti, calcola il valore di t^{2^N} e non quello di t^N. La questione è che ci aspettiamo che l'istruzione di assegnamento faccia una copia dell'oggetto, mentre in realtà realizza solo una copia di un riferimento all'oggetto.

Java possiede un meccanismo che affronta in modo specifico questo problema: ogni classe può implementare l'interfaccia Cloneable ("clonabile"). In questa classe, i client possono invocare un metodo clone di un oggetto, che restituisca una copia dell'oggetto (un oggetto diverso con gli stessi campi dato). Il Programma 4.19 è un client che usa questa possibilità per stampare e controllare le radici dell'unità.

Il Programma 4.20 è un ADT per numeri complessi basato sulle considerazioni appena fatte, mentre il Programma 4.21 è un'implementazione che utilizza la rappresentazione standard dei dati (un double per la parte reale e uno per la parte immaginaria). Anche per questo semplice esempio, è importante che il tipo di dato sia astratto, dal momento che esiste almeno un'altra rappresentazione standard che potremmo voler considerare, e cioè quella delle coordinate polari (si veda l'Esercizio 4.67).

Un'altra situazione in cui è utile usare la clonazione è quella in cui ci serviamo di oggetti come parametri di metodi. Per tipi predefiniti ci aspettiamo di avere un oggetto da poter usare in modo esclusivo all'interno del metodo, mentre quando i parametri sono oggetti passiamo un riferimento a essi e abbiamo bisogno di clonarli, se vogliamo che il metodo abbia una copia. Lo stesso si può dire per i valori di ritorno.

La questione della *semantica della copia* è un aspetto piuttosto importante da affrontare nella progettazione di tutti gli ADT. Quando i campi dato di un oggetto sono di tipo predefinito, come nel Programma 4.21, l'implementazione di default di clone all'interno di Object può bastare (poiché va a copiare i valori dei campi dato dell'oggetto nei corrispondenti campi del clone). D'altro canto, se i campi dato contengono riferimenti ad altri oggetti abbiamo bisogno di clonarli, se quegli oggetti contengono a loro volta riferimenti ad altri oggetti, dobbiamo clonare anche questi altri, e così via. Prendiamo un esempio che ci aiuta a capire questo fenomeno in maggior dettaglio.

Il Programma 4.22 esemplifica un programma client che manipola code FIFO. Esso simula una certa situazione che ha a che fare con utenti che arrivano a una di M possibili code e sono serviti. La Figura 4.14 è un esempio dell'output prodotto da questo programma. Ciò che qui ci interessa illustrare è la possibilità di lavorare con code considerandole come oggetti: possiamo, per esempio, immaginare di scrivere programmi simili per analizzare vari metodi di organizzare code al servizio

Programma 4.22   Programma client di una coda (simulazione di una coda)

Questo programma client simula una situazione in cui assegniamo in modo casuale gli utenti in attesa di servizio a una di M possibili code. Scegliamo, quindi, una coda a caso (eventualmente la stessa) e, se non è vuota, eseguiamo il servizio richiesto dall'utente (cancellandolo dalla coda). Per osservare l'effetto sulle code, stampiamo l'utente aggiunto, l'utente servito e il contenuto delle code nelle ultime cinque iterazioni.

Quest'implementazione usa l'interfaccia dell'ADT coda clonabile del Programma 4.23 e richiede un'implementazione di clone, come nel Programma 4.24, per effettuare una copia della coda opportuna per t tutte le volte che viene eseguito il ciclo for interno.

```java
public class SimulateQueues
  { private static int M = 4;
    public static void main(String[] args)
      { int N = Integer.parseInt(args[0]);
        intQueue[] Q = new intQueue[M];
        for (int i = 0; i < M; i++)
          Q[i] = new intQueue(N);
        for (int i = 0; i < N; i++)
          { int in = (int) (Math.random() * M);
            int out = (int) (Math.random() * M);
            Q[in].put(i);
            if (!Q[out].empty()) Q[out].get();
            if(i < N - 5)continue;
            Out.print(in + " in ");
            Out.println(out + " out");
            for (int k = 0; k < M;k++)
              { intQueue t;
                t = (intQueue) Q[k].clone();
                Out.print(k + ": ");
                while(!t.empty())
                  Out.print(t.get() + " ");
                Out.println("");
              }
          }
      }
  }
```

dei clienti. Il programma stampa il contenuto delle code nelle ultime cinque iterazioni del ciclo di simulazione.

Qui, il nostro interesse si limita alla fine del ciclo for, che deve stampare il contenuto di ciascuna coda. Supponiamo di implementare

Programma 4.23 Interfaccia per l'ADT coda clonabile

Per far sì che una classe definita dall'utente i cui dati membro possono contenere riferimenti si comporti alla stregua di un tipo predefinito, dobbiamo includere un'implementazione del metodo `clone()` nella sua interfaccia, come si è fatto per questa versione della coda FIFO già considerata nel Programma 4.15.

```
class intQueue implements Cloneable // interfaccia di ADT
  { // implementazioni e membri privati nascosti
    intQueue(int)
    public Object clone()
    boolean empty()
    void put(int)
    int get()
  }
```

le code tramite liste concatenate (come nel Programma 4.16). Sappiamo che quando scriviamo `t = Q[k]` (dove `t` e `Q[k]` sono entrambi oggetti `intQueue`) li facciamo riferire entrambi alla stessa coda. Ma quale comportamento ci attendiamo quando rendiamo `intQueue` clonabile e scriviamo `t = (intQueue) Q[k].clone()`? L'implementazione di default di `clone` crea semplicemente un nuovo oggetto `t` con una copia dei campi dato di `Q[k]`. In questo caso, i campi `head` e `tail` di `t` saranno riferimenti, rispettivamente, al primo e all'ultimo oggetto in `Q[k]`. Ciò, tuttavia, porta a conseguenze non volute (si veda l'Esercizio 4.71), perché ci aspettavamo chiaramente di ottenere una copia dell'intera lista. Il sistema non può sapere come realizzarla, siamo noi a dovergli fornire il codice. E per fare questo dobbiamo in qualche modo ridefinire l'implementazione di `clone` (Programma 4.24).

Questi metodi sono generalmente basati su semplici attraversamenti delle strutture dati. Non vogliamo, in realtà, compiere queste operazioni tutte le volte, sia perché spesso utilizziamo una singola istanza di un oggetto da una classe, sia perché, se anche abbiamo istanze multiple, vorremmo evitare di copiare inavvertitamente strutture dati estremamente grandi. In breve, teniamo presente la possibilità di clonare oggetti, ma dobbiamo essere sempre a conoscenza del compromesso fra costo e convenienza, specialmente quando si tratta di una grande mole di dati.

Consideriamo, a titolo di esempio ulteriore, la possibilità di modificare il Programma 4.22 in modo che stampi periodicamente solo i

```
75 in 74 out
0: 58 59 60 67 68 73
1:
2: 64 66 72
3: 75

76 in
0: 58 59 60 67 68 73
1:
2: 64 66 72
3: 75 76

77 in 58 out
0: 59 60 67 68 73
1: 77
2: 64 66 72
3: 75 76

78 in 77 out
0: 59 60 67 68 73
1: 78
2: 64 66 72
3: 75 76

79 in 78 out
0: 59 60 67 68 73
1: 79
2: 64 66 72
3: 75 76
```

**Figura 4.14
Simulazione di una coda casuale**

Ecco la parte finale dell'output prodotto dal Programma 4.22 durante un'esecuzione con input 80 (specificato dalla linea di comando). Il contenuto delle diverse code viene stampato dopo le operazioni indicate: si sceglie una coda a caso e si esegue una put *del dato successivo, quindi si sceglie nuovamente una coda a caso e, se non è vuota, si esegue una* get.

Programma 4.24   Implementazione tramite lista concatenata di una coda clonabile

Aggiungendo questo metodo si consente all'implementazione della classe coda FIFO del Programma 4.16 di implementare l'interfaccia del Programma 4.23. Questo metodo esegue una copia della lista attraversandola e costruendo una nuova lista con gli stessi elementi.

```
public Object clone()
  {
    intQueue Q = new intQueue(0);
    for (Node t = head; t != null; t = t.next)
     Q.put(t.item);
    return Q;
  }
```

primi elementi di ciascuna coda, in modo tale da poterne seguire le evoluzioni anche quando le code sono molto lunghe. Ci sorprenderemmo delle deludenti prestazioni, qualora le code dovessero diventare realmente lunghe. L'inizializzazione delle variabili locali nel ciclo for, infatti, invoca il costruttore di copia, che realizza una copia dell'intera coda, anche se vogliamo accedere solo ad alcuni suoi elementi. Prima o poi capiterà che quella coda sia raccolta per intero dal sistema di garbage collection, perché è il valore di una variabile locale. Per il Programma 4.22, così come è concepito, dove si accede a ogni elemento nella copia, i costi extra di allocazione e garbage collection influenzano il tempo di calcolo solo di un fattore costante; tale penalizzazione, d'altro canto, sarebbe irragionevole se volessimo accedere solo ad alcuni elementi delle code. In questa situazione è da preferire l'uso dell'implementazione di default della copia, che prevede solo l'assegnamento fra riferimenti, e quindi la modifica dell'ADT in modo da aggiungere operazioni che permettono di accedere agli elementi di una struttura dati senza modificarla.

Le domande che potremmo porci quando consideriamo implementazioni di ADT sono molte, anche per i semplici ADT presentati in questo capitolo. Vogliamo ottenere di avere in una stessa coda diversi tipi di oggetti? Vogliamo usare implementazioni diverse per code dello stesso tipo in un singolo programma client, se siamo a conoscenza di differenze di prestazioni? Le informazioni circa l'efficienza delle implementazioni devono essere incluse nell'interfaccia? Se sì, in che forma? Questioni del genere sottolineano l'importanza di comprendere le caratteristiche di fondo di algoritmi e strutture dati e il modo in cui i programmi client ne faranno uso. In un certo senso, questo è l'argomento principale del libro. Anche se scrivere implementazioni complete è un esercizio più di ingegneria del software che di progettazione algoritmica, cercheremo di tener sempre presenti gli aspetti essenziali della questione. Gli algoritmi e le strutture dati risultanti potranno, quindi, costituire strumenti software di base in un'ampia gamma di applicazioni (si veda il paragrafo sui riferimenti bibliografici).

Esercizi

▷ **4.62** Sviluppate una versione della classe `Complex` di questo paragrafo (Programma 4.21), che utilizzi metodi statici, invece che metodi di classe, per `add` e `mult`. Scrivete, inoltre, una versione del client radici dell'unità (Programma 4.19) che faccia uso della vostra classe.

4.63 Confrontate le prestazioni della vostra soluzione all'Esercizio 4.62 con i programmi nel testo, rimuovendo le istruzioni `println`, e confrontate i tempi di calcolo per $N = 100, 1000, 10000$.

4.64 Scrivete un metodo `clone` per l'ADT relazioni di equivalenza del Paragrafo 4.5.

4.65 Create un ADT con un metodo `clone` per utilizzarlo in programmi che elaborano carte da gioco.

●● **4.66** Usando l'ADT dell'Esercizio 4.65, scrivete un programma per determinare empiricamente la probabilità che vengano distribuite alcune specifiche mani di poker.

○ **4.67** Sviluppate un'implementazione per l'ADT numeri complessi, che si basi sulla rappresentazione dei numeri complessi in coordinate polari (cioè, della forma $re^{i\theta}$). Il programma deve avere gli stessi metodi pubblici del Programma 4.21.

● **4.68** Usate l'identità $e^{i\theta} = cos\ \theta + i\ sin\ \theta$ per dimostrare che $e^{2\pi i} = 1$ e che le N radici N-esime dell'unità sono

$$cos\left(\frac{2\pi k}{N}\right) + i\ sin\left(\frac{2\pi k}{N}\right),$$

per $k = 0, 1, \ldots, N-1$.

4.69 Elencate le N radici N-esime dell'unità per N da 2 a 8.

● **4.70** Fornite un'implementazione di `toString` per il Programma 4.21 che produca l'output della Figura 4.13 per il Programma 4.19.

▷ **4.71** Descrivete con precisione ciò che accade quando eseguite il Programma 4.22 per la simulazione di una coda, usando una versione clonabile del Programma 4.16, oppure il Programma 4.17 con il metodo `clone` di default.

4.72 Sviluppate un'implementazione dell'ADT coda FIFO clonabile fornito nel testo (Programma 4.23), che usi un array come struttura dati sottostante.

▷ **4.73** Scrivete un'interfaccia per un ADT stack che includa un metodo `clone`.

4.74 Sviluppate un'implementazione dell'interfaccia elaborata per l'Esercizio 4.73 che usi un array come struttura dati sottostante.

4.75 Sviluppate un'implementazione dell'interfaccia elaborata per l'Esercizio 4.73 che usi una lista concatenata come struttura dati sottostante.

○ **4.76** Modificate il programma di valutazione postfissa del Paragrafo 4.3 per valutare espressioni postfisse in cui compaiono numeri complessi con coefficienti interi. Usate l'ADT numeri complessi descritto nel testo (Programma 4.21). Per semplicità, assumete che i numeri complessi abbiano tutti coefficienti interi non nulli sia nella parte reale che in quella immaginaria e che siano scritti senza spazi intermedi. Ad esempio, avendo in ingresso

```
1+1i 0+1i + 1-2i * 3+4i +
```

il programma deve stampare in uscita `8+4i`.

●● **4.77** Eseguite un'analisi matematica del processo di simulazione di una coda del Programma 4.22 in modo da determinare, come funzione di N ed M, la probabilità che la coda selezionata dall'N-esima `get` sia vuota e il numero medio di elementi nelle code dopo N iterazioni del ciclo `for`.

4.10 Esempio di ADT basato su applicazioni

Come esempio finale, in questo paragrafo consideriamo un ADT per un'applicazione specifica. Questo ADT è rappresentativo della relazione fra domini applicativi, algoritmi e strutture dati del tipo considerato in questo libro. L'esempio che esamineremo è l'ADT *polinomio* e proviene dal contesto delle manipolazioni matematiche simboliche, contesto nel quale un calcolatore elabora oggetti matematici astratti.

Il nostro obiettivo è quello di scrivere programmi che elaborino polinomi, eseguendo calcoli come ad esempio

$$\left(1 - x + \frac{x^2}{2} - \frac{x^3}{6}\right)\left(1 + x + x^2 + x^3\right) = 1 + \frac{x^2}{2} + \frac{x^3}{3} - \frac{2x^4}{3} + \frac{x^5}{3} - \frac{x^6}{6}.$$

Vorremmo anche essere in grado di valutare il polinomio per dati valori di x. Per $x = 0.5$, entrambi i membri di quest'equazione hanno valore 1.1328125. Le operazioni di moltiplicazione, addizione e valutazione di polinomi sono alla base di tantissimi calcoli matematici.

Programma 4.25 Interfaccia ADT per polinomi

Quest'interfaccia definisce un ADT polinomio con coefficienti
interi. Il costruttore, quando invocato con i parametri c ed N, crea
un polinomio corrispondente a cx^N.

```
class Poly // interfaccia di ADT
  { // implementazioni e membri privati nascosti
    Poly(int, int)
    double eval(double)
    void add(Poly)
    void mult(Poly)
    public String toString()
  }
```

Il primo passo è quello di definire un ADT polinomio, come illustrato nell'interfaccia del Programma 4.26. Per astrazioni matematiche ben note come i polinomi, le specifiche sono così chiare da non necessitare di alcuna spiegazione: vogliamo che le istanze di questo ADT
si comportino esattamente come le astrazioni matematiche. Come per
i numeri complessi del Paragrafo 4.8, la nostra prima preferenza potrebbe
essere quella di disporre di ADT di prima categoria sui quali poter applicare operatori come ∗ e + (che risultano ben definiti nel caso di polinomi). Il linguaggio Java, però, non supporta l'overloading di operatori, e quindi ci troviamo a dover definire metodi standard. Come per
i numeri complessi, risulta naturale in Java seguire un approccio orientato agli oggetti in cui definiamo metodi add e mult per tutti gli oggetti
polinomio, al fine di sommare o moltiplicare un altro polinomio con
l'oggetto polinomio stesso.

Il Programma 4.25 è un semplice esempio di client che esegue le
operazioni simboliche corrispondenti alle equazioni polinomiali

$$(x + 1)^2 = x^2 + 2x + 1,$$
$$(x + 1)^3 = x^3 + 3x^2 + 3x + 1,$$
$$(x + 1)^4 = x^4 + 4x^3 + 6x^2 + 4x + 1,$$
$$(x + 1)^5 = x^5 + 5x^4 + 10x^3 + 10x^2 + 5x + 1,$$
$$\ldots\ldots$$

e, quindi, valuta il polinomio risultante per un dato valore di x.

Per implementare i metodi definiti nell'interfaccia, abbiamo bisogno di scegliere una particolare struttura dati per rappresentare i

Programma 4.26   Client per i polinomi (coefficienti binomiali)

Questo programma client usa l'ADT polinomio definito nell'interfaccia del Programma 4.25 per eseguire manipolazioni algebriche con polinomi a coefficienti interi. Il programma prende in ingresso dalla linea di comando un numero intero N e un numero in virgola mobile p, calcola $(x + 1)^N$ e verifica il risultato, valutando il polinomio così ottenuto in $x = p$.

```
public class Binomial
  {
    public static void main(String[] args)
      { int N = Integer.parseInt(args[0]);
        double p = Double.parseDouble(args[1]);
        Poly y = new Poly(1, 0);
        Poly t = new Poly(1, 0);
        t.add(new Poly(1, 1));
        for (int i = 0; i < N; i++)
          { y.mult(t); Out.println(y + ""); }
        Out.println("value: " + y.eval(p));
      }
  }
```

polinomi e poi di implementare algoritmi che manipolano quella struttura dati, producendo il comportamento che i client dell'ADT si aspettano. Come al solito, la scelta della struttura dati può influenzare l'efficienza degli algoritmi, e siamo quindi liberi di vagliarne diverse. Abbiamo anche qui (come per stack e code) la possibilità di scegliere fra array e liste concatenate. Il Programma 4.27 è un'implementazione che usa array, quella con liste concatenate è lasciata al lettore come esercizio (Esercizio 4.80).

Per sommare due polinomi, semplicemente sommiamo i rispettivi coefficienti. Se i polinomi sono rappresentati come array, il metodo di somma esegue un singolo ciclo di scansione (si veda il Programma 4.27). Per moltiplicare due polinomi usiamo l'algoritmo elementare basato sulla proprietà distributiva. Moltiplichiamo un polinomio per ciascun termine dell'altro, allineiamo i risultati in modo che le potenze di x corrispondano, e quindi sommiamo i termini per ottenere il risultato finale. La tabella seguente riassume i calcoli per l'esecuzione di $(1 - x + x^2/2 - x^3/6)\,(1 + x + x^2 + x^3)$:

$$1 - x + \frac{x^2}{2} - \frac{x^3}{6}$$
$$+ \, x - x^2 + \frac{x^3}{2} - \frac{x^4}{6}$$
$$+ \, x^2 - x^3 + \frac{x^4}{2} \quad - \frac{x^5}{6}$$
$$+ \, x^3 - x^4 \quad + \frac{x^5}{2} - \frac{x^6}{6}$$
$$\rule{8cm}{0.4pt}$$
$$1 \quad + \frac{x^2}{2} + \frac{x^3}{3} - \frac{2x^4}{3} + \frac{x^5}{3} - \frac{x^6}{6}$$

Questo calcolo sembra richiedere tempo proporzionale a N^2 per moltiplicare due polinomi. Trovare algoritmi più efficienti per questo problema non è banale.

L'implementazione del metodo di valutazione nel Programma 4.27 fa uso di un classico ed efficiente algoritmo chiamato *algoritmo di Horner*. Un'implementazione immediata del metodo richiederebbe un calcolo diretto di tutte le potenze x^N. Tale implementazione richiederebbe tempo quadratico. Un approccio un po' più sofisticato prevede di memorizzare i valori x^i in una tabella, e quindi di usarli in un calcolo diretto. Ma tale approccio richiederebbe spazio aggiuntivo lineare. L'algoritmo di Horner, invece, è un algoritmo lineare ottimale basato su una parentesizzazione del tipo

$$a_4 x^4 + a_3 x^3 + a_2 x^2 + a_1 x + a_0 = (((a_4 x + a_3)x + a_2)x + a_1)x + a_0.$$

Il metodo di Horner è spesso presentato come un semplice espediente per risparmiare tempo di calcolo. Esso rappresenta, piuttosto, un notevole esempio di algoritmo elegante ed efficiente per ridurre da quadratico a lineare il tempo richiesto da un calcolo così basilare come la valutazione di polinomi. I calcoli eseguiti dal Programma 4.5 per convertire stringhe ASCII in interi sono, in effetti, una versione dell'algoritmo di Horner. Incontreremo di nuovo questo algoritmo nel Capitolo 14, come base di un'importante soluzione algoritmica legata ad alcune implementazioni di tabelle di simboli e ricerche su stringhe.

Gli operatori *add* e *mult* costruiscono nuovi array per mantenere i risultati. Scriviamo i nuovi riferimenti sui vecchi, lasciando un certo numero (potenzialmente molto elevato) di oggetti senza riferimenti. In questa situazione, dipendiamo dal meccanismo di garbage collection del sistema (si veda l'Esercizio 4.79). Dato che dobbiamo creare nuovi oggetti in ogni caso, l'uso di metodi statici invece di metodi di classe risulta essere un'alternativa ragionevole in quest'applicazione (Esercizio 4.78).

Programma 4.27 Implementazione dell'ADT polinomio tramite array

In quest'implementazione la rappresentazione dei dati è fornita dal grado del polinomio e da un puntatore a un array di coefficienti.

```
class Poly
  { private int n; private int[] a;
    Poly(int c, int N)
      { a = new int[N+1]; n = N+1; a[N] = c;
        for (int i = 0; i < N; i++) a[i] = 0;
      }
    double eval(double d)
      { double t = 0.0;
        for (int i = n-1; i >= 0; i--)
          t = t*d + (double) a[i];
        return t;
      }
    void add(Poly p)
      { int[] t = new int[(p.n > n) ? p.n : n];
        for (int i = 0; i < p.n; i++)
          t[i] = p.a[i];
        for (int j = 0; j < n; j++)
          t[j] += a[j];
        a = t; n = t.length;
      }
    void mult(Poly p)
      { int[] t = new int[p.n + n -1];
        for (int i = 0; i < p.n; i++)
          for (int j = 0; j < n;j++)
            t[i+j] += p.a[i] * a[j];
        a = t; n = t.length;
      }
    public String toString()
      { String s = "";
        for (int i = 0; i < n; i++)
          s += a[i] + " ";
        return s;
      }
  }
```

Come al solito, la rappresentazione con array per implementare l'ADT polinomio è solo una delle possibilità. Se gli esponenti sono molto grandi e non ci sono molti termini nei polinomi allora una lista concatenata potrebbe essere preferibile (si veda l'Esercizio 4.80). Ad esempio, il Programma 4.27 non è molto appropriato per eseguire moltiplicazioni come

$$(1 + x^{1000000})(1 + x^{2000000}) = 1 + x^{1000000} + x^{2000000} + x^{3000000},$$

perché impiegherebbe un array con spazio per milioni di coefficienti inutilizzati. D'altra parte, la soluzione con liste concatenate userebbe solo alcuni nodi.

Esercizi

▷ **4.78** Sviluppate una versione della classe `Poly` di questo paragrafo (Programma 4.27) che utilizzi metodi statici invece di metodi di classe per `add` e `mult`. Scrivete, inoltre, una versione del client coefficienti binomiali (Programma 4.25) che faccia uso della vostra classe.

4.79 Confrontate le prestazioni della vostra soluzione all'Esercizio 4.62 con i programmi del testo, rimuovendo le istruzioni `println`. Confrontate i tempi di calcolo scegliendo $N = 100$, 1000 e 10000.

○ **4.80** Fornite un'implementazione per l'ADT polinomio dato nel testo (Programma 4.26), che usi liste concatenate come struttura dati sottostante. Le liste non devono contenere alcun nodo corrispondente a coefficienti nulli dei polinomi.

▷ **4.81** Scrivete un metodo `clone` per la classe `Poly` del Programma 4.27 in modo da poter implementare `Cloneable`.

○ **4.82** Estendete l'ADT polinomio dato nel testo, in modo da includere le operazioni di integrazione e differenziazione di polinomi.

4.83 Modificate l'ADT polinomio dell'Esercizio 4.82, in modo da ignorare tutti i termini con esponente maggiore o uguale a un dato intero M, fornito dal client in fase di inizializzazione.

●● **4.84** Estendete l'ADT polinomio dell'Esercizio 4.82, in modo da includere divisione fra polinomi e composizione.

● **4.85** Sviluppate un ADT che consenta ai client di eseguire addizione e moltiplicazione di numeri interi arbitrariamente lunghi.

● **4.86** Modificate il programma di valutazione postfissa del Paragrafo 4.3, in modo da poter valutare espressioni postfisse in cui compaiono numeri interi arbitrariamente lunghi. Usate l'ADT sviluppato nell'Esercizio 4.85.

●● **4.87** Scrivete un programma client che impieghi l'ADT polinomio dell'Esercizio 4.84 per valutare integrali, usando approssimazioni in serie di Taylor di funzioni manipolate simbolicamente.

4.88 Sviluppate un ADT che fornisca ai client la capacità di eseguire operazioni algebriche su vettori di numeri in virgola mobile.

4.89 Sviluppate un ADT che fornisca ai client la capacità di eseguire operazioni algebriche su matrici di oggetti astratti per i quali sono definite le operazioni di addizione, sottrazione, moltiplicazione e divisione.

4.90 Scrivete un'interfaccia per un ADT stringa di caratteri, che includa operazioni per creare una stringa, confrontare due stringhe, concatenare due stringhe, copiare una stringa in un'altra e per calcolare la lunghezza di una stringa. *Nota*: la vostra interfaccia sarà piuttosto simile all'interfaccia Java per il tipo standard `string`.

4.91 Fornite una classe adattatrice che implementi la vostra interfaccia per l'ADT stringa dell'Esercizio 4.90, e che usi, ove oppurtuno, il tipo standard `string`.

4.92 Fornite un'implementazione per l'interfaccia dell'ADT stringa di caratteri dell'Esercizio 4.90, usando una lista concatenata come rappresentazione sottostante. Analizzate il tempo di calcolo di ogni operazione nel caso peggiore.

4.93 Scrivete un'interfaccia e un'implementazione per l'ADT insieme di indici, che elabora insiemi di interi fra 0 ed $M - 1$ (dove M è una data costante), includendo operazioni per creare un insieme, calcolare l'unione, l'intersezione e la differenza fra due insiemi, calcolare il complemento di un insieme, e per stampare il contenuto di un insieme. Usate un array di M componenti a valori booleani per rappresentare ciascun insieme.

4.94 Scrivete un programma client che verifichi l'ADT dell'Esercizio 4.93.

4.11 Prospettive

Ci sono tre ragioni principali per cui vale la pena di conoscere le nozioni che stanno alla base degli ADT, quando si intraprende lo studio di algoritmi e strutture dati:

- gli ADT sono un importante strumento di ingegneria del software di uso diffuso, e molti degli algoritmi che studiamo servono a implementare ADT fondamentali e di ampia applicabilità;

- gli ADT ci aiutano a incapsulare gli algoritmi che sviluppiamo, in modo tale da poter riusare lo stesso codice per scopi diversi;

- gli ADT forniscono un conveniente meccanismo che possiamo sfruttare in fase di sviluppo di algoritmi e di confronto delle prestazioni.

Dal punto di vista ideale, gli ADT concretizzano il ragionevole principio per il quale siamo obbligati a descrivere con precisione i modi in cui manipoliamo i dati. La struttura client-interfaccia-implementazione approfondita in questo capitolo risulta essere piuttosto conveniente per scrivere programmi in Java, e ci fa ottenere codice Java con tutta una serie di utili proprietà. Molti moderni linguaggi di programmazione forniscono uno specifico supporto per lo sviluppo di programmi con simili proprietà, anche se l'approccio generale, chiaramente, è indipendente dal particolare linguaggio di programmazione. Quando il linguaggio non fornisce uno specifico supporto, adottiamo particolari convenzioni di programmazione per mantenere l'adeguata separazione fra programmi client, interfacce e implementazioni.

Quando i possibili modi di specificare il comportamento dei nostri ADT aumentano, crescono di conseguenza le necessità di fornire efficienti implementazioni. I numerosi esempi che abbiamo considerato illustrano alcuni modi per rispondere a tali necessità. Saremo costantemente alla ricerca di implementazioni efficienti delle operazioni, ma non disporremo plausibilmente di un'implementazione di uso generale che possa raggiungere questo scopo per tutte le possibili operazioni. Questa situazione si scontra con i principi che ci hanno portato agli ADT, perché in molti casi chi implementa ADT ha bisogno di conoscere le proprietà dei programmi client per sapere quali implementazioni di ADT avranno le prestazioni migliori; mentre chi implementa programmi client ha bisogno di conoscere le prestazioni delle varie implementazioni per sapere quale scegliere per una data applicazione. Come sempre, si tratta di trovare il giusto compromesso. In questo libro consideriamo numerosi approcci per implementare varianti di ADT fondamentali. Tutte queste varianti hanno importanti applicazioni.

Possiamo usare ADT per costruire altri ADT. Abbiamo usato le astrazioni dei puntatori e delle strutture fornite dal linguaggio Java per costruire liste concatenate; quindi, abbiamo usato liste concatenate o l'astrazione degli array di Java per costruire stack, e abbiamo usato stack per avere la possibilità di valutare espressioni aritmetiche. Il concetto di ADT ci consente di costruire sistemi di grandi dimensioni su diversi livelli di astrazione, dalle istruzioni in linguaggio macchina fornite dal calcolatore alle varie risorse dei linguaggi di programmazione, alle operazioni di ordinamento, ricerca e altre operazioni ad alto livello eseguite dagli algoritmi presentati nelle Parti 3 e 4 di questo libro. Gli ADT sono solo un punto nello spettro dello sviluppo continuo di meccanismi astratti sempre più potenti, che rappresenta l'essenza dell'uso dei calcolatori per la soluzione efficiente di problemi.

CAPITOLO CINQUE

Ricorsione e alberi

L A RICORSIONE È UN CONCETTO FONDAMENTALE sia in matematica che in informatica. La definizione più semplice afferma che un programma è ricorsivo quando contiene invocazioni a se stesso (e una funzione è detta ricorsiva quando è definita in termini di se stessa). Un programma ricorsivo non può invocarsi infinitamente, o finirebbe col non terminare mai (analogamente, una funzione ricorsiva non può essere definita esclusivamente in termini di se stessa, altrimenti darebbe luogo a una definizione circolare). Una caratteristica essenziale in una definizione ricorsiva è data dalla *condizione di terminazione*, il cui scopo consiste nel determinare quando un programma deve smettere di invocarsi (e quando una funzione non deve essere più definita in termini di se stessa). Tutte le computazioni che incontriamo in pratica possono essere riscritte in forma ricorsiva.

Lo studio della ricorsione è strettamente legato allo studio di strutture definite ricorsivamente, note con il nome di *alberi*. Usiamo gli alberi sia per facilitare la comprensione e l'analisi di programmi ricorsivi, sia come esplicite strutture dati. Abbiamo già incontrato un'applicazione degli alberi (sebbene non ricorsiva) nel Capitolo 1. Il legame fra programmi ricorsivi e alberi è basilare. Usiamo gli alberi per capire più a fondo i programmi ricorsivi, e usiamo i programmi ricorsivi per costruire gli alberi. Ci basiamo sulle fondamentali relazioni fra alberi e programmi ricorsivi per analizzare algoritmi, sfruttando opportunamente le relazioni di ricorrenza. La ricorsione ci aiuta a sviluppare algoritmi e strutture dati eleganti ed efficienti per moltissime applicazioni.

Lo scopo principale di questo capitolo è quello di esaminare l'utilizzo della ricorsione come strumento pratico. Per prima cosa, tratteremo i legami fra le ricorrenze matematiche e alcuni semplici programmi ricorsivi, considerando un certo numero di esempi di programmi ricorsivi. In seguito, verrà presentato il prototipo di un tipico programma ricorsivo di tipo *divide et impera*, simile a quelli impiegati nel resto del libro per risolvere diversi problemi fondamentali. Quindi, considereremo un approccio generale all'implementazione di programmi ricorsivi noto col nome di *programmazione dinamica*, che fornisce soluzioni efficaci ed eleganti per un'ampia classe di problemi. Più avanti approfondiremo gli alberi, le loro proprietà matematiche e alcuni algoritmi associati, come ad esempio gli algoritmi elementari di *attraversamento* che stanno alla base di tutti i programmi di elaborazione di alberi. Infine, considereremo algoritmi collegati per l'elaborazione di grafi e analizzeremo, in particolare, un fondamentale programma ricorsivo, la *ricerca in profondità* (o ricerca *depth-first*) che rappresenta il punto di partenza di molti algoritmi su grafi.

Molti algoritmi interessanti sono facilmente esprimibili in forma ricorsiva, e diversi studiosi preferiscono utilizzare questo tipo di rappresentazione per i loro algoritmi. D'altra parte, è altrettanto vero che algoritmi ugualmente interessanti si celano nei dettagli di un'implementazione non ricorsiva. Non è infrequente, in effetti, la possibilità di formulare programmi ricorsivi in termini di programmi (iterativi) basati su stack, che risultano essenzialmente equivalenti alle versioni ricorsive. Altre volte è possibile scrivere algoritmi alternativi non ricorsivi, che ottengono lo stesso risultato attraverso una sequenza di calcoli differente. In questo senso, la formulazione ricorsiva ci offre una struttura all'interno della quale cercare alternative più efficienti.

Una discussione completa su ricorsione e alberi potrebbe richiedere un intero libro, dato che si tratta di concetti che si presentano con estrema frequenza nelle applicazioni in tutta l'informatica e si diffondono anche al di fuori di essa. Potremmo affermare che questo testo è "pregno" di ricorsione e alberi, poiché essi sono fortemente presenti in ogni capitolo del libro.

5.1 Algoritmi ricorsivi

Un algoritmo ricorsivo risolve un dato problema attraverso la soluzione di istanze più piccole del medesimo problema. Per implementare un algoritmo ricorsivo in Java usiamo *metodi ricorsivi*, cioè metodi che richiamano se stessi. I metodi ricorsivi di Java corrispondono alle definizioni ricorsive di funzioni matematiche. Iniziamo il nostro studio sulla ricorsione dall'esame di programmi che valutano in modo diretto funzioni matematiche. Come vedremo, i meccanismi di base che useremo

---

Programma 5.1   Funzione fattoriale (implementazione ricorsiva)

Questo metodo ricorsivo calcola la funzione $N!$, usando la consueta definizione matematica. Il programma restituisce il valore corretto, quando è eseguito su un numero N intero non negativo che sia sufficientemente piccolo da poter rappresentare $N!$ con un int.

```
static int factorial(int N)
  {
    if (N == 0) return 1;
    return N*factorial(N-1);
  }
```

---

si possono, in effetti, estendere fino a ottenere un paradigma generale di programmazione.

Le relazioni di ricorrenza (Paragrafo 2.5) sono funzioni definite ricorsivamente. Una relazione di ricorrenza definisce una funzione, il cui dominio è l'insieme dei numeri interi non negativi, fissando alcuni valori iniziali, e quindi definendo (ricorsivamente) gli altri valori nei termini assunti dalla funzione stessa su interi più piccoli. Forse la più nota di tali funzioni è quella *fattoriale*, definita dalla relazione di ricorrenza

$$N! = N \cdot (N-1)!, \qquad \text{per } N \geq 1 \text{ dove } 0! = 1.$$

Questa definizione corrisponde in modo diretto al metodo Java ricorsivo del Programma 5.1.

Il Programma 5.1 è equivalente a un semplice ciclo. Il ciclo seguente, ad esempio, realizza lo stesso calcolo:

```
for ( t = 1, i = 1; i <= N; i++) t *= i;
```

Come avremo modo di vedere, è sempre possibile trasformare un programma ricorsivo in un programma non ricorsivo che esegue gli stessi calcoli. Viceversa, possiamo usare la ricorsione anche per esprimere una qualsiasi computazione con cicli tramite una computazione in cui non compaiono cicli.

Usiamo la ricorsione perché spesso essa ci consente di esprimere algoritmi complessi in forma compatta e senza sacrificare l'efficienza. Ad esempio, l'implementazione ricorsiva della funzione fattoriale non necessita di variabili locali di supporto. Il costo dell'implementazione ricorsiva si deve piuttosto al meccanismo stesso del linguaggio, che per-

---

Programma 5.2   Un programma ricorsivo discutibile

Se l'argomento N è dispari, la funzione chiama se stessa sull'argomento $3N + 1$, mentre se N è pari, la funzione chiama se stessa su $N/2$. Non possiamo dimostrare per induzione che questo programma termina, perché non tutte le chiamate ricorsive hanno come argomento valori più piccoli di quello dato.

```
static int puzzle(int N)
  {
    if (N == 1) return 1;
    if (N % 2 == 0)
        return puzzle(N/2);
    else return puzzle(3*N+1);
  }
```

```
puzzle(3)
  puzzle(10)
    puzzle(5)
      puzzle(16)
        puzzle(8)
          puzzle(4)
            puzzle(2)
              puzzle(1)
```

Figura 5.1
Esempio di catena di invocazioni di metodi ricorsivi

Questa sequenza annidata di invocazioni di metodi giunge prima o poi a terminazione, anche se non siamo in grado di dimostrare che il metodo ricorsivo del Programma 5.2 non abbia annidamento arbitrariamente profondo per qualche valore dell'argomento. È, quindi, preferibile usare programmi ricorsivi che invochino se stessi su argomenti più piccoli.

mette di supportare l'invocazione di metodi. Tale meccanismo implementa effettivamente una struttura a stack. Molti dei moderni ambienti di programmazione offrono meccanismi estremamente ben congegnati per questo scopo. Assieme a questi vantaggi, dobbiamo però far notare che è spesso facile scrivere semplici implementazioni ricorsive che risultano, poi, estremamente inefficienti. Si deve, quindi, prestare una certa attenzione ed evitare implementazioni computazionalmente intrattabili.

Il Programma 5.1 illustra le caratteristiche di base di un programma ricorsivo: il programma richiama se stesso (su un argomento più piccolo) e dispone di una condizione di terminazione in cui calcola il risultato in modo diretto. Si può usare l'induzione matematica per convincersi che il programma si comporta correttamente:

- il programma calcola 0! (caso base)

- assumendo che il programma calcoli $k!$ per $k < N$ (ipotesi induttiva), esso calcola $N!$

Questo è un modo tipico di impostare il ragionamento per sviluppare velocemente algoritmi che risolvono problemi più complessi.

In un linguaggio di programmazione come Java, esistono poche restrizioni sul tipo di programmi che è possibile scrivere, anche se noi cercheremo di limitare l'uso di funzioni ricorsive a quei programmi che, come quello appena visto, prevedono una dimostrazione di correttezza per induzione. In questo libro non verranno prese in considerazione dimostrazioni formali di correttezza. Poiché siamo comun-

---

Programma 5.3 Algoritmo di Euclide

Uno dei più antichi algoritmi conosciuti, risalente a più di 2000 anni
fa, è il metodo ricorsivo per determinare il massimo comun divisore fra due interi.

```
static int gcd(int M, int N)
  {
    if (N == 0) return M;
    return gcd(N, M % N);
  }
```

---

que interessati a combinare programmi complessi per risolvere problemi difficili, dobbiamo avere una qualche certezza che tali problemi abbiano soluzioni corrette dai nostri programmi. I metodi ricorsivi ci danno questa certezza, offrendo allo stesso tempo implementazioni compatte. In pratica, il legame con l'induzione matematica ci
dice che i nostri metodi ricorsivi dovrebbero soddisfare due requisiti
fondamentali:

- devono risolvere in modo esplicito il caso base

- ogni chiamata ricorsiva deve avere come argomenti valori più piccoli.

Questi due punti significano, in sostanza, che dovremmo avere una valida dimostrazione induttiva per ogni metodo ricorsivo che scriviamo.
Comunque sia, per quanto vaghi possano essere, essi rappresentano un'u-
tile indicazione per scrivere implementazioni.

Il Programma 5.2 è un esempio che serve a illustrare la necessità
di un'argomentazione induttiva. Si tratta di un metodo ricorsivo che vìo-
la la regola per cui ogni chiamata ricorsiva deve coinvolgere argomenti più piccoli. Quindi, non possiamo usare l'induzione matematica per
analizzarla. Non è, in effetti, noto se la computazione eseguita da questo programma termini per ogni valore intero positivo di N. Per interi
piccoli che possono rappresentarsi come int, possiamo verificare la terminazione del programma semplicemente facendolo girare (si veda la
Figura 5.1 e l'Esercizio 5.4), ma per interi più grandi (ad esempio, di 64
bit) non siamo in grado di stabilire se il programma termini oppure cicli all'infinito.

Il Programma 5.3 è un'implementazione compatta dell'*algoritmo
di Euclide* per determinare il massimo comun divisore fra due interi.

```
gcd(314159, 271828)
  gcd(271828, 42331)
    gcd(42331, 17842)
      gcd(17842, 6647)
        gcd(6647, 4458)
          gcd(4458, 2099)
            gcd(2099, 350)
              gcd(350, 349)
                gcd(349, 1)
                  gcd(1, 0)
```

**Figura 5.2
Esempio di algoritmo
di Euclide**

*Questa sequenza annidata di invoca-
zioni di metodi illustra le operazioni
svolte dall'algoritmo di Euclide nel
determinare che 314159 e 271828
sono primi fra loro.*

Programma 5.4   Programma ricorsivo per valutare espressioni prefisse

Per valutare un'espressione prefissa trasformiamo un numero da ASCII a binario (nel ciclo `while` alla fine), oppure eseguiamo l'operazione indicata dal primo carattere dell'espressione sui due operandi valutati ricorsivamente. Questa funzione è ricorsiva, ma usa un array globale contenente l'espressione e un indice al carattere corrente dell'espressione. Il puntatore è fatto avanzare dopo che ogni sottoespressione è stata valutata.

```
static char[] a;
static int i;
static int eval()
  { int x = 0;
    while (a[i] == ' ') i++;
    if (a[i] == '+')
      { i++; return eval() + eval(); }
    if (a[i] == '*')
      { i++; return eval() * eval(); }
    while ((a[i] >= '0') && (a[i] <= '9'))
      x = 10*x + (a[i++]-'0');
    return x;
  }
```

```
eval() * + 7 * * 4 6 + 8 9 5
  eval() + 7 * * 4 6 + 8 9
    eval() 7
    eval() * * 4 6 + 8 9
      eval() * 4 6
        eval() 4
        eval() 6
        return 24 = 4*6
      eval() + 8 9
        eval() 8
        eval() 9
        return 17 = 8 + 9
      return 408 = 24*17
    return 415 = 7+408
  eval() 5
  return 2075 = 415*5
```

Figura 5.3
Esempio di valutazione di espressioni prefisse

Questa sequenza annidata di invocazioni di metodi illustra le operazioni dell'algoritmo ricorsivo di valutazione di espressioni prefisse su un'espressione campione. Gli argomenti dell'espressione sono mostrati per comodità. L'algoritmo di per sé non decide esplicitamente l'estensione della stringa ad argomento; esso legge piuttosto ciò che serve dall'inizio della stringa.

L'algoritmo è basato sull'osservazione che il massimo comun divisore fra due interi x e y, con $x > y$ è lo stesso del massimo comun divisore fra y e $x \bmod y$ (il resto della divisione di x per y). Un numero t divide sia x che y se e solo se t divide sia y che $x \bmod y$, perché x è dato dalla somma di $x \bmod y$ e un multiplo di y. Un esempio di chiamate ricorsive effettuate dal programma è mostrato nella Figura 5.2. La profondità della ricorsione nel caso dell'algoritmo di Euclide dipende dalle proprietà aritmetiche degli argomenti. È noto, comunque, che essa è logaritmica.

Il Programma 5.4 è un esempio con chiamate ricorsive multiple. Si tratta di un ulteriore valutatore di espressioni aritmetiche che esegue essenzialmente le stesse operazioni del Programma 4.5, ma applicate a espressioni prefisse (piuttosto che postfisse) e sostituendo lo stack con il meccanismo esplicito delle chiamate ricorsive. In questo capitolo, presenteremo molti altri esempi di equivalenza fra programmi ricorsivi e programmi non ricorsivi che impiegano uno stack. Alcuni di questi esempi, poi, saranno esaminati dettagliatamente.

La Figura 5.3 mostra le operazioni del Programma 5.4 su un'espressione campione. Le chiamate ricorsive multiple nascondono una complessa serie di calcoli. Come tipicamente accade per i programmi ricorsivi, il Programma 5.4 può essere studiato per induzione: si assume che esso funzioni correttamente per espressioni semplici e, perciò, che funzioni correttamente anche per espressioni più complesse. Il programma è un semplice esempio di analizzatore sintattico (*parser*) per *discesa ricorsiva*. Lo stesso tipo di impostazione generale potrebbe essere usata per trasformare programmi scritti in Java in programmi scritti in codice macchina.

Una dimostrazione induttiva formale della correttezza del Programma 5.4 è certamente più difficile da scrivere di quelle per metodi con argomenti interi che si sono analizzate in precedenza. Nel corso di questo libro, in effetti, avremo modo di studiare programmi e strutture dati ricorsive ancor più complicate di queste. Non cercheremo, quindi, di fornire dimostrazioni formali per ciascuno degli algoritmi che incontreremo. Nel caso specifico, la capacità del programma di "sapere" come separare gli operandi corrispondenti a un dato operatore può sembrare a prima vista misteriosa (magari, perché non è immediato capire come effettuare questa separazione al livello più alto). Si tratta in realtà di un calcolo abbastanza semplice, perché il cammino da seguire a ogni invocazione di metodo è determinato in modo non ambiguo dal primo carattere dell'espressione.

In linea di principio, potremmo sostituire ogni ciclo for con un programma ricorsivo equivalente. Spesso la ricorsione è un modo più naturale di esprimere calcoli rispetto ai cicli for, quindi potremmo ben approfittare dei meccanismi offerti da un ambiente di programmazione che supporta la ricorsione. C'è tuttavia nei programmi ricorsivi un costo occulto che dovremmo sempre considerare. Come si vede chiaramente dagli esempi nelle Figure dalla 5.1 alla 5.3, quando eseguiamo un programma ricorsivo dobbiamo annidare invocazioni di metodi fino al punto in cui non sono più necessarie invocazioni ricorsive e si restituisce direttamente il controllo al chiamante. In molti ambienti di programmazione, queste chiamate annidate sono implementate con stack di sistema: tale processo verrà analizzato in questo capitolo. La *profondità della ricorsione* è il massimo grado di annidamento delle invocazioni di un metodo che si raggiunge durante la computazione. Di solito tale profondità dipende dall'input. Ad esempio, la profondità della ricorsione per gli esempi delle Figure 5.2 e 5.3 è, rispettivamente, 9 e 4. Quando usiamo un programma ricorsivo, dobbiamo sempre tener presente che il sistema deve mantenere uno stack di dimensione proporzionale alla profondità della ricorsione. Per problemi di grandissime dimensioni, lo spazio occupato da questo stack potrebbe addirittura impedirci di adottare una soluzione ricorsiva.

Strutture dati costruite a partire da oggetti i cui campi sono riferimenti ad altri oggetti dello stesso tipo sono inerentemente ricorsive. Ad esempio, la nostra definizione di lista concatenata del Capitolo 3 (Definizione 3.3) è una definizione ricorsiva. I programmi ricorsivi costituiscono, quindi, una naturale implementazione di numerose funzioni di manipolazione di queste strutture dati. Il Programma 5.5 include quattro esempi in tal senso. Nel libro useremo di frequente queste implementazioni, principalmente perché sono molto più agevoli da comprendere delle loro controparti non ricorsive. Dobbiamo tuttavia stare attenti nell'usare le funzioni del Programma 5.5 quando si devono elaborare liste estremamente lunghe, perché la profondità della ricorsione per questi metodi può essere proporzionale alla lunghezza delle liste e quindi richiedere un'occupazione di memoria proibitiva.

Alcuni ambienti di programmazione sono in grado di rilevare ed eliminare in modo automatico la cosiddetta *ricorsione in coda*, cioè quella per cui l'ultima istruzione all'interno di un metodo è un'invocazione ricorsiva. In tal caso, infatti, l'aumento di profondità della ricorsione può essere evitato. Questo accorgimento trasformerebbe effettivamente i metodi count ("conta"), traverse ("attraversa") e remove ("cancella") in semplici cicli; lo stesso accorgimento non si può applicare, invece, a traverseR ("attraversa a ritroso").

Nei Paragrafi 5.2 e 5.3 considereremo due famiglie di algoritmi ricorsivi che rappresentano fondamentali paradigmi algoritmici. Nei Paragrafi dal 5.4 al 5.7 tratteremo, invece, alcune strutture dati ricorsive che stanno alla base di moltissimi algoritmi studiati in questo libro.

Esercizi

▷ **5.1** Scrivete un programma ricorsivo che calcoli $\lg(N!)$.

5.2 Modificate il Programma 5.1 affinché calcoli $N! \bmod M$, in modo tale da evitare problemi di overflow. Provate a eseguire il programma per $M = 997$ ed $N = 10^3$, 10^4, 10^5 e 10^6 in modo da trarre indicazioni su come il vostro ambiente di programmazione gestisce chiamate ricorsive fortemente annidate.

▷ **5.3** Fornite la sequenza di valori degli argomenti che si ottengono quando il Programma 5.2 è eseguito sugli interi da 1 a 9.

● **5.4** Determinate il valore di $N < 10^6$ per cui il Programma 5.2 esegue il massimo numero di chiamate ricorsive.

▷ **5.5** Scrivete un'implementazione non ricorsiva dell'algoritmo di Euclide.

Programma 5.5   Esempi di funzioni ricorsive per liste concatenate

Questi metodi ricorsivi per l'elaborazione di liste sono facili da scrivere, ma potrebbero non essere utilizzabili su liste molto lunghe, poiché la profondità della ricorsione può essere proporzionale alla lunghezza della lista.

Il primo metodo, `count`, conta il numero di nodi della lista. Il secondo, `traverse`, invoca il metodo `visit` su ogni nodo della lista, dall'inizio alla fine. Questi due metodi sono facilmente implementabili anche con un ciclo `for` o `while`. Il terzo metodo, `traverseR`, non ammette una semplice controparte iterativa. Esso invoca il metodo `visit` su ogni nodo della lista ma in ordine inverso.

Il quarto metodo, `remove`, cancella dalla lista tutti i nodi aventi un dato valore. Le modifiche strutturali prodotte da ciascuna invocazione sono le stesse di quelle illustrate nella Figura 3.5.

```
int count(Node h)
  {
    if (h == null) return 0;
    return 1 + count(h.next);
  }
void traverse(Node h)
  {
    if (h == null) return;
    h.item.visit();
    traverse(h.next);
  }
void traverseR(Node h)
  {
    if (h == null) return;
    traverseR(h.next);
    h.item.visit();
  }
Node remove(Node h, Item v)
  {
    if (h == null) return null;
    if (eq(h.item, v)) return remove(h.next, v);
    h.next = remove(h.next, v);
    return h;
  }
```

▷ **5.6**   Date la sequenza di chiamate annidate dell'algoritmo di Euclide sugli input 89 e 55, nello stile della Figura 5.2.

○ **5.7**   Calcolate la profondità della ricorsione dell'algoritmo di Euclide quando gli input sono due numeri di Fibonacci consecutivi (F_N ed F_{N+1})

▷ **5.8**   Fornite il risultato della valutazione ricorsiva di espressioni prefisse sull'input + * * 12 12 12 144, nello stile della Figura 5.3.

5.9   Scrivete un programma ricorsivo per valutare espressioni postfisse.

5.10   Scrivete un programma ricorsivo per valutare espressioni infisse. Potete assumere che gli operandi siano sempre racchiusi fra parentesi.

○ **5.11**   Scrivete un programma ricorsivo che trasformi espressioni infisse in postfisse.

○ **5.12**   Scrivete un programma ricorsivo che trasformi espressioni postfisse in infisse.

5.13   Scrivete un programma ricorsivo per risolvere il problema di Giuseppe Flavio (Paragrafo 3.3).

5.14   Scrivete un programma ricorsivo che cancelli l'elemento finale di una lista concatenata.

○ **5.15**   Scrivete un programma ricorsivo per invertire l'ordine dei nodi di una lista concatenata (si veda il Programma 3.9). *Suggerimento*: usate una variabile globale.

5.2 Divide et impera

Molti dei programmi ricorsivi che analizzeremo usano due sole chiamate ricorsive, ciascuna operante su una metà dell'input. Questo schema ricorsivo è forse l'esempio più importante del paradigma di progettazione algoritmica noto col nome di *divide et impera* (dal latino, "dividi e conquista"), che costituisce il fondamento di molte delle nostre soluzioni computazionali.

Come esempio, consideriamo il problema di determinare il massimo fra N elementi memorizzati in un array a[0], ..., a[N−1]. Potremmo facilmente realizzare l'obiettivo con una singola scansione dell'array:

```
for (t = a[0], i = 1; i < N; i++)
    if (a[i] > t) t = a[i];
```

La soluzione ricorsiva *divide et impera*, data nel Programma 5.6, è un algoritmo altrettanto semplice (ma completamente diverso) per risolvere lo stesso problema. Esso viene usato qui al solo scopo di esemplificare la tecnica *divide et impera*.

Più spesso, però, ci troviamo a far uso dell'approccio *divide et impera*, perché esso fornisce soluzioni più rapide di quelle ottenute attraverso semplici algoritmi iterativi (ne vedremo vari esempi), oltre a essere utile per comprendere la natura intrinseca di certi processi computazionali.

Programma 5.6 Approccio divide et impera per trovare il massimo

Questo metodo divide l'array di double a[l], ..., a[r] in a[l], ..., a[m] e a[m+1], ..., a[r], determina (ricorsivamente) i due elementi massimi nei due sottoarray e restituisce il maggiore fra i due massimi come il massimo dell'array di partenza. Se la dimensione dell'array è pari, le due parti hanno uguale dimensione, mentre se l'array è di dimensione dispari, le due parti hanno dimensione che differisce di 1.

```
static double max(double a[], int l, int r)
  {
    if (l == r) return a[l];
    int m = (l+r)/2;
    double u = max(a, l, m);
    double v = max(a, m+1, r);
    if (u > v) return u; else return v;
  }
```

Al solito, è il codice che suggerisce la struttura della dimostrazione induttiva:

- per array di dimensione $N = 1$ trova il massimo esplicitamente
- per $N > 1$ dividi l'array in due sottoarray di dimensione minore di N, quindi trova il massimo delle due parti per ipotesi induttiva e restituisci il più grande fra i due valori, che sarà necessariamente il massimo dell'intero array di partenza.

La stessa struttura ricorsiva del programma può essere usata per vagliare le prestazioni.

La Figura 5.4 mostra le invocazioni ricorsive del Programma 5.6 eseguito su un array campione. La struttura risultante di queste chiamate potrebbe essere intricata, anche se di solito non dobbiamo interessarcene: sfruttiamo una dimostrazione induttiva per mostrare che il programma funziona e una relazione di ricorrenza per analizzarne le prestazioni.

Proprietà 5.1 *Un metodo ricorsivo che divide un problema di dimensione N in due parti indipendenti (non vuote) che risolve in modo ricorsivo, invoca se stesso per meno di N volte.*

Se le due parti hanno, rispettivamente, dimensione k e $N - k$, il numero totale di invocazioni ricorsive è

```
 0  1  2  3  4  5  6  7  8  9 10
 T  I  N  Y  E  X  A  M  P  L  E

    Y max(0, 10)
     Y max(0, 5)
      T max(0, 2)
       T max(0, 1)
        T max(0, 0)
        I max(1, 1)
       N max(2, 2)
      Y max(3, 5)
       Y max(3, 4)
        Y max(3, 3)
        E max(4, 4)
       X max(5, 5)
    P max(6, 10)
     P max(6, 8)
      M max(6, 7)
       A max(6, 6)
       M max(7, 7)
      P max(8, 8)
     L max(9, 10)
      L max(9, 9)
      E max(10, 10)
```

Figura 5.4
Un approccio ricorsivo alla determinazione del massimo

Questa sequenza di invocazioni di metodi illustra la dinamica del calcolo del massimo attraverso un algoritmo ricorsivo.

$$T_N = T_k + T_{N-k} + 1, \qquad \text{per } N \geq 1 \text{ dove } T_1 = 0.$$

La soluzione $T_N = N - 1$ è immediata per induzione. Se la somma delle dimensioni è minore di N, il fatto che il numero di chiamate sia minore di $N - 1$ segue dalla stessa argomentazione induttiva. Risultati analoghi si possono mostrare sotto condizioni più generali (si veda l'Esercizio 5.20). ■

Il Programma 5.6 è rappresentativo di molti algoritmi *divide et impera* con questa struttura, anche se questi altri algoritmi possono differire in due punti essenziali. Primo, il Programma 5.6 esegue una quantità di lavoro costante a ogni invocazione di metodo (ed è per questo che il suo tempo di calcolo totale è lineare). Altri algoritmi *divide et impera* possono richiedere calcoli maggiori a ogni invocazione di metodo, quindi determinare il tempo totale può essere più difficoltoso e dipendere specificamente dal modo esatto in cui il problema è suddiviso. Secondo, il Programma 5.6 è un esempio in cui le parti sono disgiunte fra loro e la loro unione corrisponde all'intero problema. In altri algoritmi *divide et impera* l'unione delle parti può non dar luogo all'intero problema oppure, ancora, le parti possono essere parzialmente sovrapposte e la somma delle dimensioni essere superiore alla dimensione del problema di partenza. Questi sono ancora algoritmi ricorsivi corretti, perché *ogni* sottoproblema è più piccolo del problema di partenza, ma la loro analisi è più difficile di quella del Programma 5.6. Analizzeremo questi diversi tipi di algoritmi al momento debito. A titolo di esempio, l'algoritmo di ricerca binaria studiato nel Paragrafo 2.6 è, in effetti, un algoritmo *divide et impera* che scompone un problema in due parti e quindi lavora su una sola di queste. Vedremo un'implementazione ricorsiva di questo algoritmo nel Capitolo 12.

La Figura 5.5 mostra il contenuto dello stack utilizzato dal sistema per implementare la computazione della Figura 5.4. Il modello raffigurato è certamente ideale, serve però a farci intuire la struttura di un calcolo *divide et impera*. Se un programma ha due chiamate ricorsive, lo stack di sistema conterrà un record (che consta di valori degli argomenti, variabili locali e indirizzo di ritorno), corrispondente alla prima invocazione di metodo quando tale metodo è in corso di esecuzione, e quindi un record simile per la seconda invocazione di metodo quando tale metodo è in corso di esecuzione. L'alternativa illustrata nella Figura 5.5 è quella di inserire nello stesso momento entrambi i record nello stack, mantenendo esplicitamente nello stack tutti i sottoproblemi da risolvere. Questo modo di procedere delinea

```
 0 10
 0  5  6 10
 0  2  3  5  6 10
 0  1  2  2  3  5  6 10
 0  0  1  1  2  2  3  5  6 10
 1  1  2  2  3  5  6 10
 2  2  3  5  6 10
 3  5  6 10
 3  4  5  5  6 10
 3  3  4  4  5  5  6 10
 4  4  5  5  6 10
 5  5  6 10
 6 10
 6  8  9 10
 6  7  8  8  9 10
 6  6  7  7  8  8  9 10
 7  7  8  8  9 10
 8  8  9 10
 9 10
 9  9 10 10
10 10
```

Figura 5.5
Esempio di evoluzione di uno stack

Questa sequenza è una rappresentazione idealizzata dell'evoluzione del contenuto dello stack di sistema, durante la computazione della Figura 5.4. Iniziamo con gli indici sinistro e destro dell'intero sottoarray nello stack. Ogni riga raffigura il risultato dell'estrazione (pop) di due indici, e quindi, in caso gli indici siano diversi, dell'inserimento (push) di quattro indici che delimitano il sottoarray di sinistra e il sottoarray di destra, ottenuti dalla divisione del sottoarray i cui due estremi sono stati estratti prima. In pratica, invece di mantenere sullo stack questa specifica rappresentazione delle operazioni da eseguire, il sistema mantiene indirizzi di ritorno e variabili locali. La rappresentazione che abbiamo dato è, però, sufficiente a descrivere l'intera computazione.

chiaramente la computazione da eseguire e prepara il campo per schemi computazionali più generali, come ad esempio quelli che presentemo nei Paragrafi 5.6 e 5.8.

La Figura 5.6 illustra la struttura del calcolo del massimo con l'algoritmo *divide et impera*. La struttura è chiaramente ricorsiva: il nodo in cima contiene la dimensione dell'array di input, la struttura per il sottoarray di sinistra è disegnata sulla sinistra, quella per il sottoarray di destra è posta sulla destra. Discuteremo e formalizzeremo strutture ad albero di questo tipo nei Paragrafi 5.4 e 5.5. Queste rappresentazioni sono certamente utili per comprendere la struttura di ogni programma che sia caratterizzato da invocazioni annidate di metodi, e quindi, in particolare, dei programmi ricorsivi. Sempre nella Figura 5.6 mostriamo lo stesso albero in cui, però, i nodi sono etichettati con i valori restituiti da ciascuna invocazione di metodo. Nel Paragrafo 5.7 studieremo esplicite strutture dati basate su link per rappresentare alberi di questo tipo.

La discussione sulla ricorsione non sarebbe completa se non menzionassimo l'antico problema delle *torri di Hanoi*. Abbiamo tre pioli ed N dischi che possono essere inseriti nei pioli. I dischi hanno diversa dimensione e sono inizialmente sistemati tutti in un piolo, in ordine dal più grande alla base (disco N) al più piccolo in cima (disco 1). L'obiettivo è quello di spostare la pila di dischi sul piolo più a destra, rispettando le due regole seguenti: può essere spostato un solo disco per volta e non è possibile mettere un disco più grande sopra uno più piccolo. La leggenda nata attorno a questo problema dice che il mondo avrà fine quando un gruppo di monaci di un certo tempio riuscirà a risolvere il problema con 40 dischi d'oro e 3 pioli di diamante.

Il Programma 5.7 fornisce una soluzione ricorsiva al problema. Esso determina quale disco deve essere mosso a ogni passo e in quale direzione. + significa muovi di un piolo sulla destra, tornando sul piolo più a sinistra, se ci si trova già su quello all'estrema destra, – significa muovi di un piolo sulla sinistra, tornando sul piolo più a destra, se ci si trova già su quello all'estrema sinistra. La soluzione ricorsiva si basa sull'idea seguente: per spostare N dischi di un piolo sulla destra, spostiamo prima gli $N-1$ dischi che stanno sopra di un piolo sulla sinistra, quindi il disco N di un piolo a destra, e infine gli $N-1$ dischi ancora a sinistra di un piolo sopra il disco N. È possibile verificare per induzione che questa soluzione è corretta. La Figura 5.7 mostra le mosse per $N = 5$ e le chiamate ricorsive per $N = 3$. Alcune caratteristiche di questa soluzione sono chiaramente visibili.

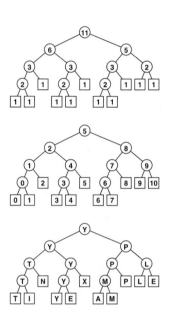

Figura 5.6
Struttura ricorsiva dell'algoritmo per determinare il massimo

L'algoritmo divide et impera scompone un problema di dimensione 11 in uno di dimensione 6 e uno di dimensione 5, quindi il problema di dimensione 6 in due di dimensione 3 e così via, fino a raggiungere problemi di dimensione 1 (in alto). Ogni cerchietto in questi diagrammi rappresenta una chiamata, nel metodo ricorsivo, ai nodi appena sotto e connessi al cerchietto con linee. I quadrati sono quelle chiamate su cui la ricorsione termina. Il diagramma di mezzo mostra il valore dell'indice di mezzo usato per la suddivisione dell'array. Il diagramma in basso mostra i valori restituiti dalle chiamate.

Figura 5.7
Torri di Hanoi

Questa figura rappresenta la soluzione del problema delle torri di Hanoi per cinque dischi. Spostiamo a sinistra i quattro dischi di sopra (colonna di sinistra), quindi spostiamo il disco 5 sulla destra e, infine, spostiamo i quattro dischi di sopra ancora a sinistra (colonna di destra). La sequenza di invocazioni di un metodo riportata qui sotto rappresenta la computazione su tre dischi. La sequenza di mosse calcolate è +1 −2 +1 +3 +1 − 2 +1, e compare quattro volte nella soluzione (ad esempio, le prime sette mosse).

```
hanoi(3, +1)
  hanoi(2, -1)
    hanoi(1, +1)
      hanoi(0, -1)
      shift(1, +1)
      hanoi(0, -1)
    shift(2, -1)
    hanoi(1, +1)
      hanoi(0, -1)
      shift(1, +1)
      hanoi(0, -1)
  shift(3, +1)
  hanoi(2, -1)
    hanoi(1, +1)
      hanoi(0, -1)
      shift(1, +1)
      hanoi(0, -1)
    shift(2, -1)
    hanoi(1, +1)
      hanoi(0, -1)
      shift(1, +1)
      hanoi(0, -1)
```

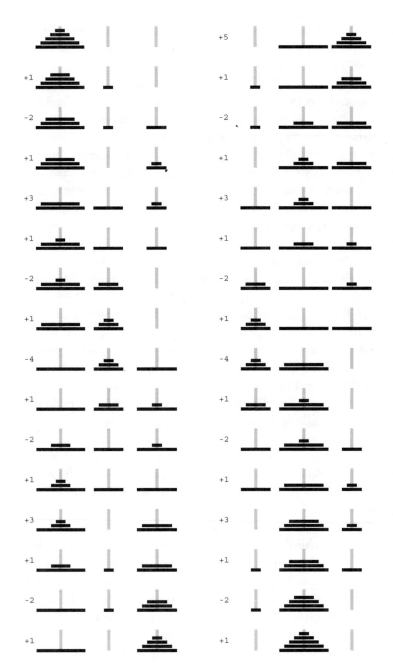

Per prima cosa, la struttura ricorsiva della soluzione fornisce immediatamente il numero di mosse che la soluzione richiede.

> **Programma 5.7 Soluzione del problema delle torri di Hanoi**
>
> Spostiamo la torre di dischi sulla destra muovendo (ricorsivamente) a sinistra tutti i dischi tranne l'ultimo, quindi spostando l'ultimo disco a destra e, infine, trasferendo (ricorsivamente) indietro la torre sull'ultimo disco.
>
> ```
> static void hanoi(int N, int d)
>   {
>     if (N == 0) return;
>     hanoi(N-1, -d);
>     shift(N, d);
>     hanoi(N-1, -d);
>   }
> ```

Proprietà 5.2 *L'algoritmo ricorsivo delle torri di Hanoi calcola una soluzione in* $2^N - 1$ *mosse.*

Come al solito, il fatto che il numero di mosse soddisfi una relazione di ricorrenza è immediatamente visibile dal codice. In questo caso, la ricorrenza sul numero di mosse dei dischi è simile alla Formula 2.5:

$$T_N = 2T_{N-1} + 1, \qquad \text{per } N \geq 2, \text{ dove } T_1 = 1.$$

È possibile verificare l'enunciato direttamente per induzione: abbiamo $T(1) = 2^1 - 1 = 1$, mentre se $T(k) = 2^k - 1$ per $k < N$, allora $T(N) = 2(2^{N-1} - 1) + 1 = 2^N - 1$. ∎

Se i monaci spostassero i dischi alla velocità di uno al secondo, impiegherebbero almeno 348 secoli per terminare (si veda la Figura 2.1), anche assumendo che non facciano errori. La fine del mondo sarà verosimilmente anche più lontana, perché i monaci presumibilmente non hanno mai avuto la possibilità di usare il Programma 5.7 e, quindi, non potrebbero essere così veloci nello stabilire le mosse. Consideriamo ora il metodo che porta a una semplice soluzione non ricorsiva. Anche se forse non sarebbe una buona idea rivelare il segreto ai monaci, tale metodo è importante per molti algoritmi che si incontrano in pratica.

Per capire il problema delle torri di Hanoi, consideriamo le tacche presenti su un righello con la scala espressa in pollici: si deve disegnare una tacca ogni mezzo pollice (1/2"), una tacca leggermente più corta a intervalli di 1/4", una ancora più corta a intervalli di 1/8", ecc.

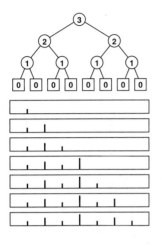

```
rule(0, 8, 3)
  rule(0, 4, 2)
    rule(0, 2, 1)
      rule(0, 1, 0)
      mark(1, 1)
      rule(1, 2, 0)
    mark(2, 2)
    rule(2, 4, 1)
      rule(2, 3, 0)
      mark(3, 1)
      rule(3, 4, 0)
  mark(4, 3)
  rule(4, 8, 2)
    rule(4, 6, 1)
      rule(4, 5, 0)
      mark(5, 1)
      rule(5, 6, 0)
    mark(6, 2)
    rule(6, 8, 1)
      rule(6, 7, 0)
      mark(7, 1)
      rule(7, 8, 0)
```

Figura 5.8
**Invocazioni di metodi
per il disegno di un righello**

Questa sequenza di chiamate di invocazioni di metodi rappresenta la computazione per il disegno di un righello di lunghezza 8. Le tacche risultanti hanno lunghezze 1, 2, 1, 3, 1, 2 e 1.

Programma 5.8   Soluzione divide et impera per disegnare un righello

Per tracciare le tacche di un righello disegniamo prima quelle nella metà di sinistra, quindi quella più lunga nel centro e, infine, quelle sulla destra. Il programma deve essere usato per $r - l$ pari a una potenza di 2, una proprietà che è preservata nelle sue chiamate ricorsive (Esercizio 5.27).

```
static void rule(int l, int r, int h)
  { int m = (l+r)/2;
    if (h > 0)
      {
        rule(l, m, h-1);
        mark(m, h);
        rule(m, r, h-1);
      }
  }
```

Il nostro compito è quello di scrivere un programma che disegni queste tacche fino a una data risoluzione, assumendo di avere a disposizione una procedura mark(x,h) che faccia una tacca alta h unità in posizione x.

Se la risoluzione desiderata è $1/2^n$ pollici, basta effettuare un cambiamento di scala in modo tale da ricondurre il problema a quello di tracciare una tacca su ogni punto compreso fra 0 e 2^n, estremi esclusi. La tacca centrale dovrebbe essere alta n unità, quelle poste al centro delle due metà di destra e di sinistra dovrebbero essere alte $n - 1$ unità e così via. Il Programma 5.8 è un semplice programma *divide et impera* per ottenere tale risultato. La Figura 5.8 illustra il programma in esecuzione su un piccolo esempio. La soluzione ricorsiva è basata sulla seguente osservazione: per tracciare le tacche in un intervallo, dividiamo prima in due metà uguali, quindi disegniamo le tacche corte nella metà di sinistra (ricorsivamente), la tacca lunga nel mezzo e ancora le tacche corte nella metà di destra (ricorsivamente). In effetti, però, ci accorgiamo che il metodo traccia le tacche in ordine da sinistra a destra (Figura 5.8); l'unica difficoltà è quella di calcolare le lunghezze delle tacche. L'albero di ricorsione nella figura ci aiuta a capire la computazione effettuata: leggendo dall'alto verso il basso, notiamo che la lunghezza della tacca diminuisce di 1 per ogni invocazione ricorsiva. Leggendo da sinistra a destra otteniamo le tacche nell'ordine in cui sono disegnate, poiché per ogni dato nodo facciamo prima le tacche associate all'invocazione di metodo sulla sinistra, poi quella associata al nodo e, infine, quelle associate all'invocazione di metodo sulla destra.

Possiamo verificare immediatamente che la sequenza delle lunghezze coincide esattamente con la sequenza delle mosse per il problema delle torri di Hanoi. In effetti, una semplice dimostrazione induttiva di questa coincidenza è data dal fatto che i due programmi ricorsivi sono identici. In altri termini, i nostri monaci potrebbero usare le tacche di un righello per decidere quale disco muovere di volta in volta.

Tanto il Programma 5.7 quanto il Programma 5.8 sono varianti dello schema di base *divide et impera* esemplificato dal Programma 5.6. Tutti e tre risolvono un problema di dimensione 2^n dividendolo in due problemi di dimensione 2^{n-1}. Per trovare il massimo abbiamo una soluzione in tempo lineare nella dimensione dell'input; per disegnare un righello e risolvere il problema delle torri di Hanoi abbiamo una soluzione in tempo lineare nella dimensione dell'output. Per le torri di Hanoi, in particolare, consideriamo questa una soluzione con tempo *esponenziale*, dato che misuriamo la dimensione del problema in termini del numero n di dischi.

Disegnare tacche su un righello con un programma ricorsivo è, quindi, abbastanza facile. Ci chiediamo ora se esista un modo più semplice di calcolare la lunghezza della i-esima tacca, per ogni dato i. La Figura 5.9 mostra un semplice processo di calcolo che risponde a tale quesito. L'i-esimo numero stampato sia dal programma delle torri di Hanoi che dal programma del righello non è altro che il numero di bit uguali a 0 che stanno in coda nella rappresentazione binaria del numero i. È possibile dimostrare induttivamente questo assunto attraverso la corrispondenza con una formulazione *divide et impera* del processo di stampa della tabella dei numeri di n bit: stampa la tabella dei numeri di $n-1$ bit, ciascuno preceduto da uno 0, quindi stampa la tabella dei numeri di $n-1$ bit, ciascuno preceduto da un 1 (si veda l'Esercizio 5.25).

Per il problema delle torri di Hanoi l'implicazione immediata di questa corrispondenza è un semplice algoritmo che risolve il problema. Possiamo spostare la pila di dischi di un piolo a destra, ripetendo i due passaggi seguenti fino a quando non abbiamo finito:

- sposta il disco più piccolo a destra se n è dispari, a sinistra se n è pari

- esegui l'unica mossa consentita a disposizione, che non coinvolga il disco più piccolo.

0	0	0	0	1	
0	0	0	1	0	1
0	0	0	1	1	
0	0	1	0	0	2
0	0	1	0	1	
0	0	1	1	0	1
0	0	1	1	1	
0	1	0	0	0	3
0	1	0	0	1	
0	1	0	1	0	1
0	1	0	1	1	
0	1	1	0	0	2
0	1	1	0	1	
0	1	1	1	0	1
0	1	1	1	1	
1	0	0	0	0	4
1	0	0	0	1	
1	0	0	1	0	1
1	0	0	1	1	
1	0	1	0	0	2
1	0	1	0	1	
1	0	1	1	0	1
1	0	1	1	1	
1	1	0	0	0	3
1	1	0	0	1	
1	1	0	1	0	1
1	1	0	1	1	
1	1	1	0	0	2
1	1	1	0	1	
1	1	1	1	0	1
1	1	1	1	1	

Figura 5.9
Contatore binario e funzione righello

Calcolare la funzione righello è equivalente a contare il numero di zeri in coda ai numeri pari di N bit.

Programma 5.9   Programma non ricorsivo per disegnare un righello

A differenza del Programma 5.8, qui disegniamo un righello iniziando da tutte le tacche di lunghezza 1, quindi procedendo con quelle di lunghezza 2, e così via. La variabile t contiene la lunghezza delle tacche, mentre la variabile j memorizza il numero di tacche che stanno fra due tacche di lunghezza t. Il ciclo for esterno incrementa t e mantiene la proprietà $j = 2^{t-1}$. Il ciclo for interno traccia tutte le tacche di lunghezza t.

```
static void rule(int l, int r, int h)
  {
    for (int t = 1, j = 1; t <= h; j += j,t++)
      for (int i = 0; l+j+i <= r; i += j+j)
        mark(l+j+i, t);
  }
```

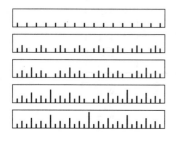

Figura 5.10
Disegno bottom-up di un righello

Per disegnare un righello in modo non ricorsivo, alterniamo tacche di lunghezza 1 a posti vuoti, quindi tacche di lunghezza 2 ai posti vuoti rimanenti e, ancora, tacche di lunghezza 3 ai posti vuoti rimanenti, ecc.

Quindi, dopo aver mosso il disco più piccolo, gli altri due pioli conterranno due dischi, uno piccolo e uno grande. L'unica mossa consentita, che non coinvolge il disco più piccolo, è quella di spostare il disco piccolo su quello grande. Una mossa ogni due coinvolge il disco più piccolo per la stessa ragione per cui un numero binario su due è dispari e ogni tacca su due nel righello è la più corta. Forse i nostri monaci conoscono questa corrispondenza, è difficile infatti immaginare come potrebbero altrimenti decidere quali mosse effettuare.

Una dimostrazione induttiva del fatto che una mossa su due nel problema delle torri di Hanoi coinvolge il disco più piccolo (e che si inizia e si termina spostando il disco più piccolo) può essere istruttiva. Per $n = 1$ c'è solo una mossa che coinvolge il disco più piccolo, quindi in questo caso l'asserzione è vera. Per $n > 1$ l'ipotesi induttiva per cui essa è vera per $n - 1$ implica che essa sia vera anche per n, per costruzione ricorsiva: la prima soluzione per $n - 1$ inizia con una mossa del disco più piccolo, mentre la seconda soluzione per $n - 1$ termina con una tale mossa, quindi la soluzione per n inizia e termina con una mossa del disco più piccolo. Eseguiamo uno spostamento che non coinvolge il disco più piccolo fra due mosse del disco più piccolo (cioè l'ultima mossa della prima soluzione per $n - 1$ e la prima della seconda soluzione per $n - 1$), quindi la proprietà per cui una mossa ogni due sposta il disco più piccolo è preservata.

Il Programma 5.9 è un modo alternativo di disegnare un righello, basato sulla corrispondenza con i numeri binari (Figura 5.10). Ci riferiamo a questa versione dell'algoritmo come a un'implementazione *bottom-up* (cioè, "dal basso verso l'alto"). Questa versione non è ricorsiva, anche se è certamente ispirata dall'implementazione ricorsiva. La corrispondenza fra algoritmi *divide et impera* e la rappresentazione binaria dei numeri spesso offre intuizioni per eseguire l'analisi e per sviluppare versioni migliorate, come quella bottom-up. Consideriamo questo approccio sia per comprendere che per migliorare (eventualmente) gli algoritmi *divide et impera* che studiamo.

L'approccio bottom-up ha l'effetto di riordinare la computazione quando stiamo disegnando il righello. La Figura 5.11 mostra un altro esempio in cui l'ordine delle tre invocazioni ricorsive è modificato. Quest'ordine riflette la computazione ricorsiva nel modo in cui l'abbiamo descritta all'inizio: disegna la tacca centrale, quindi disegna la metà di sinistra e infine la metà di destra. Lo schema di disegno delle tacche è complicato, anche se risulta dal semplice scambio di due istruzioni nel Programma 5.8. Come vedremo nel Paragrafo 5.6, la relazione fra le Figure 5.8 e 5.11 è simile alla relazione fra espressioni aritmetiche postfisse e prefisse.

Disegnare le tacche nell'ordine della Figura 5.8 potrebbe essere preferibile, piuttosto che eseguire i calcoli del Programma 5.9 indicati nella Figura 5.11, poiché nel primo caso avremo la possibilità di disegnare righelli arbitrariamente lunghi, immaginando di avere un semplice dispositivo grafico che scorre verso destra. In modo analogo, per risolvere il problema delle torri di Hanoi siamo vincolati a produrre la sequenza di mosse nell'ordine in cui esse sono effettivamente eseguite. In genere, per molti programmi ricorsivi è importante l'ordine in cui i sottoproblemi sono risolti. Per altri tipi di computazioni (ad esempio, il Programma 5.6), l'ordine di soluzione dei sottoproblemi è irrilevante. In tali casi l'unico vincolo è quello per cui si devono risolvere i sottoproblemi prima del problema principale. Riuscire a capire se si disponga o meno di questa flessibilità non è solo importante per la progettazione di algoritmi, ma ha anche precise conseguenze pratiche in vari contesti. Ad esempio, la questione è di importanza essenziale quando vogliamo implementare algoritmi su processori paralleli.

L'approccio bottom-up corrisponde al metodo generale di progettazione di algoritmi in cui andiamo a risolvere un problema partendo dai sottoproblemi banali e combinando queste soluzioni per risolvere problemi leggermente più grandi, fino a ottenere la soluzione dell'intero problema. Questo schema potrebbe essere chiamato *combina e conquista* (invece che "dividi e conquista").

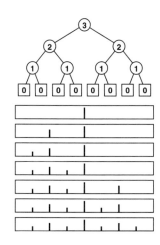

```
rule(0, 8, 3)
  mark(4, 3)
  rule(0, 4, 2)
    mark(2, 2)
    rule(0, 2, 1)
      mark(1, 1)
      rule(0, 1, 0)
      rule(1, 2, 0)
    rule(2, 4, 1)
      mark(3, 1)
      rule(2, 3, 0)
      rule(3, 4, 0)
  rule(4, 8, 2)
    mark(6, 2)
    rule(4, 6, 1)
      mark(5, 1)
      rule(4, 5, 0)
      rule(5, 6, 0)
    rule(6, 8, 1)
      mark(7, 1)
      rule(6, 7, 0)
      rule(7, 8, 0)
```

Figura 5.11
Invocazioni di metodi per il disegno di un righello (versione in preordine)

Questa sequenza mostra ciò che si ottiene quando disegniamo le tacche prima di effettuare le invocazioni ricorsive, invece che fra un'invocazione e l'altra.

Tabella 5.1 Algoritmi divide et impera di base

La ricerca binaria (Capitoli 2 e 12) e il Mergesort (Capitolo 8) sono tipici esempi di algoritmi divide et impera per i quali si possono garantire prestazioni ottimali rispettivamente per il problema della ricerca e per quello dell'ordinamento. Le ricorrenze indicano le caratteristiche della computazione *divide et impera* dei due algoritmi (si rimanda ai Paragrafi 2.5 e 2.6 per le soluzioni di queste ricorrenze, indicate nella colonna più a destra). La ricerca binaria divide il problema in due, esegue un confronto, e quindi una chiamata ricorsiva su una delle due metà. Il Mergesort spezza il problema in due, lavora su entrambe le metà ricorsivamente, e quindi effettua N confronti. In questo libro vedremo molti altri esempi di algoritmi che posseggono un tale carattere ricorsivo.

	ricorrenza	soluzione approssimata
ricerca binaria		
confronti	$C_N = C_{N/2} + 1$	$\lg N$
mergesort		
chiamate ricorsive	$A_N = 2A_{N/2} + 1$	N
confronti	$C_N = 2C_{N/2} + N$	$N \lg N$

Fra il disegno di un righello e quello di forme bidimensionali il passo è breve. La Figura 5.12 illustra come una semplice descrizione ricorsiva possa condurre a una computazione che si presenta complessa (Esercizio 5.30).

I tracciati geometrici definiti ricorsivamente come quelli nella Figura 5.12, prendono talvolta il nome di *frattali*. Utilizzando primitive grafiche più sofisticate e chiamate ricorsive più articolate (specialmente con l'impiego di funzioni ricorsive definite sui numeri reali e nel piano complesso), è possibile ottenere grafici estremamente vari e complicati. Un altro esempio, mostrato nella Figura 5.13 è la cosiddetta *stella di Koch*, definita ricorsivamente in questo modo: una stella di Koch di ordine 0 è il semplice esempio `hill` della Figura 4.3, mentre una stella di Koch di ordine n è una stella di Koch di ordine $n-1$ in cui ogni segmento è sostituito dalla stella di ordine 0, opportunamente ridimensionata.

Come per le torri di Hanoi e il disegno del righello, questi algoritmi sono lineari nel numero di passaggi, ma tale numero è esponenziale rispetto alla massima profondità della ricorsione (si vedano gli Esercizi 5.29 e 5.33). Essi possono ancora essere messi in relazione al conteggio, pur di impiegare un appropriato sistema numerico (Esercizio 5.34).

I tre problemi esaminati fin qui, torri di Hanoi, disegno di un righello e frattali, sono senza dubbio divertenti e il loro legame coi numeri binari è certamente sorprendente. La ragione principale per cui li abbiamo riportati è, però, quella di far familiarizzare il lettore con il fondamentale paradigma di progettazione algoritmica che consiste nel suddividere un problema a metà e, quindi, nel risolvere i due sottoproblemi in modo indipendente. La Tabella 5.1 riporta informazioni relative a due ben noti algoritmi: l'algoritmo di ricerca binaria e l'algoritmo di ordinamento Mergesort. Entrambi sono molto usati nella pratica ed esemplificano il paradigma di progettazione *divide et impera*.

L'algoritmo Quicksort (Capitolo 7) e l'algoritmo di ricerca su alberi binari (Capitolo 12) rappresentano una significativa variazione sul tema *divide et impera*, in cui il problema di dimensione N è suddiviso in sottoproblemi di dimensione $k - 1$ ed $N - k$, per un qualche k che dipende dall'input. Su input casuali questi algoritmi scompongono mediamente un problema in sottoproblemi di ugual dimensione (come per Mergesort e per la ricerca binaria). Studieremo le implicazioni di queste differenze nel contesto della discussione di questi algoritmi.

Altre variazioni sul tema che analizzeremo includono la divisione in parti di dimensione variabile, la divisione in più di due parti e quella in parti sovrapposte, il tutto al variare della quantità di calcoli da eseguire nella parte non ricorsiva dell'algoritmo. Gli algoritmi *divide et impera* in genere devono eseguire calcoli intermedi per scomporre un problema in sottoproblemi o per ricombinare le soluzioni dei sottoproblemi, oppure anche per passare da un sottoproblema al successivo. Quindi, può ben esserci codice ulteriore prima, dopo o in mezzo a due chiamate ricorsive. Naturalmente, queste varianti conducono ad algoritmi più complessi e più difficili da analizzare della ricerca binaria e del Mergesort.

Esercizi

5.16 Scrivete un programma ricorsivo che trovi il massimo elemento di un array, basato sul confronto fra il primo elemento dell'array con il massimo elemento del resto dell'array (calcolato ricorsivamente).

5.17 Scrivete un programma ricorsivo che trovi il massimo elemento di una lista concatenata.

Figura 5.12
Stella frattale bidimensionale

Questo frattale è una versione bidimensionale della Figura 5.10. I quadrati contornati nella figura più sotto enfatizzano la struttura ricorsiva della computazione.

```
/kochR
  {
    2 copy ge {dup 0 rlineto }
    {
      3 div
      2 copy kochR
      60 rotate
      2 copy kochR
      -120 rotate
      2 copy kochR
      60 rotate
      2 copy kochR
    } ifelse
    pop pop
  } def
0 0 moveto
27 81 kochR
0 27 moveto
9 81 kochR
0 54 moveto
3 81 kochR
0 81 moveto
1 81 kochR
stroke
```

Figura 5.13
Programma PostScript
ricorsivo per il frattale
di Koch

*Questa modifica del programma
PostScript della Figura 4.3 trasforma
l'output in un frattale (vedi testo).*

5.18 Modificate il programma divide et impera che determina il massimo elemento di un array (Programma 5.6), in modo che esso spezzi l'array in due parti di dimensioni $k = 2^{\lceil \lg N \rceil - 1}$ ed $N - k$ (quindi, almeno una delle due parti con dimensione pari a una potenza di 2).

5.19 Disegnate l'albero corrispondente alle chiamate ricorsive che il programma dell'Esercizio 5.18 esegue su un array di dimensione 11.

● **5.20** Dimostrate per induzione che un algoritmo divide et impera che scompone un problema in sottoproblemi la cui unione dà luogo al problema di partenza e che risolve i sottoproblemi in modo ricorsivo, esegue un numero lineare di invocazioni di metodi.

● **5.21** Dimostrate che la soluzione ricorsiva al problema delle torri di Hanoi (Programma 5.7) è ottimale. In altri termini, provate che ogni soluzione richiede almeno $2^N - 1$ mosse.

▷ **5.22** Scrivete un programma ricorsivo che calcoli la lunghezza dell'i-esima tacca di un righello con $2^n - 1$ tacche.

●● **5.23** Esaminate tabelle di numeri di n bit, come quella nella Figura 5.9, per scoprire una proprietà dell'i-esimo numero da cui si possa determinare la direzione dell'i-esima mossa (indicata dal bit di segno nella Figura 5.7) nel problema delle torri di Hanoi.

5.24 Scrivete un programma che produca una soluzione al problema delle torri di Hanoi, usando un array contenente tutte le mosse (come nel Programma 5.9).

○ **5.25** Scrivete un programma ricorsivo che riempia di cifre binarie una matrice di dimensioni $n \times 2^n$, in modo che essa contenga tutti i numeri di n cifre binarie (un esempio è quello della Figura 5.9).

5.26 Mostrate i risultati prodotti dal programma ricorsivo di disegno del righello (Programma 5.8) sulle chiamate seguenti:

```
rule(0, 11, 4),  rule(4, 20, 4)  e rule(7, 30, 5).
```

Nota: i valori degli argomenti sono intenzionalmente "sbagliati".

5.27 Dimostrate il seguente assunto a proposito del Programma 5.8: se la differenza fra i primi due argomenti è una potenza di 2, allora anche le sue due chiamate ricorsive hanno questa proprietà.

○ **5.28** Scrivete un metodo che calcoli in modo efficiente il numero di zeri finali nella rappresentazione binaria di un intero.

○ **5.29** Quanti quadrati ci sono nella Figura 5.12? Includete nel conteggio anche i quadrati coperti da altri quadrati più grandi.

○ **5.30** Scrivete un programma Java ricorsivo con in output un programma PostScript che disegna il diagramma in basso della Figura 5.12. Tale programma deve essere organizzato come un elenco di invocazioni di metodi `x y r box`, che disegnano un quadrato di lato r dal punto (x, y). Implementate `box` in PostScript (si veda il Paragrafo 4.3).

5.31 Scrivete un programma bottom-up non ricorsivo (simile al Programma 5.9) che disegni il diagramma in basso della Figura 5.12 col metodo descritto nell'Esercizio 5.30.

• 5.32 Scrivete un programma PostScript che disegni il diagramma in basso della Figura 5.12.

▷ 5.33 Quanti segmenti ci sono in una stella di Koch di ordine n?

•• 5.34 Disegnare una stella di Koch di ordine n comporta l'esecuzione di una sequenza di comandi del tipo "ruotate di α gradi, quindi tracciate un segmento di lunghezza $1/3^n$". Trovate una corrispondenza con sistemi numerici che dia la possibilità di disegnare la stella per incremento di un contatore e, quindi, di calcolare l'angolo α dal valore di questo contatore.

• 5.35 Modificate il programma della stella di Koch nella Figura 5.13 in modo da produrre un frattale basato su una figura di 5 segmenti (per l'ordine 0) e definito dalle seguenti mosse ordinate: un'unità a est, una a nord, una a est, una a sud e infine una a est (si veda la Figura 4.3).

5.36 Scrivete un metodo ricorsivo divide et impera per tracciare un'approssimazione all'interno di un piano, avente un piano a coordinate intere di un segmento determinato dai suoi estremi. Assumete che le coordinate siano comprese fra 0 ed M. *Suggerimento*: tracciate prima un punto vicino al centro.

5.3 Programmazione dinamica

Una caratteristica fondamentale degli algoritmi *divide et impera* è quella di partizionare il problema in sottoproblemi indipendenti. Quando i sottoproblemi non sono indipendenti la situazione si complica, principalmente perché un'implementazione ricorsiva diretta anche del più semplice di questi esempi potrebbe richiedere una quantità di tempo inimmaginabile. In questo paragrafo consideriamo una tecnica sistematica per aggirare quest'inconveniente su un'importante classe di problemi.

Il Programma 5.10, ad esempio, è un'implementazione ricorsiva diretta della ricorrenza che definisce i numeri di Fibonacci (si veda il Paragrafo 2.3). Non è certo un programma da usare in pratica, poiché è incredibilmente inefficiente. Infatti, il numero di chiamate ricorsive per calcolare F_N è pari a F_{N+1}, che è all'incirca ϕ^N, dove $\phi \approx 1.618$ è il rapporto aureo. Quindi, il Programma 5.10 esegue questo banale calcolo in tempo esponenziale. La Figura 5.14 indica le chiamate ricorsive su un piccolo esempio e rende palese il fatto che vi siano molti calcoli che vengono rieseguiti.

Programma 5.10 Numeri di Fibonacci (implementazione ricorsiva)

Sebbene sia elegante e compatto, questo programma non si utilizza in pratica, perché richiede tempo esponenziale per calcolare F_N. Il tempo necessario a calcolare F_{N+1} è all'incirca pari a $\phi \approx 1.6$ volte quello necessario a calcolare F_N. Ad esempio, poiché $\phi^9 > 60$, se osserviamo che il nostro computer impiega circa un secondo per calcolare F_N, possiamo concludere che esso impiegherà più di un minuto per calcolare F_{N+9} e più di un ora per calcolare F_{N+18}.

```
static int F(int i)
  {
    if (i < 1) return 0;
    if (i == 1) return 1;
    return F(i-1) + F(i-2);
  }
```

Bisogna notare, però, che è sempre possibile calcolare F_N in tempo lineare (proporzionale a N), calcolando i primi N numeri di Fibonacci e memorizzandoli uno dopo l'altro in un array:

```
F[0] = 0; F[1] = 1;
for (i = 2; i <= N; i++)
  F[i] = F[i-1] + F[i-2];
```

I numeri crescono esponenzialmente e, quindi, l'array non ha bisogno di essere molto grande. Ad esempio, F_{45} = 1836311903 è il più grande numero di Fibonacci che può essere rappresentato come intero a 32 bit, quindi un array di dimensione 46 può bastare.

Questa tecnica ci offre un modo immediato per ottenere soluzioni numeriche di ogni relazione di ricorrenza. Nel caso di numeri di Fibonacci possiamo anche fare a meno dell'array e memorizzare solo gli ultimi due valori (Esercizio 5.37). Per molte altre ricorrenze (ad esempio, quella dell'Esercizio 5.40) abbiamo invece bisogno di mantenere un array con tutti i valori calcolati in precedenza.

Una ricorrenza è una funzione ricorsiva su valori interi. La discussione sinora svolta porta a concludere che per valutare una tale funzione sia sufficiente calcolare i valori in ordine a partire dal più piccolo e usare a ogni passo i valori calcolati in precedenza per calcolare quello corrente. Chiameremo questa tecnica *programmazione dinamica bottom-up*. Essa è applicabile a ogni computazione di natura ricorsi-

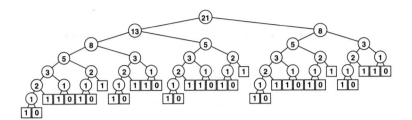

**Figura 5.14
Struttura dell'algoritmo ricorsivo per i numeri di Fibonacci**

La struttura delle chiamate ricorsive per calcolare F_8 con l'algoritmo ricorsivo standard illustra come la ricorsione con sottoproblemi sovrapposti può portare a costi esponenziali. In questo caso, la seconda chiamata ricorsiva ignora totalmente la computazione eseguita durante la prima, e ciò si risolve in una ripetizione di calcoli massiccia, dato che gli effetti si moltiplicano ricorsivamente. Le chiamate ricorsive per calcolare $F_6 = 8$ (che sono raffigurate nel sottoalbero destro della radice e nel sottoalbero sinistro del sottoalbero sinistro della radice) sono elencate qui sotto.

```
8 F(6)
  5 F(5)
    3 F(4)
      2 F(3)
        1 F(2)
          1 F(1)
          0 F(0)
        1 F(1)
      1 F(2)
        1 F(1)
        0 F(0)
    2 F(3)
      1 F(2)
        1 F(1)
        0 F(0)
      1 F(1)
  3 F(4)
    2 F(3)
      1 F(2)
        1 F(1)
        0 F(0)
      1 F(1)
    1 F(2)
      1 F(1)
      0 F(0)
```

va, purché sia in grado di memorizzare tutti i valori calcolati in precedenza. Si tratta di una tecnica di progettazione algoritmica usata con successo su un'ampia gamma di problemi. E, se una tecnica è in grado di migliorare il tempo di calcolo da esponenziale a lineare, è il caso di considerarla con attenzione.

La programmazione dinamica top-down ("dall'alto verso il basso") è un modo ancor più semplice di vedere la programmazione dinamica, che consente di implementare in modo "automatico" metodi ricorsivi con un costo al più pari a quello dell'approccio bottom-up. Predisponiamo il nostro programma ricorsivo in modo che esso, al termine di ciascun calcolo, memorizzi il valore calcolato e controlli all'inizio i valori attualmente memorizzati per evitare di ricalcolarli. Il Programma 5.11 è la trasformazione "meccanica" del Programma 5.10 che riduce il tempo di esecuzione a lineare, usando la programmazione dinamica top-down. La Figura 5.15 mostra la drastica riduzione nel numero di chiamate ricorsive ottenuta da questa semplice trasformazione meccanica.

Consideriamo adesso un esempio più complesso, il cosiddetto *problema dello zaino* (*knapsack problem*). Durante una rapina in banca un ladro scopre che la cassaforte contiene N tipi di elementi di dimensioni e valore vari, mentre il suo zaino è in grado di contenere solamente elementi per una dimensione complessiva pari a M. Il problema dello zaino consiste nel determinare la combinazione di oggetti che il ladro può scegliere al fine di massimizzare il valore totale degli elementi rubati.

Ad esempio, si supponga che lo zaino abbia capacità pari a 17 e che la cassaforte contenga diversi elementi di dimensione e valore indicati nella Figura 5.16. Qui, il ladro può prelevare cinque elementi di tipo A (ma non sei) per un valore totale pari a 20, può riempire il proprio zaino con uno di tipo D e uno di tipo E per un valore totale di 24, o può prendere in considerazione altre combinazioni. Ma qual è quella con cui si ottiene il massimo valore? Il nostro obiettivo è, quindi, iden-

---

Programma 5.11   Numeri di Fibonacci (programmazione dinamica)

Memorizzando i valori calcolati in un array statico, evitiamo in modo esplicito di ricalcolare valori già computati in precedenza. Questo programma calcola F_N in tempo proporzionale a N, in netto contrasto con il tempo $O(\phi^N)$ impiegato dal Programma 5.10.

```
static final int maxN = 47;
static int knownF[] = new int [maxN];
static int F(int i)
{
  if (knownF[i] != 0) return knownF[i];
  int t = i;
  if (i < 0) return 0;
  if (i > 1) t = F(i-1) + F(i-2);
  return knownF[i] = t;
}
```

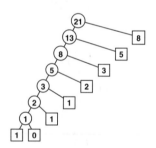

Figura 5.15
Programmazione dinamica top-down per i numeri di Fibonacci

Questa figura illustra le chiamate ricorsive eseguite per calcolare F_8 da un programma ricorsivo la cui implementazione è basata sulla programmazione dinamica top-down. La figura mostra chiaramente come memorizzare valori già calcolati tagli i costi da un valore esponenziale (Figura 5.14) a uno lineare.

tificare un algoritmo efficiente che sia in grado di calcolare tale combinazione, avendo in ingresso un insieme di elementi e una capacità massima (quella dello zaino).

Chiaramente, esistono tante situazioni commerciali per le quali una soluzione a questo problema sarebbe di grande aiuto. Ad esempio, una compagnia di trasporto potrebbe avere interesse a sapere quale sia il modo migliore di caricare un camion o un aereo cargo. In questo genere di applicazioni possono subentrare altre varianti del problema: ad esempio, il numero di elementi disponibili di ciascun tipo potrebbe essere limitato, oppure potrebbero esserci due camion, invece che uno solo. Lo stesso tipo di approccio utilizzato nella soluzione del problema di base consente di gestire gran parte di queste varianti, alcune delle quali si riveleranno essere molto più difficili. In problemi di questo tipo, la linea di demarcazione fra ciò che è fattibile e ciò che non lo è, è piuttosto sottile.

Nella soluzione ricorsiva del problema dello zaino assumiamo di poter (ricorsivamente) trovare un modo ottimale di riempire il resto dello zaino tutte le volte che scegliamo un elemento. Se lo zaino ha capacità `cap`, determiniamo, per ogni elemento `i` fra i tipi di elementi disponibili, quale valore totale possiamo portare nello zaino se inseriamo l'elemento `i`, avendo fatto la scelta ottimale circa gli altri elementi. Questa scelta ottimale non è altro che quella che abbiamo determinato (o che determineremo) per lo zaino più piccolo di capacità `cap-items[i].si-`

Programma 5.12 Problema dello zaino (implementazione ricorsiva)

Così come abbiamo fatto per la soluzione ricorsiva ai numeri di Fibonacci, non raccomandiamo l'uso del programma che segue, perché esso impiega tempo esponenziale, e quindi potrebbe in pratica non terminare anche su problemi di piccole dimensioni. Il programma è però una soluzione compatta e suscettibile di facili miglioramenti (si veda, per esempio, il Programma 5.13). Il codice seguente assume che gli elementi abbiano una dimensione e un valore, entrambi definiti con

```
static class Item { int size; int val; }
```

e che ci sia un array di N elementi di tipo Item. Per ogni elemento calcoliamo (ricorsivamente) il massimo valore che possiamo raggiungere includendo quell'elemento, e quindi prendiamo il massimo fra questi valori.

```
static int knap(int cap)
  { int i, space, max, t;
    for(i = 0, max= 0; i < N;i++)
      if ((space = cap-items[i].size) >= 0)
        if ((t = knap(space) + items[i].val) > max)
          max = t;
    return max;
  }
```

---

ze. Questa soluzione sfrutta il principio per il quale le scelte ottimali, una volta prese, non devono essere cambiate. Se sappiamo come riempire zaini di capacità inferiore in modo ottimale, non abbiamo bisogno di riesaminare questi problemi, qualunque siano gli elementi che verranno dopo.

Il Programma 5.12 è una soluzione ricorsiva direttamente basata su ciò che si è detto. Il programma non è utilizzabile in pratica perché, eseguendo tantissime volte gli stessi calcoli, esso impiega tempo esponenziale (si veda la Figura 5.17). Di nuovo, però, possiamo applicare la trasformazione automatica suggerita dall'approccio top-down per eliminare questo problema. Il Programma 5.13 è il risultato di questa trasformazione e la Figura 5.18 mostra come esso eviti di ripetere più volte gli stessi calcoli.

Quindi per sua natura, la programmazione dinamica elimina le ripetizioni di calcoli di *ogni* programma ricorsivo, a condizione di essere in grado di memorizzare i valori della funzione su argomenti minori di quello della chiamata in questione.

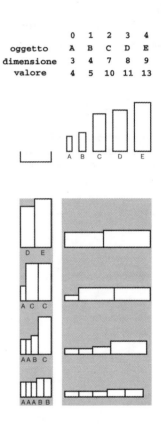

**Figura 5.16
Esempio di zaino**

Un'istanza del problema dello zaino (in alto) è data dalla capacità dello zaino e da un insieme di elementi di dimensione (in orizzontale) e valore (in verticale) variabile. La figura mostra quattro diversi modi di riempire uno zaino di capacità 17, due dei quali raggiungono il valore totale ottimo di 24.

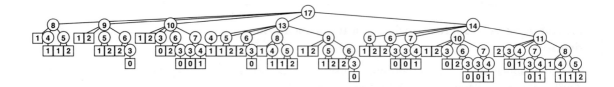

Figura 5.17
Struttura ricorsiva
dell'algoritmo dello zaino

Quest'albero rappresenta la struttura delle chiamate ricorsive del semplice algoritmo ricorsivo descritto nel Programma 5.12. Il numero in ciascun nodo rappresenta la capacità residua dello zaino. Questo algoritmo presenta lo stesso problema del calcolo ricorsivo dei numeri di Fibonacci (Figura 5.14): la massiccia ripetizione di calcoli su problemi sovrapposti.

Proprietà 5.3 *La programmazione dinamica riduce il tempo di esecuzione di un metodo ricorsivo a una quantità al più pari a quella necessaria a valutare la funzione su tutti gli argomenti minori o uguali all'argomento dato, purché si consideri costante il costo di una chiamata ricorsiva.*

Si veda l'Esercizio 5.50. ■

Questa proprietà implica che il tempo di calcolo di un algoritmo che risolva il problema dello zaino è proporzionale a NM. Quindi, possiamo risolvere facilmente tale problema se la capacità M non è molto grande. Per capacità estremamente grandi, invece, tale tempo di calcolo può risultare proibitivo.

La programmazione dinamica bottom-up si può applicare anche al problema dello zaino e tutte le volte che possiamo usare l'approccio top-down; anche se dobbiamo prestare attenzione a calcolare i valori della funzione in un ordine tale da assicurare che i valori che ci servono di volta in volta siano già stati calcolati in precedenza. Per metodi con un solo argomento intero (come le due che abbiamo considerato), procediamo semplicemente incrementando progressivamente il valore dell'argomento (Esercizio 5.35); per funzioni più complicate, la determinazione di un ordine appropriato potrebbe non essere agevole.

Non dobbiamo ovviamente limitarci a funzioni ricorsive di un solo argomento intero. Se vi sono, ad esempio, più argomenti interi, possiamo memorizzare le soluzioni dei sottoproblemi in array multidimensionali, con una dimensione per ogni argomento. Altre situazioni non hanno a che fare con argomenti interi, ma piuttosto con formulazioni astratte di problemi discreti che consentono comunque la scomposizione in problemi più piccoli.

Nella programmazione dinamica top-down memorizziamo valori già noti, mentre nella programmazione dinamica bottom-up li calcoliamo a priori. Di solito, il primo approccio è da preferire al secondo per tre ragioni:

- l'approccio top-down è una trasformazione meccanica di una soluzione naturale al problema

---

Programma 5.13 Problema dello zaino (programmazione dinamica)

Questa modifica meccanica al codice del Programma 5.12 riduce il tempo di calcolo da esponenziale a lineare. Semplicemente, memorizziamo tutti i valori che calcoliamo della funzione, recuperandoli quando serve (usiamo un valore fittizio per rappresentare valori ignoti) ed evitando di effettuare nuove chiamate ricorsive. Memorizziamo l'indice dell'elemento in modo da poter ricostruire, se necessario, il contenuto dello zaino dopo ogni computazione: itemKnown[M] è nello zaino, il contenuto restante è quello relativo allo zaino ottimale di capacità M-itemKnown[M].size, quindi itemKnown[M-items[M].size] è nello zaino, ecc.

```
static int knap(int M)
  { int i, space, max, maxi = 0, t;
    if (maxKnown[M] != unknown) return maxKnown[M];
    for(i = 0, max= 0; i < N;i++)
      if ((space = M-items[i].size) >= 0)
        if ((t = knap(space) + items[i].val) > max)
          { max = t; maxi = i; }
    maxKnown[M] = max; itemKnown[M] = items[maxi];
    return max;
  }
```

- il fatto che l'ordine con cui i sottoproblemi sono risolti sia appropriato è implicito nell'approccio

- in alcuni problemi potrebbe non essere necessario risolvere tutti i sottoproblemi.

Le applicazioni della programmazione dinamica differiscono fra loro nella natura dei sottoproblemi e nella quantità di informazioni che è necessario memorizzare per i sottoproblemi.

Un aspetto cruciale, che non possiamo trascurare a proposito della programmazione dinamica, è che essa diventa improponibile quando il numero di chiamate di funzioni di cui abbiamo bisogno è così alto da non poterle memorizzare (top-down) o precalcolare (bottom-up) tutte. Ad esempio, se nel problema dello zaino sia M che le dimensioni degli elementi sono numeri a 64 bit oppure numeri in virgola mobile, non siamo in grado di memorizzare i valori in un array attraverso degli indici. Questo fatto pone un ostacolo fondamentale all'uso della programmazione dinamica. In effetti, non sono note soluzioni soddisfacenti per questi problemi né vi sono buone ragioni per ritenere che tali soluzioni esistano.

Figura 5.18
Programmazione dinamica top-down per l'algoritmo dello zaino

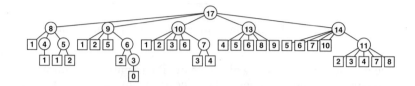

Così come si è fatto per i numeri di Fibonacci, memorizziamo i valori già noti riducendo il costo dell'algoritmo dello zaino da esponenziale (Figura 5.17) a lineare.

La programmazione dinamica è una tecnica di progettazione algoritmica che si rivela adatta principalmente per i problemi più avanzati. La maggior parte degli algoritmi che presenteremo nelle Parti 2-4 sono algoritmi *divide et impera* con sottoproblemi non sovrapposti, e ci preoccuperemo più di comportamenti subquadratici o sublineari, piuttosto che subesponenziali. Comunque sia, dobbiamo considerare la programmazione dinamica top-down come una tecnica basilare per l'implementazione efficiente di algoritmi ricorsivi, tecnica che deve entrare a tutti gli effetti a far parte dei normali strumenti di chi progetta o implementa algoritmi.

Esercizi

▷ **5.37** Scrivete un metodo che calcoli F_N mod M usando solo una quantità di spazio costante per i calcoli intermedi.

5.38 Qual è il più grande N per cui F_N può essere rappresentato come un intero a 64 bit?

○ **5.39** Disegnate un albero simile a quello della Figura 5.15 per il caso in cui le chiamate ricorsive del Programma 5.11 sono scambiate.

5.40 Scrivete un metodo che usi la programmazione dinamica bottom-up per calcolare il valore di P_N definito dalla ricorrenza

$$P_N = \lfloor N/2 \rfloor + P_{\lfloor N/2 \rfloor} + P_{\lceil N/2 \rceil}, \qquad \text{per } N \geq 1, \text{ dove } P_0 = 0.$$

Tracciate il grafico di $P_N - N \lg N/2$ in funzione di $N = 0, \ldots, 1024$.

5.41 Scrivete un metodo che usi la programmazione dinamica top-down per risolvere l'Esercizio 5.40.

○ **5.42** Disegnate un albero simile a quello della Figura 5.15 per il metodo dell'Esercizio 5.41, eseguito su $N = 23$.

5.43 Disegnate il grafico del numero di chiamate ricorsive che il metodo dell'Esercizio 5.41 esegue per calcolare P_N in funzione di $N = 0, \ldots, 1024$. Ai fini di questo calcolo, eseguite daccapo il programma per ogni N.

5.44 Scrivete un metodo che usi la programmazione dinamica bottom-up per calcolare il valore di C_N definito dalla ricorrenza

$$C_N = N + \frac{1}{N} \sum_{1 \leq k \leq N} (C_{k-1} + C_{N-k}), \qquad \text{per } N \geq 1, \text{ dove } C_0 = 1.$$

5.45 Scrivete un metodo che usi la programmazione dinamica top-down per risolvere l'Esercizio 5.44.

○ **5.46** Disegnate un albero simile a quello della Figura 5.15 per il metodo dell'Esercizio 5.45, eseguito su $N = 23$.

5.47 Disegnate il grafico del numero di chiamate ricorsive che il metodo dell'Esercizio 5.45 esegue per calcolare C_N in funzione di $N = 0, \ldots, 1024$. Ai fini di questo calcolo, eseguite daccapo il programma per ogni N.

▷ **5.48** Mostrate il contenuto degli array `maxKnown` e `itemKnown` elaborati dal Programma 5.13 sulla chiamata `knap(17)` con gli elementi della Figura 5.16.

▷ **5.49** Disegnate un albero simile a quello della Figura 5.18, assumendo che gli elementi siano considerati in ordine di dimensione decrescente.

● **5.50** Dimostrate la Proprietà 5.3.

○ **5.51** Scrivete un metodo che risolva il problema dello zaino, usando un'implementazione del Programma 5.12 basata sulla programmazione dinamica bottom-up.

● **5.52** Scrivete un metodo che risolva il problema dello zaino usando la programmazione dinamica top-down, secondo una soluzione ricorsiva basata sul calcolo del numero ottimale di elementi di un certo tipo che vanno messi nello zaino, conoscendo (ricorsivamente) il modo ottimale di riempire lo zaino senza quel tipo di elemento.

○ **5.53** Scrivete un metodo che risolva il problema dello zaino, usando la versione bottom-up della soluzione data nell'Esercizio 5.52.

● **5.54** Usate la programmazione dinamica per risolvere l'Esercizio 5.4. Tenete traccia del numero totale di invocazioni di metodi che memorizzate.

5.55 Scrivete un programma che usi la programmazione dinamica top-down per calcolare il coefficiente binomiale $\binom{N}{k}$ sulla base della regola ricorsiva

$$\binom{N}{k} = \binom{N-1}{k} + \binom{N-1}{k-1}$$

con $\binom{N}{0} = \binom{N}{N} = 1$.

5.4 Alberi

Gli alberi sono un'astrazione matematica che gioca un ruolo centrale nella progettazione e nell'analisi di algoritmi, per due ragioni sostanziali:

- impieghiamo alberi per descrivere le proprietà dinamiche degli algoritmi
- facciamo spesso uso di strutture dati che rappresentano implementazioni concrete di alberi.

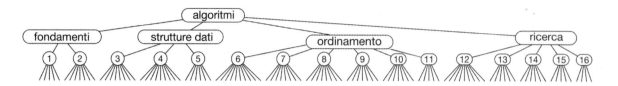

Figura 5.19
Un esempio di albero

Quest'albero raffigura le parti, i capitoli e i paragrafi di questo libro. Usiamo un nodo per ogni entità. Ogni nodo è connesso alle sue parti costitutive con link verso il basso e alla parte più grande a cui esso appartiene con un link a quella parte.

Abbiamo già visto esempi di entrambi i tipi di impieghi: nel Capitolo 1 abbiamo progettato algoritmi per il problema della connettività basati su strutture ad albero; nei Paragrafi 5.2 e 5.3 abbiamo descritto attraverso alberi la struttura delle chiamate di algoritmi ricorsivi.

Il concetto essenziale di albero è familiare a tutti. Incontriamo frequentemente gli alberi nella vita di tutti i giorni. Ad esempio, molta gente rappresenta la propria famiglia mediante un albero genealogico: la maggior parte della terminologia impiegata per gli alberi deriva da ciò. Un altro esempio è quello dell'organizzazione di tornei sportivi, utilizzo studiato, fra gli altri, da Lewis Carroll; o quello dell'organigramma delle grandi compagnie: quest'uso ha suggerito la cosiddetta "scomposizione gerarchica" che caratterizza gli algoritmi *divide et impera*. Un altro esempio ancora è dato dall'albero di derivazione associato a una frase (ad esempio, in inglese) e che ne illustra le parti costituenti; tale esempio è strettamente legato all'analisi sintattica dei linguaggi di programmazione. La Figura 5.19 fornisce un tipico esempio di albero; in particolare, questo descrive la struttura del presente libro. Approfondiremo in seguito numerose applicazioni degli alberi.

Nelle applicazioni informatiche, uno dei più familiari esempi di struttura ad albero è l'organizzazione del file system. Manteniamo i file in *directory* (chiamate qualche volta *folder* o *cartelle*), che vengono definite ricorsivamente come una sequenza di directory e di file. Questa definizione ricorsiva riflette di nuovo una naturale scomposizione ricorsiva e coincide con la definizione di un particolare tipo di albero.

Vi sono molti tipi di alberi, ed è importante saper distinguere fra il livello astratto e la rappresentazione concreta con cui abbiamo a che fare in una data applicazione. Iniziamo la nostra discussione definendo gli alberi come oggetti astratti e introducendo la terminologia di base. Discuteremo informalmente i diversi tipi di alberi di cui abbiamo bisogno, in ordine di generalità decrescente:

- alberi
- alberi con radice
- alberi ordinati
- alberi *M*-ari e binari.

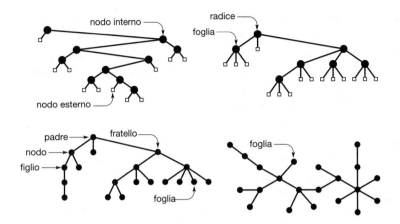

Figura 5.20
Tipi di alberi

Questi diagrammi mostrano esempi di un albero binario (in alto a sinistra), un albero ternario (in alto a destra), un albero con radice (in basso a sinistra) e un albero libero (in basso a destra).

Dopo aver sviluppato il contesto con questa discussione informale, passeremo a definizioni più formali e considereremo rappresentazioni e applicazioni. La Figura 5.20 illustra molti dei concetti che tratteremo ora.

Un *albero* è un insieme non vuoto di vertici e archi che soddisfa alcune proprietà. Un *vertice* (o *nodo*) è un'entità semplice che può essere dotata di nome e di informazione associata. Un *arco* è una connessione fra due vertici. Un *cammino* nell'albero è una sequenza di vertici distinti, in cui vertici successivi sono connessi da un arco dell'albero. La proprietà che definisce un albero è quella per cui esiste esattamente un cammino che connette ogni coppia di nodi. Se fra una qualche coppia di nodi non c'è alcun cammino oppure c'è più di un cammino, otteniamo un grafo e non un albero. Un insieme disgiunto di alberi si dice *foresta*.

Un albero *con radice* è un albero in cui un particolare nodo viene identificato come la *radice* dell'albero. In informatica di solito il termine albero si riserva agli alberi con radice, mentre quelli senza radice si dicono *alberi liberi* (*free tree*). In un albero con radice, ogni nodo è la radice di un *sottoalbero* formato dal nodo medesimo e da tutti i nodi a esso sottostanti.

Esiste esattamente un cammino fra la radice e ogni altro nodo dell'albero. La definizione che abbiamo dato non implica alcuna direzione per gli archi. Di solito però, dipendentemente dall'applicazione, pensiamo agli archi come a connessioni che partono *dalla* radice oppure che giungono *alla* radice. Normalmente, nel disegnare un albero con radice, poniamo la radice in cima (anche se ciò sembra innaturale), e diciamo che un nodo y è *sotto* il nodo x (e x è *sopra* y), se x è nel cammino da y alla radice (cioè, se y è sotto x nel disegno ed è connesso a x

da un cammino che non passa attraverso la radice). Ogni nodo (tranne la radice) ha esattamente un nodo sopra di esso, chiamato nodo *padre*. I nodi appena sotto un dato nodo sono detti nodi *figli*. Qualche volta portiamo avanti l'analogia con gli alberi genealogici, parlando di *nonno* e di *fratello* di un nodo.

I nodi senza figli sono detti *foglie*, o nodi *terminali*, mentre quelli con almeno un figlio sono qualche volta detti nodi *interni* o *non terminali*. In questo capitolo, abbiamo già avuto occasione di notare l'utilità di tale distinzione. Negli alberi che abbiamo usato per rappresentare la struttura delle chiamate negli algoritmi ricorsivi (ad esempio, la Figura 5.14), i nodi non terminali (cerchi) rappresentano invocazioni di metodi con chiamate ricorsive, mentre i nodi terminali (quadrati) rappresentano invocazioni di metodi senza chiamate ricorsive.

In alcune applicazioni il modo in cui i figli di ciascun nodo sono ordinati è rilevante, in altre non lo è. Un albero *ordinato* è un albero con radice in cui è specificato l'ordine dei figli di ciascun nodo. Naturalmente, i figli sono disposti in un qualche ordine durante la costruzione di un albero e per questo motivo ci sono molti modi diversi di costruire un albero non ordinato. Questa distinzione diventa significativa, come vedremo, dovendo rappresentare un albero all'interno di un calcolatore.

Se ogni nodo *deve* avere uno specifico numero di figli che appaiono in uno specifico ordine, siamo di fronte a un albero *M*-ario. In un albero di questo tipo è spesso utile definire speciali nodi esterni senza figli. Tali nodi esterni agiscono come nodi fittizi di riempimento per i nodi che non hanno lo specificato numero di figli. Il più semplice esempio di albero *M*-ario è l'albero *binario*. Un albero binario è un albero ordinato formato da due tipi di nodi: nodi esterni senza figli e nodi interni con esattamente due figli. Dato che i due figli di ogni nodo sono ordinati, parleremo di *figlio di sinistra* e di *figlio di destra* di ciascun nodo interno. Ogni nodo interno, quindi, deve avere sia il figlio di destra che quello di sinistra, sebbene uno o anche entrambi possano essere nodi esterni. Una *foglia* di un albero *M*-ario è un nodo interno i cui figli sono tutti nodi esterni.

Passiamo ora a considerare, in modo più formale, definizioni, rappresentazioni e applicazioni degli alberi, in ordine di generalità crescente:

- alberi binari e *M*-ari
- alberi ordinati
- alberi con radice
- alberi liberi.

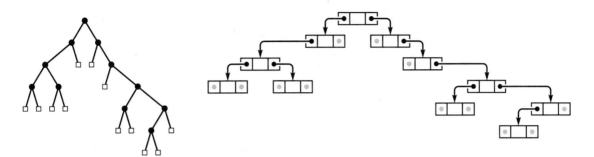

Figura 5.21
Rappresentazione di alberi binari

La rappresentazione standard di un albero binario usa nodi con due link: un link sinistro al sottoalbero di sinistra e un link destro al sottoalbero di destra. I link nulli corrispondono a nodi esterni.

Un albero binario è uno speciale tipo di albero ordinato, che è a sua volta uno speciale tipo di albero con radice, che è a sua volta uno speciale tipo di albero libero. I diversi tipi di alberi ricorrono in modo naturale in varie applicazioni, ed è importante essere a conoscenza di queste differenze quando rappresentiamo gli alberi attraverso strutture dati concrete. Iniziamo con la struttura astratta più specifica, che ci permetterà di considerare rappresentazioni concrete in modo approfondito.

Definizione 5.1 *Un **albero binario** è un nodo esterno oppure un nodo interno connesso a due alberi binari, detti sottoalbero di sinistra e sottoalbero di destra di quel nodo.*

Questa definizione chiarisce che l'albero binario è di per sé un concetto matematico astratto. Quando lavoriamo con specifiche rappresentazioni nel calcolatore, abbiamo a che fare con una precisa rappresentazione di quest'astrazione. La situazione è simile a quella in cui rappresentiamo numeri reali con `float`, interi con `int` e così via. Quando disegniamo un albero, mettendo la radice in cima e connettendola al sottoalbero di sinistra, disegnato a sinistra e a quello di destra, disegnato a destra, non stiamo facendo altro che scegliere una conveniente rappresentazione concreta. Esistono, in effetti, molti altri modi di rappresentare alberi binari (si veda, ad esempio, l'Esercizio 5.62). La libertà di rappresentazione può a prima vista sembrare sorprendente, ma a ben pensarci è la natura astratta della definizione che ci consente tale libertà.

La rappresentazione concreta che usiamo più spesso, quando implementiamo programmi che elaborano alberi binari, è una struttura con due link (link sinistro e link destro) per i nodi interni (Figura 5.21). Queste strutture sono simili alle liste concatenate, ma hanno due link per nodo invece di uno. Link nulli corrispondono a nodi esterni. Nello specifico, aggiungiamo un link alla nostra rappresentazione standard delle liste concatenate trattata nel Paragrafo 3.3:

```
class Node
  { Item item; Node l; Node r;
    Node(Item v, Node l, Node r)
      { this.item = v; this.l = l; this.r = r; }
  }
```

che non è altro che il codice Java corrispondente alla Definizione 5.1. Un nodo è formato da un campo dato e da una coppia di riferimenti a nodi (link). Quindi, per esempio, l'operazione astratta "spostati sul sottoalbero di sinistra" è implementata con un assegnamento fra riferimenti del tipo x = x.l.

Questa rappresentazione standard consente di implementare in modo efficiente le operazioni che percorrono l'albero dalla radice alle foglie, ma non quelle che vanno in direzione opposta, cioè dai figli ai padri. Per algoritmi che necessitano di tali operazioni potrebbe essere utile aggiungere in ogni nodo un terzo link che punta al padre. Quest'alternativa è analoga all'uso di una lista concatenata doppia. Come per le liste concatenate (si veda la Figura 3.8), possiamo mantenere i nodi di un albero in un array e usare come link gli indici invece dei riferimenti. Tenderemo, però, a non affrontare questi aspetti di ottimizzazione a basso livello (salvo il notare che tali aspetti esistono), perché la loro efficacia dipende in buona parte dal sistema sottostante. Ulteriori rappresentazioni di alberi binari per specifici algoritmi verranno studiate più in particolare nel Capitolo 9.

Date le differenti rappresentazioni esistenti, si potrebbe sviluppare un ADT albero binario che incapsuli le più importanti operazioni da eseguire, separando l'implementazione di queste operazioni dal loro uso. Nel presente libro, scegliamo di non seguire questa strada per tre ordini di motivi:

- useremo molto spesso la sola rappresentazione con i due link per nodo

- useremo alberi per implementare ADT di livello astratto superiore e vorremmo, quindi, concentrarci su questi ultimi

- lavoreremo con algoritmi la cui efficienza dipende in modo diretto dalla particolare rappresentazione, mentre l'astrazione fornita da un ADT potrebbe non far rilevare questo fatto.

Sono esattamente le stesse ragioni per le quali parliamo delle familiari rappresentazioni concrete di array e liste concatenate. Quella illustrata nella Figura 5.21, è una rappresentazione basilare che andiamo ad aggiungere a questo piccolo elenco di rappresentazioni fondamentali.

Con le liste concatenate abbiamo iniziato considerando le operazioni elementari di inserimento e cancellazione di nodi (Figure 3.5 e 3.6). Per gli alberi binari, essendoci due link per nodo, queste operazioni non sono del tutto elementari. Se vogliamo cancellare un nodo da un albero binario, dobbiamo tener conto del fatto che possiamo avere due figli ma un solo padre da gestire quando il nodo è stato cancellato. Ci sono tre operazioni tipiche in cui questa difficoltà non si manifesta: l'inserimento di un nuovo nodo in fondo all'albero (si sostituisce semplicemente un link nullo con un link al nuovo nodo), la cancellazione di una foglia (si sostituisce semplicemente un link alla foglia con un link nullo) e la combinazione di due alberi con creazione di una nuova radice, il cui link sinistro punta al primo dei due alberi e il cui link destro punta all'altro. Useremo queste operazioni con estrema frequenza nella manipolazione di alberi.

Definizione 5.2 *Un **albero M-ario** è un nodo esterno oppure un nodo interno connesso a una sequenza ordinata di M alberi M-ari.*

Di solito, rappresentiamo i nodi di un albero M-ario come strutture con M link (come per gli alberi binari) oppure come array di M link. Ad esempio, nel Capitolo 15 avremo modo di considerare alberi 3-ari (o alberi *ternari*) in cui i nodi sono strutture con tre link (sinistro, centrale, destro), ciascuno dei quali ha uno specifico significato per gli algoritmi di elaborazione associati. In altri casi, l'uso di array per memorizzare i link pare opportuno perché M è una quantità fissata, anche se dovremo prestare attenzione all'eccessivo uso di memoria.

Definizione 5.3 *Un **albero** (detto anche **albero ordinato**) è un nodo (detto radice) connesso a una sequenza di alberi disgiunti. Tale sequenza è detta **foresta**.*

La distinzione fra alberi ordinati e alberi M-ari riguarda il numero di figli di ciascun nodo: in un albero ordinato i nodi possono avere un numero arbitrario di figli, mentre in un albero M-ario il numero di figli è esattamente M. Qualche volta parleremo di albero *generale* in contesti nei quali vogliamo distinguere alberi ordinati da alberi M-ari.

Dato che i nodi di un albero ordinato possono avere un qualsiasi numero di link, viene spontaneo considerare liste concatenate, piuttosto che array, per mantenere i link ai figli. La Figura 5.22 è un esempio di tale rappresentazione. Da ciò risulta chiaro che ogni nodo contiene in effetti due link, uno per la lista concatenata che connette il nodo in questione ai nodi fratelli, l'altro per la lista concatenata dei suoi figli.

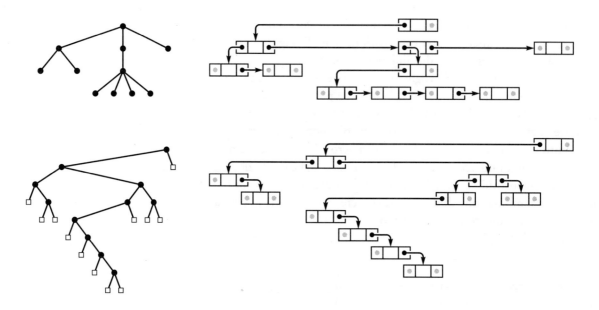

Figura 5.22
Rappresentazione di alberi

Rappresentare un albero ordinato mantenendo una lista concatenata dei figli di ciascun nodo è equivalente a rappresentare l'albero come albero binario. Il diagramma in alto a destra mostra una rappresentazione dell'albero in alto a sinistra per mezzo di una lista concatenata dei figli. I nodi in tale lista hanno il link destro che punta alla lista dei fratelli restanti e quello di sinistra che punta alla lista dei figli. Il diagramma in basso a destra mostra una versione leggermente riorganizzata del diagramma che gli sta sopra, e rappresenta chiaramente l'albero binario in basso a sinistra. Quindi, possiamo vedere quest'ultimo albero binario come una rappresentazione dell'albero ordinato che gli sta sopra.

Proprietà 5.4 *Esiste una corrispondenza biunivoca fra alberi binari e foreste ordinate.*

Questa corrispondenza è illustrata nella Figura 5.22. Possiamo rappresentare una foresta come un albero binario, facendo in modo che il link sinistro di ogni nodo punti al figlio più a sinistra e che il link destro punti al fratello immediatamente a destra. ∎

Definizione 5.4 *Un **albero con radice** (detto anche **albero non ordinato**) è un nodo (detto radice) connesso a un multi-insieme di alberi con radice. Tale multi-insieme è detto foresta non ordinata.*

Gli alberi presentati nel Capitolo 1 per il problema della connettività erano alberi non ordinati. Questi alberi potrebbero anche essere definiti come alberi ordinati, nei quali l'ordine in cui sono considerati i figli di ciascun nodo è irrilevante. Potremmo anche definire gli alberi non ordinati in termini di un insieme di relazioni padre-figlio fra i nodi. Ma questa scelta sembra avere scarsa attinenza con le strutture ricorsive che stiamo qui considerando, anche se è forse la rappresentazione concreta più fedele alla nozione astratta.

Potremmo scegliere di rappresentare nel calcolatore un albero non ordinato attraverso un albero ordinato, considerato che diversi alberi ordinati possono rappresentare lo stesso albero non ordinato. Invece, il problema inverso di determinare se due alberi ordinati rappresentino o meno lo stesso albero non ordinato (il cosiddetto problema dell'*isomorfismo fra alberi*), è difficile da risolvere.

Il tipo di albero più generale è quello in cui non esiste un nodo radice. Ad esempio, gli spanning tree calcolati dagli algoritmi di connettività del Capitolo 1 hanno questa proprietà. Per definire in modo corretto gli *alberi non ordinati* (o *alberi liberi* o *senza radice*), partiamo dalla definizione di *grafo*.

Definizione 5.5 *Un **grafo** è un insieme di nodi e un insieme di archi che connettono coppie di nodi distinti (dove ogni coppia di nodi è connessa da un arco al massimo).*

Possiamo immaginare di partire da un qualche nodo e di seguire un arco per volta, transitando per vari nodi del grafo. Una sequenza di archi che parte da un nodo e conduce a un altro nodo del grafo senza ripetizioni di nodi è detto *cammino semplice*. Un grafo si dice connesso se per ogni coppia di nodi esiste un cammino semplice che li unisce. Un cammino semplice in cui il primo e l'ultimo nodo coincidono è detto *ciclo*.

Ogni albero è un grafo. Ma quali grafi sono alberi? Un grafo G è un albero, se soddisfa una delle quattro condizioni seguenti:

- G ha $N-1$ archi ed è privo di cicli
- G ha $N-1$ archi ed è connesso
- per ogni coppia di nodi di G esiste esattamente un cammino semplice che li connette
- G è connesso, ma l'eliminazione di un qualsiasi arco rende G non connesso.

Queste condizioni sono fra loro equivalenti. In teoria, potremmo usare una qualsiasi di esse per definire un albero libero. Sul piano informale, però, descriviamo gli alberi intendendole collettivamente come definizione.

Rappresentiamo un albero libero come una semplice collezione di archi, anche se, naturalmente in casi particolari, possono esistere rappresentazioni più convenienti. Se scegliessimo di rappresentare gli alberi liberi con alberi non ordinati con radice, con alberi ordinati o addirittura con alberi binari, ci scontreremmo con il problema che, in generale, ogni albero libero ammette diverse rappresentazioni equivalenti.

Il concetto astratto di albero ricorre in pratica con una certa frequenza. Le differenze evidenziate in questo paragrafo sono importanti, poiché la conoscenza di astrazioni diverse è spesso un ingrediente essenziale nella determinazione di algoritmi e strutture dati efficienti per un dato problema. Spesso lavoreremo direttamente con rappresentazioni concrete di alberi senza alcuna considerazione per gli aspetti astratti. Qualche altra volta potrà essere utile partire dall'astrazione propria di albero, per poi considerare varie rappresentazioni concrete.

Prima di studiare algoritmi e implementazioni, considereremo una serie di proprietà matematiche fondamentali degli alberi, che ci serviranno in fase di progettazione e di analisi.

Esercizi

▷ **5.56** Fornite una rappresentazione dell'albero libero della Figura 5.20, sia come albero con radice che come albero binario.

● **5.57** Quanti modi diversi ci sono di rappresentare l'albero libero della Figura 5.20 come albero ordinato?

▷ **5.58** Disegnate tre alberi ordinati isomorfi all'albero ordinato della Figura 5.20. In altri termini, dovete essere in grado di trasformare i quattro alberi l'uno nell'altro, usando semplicemente l'operazione che scambia due figli.

○ **5.59** Assumete che gli alberi contengano elementi per cui equals() è implementata. Scrivete un programma ricorsivo che cancella tutte le foglie di un albero binario i cui elementi sono uguali a un elemento dato (si veda il Programma 5.5).

○ **5.60** Modificate la funzione divide et impera che determina il massimo elemento di un array (Programma 5.6), in modo che esso divida l'array in k parti che differiscono in dimensione fra loro di al più 1, quindi determinate ricorsivamente il massimo di ciascuna parte e restituite il maggiore fra i massimi.

5.61 Disegnate l'albero 3-ario e l'albero 4-ario che risultano dall'uso di $k = 3$ e $k = 4$ nella costruzione ricorsiva suggerita dall'Esercizio 5.60 su un array di 11 elementi (si veda la Figura 5.6).

○ **5.62** Gli alberi binari sono equivalenti a stringhe binarie in cui il numero di bit uguali a 0 è uno in più del numero di bit uguali a 1 e con l'ulteriore vincolo per cui, in ogni posizione k, il numero di bit a 0 che appaiono a sinistra di k non è maggiore del numero di bit a 1 a sinistra di k. Un albero binario è la stringa 0 oppure è dato dalla concatenazione di due stringhe del tipo descritto sopra, precedute da 1. Disegnate l'albero binario corrispondente alla stringa

```
1 1 1 0 0 1 0 1 1 0 0 0 1 0 1 1 0 0 0.
```

○ **5.63** Gli alberi ordinati sono equivalenti a stringhe bilanciate di parentesi. Un albero ordinato è stringa vuota oppure è una sequenza di alberi ordinati racchiusi fra parentesi. Disegnate l'albero ordinato corrispondente alla stringa

```
( ( ( ) ( ( ) ( ) ) ( ) ) ( ( ) ( ) ( ) ) ) .
```

●● **5.64** Scrivete un programma che determini se due array di N interi fra 0 ed $N-1$ rappresentino o meno alberi non ordinati isomorfi, interpretando (come nel Capitolo 1) le componenti come link padre-figlio di un albero i cui nodi sono numerati da 0 a $N-1$. Il vostro programma, quindi, dovrebbe determinare se esiste un altro modo di assegnare numeri ai nodi tale che la rappresentazione con array del primo albero sia identica a quella del secondo albero.

●● **5.65** Scrivete un programma per determinare se due alberi binari rappresentino o meno alberi non ordinati isomorfi.

▷ **5.66** Disegnate tutti gli alberi ordinati che possono rappresentare l'albero definito dall'insieme di archi 0-1, 1-2, 1-3, 1-4, 4-5.

● **5.67** Dimostrate che, se un grafo connesso di N nodi è tale che rimuovendo un arco arbitrario si rende il grafo non connesso, allora il grafo ha $N-1$ archi ed è privo di cicli.

5.5 Proprietà matematiche degli alberi binari

Prima di iniziare lo studio degli algoritmi di elaborazione degli alberi, conviene considerare alcune fondamentali proprietà degli alberi. Ci concentriamo in particolare sugli alberi binari, dato il loro frequente utilizzo. La comprensione delle proprietà di base degli alberi binari sarà di estremo aiuto per analizzare le prestazioni degli algoritmi, non solo di quelli che usano alberi come strutture dati esplicite, ma anche di algoritmi ricorsivi *divide et impera* e simili.

Proprietà 5.5 *Un albero binario con N nodi interni ha $N+1$ nodi esterni.*

Questa proprietà può essere dimostrata per induzione. Un albero binario senza nodi interni ha un nodo esterno, per cui la proprietà è valida per $N=0$. Per $N>0$, un qualsiasi albero binario con N nodi interni ha k nodi interni nel sottoalbero destro ed $N-1-k$ nel sottoalbero sinistro, essendo la radice un nodo interno. Per induzione, il sottoalbero sinistro ha $k+1$ nodi esterni, mentre il destro ne ha $N-k$, per un totale di $N+1$. ■

Proprietà 5.6 *Un albero binario con N nodi interni ha $2N$ link: $N-1$ link a nodi interni e $N+1$ link a nodi esterni.*

In ogni albero con radice, ogni nodo (tranne la radice) ha un unico padre, e ogni arco connette un nodo al padre del nodo. Quindi ci sono $N-1$ link che connettono nodi interni. Similmente, ciascuno degli $N+1$ nodi esterni ha un link verso l'unico padre.

Le prestazioni di molti algoritmi dipendono non solo dal numero di nodi dell'albero associato, ma anche da varie proprietà strutturali di questo. ∎

Definizione 5.6   *Il **livello** di un nodo in un albero è pari a 1 più il livello del nodo padre, intendendo che la radice ha livello 0. L'**altezza** di un albero è il massimo fra i livelli di tutti i suoi nodi. La **lunghezza del cammino** di un albero si ottiene sommando i livelli di tutti i nodi dell'albero. La **lunghezza del cammino interno** di un albero binario è data dalla somma dei livelli dei nodi interni, mentre la **lunghezza del cammino esterno** di un albero binario è data dalla somma dei livelli dei nodi esterni.*

Un modo semplice per calcolare la lunghezza del cammino di un albero è quello di sommare su tutti i k il prodotto fra k e il numero di nodi che si trovano al livello k.

Queste quantità hanno anche semplici definizioni ricorsive che seguono direttamente dalla definizione ricorsiva degli alberi. Ad esempio, l'altezza di un albero è pari a 1 più la massima altezza dei sottoalberi della radice, mentre la lunghezza del cammino di un albero con N nodi è data dalla somma delle lunghezze del cammino dei sottoalberi della radice più $N - 1$. Queste quantità sono, inoltre, legate in modo diretto all'analisi degli algoritmi ricorsivi. Ad esempio, per molte computazioni ricorsive l'altezza dell'albero corrispondente è esattamente la massima profondità della ricorsione, cioè la dimensione dello stack necessario a supportare le operazioni.

Proprietà 5.7   *La lunghezza del cammino esterno di un qualsiasi albero binario con N nodi interni è pari a $2N$ più la lunghezza del cammino interno.*

Anche questa proprietà può essere dimostrata per induzione, benché una dimostrazione alternativa (valida anche per la Proprietà 5.6) possa essere particolarmente istruttiva. Si osservi, innanzi tutto, che un qualsiasi albero binario può essere costruito utilizzando il seguente ragionamento: si parte con l'albero binario costituito dal solo nodo esterno, dopodiché si ripete N volte il procedimento di sostituire un nodo esterno con un nuovo nodo interno avente due nodi esterni per figli. Se il nodo esterno scelto è al livello k, la lunghezza del cammino interno aumenta di k, mentre quella del cammino esterno viene incrementata di $k + 2$ (viene rimosso un nodo esterno al livello k, ma se ne aggiungono 2 al livello $k + 1$). Il processo inizia con un albero con lunghezza interna ed esterna entrambe nulle e, per ognuno degli N passi richiesti, incrementa la lunghezza del cammino esterno di due in più di quella del cammino interno. ∎

Proprietà 5.8 *L'altezza di un albero binario con N nodi interni è almeno pari a* lg *N e al più pari a N* – 1.

Il caso peggiore è quello di un albero degenere con una sola foglia e con $N-1$ link dalla radice alla foglia (si veda la Figura 5.23). Il caso migliore è quello di un albero bilanciato con 2^i nodi interni a ogni livello i, a esclusione (eventualmente) dell'ultimo (Figura 5.23). Se l'altezza è h, allora si ha

$$2^{h-1} < N + 1 \le 2^h,$$

dato che ci sono $N+1$ nodi esterni. Questa disuguaglianza implica che l'altezza nel caso migliore è esattamente pari a lg N, arrotondando all'intero più vicino. ∎

Proprietà 5.9 *La lunghezza del cammino interno di un albero binario con N nodi interni è almeno pari a* Nlg$(N/4)$ *e al più pari a* $N(N-1)/2$.

I due casi estremi sono ancora quelli discussi per la Proprietà 5.8 e illustrati nella Figura 5.23. La lunghezza del cammino interno dell'albero di caso peggiore è $0 + 1 + 2 + \ldots + (N-1) = N(N-1)/2$. L'albero bilanciato, invece, ha $N+1$ nodi esterni ad altezza non maggiore di $\lfloor$lg $N\rfloor$. Moltiplicando e applicando la Proprietà 5.7, otteniamo la maggiorazione $(N+1)\lfloor$lg $N\rfloor - 2N < N$lg$(N/4)$. ∎

Gli alberi binari, come vedremo, ricorrono ampiamente nelle applicazioni informatiche. Le prestazioni migliori per queste applicazioni si ottengono quando hanno a che fare con alberi perfettamente bilanciati (o quasi). Ad esempio, gli alberi che usiamo per descrivere algoritmi *divide et impera* come la ricerca binaria e Mergesort sono perfettamente bilanciati (si veda l'Esercizio 5.74). Nei Capitoli 9 e 13 incontreremo algoritmi basati su strutture dati ad albero esplicitamente bilanciate.

Queste proprietà di base degli alberi forniscono le informazioni necessarie per sviluppare algoritmi efficienti per un buon numero di problemi pratici. Analisi più dettagliate degli algoritmi che tratteremo richiedono strumenti matematici sofisticati, anche se possiamo spesso ottenere utili stime attraverso argomenti induttivi immediati, come ad esempio quelli che abbiamo utilizzato in questo paragrafo. Ulteriori proprietà matematiche degli alberi verranno presentate nei capitoli successivi. Siamo a questo punto preparati per affrontare aspetti algoritmici legati agli alberi.

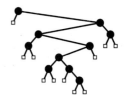

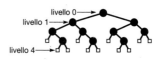

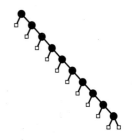

Figura 5.23
Tre alberi binari con 10 nodi interni

L'albero binario in alto ha altezza 7, lunghezza del cammino interno pari a 31 e lunghezza del cammino esterno pari a 51. Un albero binario completamente bilanciato (al centro) con 10 nodi interni ha altezza 4, lunghezza del cammino interno pari a 19 e lunghezza del cammino esterno pari a 39 (nessun'altro albero binario con 10 nodi ha valori inferiori a questi). Un albero binario degenere (in basso) con 10 nodi interni ha altezza 10, lunghezza del cammino interno pari a 45 e lunghezza del cammino esterno pari a 65 (nessun'altro albero binario con 10 nodi ha valori superiori a questi).

Esercizi

▷ **5.68** Quanti nodi esterni ha un albero M-ario con N nodi interni? Determinate la quantità di memoria richiesta per rappresentare quest'albero, assumendo che i link e gli elementi richiedano ciascuno una parola di memoria.

5.69 Fornite limiti superiori e inferiori sull'altezza di un albero M-ario con N nodi interni.

○ **5.70** Fornite limiti superiori e inferiori sulla lunghezza del cammino interno di un albero M-ario con N nodi interni.

5.71 Fornite limiti superiori e inferiori sul numero di foglie di un albero binario con N nodi.

● **5.72** Dimostrate che, se i livelli dei nodi esterni di un albero binario differiscono fra loro di una costante, allora l'altezza dell'albero è $O(\log N)$.

○ **5.73** Un albero di Fibonacci di altezza $n > 2$ è un albero binario che ha un sottoalbero di Fibonacci di altezza $n - 1$ e un sottoalbero di Fibonacci di altezza $n - 2$. Un albero di Fibonacci di altezza 0 è un singolo nodo esterno, mentre un albero di Fibonacci di altezza 1 è un singolo nodo interno con due figli esterni (si veda la Figura 5.14). Calcolate l'altezza e la lunghezza del cammino esterno di un albero di Fibonacci di altezza n, in funzione del numero N di nodi dell'albero.

5.74 Un albero divide et impera di N nodi è un albero binario, con una radice etichettata con N, un sottoalbero divide et impera di $\lfloor N/2 \rfloor$ nodi e un sottoalbero divide et impera di $\lceil N/2 \rceil$ nodi (la Figura 5.6 illustra un albero divide et impera). Disegnate alberi divide et impera con 11, 15, 16 e 23 nodi.

○ **5.75** Dimostrate per induzione che la lunghezza del cammino interno di un albero divide et impera è fra $N \lg N$ ed $N \lg N + N$.

5.76 Un albero combina e conquista di N nodi è un albero binario, con una radice etichettata con N, un sottoalbero combina e conquista di $\lfloor N/2 \rfloor$ nodi e un sottoalbero combina e conquista di $\lceil N/2 \rceil$ nodi (si veda l'Esercizio 5.18). Disegnate alberi combina e conquista con 11, 15, 16 e 23 nodi.

5.77 Dimostrate per induzione che la lunghezza del cammino interno di un albero combina e conquista è fra $N \lg N$ ed $N \lg N + N$.

5.78 Un albero binario completo è un albero binario in cui tutti i livelli sono riempiti, tranne (eventualmente) l'ultimo, che è riempito da sinistra a destra (Figura 5.24). Dimostrate che la lunghezza del cammino interno di un albero binario completo con N nodi è fra $N \lg N$ ed $N \lg N + N$.

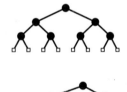
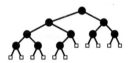

Figura 5.24
Alberi binari completi con 7 e 10 nodi interni

Quando il numero di nodi esterni è una potenza di 2 (in alto), i nodi esterni di un albero binario completo sono tutti allo stesso livello. Altrimenti (in basso), i nodi esterni stanno su due livelli. In questo caso, i nodi interni stanno alla sinistra dei nodi esterni, che si trovano al penultimo livello.

5.6 Attraversamento di alberi

Iniziamo col considerare algoritmi per l'elaborazione elementare degli alberi: gli algoritmi di *attraversamento*. Dato un puntatore a un albero, vogliamo scandire in modo sistematico ogni nodo dell'albero. In una lista concatenata ci spostiamo da un nodo al successivo, seguendo l'unico link che parte dal nodo. Negli alberi invece, data la presenza di più link, la flessibilità è maggiore.

Cominciamo considerando gli alberi binari. Nelle liste concatenate avevamo due modalità di base (Programma 5.5): elabora il nodo e poi segui il link (nel qual caso visitiamo i nodi in ordine), oppure segui il link e quindi elabora il nodo (nel qual caso visitiamo i nodi in ordine inverso). Nel caso degli alberi binari si hanno invece due link per nodo e, perciò, vi sono tre metodi basilari di visita:

- preordine (*preorder*) o ordine anticipato, in cui visitiamo prima il nodo e poi i sottoalberi di sinistra e di destra

- inordine (*inorder*) o ordine simmetrico, in cui visitiamo prima il sottoalbero di sinistra, poi il nodo e poi il sottoalbero di destra

- postordine (*postorder*) o ordine posticipato, in cui visitiamo prima i sottoalberi di sinistra e di destra e poi il nodo.

Possiamo implementare facilmente questi metodi con un programma ricorsivo (Programma 5.14), che è una diretta generalizzazione del programma di attraversamento di liste concatenate (Programma 5.5). Per implementare l'attraversamento negli altri due ordini, non facciamo altro che scambiare le invocazioni di metodi del Programma 5.14 nel modo appropriato. La Figura 5.26 mostra l'ordine in cui visitiamo i nodi in un albero per ognuno dei tre metodi di attraversamento, mentre la Figura 5.25 illustra la sequenza di invocazioni di metodi osservate quando eseguiamo il Programma 5.14 sull'albero della Figura 5.26.

Abbiamo già incontrato gli stessi processi ricorsivi di base fondamentali per i metodi di attraversamento di alberi, quando abbiamo parlato di algoritmi *divide et impera* (si vedano le Figure 5.8 e 5.11) e di valutazione di espressioni aritmetiche. Ad esempio, l'attraversamento in preordine corrisponde a tracciare prima le tacche sul righello e ad eseguire poi le chiamate ricorsive (Figura 5.11); l'attraversamento in ordine simmetrico corrisponde, nel problema delle torri di Hanoi, a spostare il disco più grande fra le chiamate ricorsive che spostano gli altri dischi; l'attraversamento in postordine corrisponde a valutare espressioni postfisse, ecc. Queste corrispondenze ci danno un'intuizione immediata del mec-

Programma 5.14   Attraversamento ricorsivo di un albero

Questo metodo ricorsivo prende in input un link a un albero e chiama visit su ogni nodo. Così come è scritta, il codice implementa un attraversamento in preordine. Se spostiamo la chiamata di visit fra le due chiamate ricorsive, otteniamo un attraversamento in ordine simmetrico. Se spostiamo la chiamata di visit dopo le due chiamate ricorsive, otteniamo un attraversamento in postordine.

```
private void traverseR(Node h)
  {
    if (h == null) return;
    h.item.visit();
    traverseR(h.l);
    traverseR(h.r);
  }
void traverse()
  { traverseR(root); }
```

```
traverse E
  visit E
  traverse D
    visit D
    traverse B
      visit B
      traverse A
        visit A
        traverse *
        traverse *
      traverse C
        visit C
        traverse *
        traverse *
    traverse *
  traverse H
    visit H
    traverse F
      visit F
      traverse *
      traverse G
        visit G
        traverse *
        traverse *
    traverse *
```

**Figura 5.25
Invocazioni di metodi
per l'attraversamento
in preordine**

Questa sequenza di chiamate di invocazioni di metodi è generata dall'attraversamento in preordine sull'esempio di albero della Figura 5.26.

canismo che sta dietro l'attraversamento di alberi. Ad esempio, sappiamo che un nodo ogni due in un attraversamento in ordine simmetrico è un nodo esterno, per la stessa ragione per cui una mossa su due nel problema delle torri di Hanoi coinvolge il disco più piccolo.

È utile considerare anche implementazioni non ricorsive che fanno uso di uno stack esplicito. Per semplicità, iniziamo col considerare uno stack astratto che può memorizzare elementi o alberi e che è inizializzato con l'albero da attraversare. Entriamo, quindi, in un ciclo nel quale preleviamo un elemento dalla cima dello stack e lo elaboriamo, continuando così fino a quando lo stack è vuoto. Se l'entità prelevata è un elemento, elaboriamo l'elemento con visit, se invece l'entità prelevata è un albero, eseguiamo una sequenza di push che dipende dall'ordine di attraversamento:

- per l'attraversamento in ordine anticipato eseguiamo prima una push del sottoalbero di destra, quindi di quello di sinistra e infine del nodo;

- per l'attraversamento in ordine simmetrico eseguiamo prima una push del sottoalbero di destra, quindi del nodo e infine del sottoalbero di sinistra;

- per l'attraversamento in ordine posticipato eseguiamo prima una push del nodo, quindi del sottoalbero di destra e infine di quello di sinistra.

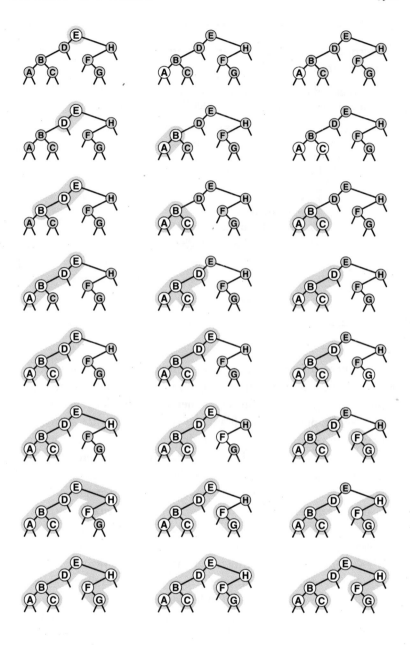

Figura 5.26
Metodi di attraversamento di alberi

Queste sequenze indicano l'ordine in cui i nodi sono visitati, nel caso di attraversamento in preordine (a sinistra), in ordine simmetrico (al centro) e in postordine (a destra).

Non inseriamo nello stack tramite push gli alberi nulli. La Figura 5.27 mostra il contenuto dello stack durante l'attraversamento dell'albero della Figura 5.26 con ciascuno dei tre metodi. Si può facilmente verificare per induzione che ciò produce su qualsiasi albero binario lo stesso output della versione ricorsiva.

Programma 5.15   Attraversamento in preordine (non ricorsivo)

Questo metodo non ricorsivo basato su stack è funzionalmente equivalente alla sua versione ricorsiva del Programma 5.14.

```
private void traverseS(Node h)
  { NodeStack s = new NodeStack(max);
    s.push(h);
    while (!s.empty())
      {
        h = s.pop();
        h.item.visit();
        if (h.r != null) s.push(h.r);
        if (h.l != null) s.push(h.l);
      }
  }
void traverseS()
  { traverseS(root); }
```

Lo schema descritto qui sopra è da intendersi come schema concettuale. Le implementazioni che usiamo in pratica sono in effetti più semplici. Ad esempio, per l'attraversamento in preorder non c'è bisogno di eseguire push sui nodi (dato che visitiamo la radice di ogni albero che preleviamo dallo stack), e quindi possiamo usare, come nell'implementazione non ricorsiva del Programma 5.15, un semplice stack contenente un solo tipo di entità (cioè, link ad alberi). Lo stack di sistema che supporta programmi ricorsivi contiene indirizzi di ritorno e valori degli argomenti piuttosto che oggetti o nodi, ma l'effettiva sequenza con cui eseguiamo i calcoli (cioè, visitiamo i nodi) nelle due versioni, ricorsiva e basata su stack esplicito, è la medesima.

Un'ulteriore tecnica di attraversamento, per nulla ricorsiva, è quella di visitare i nodi secondo l'ordine in cui essi appaiono sulla carta, scandendo gli elementi dalla cima al fondo e da sinistra verso destra. Questo metodo prende il nome di attraversamento *level-order* ("per livelli"), in quanto i nodi di ciascun livello sono visitati uno dopo l'altro, in ordine. L'attraversamento level-order è esemplificato nella Figura 5.28.

È interessante notare come l'attraversamento level-order possa essere ottenuto (Programma 5.16) sostituendo una coda allo stack del Programma 5.15. Per il preorder usiamo una struttura dati LIFO, mentre per il level-order ne usiamo una FIFO. All'infuori di questa, non ci sono differenze fra i due programmi. Questi programmi meritano di essere stu-

Figura 5.27
Contenuto dello stack per algoritmi di attraversamento di alberi

Queste sequenze indicano il contenuto dello stack nei casi di attraversamento di alberi in preordine (a sinistra), in ordine simmetrico (al centro) e in postordine (a destra). Si confrontino con la Figura 5.26. Usiamo un modello idealizzato di computazione, simile a quello della Figura 5.5, per il quale poniamo l'elemento e i suoi sottoalberi nello stack nell'ordine indicato.

Preordine (a sinistra):

```
          (E)
        E (D)(H)
    E   (D)(H)
        D (B)(H)
    D   (B)(H)
        B (A)(C)(H)
    B   (A)(C)(H)
        A (C)(H)
    A   (C)(H)
        C (H)
    C   (H)
        H (F)
    H   (F)
        F (G)
    F   (G)
        G
    G
```

Ordine simmetrico (al centro):

```
          (E)
        (D) E (H)
        (B) D E (H)
        (A)(B)(C) D E (H)
        A  B (C) D E (H)
    A   B (C) D E (H)
    B   (C) D E (H)
    C   D E (H)
    D   E (H)
    E   (H)
        (F) H
        F (G) H
    F   (G) H
    G   H
    H
```

Postordine (a destra):

```
          (E)
        (D)(H) E
        (B) D (H) E
        (A)(C) B D (H) E
        A (C) B D (H) E
    A   (C) B D (H) E
        C B D (H) E
    C   B D (H) E
    B   D (H) E
    D   (H) E
        (F) H E
        (G) F H E
    G   F H E
    F   H E
    H   E
    E
```

diati a fondo, poiché mettono in risalto l'essenza della differenza tra stack e code. In particolare, l'attraversamento level-order *non* corrisponde a un'implementazione legata alla struttura ricorsiva di un albero.

I metodi preorder, postorder e level-order sono ben definiti anche per le foreste. Basta pensare a una foresta come a un albero con la radice immaginaria, per cui la regola del metodo preorder dice "visita la radice e visita ciascuno dei sottoalberi", quella per il metodo postorder dice "visita ciascuno dei sottoalberi e, quindi, visita la radice", mentre la regola per l'attraversamento level-order resta invariata rispetto a quella definita per gli alberi binari. L'implementazione diretta di questi metodi è un'immediata generalizzazione dei programmi per l'attraversamento in preordine basati su stack (Programmi 5.14 e 5.15) e del programma per l'attraversamento per livelli basato su coda (Programma 5.16). Omettiamo qui i dettagli implementativi, perché avremo modo di studiare una procedura più generale nel Paragrafo 5.8.

Esercizi

▷ **5.79** Eseguite attraversamenti in preorder, inorder, postorder e level-order sui seguenti alberi binari:

  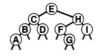

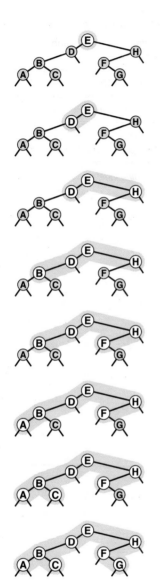

Figura 5.28
Attraversamento level-order

Questa sequenza indica il risultato della visita dei nodi dell'albero dall'alto verso il basso e da sinistra a destra.

Programma 5.16   Attraversamento level-order

Cambiando la struttura dati utilizzata per l'attraversamento in preordine (si veda il Programma 5.15) da stack a coda, si ottiene un attraversamento level-order.

```
private void traverseQ(Node h)
  { NodeQueue q = new NodeQueue(max);
    q.put(h);
    while (!q.empty())
      {
        h = q.get();
        h.item.visit();
        if (h.l != null) q.put(h.l);
        if (h.r != null) q.put(h.r);
      }
  }
void traverseQ()
  { traverseQ(root); }
```

▷ **5.80** Mostrate il contenuto della coda durante l'attraversamento level-order (Programma 5.16) illustrato nella Figura 5.28, usando lo stile della Figura 5.27.

5.81 Mostrate che il preorder su una foresta coincide con il preorder sul corrispondente albero binario (Proprietà 5.4) e che il postorder su una foresta coincide con l'inorder sull'albero binario.

○ **5.82** Fornite un'implementazione non ricorsiva dell'attraversamento in ordine simmetrico.

● **5.83** Fornite un'implementazione non ricorsiva dell'attraversamento in postorder.

● **5.84** Scrivete un programma che, avendo in input le sequenze d'attraversamento in ordine anticipato e in ordine simmetrico di un albero binario, produca in output la sequenza d'attraversamento level-order dell'albero.

5.7 Algoritmi ricorsivi su alberi binari

Gli algoritmi di attraversamento degli alberi trattati nel Paragrafo 5.6 sono da considerarsi come esemplificazioni elementari di algoritmi di elaborazione di alberi, che ne sfruttano la struttura ricorsiva. Molti problemi ammettono soluzioni ricorsive *divide et impera* che generalizza-

---

Programma 5.17   Calcolo di parametri di un albero

Possiamo usare semplici metodi ricorsivi come questi per determinare
proprietà strutturali di base degli alberi.

```
private static int count(Node h)
  {
    if (h == null) return 0;
    return count(h.l) + count(h.r) + 1;
  }
int count()
  { return count(root); }
private static int height(Node h)
  {
    if (h == null) return -1;
    int u = height(h.l), v = height(h.r);
    if (u > v) return u+1; else return v+1;
  }
int height()
  { return height(root); }
```

---

no gli algoritmi di attraversamento. Esaminiamo un albero iniziando
dalla radice, per poi esaminare (ricorsivamente) i suoi sottoalberi; possiamo eseguire calcoli prima, dopo o fra le chiamate ricorsive.

Spesso capita di dover determinare i valori di alcuni parametri strutturali di un albero, avendo in ingresso solo un link a tale albero. Ad esempio, il Programma 5.17 contiene metodi ricorsivi per calcolare il numero
di nodi e l'altezza di un dato albero. Questi metodi possono essere ottenuti immediatamente dalla Definizione 5.6. Nessuno dei due metodi dipende dall'ordine in cui le chiamate ricorsive sono eseguite: le funzioni
esaminano ogni nodo dell'albero e restituiscono la stessa risposta se, per
esempio, scambiamo le due chiamate ricorsive. Non tutti i parametri di
un albero sono così facili da calcolare. Ad esempio, scrivere un programma che calcoli in modo efficiente la lunghezza del cammino interno di
un albero binario è più difficoltoso (si vedano gli Esercizi dal 5.88 al 5.90).

Un metodo piuttosto utile quando scriviamo programmi che elaborano alberi è quello che stampa o disegna l'albero: il Programma 5.18
è una procedura ricorsiva che stampa un albero nel formato indicato
dalla Figura 5.29. Possiamo usare lo stesso schema ricorsivo per disegnare
rappresentazioni più elaborate di alberi, come ad esempio quelle che utilizziamo per tracciare gli alberi nelle figure di questo libro (Esercizio 5.85).

```
          *        E
H                  D
          *        B
G                  A

          *        C

D                  *
          *        H
C                  F
          *        *


     *        *
```

Figura 5.29
**Stampa di un albero
(inorder e preorder)**

*L'output sulla sinistra proviene dall'e-
secuzione del Programma 5.18 sul-
l'albero della Figura 5.26. Tale output possiede una struttura ad albero
esso stesso, simile alla rappresentazione grafica che usiamo per gli alberi di questo libro, ma ruotata di 90
gradi. L'output sulla destra è prodotto dallo stesso programma, ma con
l'istruzione di stampa spostata all'inizio. Qui, la struttura ad albero richiama più quella del sommario di un libro.*

Programma 5.18   Funzione di stampa rapida di un albero

Questo programma ricorsivo tiene traccia dell'altezza dell'albero e
usa tale informazione per indentare l'output. Questa rappresentazione può servire in fase di debugging di programmi che elaborano alberi (si veda la Figura 5.29). Il programma assume che gli elementi nei nodi siano di tipo Item.

```
static void printnode(Item x, int h)
  {
    for (int i = 0; i < h;i++)
      Out.print(" ");
    Out.println("[" + x + "]");
  }
private static void showR(Node t, int h)
  {
    if (t == null) { printnode(null, h); return; }
    showR(t.r, h+1);
    printnode(t.item, h);
    showR(t.l, h+1);
  }
void show()
  { showR(root, 0); }
```

Il Programma 5.18 è un attraversamento in ordine simmetrico, mentre se stampiamo il contenuto dei nodi prima delle chiamate ricorsive
otteniamo un attraversamento in preordine, illustrato anch'esso nella
Figura 5.29. Il formato adottato è piuttosto semplice, e potremo usarlo, ad esempio, per un albero genealogico, o per elencare file in un file
system organizzato ad albero, o anche per schematizzare il contenuto
di un documento scritto. Ad esempio, eseguendo un attraversamento
in preordine sull'albero della Figura 5.19 si ottiene una versione del sommario di questo libro.

Il nostro primo esempio di programma che costruisce un'esplicita
struttura ad albero binario è legato al programma per trovare il massimo
di un array esaminato nel Paragrafo 5.2. Lo scopo è quello di costruire un
torneo: un albero binario in cui l'elemento contenuto in ogni nodo interno è una copia del maggiore dei suoi due figli. Quindi, in particolare,
l'elemento contenuto nella radice è una copia del massimo elemento contenuto nel torneo. Gli elementi nelle foglie (nodi senza figli) sono i dati
a disposizione nel problema, mentre il resto dell'albero è una struttura dati che ci consente di trovare il massimo elemento in modo efficiente.

Programma 5.19 Costruzione di un torneo

Questo metodo ricorsivo divide un array a[l],..., a[r] nelle due parti a[l],..., a[m] e a[m+1],..., a[r], costruisce (ricorsivamente) tornei per queste due parti, e quindi costruisce il torneo per l'intero array, impostando i link di un nuovo nodo in modo che facciano riferimento ai due tornei calcolati ricorsivamente, copiando poi in tale nodo il maggiore fra i due valori che si trovano nelle radici di questi due tornei.

```
static class Node
  { double val; Node l; Node r;
    Node(double v, Node l, Node r)
      { this.val = v; this.l = l; this.r = r; }
  }
static Node max(double a[], int l, int r)
  { int m = (l+r)/2;
    Node x = new Node(a[m], null, null);
    if (l == r) return x;
    x.l = max(a, l, m);
    x.r = max(a, m+1, r);
    double u = x.l.val, v = x.r.val;
    if (u > v)
    x.val = u; else x.val = v;
    return x;
  }
```

Il Programma 5.19 è un programma ricorsivo che costruisce un torneo a partire da elementi contenuti in un array. Il programma è una modifica del Programma 5.6 che usa una strategia ricorsiva *divide et impera*: per costruire un torneo di un singolo elemento, creiamo (e restituiamo) una foglia contenente quell'elemento; per costruire un torneo con $N > 1$ elementi, dividiamo l'insieme degli elementi in due, costruiamo (ricorsivamente) tornei per i due sottoinsiemi, e creiamo un nuovo nodo con link ai due tornei che contenga una copia del maggiore fra gli elementi nelle radici dei due tornei.

La Figura 5.30 è un esempio di struttura ad albero che può venir costruita dal Programma 5.19. Implementare una tale struttura può essere più conveniente della semplice scansione dell'array per determinare il massimo (Programma 5.6), perché ci dà la possibilità di eseguire ulteriori operazioni. Le operazioni specifiche che abbiamo eseguito per costruire il torneo sono un'importante esemplificazione: dati due tornei, li possiamo combinare in un singolo torneo in tempo costante crean-

Figura 5.30
Albero (esplicito)
per trovare il massimo
(in un torneo)

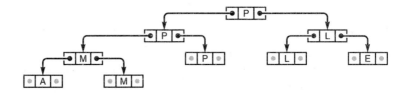

La figura illustra la struttura dati ad albero costruita dal Programma 5.29 sull'input **A M P L E**. *I dati (lettere) si trovano nelle foglie. Ogni nodo interno contiene una copia del maggiore fra gli elementi contenuti nei suoi due figli. Quindi, per induzione, l'elemento più grande si trova nella radice.*

do un nuovo nodo, facendo in modo che il link sinistro punti a un torneo e quello destro all'altro torneo, e copiando il maggiore fra le radici dei due tornei nel nuovo nodo (cioè, nella radice del torneo composto). Naturalmente possiamo anche prevedere operazioni di inserimento e cancellazione di elementi, ecc. Avremo occasione di studiare strutture dati che offrono questa flessibilità nel Capitolo 9. Effettivamente, implementazioni basate su alberi di molti degli ADT coda generalizzata considerati nel Paragrafo 4.7 sono un argomento primario in buona parte di questo libro. In particolare, molti degli algoritmi dei Capitoli dal 12 al 15 sono basati sui cosiddetti *alberi binari di ricerca*, vale a dire su esplicite strutture dati ad albero che stanno alla ricerca binaria come l'esplicita struttura dati della Figura 5.30 sta all'algoritmo ricorsivo per trovare il massimo (si veda la Figura 5.6). La difficoltà nell'implementazione e nell'uso di tali strutture dati è quella di assicurare che gli algoritmi che le elaborano rimangano efficienti anche dopo molte operazioni di inserimento, cancellazione, ecc.

Il nostro secondo esempio di programma che costruisce un albero binario è una modifica del programma di valutazione di espressioni prefisse (Programma 5.4). Questa modifica costruisce un albero che rappresenta l'espressione prefissa piuttosto che valutarla (si veda la Figura 5.31). Il Programma 5.20 usa lo stesso schema ricorsivo del Programma 5.4, anche se il metodo ricorsivo restituisce un link a un albero piuttosto che un valore. Creiamo un nuovo nodo dell'albero per ogni carattere nell'espressione. I nodi corrispondenti a operatori hanno link agli operandi, mentre le foglie contengono le variabili (o le costanti) che appaiono nell'espressione.

I programmi di traduzione, come ad esempio i compilatori, usano spesso strutture interne ad albero per rappresentare programmi, poiché gli alberi sono utili per vari scopi. Ad esempio, possiamo pensare che gli operandi corrispondano a variabili che assumono valori, e che venga generato codice macchina per valutare l'espressione con un attraversamento in postordine. Possiamo altresì usare l'albero per stam-

> ## Programma 5.20 Costruzione di un albero di parsing
>
> Con la stessa strategia che abbiamo usato per valutare espressioni prefisse (Programma 5.4), questo programma costruisce un albero di parsing a partire dall'espressione prefissa. Per semplicità assumiamo che gli operandi siano singoli caratteri e che sia definita una classe Node simile a quella del Programma 5.19 ma con un campo char come dato. Ogni chiamata del metodo ricorsivo crea un nuovo nodo che contiene il successivo carattere letto dall'input. Se questo è un operando restituiamo semplicemente un link al nuovo nodo, mentre se è un operatore assegniamo anche ai puntatori destro e sinistro gli alberi costruiti (ricorsivamente) per i due argomenti.
>
> ```
> static Node parse()
>   { char t = a[i++]; Node x = new Node(t);
>     if ((t == '+') || (t == '*'))
>       { x.l = parse(); x.r = parse(); }
>     return x;
>   }
> ```

pare l'espressione in forma infissa con un attraversamento in ordine simmetrico, oppure in forma postfissa con uno in postordine.

In questo paragrafo abbiamo considerato alcuni esempi per introdurre il concetto secondo cui è possibile elaborare strutture dati basate su link per mezzo di programmi ricorsivi. Per poterlo fare in modo efficiente, è necessario considerare le prestazioni dei vari algoritmi (versioni ricorsive e non), le rappresentazioni alternative, ecc. Nei Capitoli dal 7 all'11 useremo gli alberi unicamente a scopo descrittivo, rimandando lo studio dettagliato degli algoritmi di elaborazione associati al Capitolo 12, laddove considereremo anche esplicite implementazioni (che sono alla base dei numerosi algoritmi riportati nei capitoli ancora successivi).

Esercizi

○ **5.85** Modificate il Programma 5.18 in modo che esso dia in output un programma PostScript che disegna un albero, con un formato simile a quello usato nella Figura 5.23, ma senza i quadratini che rappresentano nodi esterni. Usate moveto e lineto per tracciare righe, insieme all'operazione

```
/node { newpath moveto currentpoint 4 0 360 arc fill} def
```

che disegna nodi. Dopo questa definizione, la chiamata node disegna un punto nero nella posizione individuata dalle coordinate nello stack (si veda il Paragrafo 4.3).

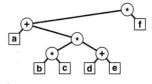

Figura 5.31
Albero di parsing

*Quest'albero è costruito dal Programma 5.20 sull'espressione prefissa * + a * * b c + d e f. Si tratta di un modo piuttosto naturale di rappresentare l'espressione: ogni operando è in una foglia (che disegniamo qui come un nodo esterno), ogni operatore deve essere applicato alle espressioni rappresentate dai sottoalberi sinistro e destro del nodo contenente l'operatore.*

▷ **5.86** Scrivete un programma che conti le foglie di un albero binario.

▷ **5.87** Scrivete un programma che conti il numero di nodi di un albero binario, che hanno come figli un nodo esterno e un nodo interno.

▷ **5.88** Scrivete un programma ricorsivo che calcoli la lunghezza del cammino interno di un albero binario, usando la Definizione 5.6.

5.89 Determinate il numero di invocazioni di metodi eseguite dal vostro programma, quando calcola la lunghezza del cammino interno di un albero binario (Esercizio 5.88). Dimostrate il vostro assunto per induzione.

● **5.90** Scrivete un programma ricorsivo che calcoli la lunghezza del cammino interno di un albero binario in tempo proporzionale al numero di nodi dell'albero.

○ **5.91** Scrivete un programma ricorsivo che cancelli da un torneo tutte le foglie con una data chiave (si veda l'Esercizio 5.59).

5.8 Attraversamento di grafi

Come ultimo esempio di programma ricorsivo di questo capitolo, consideriamo una delle più importanti procedure ricorsive, quella di attraversamento *in profondità* di un grafo, detta anche *ricerca depth-first*. La ricerca depth-first è una diretta generalizzazione dei metodi di attraversamento trattati nel Paragrafo 5.6, e costituisce la base di partenza per molti algoritmi fondamentali di elaborazione di grafi. Si tratta di un semplice algoritmo ricorsivo che funziona nel modo seguente. Iniziando da un nodo v:

- visitiamo v

- visitiamo (ricorsivamente) ogni nodo connesso a v che non è ancora stato visitato.

Se il grafo è connesso ne raggiungiamo prima o poi tutti i nodi. Il Programma 5.21 è un'implementazione di questa procedura ricorsiva.

Si supponga, ad esempio, di usare la rappresentazione per liste di adiacenza della Figura 3.15. La Figura 5.32 mostra le chiamate ricorsive effettuate durante la ricerca depth-first di questo grafo, mentre la sequenza a sinistra nella Figura 5.33 mostra il modo in cui gli archi del grafo sono percorsi. Seguiamo ogni arco del grafo e abbiamo due possibili esiti: se l'arco ci conduce a un nodo già visitato, ignoriamo l'arco; se l'arco ci porta a un nodo non ancora visitato, seguiamo l'arco con una chiamata ricorsiva. L'insieme degli archi che percorriamo in tal modo fornisce un albero di copertura (*spanning tree*) per il grafo.

Programma 5.21 Ricerca depth-first (in profondità)

Per visitare tutti i nodi connessi al nodo k, segniamo k come "visitato", e quindi visitiamo (ricorsivamente) tutti i nodi non visitati nella lista di adiacenza di k.

```
private void dfs(int k)
  {
    visit(k); visited[k] = true;
    for (Node t = adj[k]; t != null; t = t.next)
      if (!visited[t.v]) dfs(t.v);
  }
```

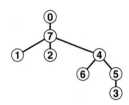

```
visit 0
  visit 7 (primo nella lista dello 0)
    visit 1 (primo nella lista del 7)
      controlla 7 nella lista dell' 1
      controlla 0 nella lista dell' 1
    visit 2 (secondo nella lista del 7)
      controlla 7 nella lista del 2
      controlla 0 nella lista del 2
    controlla 0 nella lista del 7
    visit 4 (quarto nella lista del 7)
      visit 6 (primo nella lista del 4)
        controlla 4 nella lista del 6
        controlla 0 nella lista del 6
      visit 5 (secondo nella lista del 4)
        controlla 0 nella lista del 5
        controlla 4 nella lista del 5
        visit 3 (terzo nella lista del 5)
          controlla 5 nella lista del 3
          controlla 4 nella lista del 3
      controlla 7 nella lista del 4
      controlla 3 nella lista del 4
  controlla 5 nella lista dello 0
  controlla 2 nella lista dello 0
  controlla 1 nella lista dello 0
  controlla 6 nella lista dello 0
```

Figura 5.32
Invocazioni di metodi
per la ricerca depth-first

Questa sequenza di invocazioni di metodi corrisponde alla ricerca in profondità sul grafo della Figura 3.16. L'albero (in alto) che raffigura la struttura delle chiamate ricorsive è detto albero di ricerca depth-first.

La differenza fra la ricerca depth-first e l'attraversamento di alberi generali (Programma 5.14) sta nel fatto che nella prima dobbiamo esplicitamente fare attenzione ai nodi già visitati. In un albero non incontreremo mai tali nodi. In effetti, se il grafo è un albero, la ricerca depth-first ricorsiva che parte dalla radice è del tutto equivalente all'attraversamento in preordine.

Proprietà 5.10 *La ricerca depth-first richiede tempo proporzionale a $V+E$ in un grafo con V vertici ed E archi, rappresentato con liste di adiacenza.*

Nella rappresentazione per liste di adiacenza a ogni arco del grafo corrisponde un solo nodo nelle liste di adiacenza e a ogni vertice del grafo corrisponde un solo riferimento in testa alle liste di adiacenza. La ricerca depth-first tocca ciascuno di essi, ma solo una volta. ∎

Dato che ci vuole un tempo proporzionale a $V + E$ anche per costruire la rappresentazione per liste di adiacenza a partire da una sequenza di archi in ingresso (Programma 3.17), la ricerca depth-first ci offre anche una soluzione in tempo lineare al problema della connettività del Capitolo 1. Per grafi di grandissime dimensioni, però, la soluzione union-find potrebbe essere migliore, dato che la rappresentazione dell'intero grafo richiede spazio proporzionale a E, mentre le soluzioni union-find occupano spazio proporzionale a V.

Come per l'attraversamento di alberi, possiamo definire un metodo di attraversamento di grafi che usi uno stack esplicito, come quello illustrato nella Figura 5.34. Possiamo pensare a uno stack astratto che possa contenere due tipi di elementi: un nodo e un riferimento a qualche nodo nella lista di adiacenza di quel nodo. Se lo stack è inizializzato con il nodo di partenza della ricerca e il riferimento al primo nodo

Figura 5.33
Ricerca depth-first
e ricerca breadth-first

La ricerca depth-first (a sinistra) si sposta da un nodo a un altro, tornando al nodo precedente per provare le altre strade rimaste in sospeso, quando tutte quelle relative al nodo corrente sono state esplorate. La ricerca breadth-first (a destra) esaurisce tutte le strade che partono da un nodo, prima di spostarsi al nodo successivo.

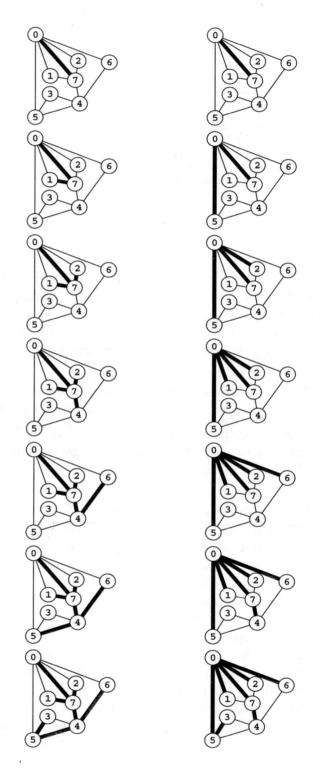

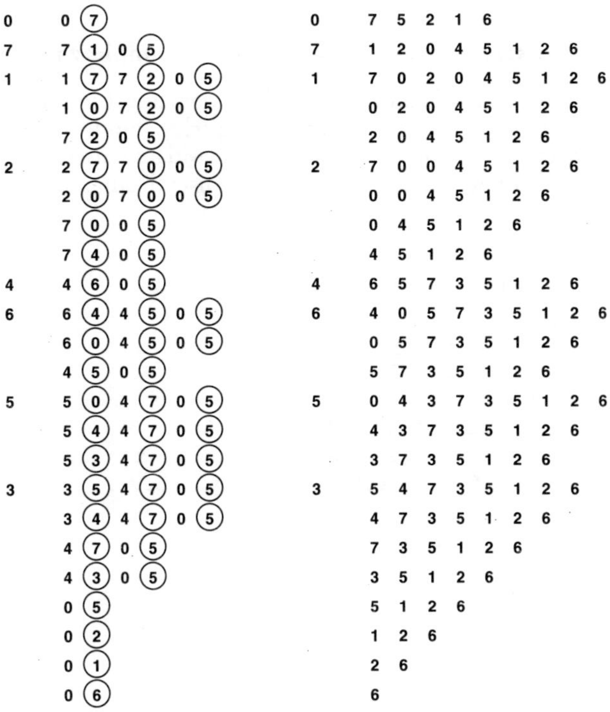

```
0    0 (7)                        0    7 5 2 1 6
7    7 (1) 0 (5)                  7    1 2 0 4 5 1 2 6
1    1 (7) 7 (2) 0 (5)            1    7 0 2 0 4 5 1 2 6
     1 (0) 7 (2) 0 (5)                 0 2 0 4 5 1 2 6
     7 (2) 0 (5)                       2 0 4 5 1 2 6
2    2 (7) 7 (0) 0 (5)            2    7 0 0 4 5 1 2 6
     2 (0) 7 (0) 0 (5)                 0 0 4 5 1 2 6
     7 (0) 0 (5)                       0 4 5 1 2 6
     7 (4) 0 (5)                       4 5 1 2 6
4    4 (6) 0 (5)                  4    6 5 7 3 5 1 2 6
6    6 (4) 4 (5) 0 (5)            6    4 0 5 7 3 5 1 2 6
     6 (0) 4 (5) 0 (5)                 0 5 7 3 5 1 2 6
     4 (5) 0 (5)                       5 7 3 5 1 2 6
5    5 (0) 4 (7) 0 (5)            5    0 4 3 7 3 5 1 2 6
     5 (4) 4 (7) 0 (5)                 4 3 7 3 5 1 2 6
     5 (3) 4 (7) 0 (5)                 3 7 3 5 1 2 6
3    3 (5) 4 (7) 0 (5)            3    5 4 7 3 5 1 2 6
     3 (4) 4 (7) 0 (5)                 4 7 3 5 1 2 6
     4 (7) 0 (5)                       7 3 5 1 2 6
     4 (3) 0 (5)                       3 5 1 2 6
     0 (5)                             5 1 2 6
     0 (2)                             1 2 6
     0 (1)                             2 6
     0 (6)                             6
```

Figura 5.34
Dinamica dello stack in una ricerca depth-first

Immaginiamo che lo stack di supporto alla ricerca depth-first contenga un nodo e un riferimento alla lista di adiacenza di quel nodo, indicato con un nodo cerchiato (parte sinistra della figura). Iniziamo con il nodo 0 sullo stack, con un riferimento al primo nodo della sua lista, cioè al nodo 7. Ogni riga indica il risultato di una pop dallo stack, inserendo (con push) un riferimento al prossimo nodo nella lista per i nodi che sono stati visitati, e inserendo (sempre con push) un elemento nello stack per i nodi non ancora visitati. In alternativa, possiamo pensare che questo procedimento semplicemente inserisca nello stack tutti i nodi adiacenti a un nodo non visitato (parte destra della figura).

della lista di adiacenza di quel nodo, allora l'algoritmo di ricerca depth-first è equivalente a un ciclo in cui: visitiamo il nodo in cima allo stack (se non è già stato visitato); memorizziamo il nodo individuato dal riferimento alla lista di adiacenza corrente; aggiorniamo il riferimento alla lista di adiacenza in modo che referenzi il nodo successivo (o lo eliminiamo dallo stack, se siamo giunti alla fine della lista di adiacenza); inseriamo nello stack il riferimento al primo nodo della lista di adiacenza del nodo appena memorizzato.

In alternativa, così come abbiamo fatto per l'attraversamento di alberi, possiamo considerare uno stack che contenga solo link a nodi. Se lo stack è inizializzato al nodo di partenza, entriamo in un ciclo in cui visitiamo il nodo in cima allo stack (se non è già stato visitato), quindi inseriamo nello stack tutti i nodi adiacenti a quel nodo. La Figura 5.34 illustra come entrambi questi metodi siano equivalenti alla ricerca depth-first eseguita sul nostro esempio di grafo. Tale equivalenza, in effetti, ha validità generale.

L'algoritmo che visita il nodo in cima allo stack e inserisce i suoi adiacenti è una semplice formulazione della ricerca in profondità, an-

---

Programma 5.22　Ricerca breadth-first (in ampiezza)

Per visitare tutti i nodi connessi al nodo *k*, poniamo *k* in una coda FIFO, quindi entriamo in un loop in cui preleviamo il successivo nodo dalla coda e, se non è stato visitato, lo visitiamo inserendo poi nella coda tutti i nodi non visitati della sua lista di adiacenza, continuando così fino a che la coda non è vuota.

```
void bfs(int k)
  { intQUEUE q = new intQUEUE(V*V);
    q.put(k);
    while (!q.empty())
      if (!visited[k = q.get()])
        { Node t;
          visit(k); visited[k] = true;
          for (t = adj[k]; t != null; t = t.next)
            if (!visited[t.v]) q.put(t.v);
        }
  }
```

---

che se è chiaro dalla Figura 5.34 che tale algoritmo ha il problema di poter lasciare nello stack più copie dello stesso nodo. La cosa può accadere anche se evitiamo di inserire nello stack i nodi che sono già stati visitati. Per evitare ciò, possiamo usare un'implementazione dello stack che vieta i duplicati con politica "dimentica il vecchio elemento", poiché la copia più vicina alla cima dello stack è sempre la prima visitata, e quindi le altre sono semplicemente eliminate.

L'evoluzione dello stack per la ricerca depth-first illustrata nella Figura 5.34 dipende dal fatto che i nodi di ogni lista di adiacenza finiscono nello stack nello stesso ordine in cui appaiono in tale lista. Per ottenere quest'ordine dovremmo inserire nello stack i nodi di ciascuna lista di adiacenza a partire dall'ultimo e andare a ritroso verso il primo. Inoltre, per limitare la dimensione dello stack al numero di vertici, cercando contemporaneamente di visitare i nodi nello stesso ordine della ricerca depth-first, dovremmo adottare una politica di stack "dimentica il vecchio elemento". Se non è importante ottenere una sequenza di visita uguale a quella della ricerca depth-first, possiamo evitare queste complicazioni e formulare direttamente un attraversamento non ricorsivo basato su stack: inizializziamo lo stack al nodo di partenza ed entriamo in un ciclo in cui visitiamo il nodo in cima allo stack, quindi procediamo lungo la lista di adiacenza di questo nodo, inserendo nello stack

```
        0                               0
0    7 5 2 1 6                    0    7 5 2 1 6
7    5 2 1 6 1 2 4                7    5 2 1 6 4
5    2 1 6 1 2 4 4 3              5    2 1 6 4 3
2    1 6 1 2 4 4 3                2    1 6 4 3
1    6 1 2 4 4 3                  1    6 4 3
6    1 2 4 4 3 4                  6    4 3
     2 4 4 3 4                    4    3
     4 4 3 4                      3
4    4 3 4 3
     3 4 3
3    4 3
     3
```

**Figura 5.35
Evoluzione della coda
per la ricerca breadth-first**

Iniziamo con 0 nella coda, quindi preleviamo 0, lo visitiamo e inseriamo nella coda i nodi 7 5 2 1 6 della sua lista di adiacenza, nell'ordine indicato. Quindi preleviamo 7, lo visitiamo e inseriamo nella coda i nodi della lista di adiacenza di 7, ecc. Se vietiamo duplicati seguendo la politica "ignora il nuovo elemento" (a destra), otteniamo lo stesso risultato, senza elementi inutili nella coda.

ogni nodo di questa lista non ancora visitato e usando uno stack che vieta duplicazioni secondo la politica "ignora il nuovo elemento". Questo algoritmo, pur visitando tutti i nodi del grafo in modo simile alla ricerca in profondità, non è ricorsivo.

L'algoritmo appena descritto è interessante perché possiamo impiegare una qualsiasi coda generalizzata e avere ancora un algoritmo di ricerca che visita tutti i nodi del grafo (e che genera ancora un albero di copertura). Ad esempio, se usiamo una coda invece di uno stack, otteniamo la *ricerca breadth-first* (o ricerca *in ampiezza*), analoga all'attraversamento di un albero per livelli. Il Programma 5.22 è un'implementazione di questo metodo di ricerca (assumendo di usare un'implementazione di coda come quella del Programma 4.17). Un esempio di esecuzione di tale algoritmo è dato dalla Figura 5.35.

Sia la ricerca in ampiezza che quella in profondità visitano tutti i nodi di un grafo, anche se il modo in cui lo fanno è estremamente diverso (Figura 5.36). La ricerca in ampiezza assomiglia a un esercito di esploratori che si aprono a ventaglio per occupare un territorio, mentre la ricerca in profondità corrisponde a un singolo esploratore che sonda un territorio ignoto spingendosi fin dove è possibile e retrocedendo solo quando incontra un vicolo cieco. Si tratta di paradigmi di risoluzione di problemi che hanno estrema importanza in molte aree dell'informatica, ben oltre l'esplorazione di grafi.

Esercizi

5.92 Mostrate il modo in cui la ricerca depth-first ricorsiva visita i nodi del grafo formato dalla sequenza di archi 0-2, 1-4, 2-5, 3-6, 0-4, 6-0 e 1-3 (Esercizio 3.70), disegnando diagrammi simili a quelli delle Figure 5.33 (parte sinistra) e 5.34 (parte destra).

Figura 5.36
Alberi di attraversamento
di grafi

La figura mostra istantanee dell'esecuzione di una ricerca in profondità (al centro) e di una in ampiezza (in basso) sul grafo in alto. La ricerca depth-first "vaga" da un nodo al successivo, quindi in quest'istantanea molti nodi sono connessi solo ad altri due nodi. Per contro, la ricerca breadth-first "spazza" il grafo visitando tutti i nodi connessi a un dato nodo prima di procedere oltre, quindi nell'istantanea ci sono molti nodi connessi a molti altri nodi.

5.93 Mostrate il modo in cui la ricerca depth-first basata su stack visita i nodi del grafo formato dalla sequenza di archi 0-2, 1-4, 2-5, 3-6, 0-4, 6-0 e 1-3, disegnando diagrammi simili a quelli delle Figure 5.33 (parte sinistra) e 5.34 (parte destra).

5.94 Mostrate il modo in cui la ricerca breadth-first basata su coda visita i nodi del grafo formato dalla sequenza di archi 0-2, 1-4, 2-5, 3-6, 0-4, 6-0 e 1-3, disegnando diagrammi simili a quelli delle Figure 5.33 (parte destra) e 5.35 (parte sinistra).

○ **5.95** Spiegate perché il tempo di calcolo indicato nella Proprietà 5.10 è in termini di $V + E$, invece che solo di E.

5.96 Mostrate il modo in cui la ricerca depth-first basata su stack visita i nodi del grafo nel testo (proveniente dalla Figura 3.16), quando si segue la politica "dimentica il vecchio elemento". Disegnate diagrammi simili a quelli delle Figure 5.33 (parte sinistra) e 5.35 (parte destra).

5.97 Mostrate il modo in cui la ricerca depth-first basata su stack visita i nodi del grafo nel testo (proveniente dalla Figura 3.16), quando si segue la politica "ignora il nuovo elemento". Disegnate diagrammi simili a quelli delle Figure 5.33 (parte sinistra) e 5.35 (parte destra).

▷ **5.98** Implementate una ricerca depth-first basata su stack per grafi rappresentati con liste di adiacenza.

○ **5.99** Implementate una ricerca depth-first ricorsiva per grafi rappresentati con liste di adiacenza.

5.9 Prospettive

La ricorsione è alla base degli studi teorici sulla natura della computabilità. Funzioni e programmi ricorsivi hanno un ruolo centrale negli studi matematici che distinguono ciò che può essere risolto con un calcolatore da ciò che non lo è.

Non è certo possibile rendere giustizia di un argomento così vasto come gli alberi e la ricorsione con una breve analisi quale è stata la nostra fino a questo punto. Molti degli esempi di programmi ricorsivi qui trattati saranno oggetto di studio in tutto il libro. Ci riferiamo, in particolare, agli algoritmi *divide et impera* e alle strutture dati ricorsive che sono state applicate con successo a un'ampia gamma di problemi. Per molte applicazioni non c'è alcuna ragione di andare al di là di una semplice e diretta implementazione ricorsiva; per altre è, invece, necessario derivare versioni non ricorsive alternative e implementazioni bottom-up.

In questo libro l'interesse verso i programmi e le strutture dati ricorsive riguarda principalmente gli aspetti pratici: il nostro obiettivo è quello di sfruttare la ricorsione per produrre implementazioni tanto eleganti quanto efficienti. Per fare ciò dobbiamo tenere in seria considerazione il pericolo di scrivere programmi semplici, ma con un numero esponenziale di chiamate ricorsive o aventi una profondità della ricorsione inaccettabile. Nonostante queste insidie, programmi e strutture dati ricorsive rimangono utili, perché spesso forniscono argomentazioni induttive che consentono di vagliare la correttezza e l'efficienza dei nostri programmi.

Usiamo gli alberi sia per comprendere le proprietà dinamiche dei programmi che come strutture dati dinamiche. Le proprietà che abbiamo descritto in questo capitolo costituiscono le basi indispensabili per un uso effettivo delle strutture ad albero, tema approfondito nei Capitoli dal 12 al 15.

Nonostante la sua centralità nella progettazione di algoritmi, la ricorsione non è certo una panacea. Come abbiamo già visto nello studio di algoritmi di attraversamento di alberi e grafi, le soluzioni di fatto ricorsive basate su stack non sono le uniche opzioni disponibili, quando si devono gestire computazioni multiple. Un'efficace tecnica di progettazione algoritmica è quella che sfrutta implementazioni di code generalizzate diverse dagli stack, perché esse ci danno la libertà di scegliere il successivo calcolo da eseguire secondo criteri più soggettivi di quello che sceglie semplicemente il più recente. Algoritmi e strutture dati che supportano in modo efficiente tali operazioni sono un argomento primario del Capitolo 9.

Riferimenti bibliografici per la Parte 2

Ci sono numerosi libri di testo introduttivi sulle strutture dati. Ad esempio, il libro di Standish tratta strutture concatenate, astrazioni su dati, stack e code, allocazione di memoria e principi di ingegneria del software in modo più approfondito che qui. I riferimenti standard a Java, quali i libri di Arnold e Gosling, e di Gosling, Yellin e il "Java Team" contengono entrambi numerosi esempi di implementazioni di strutture di dati di base. Molte delle strutture dati fondamentali che abbiamo trattato sono implementate in librerie standard di Java. Presenteremo brevemente alcune di queste implementazioni nell'Appendice del libro.

Il progettisti del linguaggio PostScript forse non immaginavano che tale linguaggio sarebbe stato interessante anche per studiosi di algoritmi e strutture dati. In effetti, il Postscript non è difficile da imparare e il suo manuale di riferimento è tanto completo quanto facilmente accessibile.

Il paradigma client-interfaccia-implementazione è descritto in modo dettagliato e con numerosi esempi nel libro di Hanson. Si tratta di un libro di straordinaria importanza per programmatori che vogliano scrivere codice portabile e senza errori per sistemi di grandi dimensioni.

I libri di Knuth, in particolare i Volumi 1 e 3, rimangono la fonte più autorevole sulle proprietà delle strutture dati elementari. Il libro di Baeza-Yates e Gonnet contiene informazioni più aggiornate, insieme a un'estesa bibliografia. Il libro di Sedgewick e Flajolet approfondisce le proprietà matematiche degli alberi.

Adobe Systems Incorporated, *PostScript Language Reference*, terza edizione, Addison-Wesley, Reading, MA, 1999.

K. Arnold e J. Gosling, *The Java Programming Language*, Addison Wesley, Reading, MA, 1996.

R. Baeza-Yates e G. H. Gonnet, *Handbook of Algorithms and Data Structures*, seconda edizione, Addison-Wesley, Reading, MA, 1984.

J. Gosling, F. Yellin, e il "Java Team", *The Java Application Programming Interface. Volume 1: Core Packages*, Addison-Wesley, Reading, MA, 1996; *Volume 2: Window Toolkit and Applets*, Addison-Wesley, Reading, MA, 1996.

D. R. Hanson, *C Interfaces and Implementations: Techniques for Creating Reusable Software*, Addison-Wesley, Reading, MA, 1997.

D. E. Knuth, *The Art of Computer Programming. Volume 1: Fundamental Algorithms*, terza edizione, Addison-Wesley, Reading, MA, 1997; *Volume 2: Seminumerical Algorithms*, terza edizione, Addison-Wesley, Reading, MA, 1998; *Volume 3: Sorting and Searching*, seconda edizione, Addison-Wesley, Reading, MA, 1998.

R. Sedgewick e P. Flajolet, *An Introduction to the Analysis of Algorithms*, Addison-Wesley, Reading, MA, 1996.

T. A. Standish, *Data Structures, Algorithms, and Software Principles in C*, Addison-Wesley, 1995.

Ordinamento

Metodi di ordinamento elementari

IL PRIMO APPROCCIO CON GLI ALGORITMI di ordinamento consiste nello studio di metodi "elementari" appropriati per file piccoli o aventi una struttura particolare. Esistono diverse ragioni che impongono di approfondire questi semplici algoritmi. Innanzitutto, essi costituiscono un modo abbastanza immediato per apprendere la terminologia e i meccanismi di base tipici, creando un background adeguato per lo studio di algoritmi più sofisticati. Secondariamente, in molte applicazioni è conveniente utilizzare questi metodi anziché altri più potenti. Infine, alcuni tra questi semplici procedimenti possono essere estesi a metodi più generali o possono essere impiegati per migliorare l'efficienza di quelli più complessi.

Il nostro obiettivo in questo capitolo non è solo quello di introdurre i metodi elementari, ma anche quello di sviluppare un contesto nel quale studiare gli algoritmi di ordinamento dei capitoli successivi. Presenteremo varie situazioni la cui considerazione può essere utile nell'applicazione pratica di algoritmi di ordinamento, esamineremo diversi tipi di file di input, e tratteremo modi alternativi per confrontare metodi di ordinamento e apprenderne le proprietà.

Inizieremo con lo studiare un semplice programma pilota per testare i metodi di ordinamento, che fornisca il contesto per le convenzioni che seguiremo. Considereremo anche le proprietà di base degli algoritmi di ordinamento, rilevanti per valutarne l'utilità in particolari applicazioni. Andremo, poi, ad analizzare la possibilità di sviluppare interfacce per tipi di dati e implementazioni, seguendo le linee guida tracciate nei Capitoli 3 e 4, allo scopo di estendere i nostri algoritmi all'ordinamento di file di dati che ricorrono spesso nella pratica. Quindi, analizzeremo le implementazioni e le prestazioni di tre metodi elementari: l'ordinamento per selezione, l'ordinamento per inserzione e il Bubble sort. Ancor più avanti, studieremo l'algoritmo di ordinamento Shellsort. Questo algoritmo non è forse da considerarsi elementare, ma è facile da implementare ed è legato all'ordinamento per inserzione. Dopo una breve digressione sulle proprietà matematiche di Shellsort, considereremo i metodi di ordinamento che operano su liste concatenate. Chiuderemo il capitolo con la discussione di un metodo speciale adatto al caso in cui le chiavi assumono valori in un intervallo ristretto.

In molte applicazioni che richiedono un algoritmo di ordinamento è sufficiente implementarne uno elementare. Di norma, i programmi di ordinamento sono utilizzati una sola volta o poche volte al massimo. Una volta ordinato un insieme di dati, il programma che effettua tale operazione può non essere più utilizzato nell'applicazione che manipola i dati. Di conseguenza, se il metodo elementare scelto per ordinare i dati non è più lento di altre fasi dell'elaborazione (ad esempio, l'acquisizione dei dati o la loro stampa), la ricerca di un metodo più veloce può essere di minor importanza. Se il numero di elementi da ordinare non è troppo grande (ad esempio, poche centinaia), può essere più conveniente seguire un metodo semplice che implementarne e verificarne uno più sofisticato o apportare le modifiche necessarie per adattarsi all'interfaccia di una funzione di ordinamento di sistema. I procedimenti elementari si adattano sempre a essere applicati a piccoli file (con poche dozzine di elementi); è improbabile che un algoritmo sofisticato sia conveniente per file di piccole dimensioni, a meno di doverne ordinare un gran numero. Altri tipi di file relativamente semplici da ordinare sono quelli quasi ordinati (o già ordinati), o quelli contenenti un gran numero di chiavi uguali. In questi casi, i metodi semplici possono avere prestazioni decisamente migliori di quelli più sofisticati.

Praticamente tutti i metodi elementari analizzati ordinano un file di N elementi disposti in modo casuale in N^2 passi. Se N è sufficientemente piccolo, questo può non rappresentare un problema e inoltre, se gli elementi non sono in ordine casuale, alcuni di questi procedimenti possono essere molto più veloci di quelli più complessi. Comunque, bisogna sottolineare che questi metodi *non* dovrebbero essere applicati a file casualmente ordinati di grandi dimensioni. Un'importante eccezione a questa regola è Shellsort (Paragrafo 6.6), che impiega un tempo molto inferiore a N^2, quando N è grande, ed è forse il metodo di ordinamento da preferire per file di media dimensione o per talune altre applicazioni specifiche.

6.1 Regole del gioco

Prima di considerare qualche algoritmo in particolare, può essere utile introdurre la terminologia generale e gli assunti di base per gli algoritmi di ordinamento. Per prima cosa, gli algoritmi considerati sono metodi per l'ordinamento di *file* costituiti da *record* contenenti *chiavi*. Tutti questi concetti sono astrazioni naturali nei moderni ambienti di programmazione. Le chiavi, che costituiscono soltanto una parte (di solito piccola) del record, controllano il processo di ordinamento. L'obiettivo dei metodi di ordinamento consiste nel riorganizzare i record in modo tale che le loro chiavi siano disposte secondo un ordine ben definito (di norma, in ordine numerico o alfabetico). Le specifiche caratteristiche delle chiavi e dei record possono variare notevolmente da un'applicazione a un'altra. La nozione astratta di ordinamento prescinde, però, da tali caratteristiche.

Se il file da ordinare può essere interamente contenuto in memoria, il metodo viene detto *interno*; l'ordinamento di file residenti su disco o su nastro viene chiamato ordinamento *esterno*: la differenza principale tra i due tipi di ordinamento sta nel fatto che, mentre nel primo è possibile accedere direttamente a un record, nel secondo i record devono essere indirizzati in modo sequenziale o al più per grandi blocchi. Benché nel Capitolo 11 vengano considerati alcuni algoritmi di ordinamento esterno, la maggior parte dei metodi da noi studiati sono ordinamenti interni.

Considereremo tanto array quanto liste concatenate. Entrambi i problemi sono interessanti: durante lo sviluppo dei nostri algoritmi, incontreremo alcune operazioni di base che sono più adatte per l'allocazione sequenziale e altre che sono più adatte per l'allocazione tramite link. Alcuni dei metodi classici sono sufficientemente astratti da poter essere implementati sia su array che su liste, altri invece operano più facilmente su una sola delle due strutture dati. Altri tipi di accesso ristretto ai dati possono essere utili da studiare, come avremo modo di vedere.

Iniziamo con l'ordinamento di array. Il Programma 6.1 illustra molte delle convenzioni che utilizzeremo nelle implementazioni. Si tratta di un programma pilota che riempie un array di interi generandoli a caso e che, quindi, invoca un metodo di ordinamento sull'array, stampando in output il risultato.

Come sappiamo dai Capitoli 3 e 4, vi sono numerosi meccanismi per generalizzare il nostro programma a tipi di dati diversi. Ne parleremo in dettaglio nel Paragrafo 6.2. Il metodo sort del Pro-

Programma 6.1 Esempio di ordinamento di array con programma pilota

Questo programma illustra le nostre convenzioni circa l'implementazione di ordinamenti di base su array. Il metodo `main` è un metodo pilota che inizializza un array di `double` con valori casuali, chiama un metodo `sort` per ordinare quell'array, e quindi stampa il risultato ordinato.

Qui, il metodo `sort` è una versione dell'ordinamento per inserzione descritto in dettaglio, insieme a esempi e implementazioni più raffinate, nel Paragrafo 6.4. Il metodo fa uso a sua volta dei metodi `less` (confronto di due elementi), `exch` (scambio di due elementi) e `compExch` (confronto di due elementi ed eventuale scambio, in modo che il secondo non sia inferiore al primo).

Possiamo utilizzare questo codice per ordinare array di elementi di un qualunque tipo numerico predefinito, semplicemente sostituendo ogni occorrenza di `double` con il tipo opportuno. Con un'implementazione adeguata di `less` possiamo ordinare array i cui elementi sono riferimenti (si veda il Paragrafo 6.2).

```java
class ArraySortBasic
  { static int cnt = 0;
    static boolean less(double v, double w)
      { cnt++; return v < w; }
    static void exch(double[] a, int i, int j)
      { double t = a[i]; a[i] = a[j]; a[j] = t; }
    static void compExch(double[] a, int i, int j)
      { if (less(a[j], a[i])) exch (a, i, j); }
    static void sort(double[] a, int l, int r)
      { for (int i = l+1; i <= r; i++)
          for (int j = i; j > l;j--)
            compExch(a, j-1, j);
      }
    public static void main(String[] args)
      { int N = Integer.parseInt(args[0]);
        double a[] = new double[N];
        for (int i = 0; i < N; i++)
          a[i] = Math.random();
        sort(a, 0, N-1);
        if (N < 100)
          for (int i = 0; i < N;i++)
            Out.println(a[i] + "");
        Out.println("Compares used: " + cnt);
      }
  }
```

gramma 6.1 accede ai dati da ordinare solo tramite il suo primo parametro e alcune altre semplici operazioni sui dati. Al solito, questo approccio consente di servirsi dello stesso codice per ordinare altri tipi di dati. Ad esempio, se il codice per generare, memorizzare e stampare chiavi casuali nel main del Programma 6.1 fosse modificato per trattare interi invece di numeri in virgola mobile, l'unica modifica da apportare sarebbe quella di cambiare double in int all'interno di sort e dei suoi metodi associati per poter ordinare array di interi. Per consentire tale flessibilità (facendo al contempo rimanere esplicite le variabili che contengono elementi dell'array), le nostre implementazioni relative all'ordinamento utilizzano un tipo di dato ITEM non ulteriormente specificato. Per il momento, possiamo pensare che ITEM corrisponda a int o a float. Nel Paragrafo 6.2 approfondiremo implementazioni di tipi di dati che ci consentiranno di applicare i nostri metodi di ordinamento a elementi arbitrari con chiavi intere, in virgola mobile, stringa, o di altro tipo ancora, sfruttando il meccanismo presentato nei Capitoli 3 e 4.

Il metodo sort può essere sostituito da una qualsiasi implementazione di un algoritmo di ordinamento su array tra quelle studiate in questo come nei Capitoli dal 7 al 10. Tutte queste implementazioni assumono che elementi di tipo ITEM debbano essere ordinati, e tutte hanno in input tre parametri: l'array e gli estremi sinistro e destro del particolare sottoarray da ordinare. Inoltre, usano tutte less per confrontare chiavi negli elementi da ordinare ed exch (oppure compExch) per scambiare elementi. Per distinguere metodi di ordinamento diversi, daremo alle nostre routine nomi distinti. Si potrà, poi, facilmente rinominare una di queste o cambiare il programma pilota, come il Programma 6.1, senza dover modificare il codice dell'implementazione dell'algoritmo.

Queste convenzioni ci consentiranno di studiare implementazioni naturali e concise di molti algoritmi di ordinamento su array. Nel Paragrafo 6.2 presenteremo un programma pilota che illustra l'uso delle implementazioni in contesti più generali, insieme a numerose implementazioni di tipi di dati. Pur avendo interesse per tali questioni, il nostro obiettivo principale rimane quello degli algoritmi.

L'esempio di metodo di ordinamento utilizzato dal Programma 6.1 è una variante dell'*ordinamento per inserzione*, studiato in dettaglio nel Paragrafo 6.3. Usando solo operazioni di confronto-scambio, esso costituisce un esempio di ordinamento *non adattivo*: la sequenza di operazioni svolte è indipendente dall'ordine dei dati in ingresso. Al contrario, un metodo di ordinamento è *adattivo* quando esegue diverse sequenze di operazioni in funzione del risultato dei confronti (invocazioni di `less`). L'ordinamento non adattivo è interessante perché può essere facilmente implementato in hardware (si veda il Capitolo 11). Molti degli algoritmi che studieremo, però, sono esempi di ordinamento adattivo.

Come al solito, il criterio di valutazione delle prestazioni al quale si è maggiormente interessati è il tempo di esecuzione dell'algoritmo. Il metodo `sort` del Programma 6.1 effettua sempre esattamente $N(N-1)/2$ confronti (e scambi), e quindi non può dirsi utilizzabile quando N è estremamente grande. L'ordinamento per selezione, quello per inserzione e il Bubble sort (trattati nei Paragrafi dal 6.3 al 6.5) richiedono tutti un tempo proporzionale a N^2 per ordinare N elementi (si veda il Paragrafo 6.6), mentre algoritmi più avanzati (che studieremo nei Capitoli dal 7 al 10) sono in grado di operare in un tempo proporzionale a $N \log N$, anche se non sempre sono migliori dei metodi più semplici quando N è piccolo o in alcune situazioni particolari. Dopo aver affrontato i metodi più semplici, ne verrà studiato uno più avanzato (Shellsort) in grado di raggiungere prestazioni dell'ordine di $N^{3/2}$; si vedrà inoltre come, sfruttando le proprietà digitali delle chiavi, alcuni metodi siano in grado di ordinare un file con un tempo proporzionale a N (si veda il Paragrafo 6.10).

I risultati descritti sopra derivano tutti dal semplice conteggio delle operazioni di base (confronti e scambi) che gli algoritmi eseguono. Come abbiamo evidenziato nel Paragrafo 2.2, si devono anche considerare i costi di tali operazioni, specialmente di quelle eseguite più spesso (cioè, quelle del ciclo più interno degli algoritmi). Il nostro scopo è quello di sviluppare implementazioni ragionevoli di algoritmi efficienti e a tal fine cercheremo di snellire il più possibile la sequenza di operazioni svolte nei cicli interni, evitando l'aggiunta di istruzioni superflue. Di solito, il primo modo per ridurre i costi in un'applicazione è quello di ricorrere a un algoritmo più efficiente, il secondo è quello di ridurre le istruzioni nel ciclo interno. Vedremo entrambe queste possibilità nel contesto degli algoritmi di ordinamento.

La quantità di memoria aggiuntiva impiegata dagli algoritmi di ordinamento è il secondo fattore da considerare in ordine di importanza. Da questo punto di vista, i metodi possono essere suddivisi in tre gruppi: quelli che ordinano sul posto senza utilizzare memoria aggiuntiva, se non un piccolo stack o una piccola tabella; quelli che sfruttano una rappresentazione tramite lista concatenata, impiegando N parole extra per memorizzare i riferimenti o gli indici; quelli, infine, che richiedono tanta memoria aggiuntiva da poter mantenere un'altra copia dell'array da ordinare.

Non di rado ordiniamo record dotati di chiavi multiple. Qualche volta può anche capitare di dover ordinare più volte uno stesso insieme di record, facendo riferimento di volta in volta a chiavi differenti. In questi casi, potrebbe essere importante sapere se il metodo di ordinamento impiegato ha la proprietà descritta dalla seguente definizione.

Definizione 6.1 *Un metodo di ordinamento si dice stabile se preserva l'ordine relativo dei dati con chiavi uguali all'interno del file da ordinare.*

Ad esempio, se si ordina per anno di corso una lista di studenti già ordinata alfabeticamente, un metodo stabile produce una lista in cui gli alunni dello stesso anno sono ancora in ordine alfabetico, mentre un ordinamento instabile probabilmente produrrà una lista senza più alcuna traccia del precedente ordinamento. La Figura 6.1 ne fornisce un esempio. Spesso le persone inconsapevoli di queste differenze si sorprendono degli spiacevoli effetti legati all'instabilità di un algoritmo.

La maggior parte dei metodi elementari è stabile, mentre quasi tutti gli algoritmi sofisticati ben noti non lo sono. Se la stabilità è un requisito necessario, essa può essere forzata aggiungendo prima dell'ordinamento un piccolo indice a ciascuna chiave o allungando in qualche altro modo le chiavi sulle quali operare. Questo lavoro extra, per l'esempio della Figura 6.1, equivale a usare entrambe le chiavi per l'ordinamento: meglio usare un algoritmo stabile. È facile dare per scontata la stabilità di un algoritmo; in effetti, sono pochi gli algoritmi di ordinamento, fra quelli sofisticati che analizzeremo più avanti, che realizzano un ordinamento stabile senza ulteriore uso di spazio di memoria o tempo di calcolo.

Come abbiamo avuto occasione di dire, i programmi di ordinamento di solito accedono ai dati in due modi: confronto di chiavi o spostamento. Se ogni singolo elemento occupa molto spazio, è preferibile evitare di spostarlo eseguendo quello che viene detto ordinamento *indiretto*: in tal caso non riordiniamo gli elementi, ma piuttosto un array di riferimenti, in modo che il primo di essi si riferisca all'elemento più piccolo, il secondo al secondo elemento più piccolo e così via. Potremmo spostare effettivamente gli elementi dopo aver ultimato l'ordinamento, ma ciò spesso non è necessario, data la possibilità di accedere agli elementi in modo ordinato (sia pure indiretto, per mezzo di riferimenti). In Java, l'ordinamento indiretto è da considerarsi la norma. Vedremo, in effetti, nel prossimo paragrafo come ordinare file di elementi che non sono di tipo semplicemente numerico.

Adams	1
Black	2
Brown	4
Jackson	2
Jones	4
Smith	1
Thompson	4
Washington	2
White	3
Wilson	3

Adams	1
Smith	1
Washington	2
Jackson	2
Black	2
White	3
Wilson	3
Thompson	4
Brown	4
Jones	4

Adams	1
Smith	1
Black	2
Jackson	2
Washington	2
White	3
Wilson	3
Brown	4
Jones	4
Thompson	4

**Figura 6.1
Esempio di ordinamento stabile**

L'ordinamento di questi record si può eseguire su entrambe le chiavi. Si supponga che essi vengano inizialmente ordinati in base alla prima chiave (in alto). Un ordinamento non stabile sulla seconda chiave non preserva l'ordine dei record con chiavi duplicate (al centro), mentre un ordinamento stabile preserva tale ordine (in basso).

Esercizi

▷ **6.1**   Un gioco per bambini è provvisto di cartoncini che devono essere inseriti in opportuni sostegni. I cartoncini sono tali per cui *i* di questi possono essere inseriti nel sostegno di posto *i*, per *i* da 1 a 5. Descrivete il metodo che usate per inserire i cartoncini nei sostegni, assumendo di non poter stabilire con una semplice occhiata al cartoncino se esso possa andar bene per un dato sostegno (dovete, cioè, provare a inserirlo).

6.2   Un gioco di carte richiede di ordinare un mazzo di carte per seme (nell'ordine fiori, cuori, picche e quadri) e per valore all'interno di ciascun seme. Chiedete a dei vostri amici di svolgere questo compito per voi e poi scrivete su carta il metodo che hanno usato.

6.3   Spiegate in che modo ordinereste un mazzo di carte avendo il vincolo che le carte debbano restare in riga a faccia in giù, e che le sole operazioni consentite siano quelle di controllare i valori di due carte ed (eventualmente) di scambiarle di posto.

○ **6.4**   Spiegate in che modo ordinereste un mazzo di carte avendo il vincolo che le carte debbano restare impilate nel mazzo, e le che sole operazioni consentite siano quelle di controllare il valore delle due carte in cima al mazzo, scambiare queste due carte e spostare in fondo al mazzo la carta che stava in cima.

6.5   Fornite tutte le sequenze di tre operazioni di confronto-scambio che servono a ordinare tre elementi (si veda il Programma 6.1).

○ **6.6**   Fornite una sequenza di cinque operazioni di confronto-scambio che servono a ordinare quattro elementi.

6.7   Fornite la spiegazione del perché controllare che un array sia ordinato, dopo aver eseguito su di esso un algoritmo di ordinamento, non è garanzia di correttezza dell'algoritmo.

● **6.8**   Scrivete un programma pilota che: esegua più volte il metodo sort su file di dimensioni varie, misuri il tempo di esecuzione di ciascun ordinamento e stampi o disegni in un grafico i tempi medi.

● **6.9**   Scrivete un programma pilota che esegua più volte il metodo sort su casi difficili o patologici che possono capitare in pratica. Esempi di tal fatta includono i casi di array già ordinati, quelli ordinati in senso inverso, quelli con chiavi tutte uguali o con due sole chiavi distinte, e array di lunghezza 0 o 1.

6.2 Implementazioni generiche di algoritmi di ordinamento

Sebbene sia ragionevole apprendere molti algoritmi di ordinamento semplicemente pensando a essi come operanti su array di numeri interi o di caratteri, vale la pena di ricordare che questi algoritmi sono ampiamente indipendenti dal tipo degli elementi da ordinare, e che non è affatto

Programma 6.2 Interfaccia per elementi (Item)

Qualsiasi classe di elementi da ordinare deve per lo meno includere un metodo che dia a ciascun oggetto della classe la possibilità di
stabilire se esso è minore di un altro oggetto della stessa classe.

```
interface ITEM
  { boolean less(ITEM v); }
```

difficile illustrarli in termini più generali. In questo paragrafo, trattiamo
le convenzioni che seguiremo per ottenere questa generalità. Approfondire questi argomenti sin dal principio ci consente di estendere in modo
significativo l'applicabilità e la facilità di utilizzo del nostro codice.

Il Programma 6.2 definisce le convenzioni più essenziali: per ordinare elementi abbiamo bisogno di confrontarli. In Java, esprimiamo
questa necessità definendo un'interfaccia che include il metodo opportuno, e facendo sì che ogni classe che definisce un elemento da ordinare implementi quest'interfaccia. Queste implementazioni non sono
difficili da sviluppare (ne vedremo in dettaglio tre esempi nei Programmi
dal 6.8 al 6.11). Il risultato è la possibilità di usare nelle implementazioni il metodo less per effettuare confronti, ottenendo codice in grado di funzionare con qualsiasi tipo di elemento. Quest'interfaccia è molto simile all'interfaccia Comparable di Java, che richiede alle implementazioni l'inclusione di un metodo compareTo.

Compiuto questo passo fondamentale, il cammino verso lo sviluppo di implementazioni generiche è da considerarsi una digressione
rispetto agli aspetti algoritmici dell'ordinamento. Il lettore può, quindi, omettere il resto di questo paragrafo a una prima lettura, e ritornarvi
o farvi riferimento successivamente durante l'apprendimento degli algoritmi di ordinamento di base e delle loro proprietà, presentati nei Paragrafi dal 6.3 al 6.6, nel Paragrafo 6.8 e nei Capitoli dal 7 al 9. Tutte
le implementazioni trattate successivamente possono intendersi come
la sostituzione del metodo sort del Programma 6.1 che fa uso del tipo
predefinito double invece del tipo generico ITEM.

Il Programma 6.3 mostra le nostre convenzioni per organizzare le
implementazioni degli algoritmi di ordinamento come metodi nella classe Sort. Ogni client con un array di oggetti appartenenti a una classe
che implementa l'interfaccia ITEM (e, quindi, definisce un metodo less)
può ordinare l'array semplicemente invocando Sort.sort. In questo li-

Programma 6.3   Classe per metodi di ordinamento

Poniamo il nostro codice `sort` in un metodo statico e in una classe a parte, in modo che ogni programma client ne possa fare uso per ordinare qualsiasi array di elementi di qualsiasi tipo che implementi la funzione `less`, come specificato nell'interfaccia `ITEM`. Questa classe è anche il posto adeguato per ospitare i metodi statici di utilità `less`, `exch` e `compExch`, che le nostre implementazioni utilizzeranno.

```
class Sort
  {
    static boolean less(ITEM v, ITEM w)
      { return v.less(w); }
    static void exch(ITEM[] a, int i, int j)
      { ITEM t = a[i]; a[i] = a[j]; a[j] = t; }
    static void compExch(ITEM[] a, int i, int j)
      { if (less(a[j], a[i])) exch (a, i, j); }
    static void sort(ITEM[] a, int l, int r)
      { example(a, l, r); }
    static void example(ITEM[] a, int l, int r)
      {
        for (int i = l+1; i <= r; i++)
          for (int j = i; j > l;j--)
            compExch(a, j-1, j);
      }
  }
```

bro, vogliamo considerare numerose implementazioni di `sort`. Per evitare confusione, diamo a ciascuna implementazione un nome diverso lasciando però ai client la possibilità di chiamare semplicemente `sort`, e di sostituire un'implementazione differente, sia modificando il codice del metodo `example` di questo file `Sort.java`, sia usando il meccanismo dei cammini delle classi Java (si veda il Paragrafo 4.6).

Le nostre implementazioni di `sort`, generalmente, usano per confrontare elementi un metodo statico `less` a due parametri. Quando gli elementi da confrontare sono di tipo predefinito, possiamo anche utilizzare l'operatore $<$ come nel Programma 6.1. Quando, invece, gli elementi sono di una classe che implementa `ITEM`, possiamo definire `less` nei termini del metodo `less` per quella classe, come evidenzia il Programma 6.3. Alcune delle nostre implementazioni di `sort` utilizzano anche i metodi `exch` e `compExch`, le cui implementazioni per tipi predefiniti sono date nel Programma 6.1 e per riferimenti nel Programma 6.3.

Programma 6.4 Interfaccia per l'ADT elemento generico (Item)

Quest'interfaccia illustra il modo in cui definire generiche operazioni che potremmo voler eseguire sugli elementi da ordinare: confronta un elemento con un altro elemento, leggi un elemento da standard input, genera un elemento a caso, e calcola una rappresentazione stringa di ciascun elemento (in modo da poterlo stampare). Ogni implementazione deve includere less (per implementare l'interfaccia ITEM) e può includere toString (altrimenti, verrà preso quello di default da Object).

```
class myItem implements ITEM // interfaccia di ADT
  { // implementazioni e membri privati nascosti
    public boolean less(ITEM)
    void read()
    void rand()
    public String toString()
  }
```

In alternativa, si potrebbe aggiungere less alla classe degli elementi e le operazioni di scambio a quella degli array. Oppure ancora, poichè sono di una sola riga, potremmo semplicemente includere tali metodi come metodi privati nel codice dell'ordinamento. L'uso di questi metodi ci fornisce la flessibilità che rende i nostri algoritmi di ordinamento capaci di contare i confronti che effettuano (come nel Programma 6.1), o addirittura di animarli (come nel Programma 6.16).

Abbiamo più volte specificato (nei Capitoli 3 e 4) la necessità di organizzare i nostri programmi in moduli indipendenti, quando si tratta di implementare tipi di dati e ADT. In questo paragrafo, tratteremo del modo in cui possiamo far uso dei concetti presentati in quei capitoli per scrivere implementazioni, interfacce e programmi client per algoritmi di ordinamento. In modo particolare, considereremo ADT per:

- *elementi*, da intendersi come entità generiche da ordinare
- *array di elementi.*

Il tipo di dato ITEM ci permette di sfruttare il codice degli algoritmi di ordinamento per ogni tipo di dato su cui siano definite alcune operazioni di base. È un approccio efficace (ne presentaremo numerosi esempi) tanto per tipi predefiniti che per riferimenti. L'interfaccia per array è meno importante per questi scopi, la includiamo solo come utile esempio di programmazione generica in Java.

Programma 6.5 Interfaccia per l'ADT array ordinabile

Quest'interfaccia illustra i metodi di cui i client potrebbero aver bisogno per ordinare array: inizializza con valori casuali, inizializza con valori letti da standard input, mostra il contenuto e ordina il contenuto. Non abbiamo bisogno di specificare il tipo degli elementi da ordinare per definire queste operazioni.

```
class myArray // interfaccia di ADT
  { // implementazioni e membri privati nascosti
    myArray(int)
    void rand()
    void read()
    void show(int, int)
    void sort(int, int)
  }
```

Per lavorare con particolari tipi di elementi e chiavi dichiariamo tutte le operazioni rilevanti su di essi in un'interfaccia esplicita, e quindi forniamo implementazioni delle operazioni definite, che sono dipendenti dall'applicazione. Il Programma 6.4 è un esempio di tale interfaccia. Aggiungiamo al metodo less la capacità di generare elementi a caso, di leggere un elemento e di trasformare elementi in stringhe (in modo, ad esempio, da poterli stampare).

I nostri algoritmi di ordinamento non lavorano solo con elementi, ma con array di elementi. Scriviamo, quindi (Programma 6.5), un'interfaccia di ADT che definisca la nozione astratta di *array ordinabile*. Le operazioni definite in quest'interfaccia si riferiscono ad array, non a singoli elementi, e sono da intendersi come supporto ai programmi client che controllano o, comunque, eseguono algoritmi di ordinamento. Non è difficile far sì che un client che deve ordinare un singolo array invochi direttamente il metodo sort (si veda l'Esercizio 6.11). I metodi del Programma 6.5 sono solo alcuni esempi di operazioni che potremmo aver bisogno di eseguire su array. In applicazioni particolari, potrebbero servirne varie altre (la classe Vector del package java.util è un modo possibile di offrire un'interfaccia generale di questo tipo). L'ADT del Programma 6.5 ha a che fare unicamente con array ordinabili. Al solito, possiamo sostituire implementazioni diverse delle varie operazioni senza dover modificare i client che utilizzano l'interfaccia.

Il Programma 6.6 è un esempio di programma pilota con le stesse funzionalità generali del Programma 6.1. Il programma legge un array

Programma 6.6   Programma pilota per l'ordinamento di array

Questo programma pilota per l'ordinamento di array riempie un generico array con elementi generici, ordina l'array e ne mostra il risultato. Il programma interpreta il primo argomento sulla linea di comando come il numero di elementi da ordinare, mentre l'esistenza di un secondo argomento sulla linea di comando viene inteso come un flag che indica se generare a caso gli elementi o leggerli da standard input. Dato che questo codice usa l'ADT del Programma 6.5, esso non fa riferimento al tipo degli elementi da ordinare. Questo modo di organizzare il codice da un lato ci consente di impiegare una qualsiasi implementazione di un algoritmo di ordinamento (senza cambiare una riga), dall'altro permette di sviluppare metodi che operano su array in modo indipendente (che possono essere utili, ad esempio, per sviluppare programmi pilota differenti).

```
class ArraySort
{
  public static void main(String[] args)
    { int N = Integer.parseInt(args[0]);
      myArray A = new myArray(N);
      if (args.length < 2) A.rand(); else A.read();
      A.sort(0, N-1);
      A.show(0, N-1);
    }
}
```

da input, oppure lo genera casualmente, quindi lo ordina, e ne stampa il risultato. Il programma mostra come possiamo definire tale computazione senza alcun riferimento al tipo di elementi da ordinare: è un'implementazione generica. Possiamo usare lo stesso ADT per definire programmi pilota che eseguono compiti più articolati e, quindi, organizzarli in modo tale da poterli utilizzare su array di elementi di vario tipo, senza modificare il codice dell'implementazione (si veda l'Esercizio 6.12).

Il Programma 6.7 è un'implementazione dell'ADT array ordinabile del Programma 6.5, che è un client dell'ADT elemento generico del Programma 6.4. Per leggere un array da standard input ne leggiamo gli elementi in sequenza, per generare un array casuale generiamo elementi in modo casuale, per stampare un array ne stampiamo gli elementi, mentre per ordinare un array usiamo Sort.sort. L'organizzazione

**Programma 6.7 Esempio di implementazione
dell'ADT array ordinabile**

Quest'implementazione fa uso dell'interfaccia per elementi generici del Programma 6.4 per mantenere un array privato di elementi. Essa usa i metodi per elementi rand, read, e toString allo scopo di implementare i corrispondenti metodi per array. Per assicurare maggiore flessibilità, il metodo sort è posto in una classe statica Sort. Le implementazioni di sort usano il metodo less tratto dall'implementazione di myItem.

```
class myArray
  {
    private myItem[] a;
    private int N;
    myArray(int N)
      {
        this.N = N;
        a = new myItem[N];
        for (int i = 0; i < N; i++)
          a[i] = new myItem();
      }
    void rand()
      { for (int i = 0; i < N; i++) a[i].rand(); }
    void read()
      { for (int i = 0; i < N; i++)
          if (!In.empty()) a[i].read(); }
    void show(int l, int r)
      { for (int i = l; i <= r; i++)
          Out.println(a[i] + ""); }
    void sort(int l, int r)
      { Sort.sort(a, l, r); }
  }
```

modulare ci permette di sostituire implementazioni diverse, in funzione della particolare applicazione. Ad esempio, potremmo servirci di un'implementazione in cui show stampa solo parte dell'array quando stiamo verificando algoritmi di ordinamento su array molto lunghi.

Consideriamo, infine, le implementazioni di ADT che ci consentono di ordinare vari tipi di elementi (il punto centrale di tutta la questione). Come esempio, prendiamo il Programma 6.8 che implementa l'ADT myItem che potremmo usare per far sì che il Programma 6.6 ordini array di interi. Quest'implementazione può essere combinata con qualsiasi client di ordinamento, qualsiasi implementazione di algorit-

---

**Programma 6.8   Implementazione di un ADT
per elementi interi**

Questo codice implementa l'ADT generico `myItem` del Programma
6.4 per record che sono chiavi intere.

```
class myItem implements ITEM
  { private int key;
    public boolean less(ITEM w)
      { return key < ((myItem) w).key; }
    void read()
      { key = In.getInt(); }
    void rand()
      { key = (int) (1000 * Math.random()); }
    public String toString() { return key + ""; }
  }
```

---

mi di ordinamento e qualsiasi implementazione di array, senza dover
cambiare nessun altro client o codice di implementazione.

Sviluppare implementazioni simili al Programma 6.8 per altri tipi di record e chiavi è piuttosto immediato, quindi questo meccanismo
rende le nostre implementazioni applicabili ad ampio spettro. Per tipi
di dati predefiniti questa flessibilità è ottenuta al solito prezzo di un livello ulteriore di indirezione (come evidenziato più avanti in questo paragrafo). Nella pratica capita più spesso di lavorare con tipi non predefiniti, cioè con record contenenti le informazioni più varie associate a
chiavi, e il vantaggio di lavorare con tipi generici certamente supera i
costi. Chiudiamo questo paragrafo con due ulteriori esempi che illustrano la facilità di gestione di applicazioni di tal fatta.

Consideriamo un'applicazione contabile in cui abbiamo una chiave corrispondente al numero di conto di un cliente, una stringa contenente il nome del cliente, e un numero in virgola mobile corrispondente al saldo del conto del cliente. Il Programma 6.9 implementa
una classe per tali record. Supponiamo ora di voler elaborare i record
in modo ordinato. Ci potrebbe capitare, per esempio, di voler vedere i record in ordine alfabetico per nome di cliente, oppure altre volte in ordine di numero di conto, oppure ancora in ordine di saldo di
conto. Il Programma 6.10 mostra il modo di organizzare le cose in maniera tale da poter effettuare uno qualsiasi di questi ordinamenti tramite una classe derivata da `Record` che implementa l'interfaccia `ITEM`,

Programma 6.9   Esempio di classe record

Questo esempio illustra una tipica classe per record in un'applicazione di elaborazione di dati. Ci sono tre campi: una stringa, un numero intero e un numero in virgola mobile. Questi campi potrebbero, ad esempio, memorizzare il nome di un cliente, il suo numero di conto corrente e il saldo di tale conto.

```
class Record
  {
    int id;
    double balance;
    String who;
    static int SortKeyField = 0;
    public String toString()
      { return id + " " +balance + " " + who; }
  }
```

la quale include un metodo per specificare la chiave rispetto alla quale eseguire l'ordinamento.

Supponiamo, ad esempio, che il Programma 6.10 sia il file myItem.java (contenuto magari in una directory appropriata, indicata dal cammino opportuno). In questo caso, il Programma 6.6 ordina i record rispetto al campo numero di conto. Se desideriamo che i record appaiano in ordine di saldo di conto, non facciamo altro che impostare a 1 il valore del campo chiave di ordinamento:

```
Record.SortKeyField = 1;
```

Similmente, se poniamo il campo chiave di ordinamento a 2, otteniamo un ordinamento rispetto al campo nome del cliente. Possiamo anche ripetere l'ordinamento rispetto a chiavi diverse, in modo da ordinare i record più volte e rispetto a criteri differenti. L'implementazione e l'utilizzo di questo meccanismo non necessita di alcuna modifica del codice dell'algoritmo di ordinamento.

L'approccio secondo il quale deriviamo una classe che implementa l'interfaccia ITEM, illustrato nel Programma 6.10, è un approccio generale utilizzato in un'ampia gamma di applicazioni. Possiamo immaginare che la situazione tipica sia quella di avere un sistema software di grandi dimensioni che deve elaborare questi record. Seguendo l'approccio appena analizzato possiamo aggiungere, senza molti sforzi, funzionalità di ordinamento di questi record, e senza modificare altre parti del sistema.

**Programma 6.10 Implementazione di un ADT
per elementi record**

Questo esempio mostra il modo di implementare l'interfaccia ITEM
e l'ADT myItem per estensione di un'altra classe, in questo caso i
record del Programma 6.9. L'implementazione del metodo rand è
omessa. L'implementazione di less consente ai client di cambiare
il campo usato per l'ordinamento.

```
class myItem extends Record implements ITEM
  {
    public boolean less(ITEM w)
      { myItem r = (myItem) w;
        switch (SortKeyField)
          {
            case 2: return who.compareTo(r.who) < 0;
            case 1: return balance < r.balance;
           default: return id < r.id;
          }
      }
    void read()
      {
        id = In.getInt();
        balance = In.getDouble();
        who = In.getString();
      }
  }
```

La stessa organizzazione del codice può far sì che i nostri algoritmi di ordinamento possano applicarsi a tutti i tipi di dati, come ad esempio i numeri complessi (Esercizio 6.13), i vettori (Esercizio 6.18) o i polinomi (Esercizio 6.19), senza apportare modifiche al codice degli algoritmi di ordinamento. Per tipi di dati più complicati le implementazioni
di ADT saranno più complicate. Ciò che importa, comunque, è che
questo lavoro implementativo non intacchi in alcun modo gli aspetti
di progettazione algoritmica che consideriamo. Gli stessi meccanismi
presentati qui possono essere applicati alla maggior parte degli algoritmi di ordinamento di questo capitolo e a tutti quelli dei Capitoli dal 7
al 9. Un'importante eccezione è data nel Paragrafo 6.10, in cui analizziamo l'esempio di un'importante famiglia di algoritmi di ordinamento che devono venire organizzati in modo diverso (Capitolo 10).

L'approccio appena descritto è noto in letteratura col nome di *ordinamento di puntatori*, poiché andiamo a elaborare riferimenti a elementi

da ordinare, senza spostare i dati in sé. In linguaggi di programmazione come C e C++, i programmatori manipolano esplicitamente puntatori, mentre in Java tale manipolazione rimane implicita. Tranne che per tipi numerici predefiniti, andiamo *sempre* a manipolare riferimenti a oggetti (cioè puntatori), piuttosto che oggetti in sé.

Si consideri, ad esempio, la differenza esistente fra l'ordinamento di char (ottenuto cambiando i double del Programma 6.1 in char) e l'uso di un'implementazione di myItem come quella del Programma 6.8, tranne che per una chiave char (Figura 6.2). Nel primo caso, scambiamo direttamente caratteri e li sistemiamo in modo ordinato nell'array. Nel secondo caso, scambiamo riferimenti a oggetti myItem, contenenti i valori carattere. Se dobbiamo ordinare un file di caratteri estremamente grande, in questo modo paghiamo il prezzo di un numero di riferimenti aggiuntivi pari al numero di caratteri del file, più il tempo addizionale per accedere ai caratteri tramite i riferimenti. Si noti che, se usassimo un oggetto Character come campo chiave in un'implementazione di myItem, aggiungeremmo un ulteriore livello di indirezione.

Per record molto grandi, che ricorrono spesso nella pratica, lo spazio extra per i riferimenti è modesto se confrontato con quello necessario a memorizzare i record medesimi, mentre il tempo extra necessario a seguire i riferimenti è largamente bilanciato dal risparmio di tempo dovuto al fatto di non dover spostare i record direttamente. D'altra parte, per record di piccole dimensioni il linguaggio Java non offre soluzioni vantaggiose, tranne quella (sempre possibile) di codificare record tramite tipi numerici primitivi. Si tratta però di un approccio da raccomandare solo ai programmatori esperti.

Un altro esempio che illustra le problematiche coinvolte nelle implementazioni generiche è quello dell'ordinamento di stringhe. Il Programma 6.11 spiega il modo più naturale di procedere in Java: implementazione diretta dell'ADT myItem per oggetti String, utilizzando un campo String come chiave. Quest'implementazione (che funziona per ogni tipo di oggetto) aggiunge un livello di indirezione. L'array, infatti, contiene riferimenti a oggetti myItem, che contengono oggetti String, che a loro volta sono riferimenti a sequenze di caratteri. Ci sono vari modi di rimuovere questo secondo livello di indirezione in Java, anche se è comune nella programmazione Java accettare livelli di indirezione extra, se essi vanno a vantaggio della chiarezza dell'organizzazione generale dei riferimenti. Dato che Java possiede un sistema automatico di gestione della memoria, i programmatori sono sollevati dalla necessità di affrontare varie questioni di una certa importanza legate ad allocazione e deallocazione di memoria, come capita per altri linguaggi di programmazione.

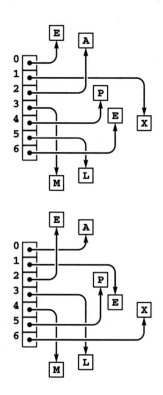

Figura 6.2
Ordinamento di puntatori

La situazione tipica in Java è quella in cui ordiniamo un insieme di oggetti riorganizzando riferimenti (puntatori) a essi, invece di spostare gli oggetti medesimi. Il diagramma in alto illustra un tipico array da ordinare, provvisto di riferimenti a oggetti aventi le chiavi E X A M P L E, in quest'ordine. Il diagramma in basso mostra il risultato dell'ordinamento: ora, l'array ha riferimenti che, se scanditi in ordine dall'alto verso il basso, accedono agli oggetti nell'ordine A E E L M P X.

Programma 6.11   Implementazione di un ADT per elementi stringa

Questo codice implementa il generico ADT `myItem` del Programma 6.4 per record che sono chiavi stringa.

```
class myItem implements ITEM
  { String key;
    public boolean less(ITEM w)
      { return key.compareTo(((myItem) w).key)<0; }
    void read()
      { key = In.getString(); }
    void rand()
      { int a = (int)('a'); key = "";
        for (int i = 0; i < 1+9*Math.random(); i++)
          key += (char) (a + 26*Math.random());
      }
    public String toString() { return key; }
  }
```

Tutte le volte che organizziamo per moduli un programma, ci troviamo ad affrontare questioni di gestione della memoria come queste. Chi deve gestire la memoria utilizzata dall'implementazione di un oggetto di qualche tipo: il client, l'implementazione del tipo di dato o il sistema? Chi deve decidere quale porzione di memoria è inutilizzata e, quindi, può essere messa nuovamente a disposizione? In molti linguaggi di programmazione, non si possono dare risposte nette a queste domande. In Java, è il sistema che gestisce il tutto.

L'approccio di Java ha sicuramente i suoi vantaggi. Nel contesto dell'ordinamento, il vantaggio principale derivante dall'uso di riferimenti è quello di non "intromettersi" nei dati da ordinare. Possiamo ordinare un file anche se abbiamo solo accessi in lettura ai record. Inoltre, con più array di riferimenti, possiamo ottenere rappresentazioni ordinate diverse di uno stesso insieme di dati. Questa flessibilità nel manipolare i dati senza effettivamente modificarli risulta molto utile in varie applicazioni. Una trattazione completa di tutti gli aspetti collaterali coinvolti va al di là degli scopi di questo libro. Dobbiamo tuttavia ricordarci sempre l'impatto che ciò produce sulle prestazioni, e quindi la possibilità di migliorarle quando si tratta di programmare porzioni critiche di un sistema. Torneremo su tali questioni nel Paragrafo 6.6.

Un'altra ragione per cui manipoliamo riferimenti è quella di poter evitare gli spostamenti dei record. Il risparmio che ne deriva è tanto più significativo quanto più grandi sono i record da manipolare (purché le chiavi siano piccole), poiché in questo modo i confronti devono accedere solo a una piccola frazione dei record durante l'ordinamento. Il tempo di esecuzione di uno scambio è pressoché uguale a quello di un confronto, quando i record sono molto grandi (a spese dello spazio necessario a mantenere i riferimenti). In effetti, quando le chiavi sono molto grandi gli scambi possono anche finire per essere più economici dei confronti. Quando stimiamo i tempi di calcolo di metodi per ordinare interi, facciamo implicitamente l'ipotesi che il costo dei confronti e quello degli scambi sia simile. Se ordiniamo riferimenti a oggetti, quest'ipotesi risulta ragionevole per un'ampia classe di applicazioni.

L'approccio presentato in questo paragrafo è solo una via di mezzo fra il Programma 6.1 e un completo insieme di implementazioni che possano essere utilizzate a livello industriale, fornite di controllo di errori, gestione della memoria esterna, ecc. Questioni di organizzazione del software di questo tipo sono sempre più importanti in taluni ambienti applicativi. Dovremo, a tal proposito, lasciare necessariamente inevase alcune questioni. Il nostro scopo principale è solo quello di mostrare che, attraverso i semplici meccanismi esaminati, le implementazioni degli algoritmi di ordinamento che analizziamo sono applicabili ad ampio spettro.

Esercizi

▷ **6.10** Scrivete un'implementazione dell'ADT myItem per ordinare double.

▷ **6.11** Supponete di avere programmi client che necessitano della sola capacità di ordinare un singolo array di oggetti di tipo String. Scrivete allo scopo un'implementazione come quella del Programma 6.3 e descrivete in che modo i client dovrebbero farne uso.

6.12 Modificate i vostri programmi pilota degli Esercizi 6.8 e 6.9 in modo da utilizzare Sort.sort. Aggiungete metodi pubblici al Programma 6.3 in modo da restituire il numero di confronti e di scambi effettuati dall'ordinamento più recente, per poter studiare l'andamento di queste quantità, in aggiunta al tempo di esecuzione.

○ **6.13** Scrivete classi che supportino metodi di ordinamento di numeri complessi della forma $x + iy$, utilizzando il modulo $\sqrt{x^2 + y^2}$ come chiave. *Nota*: trascurare la radice quadrata porta solitamente a prestazioni migliori.

▷ **6.14** Aggiungete un metodo check all'ADT array del Programma 6.5 e fornite un'implementazione del Programma 6.7 che restituisca true se l'array è già ordinato, e false altrimenti.

○ **6.15** Fornite un'implementazione del metodo `check` dell'Esercizio 6.14 che restituisca `true` se l'array è già ordinato e l'insieme di elementi nell'array è lo stesso di quello degli elementi che si trovavano nell'array prima dell'invocazione di `sort`, e `false` altrimenti.

○ **6.16** Progettate e implementate un controllo, simile a quello degli Esercizi 6.14 e 6.15, che restituisca `true` se l'invocazione più recente di `sort` è stata stabile, `false` altrimenti.

● **6.17** Estendete il metodo `rand` della vostra implementazione di `myItem` per `double` (Esercizio 6.10) in modo da generare dati di test distribuiti in modo simile a quelli della Figura 6.15. Fornite la possibilità al client di selezionare la distribuzione tramite un parametro.

○ **6.18** Scrivete classi che supportino l'ordinamento di vettori *d*-dimensionali di interi, utilizzando come criterio di ordinamento la prima componente, la seconda se le prime sono uguali, la terza se le prime due sono uguali, ecc.

6.19 Scrivete classi che supportino l'ordinamento di polinomi (si veda il Paragrafo 4.10). Parte di questo esercizio consiste nel definire un ordinamento appropriato.

6.3 Ordinamento per selezione

Uno degli algoritmi di ordinamento più semplici opera nel seguente modo: per prima cosa cerca il più piccolo elemento dell'array e lo scambia con l'elemento in prima posizione, quindi cerca il secondo elemento più piccolo dell'array e lo scambia con l'elemento in seconda posizione, proseguendo in questo modo fino a quando l'intero array è ordinato. Questo metodo prende il nome di *ordinamento per selezione* in quanto "sceglie" continuamente il più piccolo elemento tra quelli rimanenti, come mostrato nella Figura 6.3.

Il Programma 6.12 è un'implementazione dell'ordinamento per selezione che segue le nostre convenzioni. Il ciclo interno è un semplice test per confrontare l'elemento corrente con il minimo elemento trovato fino a quel momento (più il codice per incrementare l'indice dell'elemento corrente e per verificare che esso non ecceda i limiti dell'array). È difficile pensare a qualcosa di più semplice. Lo spostamento degli elementi è fuori dal ciclo interno: ogni scambio pone un elemento nella sua posizione finale, quindi il numero di scambi è pari a $N - 1$ (l'ultimo elemento non deve essere scambiato). Il tempo di calcolo è determinato dal numero di confronti. Nel Paragrafo 6.6 mostriamo che tale numero è proporzionale a N^2, ed esaminiamo più dettagliatamente

Figura 6.3
Esempio di ordinamento per selezione

Il primo passaggio non produce alcun effetto, poiché in tutto l'array non ci sono elementi più piccoli della A di sinistra. In seguito al secondo passaggio, la seconda A risulta essere il più piccolo elemento fra quelli non ancora ordinati e viene quindi scambiata con la S presente in seconda posizione. A questo punto, la E viene scambiata con la O in terza posizione, la seconda E con la R in quarta posizione, ecc.

Programma 6.12   Ordinamento per selezione

Per ogni i da l a r-1 scambiamo a[i] con il minimo elemento in
a[i],..., a[r]. Dato che l'indice i scorre l'array da sinistra a destra, gli elementi alla sinistra di i sono nella loro posizione finale (e
non verranno più toccati). L'array è completamente ordinato quando i raggiunge l'estremità di destra.

Come approfondito nel Paragrafo 6.2, utilizziamo in questo
codice la parola chiave ITEM per indicare il tipo degli elementi da
ordinare. Per usarlo insieme al Programma 6.1 basta sostituire ITEM
con double (la stessa cosa si può fare per qualsiasi tipo predefinito). Per usare questo codice con tipi riferimento implementiamo
l'interfaccia ITEM del Programma 6.2, sostituiamo il metodo example del Programma 6.3 con questo metodo, e cambiamo l'invocazione a example con l'invocazione a questo metodo. Seguiremo
queste convenzioni per tutte le nostre implementazioni di algoritmi di ordinamento.

```
static void selection(ITEM[] a, int l, int r)
  {
    for (int i = l; i < r;i++)
      { int min = i;
        for (int j = i+1; j <= r; j++)
          if (less(a[j], a[min])) min = j;
        exch(a, i, min);
      }
  }
```

il modo in cui possiamo stimare il tempo di calcolo totale e confron-
tarlo con quello di altri metodi di ordinamento elementare.

Un inconveniente dell'ordinamento per selezione è che il tempo
di esecuzione dipende solo in modo modesto dal grado di ordinamento in cui si trova il file. La ricerca del minimo elemento durante una
scansione del file non sembra dare informazioni circa la posizione del
prossimo minimo nella scansione successiva. Chi utilizza questo algoritmo potrebbe stupirsi nel verificare che esso impiega più o meno lo
stesso tempo sia su file già ordinati che su file con tutte le chiavi uguali, o anche su file ordinati in modo casuale. Come vedremo nei prossimi paragrafi, vi sono altri metodi capaci di sfruttare il grado di ordinamento del file in input.

Nonostante l'approccio "brutale" adottato, l'ordinamento per selezione ha un'importante applicazione: poiché ciascun elemento viene
spostato al più una volta, questo tipo di ordinamento è il metodo da

preferire quando si devono ordinare file costituiti da record estremamente grandi e da chiavi molto piccole. Per queste applicazioni, il costo dello spostamento dei dati è prevalente sul costo dei confronti, e nessun algoritmo è in grado di ordinare un file con spostamenti di dati sostanzialmente inferiori a quelli dell'ordinamento per selezione (si veda la Proprietà 6.5 nel Paragrafo 6.6)

Esercizi

▷ **6.20** Mostrate, usando lo stile della Figura 6.3, il modo in cui l'ordinamento per selezione ordina la sequenza E A S Y Q U E S T I O N.

6.21 Determinate il massimo numero di scambi e il numero medio di scambi che un dato elemento del file da ordinare può subire nell'esecuzione dell'ordinamento per selezione.

6.22 Fornite un esempio di file di N elementi che massimizza il numero di volte in cui il test `a[j] < a[min]` fallisce (e di conseguenza `min` viene aggiornato), durante l'esecuzione dell'ordinamento per selezione.

○ **6.23** L'ordinamento per selezione è stabile?

6.4 Ordinamento per inserzione

Questo è il metodo usato di solito dai giocatori per ordinare in mano le carte: si considera un elemento per volta e lo si inserisce al proprio posto tra quelli già considerati (mantenendo questi ultimi ordinati). Ovviamente, l'implementazione di tale metodo richiede che l'elemento considerato venga inserito nel posto rimasto vacante, in seguito allo spostamento di un posto a destra degli elementi più grandi. Il metodo `sort` del Programma 6.1 è un'implementazione di questo metodo, chiamato *ordinamento per inserzione*.

Come nel caso dell'ordinamento per selezione, durante il procedimento gli elementi alla sinistra dell'indice i sono ordinati, benché, potendo essere spostati per far spazio a elementi più piccoli, non si trovino necessariamente nelle loro posizioni finali. In ogni caso, l'array è completamente ordinato quando l'indice raggiunge l'estremità di destra. La Figura 6.4 mostra un esempio di esecuzione di questo metodo.

L'implementazione dell'ordinamento per inserzione del Programma 6.1 è immediata ma inefficiente. Vediamo ora tre modi per migliorarla, mettendo così in luce un argomento che ricorre spesso in molte delle nostre implementazioni: idealmente vogliamo che il codice sia conciso, chiaro ed efficiente. Queste esigenze però, qualche volta, possono

**Figura 6.4
Esempio di ordinamento per inserzione**

Durante il primo passaggio, la S in seconda posizione è più grande della A, e quindi non viene mossa. Nel secondo passaggio, appena si incontra la O in terza posizione, essa viene scambiata con la S, venendosi così a creare il sottoarray ordinato A O S. L'algoritmo prosegue in questo modo nei passaggi successivi. Gli elementi non ombreggiati e non cerchiati sono quelli che vengono mossi di una posizione sulla destra.

Programma 6.13   Ordinamento per inserzione

Questo codice è un miglioramento dell'implementazione di sort del Programma 6.1, per tre ragioni: (1) mette subito il più piccolo elemento dell'array in prima posizione, in modo che esso serva da sentinella; (2) esegue un singolo assegnamento, invece che uno scambio, nel ciclo interno; (3) termina il ciclo interno, quando l'elemento da inserire è nella giusta posizione. Per ogni i, l'algoritmo ordina gli elementi a[l],..., a[i] spostando di una posizione a destra gli elementi della sequenza ordinata a[l],..., a[i-1] che sono più grandi di a[i], e quindi inserendo a[i] nella posizione appropriata.

```
static void insertion(ITEM[] a, int l, int r)
  { int i;
    for(i = r; i > l;i--) compExch(a, i-1, i);
    for (i = l+2; i <= r; i++)
      { int j = i; ITEM v = a[i];
        while (less(v, a[j-1]))
          { a[j] = a[j-1]; j--; }
        a[j] = v;
      }
  }
```

essere in contrasto fra loro, e si tratta quindi di trovare il giusto compromesso. Lo facciamo partendo da un'implementazione naturale, e quindi cercando miglioramenti per trasformazioni successive, controllando l'efficacia (e la correttezza) di ciascuna trasformazione.

Il Programma 6.13 fornisce un'implementazione dell'ordinamento per inserzione più efficiente di quella data nel Programma 6.1 (vedremo nel Paragrafo 6.6 che la prima è quasi due volte più veloce). In questo libro siamo interessati tanto all'eleganza quanto all'efficienza implementativa. In questo caso, gli algoritmi risultanti sono leggermente differenti (per essere precisi, dovremmo qualificare il metodo sort del Programma 6.1 come ordinamento per inserzione *non adattivo*). Comprendere a fondo le caratteristiche di un algoritmo è il modo migliore per poter sviluppare implementazioni efficienti che possano essere praticamente impiegate.

Per prima cosa, possiamo arrestarci nell'eseguire compExch quando incontriamo una chiave non più grande della chiave del record da inserire, perché il sottoarray sulla sinistra è già ordinato. In particolare, possiamo uscire dal ciclo for interno del metodo sort del Programma 6.1

quando la condizione `a[j-1] < a[j]` è vera. Questa modifica trasforma l'implementazione in un ordinamento adattivo e velocizza il programma di un fattore di circa 2 per chiavi ordinate casualmente (si veda la Proprietà 6.2).

Con questa trasformazione abbiamo due condizioni che terminano il ciclo interno. Potremmo riscriverlo come un ciclo `while`, per esprimere questo fatto esplicitamente. Un miglioramento più arguto dell'implementazione può derivarsi dall'osservazione che il test `j > 1` è di solito inessenziale: infatti, esso è vero *solo* quando l'elemento inserito è il più piccolo fra quelli visti fino a quel momento e raggiunge l'inizio dell'array. Un'alternativa comunemente usata è quella di mantenere le chiavi da ordinare in `a[1] ... a[N]` e di inserire una chiave *sentinella* in `a[0]`, che sia più piccola del minimo elemento dell'array. Così facendo, il test sul fatto che una chiave inferiore è stata incontrata controlla simultaneamente entrambe le condizioni, rendendo il ciclo interno più veloce e sintetico.

Qualche volta le sentinelle non sono facili da usare, magari perché la più piccola chiave possibile non è facilmente determinabile, o magari perché la routine chiamante non prevede spazio aggiuntivo per includere una chiave in più. Il Programma 6.13 illustra, nell'ordinamento per inserzione, un modo per ovviare a entrambi gli inconvenienti: facciamo una prima scansione dell'array che pone esplicitamente il suo elemento minimo nella prima posizione, e quindi ordiniamo il resto dell'array, avendo l'elemento più piccolo per sentinella. Di solito, eviteremo di usare sentinelle nel nostro codice, poiché spesso è più agevole capire il codice che ha test espliciti. Tenderemo, però, a notare situazioni nelle quali le sentinelle possono rivelarsi utili per velocizzare e semplificare programmi.

Anche il terzo miglioramento che consideriamo riguarda la rimozione di istruzioni inessenziali dal ciclo più interno. Osserviamo che gli scambi successivi che coinvolgono sempre lo stesso elemento sono inefficienti. Se ci sono due o più scambi di questo tipo, abbiamo istruzioni come

```
t = a[j]; a[j] = a[j-1]; a[j-1] = t;
```

seguite da

```
t = a[j-1]; a[j-1] = a[j-2]; a[j-2] = t;
```

e così via. Il valore di `t` non cambia fra uno scambio e il successivo, quindi ci troviamo a sprecare tempo nella scrittura in memoria e nel caricamento da memoria per lo scambio successivo. Il Programma 6.13

sposta gli elementi più grandi di un posto sulla destra, piuttosto che scambiare, e quindi evita tale spreco.

A differenza dell'ordinamento per selezione, qui il tempo di calcolo dipende in modo essenziale dall'ordine delle chiavi nel file di input. Ad esempio, se il file è grande e le chiavi sono già ordinate (o quasi ordinate), l'ordinamento per inserzione è molto più veloce di quello per selezione. Confronti più dettagliati verranno fatti nel Paragrafo 6.6.

Esercizi

▷ **6.24** Mostrate, usando lo stile della Figura 6.4, il modo in cui l'ordinamento per inserzione ordina la sequenza E A S Y Q U E S T I O N.

6.25 Fornite un'implementazione dell'ordinamento per inserzione in cui il ciclo interno sia scritto come un ciclo while che termina al verificarsi di una tra due possibili condizioni (come spiegato nel testo).

6.26 Per ognuna delle condizioni del ciclo while dell'Esercizio 6.25, descrivete un file di N elementi in cui tale condizione è sempre falsa quando il ciclo termina.

○ **6.27** L'ordinamento per inserzione è stabile?

6.28 Fornite un'implementazione non adattiva dell'ordinamento per selezione, basata sulla determinazione dell'elemento minimo attraverso un codice simile al primo ciclo del Programma 6.13.

Figura 6.5
Esempio di Bubble sort

Nel Bubble sort le chiavi piccole fluttuano verso sinistra. Man mano che l'ordinamento si sposta da destra a sinistra, ogni chiave è scambiata con quella alla sua immediata sinistra, finché non se ne incontra una più piccola. Al primo passaggio, la E è scambiata con la L, la P e la M, prima di fermarsi alla A sulla destra; quindi, la A si sposta all'inizio del file, fermandosi all'altra A (che si trova già nella posizione corretta). La i-esima chiave più piccola raggiunge la sua posizione corretta dopo l'i-esimo passaggio, come nell'ordinamento per selezione, ma anche altre chiavi si avvicinano alla loro posizione corretta.

6.5 Bubble sort

Un metodo elementare di ordinamento comunemente insegnato nei corsi introduttivi è il *Bubble sort*. Il procedimento consiste nell'attraversare il file, scambiando se necessario gli elementi adiacenti, fino a quando non è più richiesto alcuno scambio e il file risulta ordinato. La virtù principale del Bubble sort è di essere facilmente implementabile (ma non necessariamente più facile dell'ordinamento per selezione o per inserzione). Il Bubble sort è generalmente più lento dei due metodi precedenti; viene considerato, qui, solo per completezza.

Supponiamo di muoverci nel file da destra a sinistra. Durante il primo passaggio, nel momento in cui si incontra l'elemento più piccolo, questo viene scambiato con ogni elemento che si trovi alla sua sinistra, fino a quando non si raggiunge la posizione di estrema sinistra dell'array. Quindi, durante il secondo passaggio, il secondo elemento più piccolo viene "spinto" nella giusta posizione, ecc. Pertanto, N passag-

Programma 6.14   Bubble sort

Per ogni `i` da `l` a `r-1`, il ciclo interno (su `j`) pone in `a[i]` il minimo fra gli elementi in `a[i], . . . , a[r]`, facendo una scansione da destra a sinistra ed eseguendo confronti e scambi (eventuali) fra elementi successivi. L'elemento più piccolo si muove in tutte queste operazioni, fluttuando come una bolla (da qui il nome "Bubble sort") verso l'inizio dell'array. Come nell'ordinamento per selezione, man mano che l'indice `i` si sposta da sinistra a destra, gli elementi alla sinistra di `i` si trovano nella loro posizione finale all'interno dell'array.

```
static void bubble(ITEM[] a, int l, int r)
  { for (int i = l; i < r;i++)
    for (int j = r; j > i;j--)
      compExch(a, j-1, j);
  }
```

gi sono sufficienti. Si può mostrare che il Bubble sort si comporta come un caso particolare di ordinamento per selezione, benché richieda molto più lavoro per portare un elemento nella propria posizione. Il Programma 6.14 è un'implementazione, mentre la Figura 6.5 mostra un esempio di esecuzione.

Possiamo accelerare il Programma 6.14 implementando il ciclo interno in modo più accorto, più o meno come si è fatto nel Paragrafo 6.3 con l'ordinamento per inserzione (Esercizio 6.34). Confrontando il codice, ci si accorge che il Programma 6.14 è di fatto identico alla versione non adattiva dell'ordinamento per inserzione (Programma 6.1). La differenza fra i due è che il ciclo `for` interno dell'ordinamento per inserzione si muove sulla parte sinistra (cioè quella già ordinata) dell'array, mentre quello del Bubble sort si muove su quella destra (che non è necessariamente ordinata).

Il Programma 6.14 usa solo istruzioni `compExch` ed è quindi non adattivo, ma lo possiamo rendere più efficiente quando il file è quasi ordinato, verificando se in un qualche passaggio non vi siano stati scambi. In tal caso il file risulta ordinato, e quindi possiamo uscire dal ciclo esterno. L'aggiunta di questo controllo rende il Bubble sort più rapido su alcuni tipi di file da ordinare, ma è generalmente meno efficace della modifica (trattata più sopra), che consente all'ordinamento per inserzione di uscire dal ciclo interno. Il Paragrafo 6.6 approfondisce questi confronti.

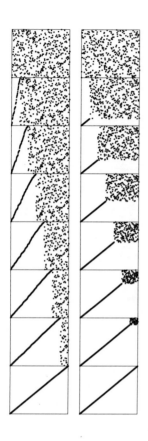

Figura 6.6
Caratteristiche dinamiche degli ordinamenti per inserzione e selezione

La figura mostra alcune istantanee dell'ordinamento per inserzione (a sinistra) e per selezione (a destra) su una permutazione casuale, e illustra il modo in cui i due algoritmi portano a termine il loro compito. Rappresentiamo un array da ordinare, tracciando il grafico di a[i] in funzione di i. Prima di iniziare, i punti sono sparsi casualmente, al termine essi sono disposti sulla diagonale dalla sinistra in basso alla destra in alto. L'ordinamento per inserzione non guarda mai al di là della sua posizione corrente nell'array, mentre quello per selezione non guarda mai indietro.

Esercizi

▷ **6.29** Usando lo stile della Figura 6.5, mostrate il modo in cui il Bubble sort ordina la sequenza E A S Y Q U E S T I O N.

6.30 Date un esempio di un file per cui il numero di scambi eseguiti dal Bubble sort è massimo.

○ **6.31** Il Bubble sort è stabile?

6.32 Spiegate in che modo il Bubble sort sia da preferire alla versione non adattiva dell'ordinamento per selezione descritta nell'Esercizio 6.28.

● **6.33** Eseguite alcuni esperimenti per determinare quanti passaggi sono risparmiati, su file casuali di N elementi, quando si aggiunge al Bubble sort un test che termina l'esecuzione quando il file è già ordinato.

6.34 Sviluppate un'implementazione efficiente del Bubble sort con il minor numero di istruzioni possibili nel ciclo interno. Assicuratevi che i vostri "miglioramenti" non rallentino, invece che velocizzare il programma ...

6.6 Prestazioni degli ordinamenti elementari

L'ordinamento per selezione, l'ordinamento per inserzione e il Bubble sort sono tutti algoritmi quadratici, sia nel caso peggiore che in quello medio, e nessuno di essi richiede memoria extra. Il loro tempo di calcolo quindi differisce solo di un fattore costante, anche se essi operano in modo piuttosto diverso sui file da ordinare. Le Figure dalla 6.6 alla 6.8 illustrano questi algoritmi.

In genere, il tempo di calcolo di un algoritmo di ordinamento è proporzionale al numero di confronti e/o al numero di scambi. Per input casuali, il confronto dei tempi di calcolo richiede lo studio di differenze nei fattori costanti sul numero di confronti e scambi e sulle lunghezze dei cicli interni. Per input con caratteristiche particolari, i tempi di calcolo dei metodi possono differire molto di più. In questo paragrafo, approfondiremo alcuni risultati analitici che sostengono tale conclusione.

Proprietà 6.1 *L'ordinamento per selezione effettua circa $N^2/2$ confronti ed N scambi.*

Questa proprietà è facilmente verificabile esaminando la Figura 6.3, in cui è rappresentata una tabella $N \times N$ all'interno della quale ogni lettera non ombreggiata corrisponde a un confronto: il numero dei confronti è circa la metà di tutti gli elementi (che sono N^2) al di sopra della diagonale. Gli $N-1$ elementi sulla diagonale (non l'ultimo) corri-

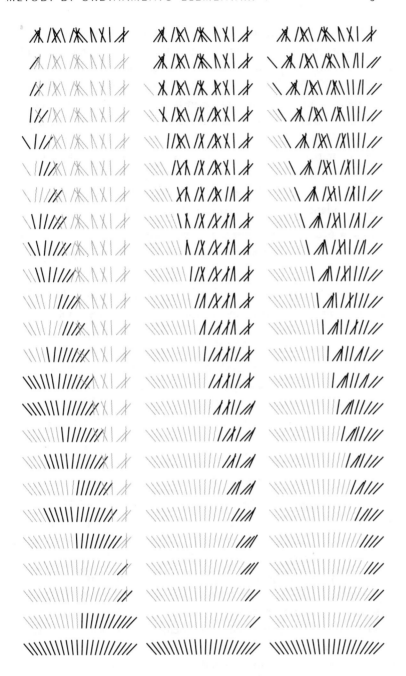

Figura 6.7
Confronti e scambi negli ordinamenti elementari

Questo diagramma sottolinea le differenze nel modo in cui i tre ordinamenti elementari considerati fin qui (per inserzione, per selezione e Bubble sort) ordinano un file. Il file da ordinare è rappresentato da linee che devono essere ordinate in base al loro angolo. Le linee nere corrispondono a dati a cui si ha accesso durante ciascun passaggio; le linee grigie corrispondono a dati che non vengono toccati. Con l'ordinamento per inserzione (a sinistra), a ogni passaggio l'elemento da inserire torna indietro all'incirca a metà della parte già ordinata. L'ordinamento per selezione (al centro) e il Bubble sort (a destra) scandiscono entrambi l'intera parte non ordinata dell'array per trovare a ogni passaggio il successivo elemento più piccolo. La differenza fra i due metodi è che il Bubble sort scambia tutti gli elementi adiacenti fuori posto che incontra, mentre l'ordinamento per selezione scambia solo il minimo elemento corrente per metterlo nella sua posizione. L'effetto di questa differenza è che la parte non ordinata dell'array diventa sempre più ordinata, man mano che il Bubble sort agisce.

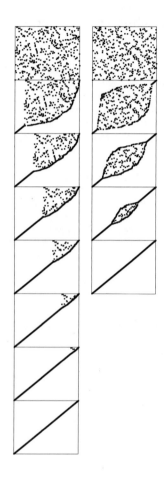

Figura 6.8
Caratteristiche dinamiche
di due Bubble sort

Il Bubble sort standard (a sinistra) opera in modo simile all'ordinamento per selezione, nel senso che ogni passaggio mette un elemento al suo posto. La differenza è che esso aumenta in qualche misura (e in modo asimmetrico) anche l'ordine di altre parti dell'array. Alternando la direzione di scansione dell'array (prima dall'inizio alla fine, poi dalla fine all'inizio), si produce una versione del Bubble sort detta shaker sort (a destra) che termina più rapidamente (Esercizio 6.40).

spondono ad altrettante operazioni di scambio. Più precisamente, esaminando il codice si vede che per ogni i da 1 a $N-1$ c'è uno scambio ed $N-i$ confronti, per un totale di $N-1$ scambi e $(N-1) + (N-2) + \ldots + 2 + 1 = N(N-1)/2$ confronti. Queste osservazioni non dipendono dalla configurazione dei dati in ingresso. L'unico fattore che dipende dalla struttura dell'input è il numero di volte che viene aggiornato il valore della variabile min. Nel caso peggiore questo numero può essere quadratico, benché mediamente questa grandezza valga $O(N \log N)$ (si veda il paragrafo sui riferimenti bibliografici); per tali motivi, ci si aspetta che il tempo di esecuzione di un ordinamento per selezione sia indipendente dalle caratteristiche dell'input. ∎

Proprietà 6.2 *L'ordinamento per inserzione effettua circa $N^2/4$ confronti ed $N^2/4$ mezzi scambi (spostamenti) in media, il doppio nel caso peggiore.*

Così come è implementato nel Programma 6.13, il numero di confronti e di spostamenti è il medesimo. Come per la Proprietà 6.1, questa quantità è facile da visualizzare nella matrice $N \times N$ della Figura 6.4 che illustra le operazioni svolte dall'algoritmo. In questo caso, nel caso peggiore, vengono contati tutti gli elementi al di sotto della diagonale. Avendo a che fare con un input casuale, ci si aspetta che ciascun elemento venga mediamente arretrato di circa la metà delle posizioni dell'array, per cui in media vengono contati metà degli elementi sotto la diagonale. ∎

Proprietà 6.3 *Il Bubble sort effettua all'incirca $N^2/2$ confronti ed $N^2/2$ scambi, sia in media che nel caso peggiore.*

L'i-esimo passaggio del Bubble sort esegue $N-i$ operazioni di confronto e scambio, quindi la dimostrazione è simile a quella dell'ordinamento per selezione. Con la modifica che l'algoritmo termini non appena il file risulti ordinato, il tempo di calcolo dipende dall'input. È necessario solo un passaggio quando il file è già ordinato, mentre l'i-esimo passaggio richiede $N-i$ confronti e scambi se esso è ordinato in senso inverso. Così come appare nell'enunciato, la prestazione nel caso medio non è significativamente migliore di quella nel caso peggiore, anche se una dimostrazione analitica di ciò è piuttosto complessa (si veda il paragrafo sui riferimenti bibliografici). ∎

Benché il concetto di file "quasi ordinato" non sia molto preciso, tanto l'ordinamento per inserzione quanto il Bubble sort lavorano bene se applicati ad alcuni tipi di file ordinati non casualmente che si presentano spesso nella pratica. Solitamente, i metodi di ordinamento generali funzionano male per applicazioni di questo tipo. Consideriamo, ad esempio, l'ordinamento per inserzione su un file già ordinato: questo algoritmo determina in modo immediato che ogni elemento è al proprio posto, con la conseguenza di avere un tempo di esecuzione lineare. Questa considerazione è valida anche per il Bubble sort, mentre l'ordinamento per selezione resta quadratico.

Definizione 6.2   *Un'**inversione** è una coppia di chiavi fuori posto nel file da ordinare.*

Per contare il numero di inversioni in un file, possiamo sommare, per ciascun elemento, il numero di elementi più grandi che stanno alla sua sinistra (chiamiamo questa quantità il numero di inversioni relative a quell'elemento). Ma questo corrisponde esattamente alla distanza che gli elementi devono percorrere quando vengono inseriti nel file, durante l'ordinamento per inserzione. Pertanto, un file avente un certo grado di ordine avrà meno inversioni di uno rimescolato in modo casuale.

Consideriamo un tipo particolare di file parzialmente ordinato, in cui tutti gli elementi sono vicini alla loro posizione corretta. Ad esempio, alcune persone ordinano le carte che tengono in mano prima per seme, facendole così avvicinare alla loro posizione corretta, e poi considerando le carte una a una. Considereremo un certo numero di metodi di ordinamento che funzionano più o meno nello stesso modo, portando nelle fasi iniziali gli elementi da ordinare vicino alla loro posizione finale e agendo nelle fasi successive più localmente. L'ordinamento per inserzione e il Bubble sort (ma non l'ordinamento per selezione) sono metodi efficienti per ordinare tali file.

Proprietà 6.4   *L'ordinamento per inserzione e il Bubble sort eseguono un numero lineare di confronti e scambi su file aventi al più un numero costante di inversioni relative a ciascun elemento.*

Come si è detto, il tempo di calcolo dell'ordinamento per inserzione è direttamente proporzionale al numero di inversioni nel file. Per il Bubble sort (ci stiamo qui riferendo al Programma 6.14, modificato in modo da terminare non appena il file è ordinato), la dimostrazione è più sottile (si veda l'Esercizio 6.39). Ogni passaggio del Bubble sort riduce il numero di elementi più piccoli alla destra di ogni elemento esattamente di uno (a meno che tale quantità non sia già zero). Perciò, il Bubble sort esegue un numero costante di passate sul tipo di file che stiamo considerando, da cui segue la linearità nel numero di confronti e scambi. ∎

Un altro tipo di file parzialmente ordinato è quello in cui abbiamo appeso alla fine di un file già ordinato nuovi elementi, o ne abbiamo modificato alcune chiavi. Questi tipi di file sono molto frequenti nella pratica. L'ordinamento per inserzione è un metodo efficiente per tali casi, mentre il Bubble sort e l'ordinamento per selezione non lo sono.

Proprietà 6.5 *L'ordinamento per inserzione usa un numero lineare di confronti e scambi su file con al massimo un numero costante di elementi aventi più di un numero costante di inversioni.*

Il tempo di calcolo dell'ordinamento per inserzione dipende dal numero totale di inversioni nel file, indipendentemente da come esse sono distribuite. ■

Per trarre conclusioni sui tempi di esecuzione dalle Proprietà 6.1-6.5 dobbiamo analizzare i costi relativi di confronti e scambi. Tale fattore dipende a sua volta dalle dimensioni dei singoli dati e delle chiavi (si veda la Tabella 6.1). Ad esempio, se i dati sono costituiti semplicemente da chiavi di una parola, uno scambio (quattro accessi all'array) risulta circa due volte più costoso di un confronto. In questi casi, i tempi di esecuzione degli ordinamenti per selezione e inserzione sono piuttosto simili, mentre il Bubble sort è più lento. Se invece i dati sono significativamente più grandi delle chiavi, l'algoritmo migliore è di certo l'ordinamento per selezione.

Proprietà 6.6 *L'ordinamento per selezione ha tempo lineare su file nei quali i dati sono molto più grandi delle chiavi.*

Sia M il rapporto tra le dimensioni di un dato e la sua chiave e si supponga che il costo di un confronto sia 1 unità di tempo contro le M unità richieste da un'operazione di scambio. L'ordinamento per selezione impiega circa $N^2/2$ unità di tempo per i confronti e circa NM unità di tempo per gli scambi. Se $M \geq O(N)$, allora il termine NM domina il termine N^2, quindi il tempo di calcolo è proporzionale a NM, che è a sua volta proporzionale al tempo necessario a spostare tutti i dati. ■

Ad esempio, se dobbiamo ordinare 1000 record ciascuno formato da una chiave di una parola e dati di 1000 parole, e dobbiamo spostare effettivamente tali record, allora nulla è meglio dell'ordinamento per selezione, dato che il tempo di esecuzione sarà dominato da quello per spostare un milione di parole di dati.

Tabella 6.1 Studio empirico sugli algoritmi di ordinamento elementari

L'ordinamento per inserzione e quello per selezione sono circa due volte più veloci del Bubble sort per file di piccole dimensioni, ma il tempo di calcolo cresce per tutti in modo quadratico (quando la dimensione del file raddoppia, il tempo quadruplica). Nessuno di questi tre metodi è utilizzabile su file casuali di grandi dimensioni. Ad esempio, l'algoritmo Shellsort che vedremo nel Paragrafo 6.8 avrebbe valori minori di 1 in questa tabella. Quando i confronti sono costosi (ad esempio, quando le chiavi sono oggetti o stringhe), allora l'ordinamento per inserzione è molto più veloce degli altri due algoritmi, perché esegue meno confronti. In questo studio, non abbiamo considerato il caso in cui gli scambi siano costosi. In tal caso, il migliore fra i tre algoritmi è senz'altro l'ordinamento per selezione.

	elementi int				chiavi integer			chiavi string		
N	S	I*	I	B	S	I	B	S	I	B
1000	14	54	8	54	100	55	130	129	65	170
2000	54	218	33	221	436	229	569	563	295	725
4000	212	848	129	871	1757	986	2314	2389	1328	3210

Legenda:

- S   Ordinamento per selezione (Programma 6.12)
- I*   Ordinamento per inserzione basato su scambi (Programma 6.1)
- I   Ordinamento per inserzione (Programma 6.13)
- B   Bubble sort (Programma 6.14)

Esercizi

▷ **6.35** Determinate quale dei tre metodi elementari (ordinamento per selezione, ordinamento per inserzione e Bubble sort) è più veloce su un file con chiavi tutte uguali.

6.36 Determinate quale dei tre metodi elementari è più veloce su un file ordinato in senso inverso.

○ **6.37** Eseguite test empirici sull'ordinamento per selezione, per inserzione e sul Bubblesort, stampando una tabella contenente media e deviazione standard del numero di confronti e scambi che questi algoritmi effettuano. Fissate $N = 10, 100, 1000$ (si veda l'Esercizio 6.12).

```
/w 72 def /h 72 def /N 12 def
/dot
  {
    moveto currentpoint
    2 0 360 arc fill
  } def
0 .91 dot
1 .49 dot
2 .10 dot
3 .05 dot
4 .74 dot
5 .53 dot
6 .25 dot
7 .13 dot
8 .41 dot
9 .92 dot
10 .19 dot
11 .96 dot
```

Figura 6.9
Visualizzazione PostScript
del contenuto di array

Questo programma PostScript traccia il contenuto di un array di numeri fra 0 e 1, chiamando una funzione dot *con indice e valore di ciascuna componente dell'array come argomenti. I valori* w *e* h *sono, rispettivamente, la larghezza e l'altezza del frame, mentre* N *è il numero di valori nell'array. La funzione* dot *scala l'indice in modo da trasformarlo in una coordinata x fra 0 e w (moltiplicando per* w *e dividendo per* N*) e scala il valore in modo da ottenere una coordinata y fra 0 e h (moltiplicando per* h*). Quindi, disegna un cerchio nero di raggio 2 centrato in (x, y).*

6.38 Fornite un esempio di file di 10 elementi (usate come chiavi le lettere dalla A alla J), sul quale il Bubble sort esegue meno confronti dell'ordinamento per inserzione, oppure, in alternativa, dimostrate che tale file non esiste.

• **6.39** Dimostrate che ogni passaggio del Bubble sort riduce di uno il numero di elementi più grandi che stanno a sinistra di ciascun elemento (a meno che tale numero non sia già zero).

6.40 Implementate una versione del Bubble sort che alterni passate da sinistra a destra e da destra a sinistra. L'algoritmo risultante è più veloce (ma più complicato) e viene chiamato shaker sort (si veda la Figura 6.8).

• **6.41** Dimostrate che la Proprietà 6.5 non vale per lo shaker sort (Esercizio 6.40).

6.7 Visualizzazione di algoritmi

Gli algoritmi di ordinamento sono particolarmente adatti alla rappresentazione grafica delle loro caratteristiche dinamiche. Abbiamo già potuto osservare nelle figure di questo capitolo molti esempi illustrativi in tal senso. Le rappresentazioni visuali sono tanto utili nel comprendere i meccanismi degli algoritmi di ordinamento, quanto facili da ottenere.

Il modo più immediato di creare rappresentazioni visuali di algoritmi di ordinamento è, forse, quello di usare il linguaggio PostScript (per il quale si rimanda al Paragrafo 4.3). Ne diamo un'illustrazione nella Figura 6.9. Niente è più facile che tracciare un array di punti, date le loro coordinate. Similmente, implementare un programma Java che crea programmi PostScript come questo non è molto più difficile che implementarne uno che stampi il contenuto di un array a intervalli periodici (Programma 6.15).

È chiaro che, essendo Java equipaggiato con un oggetto Graphics dotato di propri metodi di elaborazione grafica, potremmo sempre usare questi per le nostre visualizzazioni. Lasceremo questa seconda opzione come esercizio (Esercizio 6.42), poiché in Java risulta più interessante (e non molto più difficoltoso) considerare rappresentazioni visuali *dinamiche*, nelle quali possiamo guardare gli elementi muoversi nell'array durante l'ordinamento.

I Programmi 6.16 e 6.17 implementano un esempio di animazione Java tramite un'applet. L'implementazione si basa sull'integrare il metodo exch con la possibilità di modificare la rappresentazione visuale tutte le volte che l'algoritmo di ordinamento effettua uno scambio.

Programma 6.15 Visualizzazione di un algoritmo di ordinamento

Questo programma stampa in output un programma PostScript come quello della Figura 6.9. Le costanti h e w danno altezza e larghezza dei frame (in punti), mentre la costante cuts fornisce il numero di frame. Il metodo show stampa il codice che disegna i valori dell'array. L'algoritmo di ordinamento invoca show con cadenza appropriata.

```
class Visualize
{ private static final int cuts = 5, h = 72, w = 72;
  static int N;
  static void sort(double a[], int l, int r)
    { double t;
      for (int i = l; i <= r; i++)
        { for (int j = i; j > l;j--)
            if (a[j] < a[j-1]) exch(a, j-1, j);
          if (i*cuts % N == 0) show(a, l, r);
        }
    }
  static void show(double[] a, int l, int r)
    {
      for (int i = l; i <= r; i++)
        { float x = h*((float) i) / ((float) N);
          float y = w*((float) a[i]);
          Out.println(x + " " + y + "dot");
        }
      Out.println(1.1*w + " 0 translate");
    }
  public static void main(String[] args)
    { N = Integer.parseInt(args[0]);
      double a[] = new double[N];
      for (int i = 0; i < N; i++)
        a[i] = Math.random();
      Out.print("72 72 translate ");
      Out.print("/dot {moveto currentpoint");
      Out.println(" 2 0 360 arc fill} def");
      sort(a, 0, N-1);
    }
}
```

Programma 6.16   Animazione di un algoritmo di ordinamento

Questa classe astratta fornisce i metodi di base a supporto dell'animazione di algoritmi di ordinamento (si veda il Programma 6.17).

```java
import java.applet.Applet;
import java.awt.*;
abstract public class Animate
  extends Applet implements Runnable
  { Graphics g;
    Thread animatorThread;
    int N; double[] a;
    public void start()
      { g = getGraphics();
        new Thread(this).start();
      }
    public void stop() { animatorThread = null; }
    public void run()
      { N = Integer.parseInt(getParameter("N"));
        a = new double[N];
        for (int i = 0; i < N; i++)
          { a[i] = Math.random();
            dot(X(i), Y(a[i]), Color.black); }
        sort(a, 0, N-1);
      }
    int X(int i)
      { return (i*getSize().width)/N; }
    int Y(double v)
      { return (1.0 - v)*getSize().height; }
    void dot(int x, int y, Color c)
      { g.setColor(c); g.fillOval(x, y, 5, 5); }
    void exch(double [] a, int i, int j)
      { double t = a[i]; a[i] = a[j]; a[j] = t;
        dot(X(i), Y(a[j]), Color.red);
        dot(X(j), Y(a[i]), Color.red);
        dot(X(i), Y(a[i]), Color.black);
        dot(X(j), Y(a[j]), Color.black);
      }
    abstract void sort(double a[], int l, int r);
  }
```

Programma 6.17   Animazione di un algoritmo di ordinamento

Questa classe, che estende il Programma 6.16, anima l'ordinamento per inserzione del Programma 6.6 producendo una rappresentazione su schermo come quelle nelle Figure 6.6 e 6.8, ma con i punti che si spostano. Tali punti lasciano anche tracce, per cui è possibile ricostruire la "storia" dell'ordinamento. Dato che l'implementazione si basa sull'arricchimento del metodo exch, essa è immediatamente efficace per tutti gli algoritmi di ordinamento basati su confronti e scambi. Potrebbe essere utile modificare in tal senso anche less (Esercizio 6.44).

```java
import java.awt.*;
public class SortAnimate extends Animate
  {
    void sort(double a[], int l, int r)
      {
        for (int i = l+1; i <= r; i++)
          for (int j = i; j > l; j--)
            if (a[j] < a[j-1]) exch(a, j-1, j);
      }
  }
```

Sebbene alcuni dettagli possano cambiare, di solito è possibile eseguire l'animazione attivando un appletviewer o un browser con un file .html contenente il codice HTML

```html
<applet code=SortAnimate.class width=640 height=480>
<param name=N value="200">
</applet>
```

In molte implementazioni Java questa semplice strategia fornisce un'animazione efficace, mentre in altre potrebbe risultare un po' lenta, in funzione del carico del sistema, dei meccanismi di bufferizzazione e di altri fattori ancora.

La disamina di tutti questi aspetti nello sviluppo di animazioni efficaci non fa parte degli scopi di questo libro. D'altra parte, cercare di ottenerne una di base come questa può essere utile. Vale la pena di osservare che possiamo realizzare un'animazione efficace di ogni algoritmo di ordinamento basato su confronti e scambi senza modificare in alcun modo il codice dell'algoritmo di ordinamento (Programma 6.17).

È importante però tener presente che non è possibile trarre conclusioni circa le prestazioni a partire dall'animazione in sé, a meno di non aver prestato cura particolare nella sua implementazione. Ad esempio, se animiamo l'ordinamento per selezione con il Programma 6.16, l'animazione risulta molto più veloce di quella dell'ordinamento per inserzione, ma questo accade semplicemente perché (come abbiamo notato a suo tempo) l'ordinamento per selezione esegue molti meno scambi. Se includessimo anche i confronti nell'animazione, oltre agli scambi, allora la prestazione relativa delle due animazioni diventerebbe più rappresentativa delle prestazioni relative reali.

Quel che è peggio è che, spesso, ci troviamo a osservare le prestazioni di un sistema grafico, piuttosto che quelle dei nostri algoritmi. Ad esempio, un modo per far sì che le animazioni dei Programmi 6.16 e 6.17 siano più omogenee su esempi piccoli è quello di usare periodicamente l'operazione `repaint()`. Quest'operazione potrebbe però rivelarsi eccessivamente dispendiosa, se l'algoritmo eseguisse milioni (o anche solo migliaia) di scambi.

Tolti questi inconvenienti, le rappresentazioni visuali possono giocare un ruolo fondamentale come supporto alla comprensione degli algoritmi. Le utilizzeremo ampiamente nelle figure di questo libro. In alcuni esercizi, viene chiesto al lettore di visualizzare e "animare" algoritmi. Ciò perché tutte le rappresentazioni grafiche e le animazioni possono essere arricchite nei modi più vari e interessanti. Non trattiamo esplicitamente questo aspetto, perché la maggior parte dei lettori vorrà occuparsi di visualizzazione grafica al momento opportuno, in particolare con gli algoritmi di ordinamento. Siamo certi che una volta che il lettore avrà acquisito familiarità con programmi di visualizzazione, come i Programmi 6.15, 6.16 e 6.17, troverà particolarmente stimolante il loro utilizzo per visualizzare altri algoritmi ancora, e certamente non possiamo che incoraggiarlo in tal senso.

Esercizi

6.42 Scrivete una versione del Programma 6.15 che usi i metodi opportuni della classe Java `Graphics2D` per disegnare e visualizzare sullo schermo.

• **6.43** Implementate ordinamento per inserzione, per selezione e Bubblesort in PostScript, e quindi, utilizzando tale implementazione, disegnate figure come la 6.6, la 6.7 e la 6.8. Potete tentare un'implementazione ricorsiva oppure leggere i dettagli su array e cicli in un manuale di PostScript.

○ **6.44** Modificate `sort` nel Programma 6.17 in modo da invocare `less` per confrontare chiavi, e aggiungendo un'implementazione di `less` al Programma 6.16 in modo che esso fornisca una rappresentazione visuale dinamica di confronti e scambi. Date animazione tanto dell'ordinamento per inserzione che di quello per selezione.

- **6.45** Sviluppate un programma di animazione interattiva che consenta all'utente di selezionare un algoritmo da una lista di algoritmi da animare, specificando il numero di elementi da ordinare e il modello impiegato per generare elementi a caso (si veda l'Esercizio 6.17).

- **6.46** Aggiungete al vostro programma dell'Esercizio 6.45 la possibilità di memorizzare in uno script gli eventi animati. Implementate, quindi, una funzionalità che permetta all'utente di rivedere al replay gli algoritmi, anche all'indietro.

6.8 Shellsort

La lentezza dell'ordinamento per inserzione è dovuta al fatto che le operazioni di scambio possono avvenire soltanto tra elementi adiacenti. Ad esempio, se l'elemento più piccolo del file si trova alla fine dell'array, sono necessari *N* passi per disporlo al posto giusto. Una semplice estensione del precedente metodo è lo *Shellsort*, che ne migliora le prestazioni consentendo di scambiare elementi distanti tra loro.

L'idea è quella di riorganizzare il file da ordinare in modo tale che esso soddisfi la proprietà per cui gli elementi aventi tra loro distanza *h* costituiscono una sequenza ordinata, indipendentemente dall'elemento di partenza. Un file di questo tipo è detto *h*-ordinato (o anche ordinato con passo *h*). Da un altro punto di vista, un file *h*-ordinato è costituito dall'interposizione di *h* file ordinati indipendenti. Operando con passo *h* sufficientemente grande, è possibile spostare gli elementi dell'array di molte posizioni, in modo da agevolare un successivo ordinamento con passo *h* inferiore. Se si applica il procedimento sfruttando una sequenza qualunque di valori di *h* che termina con 1, si ottiene un file ordinato: questo è l'algoritmo Shellsort.

Un modo per implementare lo Shellsort potrebbe essere quello di sfruttare, per ogni valore di *h*, l'ordinamento per inserzione, applicandolo a ciascuno degli *h* file parziali. Possiamo, in effetti, usare un metodo ancor più semplice, sfruttando appunto l'indipendenza dei file parziali. Infatti, nell'ottenere un file *h*-ordinato, ogni singolo elemento viene inserito tra gli elementi che lo precedono nel sottofile di passo *h* semplicemente spostando alla sua destra gli elementi maggiori (Figura 6.10).

Sostituiamo nell'ordinamento per inserzione ogni incremento o decremento di 1 con un incremento o decremento di *h*. Quest'osser-

Figura 6.10
Interposizione in file 4-ordinato

Il diagramma in alto mostra il processo con cui un file di 15 elementi viene 4-ordinato, applicando l'ordinamento per inserzione ai sottofile costituiti dagli elementi di posti 0, 4, 8, 12, quindi da quelli di posti 1, 5, 9, 13, poi da quelli di posti 2, 6, 10, 14, e infine da quelli di posti 3, 7, 11. Notiamo però che i 4 sottofile sono indipendenti, quindi possiamo ottenere lo stesso risultato inserendo ogni elemento nella posizione corretta nel suo sottofile, tornando indietro di 4 per volta (diagramma in basso). Prendendo la prima riga in ogni sezione del diagramma in alto, quindi la seconda riga di ogni sezione, e così via, si ottiene il diagramma in basso.

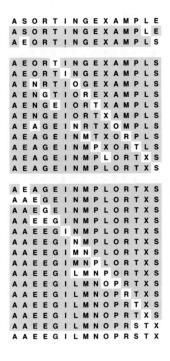

Figura 6.11
Esempio di esecuzione dello Shellsort

Ordinare un file con sequenze di incrementi 13 4 1 (rispettivamente, in alto, al centro e in basso) non richiede molti confronti (come indicato dagli elementi non ombreggiati). Il passaggio finale è semplicemente un ordinamento per inserzione, anche se nessun elemento dovrà spostarsi di molto, dato che i primi due passaggi hanno già reso il file quasi ordinato.

Programma 6.18 Shellsort

Se non usiamo sentinelle e sostituiamo ogni occorrenza di "1" con "h" nell'ordinamento per inserzione, il programma che ne risulta esegue un *h*-ordinamento del file. L'aggiunta di un ciclo più esterno che cambia gli incrementi *h* ci porta a quest'implementazione compatta di Shellsort che usa la sequenza di incrementi 1 4 13 40 121 364 1093 3280 9841 . . .

```
static void shell(ITEM[] a, int l, int r)
  { int h;
    for (h = 1; h <= (r-1)/9; h = 3*h+1);
    for ( ; h >0;h /= 3)
      for (int i = l+h; i <= r; i++)
        { int j = i; ITEM v = a[i];
          while (j >= l+h && less(v, a[j-h]))
            { a[j] = a[j-h]; j -= h; }
          a[j] = v;
        }
  }
```

vazione riduce lo Shellsort a un ordinamento per inserzione da applicarsi per ogni valore dell'incremento *h*. Il Programma 6.18 riporta i dettagli implementativi, mentre la Figura 6.11 mostra un esempio di esecuzione.

Come decidiamo la sequenza di incrementi da adottare? In generale, questo è un quesito di non semplice soluzione. Nella letteratura sull'argomento sono state studiate diverse sequenze di incrementi, alcune di queste si sono mostrate efficaci nelle applicazioni, anche se non esiste a oggi una sequenza di cui si sia dimostrata la superiorità teorica. In pratica, si scelgono sequenze solitamente decrescenti in modo più o meno geometrico, così che il numero di incrementi sia logaritmico nella dimensione del file. Ad esempio, se ogni incremento *h* è circa la metà di quello precedente, useremo circa 20 incrementi per ordinare un file di 1 milione di elementi, mentre se il rapporto è circa 1/4 ne saranno sufficienti 10. Limitare il numero di incrementi è chiaramente importante e facile da realizzare, ma dobbiamo anche tener conto delle relazioni aritmetiche fra gli incrementi, come la grandezza dei divisori comuni, e così via.

Nella pratica non ci si può aspettare che la scelta di una particolare sequenza di incrementi possa velocizzare l'algoritmo più del 25 per cento. Il problema della scelta di tale sequenza è più di carattere teorico, e ben esemplifica la possibilità che un algoritmo visibilmente semplice come Shellsort possa celare complicazioni analitiche notevoli.

La sequenza di incrementi 1 4 13 40 121 364 1093 3280 9841 . . ., usata nel Programma 6.18, ha un rapporto fra incrementi successivi di circa 1/3 e fu studiata da Knuth nel 1969 (si vedano i riferimenti bibliografici). È facile da calcolare: iniziando da 1, per ottenere l'incremento successivo si moltiplica per 3 e si aggiunge ancora 1. Come le Figure 6.12 e 6.13 mostrano, tale sequenza genera un ordinamento abbastanza efficiente anche per file piuttosto grandi.

Vi sono molte altre sequenze di incrementi che battono quella del Programma 6.18, anche se è difficile aspettarsi un miglioramento superiore al 20 per cento, anche per N grandi. Un esempio è la sequenza 1 8 23 77 281 1073 4193 16577 . . ., generata da $4^{i+1} + 3 \cdot 2^i + 1$, con $i > 0$, per la quale si possono mostrare le migliori prestazioni nel caso peggiore (Proprietà 6.10). La Figura 6.12 mostra che questa sequenza e la sequenza di Knuth (insieme a molte altre) hanno caratteristiche dinamiche simili su file di grandi dimensioni. La possibilità che esistano sequenze ancora migliori rimane un problema aperto. Alcune idee su come migliorare le sequenze di incrementi sono indicate negli esercizi.

D'altro canto, esistono anche cattive sequenze di incrementi. Ad esempio, la successione dei valori 1 2 4 8 16 32 64 128 256 512 1024 2048 . . . (che è la sequenza suggerita originariamente da Shell, quando introdusse questo algoritmo nel 1959 – si vedano i riferimenti bibliografici) ha un'elevata probabilità di causare cattive prestazioni, poiché gli elementi di posto pari non vengono confrontati con quelli di posto dispari fino all'applicazione del passo $h = 1$. La conseguenza è evidente su file casuali e risulta catastrofica nel caso peggiore: il metodo degenera in un algoritmo quadratico se, ad esempio, gli elementi più piccoli sono in posizione pari e quelli più grandi sono in posizione dispari (si veda l'Esercizio 6.50).

Il Programma 6.18 calcola gli incrementi dividendo l'incremento corrente per 3, dopo un'inizializzazione che assicura che venga usata sempre la stessa sequenza. Un'altra possibilità è quella di iniziare con h = N/3 o qualche altra funzione di N. Di solito, però, è meglio evitare strategie di questo tipo, perché esisteranno verosimilmente valori di N che danno luogo a pessime sequenze di incrementi.

La precedente descrizione dell'efficacia dello Shellsort è necessariamente imprecisa, poiché nessuno è stato finora in grado di analizzare il comportamento dell'algoritmo. Ciò rende difficile non solo

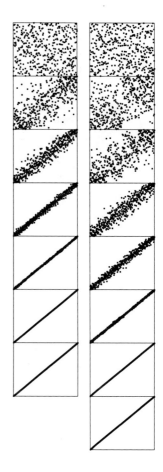

**Figura 6.12
Caratteristiche dinamiche di due Shellsort (due diverse sequenze di incrementi)**

Questa rappresentazione dello Shellsort in esecuzione assomiglia a un elastico fissato agli angoli che attira i punti verso la diagonale. Sono raffigurate due sequenze di incrementi: 121 40 13 4 1 (sinistra) e 209 109 41 19 5 1 (destra). La seconda richiede un passaggio in più della prima, anche se risulta poi più globalmente veloce perché lo sono i suoi passaggi.

Figura 6.13
Shellsort su una permuta-
zione casuale

L'effetto di ciascun passaggio nello Shellsort è quello di portare il file nel suo complesso sempre più vicino al file completamente ordinato. Il file viene prima 40-ordinato, poi 13-ordinato, quindi 4-ordinato e infine 1-ordinato. Ogni passaggio aumenta progressivamente il grado di ordine nel file.

la valutazione di sequenze di incrementi diverse, ma anche un confronto analitico dell'algoritmo stesso con altri metodi di ordinamento. Non si conosce neppure la forma funzionale del tempo di esecuzione (la quale, tra l'altro, dipende dagli incrementi). Due congetture di Knuth danno le prestazioni del precedente programma nell'ordine di $N(\log N)^2$ e di $N^{1.25}$. Studi successivi suggeriscono che una forma funzionale più complessa del tipo $N^{1+1/\sqrt{\lg N}}$ possa essere più adatta per alcune sequenze.

Concludiamo questo paragrafo, presentando alcune proprietà riguardanti l'analisi dello Shellsort. Il nostro scopo qui è quello di illustrare che anche algoritmi di semplice struttura possono presentare caratteristiche complesse, e che l'analisi degli algoritmi non è solo importante in pratica, ma è anche un'attività intellettuale impegnativa. I lettori particolarmente interessati allo studio delle sequenze di incrementi dello Shellsort potranno trovare utili le informazioni che seguono.

Proprietà 6.7   *Il risultato dell'h-ordinamento di un file che è già k-ordinato è un file sia h-ordinato che k-ordinato.*

Questo fatto sembra ovvio, ma non è banale da dimostrare (Esercizio 6.61). ■

Proprietà 6.8   *Shellsort esegue meno di $N(h-1)(k-1)/g$ confronti per g-ordinare un file che è sia h-ordinato che k-ordinato, quando h e k sono primi tra loro.*

Il ragionamento di base è illustrato nella Figura 6.14. Nessun elemento più distante di $(h-1)(k-1)$ posizioni a sinistra di un dato elemento x può essere più grande di x, se h e k sono primi fra loro (Esercizio 6.57). Quando eseguiamo un g-ordinamento, esaminiamo al più una frazione $1/g$ di questi elementi. ■

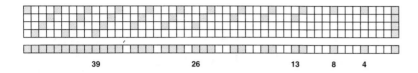

Figura 6.14
Un file 4-ordinato
e 13-ordinato

La riga sotto raffigura l'array, in cui le caselle ombreggiate indicano quegli elementi che devono essere al più pari all'elemento all'estrema destra, quando l'array è sia 4-ordinato che 13-ordinato. Le quattro righe in alto raffigurano l'origine di questo schema. Se l'elemento sulla destra è nella posizione i dell'array, allora il 4-ordinamento implica che gli elementi nelle posizioni $i-4$, $i-8$, $i-12$, ... sono minori o uguali (prima riga); mentre il 13-ordinamento implica che l'elemento in posizione $i-13$ (e quindi, dato il 4-ordinamento, anche gli elementi nelle posizioni $i-17$, $i-21$, $i-25$, ...) è minore o uguale (seconda riga); l'elemento in posizione $i-26$ (e quindi, dato il 4-ordinamento, anche gli elementi nelle posizioni $i-30$, $i-34$, $i-38$, ...) è minore o uguale (terza riga), e così via. Le caselle bianche rimaste sono quelle che potrebbero essere più grandi dell'elemento sulla destra. Ci sono al più 18 elementi di questo tipo (quello più lontano fra questi è in posizione $i-36$). Quindi, al massimo $18N$ confronti sono richiesti all'ordinamento per inserzione su un file 13-ordinato e 4-ordinato di dimensione N.

Proprietà 6.9 *Shellsort esegue meno di $O(N^{3/2})$ confronti con la sequenza di incrementi 1 4 13 40 121 364 1093 3280 9841 . . . .*

Per incrementi grandi, ci sono h sottofile di dimensione all'incirca pari a N/h, per un costo nel caso peggiore di circa N^2/h. Per incrementi piccoli, la Proprietà 6.8 implica un costo di circa Nh. Il risultato segue se usiamo il migliore fra questi due costi per ciascun incremento e vale per ogni sequenza esponenzialmente crescente di incrementi primi fra loro. ∎

Proprietà 6.10 *Shellsort esegue meno di $O(N^{4/3})$ confronti con la sequenza di incrementi 1 8 23 77 281 1073 4193 16577 . . . .*

La dimostrazione procede seguendo la dimostrazione della Proprietà 6.9. L'asserzione corrispondente a quella della Proprietà 6.9 afferma che il costo per incrementi piccoli è di circa $N h^{1/2}$. La dimostrazione di ciò richiede strumenti di teoria dei numeri che vanno al di là degli scopi di questo libro (per un approfondimento, si veda il paragrafo dei riferimenti bibliografici). ∎

Le sequenze di incrementi discusse fino a ora sono efficaci perché elementi successivi sono primi fra loro. Esiste un'altra famiglia di sequenze di incrementi che è efficace esattamente per il motivo opposto.

In particolare, la dimostrazione della Proprietà 6.8 implica che in un file 2-ordinato e 3-ordinato ogni elemento si sposti di una posizione al massimo, durante il passaggio finale dell'ordinamento per inserzione. Quindi, tale file potrebbe essere ordinato da un singolo passaggio del Bubble sort (il ciclo extra dell'ordinamento per inserzione è inutile). Ora, se un file è sia 4-ordinato che 6-ordinato, anche qui gli elementi si spostano di una posizione al massimo quando il file viene 2-ordinato (perché ogni sottofile è 2-ordinato e 3-ordinato). Continuando, se un file è sia 6-ordinato che 9-ordinato, ogni elemento si sposta di al più un posto quando il file viene 3-ordinato, e così via. Ragionando in questo modo si ottiene il seguente triangolo di incrementi

$$1$$
$$2 \quad 3$$
$$4 \quad 6 \quad 9$$
$$8 \quad 12 \quad 18 \quad 27$$
$$16 \quad 24 \quad 36 \quad 54 \quad 81$$
$$32 \quad 48 \quad 72 \quad 108 \quad 162 \quad 243$$
$$64 \quad 96 \quad 144 \quad 216 \quad 324 \quad 486 \quad 729$$

Ogni numero è pari a due volte il numero appena sopra a destra, ma anche tre volte il numero appena sopra a sinistra. Se usiamo questi numeri dal basso in alto e da destra a sinistra come sequenza di incrementi dello Shellsort, allora ogni incremento x dopo la riga più in basso è preceduto da $2x$ e $3x$, quindi ogni sottofile è 2-ordinato e 3-ordinato, e nessun elemento si sposta di più di un posto durante l'intero processo di ordinamento.

Proprietà 6.11 *Shellsort esegue meno di $O(N(\log N)^2)$ confronti con la sequenza di incrementi* 1 2 3 4 6 9 8 12 18 27 16 24 36 54 81 . . . .

Il numero di incrementi minori di N nel triangolo è certamente minore di $(\log_2 N)^2$. ∎

Questo insieme di incrementi è stato proposto da V. Pratt nel 1971 (si vedano i riferimenti bibliografici).

Gli incrementi di Pratt non funzionano però molto bene in pratica, perché il loro numero tende a essere troppo elevato. Possiamo usare lo stesso principio per costruire sequenze di incrementi a partire da due arbitrari numeri primi fra loro. Tali sequenze si comportano bene nella pratica, perché i limiti derivanti dalla Proprietà 6.1 forniscono una sovrastima del costo su file ordinati casualmente.

Il problema di determinare buone sequenze di incrementi per lo Shellsort ci dà un eccellente esempio di un semplice algoritmo dal comportamento complesso. Non saremo certo in grado di studiare così particolareggiatamente ogni algoritmo che incontreremo (non solo per mancanza di spazio, ma anche perché ciò potrebbe richiedere strumenti matematici sofisticati che vanno al di là degli scopi del libro o addirittura costituire un problema di ricerca ancora aperto). In effetti, molti degli algoritmi studiati in questo libro sono il frutto di ampi studi analitici e/o empirici; e mostrano che la ricerca di prestazioni sempre migliori

Tabella 6.2   Studio empirico sulle sequenze di incrementi di Shellsort

Shellsort risulta parecchie volte più rapido degli altri metodi elementari, anche quando gli incrementi sono potenze di 2. Alcune altre sequenze di incrementi possono velocizzare l'algoritmo di un ulteriore fattore 5 o più. Le tre migliori sequenze in questa tabella sono totalmente diverse fra loro. Shellsort resta un metodo praticabile anche per file di grandi dimensioni, specialmente se confrontato con i tre metodi elementari presentati nei paragrafi precedenti (si confronti con la Tabella 6.1).

N	O	K	G	S	P	I
12500	16	6	6	5	6	6
25000	37	13	11	12	15	10
50000	102	31	30	27	38	26
100000	303	77	60	63	81	58
200000	817	178	137	139	180	126

Legenda:

O   1 2 4 8 16 32 64 128 256 512 1024 2048 . . .
K   1 4 13 40 121 364 1093 3280 9841 . . . (Proprietà 6.9)
G   1 2 4 10 23 51 113 249 548 1207 2655 5843 . . . (Esercizio 6.40)
S   1 8 23 77 281 1073 4193 16577 . . . (Proprietà 6.10)
P   1 7 8 49 56 64 343 392 448 512 2401 2744 . . . (Esercizio 6.44)
I   1 5 19 41 109 209 505 929 2161 3905 . . . (Esercizio 6.45)

può essere tanto impegnativa dal punto di vista intellettuale quanto premiante dal punto di vista pratico, anche su semplici algoritmi. La Tabella 6.2 fornisce risultati empirici che illustrano come vari approcci per determinare sequenze di incrementi siano validi nella pratica. La breve sequenza 1 8 23 77 281 1073 4193 16577 . . . è fra le più semplici che si usano con lo Shellsort.

La Figura 6.15 mostra che lo Shellsort funziona abbastanza bene su diversi tipi di file in ingresso e non solo su quelli casuali. Infatti, identificare un file di input su cui lo Shellsort risulta lento per una data sequenza di incrementi è tutt'altro che facile (si veda l'Esercizio 6.56). Come si è detto, esistono sequenze di incrementi su cui lo Shellsort ese-

**Figura 6.15
Caratteristiche dinamiche
dello Shellsort su vari tipi
di file**

*Questi diagrammi mostrano lo Shell-
sort con sequenza di incrementi 209
109 41 19 5 1 in esecuzione su file
che sono, nell'ordine da sinistra, casuali, gaussiani, quasi ordinati, ordinati quasi in senso inverso, casuali
ma con sole 10 chiavi distinte. Il
tempo di esecuzione di ogni passaggio dipende da quanto sono ben ordinati i file all'inizio del passaggio.
Dopo pochi passaggi, questi file vengono riorganizzati in modo similare.
Quindi, il tempo di calcolo non risulta particolarmente sensibile all'input.*

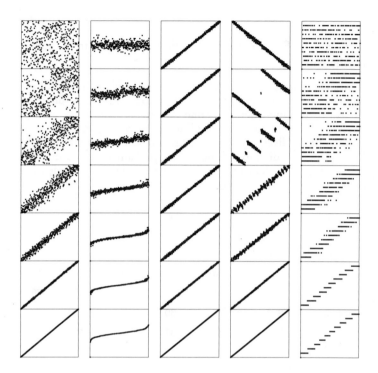

gue un numero quadratico di confronti nel caso peggiore (Esercizio 6.50).
Limiti inferiori di questo tipo sono stati mostrati per molte altre sequenze
di incrementi.

Lo Shellsort è il metodo da preferire per molte applicazioni di ordinamento, poiché ha un tempo di esecuzione accettabile anche quando è applicato a file moderatamente grandi, e richiede la scrittura di poche e facili linee di codice. Nei prossimi capitoli si incontreranno metodi più efficienti che risultano più rapidi di un fattore al più due (fatta eccezione per valori di *N* molto grandi), ma che sono in compenso
molto più complicati. In breve, dovendo risolvere un problema di ordinamento conviene sempre impiegare all'inizio questo algoritmo, per
poi, eventualmente, determinare quando sia conveniente sostituire lo
Shellsort con un metodo più sofisticato.

Esercizi

▷ **6.47** Lo Shellsort è stabile?

6.48 Mostrate come implementare uno Shellsort con incrementi 1 8 23 77
281 1073 4193 16577 . . ., calcolando in modo diretto gli incrementi successivi con un codice simile a quello per gli incrementi di Knuth.

▷ **6.49** Disegnate diagrammi corrispondenti alle Figure 6.10 e 6.11 per la sequenza di chiavi E A S Y Q U E S T I O N.

6.50 Determinate il tempo di calcolo dello Shellsort con gli incrementi 1 2 4 8 16 32 64 128 256 512 1024 2048 . . . per ordinare un file dove le chiavi 1, 2, . . ., N sono in posizione dispari e le chiavi $N + 1$, $N + 2$, . . ., $2N$ sono in posizione pari.

6.51 Scrivete un programma pilota per confrontare le sequenze di incrementi dello Shellsort. Leggete le sequenze da standard input, una per riga, e quindi usatele per ordinare 10 file casuali di dimensioni N, dove $N = 100$, 1000 e 10000. Contate il numero di confronti oppure misurate il reale tempo di calcolo.

● **6.52** Eseguite esperimenti per determinare se aggiungere o togliere un incremento possa migliorare la sequenza 1 8 23 77 281 1073 4193 16577 . . . per $N = 10000$.

● **6.53** Eseguite esperimenti per determinare il valore di x che dà luogo al minor tempo di calcolo su file casuali, quando 13 è sostituito con x nella sequenza di incrementi 1 4 13 40 121 364 1093 3280 9841 . . . usata per $N = 10000$.

● **6.54** Eseguite esperimenti per determinare il valore di a che dà luogo al minor tempo di calcolo su file casuali nella sequenza di incrementi 1, $\hat{a}$, $\hat{a}^2$, $\hat{a}^3$, $\hat{a}^4$, . . .; per $N = 10000$.

● **6.55** Determinate la sequenza di 3 incrementi che richiede il minor numero di confronti su file casuali di 1000 elementi.

●● **6.56** Provate a costruite un file di 100 elementi su cui lo Shellsort con incrementi 1 8 23 77 esegue il maggior numero di confronti possibile.

● **6.57** Dimostrate che, se h e k sono primi fra loro, allora un qualsiasi numero maggiore o uguale a $(h-1)(k-1)$ può essere espresso come combinazione lineare (con coefficienti non negativi) di h e k. *Suggerimento*: mostrate che, se due fra i primi $h-1$ multipli di k hanno lo stesso resto quando sono divisi per h, allora h e k devono avere un fattore comune.

6.58 Eseguite esperimenti per determinare i valori di h e k che danno luogo al minor tempo di calcolo su file casuali di 10000 elementi, quando si usa lo Shellsort con sequenza di incrementi del tipo Pratt basata su h e k.

6.59 La sequenza di incrementi 1 5 19 41 109 209 505 929 2161 3905 . . . si ottiene per fusione delle sequenze $9 \cdot 4^i - 9 \cdot 2^i + 1$ e $4^i - 3 \cdot 2^i + 1$ per $i > 0$. Confrontate i risultati ottenuti su un file di 10000 elementi per le sequenze individuali e per quella combinata.

6.60 Otteniamo la sequenza di incrementi 1 3 7 21 48 112 336 861 1968 4592 13776 . . . iniziando da una sequenza di base di numeri primi fra loro, ad esempio 1 3 7 16 41 101, e quindi costruendo un triangolo, come per la sequenza di Pratt. Questa volta però l'i-esima riga del triangolo è ottenuta moltiplicando il primo elemento nella $(i-1)$-esima riga per l'i-esimo elemento della sequenza di base e moltiplicando gli altri elementi per l'$(i+1)$-esimo elemento della sequenza di base. Eseguite esperimenti su file di 10000 elementi per determinare una sequenza di base che migliori quella che abbiamo dato qui.

- **6.61** Completate le dimostrazioni delle Proprietà 6.7 e 6.8.

- **6.62** Implementate uno Shellsort basato sull'algoritmo shaker sort dell'Esercizio 6.40 e confrontatelo con l'algoritmo standard. *Nota*: le sequenze di incrementi usate nella vostra implementazione dovrebbero essere parecchio differenti da quelle usate per l'algoritmo standard.

6.9 Ordinamento di liste concatenate

Come sappiamo dal Capitolo 3, gli array e le liste concatenate forniscono due dei principali modi di strutturare i dati. Abbiamo presentato un'implementazione dell'ordinamento per inserzione su liste concatenate come esempio di elaborazione di liste nel Paragrafo 3.4 (Programma 3.10). Le implementazioni che abbiamo analizzato fino a questo punto assumono tutte che i dati da ordinare risiedono in un array, e non funzionano immediatamente quando organizziamo tali dati in una lista concatenata. Tali algoritmi sono utili nel contesto delle liste concatenate solo se elaborano i dati sequenzialmente, modalità che può essere efficientemente supportata dalle liste concatenate.

Il Programma 3.10 è un programma pilota simile al Programma 6.1 per verificare ordinamenti su liste concatenate. Come per quello su array, esso inizializza la lista, la ordina, e ne mostra il contenuto. Come osservato nel Capitolo 3, è possibile lavorare con liste concatenate a un livello di astrazione più elevato. L'approccio a basso livello seguito qui aiuta a focalizzarci sulle operazioni di manipolazione di link, che caratterizzano molti degli algoritmi e delle strutture dati presentate in questo libro. Definire un'interfaccia per liste e costruire implementazioni generiche come quelle viste per array nel Paragrafo 6.2 è piuttosto immediato (Esercizio 6.66).

Esiste una regola di base per manipolare strutture concatenate che è critica in molte applicazioni, anche se non è proprio messa in evidenza dal nostro codice. In ambienti più complessi, può capitare che i riferimenti ai nodi di una lista siano tenuti in altre parti dell'applicazione (cioè sono in liste multiple). La possibilità che ai nodi si possa avere accesso da riferimenti mantenuti al di fuori dell'ordinamento significa che i nostri programmi dovrebbero *modificare solo i link all'interno dei nodi, senza alterare chiavi o altre informazioni*. Ad esempio, quando vogliamo effettuare uno scambio, la cosa più semplice da fare è quella di

Programma 6.19 Ordinamento per selezione di lista concatenata

L'ordinamento per selezione di una lista concatenata è molto semplice, ma differisce leggermente dalla versione su array, poiché qui è più facile inserire in testa. Manteniamo una lista di input (puntata da `h.next`) e una lista di output (puntata da `out`). Fintanto che la lista di input non è vuota, la scandiamo per determinare l'elemento massimo fra i restanti, quindi rimuoviamo tale elemento dalla lista di input e lo inseriamo in testa alla lista di output. Quest'implementazione usa un metodo privato `findMax` che restituisce un link al nodo il cui link punta al massimo elemento della lista.

```
private static Node findMax(Node h)
  {
    for (Node t = h; t.next != null; t = t.next)
      if (h.next.item < t.next.item) h = t;
    return h;
  }
static Node sort(Node h)
  { Node head = new Node(-1, h), out = null;
    while (head.next != null)
      { Node max = findMax(head);
        Node t = max.next; max.next = t.next;
        t.next = out; out = t;
      }
    return out;
  }
```

scambiare direttamente i dati da ordinare (come si è fatto per gli array). Ma in questo modo ogni riferimento dall'esterno ai nodi scambiati si troverebbe ad avere valori modificati, e in molti casi ciò è da evitare. Dobbiamo modificare i link in modo tale che i nodi appaiano in ordine quando la lista è attraversata seguendoli, evitando però di toccare il loro ordine quando si accede attraverso riferimenti diversi. Ciò rende l'implementazione un po' più difficile, ma di solito quest'accortezza risulta necessaria.

Possiamo adattare l'ordinamento per inserzione, l'ordinamento per selezione e il Bubble sort all'uso su liste concatenate, sebbene ciascuno di essi abbia le sue piccole difficoltà. L'ordinamento per selezione è immediato: manteniamo una lista di input (contenente i dati iniziali) e una lista di output (che raccoglie i dati ordinati). Scandire la lista di input alla ricerca del massimo, rimuoverlo e aggiungerlo in testa alla li-

Figura 6.16
Ordinamento per selezione di lista concatenata

La figura mostra un passaggio dell'ordinamento per selezione su liste concatenate. Manteniamo una lista di input, puntata da h.next *e una lista di output, puntata da* out *(in alto). Scandiamo la lista di input, per far sì che* max *punti al nodo immediatamente prima del nodo contenente il massimo (e anche che* t *punti al nodo contenente il massimo). Questi sono i puntatori necessari per cancellare* t *dalla lista di input (riducendone la lunghezza di 1) e per inserire* t *in testa alla lista di output (aumentando la sua lunghezza di 1), mantenendola ordinata (in basso). Continuando in tal modo, esauriamo prima o poi la lista di input e otteniamo i nodi ordinati nella lista di output.*

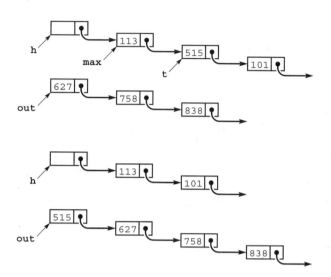

sta di output è un semplice esercizio di manipolazione di liste concatenate (Figura 6.16). Il Programma 6.19 fornisce un'implementazione. Il Programma 3.10 implementa l'ordinamento per inserzione su liste concatenate, mentre l'Esercizio 6.68 si occupa del Bubblesort. Questi metodi possono ritenersi utili per ordinare liste non lunghe, valendo per essi le stesse considerazioni legate alle prestazioni fatte in precedenza per i corrispondenti algoritmi su array.

In alcuni casi, non abbiamo neanche bisogno di implementare esplicitamente un algoritmo di ordinamento. Ad esempio, potremmo scegliere di mantenere la lista in ordine a ogni istante, inserendo nuovi nodi come nell'ordinamento per inserzione. Questo approccio richiede un modesto costo aggiuntivo se, ad esempio, gli inserimenti sono relativamente poco frequenti, se la lista è corta, oppure quando per qualche ragione dobbiamo scandire tutta la lista prima dell'inserimento di un nuovo nodo (magari per evitare duplicati). Presenteremo nel Capitolo 14 un algoritmo che usa liste concatenate ordinate e forniremo, nei Capitoli 12 e 14, numerosi esempi di strutture dati che migliorano in efficienza quando le informazioni sono tenute ordinate.

Esercizi

▷ **6.63** Fornite il contenuto delle liste di input e di output quando il Programma 6.19 è eseguito sulla sequenza di chiavi A S O R T I N G E X A M P L E.

6.64 Implementate un programma pilota che misuri le prestazioni degli ordinamenti di liste concatenate (si veda l'Esercizio 6.8).

6.65 Implementate un programma pilota per ordinamenti su liste concatenate che verifichi casi degeneri (si veda l'Esercizio 6.9).

6.66 Progettate un ADT lista concatenata ordinabile che includa un metodo per l'inizializzazione casuale, uno per l'inizializzazione da standard input, un metodo di ordinamento `sort` e un metodo di output. Per supportare lo stile di programmazione funzionale del Programma 3.10, tutti questi metodi devono avere un riferimento a nodo come parametro e restituirne uno come valore di ritorno.

6.67 Scrivete una classe che estenda la vostra classe astratta dell'Esercizio 6.66 in modo da implementare liste concatenate con record che corrispondono a chiavi `double`.

6.68 Implementate il Bubble sort su liste concatenate. *Attenzione*: scambiare due elementi adiacenti in una lista concatenata è più difficile di quanto sembri.

6.69 L'ordinamento per inserzione del Programma 3.10 ha, per alcuni file di ingresso, un'esecuzione molto più lenta di quella della versione per array. Descrivete uno di questi file e spiegate il problema.

● **6.70** Implementate una versione per liste concatenate dello Shellsort che non usi, su file casuali molto grandi, spazio o tempo molto maggiore della versione per array. *Suggerimento*: usate il Bubble sort.

● **6.71** Sviluppate un'implementazione tramite liste concatenate dell'interfaccia per l'ADT array del Programma 6.5, in modo da poter usare, ad esempio, il Programma 6.6 per eseguire il debugging di ordinamenti su liste concatenate.

6.10 Indicizzazione con chiavi

Esistono vari algoritmi di ordinamento che possono trarre vantaggio dalle particolari proprietà delle chiavi. Consideriamo, ad esempio, il problema seguente: "ordinare un file a di N record le cui chiavi sono interi distinti compresi fra 0 ed $N - 1$". Questo problema può essere risolto immediatamente con un array temporaneo b utilizzando le istruzioni

```
for (i = 0; i < N; i++) b[a[i]] = a[i];
```

Quindi, realizziamo l'ordinamento considerando le chiavi come *indici*, piuttosto che come oggetti astratti da confrontare. In questo paragrafo, studiamo un metodo elementare che usa l'indicizzazione con chiavi in questo modo e che risulta efficiente quando le chiavi hanno un range di valori limitato.

Se tutte le chiavi sono 0, l'ordinamento è banale. Supponiamo quindi che vi siano due chiavi distinte: 0 e 1. Questo problema di or-

0	1	2	3	4	5	6	7	8	9	10	11	12	13	14
0	3	3	0	1	1	0	3	0	2	0	1	1	2	0

	0	1	2	3
	0	6	4	2
	0	6	10	12

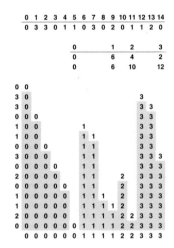

Figura 6.17
Ordinamento per key-indexed counting

Per prima cosa, determiniamo quante chiavi di ciascun valore ci sono nel file. In questo esempio ci sono sei chiavi 0, quattro chiavi 1, due chiavi 2 e tre chiavi 3. Poi, calcoliamo le somme parziali per determinare il numero di chiavi minori di ciascuna chiave: 0 chiavi sono minori di 0, 6 chiavi sono minori di 1, 10 chiavi sono minori di 2 e 12 chiavi sono minori di 3 (tabella nel mezzo). Quindi, usiamo tali somme parziali come indici per mettere le chiavi al loro posto: lo 0 all'inizio del file è messo in posizione 0, quindi incrementiamo il puntatore dello 0 per farlo puntare alla posizione del prossimo 0; il 3 nella seconda posizione del file è messo in posizione 12 (dato che ci sono 12 chiavi minori di 3), quindi incrementiamo il puntatore di 3; e così via per tutte le chiavi.

Programma 6.20 Key-indexed counting

Il primo ciclo inizializza i contatori a 0. Il secondo ciclo imposta il secondo contatore al numero di chiavi uguali a 0, il terzo contatore al numero di chiavi uguali a 1, ecc. Il terzo ciclo semplicemente somma questi valori per ottenere il numero di chiavi minori o uguali a quella a cui il conteggio si riferisce. Questi numeri ci danno ora gli indici finali dei blocchi del file in cui le chiavi dovranno essere sistemate. Il quarto ciclo sposta le chiavi in un array ausiliario b, seguendo gli indici calcolati prima. L'ultimo ciclo sposta di nuovo il file ordinato in a. Questo codice assume che le chiavi siano interi minori di M, ma può essere agevolmente modificato per gestire chiavi di oggetti più complicati (si veda l'Esercizio 6.75).

```
static void distCount(int a[], int l, int r)
  { int i, j, cnt[] = new int[M];
    int b[] = new int[a.length];
    for (j = 0; j < M; j++) cnt[j] = 0;
    for (i = l; i <= r; i++) cnt[a[i]+1]++;
    for (j = 1; j < M; j++) cnt[j] += cnt[j-1];
    for (i = l; i <= r; i++) b[cnt[a[i]]++] = a[i];
    for (i = l; i <= r; i++) a[i] = b[i-1];
  }
```

dinamento potrebbe presentarsi quando, ad esempio, si devono separare gli elementi in un file in funzione della risposta a un qualche test di accettazione: la chiave 0 significa "accettato", la chiave 1 significa "rifiutato". Un modo di procedere è quello di contare il numero di 0, e quindi di fare un secondo passaggio sull'input a per distribuire i suoi elementi sull'array temporaneo b tramite un array cnt di due contatori. Iniziamo con 0 in cnt[0] e con il numero di chiavi uguali a 0 in cnt[1], a indicare che non esistono nel file di input chiavi minori di 0, mentre ci sono cnt[1] chiavi minori di 1. Chiaramente, possiamo riempire l'array b mettendo 0 all'inizio (cominciando da b[[cnt[0]] o b[0]]) e 1 iniziando da b[cnt[1]]. Quindi, la porzione di codice

```
for (i = 0; i < N; i++) b[cnt[a[i]]++] = a[i];
```

serve a distribuire gli elementi di a in b. Di nuovo, realizziamo un ordinamento efficiente usando le chiavi come indici (per scegliere fra cnt[0] e cnt[1]). L'approccio di servirsi di chiavi come indici si generalizza immediatamente al caso di più di due valori delle chiavi (cioè, più di due contatori). Consideriamo, quindi, il problema più realistico seguente: "ordinare un file di N record le cui chiavi sono interi compresi fra 0 ed $M - 1$". Possiamo estendere il metodo di base visto sopra per ottenere un algoritmo chiamato *key-indexed counting* ("conteggio indicizzato da chiavi"), che risolve il problema efficientemente se M non è troppo grande. Come nel caso di due sole chiavi, l'idea è quella di contare il numero di chiavi presenti per ciascun valore e usare questa grandezza per spostare gli elementi nella loro posizione finale durante un secondo passaggio sul file. Per prima cosa, contiamo il numero di chiavi di ciascun valore, quindi calcoliamo le somme parziali relative al numero di chiavi minori o uguali a ciascun valore. Poi, come abbiamo fatto per il caso di due sole chiavi, usiamo questi contatori come indici per distribuire le chiavi. Consideriamo il valore conteggiato per ogni chiave come indice che punta alla fine del blocco di chiavi aventi lo stesso valore, usiamo tale indice per distribuire la chiave nell'array b e lo decrementiamo. Il procedimento è illustrato nella Figura 6.17, mentre un'implementazione è data nel Programma 6.20.

Proprietà 6.12 *L'algoritmo di key-indexed counting è lineare, purché il range dei valori delle chiavi sia costante rispetto alla dimensione del file.*

Ogni elemento è spostato due volte, una per la distribuzione nell'array b e un'altra per tornare di nuovo nell'array a. Ogni chiave è letta due volte, una per effettuare il conteggio e l'altra per fare la distribuzione. Gli altri due cicli for dell'algoritmo riguardano la realizzazione dei conteggi e influenzano in modo minore il tempo di calcolo, a meno che il numero di contatori non sia significativamente più grande della dimensione del file. ∎

Se dobbiamo ordinare file molto grandi, l'array ausiliario b può essere problematico per occupazione di memoria. Possiamo modificare il Programma 6.20 per completare l'ordinamento sul posto (evitando l'uso di un array ausiliario). Quest'operazione è molto simile ai metodi di base che studieremo nei capitoli successivi, quindi la rimandiamo agli Esercizi 12.19 e 12.20 nel Paragrafo 10.3. Come vedremo nel Capitolo 10, questo risparmio di spazio si ottiene però sacrificando le proprietà di stabilità dell'algoritmo, che quindi risulta limitato nell'utilità pratica, dato che applicazioni con un gran numero di chiavi duplicate spesso hanno anche chiavi secondarie il cui ordine relativo deve essere preservato. Presenteremo un esempio piuttosto importante di una tale applicazione nel Capitolo 10.

Esercizi

○ **6.72** Date una versione del key-indexed counting che sia specializzata al caso di soli tre valori delle chiavi (*a*, *b*, e *c*).

6.73 Supponente di usare l'ordinamento per inserzione su file casuali in cui gli elementi hanno solo tre valori. Il tempo di calcolo dell'algoritmo è lineare, quadratico, o qualcosa di intermedio?

▷ **6.74** Mostrate come il key-indexed counting ordina il file A B R A C A D A B R A.

6.75 Implementate il key-indexed counting per elementi che sono record potenzialmente molto grandi e aventi chiavi intere di range limitato.

6.76 Fornite un'implementazione del key-indexed counting che non esegua lo spostamento degli elementi dall'array di input, ma che calcoli invece un secondo array b tale che b[0] sia l'indice dell'elemento in a che comparirebbe in prima posizione se a fosse ordinato, b[1] quello che comparirebbe in seconda posizione, ecc.

CAPITOLO SETTE

Quicksort

IL PRESENTE CAPITOLO ANALIZZA in dettaglio l'algoritmo di ordinamento probabilmente più usato di qualunque altro, il *Quicksort*. L'algoritmo di base fu inventato da C. A. R. Hoare nel 1960, e da allora è stato studiato in modo approfondito (si vedano i riferimenti bibliografici). Il Quicksort è così popolare perché è facilmente implementabile, è un buon algoritmo *general-purpose*, ha un buon comportamento in un'ampia varietà di situazioni e in molti casi richiede meno risorse di qualsiasi altro algoritmo di ordinamento.

Il Quicksort offre il vantaggio di operare direttamente sul file da ordinare (utilizzando soltanto un piccolo stack ausiliario), per ordinare N elementi richiede mediamente solo $N \log N$ operazioni e ha un ciclo interno estremamente breve. Gli svantaggi sono dati dal fatto che non è stabile, nel caso peggiore ha un comportamento quadratico ed è particolarmente fragile: un semplice errore nella sua implementazione può passare inosservato ma causare, in certe situazioni, un drastico peggioramento nelle prestazioni dell'algoritmo.

Il Quicksort è stato sottoposto a un'analisi matematica approfondita ed estremamente precisa, tanto che le sue prestazioni sono state comprese a fondo e il suo comportamento è stato descritto in modo molto accurato. I risultati ottenuti in fase di analisi sono stati verificati sperimentalmente in modo esteso, e l'algoritmo di base è stato migliorato al punto da diventare il metodo ideale per un gran numero di applicazioni pratiche. Per questo motivo, la descrizione di come implementare in modo efficiente l'algoritmo è più particolareggiata per il Quicksort che per gli altri metodi di ordinamento. Tecniche simili a quelle adottate in questo caso possono essere applicate ad altri algoritmi; nel caso del Quicksort è possibile usare tali tecniche tranquillamente, grazie alla profonda conoscenza del loro impatto sulle prestazioni di questo metodo di ordinamento.

L'idea di migliorare le prestazioni del Quicksort è allettante, anche in considerazione del fatto che la ricerca di un algoritmo di ordinamento più veloce è una delle principali attrattive dell'informatica. Praticamente dal momento in cui Hoare pubblicò per la prima volta il suo lavoro, la letteratura specializzata iniziò a proporre versioni migliorate dell'algoritmo. Sono state provate e analizzate molte idee, ma l'algoritmo è così ben bilanciato da far sì che il miglioramento apportato in una parte del programma quasi inevitabilmente dia luogo a un peggioramento delle prestazioni in qualche altro punto. In questo capitolo verranno, però, descritte tre modifiche in grado di migliorare sensibilmente le prestazioni della versione di base del Quicksort.

Una versione del Quicksort messa a punto con attenzione probabilmente sarà assai più veloce di qualsiasi altro metodo di ordinamento sulla maggior parte dei calcolatori, tanto che il Quicksort è ampiamente usato come funzione di ordinamento nelle librerie e nelle applicazioni in cui l'ordinamento costituisce un punto critico. In effetti, il metodo sort della libreria standard Java è un'implementazione del Quicksort. Nonostante la sua (meritata) reputazione di algoritmo veloce, il tempo di calcolo del Quicksort dipende in modo significativo dall'input, e può andare da lineare a quadratico nel numero di elementi da ordinare. Capita qualche volta che gli utenti di questo algoritmo rimangano spiacevolmente sorpresi del suo comportamento su alcuni input, specialmente in versioni altamente ottimizzate. Quando un'applicazione non giustifica il lavoro necessario ad assicurare che un'implementazione del Quicksort sia corretta, alcuni programmatori ripiegano sullo Shellsort, considerato più affidabile e di buona efficienza a fronte di costi implementativi minori. Per file estremamente grandi, invece, il Quicksort è verosimilmente da 5 a 10 volte più veloce dello Shellsort, e può anche essere adattato per altri tipi di file che ricorrono nella pratica, in modo da risultare ancor più efficiente.

7.1 L'algoritmo di base

Il Quicksort è un metodo di ordinamento *divide et impera* che opera *partizionando* un file in due parti da ordinare indipendentemente. Come vedremo, l'esatta descrizione della partizione dipende dal file. Il punto cruciale di questo metodo è rappresentato dal processo di partizionamento, il cui scopo è quello di riorganizzare l'array in modo tale che siano verificate le seguenti tre condizioni:

- per un qualche valore di i l'elemento a[i] si trova al posto giusto

- tutti gli elementi a[l], . . ., a[i-1] sono minori o uguali ad a[i]

- tutti gli elementi a[i+1], . . ., a[r] sono maggiori o uguali ad a[i].

Ordiniamo l'intero array partizionando e quindi applicando ricorsivamente il metodo ai sottoarray, come mostrato nella Figura 7.1. Dato che il meccanismo di partizionamento pone al posto giusto almeno un elemento, non è difficile produrre una dimostrazione per induzione della correttezza del Quicksort. Il Programma 7.1 è un programma ricorsivo che implementa quest'idea.

Usiamo la seguente strategia per implementare il partizionamento. Per prima cosa, scegliamo in maniera del tutto arbitraria l'elemento a[r], che chiameremo *elemento di partizionamento*, come quello da spostare nella sua posizione finale. Poi, scandiamo l'array partendo dall'estremità sinistra fino a quando non incontriamo un elemento maggiore di a[r]; la stessa operazione viene fatta partendo dall'estremità destra fino al ritrovamento di un elemento minore di a[r]. Ovviamente, i due elementi che hanno interrotto la scansione sono fuori posto e devono essere scambiati. Procedendo in questo modo si arriva a una situazione in cui si è sicuri che gli elementi alla sinistra dell'indice sinistro sono minori o uguali ad a[r], mentre quelli alla destra dell'indice destro sono maggiori o uguali. Il diagramma seguente illustra la situazione.

minori o uguali a v		maggiori o uguali a v	v
↑	↑	↑	↑
l	i	j	r

In questo diagramma, v è il valore dell'elemento di partizionamento, i è l'indice sinistro e j l'indice destro. Come il diagramma indica, è meglio fermare la scansione da sinistra su elementi maggiori *o uguali* all'elemento di partizionamento, e la scansione da destra su elementi minori *o uguali* all'elemento di partizionamento, anche se questa strategia sembrerebbe richiedere scambi non necessari di elementi uguali all'elemento di partizionamento. Vedremo le ragioni per cui questa strategia è motivata nel seguito di questo paragrafo. Una volta che gli indici utilizzati per la scansione si sono incrociati, l'operazione è praticamente conclusa: ciò che resta da fare è scambiare a[r] con l'elemento più a si-

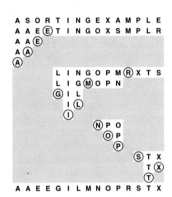

**Figura 7.1
Esempio di Quicksort**

Quicksort è un processo di partizionamento ricorsivo: dividiamo un file mettendo al suo posto un elemento (l'elemento di partizionamento) e riorganizziamo l'array in modo che elementi più piccoli siano alla sinistra dell'elemento di partizionamento ed elementi più grandi alla sua destra. Quindi, ordiniamo i sottofile sinistro e destro in modo ricorsivo. Ogni riga di questo diagramma raffigura il risultato del partizionamento del sottofile indicato, usando come elemento di partizionamento quello cerchiato. Il prodotto finale è un file completamente ordinato.

**Figura 7.2
Partizionamento del Quicksort**

Il partizionamento del Quicksort inizia dalla scelta (arbitraria) dell'elemento di partizionamento. Il Programma 7.2 usa l'elemento più a destra, E. Quindi, si scandiscono gli elementi dalla sinistra saltando quelli più piccoli e dalla destra saltando quelli più grandi, scambiando gli elementi che arrestano le scansioni e continuando fino a che i puntatori utilizzati per la scansione si incrociano. La scansione partita da sinistra si ferma una volta incontrata la S, mentre quella partita da destra si interrompe quando incontra la A. Dopo aver scambiato i due elementi, le scansioni riprendono per interrompersi rispettivamente in corrispondenza della O e della E, che sono a loro volta scambiate. A questo punto gli indici si incrociano, ossia l'indice utilizzato per la scansione da sinistra si arresta sulla R, mentre quello per la scansione da destra, superata la R, si arresta sulla E. L'ultima operazione da effettuare consiste nell'invertire le posizioni della R, che ha interrotto la scansione di sinistra, e della E (l'elemento di partizionamento) situata all'estremità destra del file.

Programma 7.1 Quicksort

Se l'array ha un elemento al massimo, il programma non esegue nulla, altrimenti elabora l'array per mezzo di una procedura `partition` (Programma 7.2) che pone `a[i]` al suo posto, per un qualche `i` fra `l` ed `r` (estremi inclusi), e riorganizza gli elementi restanti in modo tale che le chiamate ricorsive agiscano correttamente.

```
static void quicksort(ITEM[] a, int l, int r)
  {
    if (r <= l) return;
    int i = partition(a, l, r);
    quicksort(a, l, i-1);
    quicksort(a, i+1, r);
  }
```

nistra della porzione destra del file (l'elemento individuato dall'indice sinistro). Il Programma 7.2 è un'implementazione di questo procedimento, mentre le Figure 7.2 e 7.3 mostrano esempi di esecuzione.

Il ciclo più interno del Quicksort è composto semplicemente dall'incremento di un indice e dal confronto di un elemento dell'array con un valore fissato. La velocità di questo algoritmo dipende proprio da ciò: risulta impensabile immaginare un ciclo interno più semplice per un algoritmo di ordinamento.

Il Programma 7.2 usa un test esplicito per arrestare la scansione, se l'elemento di partizionamento è il più piccolo elemento dell'array. Potrebbe essere utile allo scopo una sentinella. Il ciclo interno di Quicksort è così breve che questo test superfluo potrebbe influenzare le prestazioni in modo significativo. In quest'implementazione la stessa situazione relativa all'elemento più grande non necessita di alcun accorgimento, poiché sarebbe l'elemento stesso, trovandosi all'estremità destra del file, a garantire l'interruzione della scansione in quella direzione. Altre implementazioni del partizionamento presentate più avanti, sia in questo paragrafo che altrove nel capitolo, non interrompono la scansione su chiavi uguali all'elemento di partizionamento. In tal caso, potremmo aver bisogno di aggiungere un test per evitare che l'indice vada oltre l'estremo destro dell'array. In effetti però, i miglioramenti del Quicksort che tratteremo nel Paragrafo 7.5 hanno come positivo effetto collaterale quello di non richiedere né test né sentinelle.

Programma 7.2 Partizionamento

La variabile v contiene il valore dell'elemento di partizionamento a[r], mentre i e j sono, rispettivamente, gli indici di scansione sinistro e destro. Il ciclo di partizionamento incrementa i e decrementa j, mantenendo l'invariante che non vi sia alcun elemento a sinistra di i che sia maggiore di v e alcun elemento alla destra di j minore di v. Una volta che gli indici si incrociano, completiamo il partizionamento scambiando a[i] e a[r]. Ciò pone v in a[i], di conseguenza non vi è alcun elemento maggiore alla destra di v e alcun elemento minore alla sua sinistra.

Il ciclo di partizionamento è implementato come ciclo infinito, dal quale si esce con un break quando gli indici si incrociano. Il test j == l ci protegge dal caso in cui l'elemento di partizionamento sia il più piccolo elemento nel file.

```
static int partition(ITEM a[], int l, int r)
  { int i = l-1, j = r; ITEM v = a[r];
    for (;;)
      {
        while (less(a[++i], v)) ;
        while (less(v, a[--j])) if (j == l) break;
        if (i >= j) break;
        exch(a, i, j);
      }
    exch(a, i, r);
    return i;
  }
```

Il processo di partizionamento non è stabile, visto che in seguito a uno scambio può accadere che un elemento venga spostato oltre un numero imprecisato di elementi aventi la stessa chiave e non ancora presi in esame dal partizionamento. Non è noto alcun metodo semplice per trasformare il Quicksort in un algoritmo di ordinamento stabile su array.

La procedura di partizionamento deve essere implementata con attenzione. Il modo più immediato per garantire che il programma ricorsivo termini è quello di far sì che esso: (1) non richiami se stesso su file di dimensione minore o uguale a 1; (2) richiami se stesso solo su file di dimensione strettamente inferiore a quello in input. Questi due punti sembrano ovvi, ma è facile lasciarsi sfuggire una qualche proprietà dell'input che può comportare errori notevoli. Ad esempio, un errore comune nell'implementazione del Quicksort è quello di non assicurare che almeno un elemento sia messo nella giusta posizione, giungendo così a una ricorsione infinita quando l'elemento di partizionamento viene a essere l'elemento più grande o più piccolo nel file.

Una questione che sorge è quella di gestire in maniera appropriata l'incrocio degli indici in presenza di chiavi identiche. Il programma precedente può essere leggermente migliorato facendo terminare la scansione quando è verificata la condizione j < i, per poi usare j invece che i-1 per individuare l'estremo destro del sottofile di sinistra nella prima delle due chiamate ricorsive. Questa modifica costituisce un miglioramento, in quanto se j è uguale a i è possibile far sistemare dal processo di partizionamento *due* elementi ai loro posti semplicemente consentendo al ciclo di iterare una volta in più: sistemiamo così, sia l'elemento che ha arrestato entrambe le scansioni (che deve quindi essere uguale all'elemento di partizionamento) che l'elemento di partizionamento stesso. Questa situazione potrebbe verificarsi nella Figura 7.2 se la R fosse una E. Tale modifica è ancor più significativa se si considera il fatto che il programma così come è stato proposto lascia in a[r] un elemento avente la stessa chiave dell'elemento di partizionamento. Di conseguenza, la prima partizione creata da quicksort(a,i+1,r) è una partizione degenere, poiché l'elemento più a destra viene ad avere la più piccola chiave del file. L'implementazione del partizionamento del Programma 7.2 è un po' più facile da comprendere, quindi ci riferiremo a essa come al metodo di partizionamento di base del Quicksort. Se il file possiede un buon numero di chiavi duplicate, potrebbe essere utile adottare strategie differenti.

Ci sono tre strategie di base che possiamo impiegare su chiavi uguali all'elemento di partizionamento: entrambi gli indici si fermano su tali chiavi (come il Programma 7.2); uno dei due si ferma e l'altro no; nessuno dei due si ferma. Questo problema è stato analizzato matematicamente e i risultati ottenuti mostrano che la cosa migliore è quella di interrompere la scansione in entrambe le direzioni. Un simile comportamento tende a bilanciare le partizioni in presenza di più chiavi uguali, mentre gli altri due possono portare a partizioni sbilanciate per alcuni input. Nel Paragrafo 7.6 vedremo metodi più complessi e molto più efficienti per gestire chiavi duplicate.

L'efficienza dell'ordinamento dipende, in definitiva, da quanto è bilanciato il partizionamento del file, che a sua volta dipende dal valore dell'elemento di partizionamento. La Figura 7.3 mostra che, sebbene il partizionamento divida un file di grandi dimensioni casualmente ordinato in due sottofile ancora casualmente ordinati, il punto di divisione può trovarsi dovunque nel file. Sarebbe meglio se spezzassimo il file in un punto vicino alla metà, anche se non disponia-

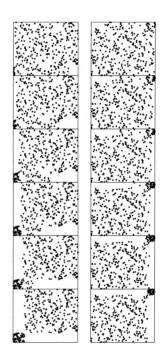

Figura 7.3
Caratteristiche dinamiche del partizionamento del Quicksort

Il processo di partizionamento divide un file in due sottofile da ordinare indipendentemente. Non vi è alcun elemento alla sinistra dell'indice sinistro che sia maggiore, quindi non ci sono punti sopra e alla sua sinistra. Simmetricamente, non vi sono elementi alla destra dell'indice destro che siano minori, quindi non ci sono punti sotto e alla sua destra. Come questi due esempi mostrano, il partizionamento di un array casuale divide l'array in due sottoarray casuali più piccoli, in cui un elemento (l'elemento di partizionamento) finisce sulla diagonale.

mo necessariamente di informazioni sufficienti per poterlo fare. Se il file è casualmente ordinato, la scelta di a[r] come elemento di partizionamento non è diversa da quella in cui si sceglie qualche altro elemento prespecificato. In *media* ciò farà in modo di spezzare il file vicino alla metà. Nel Paragrafo 7.4 considereremo un'analisi dell'algoritmo che ci permetterà di confrontare questa scelta con quella ottimale. Nel Paragrafo 7.5 vedremo in che modo l'analisi ci conduca verso scelte dell'elemento di partizionamento che rendono l'algoritmo più efficiente.

Esercizi

▷ **7.1** Mostrate, nello stile dell'esempio dato qui, il modo in cui il Quicksort ordina la sequenza E A S Y Q U E S T I O N.

7.2 Mostrate il modo in cui il file 1 0 0 1 1 1 0 0 0 0 0 1 0 1 0 0 è partizionato usando sia il Programma 7.2 che le modifiche suggerite nel testo.

7.3 Implementate il partizionamento senza usare istruzioni break o goto.

● **7.4** Sviluppate una versione stabile del Quicksort per le liste concatenate.

○ **7.5** Qual è il massimo numero di volte che, durante l'esecuzione del Quicksort, il più grande elemento di un file di N elementi può essere spostato?

7.2 Descrizione delle prestazioni del Quicksort

Nonostante i suoi molteplici vantaggi, la versione base del Quicksort ha il chiaro svantaggio di essere estremamente inefficiente su alcuni semplici file di input che possono ricorrere in pratica. Ad esempio, se si esegue l'algoritmo su un file di N elementi già ordinato, tutti i partizionamenti prodotti saranno degeneri e l'algoritmo richiamerà se stesso N volte su file di dimensioni decrescenti di un'unità (l'elemento collocato nella posizione corretta durante il partizionamento).

Proprietà 7.1 *Il Quicksort effettua all'incirca $N^2/2$ confronti nel caso peggiore.*

Continuando l'argomentazione, il numero di confronti eseguiti su un file già ordinato è

$$N + (N-1) + (N-2) + \ldots + 2 + 1 = (N+1)N/2.$$

Anche per file ordinati in senso inverso le partizioni sono tutte degeneri, e così anche per altri tipi di file meno frequenti nella pratica (si veda l'Esercizio 7.6). ■

Figura 7.4
Caratteristiche dinamiche del Quicksort su vari tipi di file

La scelta di un elemento arbitrario di partizionamento dà luogo a differenti schemi su file diversi. Queste figure illustrano le fasi iniziali del partizionamento per file che sono, nell'ordine da sinistra a destra, casuali, gaussiani, quasi ordinati, quasi ordinati in senso inverso, e casuali ma con sole 10 chiavi distinte. Si è usato qui un limite inferiore relativamente elevato sulla dimensione dei sottofile da ordinare. Gli elementi non coinvolti nel partizionamento finiscono vicino alla diagonale, lasciando un array che potrebbe facilmente essere trattato con un ordinamento per inserzione. I file quasi ordinati richiedono un numero eccessivo di partizioni.

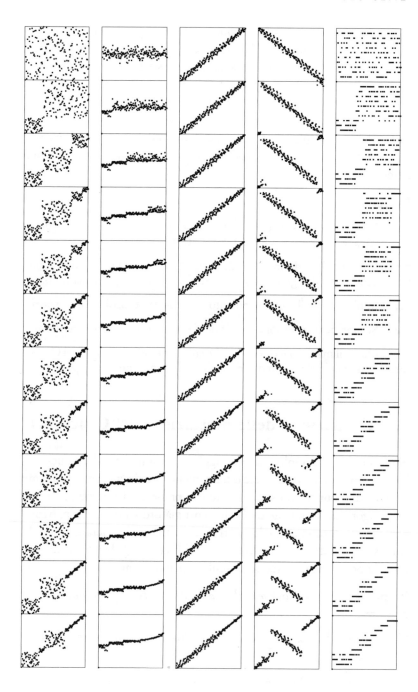

Questo non significa soltanto che il tempo richiesto per l'esecuzione è nell'ordine di $N^2/2$, ma anche, come si osserverà più avanti, che lo spazio necessario per la gestione della ricorsione diventa proporzionale a N (Paragrafo 7.3), condizione assolutamente inaccettabile nel caso di valori di N elevati. Fortunatamente, esistono alcuni semplici metodi per assicurarsi che durante l'applicazione dell'algoritmo non si presenti una simile eventualità.

La cosa migliore che può accadere durante l'esecuzione di Quicksort è che ciascun partizionamento divida il file esattamente al centro. Questa situazione fa sì che il numero di confronti operati dall'algoritmo soddisfi la ricorrenza *divide et impera*:

$$C_N = 2C_{N/2} + N.$$

Il fattore $2C_{N/2}$ rende conto del costo necessario all'ordinamento dei due file parziali, mentre N rappresenta il numero di confronti necessari a esaminare tutti gli elementi del file per mezzo degli indici di scansione. Dal Capitolo 5 è noto che la soluzione di questa ricorrenza è data dalla formula

$$C_N \approx N \lg N.$$

Benché le cose non vadano sempre così bene, è comunque corretto affermare che questa è la situazione che si verifica in presenza del *caso medio*. Considerare la probabilità esatta che si verifichi ciascuna delle possibili configurazioni di partizionamento rende la ricorrenza più difficile da risolvere, ma il risultato finale è simile a quello precedentemente illustrato.

Proprietà 7.2 *Il Quicksort esegue in media all'incirca $2N \ln N$ confronti.*

La formula che descrive in modo preciso il numero di confronti effettuati dal Quicksort per una permutazione casuale di N elementi distinti è:

$$C_N = N + 1 + \frac{1}{N} \sum_{1 \le k \le N} (C_{k-1} + C_{N-k}) \qquad \text{per } N \ge 2,$$

dove $C_1 = C_0 = 0$. Il termine $N + 1$ rappresenta il costo introdotto dal confronto dell'elemento di partizionamento con i restanti elementi del file (i due confronti aggiuntivi tengono conto dell'incrociarsi degli indici di scansione); il resto deriva dall'osservazione che ciascun elemento k ha una probabilità di $1/N$ di essere l'elemento di partizionamento, situazione che darebbe luogo a due file casuali di dimensione rispettivamente $k - 1$ ed $N - k$.

Nonostante la cosa possa sembrare complicata, questa ricorrenza è facilmente risolvibile in tre passaggi. Innanzitutto $C_0 + C_1 + \ldots + C_{N-1}$ coincide con $C_{N-1} + C_{N-2} + \ldots + C_0$, per cui risulta

$$C_N = N + 1 + \frac{2}{N} \sum_{1 \le k \le N} C_{k-1}.$$

Secondo, è possibile eliminare la sommatoria moltiplicando entrambi i membri per N e sottraendo al risultato la stessa formula calcolata per $N-1$:

$$NC_N - (N-1)C_{N-1} = N(N+1) - (N-1)N + 2C_{N-1}.$$

Questo passaggio semplifica la ricorrenza in

$$NC_N = (N+1)C_{N-1} + 2N.$$

Terzo, dividendo entrambi i membri per $N(N+1)$ la ricorrenza che si ottiene può essere espansa in

$$\frac{C_N}{N+1} = \frac{C_{N-1}}{N} + \frac{2}{N+1}$$

$$= \frac{C_{N-2}}{N-1} + \frac{2}{N} + \frac{2}{N+1}$$

$$= \vdots$$

$$= \frac{C_2}{3} + \sum_{3 \le k \le N} \frac{2}{k+1}.$$

Questo risultato esatto è praticamente uguale a una sommatoria facilmente approssimabile per mezzo del seguente integrale (si veda il Paragrafo 2.3):

$$\frac{C_N}{N+1} \approx 2 \sum_{1 \le k \le N} \frac{1}{k} \approx 2 \int_1^N \frac{1}{x}\, dx = 2 \ln N,$$

che implica il risultato proposto. Si noti che $2N \ln N$ vale circa $1.39N \lg N$, per cui il numero medio di confronti supera le prestazioni del caso migliore soltanto del 39 per cento. ∎

Quest'analisi assume un file casualmente ordinato di chiavi distinte, anche se, come mostrato nella Figura 7.4, l'implementazione nei Programmi 7.1 e 7.2 può risultare lenta in alcuni casi di chiavi duplicate e non ordinate in modo casuale. Comunque, se l'ordinamento deve essere utilizzato un gran numero di volte o se deve essere sfruttato per ordinare file di dimensioni estremamente grandi (oppure, se deve essere impiegato come funzione general-purpose di libreria da eseguirsi su file dalle caratteristiche ignote a priori), diventa consigliabile realizzare gran parte dei miglioramenti proposti nei Paragrafi 7.5 e 7.6. Queste modifiche rendono meno probabile il verificarsi del caso peggiore e riducono il tempo medio di esecuzione del 20 per cento.

Esercizi

7.6 Fornite 6 file di 10 elementi su cui Quicksort (Programma 7.1) esegue lo stesso numero di confronti del caso peggiore (file già ordinato).

7.7 Scrivete un programma che calcoli il valore esatto di C_N, e confrontatene il valore con l'approssimazione $2N \ln N$ per $N = 10^3$, 10^4, 10^5, 10^6.

○ **7.8** Quanti confronti esegue all'incirca il Quicksort (Programma 7.1) per ordinare un file di N elementi uguali?

7.9 Quanti confronti esegue all'incirca il Quicksort (Programma 7.1) per ordinare un file di N elementi in cui vi sono solo due valori distinti (k elementi di un valore ed $N - k$ dell'altro valore)?

● **7.10** Scrivete un programma che produca un file che rappresenti un caso migliore per il Quicksort: un file di N elementi distinti tale che ogni partizionamento spezzi il file in due sottofile le cui dimensioni differiscono al massimo di 1.

7.3 Dimensione dello stack

Come osservato nel Capitolo 3, possiamo rimuovere la ricorsione dal Quicksort attraverso l'utilizzo esplicito di uno stack, il cui scopo è memorizzare il "lavoro da fare" in forma di file parziali da ordinare. Ogniqualvolta si richiede un sottofile da ordinare è sufficiente estrarlo dallo stack, mentre in seguito a un partizionamento i due file parziali generati possono essere inseriti. Nell'implementazione ricorsiva del Programma 7.1 lo stack gestito dal sistema contiene le stesse informazioni.

Per un file casuale la massima dimensione dello stack è proporzionale a log N (si vedano i riferimenti bibliografici), anche se in casi degeneri lo stack può crescere proporzionalmente a N. La Figura 7.5 illustra la situazione. Il caso peggiore è ancora quello in cui il file risulta già ordinato. Questo problema è tanto sottile quanto reale: anche un programma ricorsivo utilizza (implicitamente) uno stack, per cui la degenerazione del Quicksort per file di grandi dimensioni potrebbe causare una terminazione anomala del programma per man-

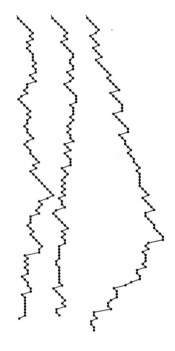

Figura 7.5
Dimensione dello stack per il Quicksort

Lo stack che supporta la ricorsione non cresce molto per file casuali, ma può occupare spazio eccessivo in casi degeneri. Nella figura sono tracciate le dimensioni dello stack per due file casuali (a sinistra e al centro) e per un file parzialmente ordinato (a destra).

Programma 7.3 Quicksort non ricorsivo

Quest'implementazione non ricorsiva (si veda il Capitolo 5) del Quicksort usa uno stack esplicito, sostituendo le chiamate ricorsive con operazioni push (dei parametri) e l'uscita dalla procedura con un ciclo che estrae con pop i parametri dallo stack e li elabora fino a quando lo stack non si svuota. Prima, inseriamo nello stack il più grande dei due sottofile. Ciò per garantire che la massima dimensione dello stack durante l'ordinamento di N oggetti sia $\lg N$ (Proprietà 7.3).

```
static void quicksort(ITEM[] a, int l, int r)
  { intStack S = new intStack(50);
    S.push(l); S.push(r);
    while (!S.empty())
      {
        r = S.pop(); l = S.pop();
        if (r <= l) continue;
        int i = partition(a, l, r);
        if (i-l > r-i) { S.push(l); S.push(i-1); }
        S.push(i+1); S.push(r);
        if (r-i >= i-l) { S.push(l); S.push(i-1); }
      }
  }
```

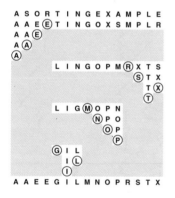

Figura 7.6
Esempio di Quicksort (ordina prima il sottofile più piccolo)

L'ordine in cui i sottofile sono elaborati non influenza la correttezza delle operazioni svolte dal Quicksort o il tempo impiegato, ma può influire sullo spazio occupato dallo stack che supporta la ricorsione. Qui, il più piccolo dei due sottofile viene elaborato per primo.

canza di memoria disponibile. Ovviamente, un comportamento del genere deve essere evitato, soprattutto se si vuole inserire la routine in una libreria di programmi (in effetti, è più probabile che si esaurisca la nostra pazienza nell'aspettare che termini il programma, prima di esaurirsi la memoria del calcolatore...). Non è facile dare garanzie che ciò non avvenga, anche se vedremo nel Paragrafo 7.5 come non sia difficile fare in modo che questi casi degeneri siano estremamente improbabili.

Il Programma 7.3 è un'implementazione non ricorsiva che affronta questo problema controllando le dimensioni dei due sottofile e inserendo nello stack prima il maggiore dei due. La Figura 7.6 illustra questa strategia. Confrontando questo esempio con la Figura 7.1, vediamo che questo modo di operare non modifica i sottofile, ma solo l'ordine in cui verranno elaborati. Quindi, otterremo un risparmio di spazio senza influenzare il tempo di calcolo.

La strategia di inserire il più grande dei due sottofile nello stack assicura che ogni sottofile presente nello stack non sia più grande della metà di quello che gli sta sotto, quindi lo stack non dovrà contenere più di un numero logaritmico di dati. Questa dimensione massima dello stack si verifica quando il partizionamento è effettuato sempre al centro del file. Per file casuali, l'occupazione massima dello stack è di molto inferiore. Anche per file degeneri, l'occupazione di stack è verosimilmente piccola.

Proprietà 7.3 *Se Quicksort è eseguito su un file di N elementi e ogni volta il più piccolo dei due sottofile è ordinato per primo, lo stack non conterrà mai più di* lg *N dati.*

La dimensione dello stack nel caso peggiore è inferiore a T_N, dove T_N soddisfa la ricorrenza $T_N = T_{\lfloor N/2 \rfloor} + 1$, con $T_1 = T_0 = 0$. Questa è una ricorrenza standard come quelle presentate nel Capitolo 5 (si veda l'Esercizio 7.13). ∎

Questa tecnica non funziona necessariamente in un'implementazione realmente ricorsiva, poiché dipende dall'*eliminazione della ricorsione in coda*. Se l'ultima azione di una procedura è una chiamata a un'altra procedura, alcuni ambienti di programmazione organizzeranno le cose in modo tale che le variabili locali siano deallocate dallo stack *prima* della chiamata, piuttosto che dopo. In assenza di eliminazione della ricorsione in coda, non possiamo garantire che la dimensione dello stack usato dal Quicksort sia piccola. Ad esempio, l'esecuzione del Quicksort su un file di dimensione N già ordinato produce una chiamata ricorsiva su un file di dimensione $N - 1$, che a sua volta genera una chiamata su un file di dimensione $N - 2$ e così via, determinando alla fine una dimensione dello stack proporzionale a N. Quest'osservazione sembrerebbe suggerire l'uso di una versione non ricorsiva del Quicksort, proprio per evitare crescite eccessive dello stack. D'altro canto, alcuni compilatori Java eliminano la ricorsione in coda in modo automatico, e molti calcolatori sono provvisti di hardware di supporto per chiamate di funzioni. Quindi, in tali ambienti l'implementazione non ricorsiva del Programma 7.3 potrebbe addirittura risultare più lenta di quella ricorsiva del Programma 7.1.

La Figura 7.7 illustra ulteriormente il fatto che il metodo non ricorsivo elabori gli stessi sottofile del metodo ricorsivo, anche se con un ordine diverso. La figura mostra una struttura ad albero in cui l'elemento di partizionamento sta alla radice e gli alberi corrispondenti ai sottofile sinistro e destro sono i suoi figli sinistro e destro. La versione ricorsiva del Quicksort corrisponde a una visita in preordine dei nodi di questo albero, mentre la versione non ricorsiva corrisponde a una visita secondo la politica "visita prima il sottoalbero più piccolo".

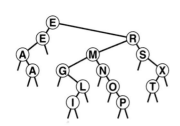

Figura 7.7
Albero di partizionamento del Quicksort

Facendo "collassare" i diagrammi nelle Figure 7.1 e 7.6, connettendo ogni elemento di partizionamento con gli elementi di partizionamento utilizzati nei due file parziali generati da esso, si ottiene questa rappresentazione statica del processo di partizionamento (in entrambi i casi). In questo albero binario, ciascun file parziale è rappresentato dal proprio elemento di partizionamento (o da se stesso, se ha dimensione unitaria), mentre i sottoalberi di ciascun nodo sono gli alberi che descrivono il partizionamento dei sottofile. Per chiarezza, i sottofile vuoti non sono indicati qui, sebbene le nostre versioni ricorsive dell'algoritmo eseguano chiamate ricorsive con r<l quando l'elemento di partizionamento è il più piccolo o il più grande elemento del file. L'albero di per sé non dipende dall'ordine in cui i sottofile sono partizionati. L'implementazione ricorsiva del Quicksort corrisponde a una visita in preordine dei nodi di quest'albero, mentre la versione non ricorsiva implementa un algoritmo di "visita prima il sottoalbero più piccolo".

Quando usiamo uno stack esplicito, come nel Programma 7.3, evitiamo in effetti alcuni costi di gestione della ricorsione, benché alcuni moderni sistemi di programmazione consentano di limitarli, soprattutto per programmi semplici come questi. Il Programma 7.3 può essere ulteriormente migliorato. Ad esempio, esso inserisce nello stack entrambi i sottofile solo per avere quello in cima da prelevare immediatamente. Potremmo modificarlo, attribuendo direttamente alle variabili l ed r i nuovi valori (quelli che identificano il sottofile più piccolo), dopo aver salvato nello stack il sottofile più grande. Inoltre, il test r <= l viene eseguito quando i sottofile sono estratti dallo stack, mentre sarebbe più efficiente evitare dal principio l'inserimento di tali file nello stack (Esercizio 7.14). Questa modifica potrebbe sembrare scarsamente significativa, ma va notato che la natura ricorsiva di Quicksort in effetti fa in modo che la gran parte dei sottofile considerati durante l'esecuzione siano di dimensione 0 o 1. Presenteremo nel prossimo paragrafo un importante miglioramento di Quicksort che estende quest'idea, gestendo file di piccole dimensioni nel modo più efficiente possibile.

Esercizi

▷ **7.11** Seguendo lo stile della Figura 5.5, fornite il contenuto dello stack dopo ogni coppia di operazioni push e pop, durante l'esecuzione del Programma 7.3 sulla sequenza di chiavi E A S Y Q U E S T I O N.

▷ **7.12** Rispondete all'Esercizio 7.11 nel caso in cui eseguiamo sempre prima una push relativa al sottofile destro e una per il sottofile sinistro (come fa l'implementazione ricorsiva).

7.13 Completate la dimostrazione della Proprietà 7.3 per induzione.

7.14 Modificate il Programma 7.3 in modo che esso non inserisca mai nello stack sottofile con r <= l.

▷ **7.15** Calcolate la massima dimensione dello stack per il Programma 7.3 quando $N = 2^n$.

7.16 Calcolate la massima dimensione dello stack per il Programma 7.3 quando $N = 2^n - 1$ e quando $N = 2^n + 1$.

○ **7.17** Sarebbe ragionevole usare una coda invece di uno stack per la versione non ricorsiva del Quicksort? Motivate la risposta.

7.18 Stabilite se il vostro ambiente di programmazione adotti l'eliminazione della ricorsione in coda.

● **7.19** Eseguite studi empirici per determinare la dimensione media dello stack usato dal Quicksort di base su file casuali di dimensione N, dove $N = 10^3, 10^4, 10^5, 10^6$.

●● 7.20 Determinate il numero medio di sottofile di dimensione 0, 1 e 2 quando il Quicksort viene usato su file casuali di dimensione *N*.

7.4 File parziali di piccole dimensioni

Un sicuro miglioramento apportabile a Quicksort deriva dall'osservazione che un programma ricorsivo sicuramente chiama se stesso per un gran numero di file parziali di piccole dimensioni, per cui in questi casi dovrebbe utilizzare un buon metodo di ordinamento. Una maniera ovvia di realizzare questa modifica consiste nel sostituire il test `if (r > l)` `return` all'inizio della routine ricorsiva con una chiamata all'algoritmo di ordinamento per inserzione attraverso l'istruzione

```
if (r-l <= M) insertion(a, l, r);
```

Qui, *M* è un parametro il cui valore esatto dipende dalla singola implementazione. Tale valore può essere ricavato attraverso un'analisi matematica o sperimentale. Entrambi i processi dimostrano che l'algoritmo ha circa lo stesso comportamento per valori di *M* compresi fra 5 e 25. Il vantaggio nel tempo di calcolo che si consegue è dell'ordine del 10 per cento rispetto alla scelta di base *M* = 1 (si veda la Figura 7.8).

Un modo più semplice, e anche leggermente più efficiente, di gestire la presenza di sottofile di piccole dimensioni consiste nel modificare il test iniziale in

```
if (r-l <= M) return;
```

con la conseguenza di ignorare questi file parziali durante il processo di partizionamento. Nella versione non ricorsiva questa modifica è realizzata semplicemente non inserendo nello stack alcun file di dimensioni minori di M oppure, in alternativa, ignorando tutti i file di dimensione minore di M estratti dallo stack. Dopo il partizionamento, quello che rimane è un file quasi ordinato, particolarmente adatto a essere sottoposto a un ordinamento per inserzione, come si è osservato nel Paragrafo 6.6. In altre parole, in queste condizioni il metodo per inserzione ha un comportamento analogo a quello conseguente alla sua applicazione diretta all'insieme di file parziali di piccole dimensioni. Questa tecnica dovrebbe essere usata con cautela, visto che l'ordinamento per inserzione probabilmente ordinerebbe il file anche se il Quicksort dovesse contenere un errore tale da non farlo funzionare. L'unico segnale a far presagire la presenza di qualche problema potrebbe essere il tempo eccessivo impiegato per ordinare il file.

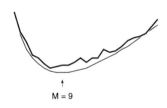

↑
M = 9

Figura 7.8
Esclusione dei file piccoli

La scelta ottimale della dimensione dei sottofile da gestire in modo separato fa ottenere un miglioramento di circa il 10 per cento nel tempo medio di calcolo. Scegliere tale valore in modo preciso non è così importante: tutti i valori compresi fra 5 e 20 andranno ugualmente bene in molti casi. La linea in grassetto (in alto) è stata ottenuta empiricamente, mentre quella più sottile è stata calcolata analiticamente.

Figura 7.9
Confronti nel Quicksort

I sottofile del Quicksort sono trattati indipendentemente. Questa figura mostra il risultato del partizionamento di ogni sottofile durante l'ordinamento di 200 elementi con trattamento separato di file di dimensione inferiore o uguale a 15. Possiamo avere una qualche idea del numero totale di confronti eseguiti, contando il numero di elementi evidenziati per colonna in verticale. In questo caso, ogni posizione dell'array fa parte di soli 6 o 7 sottofile durante l'ordinamento.

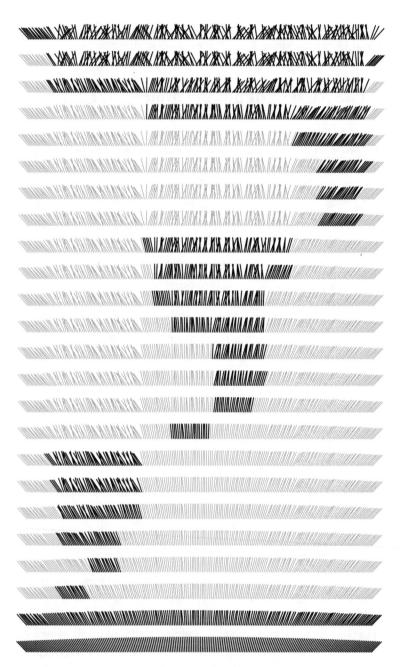

La Figura 7.9 illustra questo processo su file di grandi dimensioni. Anche con un limite relativamente grande sulla dimensione dei sottofile piccoli, la parte del programma eseguita da Quicksort è piuttosto veloce, perché sono relativamente pochi gli elementi coinvolti nei partizionamenti. L'ordinamento per inserzione che completa l'opera è anch'esso piuttosto veloce, dato che agisce su un file quasi ordinato.

Questa tecnica può essere usata con successo tutte le volte che si ha a che fare con un algoritmo ricorsivo. È la natura stessa di un algoritmo ricorsivo che ci assicura che questo elaborerà sottoproblemi piccoli per la gran parte del suo tempo di esecuzione. Di solito, ci sono metodi più immediati che possono eseguirsi su istanze molto piccole, e quindi è spesso possibile migliorare le prestazioni globali attraverso un algoritmo ibrido che combina la ricorsione con questi metodi diretti.

Esercizi

7.21 Abbiamo bisogno di sentinelle quando invochiamo l'ordinamento per inserzione direttamente all'interno del Quicksort?

7.22 Modificate il Programma 7.1 in modo che fornisca la percentuale di confronti usati nel partizionamento di file di dimensioni minori di 10, 100 e 1000, e che stampi tali percentuali per file casuali di dimensione N, dove $N = 10^3$, 10^4, 10^5, 10^6.

○ **7.23** Implementate un Quicksort ricorsivo con un limite di M sulla dimensione dei sottofile, al di sotto del quale venga usato l'ordinamento per inserzione. Determinate empiricamente il valore di M per cui il Programma 7.4 risulta più veloce su file casuali di dimensione $N = 10^3$, 10^4, 10^5, 10^6.

7.24 Risolvete l'Esercizio 7.23 usando un'implementazione non ricorsiva.

7.25 Risolvete l'Esercizio 7.23 nel caso in cui i record da ordinare siano quelli del Programma 6.7. Fornite il valore ottimale per M corrispondente a ciascuna delle tre possibili chiavi di ordinamento (si veda anche il Programma 6.8).

● **7.26** Scrivete un programma che tracci un istogramma (si veda il Programma 3.7) delle dimensioni dei sottofile lasciati all'ordinamento per inserzione, quando il Quicksort è eseguito su file di dimensione N con limite M sulla dimensione dei sottofile da ignorare. Eseguite il vostro programma per $M = 10$, 100, 1000 ed $N = 10^3$, 10^4, 10^5, 10^6.

7.27 Eseguite studi empirici per determinare la dimensione media dello stack, quando il Quicksort con limite M sulla dimensione dei sottofile piccoli da ignorare è eseguito su file casuali di dimensione N. Eseguite gli esperimenti per $M = 10$, 100, 1000 ed $N = 10^3$, 10^4, 10^5, 10^6.

7.5 Partizionamento col metodo della mediana fra tre elementi

Un altro modo per migliorare le prestazioni del Quicksort consiste nell'usare un elemento di partizionamento che abbia un'alta probabilità di dividere nel mezzo il file. Esistono diverse possibilità, ma la scelta più sicura per evitare di incorrere nel caso peggiore dovrebbe essere quella di scegliere l'elemento di partizionamento a caso tra le componenti dell'array: in questo modo, la probabilità che si verifichi la situazione peggiore è estremamente ridotta. Questo è un semplice esempio di algoritmo *probabilistico* che sfrutta il concetto di casualità per raggiungere quasi sempre buone prestazioni, indipendentemente dalla struttura dell'input. La casualità può essere un valido strumento nella progettazione di algoritmi, specialmente se si sospetta che i dati di ingresso abbiano un andamento particolare. A ogni modo, per il Quicksort sembra eccessivo includere un generatore completo di numeri casuali: spesso è sufficiente usare semplici scelte arbitrarie.

Un'altra maniera ben conosciuta di determinare un partizionamento migliore consiste nel prelevare tre elementi dal file e usare come elemento di partizionamento la mediana fra questi tre. Se i tre elementi scelti sono prelevati dalla sinistra, dal centro e dalla destra dell'array, è possibile impiegare il seguente metodo che incorpora anche le sentinelle: ordinare i tre elementi (mediante il metodo dei tre scambi del Capitolo 6), scambiare quello di mezzo con a[r-1] e applicare l'algoritmo di partizionamento alla sequenza a[l+1], . . ., a[r-2]. Questa modifica prende il nome di *metodo di partizionamento della mediana fra tre elementi*.

Tale procedimento aiuta il Quicksort in tre modi. Innanzitutto, fa sì che il caso peggiore sia estremamente improbabile in ogni ordinamento eseguito. Perché il tempo di esecuzione sia del tipo N^2, due degli elementi esaminati devono essere tra i più grandi o tra i più piccoli del file, situazione che deve verificarsi nella maggior parte delle partizioni. Secondo, elimina l'uso della sentinella, in quanto tale funzione viene svolta da uno dei tre elementi esaminati prima di partizionare. Terzo, riduce il tempo medio di esecuzione dell'algoritmo di circa il 5 per cento.

Combinando questo metodo di partizionamento con il risparmio introdotto dalla gestione speciale dei sottofile di piccole dimensioni, è possibile ridurre del 25-30 per cento il tempo di esecuzione del Quicksort. Il Programma 7.4 è un'implementazione che incorpora tutti questi miglioramenti.

Potremmo considerare la possibilità di migliorare ulteriormente il programma eliminando la ricorsione, sostituendo le chiamate di procedure con codice inline, usando sentinelle, ecc. In effetti, sui computer attuali le chiamate di procedura sono di solito gestite efficientemente e quelle in questione non sono nel ciclo interno. Ancor più importante è osservare che l'uso di un metodo di ordinamento elementare per file piccoli tende a compensare ogni eventuale rallentamento (fuori dal ciclo interno). Il motivo principale per usare una versione non ricorsiva con uno stack esplicito è quello di poter garantire limiti sulla dimensione dello stack (si veda la Figura 7.10).

Sebbene siano possibili ulteriori miglioramenti (scegliendo, ad esempio, la mediana fra cinque elementi), la quantità di tempo così guadagnato è marginale. È possibile ottenere un risparmio più significativo (e con sforzo minore), codificando il ciclo più interno (se non l'intero programma) in linguaggio assembly o addirittura in codice macchina. Questo miglioramento è stato confermato più volte da programmatori esperti in applicazioni particolarmente critiche (si vedano i riferimenti bibliografici).

Per file casualmente ordinati, il primo scambio nel Programma 7.4 è superfluo. Lo includiamo non solo perché produce il partizionamento ottimale quando il file è già ordinato, ma anche perché ci protegge da situazioni anomale che possono verificarsi nella pratica (si veda, ad esempio, l'Esercizio 7.33). La Figura 7.11 illustra l'efficacia del coinvolgimento dell'elemento di mezzo nel partizionamento di file generati secondo varie distribuzioni.

Il metodo della mediana di tre elementi è un caso perticolare dell'idea generale di campionare un file ignoto e usare le proprietà del campione per stimare le proprietà del file. Per il Quicksort vogliamo stimare la mediana per bilanciare il partizionamento. È nella natura dell'algoritmo la possibilità di usare anche stime non particolarmente buone (che vorremmo evitare soprattutto se sono costose); è sufficiente evitare di usarne una cattiva. Se usiamo un campione casuale di un solo elemento, otteniamo un algoritmo probabilistico che quasi certamente sarà veloce per qualsiasi input. Se scegliamo a caso 3 o 5 elementi dal file e usiamo la mediana fra questi 3 o 5 elementi come elemento di partizionamento otteniamo una partizione migliore, anche se il miglioramento è controbilanciato dal costo per estrarre il campione.

Il Quicksort è molto usato perché è veloce in una buona varietà di situazioni. Altri metodi potrebbero essere più appropriati per casi particolari, ma il Quicksort è più adatto rispetto ad altri per gestire bene situazioni generiche, risultando spesso più veloce dei vari metodi alternativi. La Tabella 7.1 riporta risultati empirici a supporto di alcune di queste affermazioni.

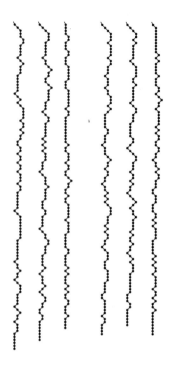

Figura 7.10
Dimensione dello stack per versioni migliorate del Quicksort

Ordinare prima i sottofile piccoli garantisce che la dimensione dello stack sia logaritmica nel caso peggiore. In questa figura, sono tracciate le dimensioni dello stack per gli stessi tre file della Figura 7.5. Nella parte di sinistra si è usata la regola di ordinare prima i file piccoli, mentre nella parte destra a ciò si è aggiunto il partizionamento con la mediana di tre elementi. Questi diagrammi non sono indicativi del tempo di esecuzione; quest'ultimo dipende dalla dimensione dei file nello stack, piuttosto che dal loro numero. Ad esempio, il terzo dei tre file (parzialmente ordinato) non richiede molto spazio nello stack, ma il corrispondente tempo di calcolo è maggiore, poiché i sottofile elaborati sono tendenzialmente grandi.

Programma 7.4   Quicksort migliorato

Scegliendo come elemento di partizionamento la mediana fra i tre elementi iniziale, di mezzo e finale, e arrestando la ricorsione su file di piccole dimensioni si ottengono significativi miglioramenti nelle prestazioni del Quicksort. Quest'implementazione usa la mediana tra gli elementi iniziale, di mezzo e finale per il partizionamento, lasciando però questi elementi fuori da ulteriori operazioni. File di dimensioni al più 11 sono ignorati durante il partizionamento. L'ordinamento per inserzione è invocato alla fine per terminare il lavoro.

```
private final static int M = 10;
static void quicksort(ITEM[] a, int l, int r)
  {
    if (r-l <= M) return;
    exch(a, (l+r)/2, r-1);
    compExch(a, l, r-1);
      compExch(a, l, r);
        compExch(a, r-1, r);
    int i = partition(a, l+1, r-1);
    quicksort(a, l, i-1);
    quicksort(a, i+1, r);
  }
static void hybridsort(ITEM a[], int l, int r)
  { quicksort(a, l, r); insertion(a, l, r); }
```

Esercizi

7.28 La nostra implementazione del metodo della mediana di tre elementi è tale da assicurare che gli elementi campionati non siano coinvolti nel processo di partizionamento. Un motivo è che essi potrebbero servire da sentinelle. Fornite un altro motivo.

7.29 Implementate un Quicksort che usi un partizionamento basato sulla mediana di un campione casuale di 5 elementi del file. Assicuratevi che gli elementi del campione non siano coinvolti nel partizionamento (Esercizio 7.28). Confrontate le prestazioni del vostro algoritmo con il metodo della mediana di tre elementi su file casuali di grandi dimensioni.

7.30 Eseguite il programma dell'Esercizio 7.29 su file di grandi dimensioni *non* casuali (ad esempio, su file già ordinati, ordinati in senso inverso o con chiavi tutte uguali). Quanto differiscono le prestazioni su questi file da quelle su file casuali?

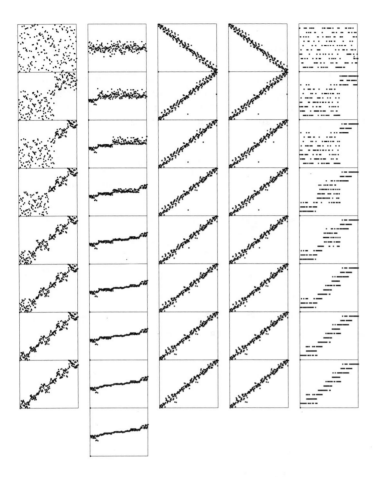

Figura 7.11
Caratteristiche dinamiche del Quicksort con mediana di tre elementi su vari tipi di file

Il partizionamento con la mediana di tre elementi (specialmente se usiamo l'elemento di mezzo del file) rende il partizionamento più bilanciato. I tipi di file degeneri mostrati nella Figura 7.4 sono gestiti particolarmente bene. Un'altra possibilità che fa ottenere lo stesso risultato è quella di usare un elemento di partizionamento scelto a caso.

•• **7.31** Implementate un Quicksort basato sull'uso di un campione di dimensione $2^k - 1$. Per prima cosa, ordinate il campione, quindi fate in modo che la routine ricorsiva partizioni in base alla mediana del campione e che sposti le due metà del resto del campione in ogni sottofile, in modo tale che essi possano essere usati nei sottofile senza dover essere ordinati di nuovo. Questo algoritmo è chiamato Samplesort.

•• **7.32** Eseguite studi empirici per determinare il miglior valore della dimensione del campione nell'algoritmo Samplesort (Esercizio 7.31), per $N = 10^3$, 10^4, 10^5, 10^6. Spiegate se c'è differenza nell'usare il Quicksort o il Samplesort per ordinare il campione.

• **7.33** Dimostrate che, se il Programma 7.4 è modificato in modo da omettere il primo scambio e da eseguire una scansione sulle chiavi uguali all'elemento di partizionamento, allora il suo tempo di esecuzione su un file ordinato in senso inverso è quadratico.

Tabella 7.1   Studio empirico su versioni del Quicksort

Il Quicksort (Programma 7.1) è quasi tre volte più veloce dello Shellsort (Programma 6.15) su file casuali grandi. Il trattamento a parte di file di piccole dimensioni e il partizionamento con la mediana di tre (Programma 7.4) ne riducono ulteriormente il tempo di calcolo.

N	shellsort	Quicksort di base			Quicksort con mediana di tre		
		$M=3$	$M=10$	$M=20$	$M=3$	$M=15$	$M=30$
12500	31	22	10	9	14	8	9
25000	42	19	19	19	21	19	19
50000	94	41	39	40	45	40	42
100000	214	88	85	90	97	84	88
200000	516	194	189	188	204	187	192
400000	1159	420	417	404	435	397	409
800000	2678	908	870	876	939	866	887

7.6 Chiavi duplicate

File con un gran numero di chiavi duplicate ricorrono con una certa frequenza nelle applicazioni. Un esempio è l'ordinamento di un grosso file del personale di un'azienda per anno di nascita o quello di usare l'ordinamento semplicemente per separare i maschi dalle femmine.

Quando il numero di chiavi duplicate è elevato, le implementazioni del Quicksort che abbiamo considerato fin qui hanno prestazioni inaccettabili: esse però possono essere migliorate in modo sostanziale. Ad esempio, se un file è composto di chiavi tutte uguali (cioè di un solo valore) esso non necessita di alcuna ulteriore elaborazione, mentre le implementazioni trattate continuano a partizionare in sottofile (si veda l'Esercizio 7.8). In situazioni in cui il file di input ha molte duplicazioni di chiavi, la natura ricorsiva del Quicksort fa sì che i sottofile formati da chiavi tutte uguali siano molto frequenti, e ciò naturalmente offre significativi margini di potenziale miglioramento.

Un'idea immediata è quella di partizionare il file in tre, una parte per le chiavi strettamente minori dell'elemento di partizionamento, una per quelle uguali e una per quelle strettamente maggiori:

minori di v	uguali a v	maggiori di v
↑ ↑	↑	↑
l j	i	r

Questo partizionamento è più difficile da realizzare di quello a due vie visto nei paragrafi precedenti; vari sono i metodi proposti in letteratura allo scopo. Si tratta di un classico esercizio di programmazione reso noto da Dijkstra con il nome di *problema della bandiera nazionale olandese*, poiché le tre categorie potrebbero corrispondere ai tre colori della bandiera (si vedano i riferimenti bibliografici). Per il Quicksort aggiungiamo il vincolo che un singolo passaggio sul file deve essere in grado di realizzare il lavoro (un algoritmo in due passaggi rallenterebbe Quicksort di un fattore due, anche in completa assenza di chiavi duplicate).

Un metodo ingegnoso inventato da Bentley e McIlroy nel 1993 per il partizionamento a tre vie si ottiene modificando la procedura standard come segue: si mantengono le chiavi uguali all'elemento di partizionamento incontrate nel sottofile di sinistra all'estrema sinistra del file, e quelle incontrate nel sottofile di destra all'estremità destra del file. Durante il processo di partizionamento, manteniamo la situazione seguente:

uguali	minori		maggiori	uguali	v
↑	↑	↑ ↑	↑	↑
l	p	i j	q	r

Quindi, quando i puntatori si incrociano e la posizione delle chiavi uguali è nota con esattezza scambiamo, sistemandole, tutte le chiavi uguali all'elemento di partizionamento. Questo schema non necessariamente esegue il partizionamento a tre vie con un solo passaggio sul file, ma fa sì che il costo per le chiavi duplicate sia proporzionale solo al numero di chiavi duplicate trovate. Questo fatto ha due implicazioni. Primo, il metodo funziona bene anche quando non ci sono chiavi duplicate, poiché non vi sono in questo caso costi aggiuntivi. Secondo, il metodo ha un tempo di esecuzione lineare quando il numero di chiavi distinte è costante. Infatti, dato che ogni partizionamento sistema tutte le chiavi con lo stesso valore dell'elemento di partizionamento, ogni chiave potrà essere coinvolta in al più un numero costante di partizioni.

La Figura 7.12 illustra l'algoritmo di partizionamento a tre vie su un file di esempio, mentre il Programma 7.5 è un'implementazione del Quicksort basata su questo metodo. L'implementazione richiede l'aggiunta di sole due istruzioni `if` nel ciclo di scambio e due soli cicli `for` per completare il partizionamento, sistemando nella posizione corretta tutte le chiavi uguali all'elemento di partizionamento; e sembra richiedere meno codice di altre alternative di partizionamento a tre vie. Inoltre, essa non solo gestisce chiavi duplicate nel modo più efficiente possibile, ma subisce solo un rallentamento minimo (dovuto alle istruzioni che gestiscono le chiavi uguali) nel caso di assenza di chiavi duplicate.

Esercizi

▷ **7.34** Spiegate ciò che succede quando il Programma 7.5 viene eseguito su un file casuale avente: (1) due sole chiavi distinte, (2) tre sole chiavi distinte.

7.35 Modificate il Programma 7.1 in modo che esso termini (con `return`) se tutte le chiavi del file sono uguali. Confrontate le prestazioni del vostro programma con quelle del Programma 7.1 su file casuali di grandi dimensioni aventi sole t chiavi distinte, per $t = 2, 5, 10$.

7.36 Supponete che nel Programma 7.2 si saltino le chiavi uguali all'elemento di partizionamento, invece di fermarci non appena le incontriamo. Mostrate che il tempo di esecuzione del Programma 7.1 in questo caso sarebbe quadratico.

● **7.37** Mostrate che il tempo di calcolo del programma nell'Esercizio 7.36 è quadratico su tutti i file aventi $O(1)$ chiavi distinte.

7.38 Scrivete un programma che determini il numero di chiavi distinte di un file. Usate questo programma per contare le chiavi distinte in file casuali di N interi fra 0 ed $M-1$, dove $M = 10, 100, 1000$, ed $N = 10^3, 10^4, 10^5, 10^6$.

7.7 Stringhe e vettori

Come osservato nel Paragrafo 6.2, possiamo scrivere un'implementazione di un'interfaccia `ITEM` per utilizzare le implementazioni del Quicksort di questo capitolo su chiavi stringa. Sebbene questo approccio fornisca un'implementazione corretta ed efficiente (più veloce di ogni altro metodo fin qui esaminato su file grandi), essa presenta un costo latente che vale la pena di considerare.

```
A B R A C A C A B R A B C D Ⓒ
A B R
                      C D
A B C                 R D C
C B A                 R D C
    A C
                  B
C B A A B         C R D C
C B A A B         D R C C
        A C
              A
C B A A B A A     C D R C C
C B A A B A A     R D C C C
          A B R
          B R
C B A A B A A B Ⓒ R D C C R
B B A A B A A A Ⓒ C Ⓒ Ⓒ C D R R
```

Figura 7.12
Partizionamento a tre vie

Questo diagramma illustra il processo con cui le chiavi uguali all'elemento di partizionamento sono poste nella loro corretta posizione. Come nella Figura 7.2, scandiamo dalla sinistra per trovare un elemento non minore dell'elemento di partizionamento e dalla destra per trovare un elemento non maggiore dell'elemento di partizionamento. Quindi, scambiamo i due elementi. Se l'elemento alla sinistra dopo lo scambio è uguale a quello di partizionamento, lo scambiamo ulteriormente ponendolo all'estrema sinistra dell'array. Procediamo in modo simile sulla destra. Quando gli indici si incrociano poniamo, come prima, l'elemento di partizionamento nella corretta posizione (penultima riga) e quindi scambiamo, in entrambi i lati, tutte le chiavi uguali all'elemento di partizionamento, ponendole al loro posto (ultima riga).

Programma 7.5 Quicksort con partizionamento a tre vie

Questo programma è basato sul partizionamento di un array in tre parti: gli elementi minori dell'elemento di partizionamento (cioè a[l],..., a[j]), quelli uguali (cioè a[j+1],..., a[i-1]) e quelli maggiori (cioè a[i],..., a[r]). L'ordinamento può essere completato con due chiamate ricorsive.

A tale scopo, il programma mantiene le chiavi uguali all'elemento di partizionamento sulla sinistra fra i due indici l e p e sulla destra fra i due indici q ed r. Nel ciclo di partizionamento dopo che gli indici di scansione si arrestano e gli elementi nelle posizioni i e j sono scambiati, il programma controlla ciascuno di questi per verificare se siano uguali all'elemento di partizionamento. Se l'elemento correntemente a sinistra è uguale all'elemento di partizionamento, esso viene scambiato nella parte sinistra dell'array, mentre se l'elemento correntemente a destra è uguale all'elemento di partizionamento, esso viene scambiato nella parte destra.

Dopo che gli indici si sono incrociati, gli elementi che risultano uguali a quello di partizionamento sono tolti dagli estremi dell'array e portati nella giusta posizione. Quelle chiavi possono, quindi, essere escluse dai sottoarray nelle successive chiamate ricorsive.

Se il numero di chiavi uguali nell'array da ordinare è elevato, una di queste verrà prima o poi scelta come elemento di partizionamento, e quelle chiavi non verranno più toccate una volta sistemate nella giusta posizione.

```
static void quicksort(ITEM a[], int l, int r)
  {
    if (r <= l) return;
    ITEM v = a[r];
    int i = l-1, j = r, p = l-1, q = r, k;
    for (;;)
      {
        while (less(a[++i], v)) ;
        while (less(v, a[--j])) if (j == l) break;
        if (i >= j) break;
        exch(a, i, j);
        if (equal(a[i], v)) { p++; exch(a, p, i); }
        if (equal(v, a[j])) { q--; exch(a, q, j); }
      }
    exch(a, i, r); j = i-1; i = i+1;
    for (k = l ; k <= p; k++,j--) exch(a, k, j);
    for (k = r-1; k >= q; k--,i++) exch(a, k, i);
    quicksort(a, l, j);
    quicksort(a, i, r);
  }
```

Il problema risiede nel costo del confronto fra stringhe. Il modo standard di operare è quello di procedere sempre da sinistra a destra, scandendo carattere per carattere e impiegando tempo proporzionale al numero di caratteri iniziali che le due stringhe hanno in comune. Quando il partizionamento è in fase avanzata nel Quicksort e le chiavi sono vicine fra loro, questo confronto potrebbe essere oneroso, perché le stringhe avranno molti caratteri in comune. Al solito, data la natura ricorsiva del Quicksort, quasi tutto il costo dell'algoritmo è attribuibile alle fasi finali del partizionamento e, quindi, un miglioramento apportato in queste ultime può essere utile.

Ad esempio, consideriamo un sottofile di dimensione 5 contenente le chiavi `discreet`, `discredit`, `discrete`, `discrepancy` e `discretion`. Tutti i confronti per ordinare queste chiavi esaminano almeno 7 caratteri, quando sarebbe invece sufficiente iniziare dal settimo carattere se avessimo informazioni aggiuntive sul fatto che i primi 6 caratteri sono uguali.

La procedura di partizionamento a tre vie analizzata nel Paragrafo 7.6 fornisce un modo elegante per sfruttare quest'osservazione. A ogni fase del partizionamento esaminiamo solo un carattere (diciamo il carattere di posto d), assumendo che le chiavi da ordinare siano uguali fra loro nelle posizioni dalla 0 alla $d-1$. Eseguiamo un partizionamento a tre vie con chiavi il cui d-esimo carattere è più piccolo del d-esimo carattere dell'elemento di partizionamento sulla sinistra, altre il cui d-esimo carattere è uguale al d-esimo carattere dell'elemento di partizionamento al centro, e le restanti alla destra. Quindi procediamo come al solito, salvo il fatto di ordinare il sottofile al centro iniziando dal carattere $(d+1)$-esimo. Non è difficile vedere che tale metodo realizza un corretto ordinamento delle stringhe, che risulta essere anche molto efficiente (si veda la Tabella 7.2). Questo è un esempio convincente del potere del pensare (e del programmare) ricorsivo.

Per implementare l'ordinamento dobbiamo disporre di un tipo astratto più generale che ci consenta di accedere ai singoli caratteri delle chiavi. Il modo in cui le stringhe sono gestite in Java rende l'implementazione di questo metodo piuttosto immediata, ma ne rimandiamo la trattazione al Capitolo 10, dove studieremo varie tecniche di ordinamento che sfruttano il fatto che le chiavi possano essere scomposte in parti più piccole.

Questo approccio si può generalizzare per gestire ordinamenti multidimensionali, in cui le chiavi sono vettori e i record sono da organizzare in modo che le prime componenti delle chiavi siano in ordine, quindi quelle le cui prime componenti sono uguali vengano or-

Tabella 7.2 Studio empirico su varianti del Quicksort

Questa tabella fornisce i costi relativi di diverse versioni del Quicksort sul problema di ordinare le prime *N* parole del romanzo *Moby Dick*. Usare l'ordinamento per inserzione direttamente su sottofile piccoli oppure ignorarli ed eseguire l'ordinamento per inserzione una sola volta alla fine sembrano essere strategie di pari efficacia. Qui il risparmio è inferiore di quello conseguito su chiavi intere (si veda la Tabella 7.1), perché i confronti tra stringhe sono più costosi. Se non ci arrestiamo su chiavi duplicate quando partizioniamo, il tempo di ordinamento di un file avente chiavi tutte uguali è quadratico. L'effetto di quest'inefficienza è ben visibile in questo esempio, dato che vi sono numerose parole che ricorrono con alta frequenza nei dati. È per la stessa ragione che il partizionamento a tre vie si mostra efficace: esso fa ottenere un guadagno fra il 30 e il 35 per cento rispetto al Programma 7.1.

N	V	I	M	X	T
12500	84	59	59	55	60
25000	146	117	130	136	107
50000	354	273	311	341	264
100000	916	756	722	975	626

Legenda:

V Quicksort (Programma 7.1)
I Ordinamento per inserzione su file piccoli
M Ignora file piccoli, ordina per inserzione alla fine
X Salta le chiavi duplicate (diventa quadratico quando le chiavi sono tutte uguali)
T Partizionamento a tre vie (Programma 7.5)

dinate in base alla seconda chiave, e così via. Se le componenti non hanno chiavi duplicate, il problema si riduce all'ordinamento in base alla sola prima componente. In tipiche applicazioni, ciascuna componente può invece assumere un insieme ristretto di valori distinti, e il partizionamento a tre vie (spostandosi alla componente successiva per il sottofile centrale) diventa opportuno. Questa situazione fu discussa da Hoare nel suo lavoro originale e costituisce un'importante applicazione.

Esercizi

7.39 Discutete la possibilità di migliorare l'ordinamento per selezione, l'ordinamento per inserzione, il Bubble sort e lo Shellsort quando operano su stringhe.

○ **7.40** Quanti caratteri sono esaminati dall'algoritmo Quicksort standard (Programma 7.1 che usa una classe `stringITEM` come il Programma 6.4, ma con un campo `string` come chiave) nell'ordinare un file di N stringhe di lunghezza t tutte uguali fra loro? Rispondete alla stessa domanda adottando la modifica proposta nel testo.

7.8 Selezione

Un'importante applicazione correlata all'ordinamento, per la quale può non essere necessario un ordinamento completo, è rappresentata dalla determinazione della mediana in un insieme di numeri. Un calcolo di questo genere è estremamente comune in statistica e in molte altre applicazioni, e un modo di procedere potrebbe consistere nell'ordinare i valori per poi considerare quello di mezzo. Sfruttando il processo di partizionamento del Quicksort è possibile, però, fare di meglio.

La ricerca della mediana è un caso speciale dell'operazione di *selezione*: trovare il k-esimo elemento più piccolo in un insieme di valori. Poiché non esiste un algoritmo in grado di garantire che un dato elemento sia quello cercato, senza aver prima esaminato e identificato i $k - 1$ elementi che lo precedono e gli $N - k$ che lo seguono nella sequenza ordinata, la maggior parte degli algoritmi di selezione è in grado di determinare tutti i primi k elementi senza dover eseguire molti calcoli aggiuntivi.

La selezione ha un'ampia applicabilità nell'analisi di dati sperimentali e non. L'uso della mediana e di altre *statistiche d'ordine* per dividere un file in gruppi più piccoli è assai frequente. Spesso solo una piccola parte del file originale deve essere salvata per essere sottoposta a elaborazioni successive; in questi casi un programma in grado di selezionare, ad esempio, il primo 10 per cento degli elementi di un file potrebbe risultare più appropriato di un algoritmo di ordinamento. Un altro esempio importante è quello in cui si usa il partizionamento rispetto alla mediana come primo passo di un algoritmo *divide et impera*.

Un algoritmo direttamente adattabile a questo scopo è l'ordinamento per selezione (Capitolo 6), che è consigliabile dovendo gestire valori di k estremamente piccoli, in quanto richiede un tempo di esecuzione proporzionale a Nk. Il procedimento impiegato consiste nel trovare l'elemento più piccolo nel file, quindi il secondo elemento più pic-

---

Programma 7.6 Selezione

Questa procedura partiziona un array basandosi sul (k-1)-esimo elemento (quello contenuto in a[k]): essa riorganizza l'array lasciando in a[l], ..., a[k-1] valori minori o uguali ad a[k] e in a[k+1], ..., a[r] valori maggiori o uguali ad a[k]. Ad esempio, potremmo chiamare select(a, 0, N-1, N/2) per partizionare l'array sulla mediana, lasciando la mediana in a[N/2].

```
static void select(ITEM[] a, int l, int r, int k)
  {
    if (r <= l) return;
    int i = partition(a, l, r);
    if (i > k) select(a, l, i-1, k);
    if (i < k) select(a, i+1, r, k);
  }
```

---

colo, cercando il più piccolo tra gli elementi rimasti, e così via. Per valori di k leggermente più grandi, nel Capitolo 9 vengono presentati alcuni metodi che consentono di operare in un tempo proporzionale a $N \log k$.

È comunque possibile formulare un metodo interessante che ben si adatta a qualsiasi valore scelto per k e che ha un tempo medio di esecuzione lineare, partendo dalla procedura di partizionamento utilizzata all'interno del Quicksort. Si ricordi che questa procedura riorganizza un array a[l], ..., a[r], restituendo un intero i tale per cui gli elementi da a[l] ad a[i-1] sono minori o uguali ad a[i] e gli elementi da a[i+1] ad a[r] sono maggiori o uguali ad a[i]. Se si cerca il k-esimo elemento nel file e accade che k sia uguale a i il gioco è fatto. Altrimenti, se k < i è necessario cercare il k-esimo elemento nella parte sinistra del file, mentre se risulta k > i si deve cercare nella parte destra. Questo ragionamento porta immediatamente al programma ricorsivo per la selezione dato nel Programma 7.6. Un esempio di esecuzione di questa procedura su file piccoli è illustrato nella Figura 7.13.

Il Programma 7.7 è una versione non ricorsiva che deriva direttamente da quella ricorsiva. Poiché il programma termina sempre con una chiamata a se stesso, possiamo semplicemente cambiare i valori dei parametri e tornare all'inizio. In altri termini, eliminiamo la ricorsione senza aver bisogno di uno stack, evitando quindi anche i calcoli relativi a k e utilizzandolo direttamente come indice dell'array.

Figura 7.13
Selezione della mediana

Per le chiavi di questo esempio, la selezione basata sul partizionamento usa solo tre chiamate ricorsive per determinare la mediana. Nella prima chiamata cerchiamo l'ottavo elemento più piccolo in un file di 15 elementi, mentre il partizionamento ci restituisce il quarto più piccolo (la E). Di conseguenza, nella seconda chiamata cerchiamo il quarto elemento più piccolo in un file di 11 elementi. Qui, il partizionamento ci restituisce l'ottavo più piccolo (la R). Di conseguenza, nella terza chiamata cerchiamo il quarto elemento più piccolo in un file di 7 elementi e lo troviamo (la M). Il file viene riorganizzato in modo che la mediana sia al posto giusto, gli elementi minori siano a sinistra e quelli maggiori a destra (gli elementi uguali possono stare da ambo i lati), ma il file non è completamente ordinato.

Programma 7.7   Selezione non ricorsiva

Un'implementazione non ricorsiva della selezione semplicemente esegue una partizione e, quindi, sposta l'indice sinistro, se il punto di divisione della partizione si trova alla sinistra della posizione cercata oppure l'indice destro, se il punto di divisione della partizione si trova sulla destra.

```
static void select(ITEM[] a, int l, int r, int k)
  {
    while (r > l)
      { int i = partition(a, l, r);
        if (i >= k) r = i-1;
        if (i <= k) l = i+1;
      }
  }
```

Proprietà 7.4   *La selezione basata sul Quicksort ha tempo medio lineare.*

Come nel caso del Quicksort, è possibile ipotizzare (in modo approssimativo) che avendo a che fare con file molto grandi, ogni partizione tenda a spezzare l'array circa a metà, così che l'intero procedimento richieda all'incirca $N + N/2 + N/4 + N/8 + \ldots = 2N$ confronti. Come nel caso del Quicksort, questa supposizione affrettata non si discosta molto dalla realtà. Un'analisi simile ma decisamente più complessa di quella data nel Paragrafo 7.2 per il Quicksort (si veda il paragrafo dei riferimenti bibliografici) stabilisce che il numero medio di confronti è all'incirca

$$2N + 2k \ln(N/k) + 2(N - k) \ln(N/(N - k)),$$

che è una grandezza lineare per qualsiasi valore di k consentito. Per $k = N/2$ (ricerca della mediana), la precedente espressione vale all'incirca $(2 + 2 \ln 2)N$. ∎

Un esempio che mostra il modo in cui questo metodo trova la mediana di un file di grandi dimensioni è fornito nella Figura 7.14. C'è un solo sottofile, che è ridotto a ogni chiamata di un fattore costante. Quindi la procedura termina in $O(\log N)$ passaggi. Possiamo velocizzare il programma usando il campionamento, purché esso sia fatto con attenzione (si veda l'Esercizio 7.45).

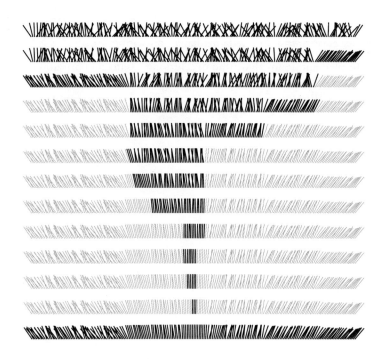

Figura 7.14
Selezione della mediana per partizionamento

Il processo di selezione richiede di partizionare il sottofile che contiene l'elemento cercato, quindi di spostare il puntatore sinistro a destra o quello destro a sinistra, in funzione del punto che definisce la partizione.

Il caso peggiore è praticamente lo stesso che si verifica per il Quicksort: l'uso di questo metodo per determinare il più piccolo elemento in un array praticamente ordinato comporta un tempo di esecuzione quadratico. È possibile modificare questo metodo di selezione in modo tale da *garantire* un tempo di esecuzione lineare. Queste modifiche, teoricamente importanti, sono però estremamente complicate e di scarso interesse pratico.

Esercizi

7.41 Quanti confronti sono mediamente necessari per trovare con `select` il più piccolo elemento di un insieme di N elementi?

7.42 Quanti confronti sono mediamente necessari per trovare con `select` l'αN-esimo elemento più piccolo, per $\alpha = 0.1, 0.2, \ldots, 0.9$?

7.43 Quanti confronti sono necessari nel caso peggiore per trovare con `select` la mediana di N elementi?

7.44 Scrivete un programma efficiente che riorganizzi un file in modo che tutte le chiavi uguali alla mediana siano nella loro posizione corretta, tutte le chiavi minori della mediana siano a sinistra e tutte quelle maggiori siano a destra.

●● **7.45** Esplorate la possibilità di usare il campionamento per migliorare la selezione. *Suggerimento*: usare la mediana non sempre è utile.

● **7.46** Implementate un algoritmo di selezione basato sul partizionamento a tre vie per file casuali di grandi dimensioni aventi t chiavi distinte, per $t = 2, 5, 10$.

CAPITOLO OTTO

Merging e Mergesort

N EL CAPITOLO 7 ABBIAMO STUDIATO l'operazione di *selezione*, intesa come la ricerca del *k*-esimo elemento più piccolo in un file; quest'operazione tende a dividere un file in due parti composte rispettivamente dai *k* elementi più piccoli e dagli $N - k$ elementi più grandi. In questo capitolo viene esaminato un processo in qualche modo complementare, che consiste nel combinare due file ordinati in modo tale da ottenerne uno più grande che risulti a sua volta ordinato. Questo processo, che prende il nome di *merging* (fusione), costituisce la base di un immediato algoritmo di ordinamento *divide et impera* (si veda il Paragrafo 5.2) e di una sua controparte bottom-up. Entrambi questi algoritmi sono di facile implementazione.

La selezione e il merging sono operazioni complementari nel senso che, mentre la selezione suddivide un file in due parti indipendenti, il merging fonde due file indipendenti in uno. La relazione fra queste due operazioni risulta evidente anche applicando il paradigma *divide et impera* per ottenere un metodo di ordinamento. Il file può essere o riorganizzato in modo tale che quando le due parti del file sono ordinate lo è anche l'intero file, o scomposto in due parti da ordinare separatamente e da ricombinare per ottenere l'intero file ordinato. Il primo di questi due casi corrisponde al Quicksort, che fondamentalmente consiste in una procedura di selezione seguita da due chiamate ricorsive. Di seguito, si vedrà che il *Mergesort* è il metodo complementare al Quicksort, in quanto composto da due chiamate ricorsive seguite da una procedura di merging.

Una delle proprietà più importanti di Mergesort è quella di essere in grado di ordinare *N* elementi in un tempo proporzionale a *N* log *N* anche nel caso peggiore. Nel Capitolo 9 vedremo un altro algoritmo, chiamato *Heapsort*, che assicura un tempo di esecuzione proporzionale a $N \log N$ nel caso peggiore. Il principale svantaggio del Mergesort sta nel fatto che esso richiede una quantità di memoria aggiuntiva proporzionale al numero di elementi da ordinare, a meno di non complicare oltremodo l'implementazione. Ciò di solito è reputato poco conveniente, soprattutto disponendo dell'alternativa offerta dallo Heapsort. Il Mergesort non è più difficile da implementare dello Heapsort e la sua lunghezza del ciclo interno è più o meno compresa fra quella del Quicksort e quella dello Heapsort. Di conseguenza, il Mergesort è un'ottima alternativa quando la velocità è essenziale, non si possono tollerare cattive prestazioni (quadratiche) nel caso peggiore, e si ha a disposizione una buona quantità di memoria.

La garanzia di un tempo di esecuzione proporzionale a $N \log N$ può in realtà rivelarsi uno svantaggio. Ad esempio, nel Capitolo 6 si è visto che ci sono metodi che possono avere tempo di calcolo lineare in situazioni particolari (come la presenza di un certo grado di ordine nel file o di poche chiavi distinte). Al contrario, il tempo di calcolo del Mergesort dipende essenzialmente solo dal numero di chiavi da ordinare ed è potenzialmente indifferente al loro ordine.

Il Mergesort è un metodo stabile e questa caratteristica lo rende vantaggioso nelle applicazioni in cui la stabilità è importante. Metodi concorrenti, quali Quicksort e Heapsort, non sono stabili. Le tecniche per rendere questi metodi stabili richiedono tendenzialmente spazio extra. Quindi, lo spazio ulteriore richiesto dal Mergesort per funzionare diventa un handicap meno grave, se la stabilità è un requisito primario dell'ordinamento.

Un'altra caratteristica importante in alcuni contesti è che il Mergesort è di solito implementato affinché acceda ai dati in modo essenzialmente sequenziale (un elemento dopo l'altro). Ad esempio, il Mergesort è il metodo ideale per ordinare una lista concatenata, situazione nella quale l'accesso sequenziale è l'unico consentito. Analogamente, come si vedrà nel Capitolo 11, la fusione sta alla base dei metodi di ordinamento operanti su macchine specializzate e dalle alte prestazioni, poiché capita spesso in questi contesti che l'accesso sequenziale ai dati sia fra tutti il più veloce.

8.1 Merging a due vie

Dati due file ordinati in input, possiamo combinarli in un unico file ordinato semplicemente tenendo traccia del più piccolo elemento di ogni file ed entrando in un ciclo in cui il minore dei due elementi che sono

Programma 8.1 Merging

Per combinare due array ordinati a e b in un terzo array ordinato c, usiamo un ciclo for che mette un elemento in c a ogni iterazione. Se a si esaurisce, il successivo elemento proverrà da b; se b si esaurisce, proverrà da a; se sono rimasti elementi tanto in a quanto in b, l'elemento successivo sarà il minore fra i due elementi minimi di a e b. Quest'implementazione, oltre all'implicita assunzione che gli array a e b siano ordinati e che siano sufficientemente grandi da poter essere indicizzati come detto, assume che l'array c sia disgiunto da a e b (cioè, non abbia elementi o memoria in comune con essi).

```
static void mergeAB( ITEM[] c, int cl,
                     ITEM[] a, int al, int ar,
                     ITEM[] b, int bl, int br )
  { int i = al, j = bl;
    for (int k = cl; k < cl+ar-al+br-bl+1; k++)
      {
        if (i > ar) { c[k] = b[j++]; continue; }
        if (j > br) { c[k] = a[i++]; continue; }
        c[k] = less(a[i], b[j]) ? a[i++] : b[j++];
      }
  }
```

i più piccoli dei file di provenienza è spostato in un file di output, continuando fino a che entrambi i file non siano esauriti. Vedremo, in questo e nel prossimo paragrafo, diverse implementazioni di questa fondamentale operazione astratta. Il tempo di esecuzione è lineare nel numero di elementi del file di output, purché siamo in grado di trovare il prossimo minimo nei file di input in tempo costante. Ciò è certamente il caso per file ordinati rappresentati da strutture dati che supportano l'accesso sequenziale in tempo costante, come array e liste concatenate. Quest'operazione è chiamata *merging a due vie*. Nel Capitolo 11 approfondiremo il merging a più vie, ossia quando più di due file in input sono coinvolti. La più importante applicazione del merging a più vie è l'*ordinamento esterno*, anch'esso trattato nel Capitolo 11.

Per cominciare, si supponga di avere due array disgiunti e ordinati di interi a[0], . . ., a[N-1] e b[0], . . ., b[M-1], e di volerli fondere in un terzo array c[0], . . ., c[N+M-1]. La strategia ovvia, facilmente implementabile, è quella di scegliere per c il più piccolo tra gli elementi rimasti in a e b (Programma 8.1). Quest'implementazione è semplice, ma presenta due importanti caratteristiche che vale la pena esaminare.

Prima di tutto, l'implementazione assume che gli array siano disgiunti. In particolare, se a e b sono array estremamente grandi, è necessario un terzo array c (ancor più grande) per contenere l'output. Invece di usare uno spazio aggiuntivo proporzionale alla dimensione del file ottenuto dalla fusione, sarebbe più vantaggioso disporre di un metodo sul posto, in modo, per esempio, da poter combinare i file ordinati a[l], ..., a[m] e a[m+1], ..., a[r] in un singolo file ordinato spostando gli elementi all'interno di a[l], ..., a[r], senza usare molto altro spazio. Fermarsi a pensare in che modo ciò potrebbe essere realizzato è un utile esercizio. Sembrerebbe a prima vista un problema facile da risolvere. In effetti, però, le soluzioni conosciute sono tutte piuttosto complicate, specialmente se confrontate con la semplicità del Programma 8.1. Non è facile, infatti, sviluppare un algoritmo per la fusione sul posto che possa dirsi più veloce della più ovvia alternativa di usare direttamente un ordinamento sul posto. Ritorneremo sulla questione nel Paragrafo 8.2.

Il merging ha sue applicazioni specifiche. Ad esempio, in un tipico ambiente di elaborazione dati, potremmo aver bisogno di mantenere un file di dati molto grande e ordinato al quale aggiungere con regolarità nuovi elementi. Un approccio al problema è quello di mettere assieme ogni gruppo di nuovi elementi, di aggiungerli al file principale (che sarà molto più grande) e, quindi, riordinare l'intero file. Si tratta di una situazione che sembra fatta su misura per il merging: un approccio molto più efficiente, infatti, è quello di ordinare il file (piccolo) contenente i nuovi elementi, e poi di fondere tale file con il file più grande (che era già ordinato). Il merging ha varie altre applicazioni simili che rendono utile il suo studio. Il nostro interesse in questo capitolo è quello di analizzare metodi di ordinamento che si basano su di esso.

Esercizi

8.1 Supponete che un file ordinato di dimensione N debba essere combinato con un file non ordinato di dimensione M, dove M è molto più piccolo di N. Per $N = 10^3$, 10^6, 10^9, di quante volte è più veloce, come funzione di M, il metodo basato sul merging rispetto a quello che ordina daccapo il file combinato? Assumete di disporre di un algoritmo di ordinamento che impiega all'incirca $c_1 N \lg N$ secondi per ordinare un file di N elementi e un algoritmo di merging che impiega all'incirca $c_2 (N + M)$ secondi per fondere un file di dimensione N con uno di dimensione M, dove $c_1 \approx c_2$.

8.2 Confrontate le prestazioni che si ottengono usando l'ordinamento per inserzione sull'intero file con quelle dei due metodi descritti nell'Esercizio 8.1. Assumete che il file piccolo sia casuale, e quindi che ogni inserzione richieda di scandire mediamente il file grande fino a metà e il tempo di calcolo sia all'incirca $c_3 MN/2$, dove c_3 è approssimativamente pari alle altre due costanti.

8.3 Descrivete ciò che accade se cercate di usare il Programma 8.1 per un merging sul posto, attraverso la chiamata merge(a, 0, a, 0, N/2, a (N/2)+1, N) sulle chiavi A E Q S U Y E I N O S T.

○ **8.4** È vero che il Programma 8.1, invocato, e descritto nell'Esercizio 8.3, produce un output corretto se e solo se i due array in input sono ordinati? Dimostratelo o fornite un controesempio.

8.2 Merging astratto sul posto

Sebbene l'implementazione del merging sembri richiedere uno spazio aggiuntivo, l'operazione *astratta* di fusione sul posto è utile nell'implementazione dei metodi di ordinamento qui esaminati. La nostra prossima implementazione del merging enfatizza questo fatto usando la segnatura merge(a, 1, m, r) per indicare che la procedura di fusione metterà il risultato della combinazione di a[1], . . ., a[m] con a[m+1], . . ., a[r] in un singolo file ordinato, mantenendo il risultato in a[1], . . ., a[r]. Potremmo implementare questa routine copiando tutto in un array ausiliario, per poi usare il metodo di base del Programma 8.1. Considereremo, invece, una soluzione migliore. Lo spazio extra per l'array ausiliario sembra essere un costo fisso da pagare in questo caso, ma nel Paragrafo 8.4 presenteremo un ulteriore miglioramento che ci consentirà di risparmiare il tempo per la copia dell'array.

Una caratteristica del merging di base che vale la pena di osservare è quella che il ciclo interno include due test per determinare se la fine dei due array in input è stata raggiunta. Chiaramente questi due test nella maggior parte dei casi falliscono e, quindi, sarebbe opportuno usare sentinelle per evitare che i test vengano eseguiti. In altre parole, se elementi con chiave maggiore di quelle di tutti gli altri elementi sono aggiunti alla fine degli array a e aux i test possono essere rimossi, perché quando l'array a (b) è esaurito la sentinella fa sì che il successivo elemento dell'array c sia preso da b (a) fino a quando la fusione non è completata.

Come si è visto nei Capitoli 6 e 7, però, non è sempre facile far uso di sentinelle, perché non necessariamente conosciamo il valore della chiave più grande oppure perché non abbiamo spazio a disposizione per le sentinelle. Per il merging esiste un semplice rimedio, illustrato nella Figura 8.1, e si basa sulla seguente idea: dato che dobbiamo rassegnarci a copiare gli array per implementare il merging astratto sul posto, mettiamo il secondo array in ordine inverso durante la copia (sen-

Figura 8.1
Merging senza sentinelle

Per fondere due file in ordine crescente li copiamo entrambi in un file ausiliario, ponendo il secondo file dopo il primo ma in ordine inverso. Quindi, seguiamo questa semplice regola: trasferire in output l'elemento a destra o a sinistra che ha chiave minore. La chiave maggiore serve come sentinella per l'altro file, indipendentemente dal file in cui la chiave si trova. La figura illustra il merging dei due file A R S T e G I N.

Programma 8.2 Merging astratto sul posto

Questo programma realizza un merging senza usare sentinelle, copiando il secondo array nell'array ausiliario aux ma in ordine inverso. Quindi aux è una sequenza bitonica. Il primo ciclo for sposta il primo array e lascia i a l, in modo da essere pronto al merging. Il secondo ciclo for sposta il secondo array e lascia j a r. Quindi, nel terzo ciclo (il merging vero e proprio) l'elemento più grande serve come sentinella (da qualunque array esso provenga). Il ciclo interno di questo programma è breve (sposta in aux, confronta, sposta di nuovo in a, incrementa i o j, incrementa e verifica k).

```
static void merge(ITEM[] a, int l, int m, int r)
  { int i, j;
    for (i = m+1; i > l; i--) aux[i-1] = a[i-1];
    for(j = m; j < r;j++) aux[r+m-j] = a[j+1];
    for (int k = l; k <= r; k++)
      if ( less(aux[j], aux[i]))
          a[k] = aux[j--]; else a[k] = aux[i++];
  }
```

---

za costi aggiuntivi) in modo che l'indice a esso associato si sposti da destra a sinistra. Ciò fa in modo che l'elemento più grande (indipendentemente dall'array in cui si trova) serva da sentinella per l'altro array. Il Programma 8.2 è un'implementazione efficiente del merging astratto sul posto che sfrutta quest'idea. Esso ci servirà come base per gli algoritmi di ordinamento che presenteremo più avanti in questo capitolo. Il Programma 8.2 usa ancora un array ausiliario di dimensione proporzionale all'output, ma è più efficiente dell'implementazione diretta perché evita di effettuare i test sulla fine degli array.

Una sequenza di chiavi prima crescente e poi decrescente (oppure prima decrescente e poi crescente) si dice spesso sequenza *bitonica*. L'ordinamento di sequenze bitoniche è equivalente al merging e, in qualche caso, è conveniente esprimere un problema di merging come un problema di ordinamento di sequenze bitoniche. Il metodo appena esposto, che evita l'uso delle sentinelle, è un esempio in tal senso.

Una proprietà importante del Programma 8.1 è la stabilità del merging: esso preserva l'ordine relativo delle chiavi duplicate. Questa caratteristica è facile da verificare ed è spesso utile assicurare che la stabilità sia mantenuta nell'implementazione di una fusione astratta sul posto, poiché, come si vedrà nel Paragrafo 8.3, un merging stabile conduce immediatamente a un metodo di ordinamento stabile. Non è sempre facile mantenere la stabilità: ad esempio, il Programma 8.2 non è stabile (si veda l'Esercizio 8.6). Ciò complica ulteriormente il problema di sviluppare un vero merging sul posto.

Esercizi

▷ **8.5** Mostrate, nello stile della Figura 8.1, in che modo il merging del Programma 8.2 agisce sulle chiavi A E Q S U Y E I N O S T.

○ **8.6** Spiegate perché il Programma 8.2 non è stabile, e sviluppatene una versione stabile.

8.7 Mostrate il risultato dell'applicazione del Programma 8.2 sulle chiavi E A S Y Q U E S T I O N.

○ **8.8** È vero che il Programma 8.2 produce un output corretto se e solo se i due sottoarray in input sono ordinati? Dimostratelo oppure fornite un controesempio.

8.3 Mergesort top-down

Una volta in possesso della procedura di merging, non è difficile farne uso per sviluppare un algoritmo di ordinamento ricorsivo. Per ordinare un dato file è sufficiente dividerlo in due, ordinare (ricorsivamente) le due metà e fondere le sequenze ordinate risultanti. Un'implementazione è data nel Programma 8.3, mentre un esempio di esecuzione è illustrato nella Figura 8.2. Come si è detto nel Capitolo 5, questo algoritmo è uno dei più noti esempi dell'utilità del paradigma *divide et impera* nella progettazione di algoritmi efficienti.

Il Mergesort top-down è analogo a uno stile manageriale top-down, in cui il manager organizza le risorse umane per realizzare un lavoro complesso, dividendolo in parti che dovranno realizzare i suoi subordinati. Se ogni manager opera semplicemente dividendo un dato lavoro a metà, allora il combinare le soluzioni che i subordinati sviluppano, passando il risultato al diretto superiore, è un processo simile a quello svolto dal Mergesort. Non molto lavoro effettivo viene eseguito fino a quando non si arriva a un dipendente senza subordinati (che corrisponde a fondere file di dimensione 1). D'altro canto, il management esegue la maggior parte del lavoro, mettendo assieme le soluzioni parziali via via sviluppate.

Il Mergesort è importante perché è un algoritmo di ordinamento ottimale piuttosto semplice (ha tempo di esecuzione proporzionale a N log N) che può essere implementato in modo stabile. Ciò è piuttosto facile da dimostrare.

Figura 8.2
Esempio di Mergesort top-down

Ogni riga mostra il risultato di una chiamata a merge *durante il Mergesort top-down. Innanzitutto, si fondono la A e la S ottenendo la sequenza A S, poi si ricava O R dal merging di O ed R e dalla fusione delle due sequenze precedenti si ricava A O R S. In seguito, si fondono I T con G N per ottenere G I N T, la cui fusione con A O R S genera la sequenza ordinata A G I N O R S T, ecc. Seguendo questo procedimento, il Mergesort fonde ricorsivamente file di piccole dimensioni per ottenere file ordinati più grandi.*

Programma 8.3 Mergesort top-down

Quest'implementazione elementare del Mergesort è un esempio tipico di programma ricorsivo *divide et impera*. Essa ordina l'array a[1],..., a[r] spezzandolo in due parti a[1],..., a[m] e a[m+1], ..., a[r], ordinandole indipendentemente (con chiamate ricorsive), e quindi fondendo i file ordinati risultanti. È utile considerare l'operazione di fusione come una fusione astratta sul posto (si veda il testo) implementata, ad esempio, dal Programma 8.2. Per evitare costi di allocazione eccessivi, l'array ausiliario aux utilizzato dal Programma 8.2 dovrebbe essere un membro privato di una classe che includa questi metodi (come, ad esempio, il Programma 6.3).

```
static void mergesort(ITEM[] a, int l, int r)
  { if (r <= l) return;
    int m = (r+l)/2;
    mergesort(a, l, m);
    mergesort(a, m+1, r);
    merge(a, l, m, r);
  }
```

Come abbiamo osservato nel Capitolo 5 (e anche nel Capitolo 7 per il Quicksort), possiamo impiegare una struttura ad albero per agevolare la visualizzazione della struttura delle chiamate di un algoritmo ricorsivo, per aiutarci a comprenderne le varianti e per facilitarne l'analisi. Per il Mergesort, la struttura delle chiamate dipende solo dalla dimensione dell'input. Per ogni dato N, definiamo un albero, chiamato *albero divide et impera*, che descrive le dimensioni dei sottofile elaborati durante l'esecuzione del Programma 8.3 (si veda l'Esercizio 5.73): se $N = 1$, l'albero è un singolo nodo con etichetta 1, altrimenti è composto da un nodo radice avente la dimensione N come etichetta, e i due sottoalberi sinistro e destro con etichetta, rispettivamente $\lfloor N/2 \rfloor$ e $\lceil N/2 \rceil$. Ogni nodo dell'albero, quindi, corrisponde a una chiamata ricorsiva del Mergesort, con l'etichetta che fornisce la dimensione del problema su cui la chiamata opera. Quando N è una potenza di 2, questa costruzione porta a un albero bilanciato e completo con potenze di 2 in ogni nodo e 1 nei nodi esterni. Quando N non è una potenza di 2, l'albero è un po' più complicato. La Figura 8.3 fornisce esempi per entrambi i casi. Abbiamo già incontrato alberi di questo tipo nel Paragrafo 5.2, quando abbiamo considerato un algoritmo con la stessa struttura del Mergesort per quanto riguarda le chiamate ricorsive.

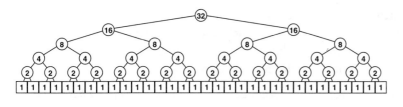

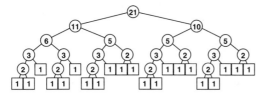

Figura 8.3
Alberi divide et impera

Questi alberi indicano le dimensioni dei sottoproblemi creati dal Mergesort top-down. Al contrario degli alberi creati dal Quicksort, qui le dimensioni dipendono solo dalla dimensione iniziale del file da ordinare, piuttosto che dal valore delle chiavi. Il diagramma in alto mostra come viene ordinato un file di 32 elementi. Ordiniamo (ricorsivamente) due file di 16 chiavi, e quindi fondiamo. Ordiniamo i file di 16 chiavi ordinando (ricorsivamente) file di 8 chiavi, e così via. Quando le dimensioni dei file non sono potenze di 2, le dimensioni dei file parziali seguono regole più complicate (diagramma in basso).

Le proprietà strutturali degli alberi *divide et impera* sono in diretta relazione con l'analisi del Mergesort. Ad esempio, il numero totale di confronti eseguiti dall'algoritmo è esattamente pari alla somma delle etichette di tutti i nodi.

Proprietà 8.1   *Il Mergesort richiede all'incirca N* lg *N confronti per ordinare un qualunque file di N elementi.*

Nelle implementazioni dei Paragrafi 8.1 e 8.2 ogni merging che agisce su una coppia di file di lunghezza $N/2$ richiede N confronti (questa quantità può variare di 1 o 2, in funzione di come vengono utilizzate le sentinelle). Il numero totale di confronti per l'ordinamento completo è quindi descritto dalla ricorrenza *divide et impera*

$$M_N = M_{\lfloor N/2 \rfloor} + M_{\lceil N/2 \rceil} + N, \qquad \text{dove } M_1 = 0.$$

La ricorrenza descrive anche la somma delle etichette dei nodi e la lunghezza del cammino esterno di un albero *divide et impera* di N nodi (Esercizio 5.73). Il risultato è facilmente verificabile quando N è una potenza di 2 (si veda la Formula 2.4) e facilmente dimostrabile per induzione per un N generico. Gli Esercizi dall'8.12 all'8.14 ne forniscono una dimostrazione diretta. ∎

Proprietà 8.2   *Il Mergesort usa spazio ausiliario proporzionale a N.*

Questo fatto si evince chiaramente dalla discussione del Paragrafo 8.2. Si può ridurre lo spazio ausiliario a costo di rendere l'algoritmo molto più complicato (si veda, ad esempio, l'Esercizio 8.21). Come vedremo nel Paragrafo 8.7, il Mergesort è efficace anche quando il file da ordinare è organizzato in una lista concatenata. In tal caso, la proprietà è ancora valida, dato che lo spazio ausiliario è occupato dai link. Per gli array, come abbiamo notato nel Paragrafo 8.2 e osserveremo ancora nel Paragrafo 8.4, è possibile eseguire il merging sul posto, sebbene questa strategia non sia molto praticabile. ∎

Proprietà 8.3 *Il Mergesort è stabile, se il merging su cui si basa è stabile.*

Ciò è facile da verificare per induzione. Per le implementazioni del merging come quella del Programma 8.1, è semplice mostrare che la posizione relativa delle chiavi duplicate non è modificata. In effetti, maggiore è l'intricatezza dell'algoritmo e maggiore sarà la sua tendenza a disturbare la stabilità (si veda l'Esercizio 8.6). ∎

Proprietà 8.4 *Le risorse di tempo e spazio impiegate dal Mergesort non dipendono dall'ordinamento iniziale del file di input.*

Nelle nostre implementazioni, l'input determina solo l'ordine in cui gli elementi sono elaborati nella fusione. Ogni scansione richiede spazio e numero di passi proporzionale alla dimensione del sottofile, dato che dobbiamo spostare gli elementi nell'array ausiliario. I due rami nelle istruzioni if possono richiedere tempo leggermente diverso nel codice compilato, fatto che può portare a una leggera dipendenza del tempo di esecuzione dall'input. D'altro canto, però, il numero di confronti e delle altre operazioni non sono dipendenti dal modo in cui il file di input è ordinato. Si noti che ciò non equivale a dire che l'algoritmo non è adattivo (Paragrafo 6.1). Qui, la sequenza di confronti *dipende* dall'ordine del file di input. ∎

Esercizi

▷ **8.9** Mostrate, secondo lo stile della Figura 8.2, le fusioni che il Programma 8.3 esegue per ordinare le chiavi E A S Y Q U E S T I O N.

8.10 Disegnate alberi divide et impera per $N = 16, 24, 31, 32, 33$ e 39.

● **8.11** Implementate un Mergesort ricorsivo su array usando un merging a 3 vie, invece che a 2 vie.

○ **8.12** Dimostrate che in un albero divide et impera tutti i nodi etichettati con 1 si trovano negli ultimi due livelli.

○ **8.13** Dimostrate che la somma delle etichette dei nodi di ogni livello nell'albero divide et impera di dimensione N è pari a N, tranne eventualmente nell'ultimo livello.

○ **8.14** Usando gli Esercizi 8.12 e 8.13, dimostrate che il numero di confronti eseguiti dal Mergesort è fra $N \lg N$ e $N \lg N + N$.

● **8.15** Trovate e dimostrate una relazione fra il numero di confronti eseguiti dal Mergesort e il numero di bit contenuti nei numeri positivi di $\lceil \lg N \rceil$ bit minori di N.

8.4 Miglioramenti dell'algoritmo di base

Come abbiamo osservato in occasione dello studio del Quicksort, possiamo migliorare molti algoritmi ricorsivi gestendo problemi di piccole dimensione in modo speciale. La ricorsione garantisce che il metodo speciale verrà usato un gran numero di volte, quindi migliorare la gestione dei problemi piccoli ha un impatto significativo sulle prestazioni dell'intero algoritmo. Così come si è fatto per il Quicksort, usare l'ordinamento per inserzione per file parziali di piccole dimensioni migliorerà le prestazioni di una tipica implementazione del Mergesort del 10-15 per cento.

Un secondo ragionevole miglioramento del Mergesort è quello di eliminare il tempo richiesto dalla copia nel file ausiliario durante la fusione. Per far ciò, organizziamo le chiamate ricorsive in modo tale che la computazione scambi i ruoli dell'array di input e dell'array ausiliario a ogni livello. Un modo di procedere è quello di implementare due versioni delle routine, la prima con ingresso aux e uscita in a, e la seconda con ingresso a e uscita in aux, e quindi fare in modo che le due versioni si chiamino a vicenda. Un metodo alternativo è mostrato nel Programma 8.4, che esegue all'inizio una copia dell'array, quindi usa il Programma 8.1 e scambia gli argomenti nelle chiamate ricorsive per eliminare l'operazione esplicita di copia di array. Al suo posto, prendiamo l'array combinato e lo copiamo alternativamente nell'array ausiliario aux e in quello di input (questo programma è più complicato di quanto non sembri).

Questa tecnica elimina la copia dell'array a costo di reinserire nel ciclo interno i test che verificano se i due array sono esauriti. Si ricordi che la tecnica seguita nel Paragrafo 8.2 per eliminare tali test comportava che l'array fosse reso bitonico durante la copia. Quella perdita può essere evitata tramite un'implementazione ricorsiva della stessa idea: implementiamo routine tanto per il merging che per il Mergesort, una per disporre l'array in ordine crescente e un'altra per disporlo in ordine decrescente. In questa maniera, è possibile riutilizzare la strategia della sequenza bitonica e, quindi, fare in modo che il ciclo interno eviti sentinelle esplicite.

Dato che questa strategia di ottimizzazione utilizza fino a quattro copie delle routine di base insieme a complicati meccanismi ricorsivi,

---

Programma 8.4　Mergesort senza copia

Questo programma ricorsivo è impostato in modo tale da ordinare b lasciando il risultato in a. Le chiamate ricorsive sono quindi scritte in modo da lasciare il loro output in b, dato che poi viene usato il Programma 8.1 per fondere i file da b ad a. In questo modo, tutti gli spostamenti di dati sono effettuati durante le operazioni di merging.

```
static ITEM[] aux;
static void mergesortABr
             (ITEM[] a, ITEM[] b, int l, int r)
  { if (r <= l) return;
    int m = (r+l)/2;
    mergesortABr(b, a, l, m);
    mergesortABr(b, a, m+1, r);
    mergeAB(a, l, b, l, m, b, m+1, r);
  }
static void mergesortAB(ITEM[] a, int l, int r)
  {
    aux = new ITEM[a.length];
    for (int i = l; i <= r; i++) aux[i] = a[i];
    mergesortABr(a, aux, l, r);
  }
```

---

essa è raccomandabile solo agli esperti (o agli studenti!). Il risultato è però quello di migliorare in modo sensibile il tempo di calcolo del Mergesort. I rilievi sperimentali presentati nel Paragrafo 8.6 indicano che la combinazione di tutti questi miglioramenti riduce il tempo di esecuzione del Mergesort di circa il 40 per cento, anche se esso rimane pur sempre il 25 per cento più lento del Quicksort. Questi numeri dipendono tanto dall'implementazione quanto dal computer su cui gli esperimenti sono eseguiti, benché ci sia da aspettarsi risultati simili in un buon numero di altre situazioni.

Altre implementazioni del merging che eseguono un test esplicito sull'esaurimento del primo file possono condurre a tempi di calcolo diversi e dipendenti dall'input. In file casuali, d'altro canto, la dimensione dell'altro sottofile quando il primo si è esaurito tenderà a essere piccola e il costo dello spostamento nel file ausiliario sarà proporzionale alla dimensione del sottofile. Potremmo anche considerare la possibilità di migliorare le prestazioni del Mergesort quando i file siano quasi ordinati, saltando le chiamate a merge se il file su cui deve operare è già ordinato. Questa strategia, però, si mostra poco efficace su molti tipi di file di input.

Esercizi

8.16 Implementate un merging astratto sul posto, che usi spazio aggiuntivo proporzionale alla dimensione del più piccolo dei due array da fondere (il vostro metodo sarà quindi in grado di ridurre della metà lo spazio aggiuntivo impiegato dal Mergesort).

8.17 Eseguite il Mergesort su file casuali di grandi dimensioni e calcolate, in funzione di N (la somma delle lunghezze dei due file parziali), la media empirica della lunghezza di un file parziale quando l'altro si è esaurito.

8.18 Supponete che il Programma 8.3 sia modificato in modo da saltare la chiamata a `merge` quando `a[m]<a[m+1]`. Quanti confronti è in grado di risparmiare questa versione alternativa, quando il file da ordinare è in effetti già ordinato?

8.19 Eseguite l'algoritmo modificato suggerito dall'Esercizio 8.18 su file casuali di grandi dimensioni. Determinate empiricamente il numero medio di volte in cui `merge` è saltata come funzione di N (la dimensione del file iniziale da ordinare).

8.20 Supponete che il Mergesort debba essere eseguito su file h-ordinati, per un valore di h piccolo. Come cambiereste la procedura `merge` per trarre vantaggio da questa circostanza? Eseguite esperimenti con combinazioni ibride Shellsort-Mergesort basate su questa procedura.

8.21 Sviluppate un'implementazione della funzione `merge` che riduca lo spazio aggiuntivo richiesto a $\max(M, N/M)$, usando la seguente idea. Dividete l'array in N/M blocchi di dimensione M (assumete per semplicità che N sia multiplo di M). Quindi: (1) considerando i blocchi come record la cui prima chiave è la chiave in base alla quale ordinare, disponete i blocchi usando l'ordinamento per selezione; (2) scandite l'array fondendo il primo blocco con il secondo, quindi il secondo con il terzo, ecc.

8.22 Dimostrate che il metodo dell'Esercizio 8.21 opera in tempo lineare.

8.23 Implementate il Mergesort bitonico che non effettua copie.

8.5 Mergesort bottom-up

Come si è visto nel Capitolo 5, per qualsiasi programma ricorsivo è possibile determinarne uno analogo non ricorsivo il quale, benché equivalente al primo, può eseguire i calcoli in un ordine differente. Il Mergesort è un tipico esempio di algoritmo basato su una strategia *divide et impera*, per cui vale la pena di studiarne in dettaglio implementazioni non ricorsive.

Programma 8.5   Mergesort bottom-up

Il Mergesort bottom-up esegue una sequenza di passaggi sull'intero file facendo fusioni m con m e raddoppiando m a ogni passaggio. L'ultimo sottofile ha dimensione m solo se la dimensione del file di partenza è un multiplo pari di m, quindi l'ultima è una fusione m con x, dove x è un qualche intero positivo minore o uguale a m.

```
static int min(int A, int B)
  { return (A < B) ? A : B; }
static void mergesort(ITEM[] a, int l, int r)
  { if (r <= l) return;
    aux = new ITEM[a.length];
    for (int m = 1; m <= r-l; m = m+m)
      for (int i = l; i <= r-m; i += m+m)
        merge(a, i, i+m-1, min(i+m+m-1, r));
  }
```

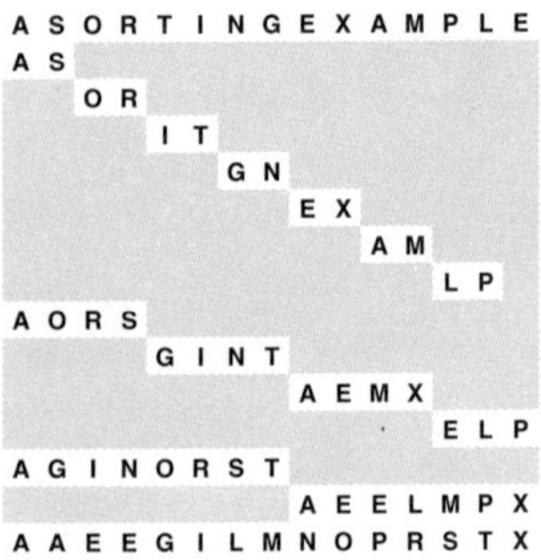

Figura 8.4
Esempio di Mergesort bottom-up

Ogni riga mostra il risultato di una chiamata a merge *durante l'esecuzione del Mergesort bottom-up. Le fusioni 1 con 1 sono realizzate per prime: la A e la S sono fuse, dando luogo ad A S, quindi la O e la R danno luogo a O R, ecc. Dato che la dimensione del file è dispari, l'ultima E non è coinvolta in una fusione. Nel secondo passaggio vengono realizzate le fusioni 2 con 2: fondiamo A S con O R dando luogo ad A O R S, ecc., terminando con una fusione 2 con 1. L'ordinamento è completato da una fusione 4 con 4, una fusione 4 con 3 e, infine, una fusione 8 con 7.*

Consideriamo la sequenza di fusioni eseguite dall'algoritmo ricorsivo. Nell'esempio della Figura 8.2 abbiamo visto che un file di dimensione 15 è ordinato tramite la seguente sequenza di fusioni di file (indichiamo tramite "*a* con *b*" la fusione di un file di dimensione *a* con uno avente dimensione *b*):

1 con 1   1 con 1   2 con 2   1 con 1   1 con 1   2 con 2   4 con 4
1 con 1   1 con 1   2 con 2   1 con 1   2 con 1   4 con 3   8 con 7.

Quest'ordine è determinato dalla struttura ricorsiva dell'algoritmo. In effetti, i file parziali sono elaborati indipendentemente, e quindi le fusioni possono essere eseguite secondo un ordine diverso. La Figura 8.4 mostra la strategia bottom-up sullo stesso esempio. Adesso la sequenza di fusioni è la seguente:

1 con 1   1 con 1   1 con 1   1 con 1   1 con 1   1 con 1   1 con 1
2 con 2   2 con 2   2 con 2   2 con 1   4 con 4   4 con 3   8 con 7.

In entrambi i casi vi sono sette fusioni 1 con 1, tre fusioni 2 con 2, una fusione 2 con 1, una fusione 4 con 4, una fusione 4 con 3 e una fusione 8 con 7, ma eseguite in un ordine diverso. La strategia bottom-up è quella di fondere i file più piccoli rimasti, scandendo l'array da sinistra a destra.

La sequenza di merging eseguita dall'algoritmo ricorsivo è determinata dall'albero *divide et impera* mostrato nella Figura 8.3, tramite un attraversamento in postorder. Come abbiamo osservato nel Capitolo 3, è

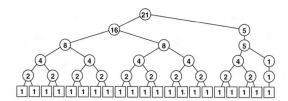

Figura 8.5
Dimensioni dei file
nel Mergesort bottom-up

Le dimensioni dei file da fondere nel Mergesort bottom-up sono piuttosto diverse da quelle che si ottengono con la versione top-down (Figura 8.3) quando la lunghezza del file di partenza non è una potenza di 2. Per il Mergesort bottom-up tutte le dimensioni dei sottofile incontrati in ogni passaggio sono potenze di 2, tranne eventualmente la dimensione del sottofile presente in coda. Queste differenze sono interessanti per comprendere la struttura fondamentale degli algoritmi, ma hanno scarsa influenza sulle loro prestazioni.

possibile sviluppare un algoritmo non ricorsivo che usa uno stack esplicito per ottenere la stessa sequenza di merging. Non c'è in realtà alcun bisogno di limitarsi alla visita in postorder: una qualsiasi strategia di attraversamento che visiti i sottoalberi di un nodo prima di visitare il nodo medesimo darà luogo a un algoritmo valido in questo contesto. La sola restrizione è che i file da fondere siano stati prima ordinati. Per Mergesort è conveniente eseguire prima tutte le fusioni 1 con 1, poi tutte quelle 2 con 2, poi tutte quelle 4 con 4, e così via. Questa sequenza corrisponde a un attraversamento per livelli dell'albero di ricorsione partendo dal basso.

Abbiamo più volte evidenziato nel Capitolo 5 come l'approccio bottom-up renda più conveniente orientarsi verso una strategia "combina e conquista" (piuttosto che *divide et impera*, "dividi e conquista"), nella quale prendiamo le soluzioni dei problemi parziali e le combiniamo per ottenere una soluzione del problema più grande. In particolare, possiamo ottenere la versione non ricorsiva del Mergesort data nel Programma 8.5 nel modo seguente: consideriamo tutti gli elementi di un file come sottofile ordinati di lunghezza unitaria. Quindi, scandiamo il file eseguendo fusioni 1 con 1 per produrre sottofile ordinati di lunghezza 2, di nuovo, consideriamo la sequenza dei sottofile, eseguendo fusioni 2 con 2 per ottenere sottofile ordinati di lunghezza 4, e così via, fino a che l'intero file non risulti ordinato. La sottolista finale non avrà sempre la stessa dimensione di quella di tutte le altre, a meno che il file da ordinare non abbia un numero di elementi pari a una potenza di 2. Il merging è, comunque, sempre possibile.

Se la lunghezza del file è una potenza di 2, l'insieme delle fusioni realizzate dal Mergesort bottom-up coincide con quello delle fusioni realizzate dalla versione ricorsiva, benché l'*ordine* delle fusioni sia differente. Il Mergesort bottom-up corrisponde a un attraversamento per livelli dell'albero *divide et impera*, eseguito dal basso verso l'alto. Il Mergesort ricorsivo, invece, corrisponde a un attraversamento in postorder di tale albero e agisce dall'alto verso il basso. Questa è la ragione per cui abbiamo chiamato tale algoritmo *Mergesort top-down* ("dall'alto verso il basso", appunto).

Figura 8.6
Mergesort bottom-up

Eseguiamo solo 7 passaggi per ordinare un file di 200 elementi usando il Mergesort bottom-up. Ogni passaggio dimezza il numero di sottofile ordinati e raddoppia le loro lunghezze (salvo, eventualmente, l'ultimo file).

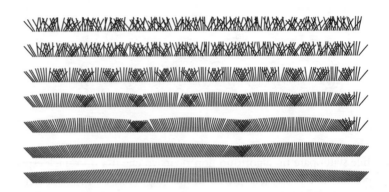

Se la dimensione del file non è una potenza di 2, l'algoritmo bottom-up esegue un insieme diverso di fusioni. La Figura 8.5 ne è un'illustrazione. L'algoritmo bottom-up corrisponde a un albero "combina e conquista" (si veda l'Esercizio 5.75), che è diverso dall'albero *divide et impera* dell'algoritmo top-down. È, in effetti, possibile fare in modo che le sequenze di merging delle due versioni ricorsiva e non ricorsiva coincidano, anche se non c'è alcuna ragione per far sì che ciò accada, dato che la differenza nei costi è molto lieve.

Le Proprietà dall'8.1 all'8.4 valgono tanto per il Mergesort top-down che per il Mergesort bottom-up. Per quest'ultimo, abbiamo le due ulteriori proprietà che seguono.

Proprietà 8.5 *Tutte le fusioni effettuate dal Mergesort bottom-up, tranne eventualmente l'ultima, a ogni passaggio agiscono su file di dimensioni pari a una potenza di 2.*

Questo fatto è facilmente dimostrabile per induzione. ∎

Proprietà 8.6 *Il numero di passaggi effettuati dal Mergesort bottom-up su un file di dimensione N è esattamente pari al numero di bit nella rappresentazione binaria di N (trascurando i bit iniziali a 0).*

Ogni passaggio del Mergesort bottom-up raddoppia la dimensione dei sottofile ordinati, quindi dopo k passaggi si ottengono sottofile di dimensione 2^k. Il numero di passaggi è di conseguenza pari al più piccolo k per cui $2^k \geq N$, che è esattamente pari a $\lceil \lg N \rceil$, il numero di bit nella rappresentazione binaria di N. Potremmo dimostrare questo risultato anche per induzione oppure analizzando le proprietà strutturali degli alberi "combina e conquista". ∎

Un esempio di esecuzione del Mergesort bottom-up su file di grandi dimensioni è dato dalla Figura 8.6. Possiamo ordinare 1 milione di elementi in 20 passaggi sui dati, 1 miliardo di elementi in 30 passaggi, e così via.

Per ricapitolare, le due versioni top-down e bottom-up del Merge-sort sono entrambe algoritmi di ordinamento immediato basati sulla fusione (merging) di due file parziali ordinati. Gli algoritmi sono intimamente legati: eseguono, infatti, lo stesso insieme di fusioni quando la dimensione del file iniziale è una potenza di 2, anche se non sono certo identici. La Figura 8.7 illustra le differenze nelle caratteristiche dinamiche su file di grandi dimensioni. Entrambi gli algoritmi possono essere impiegati a scopi pratici, purché vi sia memoria disponibile e si debbano garantire valide prestazioni nel caso peggiore. Entrambi gli algoritmi costituiscono interessanti prototipi delle strategie generali di progettazione algoritmica *divide et impera* e "combina e conquista".

Esercizi

8.24 Mostrate le fusioni che il Mergesort bottom-up (Programma 8.5) esegue sulla sequenza di chiavi E A S Y Q U E S T I O N.

8.25 Implementate un Mergesort bottom-up che inizi a ordinare blocchi di M elementi tramite l'ordinamento per inserzione. Determinate empiricamente il valore di M per cui il vostro programma è più veloce nell'ordinare file casuali di N elementi, dove $N = 10^3$, 10^4, 10^5, 10^6.

8.26 Disegnate alberi che sintetizzino le fusioni eseguite dal Programma 8.5 per $N = 16, 24, 31, 32, 33, 39$.

8.27 Scrivete un Mergesort ricorsivo che esegua le stesse fusioni della versione bottom-up.

8.28 Scrivete un Mergesort bottom-up che esegua le stesse fusioni della versione top-down (questo esercizio è molto più difficile dell'Esercizio 8.27).

8.29 Supponete che la dimensione del file sia una potenza di 2. Eliminate la ricorsione dal Mergesort top-down per ottenere un Mergesort non ricorsivo che esegua la stessa sequenza di fusioni.

8.30 Dimostrate che anche il numero di passaggi eseguiti dal Mergesort top-down è pari al numero di bit nella rappresentazione binaria di N (si veda la Proprietà 8.6).

8.6 Descrizione delle prestazioni del Mergesort

La Tabella 8.1 mostra l'efficacia relativa dei vari miglioramenti per il Mergesort che abbiamo esaminato. Come spesso capita, questi studi empirici indicano la possibilità di ridurre il tempo di esecuzione della metà o più, quando ci concentriamo sul miglioramento del solo ciclo interno.

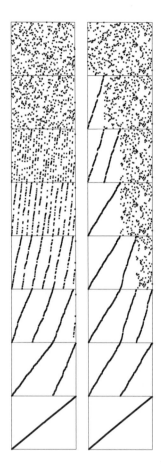

Figura 8.7
Mergesort bottom-up contro Mergesort top-down

Il Mergesort bottom-up (a sinistra) esegue una serie di passaggi sul file per fondere file parziali già ordinati, fino a che non ne rimanga uno solo. Ogni elemento del file, tranne eventualmente alcuni alla fine, sono elaborati a ogni passaggio. Per contro, il Mergesort top-down (a destra) ordina la prima metà del file prima di procedere all'ordinamento della seconda metà (in modo ricorsivo). Quindi, la struttura della sua evoluzione è decisamente diversa.

Tabella 8.1   Studio empirico di algoritmi del tipo Mergesort

La tabella mostra i tempi relativi per vari problemi di ordinamento su file casuali di interi. I risultati mostrano che il Quicksort standard rimane all'incirca due volte più veloce del Mergesort standard. Aggiungendo la gestione separata di file piccoli si riduce il tempo di esecuzione delle due versioni top-down e bottom-up del Mergesort del 15 per cento circa. Qui, il Mergesort top-down è all'incirca il 10 per cento più rapido del Mergesort bottom-up su file di queste dimensioni. Si noti, infine, che anche eliminando il costo della copia di file (il metodo usato dall'ordinamento Java di sistema) il Mergesort rimane considerevolmente più lento del Quicksort su file casualmente ordinati.

N	Q	top-down				bottom-up		S
		T	T*	O		B	B*	
125002	23	27	16	19		30	20	19
25000	20	43	34	27		42	36	28
50000	45	91	79	52		92	77	56
100000	95	199	164	111		204	175	117
200000	201	421	352	244		455	396	256
400000	449	904	764	520		992	873	529
800000	927	1910	1629	1104		2106	1871	1119

Legenda:

Q   Quicksort standard (Programma 7.1)
T   Mergesort top-down standard (Programma 8.1)
T* Mergesort top-down con gestione separata dei file piccoli
O   Mergesort top-down con gestione separata dei file piccoli e senza copia di array
B   Mergesort bottom-up standard (Programma 8.5)
B* Mergesort bottom-up con gestione separata dei file piccoli
S   `java.util.Arrays.sort`

Oltre a conseguire i vantaggi osservati nel Paragrafo 8.2, una buona implementazione di una macchina virtuale Java dovrebbe evitare ac-

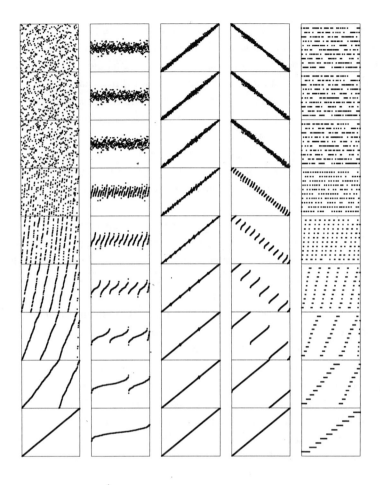

**Figura 8.8
Ordinamento di vari tipi
di file tramite Mergesort
bottom-up**

*Il tempo di calcolo del Mergesort
non è sensibile all'input. Questi diagrammi indicano che il numero di
passaggi eseguiti dal Mergesort
bottom-up su file che sono, nell'ordine da sinistra a destra, casuali,
gaussiani, quasi ordinati, quasi ordinati in senso inverso e casuali con 10
chiavi distinte, dipende solo dalla dimensione del file e non dal particolare valore delle chiavi. Questo comportamento è in netto contrasto con
quello del Quicksort e di molti altri
algoritmi.*

cessi inutili ad array, in modo da ridurre il ciclo interno di Mergesort
a un confronto (con il salto condizionato), due incrementi di indici (k
e uno fra i e j) e un test con salto condizionato per la terminazione del
ciclo. Il numero totale di istruzioni di questo ciclo interno è leggermente
maggiore di quello del Quicksort, ma esse sono eseguite solo $N \lg N$
volte, mentre le istruzioni del Quicksort sono eseguite il 39 per cento
più spesso (oppure il 29 per cento con la variante della mediana di tre
elementi). Un'attenta implementazione e una dettagliata analisi sono necessarie per un confronto più attendibile di questi due algoritmi in particolari contesti. Sappiamo però che, comunque sia, il Mergesort ha un
ciclo interno leggermente più lungo di quello del Quicksort.

Al solito, dobbiamo tener conto che, sebbene sia irresistibile per
molti programmatori, la ricerca di miglioramenti di questo tipo può por-

tare a guadagni solo marginali e deve essere effettuata solo dopo aver considerato aspetti di efficienza più importanti. In questo caso il Mergesort presenta, rispetto al Quicksort, il chiaro vantaggio di essere stabile e di avere prestazioni garantite (per tutti gli input), ma anche il chiaro svantaggio di richiedere spazio aggiuntivo di memoria proporzionale alla dimensione dell'array. Se questi fattori suggeriscono l'uso del Mergesort (e la velocità di esecuzione è importante), i miglioramenti che abbiamo suggerito qui possono rivelarsi utili. Inoltre, potrebbe valere la pena di studiare con attenzione le prestazioni della macchina virtuale, la possibilità di usare codice C nativo, le peculiari caratteristiche architetturali dei calcolatori, e così via.

D'altro canto, dobbiamo aggiungere che i programmatori dovrebbero sempre avere un occhio vigile sulle prestazioni per evitare costi inutili. Tutti i programmatori (e anche gli autori!) hanno almeno una volta provato l'imbarazzo di aver elaborato sofisticati meccanismi che si sono poi rivelati di gran lunga meno efficaci di altre semplici caratteristiche implementative che non erano state notate all'inizio. Non è inusuale che un fattore 2 di guadagno nel tempo di calcolo si possa ottenere semplicemente vagliando accuratamente l'implementazione. I test frequenti sono la difesa più efficace da sorprese dell'ultima ora di questo tipo.

Abbiamo trattato a lungo questi aspetti implementativi nel Capitolo 5, ma il fascino della prematura ottimizzazione è così forte che ci sembra valga la pena di ribadire queste considerazioni tutte le volte che studiamo tecniche di miglioramento delle prestazioni così dettagliatamente. Nel caso del Mergesort siamo abbastanza sicuri dell'efficacia delle nostre ottimizzazioni dato che le Proprietà 8.1-8.4 caratterizzano le prestazioni dell'algoritmo e valgono per tutte le implementazioni che abbiamo esaminato: il tempo di calcolo è proporzionale a $N \log N$, indipendentemente dall'input (Figura 8.8); è necessario spazio di memoria aggiuntivo; l'algoritmo può essere implementato in modo stabile. Migliorare il tempo di calcolo mantenendo queste caratteristiche, generalmente, non è difficile.

Esercizi

8.31 Implementate un Mergesort bottom-up che non esegua copie di array.

8.32 Sviluppate un metodo di ordinamento ibrido a tre livelli che usi il Quicksort, il Mergesort e l'ordinamento per inserzione, che sia efficiente quanto la più veloce versione del Quicksort (anche su file piccoli), ma per il quale si possano garantire prestazioni subquadratiche anche nel caso peggiore.

8.7 Implementazione del Mergesort su liste concatenate

Dai paragrafi precedenti risulta evidente che lo spazio aggiuntivo usato da Mergesort è necessario per una qualunque implementazione pratica dell'algoritmo. Possiamo, quindi, considerare un'implementazione basata su liste concatenate. In altri termini, piuttosto che usare lo spazio aggiuntivo per l'array ausiliario, lo usiamo per contenere i link della lista. Potremmo costruire un algoritmo di ordinamento di uso generale seguendo questa linea oppure, più semplicemente, potremmo dover affrontare direttamente il problema di ordinare una lista concatenata (si veda il Paragrafo 6.9). Il Mergesort è un algoritmo più che adatto per ordinare liste concatenate. Un'implementazione completa del metodo di merging su liste è data nel Programma 8.6. Si noti che il codice, qui, è semplice quanto quello per il merging su array (Programma 8.2).

Una volta che questo metodo di merging è a disposizione, un algoritmo Mergesort top-down è facilmente derivabile. Il Programma 8.7 è un'implementazione ricorsiva diretta di un metodo che prende in ingresso un riferimento a una lista non ordinata e restituisce come valore un riferimento a una lista che contiene gli stessi elementi, ma in modo ordinato. Il programma si basa sulla riorganizzazione dei nodi della lista di input: non si allocano nodi o liste temporanee. Il Programma 8.7 si serve di una sottigliezza per trovare il punto di mezzo della lista: implementazioni alternative potrebbero determinarlo sia passando la lunghezza della lista come parametro al programma ricorsivo, sia memorizzando tale lunghezza all'interno della lista. Benché sia sofisticato, il programma è facile da comprendere nella sua formulazione ricorsiva.

Possiamo anche usare un approccio bottom-up "combina e conquista", sebbene i dettagli della memorizzazione dei link rendano quest'implementazione più difficoltosa di quanto possa sembrare. Così come si è detto a proposito delle versioni su array, nello sviluppare un Mergesort bottom-up su liste non c'è alcuna ragione particolare per seguire in modo preciso l'insieme di fusioni eseguite dalle altre versioni del Mergesort.

Esiste, in questo contesto, un divertente algoritmo Mergesort bottom-up su liste concatenate facile da spiegare: si mettono gli elementi da ordinare in una lista circolare, quindi si scandisce la lista fondendo coppie di sottoliste ordinate fino al completamento dell'ordinamento. Il metodo è concettualmente semplice, anche se, come accade per molti programmi che operano su liste concatenate a basso livello, può ri-

Programma 8.6 Merging di liste concatenate

Questo programma fonde la lista referenziata da a con quella referenziata da b tramite l'ausilio di un riferimento c. Il confronto di chiavi in merge include l'uguaglianza, quindi il merging è stabile se si intende che la lista b segue la lista a. Per semplicità, adottiamo la convenzione di far terminare tutte le liste con 0. Altre convenzioni sulla terminazione delle liste funzionerebbero altrettanto bene (si veda la Tabella 3.1). Si noti che qui non vengono usati nodi fittizi in testa alle liste, proprio per evitarne la proliferazione.

```
static Node merge(Node a, Node b)
  { Node dummy = new Node();
    Node head = dummy, c = head;
    while ((a != null) && (b != null))
      if (less(a.item, b.item))
        { c.next = a; c = a; a =a.next; }
      else
        { c.next = b; c = b; b =b.next; }
    c.next = (a == null) ? b : a;
    return head.next;
  }
```

velarsi insidioso da implementare (si veda l'Esercizio 8.36). Un'altra versione del Mergesort bottom-up su liste concatenate basata sulla stessa idea è fornita nel Programma 8.8, e consiste semplicemente nel mantenere tutte le liste da fondere in un ADT coda. Anche questo metodo è concettualmente semplice, anche se (come accade per molti programmi ad alto livello su code) può rivelarsi insidioso da implementare. D'altro canto esso offre un eccellente esempio di sfruttamento di ADT a supporto di computazioni ad alto livello di astrazione.

Una caratteristica importante è che questo metodo trae vantaggio dal grado di ordine del file di ingresso. Infatti, il numero di passaggi che vengono eseguiti sulla lista non è $\lceil \lg N \rceil$, ma è piuttosto $\lceil \lg S \rceil$, dove S è il numero di sottofile ordinati nella lista originale. Un Mergesort con queste proprietà è qualche volta chiamato Mergesort *naturale*. Per file casuali esso non offre grossi vantaggi, perché sarà in grado di risparmiare verosimilmente solo uno o due passaggi (e, in effetti, il metodo tenderà a essere più lento di quello top-down, dovendo verificare se il sottofile corrente è ordinato o meno). D'altro canto, non è infrequente che un file da ordinare consista di blocchi di sottofile ordinati, ed è in tali casi che il Mergesort naturale ha buon gioco.

Programma 8.7 Mergesort top-down su liste

Questo programma ordina la lista riferita da c spezzandola in due semiliste riferite da a e b, quindi ordina ricorsivamente le due semiliste, e infine usa merge (Programma 8.6) per produrre il risultato finale. La lista di input deve terminare con null (e, quindi, anche la lista b termina con null), mentre per far terminare la lista a con null dobbiamo usare l'assegnamento esplicito c.next = null.

```
static Node mergesort(Node c)
  {
    if (c == null || c.next == null) return c;
    Node a = c, b = c.next;
    while ((b != null) && (b.next != null))
      { c = c.next; b = (b.next).next; }
    b = c.next; c.next = null;
    return merge(mergesort(a), mergesort(b));
  }
```

Esercizi

● **8.33** Sviluppate un'implementazione del Mergesort top-down su liste concatenate che prenda la lunghezza della lista come secondo parametro della procedura ricorsiva e lo usi per determinare il modo in cui spezzare le liste.

● **8.34** Sviluppate un'implementazione del Mergesort top-down su liste concatenate che agisca su liste che mantengono la loro lunghezza in nodi testa e usi tale informazione per determinare il modo in cui spezzare le liste.

8.35 Aggiungete la gestione separata dei sottofile di piccole dimensioni al Programma 8.7. Determinate la misura in cui ciò rende l'algoritmo più veloce.

○ **8.36** Implementate un Mergesort bottom-up su liste circolari concatenate, come è descritto nel testo.

8.37 Aggiungete la gestione separata dei sottofile di piccole dimensioni all'implementazione data nell'Esercizio 8.36. Determinate la misura in cui ciò rende l'algoritmo più veloce.

8.38 Aggiungete la gestione separata dei sottofile di piccole dimensioni al Programma 8.8. Determinate la misura in cui ciò rende l'algoritmo più veloce.

○ **8.39** Disegnate alberi combina e conquista che sintetizzino le fusioni eseguite dal Programma 8.8 per $N = 16, 24, 31, 32, 33, 39$.

8.40 Disegnate alberi combina e conquista che sintetizzino le fusioni eseguite dal Mergesort su liste circolari (Esercizio 8.38) per $N = 16, 24, 31, 32, 33, 39$.

Programma 8.8   Mergesort bottom-up su liste

Questo programma usa un ADT coda (Programma 4.18) per implementare un Mergesort bottom-up. Gli elementi della coda sono liste concatenate ordinate. Dopo aver inizializzato la coda con liste di lunghezza 1, il programma semplicemente rimuove due liste dalla coda, le fonde, e quindi reinserisce nella coda il risultato della fusione. L'algoritmo seguita in tal modo fino a quando non rimane una sola lista. Questo modo di operare corrisponde a una sequenza di passaggi sugli elementi da ordinare, raddoppiando la lunghezza delle liste ordinate a ogni passaggio (come nel Mergesort bottom-up).

```
static Node mergesort(Node t)
  {
    NodeQueue Q = new NodeQueue();
    if (t == null || t.next == null) return t;
    for (Node u = null; t != null; t = u)
      { u = t.next; t.next = null; Q.put(t); }
    t = Q.get();
    while (!Q.empty())
      { Q.put(t); t = merge(Q.get(), Q.get()); }
    return t;
  }
```

8.41 Eseguite studi empirici per sviluppare ipotesi circa il numero di sottofile ordinati che si trovano in un array di N interi casuali a 32 bit.

● **8.42** Determinate empiricamente il numero di passaggi necessari al Mergesort naturale per ordinare file di N chiavi casuali a 64 bit, dove $N = 10^3$, 10^4, 10^5, 10^6. *Suggerimento*: non avete bisogno di implementare un algoritmo di ordinamento (o anche generare casualmente chiavi complete a 64 bit) per completare questo esercizio.

● **8.43** Convertite il Programma 8.8 in un Mergesort naturale, inizializzando la coda con i sottofile ordinati presenti nell'input.

○ **8.44** Implementate un Mergesort naturale che agisca su array.

8.8 Rivisitazione della ricorsione

I programmi di questo capitolo, unitamente al Quicksort, sono implementazioni tipiche di algoritmi *divide et impera*. Nei capitoli successivi verranno analizzati molti altri algoritmi aventi una struttura simile, per cui vale la pena di soffermarsi su alcune caratteristiche di base di queste implementazioni.

Il Quicksort è effettivamente un algoritmo "*impera et divide*"; in un'implementazione ricorsiva la maggior parte del lavoro viene svolto *prima* delle chiamate ricorsive. D'altra parte, il Mergesort ricorsivo ha più uno spirito *divide et impera*: il primo file viene diviso in due parti, le quali sono "conquistate" indipendentemente. Il primo problema per cui il Mergesort esegue un'elaborazione reale è il più piccolo, mentre il file parziale più grande viene elaborato alla fine. Il Quicksort inizia elaborando il sottofile maggiore per poi finire con quelli più piccoli. È utile confrontare gli algoritmi seguendo la metafora manageriale adottata nel Paragrafo 8.3: il Quicksort corrisponde alla situazione in cui ogni manager si sforza inizialmente di prendere la giusta decisione su come dividere un compito, e quindi il lavoro di sua competenza è terminato nel momento in cui i compiti parziali sono stati eseguiti. All'opposto, il Mergesort corrisponde al caso in cui ogni manager prende una rapida e arbitraria decisione dividendo i compiti a metà, e quindi ha bisogno di lavoro aggiuntivo a posteriori per gestire le conseguenze delle sue scelte, quando i compiti parziali vengono eseguiti.

Questa differenza diventa evidente nelle implementazioni non ricorsive: il Quicksort deve mantenere uno stack per salvare sottoproblemi grandi che vengono divisi in dipendenza dai dati, mentre il Mergesort ammette una versione non ricorsiva semplice, poiché il modo in cui divide il file è indipendente dalla natura dei dati, e quindi l'ordine seguito nell'elaborazione dei sottoproblemi può essere ridefinito per avere un programma più semplice.

Si potrebbe argomentare che è più facile pensare al Quicksort come a un algoritmo top-down, perché lavora a partire dalla cima dell'albero di ricorsione, procedendo verso il basso per terminare l'ordinamento. Potremmo anche pensare a versioni non ricorsive di Quicksort che attraversino l'albero di ricorsione per livelli dalla cima alle foglie. In tal caso, l'ordinamento effettuerebbe più passaggi sull'array, partizionando i file in sottofile più piccoli. Su array questo metodo non è però molto pratico, per la necessità di tener traccia dei sottofile. Su liste concatenate, invece, esso è analogo al Mergesort bottom-up.

Abbiamo già notato che il Mergesort e il Quicksort differiscono per quanto riguarda la stabilità. Per il Mergesort, se assumiamo (per induzione) che i sottofile siano ordinati in modo stabile, allora dobbiamo semplicemente assicurare che il merging sia eseguito in modo stabile, condizione facilmente raggiunta. La struttura ricorsiva dell'algoritmo conduce immediatamente a una dimostrazione per induzione della stabilità. Diversamente, per un Quicksort su array non esiste un modo semplice per rendere stabile l'operazione di partizionamento, per cui la possibilità di avere un ordinamento stabile è preclusa ancor prima di prendere in considerazione la ricorsione. L'implementazione diretta del Quicksort su liste concatenate è invece stabile (Esercizio 7.4).

Come abbiamo osservato nel Capitolo 5, gli algoritmi con una sola chiamata ricorsiva si riducono essenzialmente a un ciclo, mentre algoritmi con due chiamate ricorsive, come il Mergesort e il Quicksort, ci introducono nel mondo degli algoritmi *divide et impera* e delle strutture ad albero, in cui si trovano molti dei migliori algoritmi. Il Mergesort e il Quicksort meritano un attento studio, non solo per la loro importanza pratica, ma anche per le intuizioni che sono in grado di fornire sulla natura stessa della ricorsione, con l'ovvia conseguenza di agevolare lo sviluppo e la comprensione di altri algoritmi ricorsivi.

Esercizi

• **8.45** Supponete che il Mergesort sia implementato in modo da spezzare il file in una posizione casuale, piuttosto che esattamente a metà. Quanti confronti sono eseguiti mediamente da questo algoritmo per ordinare un file di N elementi?

• **8.46** Studiate le prestazioni del Mergesort quando deve ordinare stringhe. Quanti confronti di caratteri sono necessari in media durante l'ordinamento di un file di grandi dimensioni?

• **8.47** Eseguite studi empirici per confrontare le prestazioni del Quicksort su liste concatenate (Esercizio 7.4) e del Mergesort top-down sempre su liste concatenate (Programma 8.7).

CAPITOLO NOVE

Code con priorità
e Heapsort

IN MOLTE APPLICAZIONI NON È NECESSARIO che le chiavi di una sequenza di record siano completamente ordinate, e non è detto che debbano essere elaborate tutte insieme. Spesso si raccoglie un insieme di record e si elabora il più grande, dopodiché se ne aggiungono altri, si elabora il più grande degli elementi rimasti, e così via. Una struttura dati appropriata, in una situazione del genere, deve mettere a disposizione le operazioni di inserimento di un nuovo elemento e di cancellazione di quello con la chiave maggiore. Questa struttura dati prende il nome di *coda con priorità* e ricorda il comportamento sia di uno stack (cancella l'ultimo elemento arrivato o il più recente) che di una coda (cancella il primo elemento arrivato o il meno recente), anche se un'implementazione efficiente di tale struttura è senza dubbio più complessa. Una struttura di questo tipo potrebbe essere vista come una generalizzazione di entrambe le precedenti, in quanto sia stack che code possono essere implementate attraverso code con priorità, definendo in modo appropriato il concetto di priorità (Esercizi 9.3 e 9.4). La coda con priorità è il più importante esempio dell'ADT coda generalizzata presentato nel Paragrafo 4.7.

Definizione 9.1   *Una **coda con priorità** è una struttura dati formata da elementi con chiave, che supporta due operazioni di base: inserimento di un nuovo elemento e cancellazione dell'elemento avente la chiave più grande.*

Le applicazioni delle code con priorità comprendono i sistemi di simulazione (le chiavi potrebbero corrispondere all'istante in cui si verificano gli eventi), gli algoritmi di job scheduling (le chiavi potrebbero rappresentare le priorità utilizzate per stabilire il primo utente da gestire) e le computazioni numeriche (le chiavi potrebbero rappresentare errori di calcolo che devono essere trattati in ordine di grandezza).

Possiamo usare una coda con priorità come base per un algoritmo di ordinamento che inserisca tutti i record nella coda, procedendo poi a rimuovere di volta in volta il più grande elemento fra i rimanenti per ottenere i record ordinati in senso inverso. Più avanti nel libro si vedrà come impiegare queste strutture dati come elementi di base per algoritmi più avanzati.

Le code con priorità utilizzate, in pratica, sono più complesse rispetto a quelle descritte nella definizione precedente, dato che a volte bisogna essere in grado di eseguire su di esse un certo insieme di operazioni, magari più complesse di quelle indicate sopra. In effetti, una delle ragioni principali dell'utilizzo di questo genere di code è legato alla loro flessibilità nel consentire l'esecuzione in modo efficiente di un gran numero di operazioni differenti su un insieme di record con chiave. L'obiettivo è la possibilità di creare e gestire una struttura dati contenente record con chiavi numeriche (*priorità*) in grado di supportare alcune delle seguenti operazioni:

- *costruire* una coda con priorità per N dati elementi
- *inserire* un nuovo elemento
- *rimuovere* l'elemento con chiave massima
- *modificare* la priorità di un elemento arbitrariamente specificato
- *cancellare* un elemento arbitrariamente specificato
- *unire* due code con priorità in una coda più grande.

Se possono esistere più record con la stessa chiave, il termine "massima" sta a indicare uno qualunque tra gli elementi con chiave massima. Come per molte strutture dati, abbiamo bisogno anche di aggiungere operazioni standard, di test per verificare che la coda non sia vuota e, magari, anche di operazioni di copia (clonazione).

Ci sono sovrapposizioni fra queste operazioni, e qualche volta può essere conveniente definire operazioni simili, ma leggermente diverse. Ad esempio, certi programmi client possono aver bisogno di cercare frequentemente il massimo elemento nella coda, senza doverlo necessariamente rimuovere. Oppure potremmo avere un'operazione per sostituire il massimo elemento con un nuovo elemento. Possiamo implementare operazioni di questo tipo a partire dalle due operazioni di base sulle code con priorità: "trova l'elemento massimo" potrebbe essere "cancella il massimo" seguito da un "inserisci un nuovo elemento", mentre "sostituisci l'elemento massimo" potrebbe essere tanto un "inserisci un nuovo elemento" seguito da un "cancella l'elemento massimo" quanto un "cancella l'elemento massimo" seguito da un "inserisci un nuovo elemento". Di solito, però, il codice è più efficiente quando implementiamo queste operazioni in mo-

---

Programma 9.1 ADT coda con priorità di base

Quest'interfaccia definisce le operazioni per il più semplice tipo di coda con priorità: inizializza, controlla se la coda è vuota, aggiungi un nuovo elemento e rimuovi l'elemento con chiave massima. Le implementazioni elementari di questi metodi tramite array e liste concatenate possono richiedere tempo lineare nel caso peggiore. Vedremo, in questo capitolo, implementazioni per le quali si può garantire un tempo di esecuzione nel caso peggiore logaritmico nel numero degli elementi della coda. Il parametro del costruttore specifica il massimo numero di elementi che ci si aspetta siano presenti nella coda. Alcune implementazioni potrebbero ignorare tale parametro.

```
class PQ // interfaccia di ADT
  { // implementazioni e membri privati nascosti
    PQ(int)
    boolean empty()
    void insert(ITEM)
    ITEM getmax()
  };
```

---

do diretto, purché esse siano specificate con precisione. Ciò non è sempre così immediato come potrebbe sembrare. Ad esempio, le due opzioni viste or ora per la sostituzione del massimo sono piuttosto diverse: la prima fa sempre in modo che la coda con priorità cresca temporaneamente di un elemento, mentre la seconda mette sempre il nuovo elemento nella coda. Similmente, l'operazione di modifica della priorità potrebbe essere implementata come una cancellazione seguita da un inserimento, mentre l'operazione di costruzione della coda potrebbe essere implementata tramite inserimenti ripetuti.

Per alcune applicazioni, potrebbe essere leggermente più conveniente lavorare con i minimi, piuttosto che con i massimi. Useremo principalmente code con priorità che lavorano con i massimi. Quando avremo bisogno di lavorare con i minimi, faremo esplicito riferimento a una coda che consente la cancellazione dell'elemento minimo e la chiameremo coda con priorità *orientata al minimo*.

La coda con priorità è un esempio tipico di ADT (si veda il Capitolo 4): essa è costituita da un ben definito insieme di operazioni sui dati, e fornisce una conveniente astrazione che permette di separare i programmi applicativi (client) dalle varie implementazioni che considereremo in questo capitolo. L'interfaccia data nel Programma 9.1 definisce le operazioni basilari di una coda con priorità. Presenteremo un'interfaccia più dettagliata nel Paragrafo 9.5. A rigore, a diversi sottoinsiemi di operazioni incluse nell'interfaccia, corrispondono diverse strutture dati astratte. In realtà, una coda con priorità è essenzialmente caratterizzata dalle due operazioni di cancellazione del massimo e di inserimento, quindi ci concentreremo su queste.

Implementazioni differenti delle code con priorità danno luogo a prestazioni diverse delle varie operazioni, e applicazioni distinte possono aver bisogno di elevate prestazioni su sottoinsiemi di operazioni differenti. In effetti, la variazione nelle prestazioni è, in linea di principio, l'unica tangibile nella nozione di ADT. Questa circostanza conduce a dover cercare un adeguato bilanciamento sui costi delle operazioni. In questo capitolo, consideriamo vari modi di affrontare questo problema di bilanciamento, arrivando alla situazione quasi ideale di poter eseguire l'operazione di cancellazione del massimo in tempo logaritmico e tutte le altre in tempo costante.

Nel Paragrafo 9.1 illustreremo questa situazione presentando alcune semplici implementazioni che utilizzano strutture dati elementari. Quindi, nei Paragrafi dal 9.2 al 9.4 ci concentreremo su una classica struttura dati chiamata *heap*, che consente implementazioni efficienti di tutte le operazioni tranne l'unione di code. Nel Paragrafo 9.4 vedremo anche un importante algoritmo di ordinamento che segue in modo naturale da queste implementazioni. Ancor più avanti, nei Paragrafi 9.5 e 9.6, analizzeremo in dettaglio alcune problematiche relative allo sviluppo di un ADT coda con priorità completo, mentre nel Paragrafo 9.7 esamineremo una struttura dati più avanzata, detta *coda binomiale*, che possiamo usare per implementare tutte le operazioni (inclusa l'unione) in tempo logaritmico nel caso peggiore.

Durante lo studio di queste strutture dati, dobbiamo sempre tenere a mente sia il basilare compromesso fra strutture concatenate e strutture ad allocazione contigua (trattato nel Capitolo 3) sia i problemi da affrontare quando si devono rendere i package utilizzabili nelle applicazioni. In particolare, alcuni degli algoritmi avanzati che vedremo più avanti nel libro sono programmi client di code con priorità.

Esercizi

▷ **9.1**   Nella sequenza P R I O * R * * I * T * Y * * * Q U E * * * U * E, una lettera è un inserimento, mentre un asterisco è una cancellazione del massimo. Fornite la sequenza dei valori restituiti dalle operazioni di cancellazione del massimo.

▷ **9.2**   Aggiungete alle convenzioni dell'Esercizio 9.1 un segno più per indicare un'unione e una coppia di parentesi per delimitare la coda con priorità creata dalle operazioni al suo interno. Fornite il contenuto della coda con priorità dopo la sequenza di operazioni

$$(((\,P\,R\,I\,O\,^*\,) + (\,R\,^*\,I\,T\,^*\,Y\,^*\,))\,^*\,^*\,^*\,) + (\,Q\,U\,E\,^*\,^*\,^*\,U\,^*\,E\,).$$

○ **9.3** Spiegate come usare un ADT coda con priorità per implementare un ADT stack.

○ **9.4** Spiegate come usare un ADT coda con priorità per implementare un ADT coda.

9.1 Implementazioni elementari

Le strutture dati di base che abbiamo discusso nel Capitolo 3 ci offrono numerose possibilità per implementare code con priorità. Il Programma 9.2 è un'implementazione che usa un array non ordinato come struttura dati sottostante. L'operazione "trova il massimo" è implementata scandendo tutto l'array, e quindi scambiando l'elemento massimo con l'ultimo elemento, decrementando poi il contatore che indica la dimensione della coda. La Figura 9.1 mostra il contenuto dell'array su una sequenza di operazioni di esempio. Quest'implementazione è simile ad altre presentate nel Capitolo 4 a proposito di stack e code (Programmi 4.7 e 4.17), ed è utile per code di piccole dimensioni. La differenza significativa sta nelle prestazioni. Per stack e code eravamo in grado di assicurare che tutte le operazioni impiegassero tempo costante. Per le code con priorità è facile trovare implementazioni per le quali *o* l'inserimento *o* la cancellazione del massimo hanno tempo costante, ma sviluppare implementazioni per cui *entrambe* le operazioni sono efficienti è una questione più difficile. Questo è l'argomento principale del presente capitolo.

Possiamo usare sequenze ordinate o non ordinate, implementate come liste concatenate o come array. Se gli elementi sono ordinati, le operazioni di determinazione e cancellazione del massimo hanno costo costante, mentre l'operazione di inserimento può richiedere nel caso peggiore la scansione di tutta la struttura. D'altro canto, se gli elementi non sono ordinati, la determinazione e la cancellazione del massimo possono richiedere la scansione di tutta la sequenza, ma l'inserimento può effettuarsi in tempo costante. Quello di mantenere sequenze non ordinate è un tipico esempio di approccio "pigro" in cui rimandiamo il lavoro da fare al momento in cui è strettamente necessario (trovare il massimo), mentre il mantenere sequenze ordinate è il tipico esempio di approccio "impaziente" in cui facciamo da subito più lavoro possibile (mantenere la lista ordinata dopo l'inserimento) per rendere le operazioni successive più

Figura 9.1
Esempio di coda con priorità (rappresentazione con array non ordinati)

Questa sequenza mostra il risultato della serie di operazioni sulla colonna di sinistra (dall'alto in basso), dove una lettera indica un inserimento e un asterisco indica una cancellazione del massimo. Ogni riga mostra l'operazione, la lettera cancellata (per l'operazione di cancellazione del massimo) e il contenuto dell'array dopo l'operazione.

```
B        B
E        B E
*    E   B
S        B S
T        B S T
I        B S T I
*    T   B S I
N    L   S I N
*    S   B N I
F        B N I F
I        B N I F I
R        B N I F I R
*    R   B N I F I
S        B N I F I S
T        B N I F I S T
*    T   B N I F I S
*    S   B N I F I
O        B N I F I O
U        B N I F I O U
*    U   B N I F I O
T        B N I F I O T
*    T   B N I F I O
*    O   B N I F I
*    N   B I I F
*    I   B F I
*    I   B F
*    F   B
*    B
```

Programma 9.2 Implementazione di una coda con priorità tramite array

Quest'implementazione, che vale la pena di confrontare con le implementazioni di stack e code tramite array (Programmi 4.7 e 4.17), mantiene gli elementi in un array non ordinato. Gli elementi sono aggiunti e cancellati dall'array nell'ultima posizione, come in uno stack.

```java
class PQ
  {
    static boolean less(ITEM v, ITEM w)
      { return v.less(w); }
    static void exch(ITEM[] a, int i, int j)
      { ITEM t = a[i]; a[i] = a[j]; a[j] = t; }
    private ITEM[] pq;
    private int N;
    PQ(int maxN)
      { pq = new ITEM[maxN]; N = 0; }
    boolean empty()
      { return N == 0; }
    void insert(ITEM item)
      { pq[N++] = item; }
    ITEM getmax()
      { int max = 0;
        for (int j = 1; j < N; j++)
          if (less(pq[max], pq[j])) max = j;
        exch(pq, max, N-1);
        return pq[--N];
      }
  };
```

efficienti. Possiamo usare array o liste concatenate con entrambi gli approcci, tenendo conto che la lista concatenata consente l'esecuzione in tempo costante dell'operazione di cancellazione e di unione nel caso non ordinato, avendo però bisogno di spazio aggiuntivo per i link.

I tempi di calcolo nel caso peggiore (a meno di un fattore costante) delle varie operazioni su una coda con priorità di dimensione N, implementata in vari modi, sono sintetizzati nella Tabella 9.1.

Lo sviluppo di un'implementazione completa richiede un attento studio dell'interfaccia, in particolare del modo in cui i programmi client debbano accedere ai nodi per una cancellazione o un cambio di priorità, e di come debbano accedere all'intero tipo di dato coda con priorità nel caso di operazioni di unione. Questi punti sono trattati nei Paragrafi 9.4

Tabella 9.1 Tempi di calcolo delle operazioni nel caso peggiore su code con priorità

Le implementazioni dell'ADT coda con priorità hanno prestazioni molto diverse fra loro. La tabella riporta i tempi di calcolo nel caso peggiore (a meno di un fattore costante e per N grande) dei vari metodi. I metodi elementari (prime quattro righe) richiedono tempo costante per alcune operazioni e tempo lineare per altre, mentre i metodi più avanzati garantiscono un tempo costante o logaritmico per tutte o quasi tutte le operazioni.

	inserimento	cancellazione del massimo	cancellazione	determinazione del massimo	cambio priorità	unione
array ordinato	N	1	N	1	N	N
lista ordinata	N	1	1	1	N	N
array non ordinato	1	N	1	N	1	N
lista non ordinata	1	N	1	N	1	1
heap	$\lg N$	$\lg N$	$\lg N$	1	$\lg N$	N
coda binomiale	$\lg N$	$\lg N$	$\lg N$	$\lg N$	$\lg N$	$\lg N$
ottimo teorico	1	$\lg N$	$\lg N$	1	1	1

e 9.7, dove daremo due implementazioni complete: la prima, che usa liste concatenate doppie non ordinate e la seconda, che usa code binomiali.

Il tempo di calcolo di un programma client di una coda con priorità dipende non solo dalle chiavi, ma anche dalla miscela delle varie operazioni. Come al solito, è saggio ricordarsi di queste semplici versioni, poiché in molte situazioni pratiche sono in grado di migliorare le prestazioni ottenute da metodi estremamente più complessi. Ad esempio, l'implementazione per mezzo di una lista non ordinata potrebbe risultare appropriata in un'applicazione che richieda l'esecuzione di poche operazioni di cancellazione a fronte di un gran numero di inserimenti, mentre una versione costruita sfruttando una lista ordinata potrebbe adattarsi al caso in cui debbano essere eseguite un gran numero di operazioni di determinazione del massimo, oppure a quello in cui gli elementi inseriti tendano sempre a essere più grandi di quelli già presenti nella coda con priorità.

Esercizi

▷ **9.5** Spiegate cosa c'è che non va nell'idea seguente: per implementare l'operazione di determinazione del massimo in tempo costante, teniamo traccia del massimo valore inserito fino a un certo momento e restituiamo quel valore quando l'operazione viene invocata.

▷ **9.6** Fornite il contenuto dell'array dopo l'esecuzione della sequenza di operazioni indicate nella Figura 9.1.

9.7 Fornite un'implementazione dell'interfaccia di base della coda con priorità che usi un array ordinato come struttura dati sottostante.

9.8 Fornite un'implementazione dell'interfaccia di base della coda con priorità che usi una lista concatenata non ordinata come struttura dati sottostante. *Suggerimento*: si vedano i Programmi 4.8 e 4.16.

9.9 Date un'implementazione dell'interfaccia di base della coda con priorità che usi una lista concatenata ordinata come struttura dati sottostante. *Suggerimento*: si veda il Programma 3.11.

○ **9.10** Considerate un'implementazione "pigra" in cui la lista è ordinata solo quando viene eseguita un'operazione di determinazione o cancellazione del massimo. Gli inserimenti avvenuti dall'ultimo ordinamento sono mantenuti in una lista separata e, quindi, sono ordinati e ricombinati tramite merging quando è necessario. Discutete i vantaggi di un'implementazione del genere rispetto alle implementazioni elementari basate su liste ordinate e non ordinate.

● **9.11** Scrivete un programma pilota per la stima delle prestazioni che usi insert per riempire una coda con priorità, quindi getmax per rimuovere metà delle chiavi, insert per riempire nuovamente la coda e, infine, di nuovo getmax per rimuovere tutte le chiavi. Il programma pilota esegue questa serie di operazioni più volte su sequenze di varia lunghezza di chiavi casuali, da molto corte a molto lunghe, misurando il tempo impiegato in ogni esecuzione e stampando o tracciando graficamente i tempi medi di esecuzione.

● **9.12** Scrivete un programma pilota per la stima delle prestazioni che usi insert per riempire una coda con priorità, quindi invochi getmax e insert tante volte quante è in grado di eseguirne in 1 secondo. Il programma pilota esegue questa serie di operazioni più volte su sequenze di varia lunghezza di chiavi casuali, da molto corte a molto lunghe, stampando o tracciando graficamente il numero di coppie di getmax che è stato in grado di eseguire.

9.13 Usate il programma dell'Esercizio 9.12 per confrontare l'implementazione basata su array non ordinati (Programma 9.2) con quella che fa uso di liste concatenate non ordinate (Esercizio 9.8).

9.14 Usate il programma dell'Esercizio 9.12 per confrontare l'implementazione basata su array ordinati (Esercizio 9.7) con quella che fa uso di liste concatenate ordinate (Esercizio 9.9).

● **9.15** Scrivete un programma pilota che usi i metodi dell'interfaccia per una coda con priorità (Programma 9.1) su casi difficili o patologici che possono ricorrere in applicazioni pratiche. Semplici esempi di tal fatta includono chiavi già ordinate oppure ordinate in senso inverso, chiavi tutte uguali oppure con due soli valori distinti.

9.16 Considerate le operazioni di inserimento e cancellazione del massimo e giustificate i primi quattro limiti relativi al caso peggiore dati nella Tabella 9.1, facendo riferimento all'implementazione nel Programma 9.2 e alle implementazioni negli Esercizi dal 9.7 al 9.9. Descrivete informalmente i metodi per le altre operazioni. Per le operazioni di cancellazione, cambio di priorità e unione, assumete di avere uno handle che offra accesso diretto al riferimento.

9.2 La struttura dati heap

Il principale argomento di questo capitolo è una semplice struttura dati chiamata *heap*, usata per supportare efficientemente le operazioni su una coda con priorità. Uno heap memorizza i record in un array in modo da garantire che ciascuna chiave sia maggiore delle chiavi di due altri elementi disposti in una precisa posizione. A loro volta, ciascuna di queste deve essere maggiore di altre due chiavi, e così via. Questo tipo di ordinamento è facilmente osservabile, disegnando l'array come un albero binario in cui i rami uscenti da ciascuna chiave portano a nodi con chiavi minori.

Definizione 9.2 *Un albero è **heap-ordinato** se ogni nodo ha chiave maggiore o uguale alle chiavi di tutti i figli di quel nodo (purché i figli esistano). In modo equivalente, la chiave di ogni nodo di un albero heap-ordinato è minore o uguale alla chiave del padre di quel nodo (purché il padre esista).*

Proprietà 9.1 *Nessun nodo di un albero heap-ordinato ha chiave maggiore di quella della radice dell'albero.*

È possibile heap-ordinare qualsiasi albero; comunque, è particolarmente conveniente usare *alberi binari completi*. Si ricordi dal Capitolo 3 che è possibile disegnare una tale struttura partendo dalla radice e, quindi, scendendo nella pagina per disegnare i figli da sinistra a destra, connettendo due nodi al primo nodo del livello precedente (da sinistra) ancora privo di figli, fino a che non siano stati disegnati N nodi. Possiamo rappresentare un albero binario completo sequenzialmente tramite un array semplicemente ponendo la radice in posizione 1, i suoi figli nelle posizioni 2 e 3, i nodi al livello successivo nelle posizioni 4, 5, 6 e 7, e così via. La Figura 9.2 illustra un esempio di heap. ■

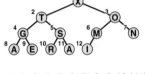

**Figura 9.2
Rappresentazione tramite array di un albero binario completo heap-ordinato**

Considerare l'elemento in posizione $\lfloor i/2 \rfloor$ nell'array come il padre dell'elemento in posizione i, per $2 \leq i \leq N$ (oppure, in modo equivalente, considerare l'i-esimo elemento come padre dei due elementi di posti $2i$ e $2i + 1$) realizza una conveniente rappresentazione degli elementi in forma di albero. Questa corrispondenza è equivalente alla numerazione dei nodi di un albero binario completo per livelli (dove l'ultimo livello è riempito da sinistra a destra). Un albero è heap-ordinato, se la chiave di ogni dato nodo è maggiore o uguale alle chiavi dei figli di quel nodo. Uno heap è una rappresentazione tramite array di un albero binario completo heap-ordinato. L'i-esimo elemento in uno heap è maggiore o uguale tanto al $2i$-esimo elemento quanto al $(2i + 1)$-esimo elemento.

Definizione 9.3   *Uno **heap** è un insieme di nodi con chiave posti in un albero binario completo heap-ordinato e rappresentato tramite un array.*

Potremmo usare per gli alberi heap-ordinati una rappresentazione basata su link a nodi. Tuttavia, gli alberi completi ci consentono di utilizzare la più compatta rappresentazione tramite array, che permette facilmente di giungere da un nodo al suo nodo padre o a un suo nodo figlio, senza dover mantenere link espliciti. Il padre di un nodo in posizione i si trova in posizione $\lfloor i/2 \rfloor$, mentre i due figli di un nodo in posizione i si trovano nelle posizioni $2i$ e $2i + 1$. Questa sistemazione rende l'attraversamento di tale albero anche più semplice che nel caso di rappresentazione per mezzo di una struttura concatenata, perché in questa seconda circostanza avremmo bisogno di tre puntatori per nodo (uno al padre e due ai figli) per poter procedere sia verso l'alto che verso il basso. Alberi binari completi rappresentati come array sono strutture piuttosto rigide, ma hanno una sufficiente flessibilità per consentire l'implementazione efficiente di algoritmi su code con priorità.

Vedremo nel Paragrafo 9.3 come sia possibile usare uno heap per implementare tutte le operazioni su code con priorità (eccetto l'unione) in tempo logaritmico nel caso peggiore. Le implementazioni operano lungo un percorso che parte dalla radice per arrivare al fondo dello heap o dal fondo alla radice (semplicemente passando da padre a figlio o viceversa). È facile osservare che in uno heap di N nodi tutti i percorsi sono costituiti da circa lg N nodi (ci sono circa $N/2$ nodi nell'ultimo livello, $N/4$ al penultimo, $N/8$ al terzultimo, ecc.). Poiché ogni livello ha circa la metà dei nodi di quello sottostante, ci possono essere al massimo lg N livelli.

Possiamo anche usare rappresentazioni ad albero con link espliciti per sviluppare implementazioni delle operazioni sulle code con priorità. Alcuni esempi includono gli alberi completi a tre link heap-ordinati (Paragrafo 9.5), i tornei (Programma 5.19) e le code binomiali (Paragrafo 9.7). Come per gli stack e le code, un'importante ragione per considerare le rappresentazioni tramite strutture concatenate è quella di non dover conoscere a priori la dimensione massima della coda, come invece accade per un array. Possiamo anche sfruttare la flessibilità fornita dalle strutture concatenate per sviluppare algoritmi efficienti in particolari situazioni. Il lettore che non abbia familiarità con l'uso di strutture ad albero esplicite potrebbe leggere il Capitolo 12 per apprendere i metodi di base delle implementazioni dell'ADT tabella di simboli, prima di affrontare i problemi legati alle strutture concatenate presentati negli esercizi di questo capitolo e nel Paragrafo 9.7. In effetti, un'attenta considerazione delle strutture concatenate può essere rimandata a una lettura successiva, dato che l'argomento principale di questo capitolo sono gli heap (rappresentazione tramite array, e senza link, di alberi completi heap-ordinati).

Esercizi

▷ **9.17** Un array ordinato in modo decrescente è uno heap?

○ **9.18** Il più grande elemento di uno heap deve apparire in posizione 1, mentre il secondo più grande deve essere in posizione 2 o 3. Fornite la lista delle posizioni in uno heap di 15 elementi in cui il k-esimo elemento più grande: (1) può apparire, (2) non può apparire, dove $k = 2, 3, 4$. Assumete che i valori nello heap siano distinti.

● **9.19** Rispondete all'Esercizio 9.18 nel caso di un k arbitrario funzione della dimensione N dello heap.

● **9.20** Rispondete agli Esercizi 9.18 e 9.19 per il k-esimo elemento più piccolo.

9.3 Algoritmi su heap

Gli algoritmi per le code con priorità implementate attraverso uno heap operano per prima cosa una semplice modifica strutturale che potrebbe violare i vincoli dello heap, per poi attraversare la struttura dati riorganizzandola in modo da ripristinare tali vincoli. Questo processo è chiamato *ripristino* dello heap. Si distinguono due casi. Quando la priorità di qualche nodo è aumentata (oppure un nuovo nodo è inserito in fondo allo heap), dobbiamo percorrere lo heap verso l'alto per ripristinarne i vincoli. Quando, invece, la priorità di qualche nodo si è ridotta (ad esempio, perché sostituiamo il nodo alla radice con un nuovo nodo), dobbiamo percorrere lo heap verso il basso per ripristinarne i vincoli. Consideriamo, innanzi tutto, come implementare questi due metodi di base, per poi vedere come usarle per implementare le varie operazioni sulle code con priorità.

Se i vincoli dello heap sono violati perché la chiave di un nodo diventa più grande di quella del padre, allora possiamo progredire verso il ripristino dei vincoli dello heap scambiando il nodo in questione col padre. Dopo lo scambio, il nodo risulterà maggiore di entrambi i suoi figli (un figlio è il vecchio padre, l'altro figlio era minore o uguale al vecchio padre, perché era figlio di quest'ultimo prima dello scambio), ma potrebbe essere ancora più grande del suo padre corrente. Possiamo sistemare questa violazione nello stesso modo, procedendo fino a quando raggiungiamo un nodo con chiave maggiore oppure la radice. Un esempio di tale

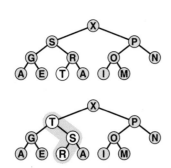

**Figura 9.3
Ripristino bottom-up
di uno heap (swim)**

L'albero in alto è heap-ordinato, salvo che per il nodo T che si trova nell'ultimo livello. Se scambiamo T con suo padre, l'albero risultante è heap-ordinato, salvo (eventualmente) per il fatto che T è più grande del suo nuovo padre. Continuiamo in questo modo a scambiare T con il padre fino al raggiungimento della radice oppure di un nodo maggiore di T lungo il cammino che congiunge T alla radice. Così facendo, possiamo ripristinare i vincoli dello heap su tutto l'albero. La stessa procedura può essere usata come base per l'operazione di inserimento allo scopo di ristabilire i vincoli dello heap in seguito all'aggiunta di un nuovo elemento in ultima posizione (cioè, nella posizione più a destra del livello più basso o nella prima di un nuovo livello, se necessario).

Programma 9.3   Ripristino bottom-up di uno heap

Per ripristinare i vincoli dello heap quando la priorità di un elemento è cresciuta, ci spostiamo nello heap verso l'alto, scambiando, se necessario, l'elemento in posizione k con suo padre (in posizione k/2), e continuando fintanto che l'elemento in posizione k/2 è inferiore a quello in posizione k oppure fino a quando raggiungiamo la cima dello heap. I metodi less e exch confrontano e scambiano gli elementi dello heap che si trovano negli indici specificati dai loro parametri (si veda il Programma 9.5 per le implementazioni).

```
private void swim(int k)
  {
    while (k > 1 &&less(k/2, k))
      { exch(k, k/2); k = k/2; }
  }
```

processo è mostrato nella Figura 9.3. Il codice è immediato ed è basato sul fatto che in uno heap il padre del nodo in posizione k si trova in posizione k/2. Il Programma 9.3 è un'implementazione di un metodo che ripristina una possibile violazione, dovuta all'incremento della priorità di un dato nodo, muovendosi dal basso verso l'alto.

Se i vincoli dello heap sono violati perché la chiave di un nodo diventa più piccola di quella di uno dei suoi figli, allora possiamo progredire verso il ripristino dei vincoli dello heap scambiando il nodo con il maggiore dei suoi figli. Questo scambio potrebbe causare una violazione in un figlio, che andrà quindi sistemata nello stesso modo, procedendo così dall'alto verso il basso fino al raggiungimento di un nodo in cui entrambi i figli sono più piccoli oppure al fondo dello heap. Un esempio di questo processo è mostrato nella Figura 9.4. Il codice è, di nuovo, molto semplice e segue direttamente dal fatto che i figli di un nodo in posizione k sono nelle posizioni 2k e 2k+1. Il Programma 9.4 è un'implementazione di un metodo che ripristina una possibile violazione dovuta a un decremento della priorità di un dato nodo muovendosi dall'alto verso il basso dello heap. Questo metodo deve conoscere la dimensione dello heap (cioè N), per potersi accorgere di averne raggiunto il fondo.

Si tratta di due operazioni che sono indipendenti dal modo in cui l'albero è rappresentato, purché venga assicurato l'accesso al padre (con il metodo bottom-up) e ai figli (con il metodo top-down) di ogni nodo. Nel metodo bottom-up ci spostiamo in alto nell'albero, scambiando la chiave nel nodo dato con la chiave del suo nodo padre fino a rag-

---

Programma 9.4   Ripristino top-down di uno heap

Per ripristinare i vincoli dello heap quando la priorità di un nodo si è ridotta, ci spostiamo nello heap verso il basso, scambiando, se necessario, il nodo in posizione k con il maggiore dei suoi nodi figli e arrestandoci quando il nodo al posto k non è più piccolo di almeno uno dei suoi figli oppure quando raggiungiamo il fondo dello heap. Si noti che se N è pari e k è N/2, allora il nodo in posizione k ha un solo figlio: questo caso particolare deve essere trattato in modo appropriato.

Il ciclo interno di questo programma ha due uscite distinte: una per il caso in cui si raggiunge il fondo dello heap, e l'altra per il caso in cui i vincoli dello heap sono ripristinati da qualche parte all'interno di esso. Questa è una tipica situazione in cui l'istruzione break si rende necessaria.

```java
private void sink(int k, int N)
  {
    while (2*k <= N)
      { int j = 2*k;
        if (j < N && less(j, j+1)) j++;
        if (!less(k, j)) break;
        exch(k, j); k = j;
      }
  }
```

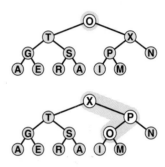

**Figura 9.4
Ripristino top-down
di uno heap (sink)**

L'albero in alto è heap-ordinato, salvo che per la radice. Se scambiamo O con il maggiore dei suoi figli (cioè X), l'albero risultante è heap-ordinato, salvo che nel sottoalbero con radice O. Continuiamo in questo modo a scambiare O con il maggiore dei suoi figli fino al raggiungimento del fondo dello heap oppure di un punto in cui O è maggiore di entrambi i suoi figli. Così facendo, possiamo ripristinare i vincoli dello heap su tutto l'albero. La stessa procedura può essere usata come base per l'operazione di cancellazione del massimo allo scopo di ristabilire i vincoli dello heap in seguito alla sostituzione della chiave nella radice con quella in ultima posizione (cioè, nella posizione più a destra del livello più basso).

giungere la radice oppure un padre con chiave maggiore (o uguale). Nel metodo top-down ci spostiamo in basso nell'albero, scambiando la chiave di un dato nodo con la maggiore delle chiavi dei due figli, spostandoci in basso verso quel figlio e continuando fino a raggiungere il fondo dell'albero o un punto in cui non vi sono figli con chiave maggiore. Generalizzate in tal modo, queste operazioni si applicano non solo ad alberi binari completi ma a ogni struttura ad albero. Algoritmi avanzati sulle code con priorità usano solitamente strutture ad albero più generali, ma si affidano a queste stesse operazioni di base per consentire l'accesso alla chiave più grande in cima alla struttura.

Se pensiamo allo heap come alla rappresentazione di una gerarchia aziendale, dove i figli di ogni nodo rappresentano i subordinati e il padre rappresenta l'immediato superiore, allora queste operazioni possono avere interpretazioni divertenti. Il metodo bottom-up è simile alla situazione in cui un nuovo e promettente manager irrompe sulla scena, scalando la gerarchia del comando (cioè, scambiando mansioni con tutti i dirigenti meno qualificati) fino a quando non raggiunge un ma-

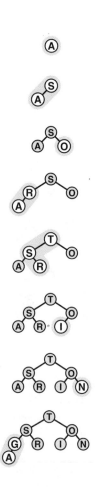

Figura 9.5
Costruzione top-down
di uno heap

Questa sequenza illustra l'inserimento delle chiavi A S O R T I N G in uno heap inizialmente vuoto. Nuovi elementi sono aggiunti allo heap dal basso, da sinistra a destra. Ogni inserimento influenza solo in nodi sul cammino fra il punto di inserimento e la radice, quindi, nel caso peggiore, il costo è proporzionale al logaritmo della dimensione dello heap.

Programma 9.5 Coda con priorità basata su heap

Per implementare `insert` incrementiamo `N`, aggiungiamo il nuovo elemento alla fine dello heap e, quindi, usiamo `swim` per ripristinare i vincoli dello heap. Per `getmax` prendiamo il valore da restituire da `pq[1]`, quindi decrementiamo la dimensione dello heap spostando `pq[N]` in `pq[1]`, e usiamo `sink` per ripristinare i vincoli dello heap. La prima posizione dell'array, `pq[0]`, non è utilizzata.

```
class PQ
  {
    private boolean less(int i, int j)
      { return pq[i].less(pq[j]); }
    private void exch(int i, int j)
      { ITEM t = pq[i]; pq[i] = pq[j]; pq[j] = t; }
    private void swim(int k)
      // Program 9.3
    private void sink(int k, int N)
      // Program 9.4
    private ITEM[] pq;
    private int N;
    PQ(int maxN)
      { pq = new ITEM[maxN+1]; N = 0; }
    boolean empty()
      { return N == 0; }
    void insert(ITEM v)
      { pq[++N] = v; swim(N); }
    ITEM getmax()
      { exch(1, N); sink(1, N-1); return pq[N--]; }
  };
```

nager più qualificato. Metafora per metafora, possiamo anche pensare che il nuovo arrivato debba nuotare (*swim*) verso la superficie. Il metodo top-down è analogo alla situazione in cui il presidente dell'azienda è sostituito da qualcuno meno qualificato. Se il più potente fra i subordinati del presidente è più qualificato del sostituto del presidente, allora le mansioni si scambiano e il sostituto viene declassato fino al suo "giusto" livello di competenza in cui non vi sono subordinati più qualificati (questo scenario idealizzato è piuttosto raro nel mondo reale ...). Di nuovo, seguendo la stessa metafora, possiamo pensare che la nuova persona debba andare a fondo (*sink*).

Queste due fondamentali operazioni consentono di implementare in modo efficiente le operazioni di base dell'ADT coda con priorità (Programma 9.5). Quando la coda con priorità è rappresentata da un array heap-ordinato, l'operazione di inserimento corrisponde ad aggiungere il nuovo elemento alla fine e spostarlo verso l'alto fino a ripristinare i vincoli dello heap, mentre l'operazione di cancellazione del massimo corrisponde a estrarre l'elemento in cima allo heap e a spostare in cima l'elemento presente in ultima posizione, ripristinando infine i vincoli dello heap e facendo migrare verso il basso tale elemento.

Proprietà 9.2   *Le operazioni di **inserimento** e **cancellazione del massimo** in un ADT coda con priorità possono essere implementate tramite alberi heap-ordinati in modo tale che l'inserimento effettui non più di* lg N *confronti e la **cancellazione del massimo** non più di* 2 lg N, *dove N è la dimensione della coda.*

Entrambe le operazioni comportano lo spostamento lungo un cammino fra la radice e il fondo dello heap e tutti i cammini in uno heap di dimensione N sono lunghi al più lg N (si veda, ad esempio, la Proprietà 5.8 e l'Esercizio 5.77). L'operazione di cancellazione del massimo richiede due confronti per ogni nodo: uno per trovare il figlio con chiave maggiore e l'altro per decidere se quel figlio deve essere promosso (spostato verso l'alto). ∎

Le Figure 9.5 e 9.6 mostrano un esempio in cui costruiamo uno heap inserendo oggetti uno dopo l'altro in uno heap inizialmente vuoto. Considerando la rappresentazione con array utilizzata in precedenza, questo processo corrisponde a "heap-ordinare" l'array muovendosi sequenzialmente all'interno di esso, assumendo che la dimensione dello heap cresca di 1 ogni volta che incontriamo un nuovo elemento e usando swim per ripristinare i vincoli dello heap. L'intero procedimento impiega tempo proporzionale ad $N \log N$ nel caso peggiore (se ogni nuovo elemento è il più grande fra quelli visti fino a quel momento, esso deve migrare dal fondo fino alla cima dello heap), ma solo tempo *lineare* in media (dato che, se il nuovo elemento è casuale, esso tenderà a dover salire solo di alcuni livelli nello heap). Nel Paragrafo 9.4 vedremo un modo per costruire uno heap (cioè heap-ordinare un array) in tempo lineare nel caso peggiore.

Le operazioni di base swim e sink nei Programmi 9.3 e 9.4 consentono anche implementazioni dirette per le operazioni di cambio di priorità e cancellazione. Per cambiare la priorità di un qualsivoglia elemento dello heap, usiamo swim per spostarlo verso l'alto (se la priorità è aumentata) e sink per spostarlo verso il basso (se la priorità è diminuita). Le implementazioni precise di queste operazioni, che devono ne-

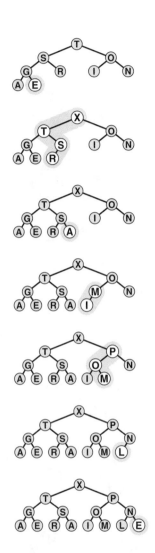

Figura 9.6
Costruzione top-down di uno heap (continuazione)

Questa sequenza illustra l'inserimento delle chiavi E X A M P L E nello heap iniziato nella Figura 9.5. Il costo totale della costruzione di uno heap di dimensione N è minore di lg 1 + lg 2 + . . . + lg N, *che è minore di N* lg N.

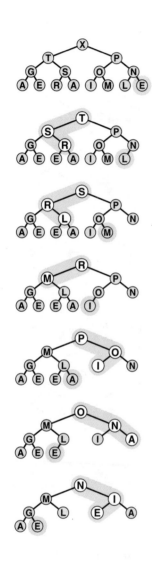

**Figura 9.7
Ordinamento che usa
uno heap**

Dopo aver sostituito l'elemento massimo dello heap con quello che si trova all'estrema destra del livello più basso, possiamo ripristinare i vincoli dello heap esaminando i nodi lungo un cammino dalla radice al fondo.

cessariamente riferirsi a specifici tipi di dati, hanno senso solo se per ogni elemento viene mantenuto un handle alla posizione di quell'elemento all'interno della struttura dati. Dobbiamo definire allo scopo un ADT, che approfondiremo assieme alle implementazioni corrispondenti, nei Paragrafi dal 9.5 al 9.7.

Proprietà 9.3 *Le operazioni di **cambio di priorità, cancellazione** e **sostituzione del massimo** in un ADT coda con priorità possono essere implementate tramite alberi heap-ordinati in modo tale da richiedere non più di* $2 \lg N$ *confronti, dove N è la dimensione della coda.*

Dato che richiedono handle agli oggetti, preferiamo rimandare le implementazioni di queste operazioni al Paragrafo 9.6 (in particolare, al Programma 9.12 e alla Figura 9.14). Tutte richiedono di percorrere un cammino nello heap (nel caso peggiore, il più lungo cammino dalla cima al fondo o in direzione opposta). ∎

**Programma 9.6 Ordinamento tramite una coda
con priorità**

Questa classe usa il nostro ADT coda con priorità per implementare la classe standard sort introdotta nel Paragrafo 6.3. Per ordinare il sottoarray a[l], ..., a[r] costruiamo una coda con priorità avente capacità sufficiente da memorizzare tutti i suoi elementi, usiamo insert per inserire tutti gli elementi nella coda, e quindi usiamo getmax per estrarli in ordine decrescente. L'algoritmo di ordinamento ha tempo proporzionale a $N \lg N$, ma utilizza spazio aggiuntivo proporzionale al numero di elementi da ordinare (per l'uso della coda con priorità).

```
class Sort
  {
    static void sort(ITEM[] a, int l, int r)
      { PQsort(a, l, r); }
    static void PQsort(ITEM[] a, int l, int r)
      { int k;
        PQ pq = new PQ(r-l+1);
        for (k = l; k <= r; k++)
          pq.insert(a[k]);
        for (k = r; k >= l; k--)
          a[k] = pq.getmax();
      }
  }
```

Si noti con attenzione che l'operazione di unione non è inclusa in questa lista: la combinazione efficiente di due code con priorità sembra richiedere una struttura dati molto più sofisticata. La studieremo in dettaglio nel Paragrafo 9.7. Il semplice heap trattato fin qui, comunque, è sufficiente per un'ampia varietà di applicazioni. Lo spazio aggiuntivo utilizzato è minimo e si ha la garanzia di una veloce esecuzione, purché non si debbano effettuare frequenti operazioni di unione di code molto grandi.

Come abbiamo detto, e come è mostrato nel Programma 9.6, possiamo usare ogni coda con priorità per sviluppare un metodo di ordinamento. Semplicemente inseriamo tutte le chiavi da ordinare in una coda con priorità, e quindi usiamo ripetutamente la cancellazione del massimo per estrarle tutte in ordine decrescente. Usare in questo modo una coda con priorità rappresentata tramite una lista non ordinata equivale a un ordinamento per selezione,.mentre usare una lista ordinata equivale a un ordinamento per inserzione.

Le Figure 9.5 e 9.6 danno un esempio della prima fase (il processo di costruzione), quando si implementa una coda con priorità per mezzo di uno heap. Le Figure 9.7 e 9.8 mostrano, invece, la seconda fase (che chiameremo processo di *sortdown*, cioè di "ordinamento verso il basso"). Dal punto di vista pratico questo metodo non è molto elegante, perché effettua inutili copie degli oggetti da ordinare (nella coda con priorità). Inoltre, l'uso di N inserimenti successivi non è il modo più efficiente per costruire uno heap di N elementi dati. Nel prossimo paragrafo affronteremo entrambi questi punti, e svilupperemo l'implementazione del classico algoritmo di ordinamento Heapsort.

Esercizi

▷ **9.21** Fornite lo heap risultante dall'inserimento della sequenza di chiavi E A S Y Q U E S T I O N in uno heap iniziale vuoto.

▷ **9.22** Usate le convenzioni dell'Esercizio 9.1 per fornire la serie di heap prodotti dalla sequenza di operazioni P R I O * R * * I * T * Y * * * Q U E * * * U * E, a partire da uno heap vuoto.

9.23 Dato che nelle operazioni di costruzione dello heap è usata la primitiva exch, gli elementi vengono caricati e memorizzati il doppio del numero di volte strettamente necessario. Fornite un'implementazione più efficiente che eviti questo problema, secondo lo stile dell'ordinamento per inserzione.

9.24 Perché non usiamo una sentinella per evitare il test j < N in sink?

○ **9.25** Aggiungete l'operazione di sostituzione del massimo all'implementazione della coda con priorità basata su heap del Programma 9.5. Assicuratevi di considerare il caso in cui il valore da aggiungere sia maggiore di

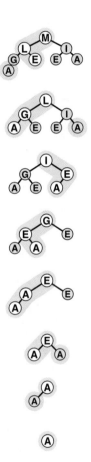

Figura 9.8
Ordinamento che usa uno heap (continuazione)

Questa sequenza illustra la rimozione delle chiavi restanti nello heap della Figura 9.7. Anche se ogni elemento andasse a finire sul fondo, il costo totale dell'ordinamento sarebbe minore di lg N + . . . + lg 2 + lg 1, che è minore di N lg N.

tutti i valori presenti nella coda. *Nota*: l'uso di `pq[0]` porta a un'elegante soluzione.

9.26 Qual è il minimo numero di chiavi che devono essere spostate durante un'operazione di cancellazione del massimo in uno heap? Mostrate uno heap di dimensione 15 per il quale tale minimo sia raggiunto.

9.27 Qual è il minimo numero di chiavi che devono essere spostate durante tre successive operazioni di cancellazione del massimo in uno heap? Mostrate uno heap di dimensione 15 per il quale tale minimo sia raggiunto.

9.4 Heapsort

Possiamo adattare l'idea di base del Programma 9.6 per ordinare un array senza utilizzare alcuno spazio aggiuntivo, bensì mantenendo semplicemente lo heap all'interno del vettore da ordinare. Se ci concentriamo sul problema dell'ordinamento, abbandoniamo l'approccio di celare la rappresentazione della coda con priorità e, piuttosto che essere vincolati dall'interfaccia dell'ADT, usiamo `swim` e `sink` direttamente.

Servirsi del Programma 9.5 direttamente nel Programma 9.6 corrisponde a scandire l'array da sinistra a destra, usando `swim` per assicurare che gli elementi alla sinistra del puntatore di scansione formino un albero completo heap-ordinato. Quindi, durante il processo di sortdown, poniamo l'elemento più grande nel posto rimasto libero quando lo heap si

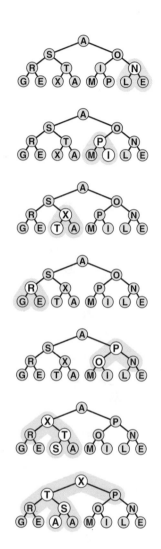

Figura 9.9
Costruzione bottom-up di uno heap

Lavorando da destra a sinistra e dal basso verso l'alto possiamo costruire uno heap, assicurando che il sottoalbero sotto al nodo corrente sia heap-ordinato. Il costo totale è lineare nel caso peggiore, poiché la maggior parte dei nodi sono vicini al fondo dello heap.

Programma 9.7 Heapsort

Questo codice ordina `a[1]`, ..., `a[N]`, tramite il metodo `sink` del Programma 9.4 (con implementazioni di `exch` e `less` che scambiano e confrontano gli elementi in `a` specificati dai loro parametri). Il ciclo `for` costruisce lo heap, il ciclo `while` scambia l'elemento più grande `a[1]` con `a[N]` e riaggiusta lo heap, continuando fino a che lo heap non si svuota. Quest'implementazione dipende dal fatto che il primo elemento dell'array ha indice 1, e quindi dal fatto di poter trattare l'array come un albero completo di cui si calcolano indici implicitamente (si veda la Figura 9.2). Non è difficile traslare gli indici per implementare la nostra interfaccia standard che ordina il sottoarray `a[l]`, ..., `a[r]` (Esercizio 9.30).

```
for (int k = N/2; k >= 1; k--)
  sink(k, N);
while (N > 1)
  { exch(1, N); sink(1, --N); }
```

riduce. In altri termini, il processo di sortdown è simile a un ordinamento per selezione, ma fa uso di un modo più efficiente per trovare l'elemento più grande nella parte non ancora ordinata dell'array.

Piuttosto che costruire uno heap tramite successivi inserimenti (come nelle Figure 9.5 e 9.6), è più efficiente scandirlo a ritroso costruendo piccoli sottoheap dal basso verso l'alto (Figura 9.9). Vediamo, cioè, ogni posizione dell'array come la radice di un piccolo sottoheap e sfruttiamo il fatto che sink lavori su questi piccoli heap altrettanto bene che sullo heap grande. Se i due figli di un nodo sono heap, allora la chiamata di sink su quel nodo fa sì che il sottoalbero avente quel nodo come radice diventi uno heap. Lavorando a ritroso nello heap ed eseguendo sink su ogni nodo, possiamo garantire il rispetto dei vincoli dello heap in modo induttivo. La scansione inizia a metà dell'array perché possiamo saltare i sottoheap di dimensione 1.

Un'implementazione completa è data nel Programma 9.7, che costituisce il classico algoritmo di ordinamento chiamato *Heapsort*. Sebbene i cicli di questo programma sembrino svolgere compiti diversi (il primo costruisce lo heap, mentre il secondo lo distrugge per il sortdown), essi sono entrambi costruiti attorno al metodo swim, che ripristina lo heap-ordinamento di un albero che è heap-ordinato tranne che (eventualmente) alla radice, e che usa un array per rappresentare un albero completo. La Figura 9.10 illustra il contenuto dell'array dell'esempio delle Figure dalla 9.7 alla 9.9.

Proprietà 9.4   *La costruzione bottom-up di uno heap impiega tempo lineare.*

Questo fatto deriva dall'osservazione che molti degli heap elaborati sono di piccole dimensioni. Ad esempio, per costruire uno heap di 127 elementi elaboriamo 32 heap di dimensione 3, 16 heap di dimensione 7, 8 heap di dimensione 15, 4 heap di dimensione 31, 2 heap di dimensione 63 e 1 heap di dimensione 127, quindi $32 \cdot 1 + 16 \cdot 2 + 8 \cdot 3 + 4 \cdot 4 + 2 \cdot 5 + 1 \cdot 6 = 120$ promozioni sono necessarie nel caso peggiore (il numero di confronti è pari al doppio). Per $N = 2^n - 1$ un limite superiore al numero di promozioni è dato da

$$\sum_{1 \le k < n} k2^{n-k-1} = 2^n - n - 1 < N.$$

Una dimostrazione simile vale nel caso in cui $N + 1$ non sia una potenza di 2. ∎

Questa proprietà non è di particolare importanza per lo Heapsort, dato che il suo tempo di calcolo è comunque dominato dal tem-

Figura 9.10
Esempio di Heapsort

Lo Heapsort è un efficiente algoritmo basato sulla selezione. Per prima cosa, costruiamo uno heap in modo bottom-up e sul posto. Le prime 8 righe di questa figura corrispondono alla Figura 9.9. Quindi, cancelliamo ripetutamente l'elemento più grande. Le parti non ombreggiate delle righe in basso corrispondono alle Figure 9.7 e 9.8, mentre le parti ombreggiate contengono il sottofile ordinato che cresce progressivamente.

po $N \log N$ richiesto dal processo di sortdown. Essa è importante, piuttosto, per altre applicazioni delle code con priorità in cui la costruzione in tempo lineare può essere determinante per far sì che gli algoritmi siano lineari. Come si è notato nella Figura 9.6, la costruzione di uno heap con N successivi inserimenti richiede un totale di $N \log N$ passi nel caso peggiore (anche se tale quantità è mediamente lineare su file casuali).

Proprietà 9.5 *Lo Heapsort usa meno di $2N \log N$ confronti per ordinare N elementi.*

Il limite leggermente superiore di $3N \log N$ segue immediatamente dalla Proprietà 9.2, mentre quello dato qui si può derivare da un conteggio più accurato che sfrutta la Proprietà 9.4. ∎

La Proprietà 9.5 e il fatto che l'algoritmo operi sul posto sono le due principali ragioni che fanno dello Heapsort un algoritmo di interesse pratico. Esso garantisce l'ordinamento di N elementi sul posto e in tempo proporzionale a $N \log N$, indipendentemente dall'input. Al contrario del Quicksort, non c'è alcun input patologico che rallenti in modo significativo l'algoritmo. Inoltre, al contrario del Mergesort, esso non abbisogna di spazio aggiuntivo. Questa garanzia sulle prestazioni nel caso peggiore è, però, ottenuta al prezzo di un ciclo interno più complesso di quello del Quicksort, e di un numero di confronti più elevato su file casuali. Ciò rende lo Heapsort più lento del Quicksort su file "tipici" o casuali.

Gli heap sono utili per risolvere anche il problema della *selezione*, cioè quello di determinare il k-esimo elemento più grande di un file di N elementi (Capitolo 7), specialmente se k è piccolo. Non facciamo altro che arrestare Heapsort dopo che k oggetti sono stati estratti dalla cima dello heap.

Proprietà 9.6 *La selezione basata su heap consente di trovare il k-esimo elemento più grande fra N elementi in tempo proporzionale a N quando k è piccolo oppure è prossimo a N, e in tempo proporzionale a $N \log N$ per un k generico.*

Una possibilità è quella di costruire uno heap, usando meno di $2N$ confronti (per la Proprietà 9.4) e quindi rimuovere i k elementi più grandi usando al più $2k \lg N$ confronti (per la Proprietà 9.2), per un totale di $2N + 2k \lg N$ confronti. Un altro metodo è quello di costruire uno heap orientato al minimo di dimensione k e quindi eseguire k operazioni di sostituzione del minimo (inserimento seguito da cancellazione del minimo) sugli elementi rimanenti, per un totale di al più

$2k + 2(N-k) \lg k$ confronti (si veda l'Esercizio 9.36). Questo metodo usa spazio proporzionale a k, e quindi è particolarmente conveniente per trovare i k elementi più grandi fra N elementi quando k è piccolo ed N è grande (oppure non è noto a priori). Per chiavi casuali e altre situazioni tipiche, il limite superiore di $\lg k$ relativo al costo delle operazioni sullo heap per il secondo metodo può considerarsi $O(1)$, quando k è piccolo in confronto a N (si veda l'Esercizio 9.37). ∎

Sono stati studiati vari modi di migliorare ulteriormente lo Heapsort. Uno di questi, sviluppato da Floyd, si basa sul fatto che un elemento reinserito nello heap durante il processo di sortdown solitamente scende fino al fondo dello heap. Possiamo, quindi, risparmiare tempo evitando di controllare se l'elemento ha raggiunto la sua posizione, semplicemente promuovendo il maggiore dei due figli fino al raggiungimento del fondo, e quindi muovendosi verso l'alto fino alla posizione opportuna. Quest'idea riduce asintoticamente il numero di confronti di un fattore 2, portandolo vicino a $\lg N! \approx N \lg N - N/\ln 2$, che corrisponde al minimo numero di confronti che un arbitrario algoritmo di ordinamento deve effettuare. Il metodo richiede la gestione di riferimenti ulteriori, e si rivela utile in pratica solo quando il costo dei confronti è relativamente alto (ad esempio, quando dobbiamo ordinare record le cui chiavi sono stringhe o altri oggetti complessi).

Un'altra idea è quella di costruire heap basati sulla rappresentazione tramite array di alberi ternari completi heap-ordinati, dove un nodo in posizione k è maggiore o uguale ai nodi nelle posizioni $3k - 1$, $3k$ e $3k + 1$, e minore o uguale al nodo in posizione $\lfloor (k + 1)/3 \rfloor$. Si tratta di trovare un compromesso fra la riduzione del costo derivante dalla minore altezza dell'albero e l'aumento del costo dovuto al dover determinare, per ogni nodo, il maggiore di 3 figli invece che di 2. Questo compromesso dipende dai dettagli dell'implementazione (Esercizio 9.31) e dalla frequenza relativa delle operazioni di inserimento, cancellazione del massimo e cambio di priorità.

La Figura 9.11 mostra lo Heapsort in esecuzione su un file casualmente ordinato. All'inizio il processo sembra fare tutt'altro che ordinare, perché gli elementi grandi sono spostati verso l'inizio del file durante la costruzione dello heap. Più avanti però il metodo sembra rispecchiare, come ci si attende, le operazioni dell'ordinamento per selezione. La Figura 9.12 mostra come differenti tipi di file di input possano produrre heap dalle caratteristiche iniziali curiose. Man mano che il processo di ordinamento evolve, però, gli heap assomigliano sempre più a un heap "casuale".

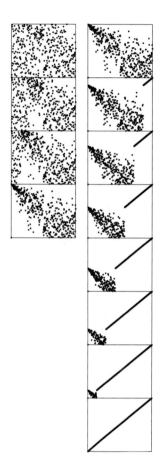

**Figura 9.11
Caratteristiche dinamiche dello Heapsort**

Il processo di costruzione (a sinistra) sembra "disordinare" il file invece che ordinarlo, perché sistema gli elementi grandi all'inizio. Il successivo processo di sortdown (a destra) opera come un ordinamento per selezione, mantenendo uno heap all'inizio del file e costruendo progressivamente l'array ordinato alla fine del file.

**Figura 9.12
Caratteristiche dinamiche
dello Heapsort su vari tipi
di file**

*Il tempo di calcolo dello Heapsort
non è particolarmente sensibile ai
dati in ingresso. Qualunque siano i
valori di input, il più grande elemento è sempre trovato in meno di $\lg N$
passi. Questi diagrammi mostrano file che sono, nell'ordine da sinistra a
destra, casuali, gaussiani, quasi ordinati, quasi ordinati in senso inverso e
casuali con 10 chiavi distinte. La seconda riga di diagrammi dall'alto
mostra lo heap costruito dall'algoritmo bottom-up, mentre i diagrammi
restanti mostrano il processo di sortdown per ciascuno dei file. All'inizio
gli heap rispecchiano un po' i file di
input, ma via via che si procede essi
assomigliano sempre più a heap su
file casuali.*

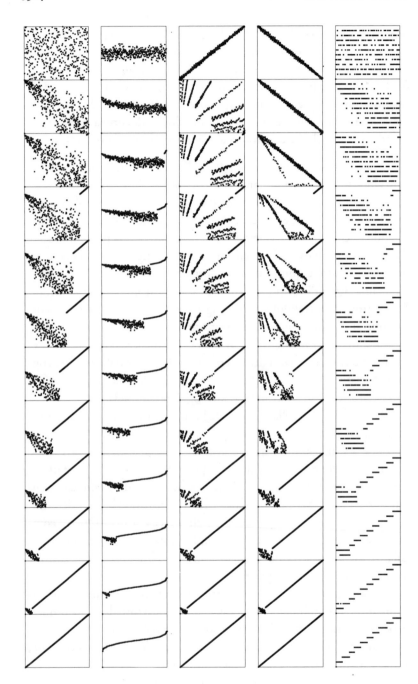

Tabella 9.2 Studio empirico di alcune versioni dello Heapsort

Sono indicati i tempi relativi per l'ordinamento di file costituiti da interi casuali. Le cifre nella parte sinistra della tabella confermano le nostre previsioni, basate sulla lunghezza del ciclo interno e sul fatto che lo Heapsort sia più lento del Quicksort, ma rimanga competitivo con il Mergesort. I tempi per le prime N parole del romanzo *Moby Dick* nella parte destra della tabella mostrano l'efficacia della variante di Floyd quando le operazioni di confronto sono costose.

N	chiavi intere a 32 bit					chiavi stringa		
	Q	M	PQ	H	F	Q	H	F
12500	22	21	53	23	24	106	141	109
25000	20	32	75	34	34	220	291	249
50000	42	70	156	71	67	518	756	663
100000	95	152	347	156	147	1141	1797	1584
200000	194	330	732	352	328			
400000	427	708	1690	818	768			
800000	913	1524	3626	1955	1851			

Legenda:

Q	Quicksort con gestione separata dei file piccoli
M	Mergesort con gestione separata dei file piccoli
PQ	Heapsort, basato su coda con priorità (Programma 9.6)
H	Heapsort, implementazione standard (Programma 9.7)
F	Heapsort con variante di Floyd

Chiaramente, in una data applicazione, siamo interessati al problema della scelta fra lo Heapsort, il Quicksort e il Mergesort. La scelta fra lo Heapsort e il Mergesort si riduce essenzialmente alla scelta fra un ordinamento non stabile (si veda l'Esercizio 9.28) e uno che richiede spazio di memoria aggiuntivo. La scelta fra lo Heapsort e il Quicksort si riduce alla scelta fra velocità nel caso medio e velocità nel caso peggiore. Avendo approfondito i metodi per migliorare i cicli interni del Quicksort e del Mergesort, pensiamo valga la pena di lasciare al lettore come esercizio il compito di migliorare il ciclo interno dello Heapsort. Rendere lo Heapsort più veloce del Quicksort è piuttosto difficile, come è indicato dallo studio empirico della Tabella 9.2. Il lettore interessato agli algoritmi di ordinamento efficienti troverà, comunque, istruttivo quest'esercizio. Al solito, le varie caratteristiche dei calcolatori e degli ambienti di programmazione in cui questi algoritmi vengono implementati possono giocare un ruolo importante. Ad esempio, il Quicksort e il Mergesort hanno una proprietà di località che li avvantaggia su alcune macchine. Quando i confronti sono molto costosi, la versione di Floyd è quella da scegliere, poiché è quasi ottimale in termini di tempo e spazio.

Esercizi

9.28 Mostrate che lo Heapsort non è stabile.

● **9.29** Determinate empiricamente la percentuale di tempo che lo Heapsort impiega nella fase di costruzione, per $N = 10^3, 10^4, 10^5, 10^6$.

9.30 Scrivete un'implementazione basata su Heapsort del nostro metodo `sort` standard, per ordinare il sottoarray `a[l], ..., a[r]`.

● **9.31** Implementate una versione dello Heapsort basata su un albero ternario completo organizzato a heap, come descritto nel testo. Comparate empiricamente il numero di confronti eseguiti dal vostro programma con quello dell'implementazione standard, per i valori $N = 10^3, 10^4, 10^5, 10^6$.

● **9.32** Continuando l'Esercizio 9.31, determinate empiricamente se il metodo di Floyd sia efficace o meno su heap ternari.

○ **9.33** Considerando il costo dei soli confronti e assumendo che ci vogliano t confronti per trovare il maggiore fra t elementi, determinate il valore di t che minimizza il coefficiente di $N \log N$ nel conto dei confronti, quando usiamo uno heap t-ario nello Heapsort. Utilizzate prima un'immediata generalizzazione del Programma 9.7, quindi usate il metodo di Floyd assumendo che esso faccia risparmiare un confronto nel ciclo interno.

○ **9.34** Fornite una sequenza di 32 chiavi che massimizza il numero di confronti eseguiti dallo Heapsort.

●● **9.35** Fornite una sequenza di 32 chiavi che minimizza il numero di confronti eseguiti dallo Heapsort.

9.36 Mostrate che costruire una coda con priorità di dimensione k e quindi eseguire $N - k$ sostituzioni del minimo (inserimento seguito da cancellazione del minimo), fa rimanere nello heap i k più grandi fra gli N elementi.

9.37 Implementate entrambe le versioni della selezione basata su heap discusse a proposito della Proprietà 9.6. Usate il metodo indicato nell'Esercizio 9.25. Comparate empiricamente il numero di confronti che esse effettuano con il numero di confronti effettuati dalla selezione basata sul Quicksort del Capitolo 7, per i valori $N = 10^6$ e $k = 10, 100, 1000, 10^4, 10^5, 10^6$.

● **9.38** Implementate una versione dello Heapsort basata sull'idea di rappresentare l'albero heap-ordinato in preordine invece che per livelli (level-order). Comparate empiricamente il numero di confronti effettuati da questa versione con il numero di confronti effettuati dall'implementazione standard su N chiavi casualmente ordinate, dove $N = 10^3, 10^4, 10^5, 10^6$.

9.5 ADT coda con priorità

In molte applicazioni delle code con priorità non è necessario spostare i record dalla loro posizione originale. Quello che si richiede al metodo non è di restituire un valore, ma semplicemente di informarci, ad esempio, su *quale* record abbia la priorità più alta. In altre parole, assegniamo priorità ai dati e usiamo le code con priorità al solo scopo di accedere ad altre informazioni in modo appropriato. Questo comportamento ricorda in un certo senso i concetti di *ordinamento indiretto* o di *ordinamento di puntatori* descritti nel Capitolo 6. In particolare, questo approccio si richiede per operazioni come il cambio della priorità o la cancellazione. Esamineremo qui un'implementazione di quest'idea in dettaglio, sia perché useremo le code con priorità in questo modo più avanti, sia perché si tratta di un tipico problema da affrontare nella progettazione di interfacce e implementazioni di ADT.

Quando vogliamo cancellare un elemento da una coda con priorità, come facciamo a specificarlo? Quando vogliamo mantenere più code con priorità, come organizziamo l'implementazione in modo da manipolare le code con priorità nella stessa maniera in cui manipoliamo altri tipi di dati? Domande di questo tipo sono l'oggetto del Capitolo 4. Il Programma 9.8 fornisce un'interfaccia generale per code con priorità, seguendo lo stile presentato nel Paragrafo 4.9. Il programma supporta la situazione in cui un client ha a disposizione chiavi e informazioni associate, ed è interessato principalmente ad accedere all'informazione associata alla chiave maggiore, ma potrebbe al contempo dover eseguire varie altre elaborazioni sugli oggetti contenuti nella coda. Tutte le operazioni si riferiscono a una particolare coda con priorità tramite uno handle (un puntatore a un oggetto la cui classe non è specificata). L'operazione di inserimento restituisce uno handle per ogni oggetto inserito nella coda dal programma client. Quest'organizzazione delle cose rende i client responsabili della memorizzazione degli handle, che potranno poi essere impiegati per specificare quali oggetti dovranno essere coinvolti nelle operazioni di cancellazione e cambio di priorità, e quali code con priorità dovranno essere coinvolte dalle operazioni tutte.

Programma 9.8   ADT completo coda con priorità

Quest'interfaccia per un ADT coda con priorità consente ai client di cancellare elementi e di cambiarne la priorità (usando handle agli oggetti forniti dall'implementazione), nonché di unire due code con priorità.

```
class PQfull // ADT interface
  { // implementations and private members hidden
    boolean empty()
    Object insert(ITEM)
    ITEM getmax()
    void change(Object, ITEM)
    void remove(Object)
    void join(PQfull)
  };
```

Si noti che questa strutturazione delle cose pone restrizioni tanto ai programmi client quanto all'implementazione. Il client non può accedere alle informazioni tramite handle, se non attraverso quest'interfaccia. Deve far uso degli handle nel modo appropriato: per un'implementazione non c'è alcun modo semplice di controllare un uso illegale, come ad esempio l'uso di uno handle a un oggetto che è già stato cancellato. D'altro canto, l'implementazione non ha la libertà di spostare le informazioni contenute nei vari oggetti in modo arbitrario, perché i programmi client posseggono handle a tali oggetti che potrebbero voler usare in futuro. La situazione diventerà più chiara nel momento in cui analizzeremo i particolari dell'implementazione. Al solito, qualunque sia il livello di dettaglio scelto per la nostra implementazione, un'interfaccia astratta come il Programma 9.8 è un buon punto di partenza per bilanciare le necessità delle applicazioni con quelle delle implementazioni.

L'implementazione delle operazioni di base di una coda con priorità tramite liste doppie non ordinate è data nei Programmi 9.9 e 9.10. La gran parte del codice effettua operazioni elementari su liste concatenate, come quelle presentate nel Paragrafo 3.3. L'implementazione dell'astrazione handle del client è degna di nota in questo contesto: il metodo `insert` restituisce un `Object`, che il client può solo interpretare come "riferimento a un oggetto di una qualche classe non specificata", dato che `Node`, il tipo effettivo dell'oggetto, è privato. In tale situazione un client può fare ben poco con quel riferimento, se non mantenerlo in una qualche struttura dati associata all'elemento che ha fornito co-

Programma 9.9 Coda con priorità basata su lista concatenata doppia non ordinata

Il programma contiene l'implementazione dei metodi costruttore, "testa se vuota" e inserimento provenienti dall'interfaccia del Programma 9.8 (si veda il Programma 9.10 per l'implementazione degli altri quattro metodi). Si mantiene una lista non ordinata con nodi in testa e in coda. Specifichiamo la classe Node come un nodo di una lista concatenata doppia (con una chiave e due link). I campi dei dati privati sono semplicemente i link in testa e in coda.

```
class PQfull
  {
    private static class Node
      { ITEM key; Node prev, next;
        Node(ITEM v)
          { key = v; prev = null; next = null; }
      }
    private Node head, tail;
    PQfull()
      {
        head = new Node(null);
        tail = new Node(null);
        head.prev = tail; head.next = tail;
        tail.prev = head; tail.next = head;
      }
    boolean empty()
      { return head.next.next == head; }
    Object insert(ITEM v)
      { Node t = new Node(v);
        t.next = head.next; t.next.prev = t;
        t.prev = head; head.next = t;
        return t;
      }
    ITEM getmax()
      // Vedi Programma 9.10
    void change(Object x, ITEM v)
      // Vedi Programma 9.10
    void remove(Object x)
      // Vedi Programma 9.10
    void join(PQfull p)
      // Vedi Programma 9.10
  }
```

me parametro a insert. Ma se il client ha necessità di cambiare la priorità della chiave dell'elemento o di cancellare l'elemento dalla coda con priorità, questo oggetto è esattamente ciò di cui l'implementazione ha

Programma 9.10   Coda con priorità basata su lista concatenata doppia non ordinata (continuazione)

Queste implementazioni di metodi completano l'implementazione della coda con priorità del Programma 9.9. L'operazione di cancellazione del massimo richiede di scandire l'intera lista, ma il costo del mantenimento di liste doppiamente concatenate è giustificato dal fatto che le operazioni di cambio di priorità, cancellazione e unione hanno tempo costante, usando solo operazioni elementari su liste (si veda il Capitolo 3 per maggiori informazioni sulle liste concatenate doppie).

I metodi `change` e `remove` prendono come parametro un riferimento a `Object`, che deve referenziare un oggetto di tipo (privato) `Node` (un client può ottenere tale riferimento solo da `insert`).

Possiamo anche rendere questa classe `Cloneable` e implementare un metodo `clone` per realizzare una copia dell'intera lista (si veda il Paragrafo 4.9), ma gli handle dei client agli oggetti non sarebbero validi per la copia. L'implementazione di `join` preleva i nodi della lista dai parametri in modo da includerli nel risultato finale, ma non esegue alcuna copia di nodi, quindi gli handle dei client rimangono validi.

```
ITEM getmax()
  { ITEM max; Node x = head.next;
    for (Node t = x; t.next != head; t = t.next)
      if (Sort.less(x.key, t.key)) x = t;
    max = x.key;
    remove(x);
    return max;
  }
void change(Object x, ITEM v)
  { ((Node) x).key = v; }
void remove(Object x)
  { Node t = (Node) x;
    t.next.prev = t.prev;
    t.prev.next = t.next;
  }
void join(PQfull p)
  {
    tail.prev.next = p.head.next;
    p.head.next.prev = tail.prev;
    head.prev = p.tail;
    p.tail.next = head;
    tail = p.tail;
  }
```

bisogno per realizzare queste operazioni: si esegue (tramite metodi appropriati) un cast a Node e si effettuano le necessarie modifiche. Non è difficile sviluppare altre implementazioni ugualmente immediate, usando altre rappresentazioni elementari (si veda, per esempio, l'Esercizio 9.40).

Come si è osservato nel Paragrafo 9.1, l'implementazione data nei Programmi 9.9 e 9.10 è adatta per applicazioni in cui la coda con priorità è piccola e le operazioni di determinazione o cancellazione del massimo sono poco frequenti. In caso contrario, un'implementazione basata su heap sarebbe da preferire. L'implementazione di swim e sink su alberi heap-ordinati con link espliciti, che mantenga l'integrità degli handle, è un problema che lasciamo al lettore come esercizio, dato che considereremo in modo approfondito due approcci alternativi nei Paragrafi 9.6 e 9.7.

Un ADT completo come il Programma 9.8 ha molti pregi, anche se qualche volta potrebbe essere più conveniente considerare strutturazioni diverse, con differenti restrizioni sui programmi client e sull'implementazione. Nel Paragrafo 9.6 tratteremo un esempio in cui il client ha la responsabilità del mantenimento dei record e delle chiavi, e le routine della coda con priorità si riferiscono a essi in modo indiretto.

Potrebbero essere opportune piccole variazioni dell'interfaccia. Ad esempio, potrebbe essere utile un metodo che restituisca il valore della chiave più alta, piuttosto che solo un modo di riferirsi alla chiave e all'informazione associata. Qui, entrano in gioco anche le questioni analizzate nei Paragrafi 4.9 e 4.10 circa la gestione della memoria e la semantica dell'operazione di copia. Non trattiamo l'operazione di copia, mentre per quella di unione la scelta che facciamo è solo una delle possibili (si vedano gli Esercizi 9.44 e 9.45).

È facile aggiungere tali procedure all'interfaccia del Programma 9.8, ma è ben più complicato sviluppare un'implementazione in cui siano garantite prestazioni logaritmiche per tutte le operazioni. Nelle applicazioni in cui la coda con priorità non diventa mai molto grande o in cui esiste un rapporto particolare fra la frequenza dell'operazione di inserimento e quella dell'operazione di cancellazione del massimo, sarebbe più utile disporre di un'interfaccia estremamente flessibile. D'altra parte, nelle applicazioni in cui la coda può diventare molto grande e in cui un incremento di prestazione di un fattore 10 o 100 diventa importante, potrebbe essere conveniente restringere l'insieme delle operazioni su cui si riescono a garantire buone prestazioni. Esiste una voluminosa letteratura scientifica circa la progettazione di algoritmi su code con priorità per diverse combinazioni di operazioni. Le code binomiali descritte nel Paragrafo 9.7 ne sono un importante esempio.

Esercizi

9.39 Quale implementazione di coda con priorità usereste per trovare i 100 numeri più piccoli in un insieme di 10^6 numeri casuali? Giustificate la risposta.

9.40 Fornite implementazioni simili ai Programmi 9.9 e 9.10 che usino liste concatenate doppie e ordinate. *Nota*: poiché i client hanno handle nella struttura dati, il vostro programma può modificare solo i link dei nodi (piuttosto che le chiavi).

9.41 Fornite implementazioni per le operazioni di inserimento e di cancellazione del massimo (interfaccia del Programma 9.1) usando alberi completi heap-ordinati rappresentati con link e nodi espliciti. *Nota*: poiché i client non hanno handle nella struttura dati, potete sfruttare il fatto che è più semplice scambiare i campi informazione nei nodi piuttosto che i nodi medesimi.

• **9.42** Fornite implementazioni per le operazioni di inserimento, cancellazione, cancellazione del massimo e cambio di priorità (interfaccia del Programma 9.8) usando alberi heap-ordinati rappresentati con link espliciti. *Nota*: poiché i client hanno handle nella struttura dati, quest'esercizio è più difficile dell'Esercizio 9.41, non solo perché i nodi devono avere link tripli, ma anche perché i vostri programmi possono modificare solo i link dei nodi (piuttosto che le chiavi).

9.43 Aggiungete un'implementazione immediata dell'operazione di unione all'implementazione dell'Esercizio 9.42.

○ **9.44** Supponete di aggiungere un metodo `clone` al Programma 9.8 (e di specificare che ogni implementazione implementa `Cloneable`). Aggiungete un'implementazione di `clone` ai Programmi 9.9 e 9.10, e scrivete un programma pilota che verifichi tanto la vostra interfaccia quanto la vostra implementazione.

• **9.45** Modificate interfaccia e implementazione dell'operazione di unione (*join*) dei Programmi 9.9 e 9.10 in modo che essa restituisca un `PQfull` (il risultato dell'unione dei due parametri).

9.46 Scrivete interfaccia e implementazione per una coda con priorità che supporti le operazioni di costruzione e di cancellazione del massimo usando tornei (Paragrafo 5.7). Il Programma 5.19 è una base per l'operazione di costruzione.

• **9.47** Aggiungete l'operazione di inserimento alla soluzione dell'Esercizio 9.46.

9.6 Code con priorità per array di programmi client

Si supponga che i record da elaborare nella coda con priorità siano contenuti in un array, residente in memoria da qualche parte. In questo caso, può essere utile far sì che le routine della coda con priorità facciano riferimento ai record tramite gli indici dell'array. Inoltre, possiamo usare l'indice dell'array come handle per implementare tutte le operazioni della coda. Un'interfaccia che segue questo approccio è illustrata nel Programma 9.11. La Figura 9.13, invece, mostra il modo in cui questo approccio potrebbe essere applicato a un piccolo esempio. Se non copiamo o facciamo particolari modifiche sui record, possiamo mantenere una coda con priorità contenente un sottoinsieme dei record.

L'uso di indici di un array già presente in memoria è un modo naturale di organizzare le cose, ma conduce a implementazioni che hanno un orientamento opposto a quello del Programma 9.8. Adesso, è il programma client che non può spostare liberamente le informazioni, perché le routine della coda con priorità gestiscono indici che si

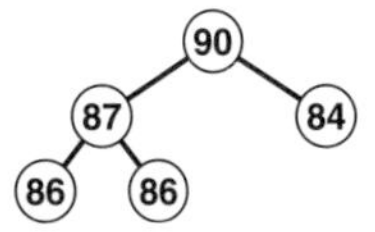

k	qp[k]	pq[k]	data[k]	
0			Wilson	63
1	5	3	Johnson	86
2	2	2	Jones	87
3	1	4	Smith	90
4	3	9	Washington	84
5		1	Thompson	65
6			Brown	82
7			Jackson	61
8			White	76
9	4		Adams	86
10			Black	71

Figura 9.13
Heap di indici

Manipolando indici, piuttosto che record direttamente, possiamo costruire una coda con priorità su un sottoinsieme dei record nell'array. In questo esempio, uno heap di dimensione 5 nell'array pq *contiene gli indici degli studenti con voto maggiore. Quindi* data[pq[1]].name *contiene Smith, il nome dello studente con il voto più alto, e così via. Un array inverso* qp *consente alle routine della coda con priorità di trattare gli indici dell'array come handle. Ad esempio, se dobbiamo cambiare il voto di Smith da 90 a 85, cambiamo il contenuto di* data[3].grade *e, quindi, chiamiamo* PQchange(3). *L'implementazione della coda con priorità accede al record in* pq[qp[3]] *(o* pq[1], *dato che* qp[3]=1) *e alla nuova chiave in* data[pq[1]].name *(o* data[3].name, *perché* pq[1]=3).*

Programma 9.11 Interfaccia per ADT coda con priorità per elementi indice

Invece di costruire una struttura dati a partire dagli elementi, quest'interfaccia fornisce i mezzi per costruire una coda con priorità che usa gli indici in un array utente. Il costruttore prende come parametro un riferimento a un array, mentre i metodi di inserimento, cancellazione del massimo, cambio di priorità e cancellazione utilizzano tutti indici nell'array e confrontano componenti dell'array tramite il metodo less di ITEM. Ad esempio, il programma client potrebbe definire less in modo tale che less(i,j) sia il risultato del confronto fra data[i].grade e data[j].grade.

```
class PQi // interfaccia di ADT
  { // implementazioni e membri privati nascosti
    PQi(Array)
    boolean empty()
    void insert(int)
    int getmax()
    void change(int)
    void remove(int)
  };
```

Programma 9.12 Coda con priorità basata su heap di indici

Quest'implementazione del Programma 9.11 tratta pq come array di indici in un qualche array di un client. Manteniamo la posizione nello heap del k-esimo elemento dell'array in qp[k]. Questo meccanismo ci permette di implementare operazioni di cambio di priorità (Figura 9.14) e cancellazione (Esercizio 9.49). Il codice mantiene l'invariante pq[qp[k]]=qp[pq[k]]=k per tutti gli indici k nello heap (si veda la Figura 9.13). I metodi less ed exch sono metodi chiave per l'implementazione: essi consentono di usare lo stesso codice di sink e swim degli heap standard.

```
class PQi
  {
    private boolean less(int i, int j)
      { return a[pq[i]].less(pq[j]); }
    private void exch(int i, int j)
      { int t = pq[i]; pq[i] = pq[j]; pq[j] = t;
        qp[pq[i]] = i; qp[pq[j]] = j;
      }
    private void swim(int k)
      // Programma 9.3
    private void sink(int k, int N)
      // Programma 9.4
    private ITEM[] a;
    private int[] pq, qp;
    private int N;
    PQi(ITEM[] items)
      { a = items; N = 0;
        pq = new int[a.length+1];
        qp = new int[a.length+1];
      }
    boolean empty()
      { return N == 0; }
    void insert(int v)
      { pq[++N] = v; qp[v] = N; swim(N); }
    int getmax()
      { exch(1, N); sink(1, N-1); return pq[N--]; }
    void change(int k)
      { swim(qp[k]); sink(qp[k], N); }
  };
```

riferiscono a dati memorizzati dal client. Dal canto suo, l'implementazione non deve usare indici che non siano stati precedentemente forniti dal client.

Per sviluppare un'implementazione, adottiamo lo stesso approccio seguito per l'ordinamento di indici nel Paragrafo 6.8. Manipoliamo indici e definiamo l'operazione less in modo tale che i confronti si riferiscano all'array del client. Vi sono, però, ulteriori complicazioni dovute alla necessità delle routine della coda di tener traccia degli oggetti, in modo da poterli recuperare quando il programma client si riferisce a essi tramite uno handle (in questo caso l'indice di un array). A tale scopo, aggiungiamo un secondo array di indici per memorizzare la posizione delle chiavi all'interno della coda con priorità. Per rendere locale il mantenimento di questo array, conveniamo di spostare i dati solo attraverso l'operazione exch, che andrà poi definita in modo opportuno.

Il Programma 9.12 è un'implementazione basata su heap di questo approccio, che differisce dal Programma 9.5 in modo lieve. Vale, comunque, la pena di studiarla, data la sua grande utilità pratica. Chiameremo la struttura dati costruita da questo programma *heap di indici*. Come al solito, non facciamo alcun controllo di errore, assumendo (ad esempio) che gli indici stiano sempre nel range di valori opportuno, e che l'utente non tenti mai di inserire in una coda piena o cancellare da una coda vuota. Scrivere codice per questi controlli è del tutto elementare.

Possiamo seguire lo stesso approccio per ogni coda con priorità che usi una rappresentazione con array (si vedano, ad esempio, gli Esercizi 9.50 e 9.51). Il principale svantaggio di quest'uso dell'indirezione è lo spazio aggiuntivo richiesto. La dimensione dell'array di indici deve essere pari alla dimensione dell'array dei dati, mentre la dimensione massima della coda con priorità può essere di molto inferiore. Un altro modo di costruire una coda con priorità, a partire da dati contenuti in un array, è quello di far sì che il programma client costruisca record contenenti una chiave e un indice di array come informazione associata, oppure quello di usare una classe per chiavi indice con un metodo less proprio. In tal modo, se l'implementazione dovesse usare una struttura concatenata come rappresentazione (come, ad esempio, quella dei Programmi 9.9 e 9.10 o dell'Esercizio 9.42), lo spazio occupato dalla coda con priorità sarà proporzionale al massimo numero di elementi nella coda in ogni momento. Questi approcci sono da preferire al Programma 9.12, se lo spazio di memoria deve essere risparmiato e la coda con priorità coinvolge solo una modesta frazione dell'array dei dati.

Il confronto di questo approccio con quello del Paragrafo 9.5 svela differenze essenziali nella progettazione di ADT. Nel primo caso (ad esempio, i Programmi 9.9 e 9.10), l'allocazione e deallocazione della memoria per le chiavi, la modifica dei valori delle chiavi, e così via rimangono a carico dell'implementazione della coda con priorità. L'ADT fornisce al

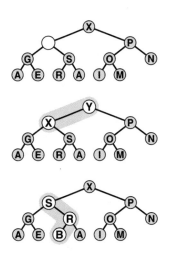

**Figura 9.14
Cambio di priorità
di un nodo in uno heap**

Il diagramma in alto mostra un albero che è heap-ordinato tranne che, eventualmente, in un dato nodo. Se il nodo è più grande del padre, esso deve migrare verso l'alto, esattamente come illustrato nella Figura 9.3. Questa situazione è indicata nel diagramma di mezzo, dove la Y si sposta verso l'alto (si potrebbe, in generale, arrestare prima di aver raggiunto la radice). Se il nodo è più piccolo del maggiore dei due figli, allora deve migrare verso il basso, come indicato nella Figura 9.4. La situazione è illustrata nel diagramma sotto, dove la B si sposta in basso (e si potrebbe, in generale, arrestare prima di aver raggiunto il fondo). Possiamo usare questa procedura in due modi: come base per l'operazione di cambio di priorità su heap, allo scopo di ripristinare i vincoli dello heap, dopo il cambiamento della chiave di un nodo, oppure come base per l'operazione di cancellazione su heap, per ripristinare di nuovo i vincoli dello heap violati, dopo aver scambiato la chiave in un dato nodo con quella del nodo più a destra nell'ultimo livello.

client gli handle agli elementi, e il client accede a essi solo tramite chiamate alle routine della coda con priorità usando handle come parametri. Nel secondo caso (ad esempio, il Programma 9.12), il programma client ha la responsabilità di chiavi e record, mentre le routine della coda con priorità accedono a quest'informazione solo tramite gli handle forniti dall'utente (indici di array, nel caso del Programma 9.12). Entrambi gli approcci richiedono la cooperazione fra client e implementazione.

Vogliamo sottolineare che in questo libro siamo interessati a una cooperazione che vada al di là di quella che è richiesta dai meccanismi del linguaggio di programmazione. In particolare, vogliamo che le prestazioni dell'implementazione tengano conto della frequenza con cui le varie operazioni vengono eseguite dal client. Un modo di assicurare questo connubio è quello di elaborare implementazioni per le quali si possano garantire le prestazioni nel caso peggiore, ricordando che si possono risolvere più facilmente molti problemi spostando la richiesta di buone prestazioni con implementazioni più semplici.

Esercizi

9.48 Supponete che un array sia riempito con le chiavi E A S Y Q U E S T I O N. Date il contenuto degli array pq e qp, dopo che queste chiavi sono state inserite usando il Programma 9.12 a partire da uno heap vuoto.

○ **9.49** Aggiungete l'operazione di cancellazione al Programma 9.12.

9.50 Implementate l'ADT coda con priorità per elementi indice (si veda il Programma 9.11), usando un array ordinato come rappresentazione della coda.

9.51 Implementate l'ADT coda con priorità per elementi indice (si veda il Programma 9.11), usando un array non ordinato come rappresentazione della coda.

○ **9.52** Dato un array a di N elementi, considerate un albero binario completo di $2N$ elementi (rappresentato come un array pq) contenente indici dell'array e con le seguenti proprietà: (1) per $i = 0 \ldots N - 1$, vale che pq[N+i]=i; (2) per $i = 1 \ldots N - 1$, vale che pq[i]= pq[2*i] se a[pq[2*i]]> a[pq[2*i+1]], e che pq[i] = pq[2*i+1] altrimenti. Tale struttura si chiama torneo di heap di indici, perché combina le caratteristiche degli heap di indici e dei tornei (si veda il Programma 5.19). Fornite un torneo di heap di indici che corrisponda alle chiavi E A S Y Q U E S T I O N.

○ **9.53** Implementate l'ADT coda con priorità per elementi indice (si veda il Programma 9.11), usando un torneo di heap di indici (Esercizio 9.46).

9.7   Code binomiali

Nessuna delle implementazioni fin qui considerate fa sì che le operazioni di unione (*join*), cancellazione del massimo e inserimento siano tutte efficienti nel caso peggiore. Le liste concatenate non ordinate consentono unione e inserimento veloci, ma cancellazione del massimo lenta. Le liste concatenate ordinate permettono una veloce cancellazione del massimo, ma hanno inserimento e unione lente. Gli heap hanno inserimenti e cancellazione del massimo veloci, ma una unione lenta. Per altri casi si consulti la Tabella 9.1. Nelle applicazioni in cui le operazioni di unione sono frequenti o coinvolgono code di grandi dimensioni, è necessario considerare strutture dati più sofisticate.

In questo contesto, per "efficiente" intendiamo operazioni con costo al più logaritmico nel caso peggiore. Questa restrizione sembrerebbe escludere la rappresentazione per array, poiché possiamo realizzare l'unione di due array solo spostando tutti gli elementi di almeno uno di essi. La rappresentazione tramite liste concatenate doppie non ordinate del Programma 9.9 esegue l'unione in tempo costante, ma richiede la scansione dell'intera lista (nel caso peggiore) per la cancellazione del massimo. Le liste concatenate doppie e ordinate (Esercizio 9.40) consentono la cancellazione del massimo in tempo costante, ma richiedono tempo lineare per fondere due liste con una join.

Numerose strutture dati sono state sviluppate per supportare efficienti implementazioni di tutte le operazioni delle code con priorità. La maggior parte di esse si basano su rappresentazioni concatenate dirette di alberi heap-ordinati. Per spostarsi in un albero verso il basso sono necessari due link (sia verso i figli in un albero binario che verso il primo figlio e il prossimo fratello nella rappresentazione binaria di un albero generale); mentre un link al padre è necessario per spostarsi verso l'alto. Sviluppare implementazioni di heap-ordinamento che funzionino su ogni struttura (heap-ordinata) ad albero rappresentata con nodi e link espliciti o in altro modo, è generalmente immediato. La difficoltà risiede piuttosto nelle operazioni dinamiche come inserimento, cancellazione e unione, che impongono la modifica della struttura dell'albero. Differenti strutture dati sono basate su differenti strategie per modificare la struttura dell'albero, mantenendolo bilanciato. Gli algoritmi usano alberi che sono più flessibili degli alberi completi, ma mantengono tali alberi sufficientemente bilanciati da assicurare tempi di calcolo logaritmici.

Mantenere una struttura a tre link potrebbe risultare pesante; assicurare che una data implementazione gestisca in modo corretto tre puntatori in tutte le circostanze potrebbe essere complicato (si veda l'Esercizio 9.41). Inoltre, in molti casi concreti è difficile capire a priori se ci sia l'effettivo bisogno di un'implementazione che renda tutte le operazioni efficienti. Quindi, vale forse la pena di valutare prima con attenzione, per non imbattersi poi in complicate implementazioni. D'altra parte, è anche difficile capire se è possibile fare a meno di implementazioni efficienti, e se siano giustificati gli sforzi fatti nel garantire la velocità di esecuzione di tutte le operazioni della coda con priorità. Indipendentemente da queste considerazioni, il passo ulteriore che ci porta da uno heap a una struttura dati che assicura l'efficienza di inserimento, cancellazione e unione è affascinante e vale la pena di studiarlo con attenzione.

Anche rappresentando gli alberi con una struttura concatenata, i vincoli dello heap e il fatto che l'albero debba essere completo sembrano richieste troppo esigenti per consentire implementazioni efficienti dell'operazione di unione. Dati due alberi heap-ordinati, come facciamo a fonderli in un solo albero heap-ordinato? Ad esempio, se il primo albero ha 1023 nodi e il secondo ne ha 255, come possiamo fonderli in un albero di 1278 nodi, senza toccare più di 10 o 20 nodi? In generale, sembra impossibile fondere due alberi heap-ordinati, se l'albero risultante deve essere sia heap-ordinato che completo. Sono state sviluppate nel corso del tempo sofisticate strutture dati che indeboliscono le condizioni di heap-ordinamento e bilanciamento completo per guadagnare la flessibilità necessaria a un'efficiente operazione di unione. Considereremo in seguito un'ingegnosa soluzione a questo problema, chiamata *coda binomiale*, sviluppata da Vuillemin nel 1978.

Per iniziare, notiamo che l'operazione di unione diventa banale se è da applicarsi a un particolare tipo di albero con una condizione di heap-ordinamento rilassata.

Definizione 9.4 *Un albero binario con chiavi si dice **heap-ordinato a sinistra** se la chiave di ciascun nodo è maggiore o uguale a tutte le chiavi del sottoalbero di sinistra di quel nodo (purché tale sottoalbero abbia nodi).*

Definizione 9.5 *Uno **heap potenza di 2** è un albero heap-ordinato a sinistra formato da un nodo radice con sottoalbero destro vuoto e sottoalbero sinistro completo. L'albero che corrisponde a uno heap potenza di 2 tramite la rappresentazione "left-child, right-sibling" (cioè, link sinistro al figlio e link destro al fratello) del Paragrafo 5.4, è detto **albero binomiale**.*

Alberi binomiali e heap potenza di 2 sono equivalenti. Faremo uso di entrambe le rappresentazioni perché gli alberi binomiali sono leggermente più semplici da visualizzare, mentre la rappresentazione per heap

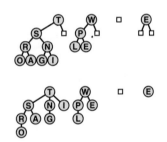

Figura 9.15
Una coda binomiale di dimensione 13

Una coda binomiale di dimensione N è una lista di heap potenza di 2 heap-ordinati a sinistra, uno per ciascun bit uguale a 1 della rappresentazione binaria di N. Quindi, una coda binomiale di dimensione 13 = 1101_2 è formata da un 8-heap, un 4-heap e un 1-heap. Qui, è mostrata la rappresentazione per heap potenza di 2 che sono heap-ordinati a sinistra (in alto) e la rappresentazione per alberi binomiali heap-ordinati (in basso) della stessa coda binomiale.

Programma 9.13 Unione di due heap potenza di 2 della stessa dimensione

Dobbiamo cambiare solo alcuni link per combinare due heap potenza di 2 della stessa dimensione in uno heap potenza di 2 di dimensione doppia. Questo metodo, definito come metodo privato nell'implementazione, è una delle chiavi dell'efficienza delle code binomiali.

```
static Node pair(Node p, Node q)
  {
    if (p.item.less(q.item))
      { p.r = q.l; q.l = p; return q; }
    else { q.r = p.l; p.l = q; return p; }
  }
```

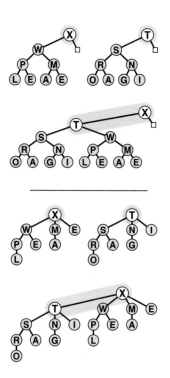

potenza di 2 conduce a implementazioni più semplici. Sfruttiamo in particolare i seguenti fatti, che sono conseguenze immediate delle definizioni date:

- il numero di nodi in uno heap potenza di 2 è una potenza di 2

- nessun nodo ha chiave più grande di quella della radice

- gli alberi binomiali sono heap-ordinati.

La banale operazione su cui gli algoritmi per code binomiali si fondano è quella dell'unione di due heap potenza di 2 aventi il medesimo numero di nodi. Il risultato dell'unione è uno heap con il doppio dei nodi, piuttosto facile da creare. La Figura 9.16 illustra la situazione. Il nodo radice con chiave maggiore diventa la radice del nuovo albero, mentre l'altra radice diventa figlio sinistro di questa nuova radice. Il sottoalbero sinistro della prima radice diventa il sottoalbero destro dell'altra radice. Data una rappresentazione concatenata per gli alberi, l'unione può eseguirsi in tempo costante. Semplicemente, aggiorniamo due link in cima. Un'implementazione di questa operazione è data nel Programma 9.13. Si tratta di un'operazione basilare nella soluzione generale proposta da Vuillemin.

Definizione 9.6 *Una **coda binomiale** è un insieme di heap potenza di 2 aventi tutti dimensioni distinte. La struttura di una coda binomiale è determinata dal numero di nodi della coda, in base alla corrispondenza con la rappresentazione binaria dei numeri interi.*

**Figura 9.16
Unione di due heap potenza di 2 della stessa dimensione**

Uniamo due heap potenza di due (in alto), prendendo come radice la maggiore delle due radici e ponendo il sottoalbero (sinistro) di quella radice come sottoalbero destro dell'altra radice. Se gli operandi hanno 2^n nodi, l'unione dà luogo a una coda con 2^{n+1} nodi. Se gli operandi sono heap-ordinati a sinistra, allora il risultato sarà ancora heap-ordinato a sinistra, e con la chiave maggiore nella radice. Sotto la riga orizzontale è mostrata la rappresentazione per albero binomiale heap-ordinato della stessa operazione.

Figura 9.17
Inserimento di un nuovo elemento in una coda binomiale

L'aggiunta di un nuovo elemento in una coda binomiale di 7 nodi è analoga all'esecuzione dell'addizione binaria $111_2 + 1 = 1000_2$, con riporto a ogni bit. Il risultato è la coda binomiale in basso, con un 8-heap e posti vuoti per 4-heap, 2-heap e 1-heap.

Programma 9.14   Inserimento in una coda binomiale

Per inserire un nodo in una coda binomiale dobbiamo prima costruire con quel nodo un 1-heap, quindi vederlo come un 1-heap di riporto e iterare il processo seguente, iniziando da $i = 0$: se la coda non ha 2^i-heap, poniamo il 2^i-heap di riporto nella coda; altrimenti, combiniamo quello heap con quello nuovo (usando il metodo `pair` del Programma 9.13) per formare un 2^{i+1}-heap, incrementiamo i e iteriamo fino a trovare una posizione vuota nella coda. Quando c'è un riporto nel link nullo in fondo all'array, invochiamo `grow` per aumentare la dimensione dell'array di 1 e poniamo il link nullo nella nuova posizione (si veda il testo).

```
Object insert(ITEM v)
  { Node t = new Node(v), c = t;
    for (int i = 0; i < bq.length+1; i++)
      {
        if (c == null) break;
        if (i == bq.length-1) bq = grow(bq);
        if (bq[i] == null) { bq[i] = c; break; }
        c = pair(c, bq[i]); bq[i] = null;
      }
    return t;
  }
```

Una coda binomiale di N elementi possiede uno heap potenza di 2 per ogni bit 1 nella rappresentazione binaria di N. Ad esempio, una coda binomiale di 13 nodi comprende un 8-heap (cioè, uno heap con 8 elementi) un 4-heap e un 1-heap (si veda la Figura 9.15). Esistono al più lg N heap potenza di 2 in una coda binomiale di dimensione N, tutti di altezza non maggiore di lg N.

In virtù delle Definizioni 9.5 e 9.6, rappresentiamo gli heap potenza di 2 (e gli handle agli elementi) come link a nodi contenenti chiavi e due link (come l'esplicita rappresentazione ad albero dei tornei della Figura 5.10). Inoltre, rappresentiamo le code binomiali come array di heap potenza di 2, includendo i membri privati seguenti nella nostra implementazione del Programma 9.8:

```
private static class Node
  { ITEM item; Node l, r;
    Node(ITEM v)
      { item = v; l = null; r = null; }
  }
private Node[] bq;
```

Programma 9.15 Cancellazione del massimo in una coda binomiale

Per prima cosa leggiamo i nodi radice per trovare il massimo, procedendo poi a rimuovere dalla coda lo heap potenza di 2 contenente il massimo. Quindi, rimuoviamo il nodo radice contenente il massimo dal suo heap potenza di 2 e costruiamo una coda binomiale temporanea che contenga le parti rimanenti di questo heap. Infine, usiamo l'operazione di unione per combinare questa coda binomiale con quella originale.

```
ITEM getmax()
  { int i, max; ITEM v = null;
    for (i = 0, max = -1; i < bq.length; i++)
      if (bq[i] != null)
        if ((max == -1) || v.less(bq[i].item))
          { max = i; v = bq[max].item; }
    Node[] temp = new Node[max+1]; temp[max] = null;
    Node x = bq[max].l; bq[max] = null;
    for (i = max-1; i >= 0; i--)
      { temp[i] = x; x = x.r; temp[i].r = null; }
    bq = BQjoin(bq, temp);
    return v;
  }
```

Gli array non sono grandi e gli alberi non sono alti, e questa rappresentazione è sufficientemente flessibile da consentire implementazioni di tutte le operazioni di una coda con priorità in meno di lg N passi.

Ogni link nell'array bq è un link a uno heap potenza di 2: bq[i] è nullo oppure è un link a un 2^i-heap. Durante le evoluzioni della coda, la lunghezza dell'array cresce e decresce, anche se in modo molto meno frequente: ad esempio, la lunghezza dell'array aumenta di 1 solo dopo che la coda raddoppia di dimensione. Risulta conveniente, come vedremo, far sì che l'ultimo link sia nullo; cominciamo, quindi, con un array di dimensione 1, composto da un link nullo

```
PQfull()
  { bq = new Node[1]; bq[0] = null; }
```

adottando la convenzione secondo la quale una coda è vuota se e solo se l'array ha lunghezza 1.

Consideriamo ora l'operazione di inserimento. Il processo di inserimento di un nuovo elemento in una coda binomiale rispecchia esattamente il processo di incremento di un numero binario. Per incre-

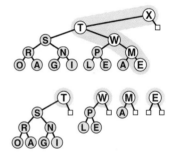

**Figura 9.18
Cancellazione del massimo in uno heap potenza di 2**

Togliendo la radice si ottiene una foresta di heap potenza di 2, tutti heap-ordinati a sinistra e con radici provenienti dall'estrema destra dell'albero. Quest'operazione permette di cancellare il massimo elemento da una coda binomiale: si toglie la radice dello heap potenza di 2 (la radice contiene il massimo elemento), e poi si usa l'operazione di unione per combinare la coda binomiale risultante con i restanti heap potenza di 2 nella coda binomiale d'origine.

mentare un numero binario ci spostiamo da destra a sinistra, cambiando 0 in 1 per il riporto associato alla somma $1 + 1 = 10_2$, fino a raggiungere lo 0 più a destra che verrà cambiato in 1. In modo analogo, per aggiungere un nuovo elemento a una coda binomiale, ci spostiamo da destra verso sinistra fondendo heap corrispondenti a bit uguali a 1 con uno "heap di riporto", fino al raggiungimento della posizione più a destra in cui è possibile inserire lo heap di riporto.

Più in particolare, per inserire un nuovo elemento nella coda costruiamo un 1-heap contenente il solo nuovo elemento. Quindi, se N è pari (bit più a destra uguale a 0), inseriamo semplicemente questo 1-heap nella posizione più a destra della coda binomiale. Se N è dispari (bit più a destra uguale a 1), uniamo l'1-heap contenente il nuovo elemento con l'1-heap che si trova nella posizione più a destra della coda, ottenendo quindi un 2-heap di riporto. Se la posizione corrispondente a 2 nella coda binomiale è vuota, inseriamo lì il 2-heap di riporto, altrimenti uniamo il 2-heap di riporto con il 2-heap già presente nella coda realizzando un 4-heap di riporto, e così via, fino a quando non incontriamo una posizione vuota nella coda. Il processo è illustrato nella Figura 9.17, mentre il Programma 9.14 fornisce un'implementazione.

Quando aggiungiamo un elemento a una coda binomiale con 2^k-1 elementi per formarne una di 2^k elementi, c'è un riporto nel link nullo in fondo all'array, che sostituiamo con un albero binomiale di dimensione 2^k (i link restanti sono nulli). Per rispettare le nostre convenzioni anche in questo caso, dobbiamo aggiungere un link nullo alla fine, e ciò richiede l'aumento della lunghezza dell'array di 1. Il Programma 9.14 invoca perciò il metodo grow, che è facile da implementare (Esercizio 9.62).

Anche altre operazioni sulla coda binomiale sono più facili da comprendere, se si tiene a mente l'analogia con l'aritmetica binaria. Come vedremo, l'implementazione dell'operazione di unione corrisponde alla somma di numeri binari.

Per il momento assumeremo di disporre di un metodo (efficiente) per l'unione, che sia organizzato in modo da fondere la coda con priorità referenziata dal secondo operando con la coda con priorità referenziata dal primo operando (e lasciando il risultato nel primo operando). Tramite questo metodo potremo implementare l'operazione di inserimento con una chiamata al metodo di unione, dove un operando è una coda binomiale di dimensione 1 (si veda l'Esercizio 9.66).

Anche l'operazione di cancellazione del massimo può implementarsi tramite una chiamata alla funzione di unione. Per determinare il massimo elemento nella coda binomiale, scandiamo gli heap potenza

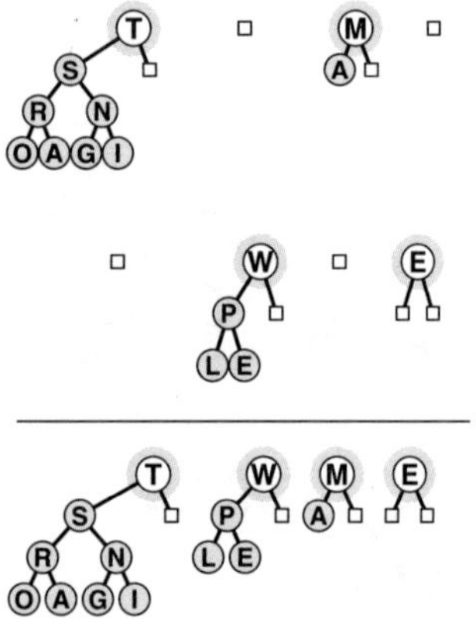

Figura 9.19
Unione di due code binomiali (senza riporto)

Quando due code binomiali che devono essere unite non hanno heap potenza di 2 della stessa dimensione, l'operazione di unione diventa una semplice fusione. L'operazione è analoga alla somma di due numeri binari in cui non si incontra mai un 1 + 1 (cioè, in cui non si incontra mai un riporto). Qui, una coda binomiale di 10 nodi è fusa con una di 5 nodi per ottenerne una di 15 nodi. Ciò corrisponde alla somma $1010_2 + 0101_2 = 1111_2$.

di 2 nella coda. Ciascuno di questi heap è heap-ordinato a sinistra, quindi il loro massimo elemento si trova alla radice. La radice maggiore fra tutte è, quindi, il massimo elemento della coda binomiale. Non essendoci più di lg N heap nella coda, il tempo totale nel caso peggiore è al più pari a lg N.

Per eseguire la cancellazione del massimo, osserviamo che la rimozione della radice di un 2^k-heap che è heap-ordinato a sinistra produce k heap potenza di 2 heap-ordinati a sinistra (un 2^{k-1}-heap, un 2^{k-2}-heap, ecc.), che possiamo agevolmente riorganizzare in una coda binomiale di dimensione $2^k - 1$. La Figura 9.18 illustra la situazione. Quindi, per completare la cancellazione del massimo, possiamo usare l'operazione di unione per combinare questa coda binomiale con il resto della coda originale. L'implementazione è data nel Programma 9.15.

Come facciamo a fondere due code binomiali? Per prima cosa, notiamo che l'operazione è banale se le due code non contengono due heap potenza di 2 di pari dimensione (si veda la Figura 9.19): semplicemente, fondiamo gli heap a partire dalle due code binomiali per ottenere una singola coda binomiale. Una coda di dimensione 10 (formata da un 8-heap e un 2-heap) e una coda di dimensione 5 (formata da un 4-heap e da un 1-heap), semplicemente, si fondono per ottenere una coda di dimensione 15 (formata da un 8 heap, un 4-heap, un 2-heap e un 1-heap). Il caso più generale segue dalla diretta analogia con l'operazione di somma di numeri binari, gestendo il riporto. La Figura 9.20 ne è un'illustrazione.

Ad esempio, quando sommiamo una coda di dimensione 7 (formata da un 4-heap, un 2-heap e un 1-heap) a una coda di dimensione 3 (formata da un 2-heap e un 1-heap), otteniamo una coda di dimensione 10 (formata da un 8-heap e un 2-heap). Per realizzare la somma dobbiamo fondere gli 1-heap generando un 2-heap di riporto, quindi fondere i 2-heap producendo un 4-heap di riporto, e ancora fondere i 4-heap per ottenere un 8-heap. Il processo ricalca la somma binaria $011_2 + 111_2 = 1010_2$. L'esempio della Figura 9.19 è più semplice di quello della Figura 9.20, perché è analogo alla somma $1010_2 + 0101_2 = 1111_2$, in cui non si devono gestire riporti.

Questa diretta analogia con l'aritmetica binaria conduce anche a una naturale implementazione dell'operazione di unione (Programma 9.16). Per ogni bit, vi sono otto casi da considerare, uno per ciascuno degli otto possibili valori dei tre bit coinvolti (il bit di riporto e i due bit negli operandi). Il codice è più complicato di quello dell'addizione di numeri, perché qui dobbiamo gestire heap distinguibili, piuttosto che bit (indistinguibili). In ogni modo, i vari casi sono piuttosto immediati. Ad esempio, se i tre bit sono a 1, dobbiamo lasciare uno heap nella

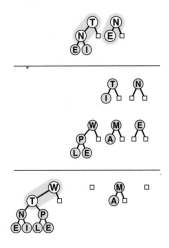

Figura 9.20
Unione di due code binomiali

Sommare una coda binomiale di 3 nodi a una di 7 nodi ne fa ottenere una di 10 nodi. Il procedimento seguito imita quello della somma binaria $011_2 + 111_2 = 1010_2$. Sommando N a E si ottiene come risultato un 1-heap vuoto e un 2-heap di riporto contenente sia N che E. Quindi, sommando i tre 2-heap si ottiene come risultato un 2-heap e un 4-heap di riporto che contiene T N E I. Questo 4-heap è sommato all'altro 4-heap, producendo la coda binomiale che è riportata nella parte in basso. Si noti che solo alcuni nodi sono interessati da questo processo.

Programma 9.16   Unione (join) di due code binomiali

Il codice ricalca le operazioni necessarie per sommare due numeri binari. Procedendo da destra a sinistra con un bit di riporto inizialmente a 0, trattiamo gli otto possibili casi (i possibili valori dei bit degli operandi e del bit di riporto) in modo immediato. Ad esempio, `case 3` corrisponde al caso in cui entrambi i bit degli operandi sono 1 e il bit di riporto è 0. Il risultato è 0, ma il riporto è 1 (il risultato della somma dei due bit degli operandi).

Se necessario, scambiamo i riferimenti per far sì che a referenzi la coda con la rappresentazione per array più grande, e incrementiamo o decrementiamo la dimensione dell'array di a per il risultato. Se c'è un riporto nell'ultimo link (nullo) nel caso 4 invochiamo `grow`, mentre se il penultimo link diventa nullo dopo l'operazione invochiamo `shrink`.

Come `pair`, questo è un metodo privato nell'implementazione, che viene invocato da `getmax` e `join`. L'implementazione del metodo dell'ADT `join(PQfull p)` diventa così l'invocazione `BQjoin(bq, p.bq)`.

```
static int bit(Node x)
  { return x == null ? 0 : 1; }
static int bits(Node C, Node B, Node A)
  { return 4*bit(C) + 2*bit(B) + 1*bit(A); }
static Node[] BQjoin(Node[] a, Node[] b)
  { Node c = null;
    if (a.length < b.length)
      { Node[] t = a; a = b; b = t; }
    for (int i = 0; i < b.length; i++)
      switch(bits(c, b[i], a[i]))
        {
        case 2: a[i] = b[i]; break;
        case 3: c = pair(a[i], b[i]);
                a[i] = null; break;
        case 4: if (i == a.length-1) a = grow(a);
                a[i] = c; c = null; break;
        case 5: c = pair(c, a[i]);
                a[i] = null; break;
        case 6:
        case 7: c = pair(c, b[i]); break;
        }
    if (a[a.length-1] == null) a = shrink(a);
    return a;
  }
```

coda binomiale risultato e unire gli altri due heap per produrre il riporto per la successiva posizione. Invero, questa operazione ci porta nel vivo degli ADT: resistiamo (appena) alla tentazione di formulare il Programma 9.16 come una procedura di somma binaria puramente astratta, per la quale l'implementazione della coda binomiale non sarebbe altro che un programma client della più complicata addizione di bit presentata nel Programma 9.13.

Eseguiamo un'operazione di unione dopo aver ridotto la dimensione della coda binomiale di 1. Se il penultimo link risulta essere nullo, possiamo ridurre la dimensione dell'array di 1, poiché l'ultimo link del risultato è nullo. Il Programma 9.16 invoca per questo il metodo shrink, che è facile da implementare (Esercizio 9.62).

Proprietà 9.7 *Tutte le operazioni dell'ADT coda con priorità possono essere implementate tramite code binomiali in modo tale da richiedere tutte $O(\lg N)$ passi su una coda di N elementi.*

Questi limiti sulle prestazioni sono gli obiettivi della progettazione di questa struttura dati. Essi sono dirette conseguenze del fatto che le implementazioni hanno tutte solo uno o due cicli sulle radici degli alberi della coda binomiale. ∎

Un'altra possibilità, che porta a un'implementazione leggermente più semplice, è quella di mantenere costante il numero di alberi nella coda (Esercizio 9.64), in modo che il tempo di esecuzione di tutti i metodi sia proporzionale a questo numero (il logaritmo della dimensione massima della coda binomiale).

Proprietà 9.8 *La costruzione di una coda binomiale tramite N inserimenti a partire da una coda vuota richiede $O(N)$ confronti nel caso peggiore.*

Per la metà degli inserimenti (in cui la dimensione della coda è pari e non c'è l'1-heap) non sono richiesti confronti. Per la restante metà degli inserimenti, quando non c'è il 2-heap è richiesto un solo confronto, quando non c'è il 4 -heap sono richiesti due confronti, e così via. Quindi, il numero totale di confronti è minore di $0 \cdot N/2 + 1 \cdot N/4 + 2 \cdot N/8 + \ldots < N$. ∎

Le code binomiali forniscono prestazioni garantite, benché esistano strutture dati con prestazioni ancora migliori (tempo costante per alcune operazioni). Si tratta di un problema interessante e attivamente studiato nell'area della progettazione di strutture dati. D'altro canto, è bene osservare che l'utilità pratica di molte di queste esoteriche strutture dati è modesta. Per impiegare in modo conveniente una struttura dati nella pratica, dobbiamo assicurare nelle prestazioni l'esistenza di "colli di bottiglia", che possano evitarsi solo riducendo il tempo di calcolo di alcune operazioni della coda con priorità, prima di gettarci ciecamente nell'implementazione di soluzioni complesse. In effetti, per applicazioni reali, sarebbe da preferire una struttura dati elementare per la messa a punto dei programmi e per supportare code piccole, passando all'uso di heap quando vogliamo velocizzare le operazioni (a meno che non sia richiesta un'unione veloce), ricorrendo infine alle code binomiali per garantire prestazioni logaritmiche di tutte le operazioni. Tutto sommato, un pacchetto per code con priorità che usi code binomiali ci pare una preziosa aggiunta a una qualunque libreria software.

Esercizi

▷ **9.54** Disegnate una coda binomiale di dimensione 29, usando la rappresentazione per alberi binomiali.

● **9.55** Scrivete un programma per disegnare la rappresentazione per albero binomiale di una coda binomiale a partire dalla dimensione N (disegnate solo nodi connessi da archi e non chiavi).

9.56 Fornite la coda binomiale che risulta dopo l'inserimento delle chiavi E A S Y Q U E S T I O N in una coda inizialmente vuota.

9.57 Fornite la coda binomiale che risulta dopo l'inserimento delle chiavi E A S Y in una coda inizialmente vuota. Fornite, inoltre, la coda binomiale risultante dall'inserimento delle chiavi Q U E S T I O N in una coda binomiale inizialmente vuota. Quindi, mostrate il risultato dell'operazione di cancellazione del massimo su entrambe le code. Infine, mostrate il risultato dell'unione delle due code rimaste.

9.58 Usando le convenzioni dell'Esercizio 9.1, fornite la serie di code binomiali prodotte dalla sequenza di operazioni

$$P R I O * R * * I * T * Y * * * Q U E * * * U * E$$

su una coda binomiale inizialmente vuota.

9.59 Usando le convenzioni dell'Esercizio 9.2, fornite la serie di code binomiali prodotte dalla sequenza di operazioni

$$(((P R I O *) + (R * I T * Y *)) * * *) + (Q U E * * * U * E)$$

su una coda binomiale inizialmente vuota.

9.60 Dimostrate che un albero binomiale con 2^n nodi ha $\binom{n}{i}$ nodi al livello i, per $0 \leq i \leq n$ (ciò è all'origine del nome dato agli alberi binomiali).

▷ **9.61** Fornite un'implementazione di `empty()` che sia adatta all'implementazione della coda binomiale data nel testo.

9.62 Implementate i metodi `grow` e `shrink` che, rispettivamente, incrementano e decrementano di 1 la dimensione di un array di `Node` lasciando un link nullo nell'ultima posizione (shrink dovrebbe lanciare un'eccezione, se ciò non accadesse).

9.63 Modificate l'implementazione di coda binomiale data nel testo per rappresentare le code tramite oggetti Java Vector anziché array.

○ **9.64** Sviluppate un'implementazione della coda binomiale che usi un array di dimensione fissata, in modo che grow e shrink non siano necessarie, ma consentendo che tutte le operazioni abbiamo tempo di calcolo proporzionale alla dimensione dell'array.

○ **9.65** Modificate la vostra soluzione in modo che la Proprietà 9.7 rimanga valida, mantenendo un puntatore sentinella che indichi il punto in cui i cicli devono terminare.

• **9.66** Implementate l'operazione di inserimento per code binomiali, usando esplicitamente solo l'operazione di unione.

•• **9.67** Implementate le operazioni di cambio di priorità e cancellazione per code binomiali. *Nota*: avrete bisogno di aggiungere ai nodi un terzo link che punti verso l'alto.

• **9.68** Aggiungete un'implementazione di clone alle implementazioni delle code binomiali dei Programmi dal 9.13 al 9.16, e verificatela con il vostro programma pilota dell'Esercizio 9.44.

• **9.69** Confrontate empiricamente le code binomiali con gli heap, quando le due strutture dati devono costituire la base di algoritmi di ordinamento (come nel Programma 9.6). Usate file casuali di chiavi di dimensione $N = 1000$, 10^4, 10^5, 10^6.

• **9.70** Sviluppate un metodo di ordinamento sul posto come lo Heapsort, ma che sia basato su code binomiali. *Suggerimento*: si veda l'Esercizio 9.38.

Ordinamento digitale

P ER MOLTI PROBLEMI DI ORDINAMENTO, le chiavi usate
per definire l'ordine dei record possono essere piuttosto complesse
(come, ad esempio, le chiavi usate in un elenco del telefono o nel cata-
logo di una biblioteca). Per essere indipendenti da queste complicazioni
e isolare l'essenza dei metodi di ordinamento studiati, abbiamo fatto sì
che i nostri algoritmi usassero solo operazioni di base per il confronto di
chiavi e lo scambio di record (celando tutti i dettagli sulla manipolazione delle chiavi all'interno di questi metodi). Abbiamo considerato tali operazioni come un'interfaccia astratta fra molti dei metodi di ordinamento
presentati nei Capitoli dal 6 al 9 e le loro applicazioni. In questo capitolo, esamineremo un'astrazione differente per le chiavi. Elaborare l'intera
chiave a ogni passo di un algoritmo di ordinamento è spesso eccessivo:
per cercare il numero di telefono di una persona in un elenco telefonico,
infatti, controlliamo solo le prime lettere del suo cognome per trovare la
pagina giusta. Per poter fare altrettanto nell'ordinamento, passeremo dal-
l'operazione astratta in cui confrontiamo chiavi a un'astrazione in cui scomponiamo le chiavi in sequenze di sottochiavi di dimensione fissata. I numeri binari sono sequenze di bit, le stringhe sono sequenze di caratteri, i
numeri decimali sono sequenze di cifre: molte chiavi (ma non tutte) possono essere viste in questo modo. I metodi di ordinamento che si basano sull'elaborazione di numeri un pezzo per volta sono detti metodi di
ordinamento digitale (*radix sort*). Questi metodi non eseguono solo confronti tra chiavi, essi elaborano e confrontano anche porzioni di chiavi.

Negli ordinamenti digitali le porzioni di chiave hanno dimensione fissata, quindi esiste un numero fissato di valori distinti che ciascuna porzione di chiave può assumere. Spesso, accade che gli R distinti
valori che ciascuna porzione di chiave può assumere siano gli interi 0,
1, ... , $R-1$. Quindi, i nostri algoritmi tratteranno le chiavi come nu-

meri rappresentati in base R, per diversi valori di R (la cosiddetta *radice*), e lavoreranno con singole cifre di tali numeri. Ad esempio, una macchina in un ufficio postale potrebbe elaborare una sequenza di pacchi sui quali è scritto un codice a 5 cifre decimali, distribuendo i pacchi in 10 pile: il primo per i pacchi che hanno numeri che iniziano per 0, il secondo per i pacchi con numeri che iniziano per 1, e così via. Se necessario, le pile possono essere trattate individualmente usando lo stesso metodo sulla successiva cifra decimale oppure usando un metodo ancor più semplice, se vi sono pochi pacchi in quella pila. Se estraiamo i pacchi dalle pile in ordine da 0 a 9, rispettando l'ordine all'interno di ciascuna pila (dopo che questa è stata elaborata), otterremo una sequenza ordinata. Questa procedura è un semplice esempio di ordinamento digitale con radice $R = 10$, ed è il metodo da usare in molte applicazioni reali dell'ordinamento in cui le chiavi sono numeri decimali da 5 a 10 cifre, come ad esempio codici postali o numeri telefonici. Spiegheremo dettagliatamente tale metodo nel Paragrafo 10.3.

Nelle varie applicazioni occorre scegliere il valore di R in modo appropriato. In questo capitolo ci concentreremo principalmente su chiavi che sono interi (in Java, dati di uno dei tipi predefiniti `byte`, `char`, `short`, `int`, `long`) o stringhe (in Java, oggetti `String`), casi in cui gli ordinamenti digitali sono ampiamente utilizzati. Per gli interi, data la loro rappresentazione binaria nei calcolatori, lavoriamo spesso con R pari a 2 o a una qualche potenza di 2. Questa scelta permette, infatti, di scomporre le chiavi in sottochiavi indipendenti. Per chiavi formate da stringhe di caratteri usiamo $R = 2^8$ o $R = 2^{16}$, allineando la radice con la dimensione del byte. Oltre a queste applicazioni immediate, possiamo trattare virtualmente qualsiasi oggetto rappresentabile in un calcolatore digitale come sequenza binaria, e possiamo riformulare molti problemi di ordinamento che usano altri tipi di chiavi per consentire l'uso dei metodi di ordinamento digitale operanti su chiavi che sono numeri binari.

Gli algoritmi di ordinamento digitale sono basati sull'operazione astratta "estrai l'i-esima cifra dalla chiave". Fortunatamente Java fornisce operatori a basso livello che consentono di implementare tale operazione in modo immediato ed efficiente. Questo fatto è significativo perché alcuni linguaggi del passato (ad esempio, il Pascal), nell'incoraggiare la scrittura di programmi indipendenti dalla macchina, rendevano intenzionalmente difficile la stesura di programmi dipendenti dalla rappresentazione dei numeri nel calcolatore. In questi linguaggi, era difficile implementare molti tipi di manipolazioni sui bit che, in effetti, funzionano bene su molti computer. L'ordinamento digitale in particolare fu, per un certo tempo, una conseguenza di questa filosofia "progressista". Ma i progettisti dei linguaggi C, C++ e Java riconobbero che la possibilità di manipolare direttamente i bit si rivelava spesso utile in pratica, motivo per cui, al fine di implementare l'ordinamento digitale, noi trarremo vantaggio dagli strumenti a basso livello che il linguaggio mette a disposizione.

È necessario anche un buon supporto hardware, che non può certo essere dato per scontato. Alcune macchine forniscono operazioni efficienti per accedere a dati piccoli, mentre altre rallentano in modo significativo proprio su queste operazioni. Mentre i metodi di ordinamento digitale possono essere espressi semplicemente nei termini dell'operazione astratta di estrazione della i-esima cifra, il problema di ottenere prestazioni di picco da un algoritmo di ordinamento digitale può costituire un'interessante introduzione agli ambienti hardware e software in cui scriviamo i nostri programmi.

Per quanto riguarda l'ordinamento digitale, vi sono due approcci di base fondamentalmente differenti. La prima classe di metodi comprende algoritmi che esaminano le cifre nelle chiavi in ordine da sinistra a destra, usando per prime le cifre più significative. Questi metodi sono generalmente chiamati ordinamenti digitali MSD (*Most Significant Digit*, "cifra più significativa"). Gli ordinamenti digitali MSD sono vantaggiosi perché esaminano la minima quantità di informazione necessaria a eseguire l'ordinamento (si veda la Figura 10.1). Essi generalizzano il Quicksort perché agiscono partizionando il file da ordinare in funzione delle prime cifre delle chiavi, applicando ricorsivamente lo stesso metodo ai file parziali ottenuti. In effetti, quando la radice è 2 implementiamo l'ordinamento digitale MSD in modo simile al Quicksort. La seconda classe di metodi di ordinamento digitale è fondamentalmente diversa: essi esaminano le cifre nelle chiavi da destra a sinistra, partendo quindi dalle cifre meno significative. Questi metodi sono generalmente chiamati ordinamenti digitali LSD (*Least Significant Digit*, "cifra meno significativa"). I metodi LSD non sono molto intuitivi, poiché impiegano tempo su cifre che non possono influenzare il risultato finale. È facile però migliorare le cose in questo contesto, rendendo gli ordinamenti digitali LSD i metodi più adatti in molte applicazioni di ordinamento.

10.1 Bit, byte e parole

Il punto cruciale per comprendere l'ordinamento digitale è quello di rilevare che: (1) generalmente, i calcolatori sono costruiti per elaborare bit in gruppi detti parole (o *word*) della macchina, organizzati spesso in gruppi più piccoli detti *byte*; (2) anche le chiavi sono spesso orga-

.396465048	.015583409	.0
.353336658	.159072306	.1590
.318693642	.159369371	.1593
.015583409	.269971047	.2
.159369371	.318693642	.31
.691004885	.353336658	.35
.899854354	.396465048	.39
.159072306	.538069659	.5
.604144269	.604144269	.60
.269971047	.691004885	.69
.538069659	.899854354	.8

**Figura 10.1
Ordinamento digitale MSD**

Ciascuno degli 11 numeri fra 0 e 1 di questa lista (a sinistra) ha 9 cifre decimali, per un totale di 99 cifre decimali. Possiamo però ordinarli (al centro), esaminando solo 22 cifre in totale (a destra).

nizzate come sequenza di byte; (3) i byte possono anche servire come indici di array o indirizzi della macchina. Quindi, risulterà conveniente per noi lavorare con le seguenti astrazioni.

Definizione 10.1   *Un **byte** è una sequenza di bit di lunghezza fissata. Una **stringa** è una sequenza di byte di lunghezza non prestabilita. Una **parola** è una sequenza di byte di lunghezza fissata.*

Nell'ordinamento digitale e dipendentemente dal contesto, una chiave può essere una parola o una stringa. Alcuni algoritmi di ordinamento digitale dipendono dal fatto che le chiavi abbiano lunghezza fissata (parole), mentre altri sono fatti in modo da adattarsi alla situazione in cui le chiavi hanno lunghezza variabile (stringhe).

Una macchina tipica ha byte di 8 o 16 bit e parole di 32 o 64 bit. Il linguaggio Java ha tipi predefiniti dove il numero di bit di rappresentazione è esplicitamente specificato. In questo capitolo, useremo tuttavia i nomi *byte*, *stringa* e *parola* in senso generico, perché per i nostri scopi risulterà più utile considerare varie altre lunghezze di byte e parole (di solito, multipli interi o frazioni dei byte o delle parole della macchina). Nel definire il numero di bit contenuti in un byte e in una parola, faremo uso di costanti che dipendono tanto dalla macchina quanto dalla particolare applicazione:

```
static final int bitsword = 32;
static final int bitsbyte = 8;
static final int bytesword = bitsword/bitsbyte;
static final int R = 1 << bitsbyte;
```

Abbiamo incluso in queste definizioni anche la costante R, che è il numero di possibili valori dei byte. Nell'usare tali definizioni, assumiamo generalmente che bitsword sia un multiplo di bitsbyte, che il numero di bit contenuti in una parola della macchina non sia inferiore a (e solitamente sia uguale a) bitsword, e che i byte siano accessibili in modo individuale.

Molti computer posseggono operazioni bit a bit di *and* ("congiunzione logica") e di *shift* ("scorrimento"), che consentono di estrarre byte da parole. In Java possiamo esprimere direttamente l'operazione di estrazione del *B*-esimo byte di una chiave intera *A* come segue:

```
static int digit(int key, int B)
{ return (key >> bitsbyte*(bytesword-B-1)) & (R-1); }
```

Ad esempio, questo metodo estrae il byte 2 (il terzo byte da sinistra) in un numero di 32 bit effettuando uno scorrimento a destra di $32 - 3 * 8 = 8$ bit, e quindi usando la maschera 00000000000000000000000011111111 per mettere a zero tutti i bit tranne quelli del byte desiderato (gli 8 bit a destra).

Macchine differenti hanno diverse convenzioni circa il riferimento ai bit e ai byte. In questa sede intendiamo i bit all'interno di una parola come numerati da sinistra a destra, da 0 a `bitsword-1`, e i byte all'interno di una parola ancora numerati da sinistra a destra, da 0 a `bytesword-1`. In entrambi i casi, assumiamo che la numerazione vada dal più significativo al meno significativo.

Un'altra possibilità in molte macchine è quella di far sì che la radice sia allineata con la dimensione dei byte, in modo tale che un singolo accesso faccia ottenere rapidamente i bit giusti. Quest'operazione è supportata direttamente per gli oggetti `String` in Java: fissiamo R a 2^{16} (dato che gli oggetti `String` sono sequenze di caratteri Unicode a 16 bit), e accediamo al B-esimo carattere di una `String st` sia tramite una singola invocazione `st.charAt(B)` sia (dopo aver utilizzato `toChar-Arry` per trasformare stringhe in chiavi che corrispondono ad array di caratteri) tramite un singolo accesso ad array. Questo approccio in Java può essere adottato anche per i numeri, dato che abbiamo la garanzia che lo stesso schema di rappresentazione numerica sarà impiegato su tutte le macchine virtuali. In ogni caso, dobbiamo essere a conoscenza del fatto che in alcune implementazioni le operazioni di accesso al byte possono essere realizzate tramite scorrimento e mascheramento simili a quelli appena presentati.

A un livello di astrazione leggermente diverso, possiamo vedere le chiavi come numeri e i byte come cifre. Data una chiave rappresentata come numero, l'operazione fondamentale richiesta dall'ordinamento digitale è quella di estrarre una cifra dal numero. Quando la radice è una potenza di 2, le cifre sono gruppi di bit a cui possiamo aver accesso direttamente attraverso una delle macro appena trattate. Infatti, la ragione principale per cui usiamo radici che sono potenze di 2 è quella di rendere agevole l'accesso ai gruppi di bit. In alcuni ambienti di programmazione è possibile usare anche altre radici. Ad esempio, se a è un intero positivo, la b-esima cifra (da destra) della rappresentazione in base R di a è

$$\lfloor a/R^b \rfloor \bmod R.$$

In un calcolatore orientato alle computazioni numeriche a elevate prestazioni, questo calcolo potrebbe essere altrettanto veloce che nel caso particolare $R = 2$.

Un altro punto di vista è quello di pensare alle chiavi come a numeri fra 0 e 1 con un punto decimale implicito a sinistra (Figura 10.1).

In questo caso, la *b*-esima cifra (da sinistra) di *a* è pari a

$$\lfloor aR^b \rfloor \bmod R.$$

Se stiamo usando una macchina in cui queste operazioni possono svolgersi efficientemente, allora possiamo utilizzarle come base per il nostro ordinamento digitale. Questo modello si applica anche quando le chiavi hanno lunghezza variabile (stringhe).

Quindi, nel resto di questo capitolo, intendiamo le chiavi come numeri in base R (con `bitsword`, `bitsbyte` ed `R` non specificati), e usiamo il metodo `digit` per accedere alle cifre delle chiavi, con la sicurezza di poter sviluppare implementazioni veloci di `digit` per particolari applicazioni. Come abbiamo fatto per `less`, possiamo implementare `digit` all'interno della nostra classe `myItem` come metodo con un solo parametro singolo, e quindi implementare un `digit` statico a due parametri che invochi tale metodo. Per elementi di tipo predefinito possiamo anche sostituire il nome di tipo predefinito al nome del tipo degli elementi all'interno del codice e utilizzare un'implementazione diretta di `digit` come quella analizzata prima in questo paragrafo. Per chiarezza, quando R è uguale a 2 useremo il nome `bit` al posto di `digit`.

Definizione 10.2   *Una **chiave** è un numero in base R, le cui cifre sono numerate da sinistra a destra, iniziando da 0.*

Alla luce degli esempi appena trattati, possiamo essere abbastanza sicuri che questa astrazione ammetta implementazioni efficienti per molte applicazioni sulla maggior parte dei calcolatori, sebbene si debba stare attenti, in generale, ad assicurare che ciò valga per una particolare implementazione eseguita in un particolare ambiente hardware-sotfware.

Assumiamo che le chiavi non siano troppo corte, in modo tale che valga la pena estrarne i bit. Su chiavi corte potremmo usare il "key-indexed counting" del Capitolo 6. Si ricordi che questo metodo può ordinare N chiavi intere fra 0 ed $R - 1$ in tempo lineare, allocando una tabella ausiliaria di dimensione R per i conteggi e un'altra di dimensione N per il riordinamento dei record. Quindi, se possiamo tollerare una tabella di dimensione 2^w, allora le chiavi a w bit potrebbero facilmente essere ordinate in tempo lineare. In effetti, il key-indexed counting è alla base dei metodi elementari di ordinamento digitale MSD e LSD. L'ordinamento digitale diventa conveniente quando le chiavi sono sufficientemente lunghe (diciamo $w = 64$) da rendere impraticabile l'allocazione di una tabella di 2^w elementi.

Esercizi

▷ **10.1** Quante cifre otteniamo, quando un valore a 32 bit è visto come un numero in base $R = 256$? Descrivete un modo per estrarre ogni cifra. Rispondete poi alla stessa domanda per $R = 2^{16}$.

▷ **10.2** Fornite la più piccola dimensione di byte che consenta a ogni numero fra 0 ed N di essere rappresentato da una parola di 4 byte, dove $N = 10^3$, 10^6 e 10^9.

▷ **10.3** Implementate una classe wordItem che estenda l'ADT myItem del Paragrafo 6.2 in modo da includere un metodo digit, come descritto nel testo (insieme alle costanti bitsword, bitsbyte, bytesword, R) per chiavi di 64 bit e byte di 8 bit.

▷ **10.4** Implementate una classe bitsItem che estenda l'ADT myItem del Paragrafo 6.2 in modo da includere un metodo bit, come descritto nel testo (insieme alle costanti bitsword, bitsbyte, bytesword, R) per chiavi di 10 bit e byte di 1 bit.

○ **10.5** Implementate un metodo di confronto less usando l'astrazione digit. Ciò consente, ad esempio, di eseguire sugli stessi dati studi empirici di confronto fra gli algoritmi dei Capitoli 6 e 9 e i metodi di questo capitolo.

○ **10.6** Progettate e realizzate un esperimento per confrontare il costo dell'estrazione di cifre, usando sulla vostra macchina operazioni di scorrimento di bit e operazioni aritmetiche. Quante cifre al secondo siete in grado di estrarre usando i due metodi? *Nota*: siate cauti, il vostro compilatore potrebbe convertire le operazioni aritmetiche in operazioni di scorrimento o viceversa.

● **10.7** Scrivete un programma che, dato un insieme di N numeri decimali ($R = 10$) casuali distribuiti uniformemente fra 0 e 1, calcoli il numero di confronti fra cifre necessari per ordinare i numeri, nel senso illustrato dalla Figura 10.1. Eseguite il vostro programma per $N = 10^3$, 10^4, 10^5 e 10^6.

● **10.8** Rispondete all'Esercizio 10.7 per $R = 2$, usando valori casuali a 32 bit.

● **10.9** Rispondete all'Esercizio 10.7 per il caso in cui i numeri seguano una distribuzione gaussiana.

10.2 Quicksort binario

Supponiamo di poter riorganizzare i record di un file in modo tale che tutti i record le cui chiavi iniziano con il bit 0 precedano tutti quelli le cui chiavi iniziano con il bit 1. Possiamo, quindi, usare un metodo di ordinamento ricorsivo che è una variante di Quicksort (Capitolo 7): partizioniamo il file in questo modo, poi ordiniamo i due sottofile indipendentemente. Per riordinare il file scandiamo da sinistra per trovare una chiave che inizia con 1, scandiamo dalla destra per trovare una chiave che

Programma 10.1 Quicksort binario

Questo programma ordina oggetti di tipo `bitsItem`, una classe che consente l'accesso ai bit delle chiavi (si veda l'Esercizio 10.4). Si tratta di un metodo ricorsivo che partiziona un file sulla base dei bit iniziali delle chiavi, e quindi ordina i sottofile ricorsivamente. La variabile `d` registra il bit esaminato, iniziando da `0` (estrema sinistra). Quando il partizionamento si arresta, abbiamo che `j` è uguale a `i` e che tutti gli elementi alla destra di `a[i]` hanno un bit 1 nella `d`-esima posizione e tutti gli elementi alla sinistra di `a[i]` hanno un bit 0 nella `d`-esima posizione. L'elemento `a[i]` avrà un 1, a meno che tutte le chiavi nel file abbiano uno 0 in posizione `d`. Un test ulteriore appena dopo il ciclo di partizionamento si occupa di questo caso.

```
static void
quicksortB(bitsItem[] a, int l, int r, int d)
  { inti = l, j = r;
    if (r <= l || d > bitsItem.bitsword) return;
    while (j != i)
      {
        while (bit(a[i], d) == 0 && (i < j)) i++;
        while (bit(a[j], d) == 1 && (j > i)) j--;
        exch(a, i, j);
      }
    if (bit(a[r], d) == 0) j++;
    quicksortB(a, l, j-1, d+1);
    quicksortB(a, j, r, d+1);
  }
```

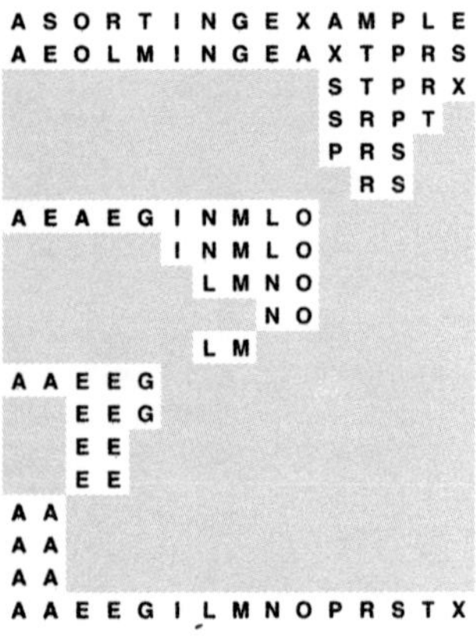
A S O R T I N G E X A M P L E
A E O L M I N G E A X T P R S
S T P R X
S R P T
P R S
R S
A E A E G I N M L O
I N M L O
L M N O
N O
L M
A A E E G
E E G
E E
E E
A A
A A
A A
A A E E G I L M N O P R S T X

Figura 10.2
Esempio di Quicksort binario

Il partizionamento in base al primo bit non garantisce che vi sarà almeno un valore messo al suo posto. Esso garantisce solo che tutte le chiavi con bit iniziale 0 verranno prima di tutte le chiavi con bit iniziale 1. Si confronti questo diagramma con quello della Figura 7.1, sebbene le operazioni del partizionamento siano oscure in assenza della rappresentazione binaria delle chiavi. La Figura 10.3 fornisce i dettagli che spiegano precisamente i punti di partizionamento.

inizia con 0, scambiamo le chiavi e continuiamo fino a che i puntatori si incrociano. Questo metodo di ordinamento è spesso chiamato nella letteratura *ordinamento per scambio di radici* (*radix-exchange sort*). Qui useremo il nome di *Quicksort binario* per enfatizzare che è una semplice variante dell'algoritmo inventato da Hoare, anche se è stato in effetti scoperto prima del Quicksort (si vedano i riferimenti bibliografici).

Il Programma 10.1 è un'implementazione completa di questo metodo. Il processo di partizionamento è essenzialmente quello del Programma 7.2, tranne che per l'uso del numero 2^b come elemento di partizionamento invece di una chiave del file. Dato che 2^b può non appartenere al file, non c'è garanzia che almeno un elemento sia sistemato nella sua posizione finale durante il partizionamento. L'algoritmo differisce anche dal normale Quicksort per il fatto che le chia-

A	00001	A	00001	A	00001	A	00001	A	00001	A	00001	A	00001
S	10011	E	00101	E	00101	A	00001	A	00001	A	00001	A	00001
O	01111	O	01111	A	00001	E	00101	E	00101	E	00101	E	00101
R	10010	L	01100	E	00101	E	00101	E	00101	E	00101	E	00101
T	10100	M	01101	G	00111	G	00111	G	00111	G	00111	G	00111
I	01001	I	01001	I	01001	I	01001	I	01001	I	01001	I	01001
N	01110	N	01110	N	01110	N	01110	N	01110	L	01100	L	01100
G	00111	G	00111	M	01101	M	01101	M	01101	M	01101	M	01101
E	00101	E	00101	L	01100	L	01100	L	01100	N	01110	N	01110
X	11000	A	00001	O	01111	O	01111	O	01111	O	01111	O	01111
A	00001	X	11000	S	10011	S	10011	P	10000	P	10000	P	10000
M	01101	T	10100	T	10100	R	10010	R	10010	R	10010	R	10010
P	10000	P	10000	R	10010	P	10000	S	10011	S	10011	S	10011
L	01100	R	10010	P	10000	T	10100	T	10100	T	10100	T	10100
E	00101	S	10011	X	11000	X	11000	X	11000	X	11000	X	11000

Figura 10.3
Esempio di Quicksort binario (con bit delle chiavi espliciti)

Questa figura è derivata dalla Figura 10.2, trasformando le chiavi nella loro rappresentazione binaria, comprimendo la tabella in modo tale che gli ordinamenti dei sottofile indipendenti siano mostrati come se fossero eseguiti in parallelo e, infine, trasponendo righe e colonne. La prima fase suddivide il file in un sottofile le cui chiavi iniziano per 0 e un sottofile le cui chiavi iniziano per 1. Quindi, il primo sottofile è suddiviso in un sottofile le cui chiavi iniziano per 00 e un altro le cui chiavi iniziano per 01. In modo indipendente, l'altro sottofile è suddiviso in un sottofile con chiavi che iniziano per 10 e un sottofile con chiavi che iniziano per 11. Il processo si arresta quando i bit sono esauriti (per chiavi duplicate, in questo esempio) oppure quando i sottofile hanno dimensione unitaria.

mate ricorsive operano su chiavi più corte di un bit. Si tratta di una differenza importante per le prestazioni. Ad esempio, quando in un file di N elementi ci si trova dinanzi a una partizione degenere, si otterrà una chiamata ricorsiva su un sottofile di dimensione N nel quale le chiavi sono più corte di un bit. Quindi, il numero di tali chiamate è limitato superiormente dal numero di bit nelle chiavi. Al contrario, l'uso continuo di un elemento di partizionamento che non appartiene al file può far ottenere una ricorsione infinita nel Quicksort standard.

Analogamente a ciò che accade per il Quicksort standard, anche qui esistono diverse opzioni per implementare il ciclo interno. Nel Programma 10.1 i test per verificare che i puntatori si siano incrociati sono inclusi in entrambi i cicli interni. Ciò porta a uno scambio aggiuntivo nel caso $i = j$. Come nel Programma 7.2, questo si sarebbe potuto evitare con un `break`, sebbene in questo caso lo scambio di a[i] con se stesso sia ininfluente. L'alternativa è quella di usare chiavi sentinella.

La Figura 10.2 illustra le operazioni del Programma 10.1 su un piccolo file di esempio. Si confronti con la Figura 7.1 che si riferisce al Quicksort standard. La Figura 10.2 mostra gli spostamenti di dati, ma non il *motivo* per cui questi spostamenti sono effettuati; ciò dipende, in effetti, dalla rappresentazione binaria delle chiavi. Una visione più dettagliata dello stesso esempio è offerta dalla Figura 10.3. Questo esempio assume che le lettere siano codificate con un semplice codice a 5 bit, dove l'i-esima lettera dell'alfabeto è codificata tramite la rappresentazione binaria del numero i. Questa codifica è una versione semplificata dei reali codici dei caratteri che usano più bit (7, 8 o anche 16) per rappresentare un set di caratteri più ampio (lettere maiuscole e minuscole, numeri e simboli speciali).

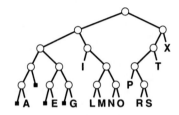

Figura 10.4
Trie di partizionamento
per il Quicksort binario

Questo albero descrive la struttura di partizionamento per il Quicksort binario corrispondente alle Figure 10.2 e 10.3. Dato che non c'è garanzia che un qualche elemento sia sistemato nella sua posizione finale, le chiavi appaiono solo come nodi esterni dell'albero. La struttura possiede la seguente proprietà: seguendo il cammino dalla radice a una chiave, associando 0 a un ramo di sinistra e 1 a un ramo di destra, si ottiene la sequenza di bit iniziali della chiave. Questi bit sono esattamente quelli che distinguono la chiave dalle altre chiavi durante l'ordinamento. I quadratini neri rappresentano partizioni vuote (ciò accade quando tutte le chiavi vanno dall'altra parte perché hanno tutte gli stessi bit iniziali). In questo caso il fenomeno si verifica solo vicino al fondo dell'albero, anche se potrebbe accadere più in alto. Ad esempio, se I o X non ci fossero, in questo disegno i loro nodi sarebbero sostituiti da un nodo nullo. Si noti che le chiavi duplicate (A ed E) non possono essere separate dal partizionamento (l'ordinamento le pone nello stesso sottofile solo quando tutti i loro bit sono esauriti).

Per chiavi formate da parole di bit casuali, il punto di partenza nel Programma 10.1 dovrebbe essere il bit più a sinistra delle parole, cioè il bit in posizione 0. In generale, il punto di partenza da usare dipende in modo diretto dall'applicazione, dal numero di bit per parola della macchina, e dalla rappresentazione degli interi positivi e negativi nella macchina. Per le chiavi di 5 bit delle Figure 10.2 e 10.3 il punto di partenza per una macchina a 32 bit sarebbe il bit 27.

Tale esempio sottolinea un potenziale problema del Quicksort binario nelle situazioni pratiche: le partizioni degeneri (cioè, quelle che hanno chiavi tutte uguali per il bit in uso) ricorrono di frequente. Non è raro il caso di dover ordinare numeri piccoli (con molti 0 all'inizio), come nei nostri esempi. Il problema si manifesta anche in chiavi che comprendono caratteri. Si supponga, ad esempio, di costruire chiavi a 64 bit combinando 4 caratteri, ciascuno codificato in Unicode (16 bit). In questo caso, le partizioni degeneri tenderanno a essere più frequenti nelle posizioni iniziali di ciascun carattere, poiché (ad esempio) le lettere minuscole cominciano tutte con gli stessi bit in molte codifiche dei caratteri. Il problema è così tipico da doverlo affrontare in modo specifico quando ordiniamo dati codificati. Problemi simili si verificano anche in altri metodi di ordinamento digitale.

Una volta che una chiave può essere distinta da tutte le altre chiavi tramite i suoi bit di sinistra, non c'è bisogno di esaminare bit ulteriori. Questa circostanza rappresenta un netto vantaggio in alcune situazioni e uno svantaggio in altre. Quando le chiavi sono formate da veri bit casuali, sono esaminati all'incirca solo lg N bit per chiave, e tale quantità può, in effetti, essere di molto inferiore al numero di bit delle chiavi. Analizzeremo questo fatto in modo più approfondito nel Paragrafo 10.6 (si vedano anche l'Esercizio 10.7 e la Figura 10.1). Ad esempio, ordinare un file di 1000 record con chiavi casuali potrebbe richiedere l'esame di soli 10 o 11 bit di ogni chiave (anche se le chiavi sono lunghe 64 bit). D'altro canto, sono esaminati tutti i bit di chiavi uguali. L'ordinamento digitale non funziona bene su file che contengono un gran numero di chiavi duplicate lunghe. Tanto il Quicksort binario quanto il Quicksort standard sono veloci se le chiavi da ordinare includono bit realmente casuali (la differenza fra i due metodi è essenzialmente determinata dalla differenza fra i costi dell'estrazione di bit e del confronto di chiavi), anche se il Quicksort standard si adatta meglio a insiemi non casuali di chiavi. In particolare, il Quicksort a 3 vie è ideale per trattare il caso in cui le chiavi duplicate abbondino.

Come per il Quicksort, è conveniente descrivere la struttura di partizionamento tramite un albero binario (illustrato nella Figura 10.4): la radice corrisponde al file da ordinare, mentre i due sottoalberi corrispondono ai due sottofile dopo il partizionamento. Nel Quicksort standard sappiamo che almeno un record è sistemato nella sua posizione finale dal partizionamento, e quindi poniamo quella chiave alla radice. Nel Quicksort binario sappiamo che le chiavi sono sistemate solo quando arriviamo a un sottofile di dimensione 1, oppure se abbiamo esaurito i bit delle chiavi, nel qual caso esse vengono messe in fondo all'albero. Una struttura di tal fatta si chiama *trie binario*; ne studieremo le proprietà nel Capitolo 15. Una proprietà interessante dei trie è che la loro struttura è completamente determinata dai valori delle chiavi, piuttosto che dal loro ordine.

Le divisioni realizzate dal partizionamento nel Quicksort binario dipendono dalla rappresentazione binaria del range e del numero di oggetti da ordinare. Ad esempio, se i file sono permutazioni casuali degli interi minori di $171 = 10101011_2$, allora il partizionamento sul primo bit è equivalente al partizionamento sul valore 128 e, quindi, i due sottofile risultano sbilanciati (uno ha dimensione 128, l'altro 43). Le chiavi nella Figura 10.5 sono valori a 8 bit casuali, perciò tale effetto non è visibile, anche se è certamente una circostanza degna di nota nelle situazioni pratiche.

Come per il Quicksort standard, è possibile migliorare l'implementazione ricorsiva di base del Programma 10.1 trattando a parte i file parziali di piccole dimensioni.

Esercizi

▷ **10.10** Seguendo lo stile della Figura 10.2, disegnate il trie che corrisponde al processo di partizionamento del Quicksort binario sulle chiavi E A S Y Q U E S T I O N.

10.11 Confrontate il numero di scambi eseguiti dal Quicksort binario con il numero di scambi eseguiti dal Quicksort standard sul seguente file di numeri binari a 3 cifre: 001, 011, 101, 110, 000, 001, 010, 111, 110, 010.

○ **10.12** Perché, al contrario di ciò che accade per il Quicksort standard, nel Quicksort binario non è poi così importante ordinare prima il file parziale più piccolo?

○ **10.13** Descrivete ciò che accade al secondo livello di partizionamento (quando il sottofile sinistro è partizionato e quando il sottofile destro è partizionato), se usiamo il Quicksort binario per ordinare una permutazione casuale di interi non negativi minori di 171.

10.14 Scrivete un programma che, in una fase di preprocessing, identifichi il numero di bit iniziali su cui tutte le chiavi coincidono e, quindi, chiami un Quicksort binario che è stato modificato in modo da ignorare tali bit. Confrontate il tempo di calcolo del vostro programma con quello del-

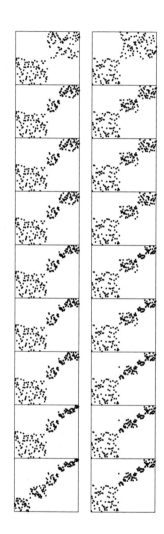

Figura 10.5
Caratteristiche dinamiche del Quicksort binario su un file di grandi dimensioni

Le suddivisioni operate dal Quicksort binario sono meno sensibili all'ordine delle chiavi rispetto al Quicksort standard. Qui, due file casuali di interi a 8 bit producono quasi gli stessi diagrammi.

l'implementazione standard per $N = 10^3$, 10^4, 10^5, 10^6 e in cui l'input è formato da parole di 32 bit del seguente formato: i 16 bit più a destra sono casuali uniformi, mentre i 16 bit a sinistra sono tutti uguali a 0 tranne il bit in posizione i, che assume il valore 1 se i è il numero di bit a 1 nella metà di destra della parola.

10.15 Modificate il Quicksort binario in modo che esso controlli esplicitamente se vi sono tutte chiavi uguali. Confrontate il tempo di calcolo del vostro programma con quello dell'implementazione standard per $N = 10^3$, 10^4, 10^5, 10^6, dove l'input ha lo stesso formato di quello dell'Esercizio 10.14.

10.3 Ordinamento digitale MSD

Utilizzare un solo bit nel Quicksort binario corrisponde a trattare le chiavi come numeri in base 2 (binari) e a considerare prima le cifre più significative. Generalizzando, si supponga di voler ordinare numeri in base R trattando prima le cifre più significative. Ciò richiede di partizionare l'array in R (piuttosto che in 2) parti distinte. Tradizionalmente, si usa il termine di *bin* (letteralmente, "contenitore") per denotare le parti e si pensa all'algoritmo come un algoritmo che elabora R bin, uno per ogni possibile valore della prima cifra. Il seguente diagramma illustra la situazione:

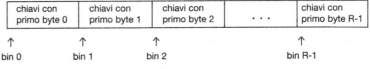

Si scandiscono le chiavi distribuendole fra i bin e, quindi, si ordinano ricorsivamente i contenuti dei bin su chiavi più corte di un byte.

La Figura 10.6 mostra un esempio di ordinamento digitale MSD su una permutazione casuale di interi. Confrontato con il Quicksort binario, questo algoritmo ordina il file in modo piuttosto rapido, anche solo dopo la prima partizione, purché la radice sia abbastanza grande.

Come si è osservato nel Paragrafo 10.2, una delle caratteristiche più interessanti dell'ordinamento digitale è la maniera intuitiva e diretta in cui esso si adatta ad applicazioni di ordinamento in cui le chiavi sono stringhe di caratteri. Quest'osservazione vale specialmente in Java e in altri ambienti di programmazione che supportano in modo diretto l'elaborazione di stringhe (oggetti `String`). Per l'ordinamento digi-

Figura 10.6
Caratteristiche dinamiche dell'ordinamento digitale MSD

La figura mostra l'esecuzione dell'ordinamento digitale MSD su file casuali di interi a 8 bit. Un solo passaggio è quasi sufficiente a completare l'ordinamento. Il primo passaggio dell'ordinamento MSD sui primi due bit (a sinistra) divide il file in quattro sottofile. La fase successiva divide ciascuno di questi in altri quattro sottofile. Un ordinamento MSD sui primi tre bit (a destra) divide il file in otto sottofile in un solo passaggio. Nella fase successiva ciascuno di questi sottofile è diviso in otto parti, lasciando solo pochi elementi in ciascuna di esse.

tale MSD usiamo semplicemente una radice che corrisponde alla dimensione del byte. Per estrarre una cifra carichiamo un byte, per spostarci alla cifra successiva incrementiamo un indice in un array di caratteri. Considereremo per il momento chiavi a lunghezza fissata; il caso delle chiavi a lunghezza variabile, come vedremo, è facilmente gestibile tramite gli stessi meccanismi di base.

La Figura 10.7 mostra un esempio di ordinamento digitale MSD su parole di tre lettere. Per semplicità, la figura assume che la radice sia 26, anche se in molte applicazioni ne useremmo una più grande che corrisponda alla codifica Unicode di Java. Per prima cosa, le parole sono partizionate in modo che tutte quelle che cominciano con la lettera a appaiano prima di quelle che cominciano con la b, e così via. Perciò, le parole che iniziano per a sono ordinate ricorsivamente e così anche quelle che iniziano per b, ecc. Come si evince chiaramente dall'esempio, la maggior parte del lavoro di ordinamento è svolto dal partizionamento sulla prima lettera. I file parziali che risultano dal primo partizionamento sono di dimensioni ridotte.

Come abbiamo visto nel Capitolo 7 e nel Paragrafo 10.2 per il Quicksort e nel Capitolo 8 per il Mergesort, è possibile migliorare le prestazioni di molti programmi ricorsivi usando algoritmi più semplici su casi piccoli. L'uso di un metodo diverso per sottofile di piccole dimensioni (bin che contengono pochi elementi) è essenziale per un ordinamento digitale, poiché il numero di tali file è estremamente grande. È, inoltre, possibile regolare l'algoritmo bilanciando in modo opportuno il valore di R. Se R è troppo grande, il costo dell'inizializzazione e del controllo dei bin sarà dominante, mentre, se R è troppo piccolo, il metodo rischia di non trarre vantaggio dal potenziale guadagno che deriva dal suddividere il file in molti file più piccoli. Ritorneremo su tali questioni verso la fine del presente paragrafo e nel Paragrafo 10.6.

Per implementare l'ordinamento digitale MSD abbiamo bisogno di generalizzare i metodi di partizionamento di array presentati durante lo studio del Quicksort nel Capitolo 7. Questi metodi, basati su puntatori che partono dai due estremi dell'array e si incontrano al centro, funzionano bene quando ci sono solo due o tre partizioni, ma non si generalizzano in modo immediato. Fortunatamente, il metodo di key-indexed counting del Capitolo 6 è proprio quello che fa per noi. Usiamo una tabella di contatori e un array ausiliario. Nella prima scansione dell'array, contiamo il numero di occorrenze dei possibili valori della prima cifra. Questi contatori ci dicono dove cadranno i punti di partizione. Quindi, durante una seconda scansione, usiamo tali contatori per spostare gli oggetti da ordinare nelle opportune posizioni dell'array ausiliario.

now	ace	ace	ace
for	ago	ago	ago
tip	and	and	and
ilk	bet	bet	bet
dim	cab	cab	cab
tag	caw	caw	caw
jot	cue	cue	cue
sob	dim	dim	dim
nob	dug	dug	dug
sky	egg	egg	egg
hut	for	few	fee
ace	fee	fee	few
bet	few	for	for
men	gig	gig	gig
egg	hut	hut	hut
few	ilk	ilk	ilk
jay	jam	jay	jam
owl	jay	jam	jay
joy	jot	jot	jot
rap	joy	joy	joy
gig	men	men	men
wee	now	now	nob
was	nob	nob	now
cab	owl	owl	owl
wad	rap	rap	rap
caw	sob	sky	sky
cue	sky	sob	sob
fee	tip	tag	tag
tap	tag	tap	tap
ago	tap	tar	tar
tar	tar	tip	tip
jam	wee	wad	wad
dug	was	was	was
and	wad	wee	wee

Figura 10.7
Esempio di ordinamento digitale MSD

Suddividiamo le parole in 26 bin in funzione della prima lettera. Quindi, ordiniamo tutti i bin con lo stesso metodo, iniziando dalla seconda lettera.

Programma 10.2   Ordinamento digitale MSD

Questo programma ordina oggetti di tipo wordItem, una classe che consente l'accesso ai byte delle chiavi (si veda l'Esercizio 10.3). Si tratta di un metodo ricorsivo ottenuto dal Programma 6.20 (ordinamento key-indexed counting), cambiando i riferimenti a chiavi in riferimenti alle cifre delle chiavi e aggiungendo un ciclo alla fine che realizza le chiamate ricorsive per ogni sottofile di chiavi che iniziano con la stessa cifra. Il codice assume che le chiavi abbiano la medesima lunghezza, ma è facilmente adattabile al caso di chiavi a lunghezza variabile (si veda il testo). Come per il Programma 8.3, l'array aux è un membro privato di sort, allocato in sort prima dell'invocazione di questo metodo.

```
private final static int M = 10;
static void
radixMSD(wordItem[] a, int l, int r, int d)
  { int i, j, cnt[] = new int[wordItem.R+1];
    if (d > wordItem.bytesword) return;
    if (r-l <= M) { insertion(a, l, r); return; }
    for (j = 0; j < wordItem.R; j++) cnt[j] = 0;
    for (i = l; i <= r; i++)
      cnt[digit(a[i], d) + 1]++;
    for (j = 1; j < wordItem.R; j++)
      cnt[j] += cnt[j-1];
    for (i = l; i <= r; i++)
      aux[cnt[digit(a[i], d)]++] = a[i];
    for (i = l; i <= r; i++) a[i] = aux[i-l];
    radixMSD(a, l, l+cnt[0]-1, d+1);
    for (j = 0; j < wordItem.R-1; j++)
      radixMSD(a, l+cnt[j], l+cnt[j+1]-1, d+1);
  }
```

Il Programma 10.2 implementa questo processo. La sua struttura ricorsiva generalizza quella del Quicksort, e quindi dobbiamo anche qui affrontare le questioni trattate nel Paragrafo 7.3. Vale la pena considerare per ultimo il sottofile più grande per evitare un'eccessiva profondità della ricorsione? Probabilmente no, dato che tale profondità è comunque limitata dalla lunghezza delle chiavi. Vale la pena ordinare i sottofile piccoli tramite metodi più semplici come l'ordinamento per inserzione? Certamente sì, dato che il numero di tali sottofile sarà enorme.

Per realizzare il partizionamento il Programma 10.2 utilizza un array ausiliario di dimensione pari a quella dell'array da ordinare. In alternativa, potremmo scegliere di usare un ordinamento key-indexed counting sul posto (si vedano gli Esercizi 10.19 e 10.20). Dobbiamo prestare particolare attenzione allo spazio di memoria, dato che le chiamate ricorsive potrebbero richiedere spazio eccessivo per le variabili locali. Nel Programma 10.2 il buffer temporaneo per spostare le chiavi (aux) può essere globale, mentre l'array che mantiene i contatori e le posizioni di partizionamento (count) deve essere locale.

Lo spazio aggiuntivo per l'array ausiliario non è particolarmente preoccupante in molte applicazioni dell'ordinamento digitale su chiavi e record lunghi, poiché stiamo di solito manipolando riferimenti a tali record. Quindi, lo spazio aggiuntivo riguarda il riordino dei riferimenti e sarà sicuramente modesto se confrontato con quello occupato dalle chiavi e dai record (sebbene non possa dirsi del tutto trascurabile). Se abbiamo a disposizione tanta memoria e la velocità di esecuzione è un requisito essenziale (una situazione tipica quando si usa un ordinamento digitale), possiamo persino eliminare il tempo richiesto dalle copie di array dovute al meccanismo delle chiamate ricorsive, tramite accorgimenti simili a quelli suggeriti a proposito del Mergesort nel Paragrafo 8.4.

Per chiavi casuali, il loro numero in ogni bin (cioè, la dimensione dei sottofile) dopo il primo passaggio sarà in media N/R. In pratica, le chiavi possono non essere casuali (ad esempio, quando esse sono oggetti String che rappresentano parole della lingua italiana, sappiamo che poche inizieranno per x e nessuna inizierà per xx, per non menzionare tutti quei caratteri Unicode che non utilizziamo), quindi molti bin saranno vuoti e, fra quelli non vuoti, alcuni conterranno molte più chiavi di altri (si veda la Figura 10.8). Nonostante questa situazione, il processo di partizionamento a più vie sarà generalmente efficace nel suddividere un file di grandi dimensioni in molti file più piccoli.

Un altro modo naturale di implementare l'ordinamento digitale MSD è quello di impiegare liste concatenate. Manteniamo una lista concatenata per ciascun bin. Facendo una prima scansione degli elementi da ordinare, inseriamo ogni elemento nella lista appropriata in funzione della prima cifra della chiave associata. Quindi, ordiniamo le sottoliste e le concateniamo fra loro ottenendo così una singola lista ordinata. Questo approccio costituisce, in effetti, un difficile esercizio di programmazione (Esercizio 10.42). Il concatenamento delle liste richiede di tener traccia dell'inizio e della fine di ciascuna di esse, comprese quelle (probabilmente molte) che saranno vuote.

Per ottenere buone prestazioni da un ordinamento digitale in una particolare applicazione, dobbiamo limitare il numero di bin vuoti scegliendo valori appropriati tanto per la radice quanto per la dimensione

```
no  an  am
if  am  an

be  at  as
do  as  at

he  be  be


an  by  by
by  do  do
of  go  go
us  he  he
on  if  if
am  is  in
we  it  is
is  in  it

at  me  me
it  no  no
to  of  of

or  on  on
me  or  or


go  to  to
in  us  us
as  we  we
```

Figura 10.8
Esempio di ordinamento digitale MSD (con bin vuoti)

Su file di piccole dimensioni si può produrre un numero eccessivo di bin vuoti, già dalla seconda fase.

dei sottofile da trattare separatamente. Come esempio concreto, si suppoga che 2^{24} (circa 16 milioni) interi di 64 bit debbano essere ordinati. Per far sì che la tabella dei contatori sia piccola in confronto alla dimensione del file da ordinare, potremmo scegliere $R = 2^{16}$, valore che corrisponde a vagliare 16 bit delle chiavi. Dopo il primo partizionamento, però, la dimensione media dei file da ordinare è di soli 2^8 elementi e, naturalmente, un ordinamento digitale con radice 2^{16} su tali file è un eccesso. Le cose si complicano ulteriormente se vi è un'enorme quantità di tali file: circa 2^{16}, in questo caso. Per ciascuno di questi 2^{16} file, l'algoritmo imposta 2^{16} contatori a zero, quindi rileva che tutti, salvo all'incirca 2^8 fra questi, non sono a zero, ecc., per un costo di almeno 2^{32} operazioni aritmetiche. Il Programma 10.2, che è implementato sull'ipotesi che la maggior parte dei bin non siano vuoti, esegue non poche operazioni aritmetiche su ogni bin vuoto (ad esempio, esegue chiamate ricorsive su tutti i bin vuoti), e quindi il suo tempo di calcolo sarà molto grande per l'esempio considerato. Una radice più appropriata per il secondo livello potrebbe essere 2^8 o 2^4. In sintesi, quando usiamo un ordinamento digitale MSD, dovremmo assicurarci di non usare radici troppo grandi su file piccoli. Torneremo su questo punto nel Paragrafo 10.6, quando studieremo nel dettaglio le prestazioni dei vari metodi.

Non è difficile modificare il Programma 10.2 per gestire chiavi a lunghezza variabile. Un approccio particolarmente semplice è quello di usare il valore 0 come marcatore di fine chiave (a condizione che 0 non compaia altrove nelle chiavi), come accade per le stringhe del linguaggio C (si veda il Paragrafo 3.6). Possiamo in tal caso eliminare il test sul raggiungimento dell'ultimo byte all'inizio del Programma 10.2 e saltare la chiamata ricorsiva corrispondente al bin 0. Un'altra possibilità è quella di includere un metodo `length()` in `wordItem`, riservare il bin 0 per chiavi con `d` non inferiore alla lunghezza della chiave, aggiungere 1 ai numeri di tutti gli altri bin e saltare la chiamata ricorsiva corrispondente al bin 0.

Se vogliamo impiegare il Programma 10.2 per ordinare oggetti `String` di Java, possiamo usare un'implementazione di `wordItem` che si basi sull'implementazione dell'operazione astratta `digit` come accesso singolo ad array (come osservato nel Paragrafo 10.1), e quindi seguire uno dei due approcci presentati sopra per gestire chiavi a lunghezza variabile (si vedano gli Esercizi 10.21 e 10.22). Aggiustando `R` e `bytesword` (e verificandone i valori), possiamo facilmente apportare ulteriori modifiche per gestire stringhe su alfabeti non standard o in formati non standard che impongono restrizioni sulle lunghezze o altre convenzioni.

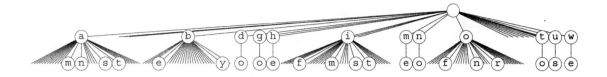

L'ordinamento di stringhe illustra di nuovo l'importanza di gestire in modo appropriato i bin vuoti. La Figura 10.8 mostra il processo di partizionamento su un esempio come quello della Figura 10.7, ma con parole di due lettere e bin vuoti mostrati esplicitamente. In questo esempio usiamo una radice pari a 26, avendo, perciò, 26 bin a ogni stadio. Nel primo stadio i bin vuoti non sono molti, mentre nel secondo la maggior parte di essi lo è.

Un metodo di ordinamento digitale MSD suddivide il file sulla base della prima cifra delle chiavi, quindi richiama se stesso ricorsivamente sui sottofile corrispondenti a ciascun valore della prima cifra. La Figura 10.9 mostra questa struttura di chiamate ricorsive sull'esempio della Figura 10.8. La struttura delle chiamate corrisponde a un *trie a più vie*, una diretta generalizzazione del trie di Figura 10.4 per il Quicksort binario. Ogni nodo corrisponde a una chiamata ricorsiva dell'ordinamento MSD su qualche sottofile. Ad esempio, il sottoalbero della radice etichettato (alla radice) con o corrisponde all'ordinamento del sottofile formato dalle tre chiavi of, on, or.

Queste figure mostrano chiaramente la presenza di un significativo numero di bin vuoti nell'ordinamento MSD di stringhe. Nel Paragrafo 10.4 studieremo un modo per gestire questo problema, mentre nel Capitolo 15 esamineremo l'uso esplicito di trie nelle applicazioni su stringhe. Di solito, lavoriamo con rappresentazioni compatte dei trie, che non includono i nodi corrispondenti ai bin vuoti e che hanno le etichette spostate dagli archi ai nodi sottostanti. La Figura 10.10 è la struttura che corrisponde alle chiamate ricorsive (ignorando i bin vuoti) per il caso di ordinamento MSD della Figura 10.7. Ad esempio, il sottoalbero della radice con radice etichettata j corrisponde a ordinare il bin contenente le quattro chiavi jam, jay, jot, joy. Esamineremo particolareggiatamente le proprietà di tali trie nel Capitolo 15.

La difficoltà maggiore nell'ottenere la massima efficienza in un'applicazione pratica dell'ordinamento digitale MSD per chiavi stringa piuttosto lunghe è quella di gestire l'assenza di casualità nei dati. Solitamente le chiavi possono avere lunghe sequenze di dati tutti uguali o ridondanti, oppure che cadono in un range di valori molto ridotto. Ad esempio, in

Figura 10.9
Struttura ricorsiva dell'ordinamento digitale MSD

Questo albero corrisponde alle operazioni dell'ordinamento digitale MSD ricorsivo del Programma 10.2 sull'esempio della Figura 10.8. Se il file ha dimensione 0 o 1, non ci sono chiamate ricorsive. In caso contrario, vi sono 26 chiamate, una per ogni possibile valore del byte corrente.

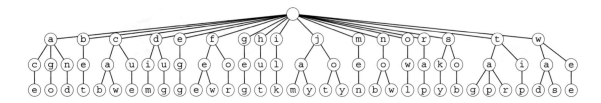

Figura 10.10
Struttura ricorsiva dell'ordinamento digitale MSD (sottofile nulli ignorati)

Questa rappresentazione della struttura ricorsiva dell'ordinamento digitale MSD è più compatta di quella della Figura 10.9. Ogni nodo in questo albero è etichettato con il valore dell' (i – 1)-esima cifra di alcune chiavi, dove i è la distanza dal nodo alla radice. Ogni cammino dalla radice al fondo dell'albero corrisponde a una chiave che si ottiene concatenando le etichette dei nodi. L'albero in questa figura corrisponde all'esempio della Figura 10.7.

un'applicazione che elabora record contenenti informazioni su studenti potrebbero esserci chiavi i cui campi corrispondono all'anno di laurea (il campo è di 4 byte ma assume, ad esempio, solo 4 valori distinti), alla nazionalità (il campo è, diciamo, di 10 byte, ma i valori distinti non saranno maggiori di una trentina), al sesso (1 byte, ma due soli valori distinti), oltre al nome dello studente (che assomiglierà maggiormente a una stringa casuale, ma con distribuzione non uniforme delle lettere e con spazi in posizioni particolari). Tutte queste restrizioni conducono a un gran numero di bin vuoti durante l'ordinamento digitale MSD (si veda l'Esercizio 10.27).

Un modo pratico di gestire questo problema è quello di sviluppare un'implementazione più complessa dell'operazione astratta di accesso ai byte, che tenga conto di qualsiasi conoscenza a priori sulla natura delle stringhe da ordinare. Un altro metodo, di facile implementazione e che chiameremo *euristica bin-span*, è quello di tener traccia delle due estremità del range dei valori dei bin non vuoti durante la fase di conteggio, usando quindi solo i bin in quel range (magari, includendo anche casi speciali per alcuni valori particolari delle chiavi, come 0 e lo spazio). Questo modo di operare è conveniente proprio per il tipo di situazioni descritte sopra. Ad esempio, usando la radice 256 su dati alfanumerici, potremmo lavorare su numeri in una prima porzione delle chiavi e avere solo 10 bin non vuoti corrispondenti alle 10 cifre, mentre potremmo lavorare con lettere maiuscole in un'altra porzione delle chiavi e avere solo 26 bin non vuoti che corrispondono a esse.

Ci sono diversi modi per estendere l'euristica bin-span (si vedano i riferimenti bibliografici). Ad esempio, si potrebbe pensare di tener traccia dei bin non vuoti tramite una struttura dati ausiliaria, utilizzando contatori ed eseguendo chiamate ricorsive esclusivamente per essi. Questo modo di procedere (e anche la stessa euristica bin-span) è forse eccessivo in questa situazione, poiché il guadagno che ne segue è trascurabile, a meno che la radice non sia molto grande o il file non sia piuttosto piccolo, nel qual caso sarebbe opportuno ridurre il valore della ra dice o anche adottare un metodo di ordinamento differente. Tra l'altro, lo stesso guadagno potrebbe forse essere ottenuto usando un metodo ad hoc, anche se con minor facilità. Nel Paragrafo 10.4 presenteremo un'ulteriore versione del Quicksort che gestisce il problema dei bin vuoti in modo elegante.

Esercizi

▷ **10.16** Disegnate un trie compatto (senza bin vuoti e con chiavi nei nodi, come nella Figura 10.10) che corrisponda alla Figura 10.9.

▷ **10.17** Quanti nodi ci sono nel trie completo corrispondente alla Figura 10.10?

▷ **10.18** Mostrate in che modo l'insieme di chiavi now is the time for all good people to come the aid of their party è partizionato dall'ordinamento digitale MSD.

● **10.19** Scrivete un programma che esegua un partizionamento a quattro vie sul posto, contando la frequenza di occorrenza di ciascuna chiave (come nel key-indexed counting), e quindi usando un metodo come quello del Programma 11.5 per spostare le chiavi.

●● **10.20** Scrivete un programma che risolva il problema generale del partizionamento a R vie, usando il metodo accennato nell'Esercizio 10.19.

○ **10.21** Implementate una classe stringItem per stringhe nello stile del linguaggio C. Usate chiavi string con valore Unicode 0 come marcatore virtuale di fine stringa (implementate digit in modo da restituire 0 quando d è maggiore o uguale alla lunghezza della stringa).

○ **10.22** Modificate il Programma 10.2 in modo che esso ordini oggetti string di Java utilizzando un metodo length( ) per assegnare al bin 0 tutte le chiavi i cui caratteri sono stati esaminati, e risistemando in modo opportuno gli altri bin.

10.23 Sviluppate un'implementazione di wordItem basata su un programma che genera casualmente chiavi di 80 byte. Utilizzate questo generatore di chiavi per generare N chiavi casuali, dove $N = 10^3$, 10^4, 10^5, 10^6, quindi ordinatele tramite ordinamento digitale MSD. Fate in modo che il vostro programma stampi il numero totale di byte delle chiavi che ha esaminato in ogni ordinamento.

○ **10.24** Qual è il byte più a destra a cui il programma dell'Esercizio 10.23 mediamente accederà in una chiave? Esprimete il risultato in funzione di N. Se avete svolto quell'esercizio, fate in modo che il vostro programma tenga traccia di questa quantità e confrontate il vostro risultato teorico con i risultati empirici.

10.25 Scrivete un'implementazione di wordItem basata su un generatore di chiavi che operi mescolando una sequenza casuale di 80 byte. Usate questo generatore per generare N chiavi casuali, quindi ordinatele tramite ordinamento digitale MSD per $N = 10^3$, 10^4, 10^5, 10^6. Confrontate le prestazioni con quelle dell'Esercizio 10.23.

10.26 Qual è il byte più a destra a cui il programma dell'Esercizio 10.25 mediamente accederà in una chiave? Esprimete il risultato in funzione di N. Se avete svolto quell'esercizio, fate in modo che il vostro programma tenga traccia di questa quantità e confrontate il vostro risultato teorico con i risultati empirici.

10.27 Sviluppate un'implementazione di wordItem basata su un generatore di chiavi che generi oggetti casuali di 30 byte costituiti da 4 campi: un campo di 4 byte contenente una di 10 stringhe fissate a priori; un campo di 10 byte contenente una di 50 stringhe fissate; un campo di 1 byte contenente uno di due possibili valori; un campo di 15 byte contenente stringhe casuali di lettere allineate a sinistra, la cui lunghezza è uniformemente distribuita sull'insieme {4, ..., 15}. Fate uso di questo generatore per generare N chiavi casuali, quindi ordinatele tramite ordinamento digitale MSD, dove $N = 10^3, 10^4, 10^5, 10^6$. Fate in modo che il vostro programma stampi il numero totale di byte delle chiavi esaminati. Confrontate i vostri risultati con quelli dell'Esercizio 10.23.

10.28 Modificate il Programma 10.2 implementando l'euristica bin-span. Provate il vostro programma sui dati dell'Esercizio 10.27.

10.4 Quicksort digitale a tre vie

Un altro modo di adattare il Quicksort per l'ordinamento digitale MSD è quello di usare un partizionamento a tre vie basato sul byte iniziale delle chiavi e di spostarsi al byte successivo solo per il sottofile centrale (chiavi il cui byte iniziale è uguale a quello dell'elemento di partizionamento). Questo metodo non è difficile da implementare (questa descrizione insieme al codice di partizionamento a tre vie del Programma 7.5 sono sufficienti) e si adatta bene a una vasta gamma di situazioni. Il Programma 10.3 è un'implementazione di questo metodo per oggetti String di Java. I metodi less ed equal utilizzati in questo codice confrontano il (d+1)-esimo carattere di due oggetti String i cui primi d caratteri coincidono. Questi metodi possono essere implementati come segue:

```
static boolean less(String s, String t, int d)
  {
    if (t.length() <= d) return false;
    if (s.length() <= d) return true;
    return s.charAt(d) < t.charAt(d);
  }
static boolean equal(String s, String t, int d)
  { return !less(s, t, d) && !less(t, s, d); }
```

Questi metodi sono invocati solo su coppie di stringhe che hanno almeno d caratteri (di cui è stata verificata la coincidenza). Se entrambe le stringhe hanno più di d caratteri, `less` semplicemente confronta i caratteri indicati. Altrimenti, se `t` ha d caratteri, `s` non potrà essere "minore" di `t` (poiché si possono verificare solo i due casi restanti: `s` ha d caratteri, e in tal caso `s` e `t` sono uguali, oppure `s` ha più di d caratteri, e in tal caso `t` è "minore" di `s`).

Con lievi modifiche, il Programma 10.3 può essere adattato anche al caso di chiavi a lunghezza fissata (Esercizio 10.30) o a quello di stringhe nello stile del linguaggio C (Esercizio 10.31). In entrambi i casi, l'implementazione di `less` è molto più semplice di quella fornita sopra. Si tratta di una circostanza significativa perché il ciclo interno dell'algoritmo non è altro che un incremento di puntatore e un'invocazione a `less`, quindi velocizzando `less` l'intero programma verrà velocizzato.

In pratica, eseguire un Quicksort digitale a tre vie corrisponde a ordinare il file sulla base dei caratteri iniziali delle chiavi (tramite Quicksort), e quindi nell'applicare il metodo ricorsivamente sulla parte restante delle chiavi. Nell'ordinamento di stringhe questo metodo funziona meglio sia del Quicksort standard che dell'ordinamento digitale MSD. In effetti, il metodo potrebbe essere considerato come una versione ibrida dei due algoritmi.

Nel confrontare il Quicksort digitale a tre vie con l'ordinamento digitale MSD standard, osserviamo che il primo suddivide il file in sole tre parti e, quindi, non ottiene i benefici del veloce partizionamento a più vie, specialmente nelle fasi iniziali dell'ordinamento. D'altro canto, nelle fasi successive l'ordinamento digitale MSD può produrre un gran numero di bin vuoti, mentre il Quicksort digitale a tre vie si adatta bene a gestire chiavi duplicate, chiavi i cui valori cadono in un range limitato, file di piccole dimensioni e altre situazioni in cui l'ordinamento digitale MSD può rivelarsi lento in esecuzione. Di particolare importanza è il fatto che il partizionamento si adatti a diversi casi in cui le chiavi presentano qualche forma di regolarità (cioè non sono casuali). Inoltre, non è richiesto alcun array ausiliario. A bilanciare questi vantaggi, abbiamo gli scambi ulteriori che sono richiesti per ottenere l'effetto del partizionamento a più vie tramite una sequenza di partizionamenti a sole tre vie, quando il numero di file parziali è grande.

La Figura 10.11 mostra un esempio di esecuzione di questo metodo sul problema della Figura 10.7. La Figura 10.12 illustra la struttura delle chiamate ricorsive. Ogni nodo corrisponde esattamente a tre chiamate ricorsive: quella relativa a chiavi con byte iniziale minore (figlio di sinistra), quella per le chiavi il cui primo byte è uguale (figlio di mezzo), e quella per chiavi il cui primo byte è maggiore (figlio di destra).

```
now gig ace ago
for for bet bet ace
tip dug dug and and

ilk ilk cab ace bet

dim dim dim cab
tag ago ago caw
jot and and cue

sob fee egg egg
nob cue cue dug
sky caw caw dim

hut hut fee
ace ace for
bet bet few

men cab ilk
egg egg gig
few few hut

jay jay jam
owl jot jay

joy joy joy
rap jam jot

gig owl owl men

wee wee now owl
was was nob nob
cab men men now

wad wad rap

caw sky sky sky sky
cue nob was tip sob

fee sob sob sob tip tar
tap tap tap tap tap tap
ago tag tag tag tag tag

tar tar tar tar tar tip

dug tip tip was
and now wee wee
jam rap wad wad
```

Figura 10.11
Quicksort digitale a tre vie

Dividiamo il file in tre parti: le parole che iniziano con le lettere dalla a alla i, quelle che iniziano con la lettera j e quelle che iniziano con le lettere dalla k alla z. Quindi, ordiniamo ricorsivamente.

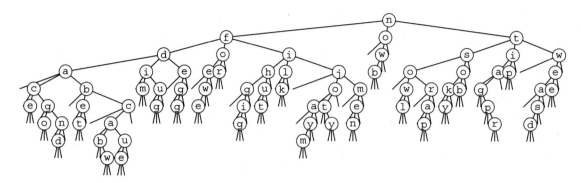

Figura 10.12
Struttura ricorsiva
del Quicksort digitale
a tre vie

Questa combinazione albero-trie corrisponde a sostituire i nodi a 26 vie del trie della Figura 10.10 con alberi di ricerca ternari (come nella Figura 10.13). Ogni cammino dalla radice al fondo dell'albero che termina con un link di mezzo definisce una chiave nel file, data dai caratteri nei nodi attraversati dai link di mezzo lungo il cammino. La Figura 10.10 ha 1035 link nulli che non sono raffigurati. Tutti i 155 link nulli in questo albero sono, invece, mostrati. Ogni link nullo corrisponde a un bin vuoto, quindi questa differenza illustra il modo in cui il partizionamento a tre vie può ridurre drasticamente il numero di bin vuoti che si incontrano in un ordinamento digitale MSD.

Anche quando le chiavi rispettano l'astrazione del Paragrafo 10.2, il Quicksort standard (insieme a tutti gli altri metodi dei Capitoli dal 6 al 9) può essere visto come un ordinamento digitale MSD, poiché il metodo di confronto deve accedere prima alla parte più significativa della chiave (si veda l'Esercizio 10.5). Ad esempio, qualora le chiavi siano stringhe, il meotodo di confronto deve accedere solo ai byte iniziali se essi sono differenti, ai primi due byte se i byte iniziali sono uguali e i secondi sono diversi, e così via. L'algoritmo standard, quindi, ottiene automaticamente alcuni dei guadagni in prestazione che andiamo cercando nell'ordinamento digitale MSD (si veda il Paragrafo 7.7). La differenza sostanziale è che l'algoritmo standard non può intraprendere azioni speciali quando i byte iniziali sono uguali. In effetti, un modo di considerare il Programma 10.3 è quello di un Quicksort che può tener traccia di ciò che si conosce sulle cifre iniziali delle chiavi, dopo che sono state oggetto di una sequenza di partizioni. Nei file parziali di piccole dimensioni, dove si effettuano la maggior parte dei confronti, le chiavi tendono ad avere molti byte iniziali uguali. L'algoritmo standard deve scandire tutti questi byte in ogni confronto, mentre l'algoritmo a tre vie riesce a evitarlo.

Consideriamo il caso in cui le chiavi sono lunghe (e di lunghezza fissata per semplicità), ma con molti byte iniziali uguali. In questa situazione, il tempo di calcolo del Quicksort standard sarà proporzionale alla lunghezza delle parole moltiplicato per $2N \ln N$, mentre quello della versione digitale sarà proporzionale a N volte la lunghezza delle parole (per scoprire tutti i byte iniziali in comune) *più* $2N \ln N$ (per ordinare le chiavi corte rimaste). Quindi, questo metodo potrebbe rivelarsi più veloce del Quicksort standard di un fattore $\ln N$, se contiamo solo il costo dei confronti. È frequente che nelle applicazioni pratiche le chiavi abbiano caratteristiche simili a quelle di questo esempio (si veda l'Esercizio 10.29).

Programma 10.3   Quicksort digitale a tre vie

Questo ordinamento digitale MSD per oggetti string di Java è costituito essenzialmente dallo stesso codice del Quicksort con partizionamento a tre vie (Programma 7.5), tranne che per le seguenti variazioni: (1) i riferimenti alle chiavi diventano riferimenti ai caratteri delle chiavi; (2) la posizione del carattere corrente è aggiunta come parametro alla routine ricorsiva; (3) le chiamate ricorsive per il sottofile di mezzo vanno al carattere successivo. Evitiamo di andare oltre la fine delle chiavi, controllando se d è uguale alla lunghezza di v prima delle chiamate ricorsive che considerano il byte successivo.

Quando d è uguale alla lunghezza di v il sottofile sinistro è vuoto, quello di mezzo corrisponde alle chiavi che il programma ha rilevato essere uguali, mentre quello di destra corrisponde a stringhe più lunghe che dovranno essere elaborate ulteriormente. Per chiavi a lunghezza fissa possiamo omettere il test che controlla le chiamate ricorsive per d+1 e aggiungere un'istruzione all'inizio, che esca quando d eccede la lunghezza della chiave (come nel Programma 10.2).

```
static void StrSort(String a[], int l, int r, int d)
{
  if (r <= l) return;
  String v = a[r];
  int i = l-1, j = r, p = l-1, q = r, k;
  while (i < j)
    {
      while (less(a[++i], v, d)) ;
      while (less(v, a[--j], d)) if (j == l) break;
      if (i > j) break;
      exch(a, i, j);
      if (equal(a[i], v, d)) exch(a, ++p, i);
      if (equal(v, a[j], d)) exch(a, --q, j);
    }
  if (p == q) // primi d+1 caratteri di tutte le
                      chiavi uguali
    if (v.length() > d) StrSort(a, l, r, d+1);
  if (p == q) return;
  if (less(a[i], v, d)) i++;
  for (k = l; k <= p; k++, j--) exch(a, k, j);
  for (k = r; k >= q; k--, i++) exch(a, k, i);
  StrSort(a, l, j, d);
  if ((i == r) && (equal(a[i], v, d))) i++;
  if (v.length() >= d) StrSort(a, j+1, i-1, d+1);
  StrSort(a, i, r, d);
}
```

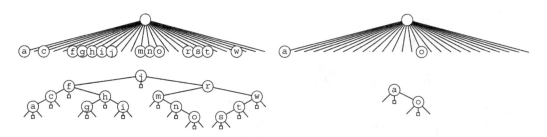

**Figura 10.13
Esempio di nodi di un trie
per il Quicksort digitale
a tre vie**

Il Quicksort digitale a tre vie affronta il problema dei bin vuoti, realizzando una partizione a tre vie per eliminare 1 byte e lavorare (ricorsivamente) sugli altri. Ciò corrisponde a sostituire ciascun nodo a M vie nel trie che descrive la struttura delle chiamate ricorsive (Figura 10.9) con un albero ternario avente un nodo interno per ogni bin non vuoto. Per nodi completi (a sinistra), questa modifica richiede tempo e non fa guadagnare molto spazio, ma per nodi vuoti (a destra), il tempo richiesto è minimo, mentre lo spazio guadagnato è considerevole.

Un'altra interessante proprietà del Quicksort digitale a tre vie è di non presentare una diretta dipendenza dal valore della radice. Per altri metodi di ordinamento digitale si deve mantenere un array ausiliario indicizzato dal valore della radice, e si deve assicurare che la dimensione di questo array non sia molto più grande della dimensione dell'input. Nel Quicksort digitale a tre vie non abbiamo bisogno di questa tabella. Fissando la radice a un valore molto grande (più grande della dimensione della parola), il metodo si riduce al Quicksort normale, mentre fissandola al valore 2 si ottiene il Quicksort binario. Ogni valore intermedio della radice dà luogo a un metodo efficiente per gestire chiavi con parti in comune.

In molte applicazioni reali è possibile sviluppare metodi ibridi con prestazioni eccellenti, combinando l'ordinamento digitale MSD standard su file grandi (per trarre vantaggio dal partizionamento a più vie) e il Quicksort digitale a tre vie con una radice minore su file più piccoli (per evitare gli effetti negativi del gran numero di bin vuoti).

Il Quicksort digitale a tre vie si può anche applicare quando le chiavi da ordinare sono *vettori* (tanto nel senso matematico usuale quanto nel senso degli oggetti Vector di Java). Se le chiavi sono formate da componenti indipendenti (ciascuna è una chiave astratta), potremmo voler riorganizzare i record in modo tale che siano ordinati in base alla prima componente delle chiavi, oppure alla seconda componente se le prime componenti sono uguali, oppure alla terza se le prime due sono uguali, ecc. Possiamo pensare all'ordinamento di vettori come a una generalizzazione dell'ordinamento digitale in cui prendiamo una radice R arbitrariamente grande. Quando adattiamo il Programma 10.3 a questa applicazione, otteniamo una versione che chiameremo *Quicksort multichiave*.

Esercizi

10.29 Supponete che le chiavi siano formate da $d > 4$ byte, dove i 4 byte finali hanno valori casuali e tutti gli altri hanno valore 0. Stimate il numero di byte esaminati durante l'ordinamento con il Quicksort digitale a tre vie (Programma 10.3) e con il Quicksort standard (Programma 7.1) per file di dimensione N grande. Calcolate anche il rapporto fra i tempi di esecuzione.

10.30 Modificate il Programma 10.3 in modo che esso ordini oggetti con chiavi di lunghezza fissata tramite il tipo wordItem (si veda l'Esercizio 10.3), come per il Programma 10.2.

10.31 Modificate il Programma 10.3 in modo che esso ordini oggetti dotati di chiavi che sono stringhe del linguaggio C. Usate il tipo stringItem (si veda l'Esercizio 10.21).

10.32 Determinate empiricamente la dimensione del byte per la quale il Quicksort digitale a tre vie è più veloce su N chiavi casuali a 64 bit, dove $N = 10^3, 10^4, 10^5, 10^6$.

● **10.33** Sviluppate un'implementazione del Quicksort digitale a tre vie per liste concatenate.

10.34 Sviluppate un'implementazione del Quicksort multichiave per il caso in cui le chiavi siano vettori di t numeri in virgola mobile. Utilizzate oggetti Vector e un'implementazione di equals che consideri uguali due numeri in virgola mobile che differiscono in valore assoluto per meno di 10^{-6}.

10.35 Usando il generatore di chiavi dell'Esercizio 10.23, eseguite il Quicksort digitale a tre vie per $N = 10^3, 10^4, 10^5, 10^6$. Confrontate le sue prestazioni con quelle dell'ordinamento digitale MSD.

10.36 Usando il generatore di chiavi dell'Esercizio 10.25, eseguite il Quicksort digitale a tre vie per $N = 10^3, 10^4, 10^5, 10^6$. Confrontate le sue prestazioni con quelle dell'ordinamento digitale MSD.

10.37 Usando il generatore di chiavi dell'Esercizio 10.27, eseguite il Quicksort digitale a tre vie per $N = 10^3, 10^4, 10^5, 10^6$. Confrontate le sue prestazioni con quelle dell'ordinamento digitale MSD.

10.5 Ordinamento digitale LSD

Un metodo di ordinamento digitale alternativo è quello di esaminare i byte da destra verso sinistra. La Figura 10.14 mostra come il nostro problema di ordinamento su tre lettere venga risolto attraverso tre soli passaggi sul file. Ordiniamo il file in funzione della lettera finale (usando il key-indexed counting), quindi, in funzione della lettera di mezzo e, infine, in funzione della prima lettera.

Non è facile di primo acchito convincersi che tale metodo funzioni. In effetti, esso non funzionerà a meno che il metodo di ordinamento impiegato non sia stabile (si veda la Definizione 6.1). Una volta dimostrata la stabilità del metodo di ordinamento, non è difficile articolare una dimostrazione sulla correttezza dell'intero metodo LSD: dopo che le chiavi sono state ordinate in funzione degli i byte finali (in modo stabile), sap-

now	sob	cab	ace
for	nob	wad	ago
tip	cab	tag	and
ilk	wad	jam	bet
dim	and	rap	cab
tag	ace	tap	caw
jot	wee	tar	cue
sob	cue	was	dim
nob	fee	caw	dug
sky	tag	raw	egg
hut	egg	jay	fee
ace	gig	ace	few
bet	dug	wee	for
men	ilk	fee	gig
egg	owl	men	hut
few	dim	bet	ilk
jay	jam	few	jam
owl	men	egg	jay
joy	ago	ago	jot
rap	tip	gig	joy
gig	rap	dim	men
wee	tap	tip	nob
was	for	sky	now
cab	tar	ilk	owl
wad	was	and	rap
tap	jot	sob	raw
caw	hut	nob	sky
cue	bet	for	sob
fee	you	jot	tag
raw	now	you	tap
ago	few	now	tar
tar	caw	joy	tip
jam	raw	cue	wad
dug	sky	dug	was
you	jay	hut	wee
and	joy	owl	you

**Figura 10.14
Esempio di ordinamento digitale LSD**

Parole di tre lettere sono ordinate in tre passaggi (da sinistra a destra) da un ordinamento digitale LSD.

Programma 10.4 Ordinamento digitale LSD

Analogamente al Programma 10.2, questo programma implementa il key-indexed counting sui singoli byte delle chiavi wordItem, ma procedendo da destra a sinistra. L'implementazione del key-indexed counting deve essere stabile. Se R è 2 (e, quindi, bytesword e bitsword coincidono) questo programma è un ordinamento digitale "diretto" (un ordinamento digitale che opera bit dopo bit da destra a sinistra). Si veda la Figura 10.15.

```
static void radixLSD(wordItem[] a, int l, int r)
  {
    for (int d = wordItem.bytesword-1; d >=0; d--)
      { int i, j, cnt[] = new int[wordItem.R+1];
        for (j = 0; j < wordItem.R; j++) cnt[j] = 0;
        for (i = l; i <= r; i++)
          cnt[digit(a[i], d) + 1]++;
        for (j = 1; j < wordItem.R; j++)
          cnt[j] += cnt[j-1];
        for (i = l; i <= r; i++)
          aux[cnt[digit(a[i], d)]++] = a[i];
        for (i = l; i <= r; i++) a[i] = aux[i-1];
      }
  }
```

piamo che ogni data coppia di chiavi avrà ordine appropriato (sulla base dei byte esaminati fino a quel momento) o perché i primi byte degli i considerati sono diversi (e, in tal caso, l'ordinamento sulla base del primo byte fa in modo che siano correttamente ordinate) o perché i primi byte sono uguali (e, quindi, le chiavi sono sistemate nell'ordine appropriato grazie alla stabilità del metodo). Detto in modo diverso, se i $w{-}i$ byte che non sono ancora stati visti per una data coppia di chiavi sono identici, allora ogni differenza eventuale fra le chiavi non può che trovarsi nei primi i byte già esaminati. In tal caso le chiavi saranno state sistemate nell'ordine appropriato, e tale ordine verrà mantenuto grazie alla stabilità del metodo. Se, d'altro canto, i $w{-}i$ byte che non sono stati ancora esaminati sono differenti, gli i byte già esaminati non sono rilevanti e una scansione successiva farà sì che la coppia di chiavi sia sistemata secondo l'ordine appropriato sulla base di differenze più significative.

Il requisito di stabilità implica, ad esempio, che il metodo di partizionamento usato dal Quicksort binario non potrà essere usato per una versione binaria di questo ordinamento "da destra a sinistra". D'altra parte, il key-indexed counting è stabile e conduce immediatamente a un clas-

Col 1	Col 2	Col 3	Col 4	Col 5	Col 6
A 00001	R 10010	T 10100	X 11000	P 10000	A 00001
S 10011	T 10100	X 11000	P 10000	A 00001	A 00001
O 01111	N 01110	P 10000	A 00001	A 00001	E 00101
R 10010	X 11000	L 01100	I 01001	R 10010	E 00101
T 10100	P 10000	A 00001	A 00001	S 10011	G 00111
I 01001	L 01100	I 01001	R 10010	T 10100	I 01001
N 01110	A 00001	E 00101	S 10011	E 00101	L 01100
G 00111	S 10011	A 00001	T 10100	E 00101	M 01101
E 00101	O 01111	M 01101	L 01100	G 00111	N 01110
X 11000	I 01001	E 00101	E 00101	X 11000	O 01111
A 00001	G 00111	R 10010	M 01101	I 01001	P 10000
M 01101	E 00101	N 01110	E 00101	L 01100	R 10010
P 10000	A 00001	S 10011	N 01110	M 01101	S 10011
L 01100	M 01101	O 01111	O 01111	N 01110	T 10100
E 00101	E 00101	G 00111	G 00111	O 01111	X 11000

Figura 10.15
Esempio di ordinamento digitale LSD (con bit delle chiavi espliciti)

Questo diagramma mostra un ordinamento digitale che lavora sulla nostra sequenza campione di chiavi, analizzando i bit da destra a sinistra. Calcoliamo l'i-esima colonna a partire dalla $(i-1)$-esima colonna, estraendo dapprima (in modo stabile) tutte le chiavi aventi 0 nell'i-esimo bit, e quindi tutte le chiavi aventi 1 nell'i-esimo bit. Se la $(i-1)$-esima colonna è ordinata sugli $i-1$ bit finali delle chiavi prima di quest'operazione, allora l'i-esima colonna sarà ordinata sugli i bit finali delle chiavi dopo l'operazione. Lo spostamento di chiavi nel terzo passaggio è indicato esplicitamente.

sico ed efficiente algoritmo. Il Programma 10.4 è un'implementazione di questo metodo. Un array ausiliario per distribuire le chiavi sembra risultare necessario (la tecnica degli Esercizi 10.19 e 10.20 per gestire la distribuzione sul posto, evitando l'array ausiliario, sacrifica la stabilità).

L'ordinamento digitale LSD è il metodo usato dai vecchi sistemi per l'ordinamento di schede perforate. Queste macchine avevano la capacità di distribuire una pila di schede perforate all'interno di 10 bin, in funzione dello schema di perforazione su alcune colonne selezionate. Se una pila di schede aveva numeri in un particolare insieme di colonne, un operatore poteva ordinare le schede inserendole nella macchina e facendo leggere a questa la cifra più a destra, procedendo poi a raccogliere le schede così ordinate, impilandole, inserendole di nuovo nella macchina e leggendo la seconda cifra più a destra, e così via fino ad arrivare alla prima cifra. Impilare fisicamente le schede è un processo stabile che è, in effetti, imitato dal key-indexed counting. Questa versione dell'ordinamento digitale LSD non era solo importante nelle applicazioni commerciali degli anni '50 e '60, ma era anche impiegata dai programmatori prudenti che perforavano sequenze numeriche nelle ultime colonne di un gruppo di schede che costituivano un programma, in modo tale da poterne recuperare il giusto ordine nel caso in cui le schede fossero state involontariamente mischiate.

La Figura 10.15 illustra le operazioni svolte dall'ordinamento digitale LSD sul campione di chiavi utilizzato anche nella Figura 10.3. Per queste chiavi a 5 byte l'ordinamento termina in 5 passaggi, spostandosi da destra a sinistra nelle chiavi. Ordinare record con chiavi di un solo bit corrisponde a partizionare il file in modo tale che tutti i record con chiave 0 appaiano prima dei record con chiave 1. Come già ricordato, non possiamo adottare la strategia di partizionamento presentata

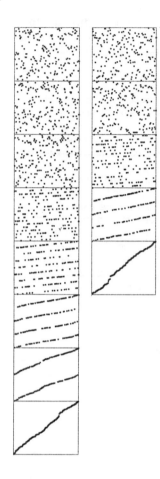

Figura 10.16
Caratteristiche dinamiche dell'ordinamento digitale LSD

Questi diagrammi mostrano le fasi dell'ordinamento digitale LSD su chiavi casuali di 8 bit, con valore della radice pari a 2 (a sinistra) e pari a 4 (a destra). Quest'ultimo caso include un diagramma su due della parte sinistra. Ad esempio, quando rimangono solo due bit (terzultimo diagramma nella parte sinistra e penultimo in quella destra) il file è composto da 4 file parziali ordinati e interfogliati, formati dalle chiavi che iniziano per 00, 01, 10 e 11.

all'inizio del capitolo (Programma 10.1), anche se essa sembra risolvere questo stesso problema, poiché manca di stabilità. Vale la pena di considerare l'ordinamento digitale con radice 2 perché esso è adeguato per macchine dalle elevate prestazioni e hardware orientato ad applicazioni particolari (si veda l'Esercizio 10.44). Agendo via software, utilizziamo quanti più bit è possibile poiché vogliamo ridurre il numero di passaggi, essendo limitati solo dalla dimensione dell'array che contiene i contatori (si veda la Figura 10.16).

È solitamente più difficile applicare l'approccio LSD all'ordinamento di stringhe, data la loro lunghezza variabile. Per l'ordinamento MSD è abbastanza agevole distinguere le chiavi in funzione dei loro byte iniziali, mentre l'ordinamento LSD si fonda su chiavi di lunghezza fissata e le parti iniziali delle chiavi sono elaborate solo nelle fasi finali. Inoltre, su chiavi lunghe a lunghezza fissata l'ordinamento LSD tende a eseguire lavoro inutile sulla parte destra delle chiavi dato che, come si è visto, sono le parti di sinistra a essere solitamente usate nell'ordinamento. Presenteremo un modo per affrontare questo problema nel Paragrafo 10.7, dopo aver esaminato nel dettaglio le proprietà dei metodi di ordinamento digitale.

Esercizi

10.38 Usando il generatore di chiavi dell'Esercizio 10.23, eseguite un ordinamento digitale LSD per $N = 10^3$, 10^4, 10^5, 10^6. Confrontate le prestazioni con quelle del metodo MSD.

10.39 Usando il generatore di chiavi degli Esercizi 10.25 e 10.27, eseguite un ordinamento digitale LSD per $N = 10^3$, 10^4, 10^5, 10^6. Confrontate le prestazioni con quelle del metodo MSD.

10.40 Mostrate il risultato (non ordinato) che si ottiene cercando di usare un ordinamento digitale LSD basato sul partizionamento del Quicksort binario sull'esempio della Figura 10.15.

▷ **10.41** Mostrate il risultato che si ottiene usando un ordinamento digitale LSD sui due primi caratteri dell'insieme di chiavi now is the time for all good people to come the aid of their party.

● **10.42** Sviluppate un'implementazione di ordinamento digitale LSD che usi liste concatenate.

● **10.43** Trovate un metodo efficiente che: (1) riorganizzi i record di un file in modo tale che quelli le cui chiavi iniziano per 0 vengano prima di quelli le cui chiavi iniziano per 1; (2) usi uno spazio aggiuntivo proporzionale alla radice quadrata del numero di record (o anche meno); (3) sia stabile.

● **10.44** Implementate un metodo che ordini un array di parole di 32 bit usando solo la seguente operazione astratta: data la posizione i di un bit e un puntatore nell'array a[k], riordina a[k], a[k+1], . . ., a[k+63] in modo stabile e tale per cui le parole con 0 in posizione *i* appaiano prima di quelle con 1 in posizione *i*.

10.6 Descrizione delle prestazioni degli ordinamenti digitali

Il tempo di calcolo che l'ordinamento digitale LSD impiega per ordinare N record con chiavi di w byte è proporzionale a $N\,w$, poiché l'algoritmo esegue w scansioni su N chiavi. Quest'analisi non dipende dall'input (si veda la Figura 10.17).

Per chiavi lunghe e byte corti questo tempo di calcolo è simile a N lg N. Ad esempio, se stiamo usando un ordinamento digitale LSD per ordinare 1 miliardo di chiavi a 32 bit, allora w e lg N saranno entrambi circa pari a 32. Per chiavi più corte e byte più lunghi questo tempo di calcolo è simile a N. Ad esempio, se usiamo una radice pari a 16 per chiavi lunghe 64 bit, allora w sarà pari a 4, ovvero a una piccola costante.

Per confrontare correttamente le prestazioni degli ordinamenti digitali con quelle degli ordinamenti basati sui confronti, dobbiamo tener conto dei byte delle chiavi oltre che del numero delle chiavi.

Proprietà 10.1 *Il caso peggiore nell'ordinamento digitale è quello in cui si esaminano tutti i byte di tutte le chiavi.*

In altre parole, gli ordinamenti digitali sono lineari nel senso che il tempo impiegato è al più proporzionale al numero di cifre dell'input. Quest'osservazione segue direttamente dall'esame dei programmi: nessuna cifra viene esaminata più di una volta. Per tutti gli algoritmi che abbiamo trattato, questo caso peggiore è effettivamente raggiunto quando tutte le chiavi sono uguali. ∎

Come abbiamo visto, per chiavi casuali e in varie altre situazioni, il tempo di calcolo dell'ordinamento digitale MSD può anche essere sublineare nel numero totale dei bit nei dati, poiché l'intera chiave non deve essere necessariamente esaminata. Quello che segue è un classico risultato che vale per chiavi arbitrariamente lunghe.

Proprietà 10.2 *Il Quicksort binario esamina mediamente all'incirca N lg N bit quando ordina chiavi costituite da bit casuali.*

Se la dimensione del file è una potenza di 2 e i bit sono casuali, ci si aspetta che metà dei bit più significativi siano a 0 e metà a 1, per cui le prestazioni dell'algoritmo possono essere descritte in modo analogo a

Figura 10.17
Caratteristiche dinamiche dell'ordinamento digitale LSD su vari tipi di file

Questi diagrammi illustrano le fasi dell'ordinamento digitale LSD su file di dimensione 700 che sono, in ordine da sinistra a destra, casuali, gaussiani, quasi ordinati, quasi ordinati in senso inverso e casuali con solo 10 chiavi distinte. Il tempo di calcolo non dipende dall'ordine iniziale dell'input. I tre file che contengono lo stesso insieme di chiavi (il primo, il terzo e il quarto sono tutti permutazioni degli interi da 1 a 700) hanno caratteristiche simili verso la fine del processo di ordinamento.

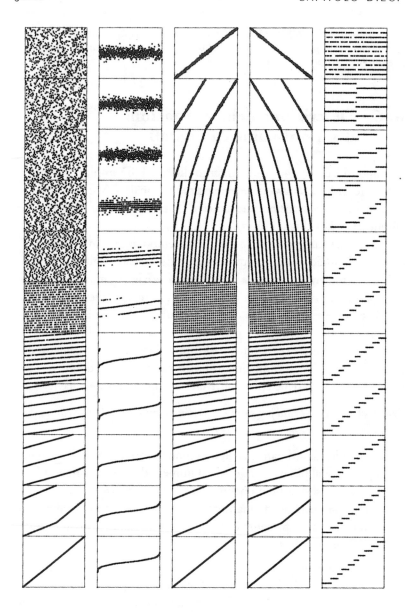

quanto fatto nel Capitolo 7 per il Quicksort, attraverso la ricorrenza $C_N = 2C_N/2 + N$. Anche in questo caso la descrizione della situazione non è accurata, perché la partizione divide il file esattamente al centro solo nel caso medio (e perché il numero di bit che compongono le chiavi è finito). Comunque, in questo modello la scomposizione al centro ha più probabilità di verificarsi che nel caso del Quicksort standard, motivo per cui il termine principale del tempo di calcolo è lo stesso di quello che sarebbe se la partizione fosse perfetta. L'analisi dettagliata di questo risultato è un classico esempio nell'analisi degli algoritmi, e fu condotta da Knuth prima del 1973 (si vedano i riferimenti bibliografici). ■

Questo risultato si può generalizzare all'ordinamento digitale MSD. In effetti, però, dato che il nostro interesse è generalmente quello di calcolare il tempo totale di esecuzione piuttosto che il numero di caratteri delle chiavi esaminati, dobbiamo prestare attenzione al fatto che il tempo di esecuzione di un ordinamento digitale MSD è proporzionale al valore della radice R, e non ha nulla a che fare con le chiavi.

Proprietà 10.3 *L'ordinamento digitale MSD con radice R richiede almeno $2N + 2R$ passi su un file di dimensione N.*

L'ordinamento digitale MSD richiede almeno un'esecuzione del key-indexed counting. Quest'ultimo esegue almeno due scansioni sui record (una per il conteggio e una per la distribuzione) per un totale di almeno $2N$ passi, e due scansioni sui contatori (una per inizializzarli a 0 e una per determinare dove si trovano alla fine i sottofile) per un totale di almeno $2R$ passi. ■

Questa proprietà sembra quasi troppo ovvia per meritare di essere enunciata. In realtà, essa è fondamentale per la comprensione dell'ordinamento digitale MSD. In particolare, essa ci dice che non possiamo concludere che il tempo di calcolo sia modesto solo perché N è piccolo, perché R potrebbe essere molto più grande di N. In sintesi, per trattare file parziali piccoli dovrebbero essere usati metodi diversi. Quest'osservazione è una soluzione al problema dei bin vuoti trattato alla fine del Paragrafo 10.3. Ad esempio, se R è 256 ed N è 2, l'ordinamento digitale MSD risulterà fino a 128 volte più lento del metodo elementare che confronta gli elementi. La struttura ricorsiva dell'ordinamento digitale MSD assicura che il programma ricorsivo chiamerà se stesso su un gran numero di file di piccole dimensioni. Quindi, ignorare il problema dei bit vuoti potrebbe rendere l'ordinamento digitale fino a 128 volte più lento di quanto potrebbe essere in questo esempio. Per situazioni non così estreme (ad esempio, per $R = 256$ ed $N = 64$) il costo non è così catastrofico, ma rimane pur sempre significativo. Così come non è saggio usare indiscriminatamente l'ordinamento per inserzione, perché il suo costo medio di $N^2/4$ confronti è troppo elevato, allo stesso modo non è una decisione saggia ignorare il problema dei bin vuoti, poiché il loro numero potrebbe essere piuttosto significativo. Il modo più semplice di operare in questo caso sembra essere quello di usare una radice inferiore alla dimensione del file.

Proprietà 10.4 *Se la radice è sempre minore della dimensione del file, il numero di passi impiegati dall'ordinamento digitale MSD è proporzionale a $N \log_R N$ nel caso medio (per chiavi formate da byte casuali) e proporzionale al numero di byte delle chiavi nel caso peggiore.*

Il caso peggiore si evince direttamente dalla discussione precedente, mentre il risultato analitico menzionato a proposito della Proprietà 10.2 si generalizza e dà luogo al limite superiore per il caso medio. Per R grande, il fattore $\log_R N$ è piccolo, quindi il tempo totale è praticamente proporzionale a N. Per esempio, se $R = 2^{16}$ abbiamo che $\log_R N < 3$ per tutti gli $N < 2^{48}$, cioè una dimensione di file che certamente comprende tutte le dimensioni praticamente impiegabili. ∎

Come per la Proprietà 10.2, anche per la Proprietà 10.4 vale l'importante implicazione che l'ordinamento digitale MSD è, in effetti, una funzione sublineare del numero totale di bit quando le chiavi sono casuali e lunghe. Ad esempio, ordinare 1 milione di chiavi casuali a 64 bit richiederà di esaminare solo i primi 20 o 30 bit di ogni chiave, quindi meno della metà dei dati.

Proprietà 10.5 *Il Quicksort digitale a tre vie usa mediamente $2N \ln N$ confronti di byte per ordinare N chiavi (arbitrariamente lunghe).*

Ci sono due modi, entrambi istruttivi, per comprendere questo risultato. Il primo è quello di considerare questo metodo come equivalente a usare il partizionamento del Quicksort sulla base del primo byte, impiegando (ricorsivamente) lo stesso metodo sui file parziali. In questo senso, non dovrebbe essere sorprendente che il numero totale di operazioni sia più o meno lo stesso di quello del Quicksort standard. Si noti, però, che qui stiamo contando i confronti fra byte e non fra intere chiavi. Il secondo modo è considerare il metodo dal punto di vista illustrato nella Figura 10.13. Ci aspettiamo che il tempo di calcolo $N \log_R N$ della Proprietà 10.3 debba essere moltiplicato per un fattore $2 \ln R$, dato che ci vogliono $2R \ln R$ passi del Quicksort per ordinare R byte, rispetto agli R passi sugli stessi byte nel trie. Per i dettagli di questa dimostrazione rimandiamo ai riferimenti bibliografici. ■

Proprietà 10.6 *L'ordinamento digitale LSD è in grado di ordinare N record con chiavi di w bit in w / lg R passaggi, usando spazio ausiliario per R contatori (e un buffer per riordinare il file).*

La dimostrazione di ciò segue immediatamente dall'implementazione. In particolare, se scegliamo $R = 2^{w/4}$ otteniamo un ordinamento lineare in quattro passaggi. ■

Esercizi

10.45 Supponete che un file di input sia formato da 1000 copie di ogni numero da 1 a 1000, ciascuna contenuta in una parola di 32 bit. Descrivete come trarreste vantaggio da questa conoscenza a priori per velocizzare l'ordinamento digitale.

10.46 Supponete che un file di input sia formato da 1000 copie di ciascun valore in un insieme di 1000 numeri distinti a 32 bit. Descrivete come trarreste vantaggio da questa conoscenza a priori per velocizzare l'ordinamento digitale.

10.47 Qual è il numero totale di byte esaminati nel caso peggiore dal Quicksort digitale a tre vie, durante l'ordinamento di stringhe di byte di lunghezza fissata?

10.48 Confrontate empiricamente il numero di byte esaminati dal Quicksort digitale a tre vie su stringhe lunghe con il numero di confronti eseguiti dal Quicksort standard sugli stessi file. Eseguite gli esperimenti su $N = 10^3$, 10^4, 10^5, 10^6 stringhe.

○ **10.49** Dite qual è il numero di byte esaminati dall'ordinamento digitale MSD e dal Quicksort digitale a tre vie sul file di N chiavi A, AA, AAA, AAAA, AAAAA, AAAAAA, ...

10.7 Ordinamenti sublineari

La conclusione principale che possiamo trarre dai risultati analitici del Paragrafo 10.6 è che il tempo di esecuzione degli ordinamenti digitali può essere sublineare nella quantità totale dell'informazione contenuta nelle chiavi. In questo paragrafo, consideriamo le implicazioni pratiche di questo fatto.

L'implementazione dell'ordinamento digitale LSD data nel Paragrafo 10.5 esegue `bytesword` scansioni del file. Scegliendo R grande possiamo ottenere un metodo di ordinamento efficiente, purché anche N sia grande e si disponga di spazio sufficiente per contenere R contato-

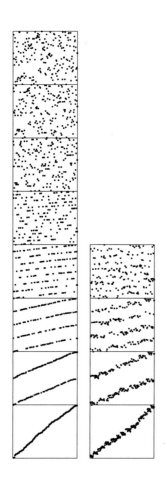

**Figura 10.18
Caratteristiche dinamiche
dell'ordinamento digitale
LSD su bit MSD**

*Quando le chiavi sono formate da
bit casuali, ordinare il file solo sulla
base dei bit iniziali delle chiavi fa ottenere un file quasi ordinato. Questi
diagrammi sono relativi a un file di
chiavi di 6 bit casuali e confrontano
un ordinamento digitale LSD che
opera in sei passaggi (a sinistra) con
un ordinamento digitale LSD che
agisce in tre passaggi (sui primi 3 bit)
e che potrebbe essere seguito da un
metodo per inserzione (a destra). La
seconda strategia è quasi due volte
più veloce.*

ri. Come si è illustrato nella dimostrazione della Proprietà 10.5, una scelta ragionevole è quella di rendere lg R (il numero di bit per byte) circa
pari a un quarto della dimensione della parola, facendo sì che l'ordinamento digitale consista in quattro passaggi del key-indexed counting.
Tutti i byte di ogni chiave sono esaminati, ma ci sono solo quattro cifre per chiave. Questo esempio corrisponde direttamente all'organizzazione architetturale di molti calcolatori: una tipica organizzazione è quella che ha parole di 32 bit, ciascuna composta da 4 byte di 8 bit. Accediamo ai byte, piuttosto che ai singoli bit, all'interno delle parole. Questo approccio è verosimilmente più efficiente su molti computer. Ora,
ogni singolo passaggio del key-indexed counting è lineare e, poiché vi
sono solo quattro passaggi, l'intera procedura di ordinamento è ancora lineare. Questa è certamente la migliore prestazione che possiamo
aspettarci da un ordinamento.

In realtà, possiamo ottenere le stesse cose con due soli passaggi del
key-indexed counting, sfruttando il fatto che il file sarà quasi ordinato
dopo aver usato solo i primi $w/2$ bit delle chiavi, completando efficientemente l'ordinamento usando alla fine un metodo per inserzione,
come è stato illustrato per il Quicksort. Si tratta di una modifica banale al Programma 10.4. Per realizzare un ordinamento che scandisca
da destra a sinistra, usando la prima metà dei bit delle chiavi, semplicemente iniziamo il ciclo esterno a bytesword/2-1 invece che a bytes-
word-1. Quindi, usiamo un convenzionale ordinamento per inserzione
sul file quasi ordinato risultante. Le Figure 10.3 e 10.18 forniscono una
convincente dimostrazione del fatto che un file ordinato sulla base dei
bit iniziali sia quasi ordinato. L'ordinamento per inserzione eseguireb-
be solo sei scambi per ordinare il file della quarta colonna della Figura
10.3, mentre la Figura 10.18 mostra come anche un file più grande, ordinato solo sulla base della prima metà dei bit, possa venir ordinato efficientemente da un metodo per inserzione.

Per alcune dimensioni di file, potrebbe valere la pena di utilizzare
spazio aggiuntivo per un array ausiliario al fine di cercare di eseguire un
solo passaggio del key-indexed counting, operando poi sul posto. Ad esempio, ordinare un milione di chiavi di 32 bit può concretizzarsi in un singolo passaggio del key-indexed counting sui primi 20 bit, seguito da un
ordinamento per inserzione. Per far ciò abbiamo bisogno di spazio aggiuntivo per un milione di contatori, meno di quanto sarebbe necessario
per mantenere un array ausiliario. Questo modo di operare equivale a usare un ordinamento digitale MSD con radice $R = 2^{20}$, sebbene sia essenziale che per tale metodo venga usata una radice piccola su file di piccole dimensioni (si veda la discussione che segue la Proprietà 10.4).

Tabella 10.1 Studio empirico di ordinamenti digitali (chiavi intere)

Sono mostrati i tempi di esecuzione relativi a ordinamenti digitali su file casuali di N interi a 32 bit. In tutti i casi, si usa un ordinamento per inserzione quando N è minore di 16. Tali risultati empirici mostrano che gli ordinamenti digitali, se utilizzati con attenzione, possono essere estremamente veloci. Se usiamo una radice molto grande su un file molto piccolo facciamo degenerare le prestazioni del metodo MSD, mentre se la radice è inferiore alla dimensione del file le cose si sistemano. Il metodo più veloce per chiavi intere è l'ordinamento LSD sulla prima metà delle chiavi. Il metodo può essere accelerato ulteriormente, se prestiamo particolare attenzione al ciclo interno (Esercizio 10.51).

| N | Q | byte a 4 bit | | byte a 8 bit | | | byte a 16 bit | | |
		M	L	M	L	L*	M	L	M*
12500	53	29	35	13	14	18	21	15	2
25000	49	22	40	19	20	16	26	23	5
50000	73	50	84	32	42	24	35	38	12
100000	91	99	170	66	89	51	61	74	64
200000	192	202	373	130	195	119	202	158	82
400000	410	457	784	515	413	274	62506	346	153
800000	892	1003	1587	2452	847	637	588076	726	1039

Legenda:

Q   Quicksort standard (Programma 7.1)
M   Ordinamento digitale MSD standard (Programma 10.2)
L   Ordinamento digitale LSD (Programma 10.4)
M*   Ordinamento digitale MSD, radice adattata alla dimensione del file
L*   Ordinamento digitale LSD su bit MSD

Tabella 10.2   Studio empirico di ordinamenti digitali (chiavi stringa)

Sono mostrati i tempi di esecuzione relativi a vari metodi di ordinamento sulle prime N parole del romanzo *Moby Dick*. Tutti i metodi (tranne Heapsort) usano un ordinamento per inserzione, quando N è minore di 16. Tali risultati empirici mostrano che l'approccio di esaminare prima i bit più significativi è efficiente quando i dati sono stringhe. La gestione separata di file di piccole dimensioni non è efficace, a meno di non modificare l'ordinamento per inserzione per evitare di andare nelle parti più significative delle chiavi (si veda l'Esercizio 10.52). Il partizionamento a tre vie si avvantaggia quando ci sono parecchie chiavi identiche, mentre l'ordinamento digitale MSD trae vantaggio dal fatto che tutti i caratteri sono lettere minuscole. In situazioni più generali, il Quicksort digitale a tre vie tenderà a essere più competitivo degli altri metodi.

N	Q	T	M	F	R	X	X*
12500	75	59	68	74	69	64	43
25000	129	107	145	169	127	115	102
50000	313	257	341	418	237	283	267
100000	819	603	757	986	500	681	649

Legenda:

Q   Quicksort standard (Programma 7.1)
T   Quicksort con partizionamento a tre vie (Programma 7.5)
M   Mergesort (Programma 8.3)
F   Heapsort con variante di Floyd (vedi Paragrafo 9.4)
R   Ordinamento digitale MSD (Programma 10.2)
X   Quicksort digitale a tre vie (Programma 10.3)
X* Quicksort digitale a tre vie con gestione separata dei file piccoli

L'approccio LSD all'ordinamento digitale è comunemente usato, dato che richiede strutture di controllo estremamente semplici e le sue operazioni di base sono facili da implementare in linguaggio macchina e, di conseguenza, sono facilmente adattabili ad hardware specializzati di elevate prestazioni. In tali ambienti hardware-software la scelta più efficiente potrebbe essere quella di eseguire un ordinamento LSD completo. Se vogliamo impiegare un ordinamento LSD, dobbiamo avere spazio per contenere solo N riferimenti extra (ed R contatori). Ciò conduce a un metodo in grado di ordinare file casuali in soli tre o quattro passaggi.

Negli ambienti di programmazione convenzionali, il ciclo interno del programma di key-indexed counting, su cui gli ordinamenti digitali si basano, contiene un numero di istruzioni sostanzialmente maggiore di quello dei cicli interni del Quicksort e del Mergesort. Ciò implica che i metodi sublineari che abbiamo descritto possono rivelarsi non tanto più rapidi di un Quicksort (o almeno non quanto ci aspetteremmo) in molte situazioni pratiche.

Gli algoritmi general-purpose come il Quicksort sono usati più comunemente degli ordinamenti digitali, perché si adattano a una più ampia varietà di applicazioni. Il motivo principale di questo stato di cose risiede nel fatto che il meccanismo di astrazione su cui l'ordinamento digitale si basa è meno generale di quello impiegato nei Capitoli dal 6 al 9. Il nostro obiettivo nell'uso dell'interfaccia ITEM per specificare che gli elementi da ordinare devono avere un metodo less (e così anche l'uso di Comparable e compareTo da parte di Java), è quello di far sì che il client fornisca il metodo di confronto. Tale strutturazione è in grado non solo di gestire casi in cui il client utilizza proprietà particolari delle chiavi (magari complesse) a lui note per implementare un confronto veloce, ma anche di ordinare tramite un criterio di ordinamento che potrebbe non coinvolgere chiavi. L'ordinamento digitale potrebbe non applicarsi in tali situazioni.

La scelta fra il Quicksort e le varie versioni di ordinamento digitale (e le relative versioni del Quicksort) dipende non solo dalle caratteristiche dell'applicazione (come chiavi, record e dimensione del file), ma anche dalle caratteristiche dell'ambiente di programmazione software e hardware, legate all'efficienza nell'accesso e nell'uso di singoli bit e byte. Le Tabelle 10.1 e 10.2 forniscono risultati empirici a supporto della conclusione che i tempi di calcolo lineari e sublineari esaminati per le varie applicazioni dell'ordinamento digitale, rendono questi metodi convenienti per diverse situazioni.

Esercizi

▷ **10.50** Qual è il maggiore inconveniente quando eseguiamo un ordinamento digitale LSD sui primi bit delle chiavi e, poi, un ordinamento per inserzione alla fine?

• **10.51** Sviluppate un'implementazione dell'ordinamento digitale LSD su chiavi di 32 bit, minimizzando il numero di istruzioni del ciclo interno.

10.52 Implementate un Quicksort digitale a tre vie tale che l'ordinamento per inserzione su file di piccole dimensioni non usi nei confronti i byte iniziali delle chiavi che sono noti essere uguali.

10.53 Date un milione di chiavi casuali di 32 bit, trovate la scelta della dimensione del byte che minimizza il tempo totale di calcolo, quando usiamo un ordinamento digitale LSD sui primi due byte, seguito da un ordinamento per inserzione.

10.54 Rispondete all'Esercizio 10.53 per un miliardo di chiavi di 64 bit.

10.55 Rispondete all'Esercizio 10.54 per un ordinamento digitale LSD a tre passaggi.

Metodi speciali di ordinamento

I METODI DI ORDINAMENTO COSTITUISCONO le componenti critiche di molti sistemi applicativi. Non è infrequente che in tali sistemi vengano impiegati meccanismi specifici per ottimizzare i tempi o per poter gestire file di grandissime dimensioni. Ad esempio, un calcolatore potrebbe essere dotato di hardware specializzato per l'ordinamento oppure avere un'architettura progettata in modo specifico allo scopo. In tali casi, le assunzioni che implicitamente avevamo fatto circa i costi relativi delle operazioni sui dati da ordinare potrebbero non essere più valide. In questo capitolo, studiamo esempi di metodi di ordinamento progettati per essere efficienti su vari tipi di calcolatori. Considereremo diversi esempi di restrizioni imposte da hardware ad alte prestazioni e diverse tecniche utili nella pratica per l'implementazione di metodi di ordinamento dalle elevate prestazioni.

È importante che le architetture dei calcolatori offrano un supporto alle operazioni di ordinamento. Non è un caso che, storicamente, il problema dell'ordinamento sia servito come test di valutazione delle prestazioni di nuove architetture, data la sua rilevanza e la profondità con cui è stato studiato. Il nostro obiettivo non è solo quello di capire quale algoritmo lavori meglio su una data architettura e perché, ma anche se esistano specifiche caratteristiche di tale architettura che possono essere sfruttate per nuovi algoritmi. Per sviluppare nuovi algoritmi definiamo una macchina astratta che incorpora le proprietà essenziali di una macchina reale, quindi progettiamo e analizziamo algoritmi per la macchina astratta e, infine, implementiamo, testiamo e raffiniamo tanto gli algoritmi che il modello di macchina. Ci avvaliamo naturalmente di quanto abbiamo studiato nei Capitoli dal 6 al 10, e in particolare dei metodi di ordinamento general-purpose. D'altra parte, le macchine astratte impongono talune limitazioni che ci aiutano a concentrarci sui costi reali e chiariscono, inoltre, il motivo per cui i diversi algoritmi si adattano a macchine differenti.

Considereremo da una parte modelli a basso livello, in cui la sola operazione consentita è quella di confronto-scambio, e dall'altra modelli ad alto livello, in cui è possibile la lettura e la scrittura di lunghi blocchi di dati su dispositivi esterni lenti o fra processori paralleli indipendenti.

Esamineremo per prima una versione di Mergesort nota col nome di *Mergesort odd-even di Batcher*. Si tratta di un metodo che si basa su un algoritmo di fusione *divide et impera* che sfrutta solo operazioni di confronto-scambio, in cui gli spostamenti di dati sono eseguiti da operazioni di *shuffle perfetto* e *unshuffle perfetto*. Queste operazioni sono interessanti di per sé, e si applicano anche al di fuori dei problemi di ordinamento. Studieremo, quindi, il metodo di Batcher come rete di ordinamento. Una *rete di ordinamento* è una semplice astrazione di un dispositivo hardware per eseguire ordinamenti. Le reti sono composte da *unità di confronto* (*comparatori*) interconnesse, cioè da moduli che realizzano operazioni di confronto-scambio.

Un altro importante problema astratto di ordinamento è quello dell'*ordinamento esterno*, in cui il file da ordinare è troppo grande per essere ospitato nella memoria centrale. Il costo dell'accesso ai singoli record potrebbe essere proibitivo, perciò adotteremo un modello astratto in cui i record sono trasferiti da un dispositivo esterno in blocchi di grandi dimensioni. Studieremo due algoritmi di ordinamento esterno e useremo tale modello per confrontarli.

Studieremo infine l'*ordinamento parallelo*, in cui il file da ordinare è distribuito su processori paralleli indipendenti. Definiremo un semplice modello di macchina parallela, ed esamineremo, poi, in che modo il metodo di Batcher fornisca una soluzione efficiente. L'uso dello stesso algoritmo di base per risolvere sia un problema ad alto livello sia uno a basso livello è un esempio convincente dell'efficacia del processo di astrazione.

Le macchine astratte di questo capitolo sono semplici ma meritevoli di essere studiate, poiché esse incorporano specifici vincoli che possono dirsi critici in particolari applicazioni dell'ordinamento. L'hardware per implementare ordinamenti deve essere formato da componenti semplici; gli ordinamenti esterni generalmente richiedono di accedere a enormi quantità di dati in blocchi e, quindi, con accesso sequenziale molto più efficiente di quello casuale (o diretto); l'ordinamento parallelo comporta vincoli di comunicazione fra i processori. Da una parte non possiamo elaborare modelli di macchine che corrispondano esattamente a una particolare macchina reale, dall'altra le astrazioni che consideriamo ci conducono non solo a formulazioni teoriche che danno informazioni su alcune fondamentali limitazioni delle prestazioni, ma anche a interessanti algoritmi di immediata utilità pratica.

11.1 Mergesort odd-even di Batcher

Per iniziare, consideriamo un metodo di ordinamento basato su due sole operazioni astratte: *confronto-scambio* e *shuffle perfetto* (insieme alla sua inversa *unshuffle perfetto*). L'algoritmo, sviluppato da Batcher nel 1968, è noto con il nome di *Mergesort odd-even di Batcher*. Non è difficile implementare l'algoritmo sfruttando shuffle, confronto-scambio e ricorsione doppia. Un po' più difficoltoso è comprendere il motivo per cui l'algoritmo, in effetti, funziona e come esso risulti operare a basso livello.

Nel Capitolo 6 abbiamo incontrato l'operazione di confronto-scambio e abbiamo notato che alcuni degli elementari metodi di ordinamento esaminati in quella sede potevano essere espressi in modo più conciso tramite tale operazione. Ora, siamo interessati a metodi che esaminano i dati *esclusivamente* attraverso l'operazione di confronto-scambio: i confronti standard sono esclusi. Il confronto-scambio non restituisce un valore, e quindi per un programma non vi è alcun modo di operare decisioni in funzione del valore dei dati.

Definizione 11.1 *In un algoritmo di ordinamento **non adattivo** la sequenza di operazioni eseguite dipende solo dal numero degli ingressi e non dal loro valore.*

In questo paragrafo, consentiamo l'uso di operazioni che riordinano unilateralmente i dati, come scambi e shuffle perfetto, anche se esse, come si osserverà nel Paragrafo 11.2, non sono di importanza essenziale. I metodi non adattivi sono equivalenti a programmi *straight-line* per l'ordinamento, cioè a programmi che possono essere espressi come una semplice sequenza di operazioni di confronto-scambio. Per esempio, la sequenza

```
compexch(a[0], a[1])
compexch(a[1], a[2])
compexch(a[0], a[1])
```

è un programma *straight-line* per ordinare tre elementi. Usiamo cicli, shuffle e altre operazioni ad alto livello solo per convenienza espositiva

> ## Programma II.I Shuffle e unshuffle perfetti
>
> La funzione `shuffle` riorganizza un sottoarray `a[1]`,...,`a[r]` spezzandolo a metà, e quindi alternando elementi da ciascuna metà: gli elementi provenienti dalla prima metà andranno in posizioni pari, mentre quelli provenienti dalla seconda metà andranno in posizioni dispari. La funzione `unshuffle` esegue l'operazione inversa: gli elementi in posizioni pari andranno nella prima metà, mentre quelli in posizioni dispari andranno nella seconda metà. Usiamo queste funzioni solo su sottoarray di dimensione pari. Inoltre, sebbene entrambi i metodi utilizzino un array ausiliario, inizializzato come per il Mergesort (Programma 8.3), non è difficile eseguire queste permutazioni senza far uso di tale array (si veda l'Esercizio II.42).
>
> ```
> static ITEM[] aux;
> static void shuffle(ITEM a[], int l, int r)
>   { int i, j, m = (l+r)/2;
>     for(i = l, j = 0; i <= r; i+=2, j++)
>       { aux[i] = a[l+j]; aux[i+1] = a[m+1+j]; }
>     for (i = l; i <= r; i++) a[i] = aux[i];
>   }
> static void unshuffle(ITEM a[], int l, int r)
>   { int i, j, m = (l+r)/2;
>     for(i = l, j = 0; i <= r; i+=2, j++)
>       { aux[l+j] = a[i]; aux[m+1+j] = a[i+1]; }
>     for (i = l; i <= r; i++) a[i] = aux[i];
>   }
> ```

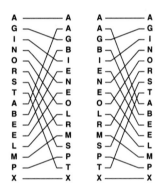

Figura II.I
Shuffle e unshuffle perfetti

Per realizzare uno shuffle perfetto (a sinistra), prendiamo il primo elemento del file, quindi il primo elemento della seconda metà, il secondo elemento del file, il secondo elemento della seconda metà, e così via. Possiamo pensare che gli elementi siano numerati iniziando da 0, dalla cima al fondo. In tal caso, gli elementi della prima metà verranno posti in posizione pari, mentre quelli della seconda metà andranno in posizione dispari. Per realizzare un unshuffle perfetto (a destra) facciamo il contrario: gli elementi di posto pari andranno nella prima metà, mentre quelli di posto dispari andranno nella seconda metà.

degli algoritmi, ma rimane chiaro che il nostro obiettivo nello sviluppare un algoritmo è quello di definire, per ogni valore di N, una sequenza fissata di operazioni `compexch` che sia in grado di ordinare un qualsiasi insieme di N chiavi. Possiamo assumere, senza ledere la generalità, che i valori delle chiavi siano gli interi da 1 a N (si veda l'Esercizio II.4). Per sapere se un programma *straight-line* è corretto, dobbiamo mostrare che questo è in grado di ordinare ogni possibile permutazione di questi valori (si veda, ad esempio, l'Esercizio II.5).

Sono pochi gli algoritmi, fra quelli trattati nei Capitoli dal 6 al 10, che risultano essere non adattivi: usano tutti l'operazione `less` (o esaminano le chiavi in altro modo), e quindi decidono quale azione intraprendere in funzione del valore delle chiavi. Un'eccezione è il Bubble sort (Paragrafo 6.5), che usa solo l'operazione di confronto-scambio. La versione di Pratt di Shellsort (Paragrafo 6.8) è un altro esempio di metodo non adattivo.

Programma 11.2 Merging odd-even di Batcher (versione ricorsiva)

Questo programma ricorsivo implementa un merging astratto sul posto, tramite le operazioni `shuffle` e `unshuffle` del Programma 11.1. Si noti che esse in realtà non sono essenziali (il Programma 11.3 è una versione bottom-up non ricorsiva di questo programma in cui tali operazioni sono rimosse). Il nostro interesse principale, qui, è che quest'implementazione fornisca una descrizione compatta dell'algoritmo di Batcher, quando la dimensione del file è una potenza di 2.

```
static void merge(ITEM[] a, int l, int m, int r)
  {
    if (r == l+1) compExch(a, l, r);
    if (r < l+2) return;
    unshuffle(a, l, r);
    merge(a, l, (l+m)/2, m);
    merge(a, m+1, (m+1+r)/2, r);
    shuffle(a, l, r);
    for (int i = l+1; i < r; i+=2)
      compExch(a, i, i+1);
  }
```

Il Programma 11.1 fornisce un'implementazione delle altre operazioni astratte di cui faremo uso (shuffle perfetto e unshuffle perfetto), mentre la Figura 11.1 ne dà un'esemplificazione. Lo shuffle perfetto riorganizza un array in modo simile a come un mazzo di carte potrebbe essere mescolato da un giocatore esperto: il mazzo è diviso esattamente a metà, quindi le carte sono prese in modo alternato da ciascuna metà. Si prende sempre la prima carta dalla metà di sopra del mazzo. Se il numero di carte è pari, le due metà avranno lo stesso numero di carte, mentre se il numero di carte è dispari, la carta che avanza starà nella metà di sopra. L'unshuffle perfetto esegue l'operazione inversa: si mettono le carte nelle due metà (quella di sopra e quella di sotto) in modo alternato.

L'ordinamento di Batcher è essenzialmente il Mergesort top-down del Paragrafo 8.3. L'unica differenza è che, invece di utilizzare uno dei metodi di merging adattivi del Capitolo 8, esso usa il merging odd-even di Batcher, un merging top-down ricorsivo ma non adattivo. Il Programma 8.3 non accede in alcun modo ai dati, quindi il nostro uso di un merging non adattivo implica che l'intera procedura di ordinamento sia non adattiva.

Figura 11.2
Esempio di merging odd-even di Batcher (top-down)

Per fondere la sequenza A G I N O R S T con la sequenza A E E L M P X Y, iniziamo con un unshuffle che crea due problemi di merging indipendenti di dimensione all'incirca dimezzata (nella seconda riga): dobbiamo fondere A I O S con A E M X (nella prima metà dell'array) e G N R T con E L P Y (nella seconda metà dell'array). Dopo aver risolto ricorsivamente questi sottoproblemi, eseguiamo uno shuffle sulle soluzioni ottenute (nella penultima riga) e completiamo l'ordinamento con una serie di operazioni di confronto-scambio: E con A, G con E, L con I, N con M, P con O, R con S e T con X.

Assumeremo implicitamente in questo paragrafo e nel Paragrafo 11.2 che il numero di elementi da ordinare sia una potenza di 2. Quindi, possiamo sempre parlare di "$N/2$", senza dover distinguere N pari da N dispari. Questo assunto è senza dubbio poco pratico (i nostri programmi ed esempi prevedono dimensioni di file diversi), ma ci servirà per semplificare notevolmente l'argomento. Torneremo sulla questione alla fine del Paragrafo 11.2.

Il merging di Batcher è esso stesso un metodo ricorsivo *divide et impera*. Per realizzare un merging 1 con 1 usiamo una singola operazione di confronto-scambio, mentre per realizzare un merging N con N eseguiamo un unshuffle, ottenendo due problemi di merging $N/2$ con $N/2$, e quindi li risolviamo ricorsivamente per arrivare a due sottofile ordinati. Eseguendo uno shuffle su questi, otteniamo un singolo file quasi ordinato: l'unica cosa di cui abbiamo bisogno è una singola scansione di $N/2 - 1$ operazioni di confronto-scambio indipendenti, cioè fra gli elementi di posti $2i$ e $2i + 1$, dove $i = 1, \ldots, N/2 - 1$. La Figura 11.2 contiene un esempio di esecuzione. L'implementazione nel Programma 11.2 è, a questo punto, immediata.

Perché questo metodo è in grado di ordinare ogni possibile permutazione degli ingressi? La risposta a questa domanda è tutt'altro che ovvia. La classica dimostrazione di questa asserzione è una dimostrazione indiretta che si basa su una proprietà generale dei programmi di ordinamento non adattivi.

Proprietà 11.1 *(principio 0-1) Se un programma non adattivo produce un output ordinato, quando l'input è costituito da chiavi appartenenti all'insieme {0,1}, allora esso è in grado di ordinare in input chiavi arbitrarie.*

Si veda l'Esercizio 11.7. ■

Proprietà 11.2 *Il merging odd-even di Batcher (Programma 11.2) è un metodo di fusione corretto.*

Usando il principio 0-1, possiamo limitarci a controllare la correttezza del metodo su input binari 0-1. Si supponga che vi siano i zeri nel primo sottofile e j zeri nel secondo sottofile. La dimostrazione di questa proprietà richiede di dover vagliare quattro casi, in funzione del fatto che i e j siano numeri dispari o pari. Se sono entrambi pari, i due sottoproblemi di merging coinvolgono entrambi un file con $i/2$ zeri e un file con $j/2$ zeri, quindi entrambi i risultati hanno $(i+j)/2$ zeri. Eseguendo uno shuffle, otteniamo un file binario ordinato. Il file binario viene ordinato in

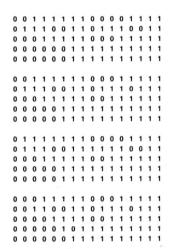

Figura 11.3
Quattro casi di merging 0-1

Questi quattro esempi sono composti da 5 righe ciascuno: un problema di merging 0-1; il risultato di un unshuffle, che dà luogo a due problemi di merging; il risultato del completamento del merging in modo ricorsivo; il risultato di uno shuffle; il risultato dei confronti finali pari-dispari. L'ultima fase esegue uno scambio solo quando il numero di 0 è dispari in entrambi i file.

seguito a uno shuffle anche quando i è pari e j è dispari e quando i è dispari e j è pari. D'altro canto, se tanto i quanto j sono dispari, allora finiamo per eseguire uno shuffle su un file con $(i + j)/2 + 1$ zeri e un file di $(i + j)/2 - 1$, e quindi il file risultante avrà $i + j - 1$ zeri, un uno, uno zero, e $N - i - j - 1$ simboli 1 (si veda la Figura 11.3). La scansione finale di confronto-scambio completerà l'ordinamento. ∎

Non abbiamo, in realtà, bisogno di eseguire uno shuffle sui dati. Possiamo, in effetti, usare i Programmi 11.2 e 8.3 per dare in output un programma *straight-line* per ogni N fissato, cambiando le implementazioni di `compexch` e `shuffle` in modo che gestiscano degli indici e referenzino i dati indirettamente (si veda l'Esercizio 11.12). Possiamo altresì fare in modo che il programma restituisca in output le istruzioni di confronto-scambio da usare sull'input iniziale (si veda l'Esercizio 11.13). Queste tecniche possono essere applicate a ogni metodo di ordinamento non adattativo che riorganizzi dati tramite operazioni di scambio, shuffle e simili. Per il merging di Batcher la struttura dell'algoritmo è così semplice da consentirci di sviluppare un'implementazione bottom-up in modo diretto (Paragrafo 11.2).

Esercizi

▷ **11.1** Fornite i risultati che le operazioni di shuffle e unshuffle producono, se applicate alla sequenza di chiavi E A S Y Q U E S T I O N.

11.2 Generalizzate il Programma 11.1 implementando shuffle e unshuffle ad h vie. Tenete conto anche della possibilità che la dimensione del file non sia un multiplo di h.

● **11.3** Implementate le operazioni di shuffle e unshuffle senza usare un array ausiliario.

● **11.4** Mostrate che un programma straight-line che ordina N chiavi distinte ordinerà anche N chiavi che non sono necessariamente distinte.

▷ **11.5** Mostrate il modo in cui il programma straight-line dato nel testo ordina ciascuna delle 6 permutazioni degli interi 1, 2, 3.

○ **11.6** Scrivete un programma straight-line che ordini 4 elementi.

● **11.7** Dimostrate la Proprietà 11.1. *Suggerimento*: mostrate che, se il programma non ordina un qualche array in input con chiavi arbitrarie, allora esiste una sequenza di 0 e 1 che non è in grado di ordinare.

▷ **11.8** Mostrate il modo in cui le chiavi della sequenza A E Q S U Y I N O S T sono fuse dal Programma 11.2. Seguite lo stile dell'esempio della Figura 11.2.

▷ **11.9** Rispondete all'Esercizio 11.8 per le chiavi A E S Y E I N O Q S T U.

○ **11.10** Rispondete all'Esercizio 11.8 per le chiavi 1 0 0 1 1 1 0 0 0 0 0 1 0 1 0 0.

11.11 Confrontate empiricamente i tempi di calcolo del Mergesort di Batcher con quelli del Mergesort standard top-down (Programmi 8.3 e 8.2) per $N = 10^3$, 10^4,10^5, 10^6.

11.12 Fornite implementazioni di `compexch`, `shuffle`, e `unshuffle` che facciano in modo che i Programmi 11.2 e 8.3 calcolino, per un dato N, un array `p` tale che `p[i]` è l'indice dell' i-esimo elemento più piccolo, $i = 0, 1, ..., N - 1$.

○ **11.13** Fornite implementazioni di `compexch`, `shuffle`, e `unshuffle` che facciano in modo che i Programmi 11.2 e 8.3 stampino, per un dato N, un programma straight-line per ordinare N elementi.

11.14 Se disponiamo in ordine inverso il secondo file da fondere, otteniamo una sequenza bitonica (Paragrafo 8.2). Cambiando il ciclo finale del Programma 11.2 in modo che inizi da 1 invece che da l+1, lo trasformiamo in un programma che ordina sequenze bitoniche. Mostrate in che modo le chiavi della sequenza A E S Q U Y T S O N I E sono fuse tramite questo metodo, seguendo lo stile dell'esempio della Figura 11.2.

● **11.15** Dimostrate che la modifica al Programma 11.2 descritta nell'Esercizio 11.14 ordina ogni sequenza bitonica.

11.2 Reti di ordinamento

Il più semplice modello per lo studio degli algoritmi di ordinamento non adattivi è quello di una macchina astratta che accede ai dati *solo* tramite operazioni di confronto-scambio. Una macchina di tal genere si chiama rete di ordinamento (*sorting network*). Una rete di ordinamento è composta da moduli atomici di confronto-scambio, chiamati *comparatori*, opportunamente connessi tra loro.

La Figura 11.4 mostra una semplice rete per ordinare quattro chiavi. Di solito, disegniamo una rete di ordinamento per N elementi come una sequenza di N righe orizzontali, con comparatori che connettono coppie di righe. Immaginiamo le chiavi da ordinare come passanti da sinistra a destra attraverso la rete. Quando si incontra un comparatore, una coppia di numeri è scambiata (se necessario), mettendo il più piccolo dei due sopra.

Vi sono molti dettagli che devono essere specificati prima che una reale "macchina per ordinamento" basata su questo schema possa essere realizzata. Ad esempio, il metodo di codifica degli ingressi non è stato indicato. Un approccio potrebbe essere quello di vedere ogni connessione nella Figura 11.4 come un gruppo di fili, ciascuno dei quali trasporta un bit. In tal modo, i bit di una chiave viaggiano nella connessione in modo parallelo. Un altro approccio è quello di far sì che i com-

Figura 11.4
Una rete di ordinamento

Le chiavi si spostano da sinistra a destra sui fili della rete. I comparatori che incontrano, scambiano le chiavi (se necessario) mettendo la chiave più piccola sul filo più in alto. In questo esempio B e C sono scambiate nei primi due fili in alto, poi A e D sono scambiate negli ultimi due in basso, quindi si scambiano A e B, e così via, lasciando alla fine le chiavi in ordine dall'alto in basso. Tutti i comparatori eseguono scambi eccetto il quarto. Questa rete ordina ogni permutazione di quattro chiavi.

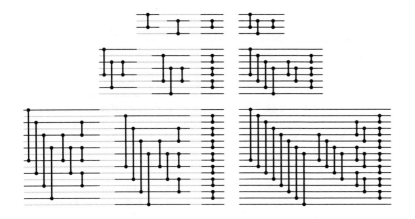

paratori leggano i loro ingressi un bit per volta lungo un singolo filo (partendo da quello più significativo). Anche le questioni di temporizzazione non sono state specificate: sono necessari appositi meccanismi per assicurare che i comparatori eseguano la loro operazione solo quando i corrispondenti input sono disponibili. Una rete di ordinamento è un buon modello astratto, poiché ci consente di separare questi aspetti implementativi da questioni di progettazione ad alto livello, come ad esempio la questione della minimizzazione del numero di comparatori. Inoltre, come vedremo nel Paragrafo 11.6, tale astrazione è utile anche per applicazioni diverse dalla diretta realizzazione circuitale.

Un'altra importante applicazione delle reti di ordinamento è quella di modellare computazioni parallele. Se due comparatori non usano gli stessi input, assumiamo che essi possano operare nello stesso istante. Ad esempio, la rete della Figura 11.4 mostra che quattro elementi possono essere ordinati mediante tre passi di computazione parallela. Il comparatore 0-1 e il comparatore 2-3 possono operare simultaneamente al primo passo, il comparatore 0-2 e il comparatore 1-3 possono operare simultaneamente al secondo passo, mentre il comparatore 2-3 termina l'ordinamento al terzo passo. Per una data rete arbitraria, non è difficile classificare i comparatori in sequenze di passi paralleli, ciascuno dei quali consta di gruppi di comparatori che operano simultaneamente (si veda l'Esercizio 11.17). Il problema dell'efficienza nella computazione parallela è quello di progettare reti con il minor numero possibile di passi paralleli.

Il Programma 11.2 corrisponde a una famiglia di reti di merging, una rete per ogni valore di N. Crediamo, però, sia istruttivo considerare anche una costruzione diretta bottom-up. La Figura 11.5 illustra il pro-

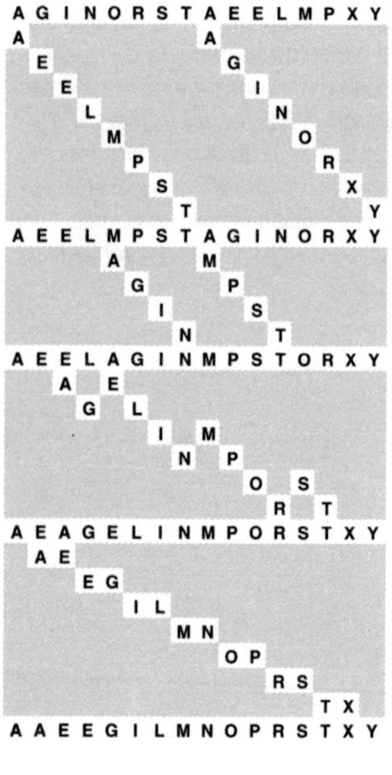

Figura 11.6
Esempio di merging di Batcher bottom-up

Quando tutti gli shuffle sono rimossi, il merging di Batcher corrisponde alle 25 operazioni di confronto-scambio qui indicate. Tali operazioni si dividono in quattro fasi indipendenti, ciascuna contraddistinta da un fissato spiazzamento che rappresenta la distanza degli elementi soggetti a un confronto-scambio.

Programma 11.3   Merging odd-even di Batcher (versione non ricorsiva)

Quest'implementazione del merging odd-even di Batcher (che assume che la dimensione N del file sia una potenza di 2) è tanto compatta quanto misteriosa. Possiamo comprendere il modo in cui realizza la fusione, vagliando la corrispondenza con la versione ricorsiva (si vedano il Programma 11.2 e la Figura 11.5). La fusione viene realizzata in lg N passi composti da istruzioni di confronto-scambio indipendenti e uniformi.

```
static void merge(ITEM[] a, int l, int m, int r)
  { int N = r-l+1; // si assume che N/2 sia m-l+1
    for (int k = N/2; k > 0; k /= 2)
      for (int j = k % (N/2); j+k < N; j += k+k)
        for (int i = 0; i < k; i++)
          compExch(a, l+j+i, l+j+i+k);
  }
```

cesso. Per costruire una rete di merging di dimensione N usiamo due copie della rete di dimensione $N/2$, una per i fili di posto pari e una per i fili di posto dispari. Dato che i due insiemi di comparatori non interferiscono, possiamo riorganizzarli in modo da interfogliare le due reti. Quindi, alla fine, completiamo la rete con comparatori fra i fili 1 e 2, 3 e 4, ecc. Questo modo di interfogliare i posti pari e i posti dispari sostituisce lo shuffle perfetto del Programma 11.2. La dimostrazione del fatto che queste reti realizzano correttamente il merging è la stessa di quella data per le Proprietà 11.1 e 11.2, tramite il principio 0-1. La Figura 11.6 mostra un esempio di esecuzione.

Il Programma 11.3 è un'implementazione bottom-up del merging di Batcher senza shuffle, che corrisponde alle reti della Figura 11.5. Questo programma rappresenta un metodo di merging sul posto compatto ed elegante, che è forse più facile da comprendere se lo consideriamo semplicemente come una rappresentazione alternativa delle reti, sebbene anche la dimostrazione di correttezza sia interessante da studiare. Analizzeremo una di tali dimostrazioni alla fine di questo paragrafo.

La Figura 11.7 mostra la rete di ordinamento odd-even di Batcher, costruita a partire dalle reti di merging della Figura 11.5 usando l'ordinaria costruzione ricorsiva del Mergesort. Si tratta di una costruzione doppiamente ricorsiva: una volta per le reti di merging e una volta per

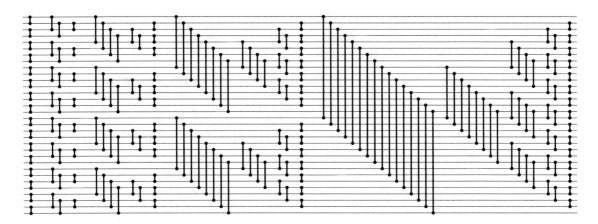

le reti di ordinamento. Pur non essendo ottimali (presenteremo quelle ottimali fra non molto), queste reti sono comunque efficienti.

Proprietà II.3   *Le reti di ordinamento odd-even di Batcher hanno all'incirca $N(\lg N)^2/4$ comparatori e richiedono $(\lg N)^2/2$ passi paralleli.*

Le reti di merging richiedono all'incirca $\lg N$ passi paralleli, mentre quelle di ordinamento richiedono $1 + 2 + \ldots + \lg N$ passi paralleli, cioè all'incirca $(\lg N)^2/2$. Il conteggio dei comparatori è lasciato come esercizio al lettore (Esercizio II.23). ∎

Usando la funzione di merging del Programma II.3 all'interno del Mergesort ricorsivo standard del Programma 8.3, si ottiene un compatto ordinamento sul posto non adattivo che esegue $O(N(\lg N)^2)$ operazioni di confronto-scambio. In alternativa, è possibile eliminare la ricorsione dal Mergesort e implementare direttamente una versione bottom-up dell'intero algoritmo di ordinamento (Programma II.4). Come per il Programma II.3, anche il Programma II.4 è forse più agevole da comprendere se lo intendiamo come rappresentazione alternativa della rete della Figura II.7. L'implementazione richiede l'aggiunta di un ciclo e di un test al Programma II.3, dato che il merging e l'ordinamento hanno strutture ricorsive simili. Per eseguire il passo bottom-up in cui si fonde una sequenza di file ordinati di dimensione 2^k in una sequenza di file ordinati di dimensione 2^{k+1}, usiamo l'intera rete di merging, ma includiamo in essa solo i comparatori che stanno completamente all'interno di un sottofile. Questo programma è forse la più compatta fra le implementazioni non banali di programmi di ordinamento che

Figura II.7
Reti di ordinamento odd-even di Batcher

Questa rete di ordinamento per 32 linee di ingresso contiene due copie della rete per 16 linee, 4 copie della rete per 8 linee, e così via. Leggendo da destra a sinistra, riusciamo a rilevare la struttura in maniera topdown: una rete di ordinamento per 32 linee è formata da una rete di merging 16 con 16 che segue due copie della rete di ordinamento per 16 linee (una per la metà di sopra e una per la metà di sotto). Ciascuna rete per 16 linee è formata da una rete di merging 8 con 8 che segue due copie della rete di ordinamento per 8 linee, ecc. Leggendo da sinistra a destra, possiamo invece osservare la struttura della rete in maniera bottom-up: la prima colonna di comparatori crea sottofile ordinati di dimensione 2, poi abbiamo una rete di merging 2 con 2 che crea sottofile ordinati di dimensione 4, quindi le reti di merging 4 con 4 creano sottofile ordinati di dimensione 8, e così via.

Programma II.4   Ordinamento odd-even di Batcher (versione non ricorsiva)

Quest'implementazione dell'ordinamento odd-even di Batcher corrisponde in modo diretto alla rappresentazione della rete della Figura II.7. Si suddivide in fasi, indicizzate dalla variabile p. L'ultima fase (quando p è uguale a N) coincide con il merging odd-even di Batcher. La penultima fase (quando p è uguale a N/2) corrisponde al merging odd-even, in cui la prima fase e tutti i comparatori che incrociano N/2 sono eliminati. La terzultima fase (quando p è uguale a N/4) corrisponde al merging odd-even in cui le prime due fasi e tutti i comparatori che incrociano un qualche multiplo di N/4 sono eliminati, e così via.

```
static void batchersortNR(ITEM a[], int l, int r)
  { int N = r-l+1;
    for (int p = 1; p < N; p += p)
      for (int k = p; k > 0; k /= 2)
        for (int j = k%p; j+k < N; j += (k+k))
          for (int i = 0; i < N-j-k; i++)
            if ((j+i)/(p+p) == (j+i+k)/(p+p))
              compExch(a, l+j+i, l+j+i+k);
  }
```

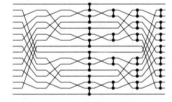

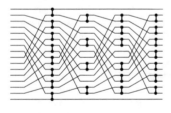

**Figura II.8
Lo shuffle nel merging odd-even di Batcher**

Un'implementazione diretta del Programma 11.2 come rete di ordinamento dà luogo a una rete piena di operazioni ricorsive di shuffle e unshuffle (in alto). Un'implementazione equivalente è data nella parte in basso, in cui vengono eseguiti solo shuffle completi.

abbiamo mai presentato, e può essere utile quando vogliamo sfruttare architetture particolari a elevate prestazioni per sviluppare ordinamenti molto veloci su file piccoli (oppure per costruire una rete di ordinamento). Capire come e perché il programma realizza un ordinamento sarebbe impresa assai ardua, se non avessimo sviluppato preventivamente l'implementazione ricorsiva e l'interpretazione come rete di ordinamento.

Al solito, nei metodi *divide et impera* abbiamo due scelte di base quando N non è una potenza di 2 (si vedano gli Esercizi II.24 e II.21). Possiamo dividere a metà (top-down) oppure dividere in corrispondenza della più grande potenza di 2 minore di N (bottom-up). La seconda soluzione risulta un po' più semplice per le reti di ordinamento, perché è equivalente a costruire una rete completa per la più piccola potenza di 2 maggiore o uguale a N, e quindi usare solo i primi N fili di ingresso e solo i comparatori con entrambi gli ingressi connessi a questi fili. La dimostrazione di correttezza di questo metodo è semplice. Si supponga che i fili non utilizzati abbiano chiavi sentinella più grandi di qualsiasi altra chiave nella rete. In tal caso, i comparatori su questi fili non eseguiranno mai uno scambio, perciò la loro rimozione non avrà alcun effetto. A dire il vero, potremmo usare un qualsiasi insieme di N fili contigui all'interno di una rete più grande, a patto di fissare dei valori sentinella piccoli per i fili da ignorare posizionati al di sopra di quelli dell'insieme, e di fissare dei valori sentinella grandi per quelli che si trovano al di sotto. Tutte queste reti avranno all'incirca $N(\lg N)^2/4$ comparatori.

La teoria delle reti di ordinamento ha una storia interessante (per approfondimenti rimandiamo ai riferimenti bibliografici). Il problema di determinare reti aventi il minimo numero di comparatori fu posto poco prima del 1960 da Bose, ed è chiamato problema di *Bose-Nelson*. Le reti di Batcher furono la prima soluzione valida al problema, e per qualche tempo i ricercatori supposero che si trattasse anche della soluzione ottimale. In realtà, le reti di merging di Batcher *sono* ottimali, quindi una rete di ordinamento che usi un numero di comparatori sostanzialmente inferiore deve essere costruita seguendo un approccio diverso dal Mergesort ricorsivo. Il problema di determinare reti di ordinamento ottimali fu risolto nel 1983 allorquando Ajtai, Komlos e Szemeredi mostrarono l'esistenza di reti (le cosiddette reti AKS) aventi $O(N \log N)$ comparatori. Tali reti, in effetti, sono un'intricata costruzione matematica che manca di qualsiasi interesse pratico. Quindi, le reti di Batcher rimangono attualmente una delle migliori alternative praticabili.

Il legame fra shuffle perfetto e reti di Batcher rende interessante completare lo studio delle reti di ordinamento attraverso un'ulteriore versione dell'algoritmo. Se eseguiamo uno shuffle degli ingressi nel merging odd-even di Batcher, otteniamo reti in cui tutti i comparatori connettono fili adiacenti. La Figura 11.8 illustra una rete che corrisponde all'implementazione del Programma 11.2. Questo schema di interconnessioni è, qualche volta, chiamato *butterfly network* ("rete a farfalla"). Nella figura è mostrata anche un'altra rappresentazione dello stesso programma straight-line che fornisce uno schema ancor più uniforme, eseguendo solo shuffle completi.

La Figura 11.9 mostra un'ulteriore interpretazione del metodo che illustra la struttura sottostante. Per prima cosa, scriviamo un file sotto l'altro; quindi, confrontiamo gli elementi adiacenti in verticale e li scambiamo (se necessario), ponendo quello più grande sotto quello più piccolo; poi dividiamo ogni riga a metà e interfogliamo le due metà, e quindi eseguiamo le stesse operazioni di confronto-scambio sui numeri della seconda e della terza riga. I confronti che coinvolgono altre coppie di righe non sono necessari grazie all'ordinamento precedente. L'operazione per la quale si divide a metà e si interfogliano i file mantiene

```
AEGGIMNRABEELMPX

AEGGIMNR  ABEEIMNR
ABEELMPX  AEGGLMPX

ABEE  ABEE
IMNR  AEGG
AEGG  IMNR
LMPX  LMPX

AB  AB
EE  AE
AE  EE
GG  GG
IM  IM
NR  LM
LM  NR
PX  PX

A  A
B  A
A  B
E  E
E  E
E  E
G  G
G  G
I  I
M  L
L  M
M  M
N  N
R  P
P  R
X  X
```

Figura 11.9
Merging per scomposizione e interposizione

Iniziamo con due file ordinati posti su una sola riga. I due file possono essere fusi iterando la seguente operazione: si suddivide ciascuna riga in due, si interfogliano le due metà (a sinistra), e si eseguono operazioni di confronto-scambio fra elementi adiacenti in verticale e posti su righe diverse (a destra). All'inizio abbiamo 16 colonne e una riga, poi otteniamo 8 colonne e due righe, quindi 4 colonne e 4 righe, quindi 2 colonne e 8 righe, e infine 16 righe e una colonna (che risulta ordinata).

Figura II.10
Una macchina per lo
shuffle perfetto

Una macchina avente le interconnes-
sioni qui disegnate può eseguire l'al-
goritmo di Batcher (e molti altri) in
modo efficiente. Alcuni calcolatori
paralleli reali hanno connessioni di
questo tipo.

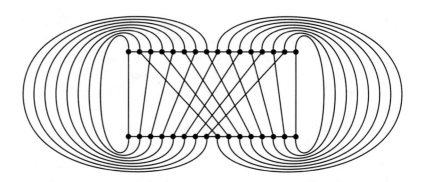

ordinate tanto le righe quanto le colonne della tabella. Questa proprietà
è preservata in generale: ogni passo raddoppia il numero di righe e dimezza il numero di colonne, mantenendo righe e colonne ordinate. Alla fine ci ritroveremo con una colonna di N righe, che risulta perciò
completamente ordinata. La relazione fra i quadri della Figura II.9 e la
rete in basso nella Figura II.8 è che, quando scriviamo le tabelle per colonne (gli elementi della prima colonna, seguiti da quelli della seconda
colonna, ecc.), ci accorgiamo che la permutazione necessaria per andare da un passo al successivo non è altro che lo shuffle perfetto.

Ora, disponendo di una macchina astratta parallela con interconnessioni che realizzano uno shuffle perfetto (Figura II.10), vorremmo
implementare direttamente reti come quelle della Figura II.8 in basso.
A ogni passo la macchina esegue operazioni di confronto-scambio fra
una qualche coppia di processori adiacenti, come indicato dall'algoritmo, e quindi esegue uno shuffle perfetto dei dati. Programmare una macchina simile richiede di specificare quali coppie di processori devono
eseguire il confronto-scambio in ogni ciclo.

La Figura II.11 mostra le caratteristiche dinamiche sia del metodo
bottom-up sia di questa versione del merging odd-even di Batcher a
shuffle completo.

Lo shuffle costituisce un'importante astrazione per descrivere gli
spostamenti di dati negli algoritmi *divide et impera* e ricorre in vari problemi al di fuori dell'ordinamento. Ad esempio, se una matrice quadrata
2^n per 2^n è tenuta in memoria per righe (gli elementi della prima riga,
seguiti da quelli della seconda riga, ecc.), allora n shuffle perfetti saranno
sufficienti a trasporre la matrice (cioè, a memorizzare la matrice ordinata per colonne). Possiamo risolvere questi problemi usando una macchina che esegue cicli di shuffle perfetti, come quella mostrata nella Figura II.10, ma con processori un po' più potenti. Possiamo anche pen-

sare di avere processori general-purpose in grado di eseguire direttamente le operazioni di shuffle e unshuffle (alcune macchine parallele di questo tipo sono state realmente costruite). Torneremo a parlare di queste macchine nel Paragrafo 11.6.

Esercizi

11.16 Disegnate reti di ordinamento per 4 (si veda l'Esercizio 11.6), 5 e 6 elementi. Cercate di minimizzare il numero di comparatori utilizzati.

○ **11.17** Scrivete un programma per calcolare il numero di passi paralleli necessari a un dato programma straight-line. *Suggerimento*: usate la seguente strategia di etichettamento: etichettate i fili di ingresso con 0 (passo 0), e poi, per ogni comparatore, etichettate entrambi i fili di output con $i+1$, se l'etichetta di uno dei fili di input è i e quella dell'altro filo di input non è maggiore di i.

11.18 Confrontate il tempo di calcolo del Programma 11.4 con quello del Programma 8.3 su file di N chiavi casuali, con $N = 10^3$, 10^4, 10^5, 10^6.

▷ **11.19** Disegnate una rete di Batcher per eseguire un merging 10 con 11.

●● **11.20** Dimostrate la relazione fra l'unshuffle ricorsivo e lo shuffle ricorsivo suggerita dalla Figura 11.8.

○ **11.21** Da quanto abbiamo scritto nel testo si evince che nascoste nella Figura 11.7 ci sono 11 reti per ordinare 21 elementi. Disegnate, fra queste, quella che ha il minor numero di comparatori.

11.22 Calcolate il numero di comparatori delle reti di ordinamento odd-even di Batcher per $2 \le N \le 32$, dove, quando N non è potenza di 2, le reti sono derivate dai primi N ingressi della rete di dimensione pari alla successiva potenza di 2.

○ **11.23** Derivate un'espressione esatta per il numero di comparatori usati dalle reti di ordinamento odd-even di Batcher quando $N = 2^n$. *Nota*: confrontate la vostra risposta con la Figura 11.7, che mostra che tali reti ottimali hanno, rispettivamente, 1, 3, 9, 25, 65 comparatori per N uguale a 2, 4, 8, 16, 32.

○ **11.24** Costruite una rete di ordinamento per ordinare 21 elementi seguendo uno stile ricorsivo top-down, dove una rete di dimensione N è il risultato della composizione di due reti di dimensioni $\lfloor N/2 \rfloor$ ed $\lceil N/2 \rceil$, seguita da una rete di merging come parte finale della rete (usate la risposta all'Esercizio 11.19).

11.25 Usate relazioni di ricorrenza per calcolare il numero di comparatori nelle reti di ordinamento costruite secondo quanto descritto nell'Esercizio 11.24 per $2 \le N \le 32$. Confrontate i vostri risultati con quelli ottenuti nell'Esercizio 11.22.

● **11.26** Trovate una rete di ordinamento a 16 ingressi che usi un numero di comparatori minore di quello della rete di Batcher.

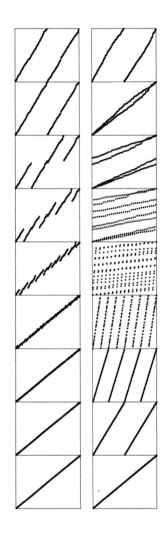

**Figura 11.11
Caratteristiche dinamiche del merging odd-even**

La versione bottom-up del merging odd-even (a sinistra) è formata da una sequenza di fasi in cui eseguiamo il confronto-scambio fra gli elementi della metà più grande di un sottofile ordinato con quelli della metà più piccola del successivo. Con uno shuffle completo (a destra), l'algoritmo ha un aspetto del tutto diverso.

11.27 Disegnate le reti di merging corrispondenti alla Figura 11.8 per sequenze bitoniche, seguendo lo schema descritto nell'Esercizio 11.14.

11.28 Disegnate la rete di ordinamento corrispondente all'algoritmo Shellsort con incrementi di Pratt (Paragrafo 6.8) per $N = 32$.

11.29 Scrivete una tabella contenente il numero di comparatori nelle reti descritte nell'Esercizio 11.28 e il numero di comparatori nelle reti di Batcher, per $N = 16, 32, 64, 128, 256$.

11.30 Progettate reti di ordinamento che ordinino file di N elementi, che risultano già 3-ordinati e 4-ordinati.

• **11.31** Usate le reti dell'Esercizio 11.30 per progettare uno schema simile a quello di Pratt basato su multipli di 3 e 4. Disegnate la rete per $N = 32$ e rispondete all'Esercizio 11.29 per queste reti.

• **11.32** Disegnate una versione della rete di ordinamento odd-even di Batcher per $N = 16$ che esegua shuffle perfetti fra "fasi" di comparatori indipendenti che connettono fili adiacenti (le quattro "fasi" finali dovrebbero essere quelle della rete di merging contenuta nella Figura 11.8 in basso).

○ **11.33** Scrivete un programma di merging per la macchina della Figura 11.10, usando le convenzioni seguenti. Un'istruzione è una sequenza di 15 bit, dove l'i-esimo bit, per $1 \leq i \leq 15$, indica (se è a 1) che il processore i e il processore $i - 1$ devono eseguire un confronto-scambio. Un programma è una sequenza di istruzioni. La macchina esegue uno shuffle perfetto fra un'istruzione e la successiva.

○ **11.34** Scrivete un programma di ordinamento per la macchina della Figura 11.10, usando le convenzioni dell'Esercizio 11.33.

11.3 Ordinamento sul posto

Il problema seguente costituisce un utile modello per una vasta gamma di applicazioni degli algoritmi di ordinamento. Si supponga che un autista debba riordinare una sequenza di camion che si trovano parcheggiati in coda in qualche ordine specificato. Possiamo, ad esempio, immaginare che i camion arrivino presso un centro di distribuzione in qualche ordine arbitrario durante la sera, ma che debbano ripartire la mattina seguente secondo un ordine diverso. Se ci fosse un altro spazio disponibile per parcheggiare tutti i camion, il problema sarebbe semplice: l'autista determinerebbe il primo camion, lo sposterebbe in prima posizione, quindi determinerebbe il secondo, lo sposterebbe in seconda posizione, e così via. È ben possibile, però, che questo spazio extra per parcheggiare tutti i camion non vi sia. Come dovrà allora procedere l'autista?

La Figura 11.12 illustra un modo di risolvere questo problema con un solo parcheggio extra. L'autista sposta il primo camion nel parcheg-

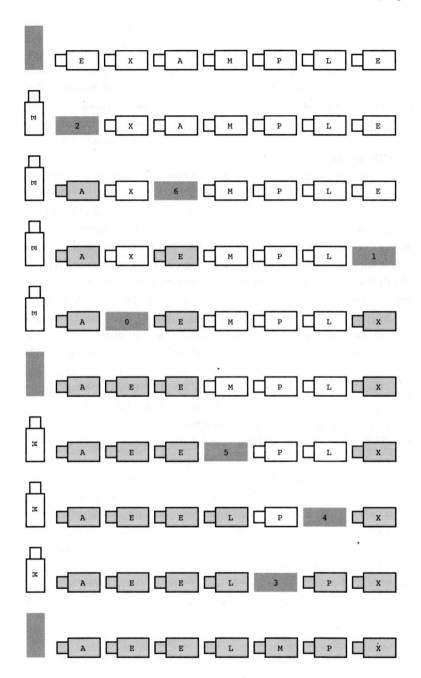

**Figura 10.12
Ordinamento sul posto**

Questa sequenza mostra il modo in cui un singolo autista può riordinare una fila di camion, usando un solo posto (parcheggio) extra. Il primo passo è quello di spostare il primo camion (il primo etichettato con la lettera E, nel posto 0) nel posto extra (disegnato in testa alla fila), lasciando il posto 0 vacante (seconda dall'alto). Nella figura questo spazio è etichettato con il numero di posto in cui si trova attualmente il camion che dovrebbe andare in quella posizione (in questo caso il camion A, che si trova appunto nel posto 2). Quindi, l'autista sposta quel camion dal posto 2 al posto 0, lasciando libero il posto 2. I camion che sono stati spostati vengono marcati (ombreggiati di grigio nella figura). Ora, il posto 2 ha un'etichetta che dice all'autista di andare sino al posto 6 per il prossimo camion (etichettato con E), e di spostarlo in posizione 2, e così via. In seguito, l'autista sposta il camion etichettato X dal posto 1 al posto 6 e trova che il posto 1 deve essere riempito con il camion che si trovava nel posto 0, che corrisponde al camion che si trova nello spazio extra (l'autista sa di dover andare nel posto extra perché il camion in 0 è marcato come "già spostato"). Quindi, l'autista determina il camion più a sinistra che non è stato ancora spostato, lo sposta nel posto extra, e segue la medesima procedura. È facile verificare che tutti i camion si spostano in entrata e in uscita dai loro posti una sola volta. Alcuni dei camion, poi, sono temporaneamente parcheggiati nel posto extra.

gio extra, quindi determina il camion che deve andare nel posto rimasto vuoto, e così via, continuando in questo modo fino a quando non rimane vuoto il posto in cui il primo camion deve essere sistemato, e quindi il processo, operato questo ultimo spostamento, termina. Può capitare che il processo appena descritto non sposti tutti i camion. Comunque sia, l'autista può determinare quelli che devono essere spostati e ripetere la stessa procedura più e più volte, fino a quando non siano stati spostati tutti.

Problemi di questo tipo ricorrono con una certa frequenza nella pratica. Ad esempio, molti dispositivi di memorizzazione esterna sono caratterizzati da un accesso sequenziale dei dati molto più efficiente di un accesso casuale (diretto), per tale motivo ci si trova spesso a riordinare i dati in modo da renderli accessibili più efficientemente. Per fissare le idee, supponiamo di avere un disco con un gran numero di blocchi di dati di grandi dimensioni e di dover riordinare i blocchi per potervi accedere successivamente, scandendoli più e più volte in un qualche specifico ordine. Se il disco è pieno e non ne abbiamo un altro a disposizione, non abbiamo altra alternativa, se non quella di riordinare i blocchi sul posto. Trasferire un blocco di disco in memoria centrale corrisponde a parcheggiare un camion nel posto extra, mentre leggere un blocco e scriverne il contenuto in un'altra posizione del disco corrisponde a spostare un camion da un posto a un altro.

Per implementare questo processo usiamo le astrazioni Disk e Block le cui implementazioni, sebbene immediate, dipendono dalle caratteristiche del particolare dispositivo, e sono quindi omesse. Assumiamo che un Disk sia una sequenza indicizzata di N blocchi di disco, i cui contenuti sono Block. Assumiamo, altresì, che la classe Disk abbia un metodo membro read che prende come parametro un indice intero e restituisce un Block con il contenuto del blocco di disco indicato dall'indice, e un metodo membro write che prende come parametri un indice e un Block e scrive il contenuto del Block nel blocco di disco indicato dall'indice. Assumiamo, infine, che la classe Block abbia un metodo membro key che restituisca una chiave di ordinamento per il blocco.

Come abbiamo già osservato nel Paragrafo 6.6, un modo di risolvere questo problema è usare l'ordinamento per selezione. Ciò corrisponde alla seguente strategia dell'autista: sposta il camion che si trova in prima posizione nel posto extra, quindi sposta il camion con chiave più piccola in prima posizione, quindi il camion che si trova nel posto extra nella posizione rimasta vuota, e così via. Si tratta, però, di un metodo meno conveniente di quello illustrato nella Figura 11.2, perché richiede una quantità di spostamenti sostanzialmente maggiore, dato che ogni spostamento è uno spostamento di un camion nel posto extra. Al contrario, nel metodo della Figura 11.2, ci si aspetta un numero di spostamenti verso il posto extra molto inferiore (si veda l'Esercizio 11.44). Ancora più importante è sottolineare che fino a questo momento non abbiamo specificato in che modo l'autista determini a ogni passo il camion di cui ha bisogno. Con l'ordinamento per selezione, avendo una fila di camion estremamente lunga, possiamo immaginare che l'autista impieghi un tempo considerevole nel percorrere a piedi la fila di camion alla ricerca di quello con chiave più piccola. Nel problema di ordinamento di blocchi di disco ciò corrisponde a un tempo di calcolo quadratico nel numero di blocchi, che potrebbe anche essere inaccettabile in termini pratici.

Il processo di ordinamento si divide in due fasi: prima dobbiamo calcolare per ciascun posto (parcheggio) l'indice del blocco relativo, poi dobbiamo effettuare gli spostamenti veri e propri.

Nella prima fase possiamo usare uno qualsiasi dei nostri algoritmi di ordinamento. Definiamo una classe Item che implementi la nostra interfaccia ITEM (Paragrafo 6.2) con due campi: un indice e una chiave. Quindi, creiamo un array p di N elementi e lo inizializziamo (scandendo tutti i blocchi del disco) ponendo il campo indice di p[i] a i e il campo chiave di p[i] alla chiave dell'i-esimo blocco del disco. Assumiamo di avere spazio sufficiente in memoria per contenere questo array. In caso contrario, possiamo applicare i metodi di ordinamento esterno introdotti nel Paragrafo 11.4. Ora, se definiamo il metodo less nel modo seguente

```
boolean less(ITEM w)
  { return this.key < ((Item) w).key; }
```

possiamo usare uno qualsiasi dei metodi di ordinamento che abbiamo trattato (ad esempio, il Quicksort) per ordinare gli elementi indice. Completato questo ordinamento, il campo indice di p[0] corrisponderà all'indice del blocco di disco con chiave inferiore, p[1] fornirà l'indice del blocco con la seconda chiave più piccola, e così via. In altre parole, questi indici non sono altro che i numeri mostrati nella Figura 11.12, che dicono all'autista dove sistemare ciascun camion.

Per alcune applicazioni il processo che abbiamo appena descritto è sufficiente, dato che possiamo ottenere "l'effetto dell'ordinamento" semplicemente accedendo alle chiavi tramite i loro indici, come facciamo in Java per tutti gli ordinamenti di riferimenti a oggetti. In questa situazione, abbiamo anche la flessibilità di poter mantenere più array

```
 0   10    9   Wilson        63
 1    4    2   Johnson       86
 2    5    1   Jones         87
 3    6    0   Smith         90
 4    8    4   Washington    84
 5    7    8   Thompson      65
 6    2    3   Brown         82
 7    3   10   Jackson       61
 8    9    6   White         76
 9    0    5   Adams         86
10    1    7   Black         71
```

Figura 11.13
Esempio di ordinamento di indici

Manipolando indici invece che record possiamo ordinare un array rispetto a chiavi diverse in modo simultaneo. In questi dati, che possono, ad esempio, rappresentare nomi e voti di studenti, la seconda colonna è il risultato dell'ordinamento di indici basato sulla chiave nome, mentre la terza colonna è il risultato dell'ordinamento di indici basato sulla chiave voto. Ad esempio, Wilson è l'ultimo in ordine alfabetico e ha il decimo voto più alto, mentre Adams è primo in ordine alfabetico e ha il sesto voto più alto.

In matematica, un riordinamento degli N numeri interi non negativi minori di N si chiama "permutazione": un ordinamento di indici calcola, allora, una permutazione. In matematica, le permutazioni sono solitamente definite come riordinamenti degli interi fra 1 ed N. Useremo, qui, i numeri da 0 a N–1 per sottolineare la diretta relazione fra permutazioni e indici di array in Java.

di indici, ordinati in base a criteri diversi, ma riferiti agli stessi dati (Figura 11.13).

Il costo dell'ordinamento consiste nello spazio necessario a ospitare l'array di indici, nel tempo di scansione degli N record per leggerne le chiavi, e il tempo (proporzionale a $N \log N$) necessario a ordinare gli indici. Il costo dell'ordinamento è, solitamente, dominato da quello della scansione dei blocchi di disco, quindi possiamo considerare il tutto come un processo di ordinamento in tempo lineare. Se le chiavi fossero molto grandi potremmo usare un'implementazione di ITEM che accede al disco ogni volta che si accede alla chiave, ma ciò aumenterebbe il numero di accessi in lettura del disco di un fattore $\log N$, che non può dirsi certo trascurabile (si veda l'Esercizio 11.40).

Ritorniamo al problema di partenza: come riorganizziamo un file che è stato ordinato tramite un ordinamento di indici? Non possiamo copiare il contenuto del blocco di posizione p[i] in posizione i, perché ciò andrebbe a sovrascrivere il blocco che si trova in posizione i. Tornando al problema del parcheggio dei camion, ciò vuol dire semplicemente che non possiamo spostare un camion dalla posizione p[i] alla posizione i, senza prima far uscire il camion che si trova in posizione i. Se abbiamo spazio aggiuntivo sufficiente per realizzare una copia di tutti i dati (ad esempio, su un altro disco), la soluzione del problema diventa immediata. In caso contrario, dobbiamo implementare un metodo che imiti il processo illustrato nella Figura 11.12.

Il Programma 11.5 è un'implementazione in tal senso. Esso effettua un solo passaggio sul file e utilizza uno spazio sufficiente a memorizzare il contenuto di un solo blocco. Il ciclo principale scandisce alla ricerca della successiva posizione i verso cui un blocco deve essere spostato (dalla posizione p[i], che è diversa da i). Quindi, salva il contenuto del blocco i in B e continua spostando il blocco di posizione p[i] alla posizione i, il blocco di posizione p[p[i]] alla posizione p[i], il blocco di posizione p[p[p[i]]] alla posizione p[p[i]], e così via fino a raggiungere nuovamente l'indice i. Solo allora B può essere scritto nel posto liberato dall'ultimo blocco spostato. Procedendo in questo modo riusciamo a riordinare l'intero file sul posto, leggendo e scrivendo ciascun blocco una sola volta (si veda la Figura 11.14).

Questo meccanismo viene detto *permutazione in situ* o *ordinamento sul posto* del file. Sebbene l'algoritmo non sia necessario in molte applicazioni (perché l'accesso indiretto ai dati è spesso sufficiente), è pur sempre un algoritmo fondamentale di facile implementazione in applicazioni in cui vogliamo spostare record, riordinandoli senza spreco di spazio. Possiamo, ad esempio, seguire la stessa idea di base per implementare, senza l'ausilio di un array di appoggio, le operazioni di shuffling e unshuffling del Paragrafo 11.1 (Esercizio 11.42) e quelle svolte dal key-indexed counting che stanno alla base degli ordinamenti digitali del Capitolo 10 (Esercizio 11.43).

In molte applicazioni, in cui si ha spazio sufficiente per memorizzare l'array di indici, questo metodo si rivela utile, flessibile e facile da implementare. Se i blocchi sono grandi rispetto al loro numero, diventa più efficiente riorganizzarli attraverso un convenzionale ordinamento per selezione (si veda la Proprietà 6.6). Invece, se il numero di record è estremamente grande e non possiamo permetterci di mantenere indici per ciascuno di essi, diventano utili algoritmi appartenenti a una famiglia differente, che analizzeremo nel paragrafo successivo.

Esercizi

▷ **11.35** Scrivete l'array di indici che risulta quando alle chiavi E A S Y Q U E S T I O N è applicato un ordinamento di indici.

▷ **11.36** Fornite la sequenza di spostamenti di dati necessari a permutare le chiavi E A S Y Q U E S T I O N sul posto, in seguito a un ordinamento di indici (si veda l'Esercizio 11.35).

11.37 Fornite esempi di casi per i quali il numero di volte in cui l'autista deve spostare un camion nello spazio extra è minimo/massimo. In altri termini, date permutazioni di dimensione N (insieme di valori per l'array p) che minimizzano/massimizzano il numero di volte in cui nel Programma 11.5 si entra nel corpo del ciclo for.

○ **11.38** È possibile eliminare il parcheggio extra della Figura 11.12, usando la seguente strategia per spostare i camion: trova un camion da spostare e guidalo fino a dove deve arrivare; quindi, lasciando il camion momentaneamente per la strada, togli il camion che si trovava in quella posizione e, lasciando quest'ultimo momentaneamente per la strada, parcheggia il primo camion; quindi, guida il secondo camion fino a dove deve arrivare, e così via, fino a quando non si arriva al posto liberato dal camion iniziale. Mostrate in che modo i camion della Figura 11.12 sono spostati seguendo questa strategia, e fornite un'implementazione simile a quella del Programma 11.5.

▷ **11.39** Usate le astrazioni Disk e Block descritte in questo paragrafo per implementare un ordinamento su disco basato sull'ordinamento per selezione.

▷ **11.40** Fornite un'implementazione di less che serva a un'implementazione dell'interfaccia di ITEM che memorizza solo l'indice come campo e deve accedere al disco per leggere le chiavi.

11.41 Dimostrate che quando spostiamo chiavi e lasciamo buchi durante l'esecuzione del Programma 11.5 sicuramente ritorneremo prima o poi alla chiave da cui siamo partiti.

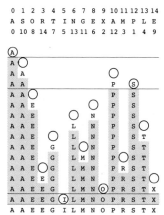

Figura 11.14
Ordinamento sul posto

Per riordinare un array sul posto scandiamo da sinistra a destra, spostando elementi che devono essere mossi nei cicli. Qui, abbiamo quattro cicli: il primo e l'ultimo sono cicli degeneri che coinvolgono un solo elemento. Il secondo ciclo inizia da 1. La S viene messa in una variabile temporanea, lasciando un buco in 1. Spostandovi la seconda A si crea un buco in 10. Questo buco è riempito da P che lascia a sua volta un buco in 12. Il buco deve essere riempito dall'elemento di posto 1, quindi la S che era stata memorizzata andrà il quel buco, completando così il ciclo 1 10 12 che pone quegli elementi al loro posto. In modo simile, il ciclo 2 8 6 13 4 7 11 3 14 9 completa l'ordinamento.

Programma II.5   Ordinamento sul posto

Questo metodo riordina sul posto un insieme di N blocchi astratti (Block) all'interno di un disco astratto (Disk), mantenendo un array di indici p[0], ..., p[N-1] e utilizzando i metodi membro read e write. Questi ultimi si occupano del trasferimento da/su disco del contenuto dei blocchi. Per ciascun indice i, il blocco che si trova in posizione p[i] all'inizio del processo è spostato (tramite lettura e scrittura del contenuto del blocco) in posizione i al termine del processo. Tutte le volte che eseguiamo un tale spostamento poniamo p[i] a i per segnalare che il blocco si trova nella sua posizione finale, e quindi non verrà più toccato.

Partendo da sinistra, il ciclo esterno scandisce l'array alla ricerca di un blocco i che deve essere spostato (con p[i] diverso da i). Per il ciclo interno, viene salvato il contenuto dell'i-esimo blocco, inizializzata a i una variabile indice k e, quindi, determinato il blocco che riempia il "buco" della posizione k (che cambia di volta in volta nel ciclo). Tale blocco è quello che si trova in posizione p[k]. In altri termini, la lettura del blocco p[k] e la scrittura in posizione k pone il blocco k in posizione p[k] (è per questo che impostiamo p[k] a k) e sposta il "buco" in p[k] (è per questo che assegniamo a k il vecchio valore di p[k]). Iteriamo in questo modo fino a quando giungiamo alla situazione in cui il "buco" deve essere riempito dal blocco in posizione i, che era stato salvato.

```
public static void insitu(Disk D, int[] p, int N)
  { for (int i = 0; i < N;i++)
     { Block B = D.read(i);
       int j, k;
       for (k = i; p[k] != i; k = p[j], p[j] = j)
         { j = k; D.write(k, D.read(p[k])); }
       D.write(k, B); p[k] = k;
     }
  }
```

○ **II.42** Fornite implementazioni dei metodi shuffle e unshuffle del Programma II.I che non facciano uso di un array ausiliario.

○ **II.43** Fornite un'implementazione del distribution counting (Programma 6.20) che non faccia uso di un array ausiliario.

○ **II.44** Supponete che i camion della Figura II.12 siano ordinati casualmente. Qual è il numero atteso di camion spostati nel posto extra? Questo problema è equivalente a trovare il numero medio di cicli in una permutazione casuale, un ben noto problema di combinatorica elementare.

11.4 Ordinamento esterno

Passiamo, adesso, a un altro tipo di problema astratto di ordinamento, adatto a modellare il caso in cui il file da ordinare sia troppo grande per poter essere ospitato tutto nella memoria centrale e abbia troppi record per poter mantenere riferimenti a tutti. Parliamo, in tal caso, di *ordinamento esterno*. Esistono molti tipi di dispositivi di ordinamento esterno che possono porre vincoli diversi sulle operazioni da considerare atomiche nell'implementare l'ordinamento. È comunque utile considerare metodi di ordinamento che si basano sulle due primitive *read* ("leggi"), che trasferisce dati dal dispositivo di memorizzazione esterna alla memoria centrale, e *write* ("scrivi"), che trasferisce dati in direzione opposta. Assumiamo che il costo di queste due operazioni sia molto maggiore di quello di operazioni primitive in memoria centrale, per cui queste ultime possono dirsi trascurabili in confronto. Ad esempio, in questo modello astratto viene totalmente ignorato il costo di un ordinamento, se è eseguito interamente nella memoria centrale. Per memorie centrali estremamente capienti o metodi di ordinamento molto inefficienti ciò potrebbe non essere appropriato, anche se in realtà non preclude la possibilità di eseguire stime abbastanza accurate dei costi reali nelle situazioni pratiche.

Il gran numero di tipi di dispositivi esterni e i loro costi fanno sì che lo sviluppo di algoritmi di ordinamento esterno risenta fortemente della tecnologia corrente. Questi metodi possono essere complessi e avere molti parametri che ne influenzano le prestazioni: è, infatti, possibile che un metodo intelligente di ordinamento esterno venga abbandonato semplicemente a causa dell'evoluzione della tecnologia. Pertanto, in questo paragrafo ci concentreremo prevalentemente sulle proprietà dei metodi generali e non sullo sviluppo di specifiche implementazioni.

Oltre agli ingenti costi per le operazioni read e write su dispositivi esterni, bisogna tener conto di importanti restrizioni che il dispositivo pone sull'accesso ai dati. Ad esempio, per la maggior parte dei dispositivi le operazioni di read e write si effettuano più efficacemente se eseguite per grandi blocchi contigui di dati. Inoltre, i dispositivi esterni di grandissima capacità sono spesso progettati in modo che le prestazioni di picco siano raggiunte solo quando accediamo ai blocchi in modo sequenziale. Per fare un esempio, non possiamo leggere dati alla fine di un nastro magnetico, senza prima scandire quelli che stanno all'inizio del nastro. Quindi, per motivi pratici i nostri accessi al nastro saranno confinati a quei dati che si trovano nei pressi di dati letti o scritti di recente. Sono parecchie le tecnologie moderne che posseggono questa proprietà. Di conseguenza, in questo paragrafo ci concentreremo su metodi che trasferiscono sequenzialmente grandi blocchi di dati, assumendo tacitamente che un'implementazione efficiente di questo tipo di accesso ai dati possa essere realizzata sulle macchine e sui dispositivi utilizzati.

Quando ci troviamo a dover leggere o scrivere un certo numero di file differenti, assumiamo che essi si trovino su dispositivi esterni distinti. Nelle macchine di qualche tempo fa, in cui i file venivano memorizzati su nastri magnetici esterni, questo assunto era irrinunciabile. Quando si lavora con i dischi, invece, è possibile implementare algoritmi che si appoggiano a un solo dispositivo di memorizzazione esterna, anche se l'uso di dispositivi multipli è, generalmente, di gran lunga più efficiente.

Un primo passo nell'implementazione di un programma efficiente per ordinare una grandissima quantità di dati potrebbe essere quello di implementare un efficiente programma di copia del file. Un secondo passo potrebbe essere quello di implementare un programma che inverta l'ordine del file. Quali che siano le difficoltà incontrate durante l'implementazione, è certo che le stesse difficoltà si presenteranno nell'implementare un programma di ordinamento esterno (che potrebbe dover fare entrambe le cose precedenti). Il motivo per cui viene usato un modello astratto è quello di poter separare questioni implementative da aspetti di progettazione algoritmica.

Gli algoritmi di ordinamento che esaminiamo eseguono un certo numero di passaggi su tutti i dati. Misuriamo, di solito, il costo di un metodo di ordinamento esterno semplicemente contando il numero di tali passaggi. Solitamente, avremo bisogno solo di alcuni passaggi (dieci o anche meno). Ciò comporta che anche l'eliminazione di uno solo di questi abbia rilevanza sulle prestazioni. La nostra asserzione di base è che il tempo di calcolo di un metodo di ordinamento esterno sia dominato da operazioni di input/output. Quindi, possiamo stimare tale tempo di calcolo semplicemente moltiplicando il numero di passaggi eseguiti per il tempo necessario a leggere e scrivere l'intero file.

In sintesi, il modello astratto che useremo per l'ordinamento esterno si basa sull'ipotesi che il file da ordinare sia troppo grande per poter mantenere nella memoria centrale riferimenti a tutti i record, e tiene conto di due altre risorse: tempo di esecuzione (numero di passaggi sui dati), e numero di dispositivi esterni disponibili. Supponiamo di avere:

- N record da ordinare su un dispositivo esterno
- spazio in memoria centrale per memorizzare M record
- $2P$ dispositivi esterni a disposizione durante l'ordinamento.

Assegniamo l'etichetta 0 al dispositivo esterno contenente l'input e le etichette 1, 2, . . ., $2P-1$ agli altri dispositivi. L'obiettivo dell'ordinamento è quello di riscrivere i record nel dispositivo 0, in modo ordinato. Come vedremo, vi è un compromesso da raggiungere fra P e il tempo totale di esecuzione. Vogliamo quantificare questo compromesso, in modo da poter confrontare strategie differenti.

Ci sono molte ragioni per cui questo modello potrebbe dirsi non realistico. Comunque sia, come qualunque altro buon modello astratto, esso riesce a rappresentare gli aspetti essenziali della situazione e fornisce un contesto preciso entro il quale esplorare idee algoritmiche, alcune delle quali di immediato interesse applicativo.

Molti metodi di ordinamento esterno utilizzano la seguente strategia generale: fare un primo passaggio sul file da ordinare, scomporlo in blocchi aventi all'incirca la dimensione della memoria interna a disposizione, e ordinare (*sort*) questi blocchi. A questo punto, è possibile fondere (*merge*) i blocchi ordinati facendo, eventualmente, diversi passaggi sul file, e creando blocchi ordinati sempre più grandi fino a ordinare l'intero file. Questo approccio è chiamato *sort-merge* ed è stato usato efficacemente sin da quando, negli anni '50, l'uso dei calcolatori si diffuse nelle applicazioni commerciali.

La più semplice strategia di sort-merge, chiamata *merging bilanciato a più vie*, è illustrata nella Figura 11.15. Il metodo è formato da un primo passaggio di distribuzione, seguito da un certo numero di passaggi di merging a più vie.

Nel passaggio di distribuzione iniziale dividiamo l'input fra i dispositivi esterni P, $P+1$, . . ., $2P-1$, in blocchi ordinati di M record ciascuno (tranne eventualmente il blocco finale, che sarà più piccolo se N non è multiplo di M). Questa distribuzione è piuttosto facile da effettuare: leggiamo i primi M record dall'input, li ordiniamo e scriviamo i blocchi ordinati sul dispositivo P; quindi, leggiamo i successivi M record dall'input, li ordiniamo e li scriviamo sul dispositivo $P+1$ e così via. Se dopo aver raggiunto il dispositivo $2P-1$ ci rimangono record non letti nell'input (cioè, se $N > MP$), scriviamo un secondo blocco ordinato sul dispositivo P, un secondo blocco ordinato sul dispositivo $P+1$, ecc. Continuiamo in tal modo fino a che l'input non sia esaurito. Dopo questa fase di distribuzione, il numero di blocchi ordinati su ciascun dispositivo è pari a $N/(MP)$ arrotondato all'intero precedente o successivo. Se N è un multiplo di M, tutti i blocchi avranno dimensione M (altrimenti, tutti tranne l'ultimo hanno dimensione M). Quando N è piccolo, potrebbero esserci anche meno di P blocchi in totale, e quindi uno o più dispositivi potrebbero essere vuoti.

A S O R T I N G A N D M E R G I N G E X A M P L E W I T H F O R T Y F I V E R E C O R D S • $

A O S • D M N • A E X • F H T • E R V • $
I R T • E G R • L M P • O R T • C E O • $
A G N • G I N • E I W • F I Y • D R S • $

A A G I N O R S T • F F H I O R T T Y • $
D E G G I M N N R • C D E E O R R S V • $
A E E I L M P W X • $

A A A D E E E G G G I I I L M M N N N O P R R S T W X • $
C D E E F F H I O O R R R S T T V Y • $
• $

A A A C D D E E E E E F F G G G H I I I I L M M N N N O O O P R R R R R S S T T T V W X Y • $

Figura II.15
Esempio di merging bilanciato a tre vie

Nel passaggio di distribuzione iniziale, preleviamo gli elementi A S O dall'input, li ordiniamo e scriviamo la sequenza ordinata A O S sul primo dispositivo di output. Quindi, preleviamo gli elementi R T I dall'input, li ordiniamo e scriviamo la sequenza ordinata I R T sul secondo dispositivo di output. Continuando in questo modo, ciclando sui dispositivi di output, finiamo per ottenere 15 sequenze: 5 su ciascuno dei tre dispositivi di output. Nella prima fase di merging, fondiamo A O S, I R T e A G N per ottenere la sequenza A A G I N O R S T, che andremo a scrivere sul primo dispositivo di output. Quindi, fondiamo le sequenze in seconda posizione nei dispositivi di input per ottenere D E G G I M N N R, che andremo a scrivere sul secondo dispositivo di output, e così via, finendo con dati distribuiti in modo bilanciato fra i tre dispositivi. Completiamo l'ordinamento con due ulteriori passaggi di merging.

Nel primo passaggio di merging a più vie consideriamo i dispositivi da P a $2P-1$ come dispositivi di input e quelli da 0 a $P-1$ come dispositivi di output. Eseguiamo un merging a P vie per fondere i blocchi ordinati di dimensione M sui dispositivi di input in blocchi ordinati di dimensione PM, e quindi li distribuiamo fra i dispositivi di output nel modo più bilanciato possibile. Per prima cosa fondiamo insieme i blocchi iniziali di ciascun dispositivo di input, scrivendo il risultato nel dispositivo 0, quindi fondiamo insieme i secondi blocchi di ciascun dispositivo di input, scrivendo il risultato nel dispositivo 1, e così via. Dopo aver raggiunto il dispositivo $P-1$, poniamo un secondo blocco ordinato nel dispositivo 0, un secondo blocco ordinato nel dispositivo 1, e così via. Continuiamo in questo modo fino a esaurimento dell'input. Dopo la distribuzione, il numero di blocchi ordinati su ciascun dispositivo è $N/(P^2M)$, arrotondato all'intero precedente o successivo. Se N è multiplo di PM, tutti i blocchi avranno dimensione PM (in caso contrario, l'ultimo blocco è più piccolo). Se N non è più grande di PM, ci sarà un solo blocco ordinato rimasto (sul dispositivo 0) e avremo terminato.

In caso contrario, iteriamo il processo ed eseguiamo un secondo passaggio di merging a più vie, considerando i dispositivi da 0 a $P-1$ come dispositivi di input e quelli da P a $2P-1$ come dispositivi di output. Eseguiamo un merging a P vie per costruire blocchi ordinati di dimensione P^2M a partire dai blocchi ordinati di dimensione PM che si trovano sui dispositivi di input, distribuendoli poi sui dispositivi di output. Termineremo dopo il secondo passaggio (con il risultato posto nel dispositivo P), se N non è maggiore di P^2M.

Continuando in questo modo, andando avanti e indietro fra i dispositivi 0, ..., $P-1$ e i dispositivi P, ..., $2P-1$, aumentiamo la dimensione dei blocchi di un fattore P mediante merging a P vie, fino a ottenere, prima o poi, un solo blocco sul dispositivo 0 o sul dispositivo P. Solo il merging finale in ciascun passaggio potrebbe non essere un merging a P vie completo, in caso contrario il processo è completamente bilanciato. La Figura II.16 illustra il processo, usando solo il numero e la dimensione relativa dei blocchi di record su ciascun dispositivo. Misuriamo il costo del merging eseguendo le moltiplicazioni indicate in questa tabella, sommando i risultati (senza includere l'ultima riga) e dividendo per il numero di blocchi di record iniziali. Questo calcolo fornisce il costo nei termini del numero di passaggi sui dati.

Per implementare il merging a P vie possiamo usare una coda con priorità di dimensione P. Vogliamo ripetutamente produrre in output il più piccolo degli elementi non ancora dati in output da ciascuno dei P blocchi ordinati da fondere, sostituendo quindi l'elemento dato in output con il successivo elemento del blocco da cui il primo proveniva. Per far ciò, manteniamo gli indici dei dispositivi nella coda con priorità e usiamo un metodo `less` per leggere il valore della chiave del prossimo record da leggere sul dispositivo indicato (e anche per fornire una sentinella maggiore di tutte le chiavi, quando si è raggiunta la fine di un blocco). Il merging è così costituito da un semplice ciclo che legge il prossimo record dal dispositivo che ha la chiave più piccola e scrive tale record in output, sostituendo poi nella coda con priorità quel record con il successivo record nello stesso dispositivo, continuando fino a che una chiave sentinella non diventa la più piccola chiave nella coda con priorità. Potremo usare uno heap per rendere il tempo di calcolo proporzionale a log P, ma P è di solito così piccolo da essere ampiamente dominato da quello della scrittura sul dispositivo esterno. Nel nostro modello astratto ignoriamo i costi della coda con priorità e assumiamo di poter accedere in modo sequenziale ed efficiente ai dati sui dispositivi esterni, misurando quindi il tempo di esecuzione, col contare il numero di passaggi sui dati. In pratica, potremmo usare un'implementazione elementare di una coda con priorità e concentrare invece i nostri sforzi di programmazione per assicurare che i dispositivi esterni lavorino alla massima efficienza.

Proprietà II.4 *Avendo $2P$ dispositivi esterni e memoria centrale sufficiente a ospitare M record, un sort-merge basato su un merge bilanciato a P vie richiede all'incirca $1 + \lceil \log_P (N/M) \rceil$ passaggi.*

Un passaggio è richiesto per la distribuzione sui dispositivi. Se $N = MP^k$, i blocchi sono tutti di dimensione MP dopo la prima fusione, MP^2 dopo la seconda, MP^3 dopo la terza, e così via. L'ordinamento si comple-

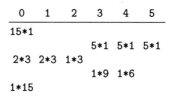

0	1	2	3	4	5
15*1					
			5*1	5*1	5*1
2*3	2*3	1*3			
			1*9	1*6	
1*15					

Figura II.16
Distribuzione delle sequenze nel merging bilanciato a tre vie

Nella distribuzione iniziale di un sort-merge bilanciato a tre vie applicato a un file 15 volte più grande della capacità della memoria centrale, poniamo 5 sequenze di lunghezza relativa 1 sui dispositivi 3, 4 e 5, lasciando vuoti i dispositivi 0, 1 e 2. Nella prima fase di merging, poniamo due sequenze di lunghezza relativa 3 sui dispositivi 0 e 1, e una sequenza di lunghezza 3 sul dispositivo 2, lasciando vuoti i dispositivi 3, 4 e 5. Quindi, fondiamo le sequenze dei dispositivi 0, 1 e 2, e le ridistribuiamo sui dispositivi 3, 4 e 5. Continuiamo in questo modo, fino a che non rimanga una sola sequenza sul dispositivo 0. Il numero totale di record elaborati è pari a 60, cioè a 4 passaggi su tutti i 15 record.

ta dopo $k = \log_P (N/M)$ passaggi. Altrimenti, se $MP^{k-1} < N < MP^k$, l'effetto di blocchi incompleti o vuoti rende i blocchi di dimensione molto variabile verso la fine del processo. Pur tuttavia, terminiamo sempre dopo $k = \lceil \log_P (N/M) \rceil$ passaggi. ■

Ad esempio, se vogliamo ordinare un miliardo di record usando 6 dispositivi e memoria interna sufficiente a contenere 1 milione di record, possiamo eseguire un sort-merge a tre vie per un totale di 8 passaggi sui dati (uno per la distribuzione iniziale e $\lceil \log_3 1000 \rceil = 7$ per il merging). Avremo sequenze ordinate di 1 milione di record dopo il passo di distribuzione iniziale, di 3 milioni di record dopo la prima fusione, di 9 milioni di record dopo la seconda fusione, di 27 milioni di record dopo la terza fusione, ecc. Stimiamo che per ordinare il file si possa impiegare nove volte il tempo necessario a copiarlo.

In pratica, la decisione più importante da prendere nel sort-merge è la scelta del valore di P, cioè il numero di vie del merging. Nel nostro modello astratto siamo vincolati dall'accesso sequenziale, che implica che P debba essere pari alla metà del numero di dispositivi esterni disponibili. Questo modello astratto è, in effetti, realistico per molti dispositivi di memorizzazione esterna in circolazione. Per alcuni altri, invece, l'accesso non sequenziale è possibile (è semplicemente più costoso di quello sequenziale). Se possiamo usare solo pochi dispositivi per l'ordinamento, l'accesso non sequenziale potrebbe essere inevitabile. In tali casi, possiamo ancora usare il merging a più vie, ma dovremo tenere in debito conto il fatto che l'aumento di P farà decrescere il numero di passi e accrescere nello stesso tempo il numero di accessi (lenti) non sequenziali.

Esercizi

▷ **11.45** Mostrate il modo in cui le chiavi E A S Y Q U E S T I O N W I T H P L E N T Y O F K E Y S sono ordinate attraverso un merging bilanciato a tre vie, seguendo lo stile dell'esempio illustrato nella Figura 11.15.

▷ **11.46** Quale effetto si produce sul numero di passaggi eseguiti dal merging a più vie, se raddoppiamo il numero di dispositivi usati?

▷ **11.47** Quale effetto produce l'incremento di un fattore 10 della memoria centrale utilizzata sul numero di passaggi eseguiti dal merging a più vie?

● **11.48** Sviluppate un'interfaccia per input e output esterno che comprenda trasferimenti sequenziali di blocchi di dati da dispositivi esterni che operano in modo asincrono (oppure leggete le caratteristiche di uno già esistente sul vostro sistema). Usate l'interfaccia per implementare un merging a P vie, cercando di rendere P più grande possibile, ma mantenendo i P file di input e il file di output su dispositivi di output differenti. Confrontate il tempo di calcolo del vostro programma con quello richiesto per copiare i file in output, uno dopo l'altro.

- **11.49** Usate l'interfaccia dell'Esercizio 11.48 per scrivere un programma che inverta l'ordine del più grande file che il vostro sistema consente.

- **11.50** Come eseguireste uno shuffle perfetto di record che si trovano su un dispositivo esterno?

- **11.51** Sviluppate un modello di costi per il merging a più vie che comprenda algoritmi in grado di passare da un file a un altro sullo stesso dispositivo con un costo fissato, ma molto maggiore di quello necessario a una lettura sequenziale.

- **11.52** Sviluppate un metodo di ordinamento esterno che sia basato su un partizionamento simile a quello del Quicksort o dell'ordinamento digitale MSD. Analizzate il vostro metodo e confrontatelo con il merging a più vie. Nella descrizione potete rimanere a un livello di astrazione elevato, così come abbiamo fatto per descrivere il sort-merge in questo paragrafo. Dovreste, però, essere in grado di stimare il tempo di calcolo per un dato numero di dispositivi esterni e una data quantità di memoria centrale.

11.53 Come ordinereste il contenuto di un dispositivo esterno, non disponendo di altri supporti di memorizzazione se non la memoria centrale?

11.54 Come ordinereste il contenuto di un dispositivo esterno, avendo un solo ulteriore dispositivo esterno (e la memoria centrale)?

11.5 Implementazioni del sort-merge

La strategia generale di sort-merge delineata nel Paragrafo 11.4 è efficace anche in pratica. In questo paragrafo, consideriamo due varianti che ne possono ridurre i costi. La prima variante, *selezione con sostituzione*, ha lo stesso effetto sul tempo di calcolo di quello dell'aumento della memoria centrale utilizzata. La seconda variante, *merging polifase*, ha lo stesso effetto di quello prodotto dall'aumento del numero di dispositivi esterni.

Nel Paragrafo 11.4 abbiamo trattato l'uso di una coda con priorità in relazione al merging a P vie. Come abbiamo notato, però, il valore di P è così contenuto da rendere abbastanza ininfluenti tali miglioramenti algoritmici. Durante il passaggio di distribuzione iniziale, possiamo però fare conveniente uso di una coda con priorità veloce per produrre sequenze ordinate più lunghe della capacità della memoria centrale. L'idea è quella di far passare l'input (non ordinato) attraverso una coda con priorità, scrivendo in uscita, come prima, il più piccolo elemento della coda e sostituendolo con il successivo elemento dell'input. Abbiamo però, qui, una condizione aggiuntiva: se il nuovo elemento è più piccolo di quello scritto in uscita più di recente, allora, dato che tale elemento non potrà far parte del blocco ordinato corrente, l'elemento viene contrassegnato come membro del successivo blocco e trattato come elemento più grande di tutti quello del blocco corrente. Quando un elemento del genere raggiunge la cima della coda, il blocco corrente viene chiuso e se ne comincia uno nuovo. La Figura 11.17 illustra il funzionamento del metodo.

Proprietà 11.5   *Su chiavi casuali, le sequenze prodotte dalla selezione con sostituzione hanno lunghezza all'incirca pari al doppio della dimensione dello heap impiegato.*

Se usiamo lo Heapsort per produrre le sequenze iniziali, possiamo operare nel seguente modo. Riempiamo la memoria centrale di record, quindi li scriviamo in uscita uno dopo l'altro, finché lo heap non è vuoto. Quindi, riempiamo nuovamente la memoria con un secondo gruppo di record e ripetiamo il processo varie volte. In media, lo heap occupa solo la metà della memoria durante questo processo. La selezione con sostituzione, al contrario, mantiene la memoria piena con la stessa struttura dati, quindi non è sorprendente che faccia due volte meglio. La dimostrazione dettagliata di questo assunto richiede un'analisi matematica sofisticata (si vedano i riferimenti bibliografici), sebbene esso risulti piuttosto facile da verificare sperimentalmente (Esercizio 11.57). ∎

Su file casuali, l'effetto pratico della selezione con sostituzione è quello di risparmiare, forse, un passaggio di merging: piuttosto che iniziare con sequenze ordinate della lunghezza all'incirca pari alla capacità della memoria e, poi, eseguire un passaggio di merging per produrre sequenze ancor più lunghe, possiamo partire già da sequenze lunghe circa il doppio della memoria. Per $P = 2$ questa strategia fa guadagnare esattamente un passaggio di merging, mentre per P più grandi l'effetto prodotto sarà meno rilevante. Sappiamo, però, che in pratica avremo a che fare raramente con file casuali. Quindi, se le chiavi sono anche solo parzialmente ordinate, l'uso della selezione con sostituzione darà luogo a sequenze molto più lunghe. Ad esempio, se nessuna chiave dell'input è preceduta da più di M chiavi maggiori, il file verrà completamente ordinato dal processo di selezione senza eseguire nemmeno un passaggio di merging! Questa è la più importante ragione che spinge a utilizzare in pratica tale metodo.

Il principale svantaggio del merging bilanciato a più vie è quello di usare attivamente solo circa la metà dei dispositivi durante il merging, cioè i P dispositivi di input e il dispositivo che raccoglie l'output. Un'alternativa è quella di eseguire sempre un merging a $2P - 1$ vie, raccogliendo tutto l'output nel dispositivo 0, e quindi ridistribuire i dati sugli altri dispositivi alla fine di ciascun passaggio di merging. Questo

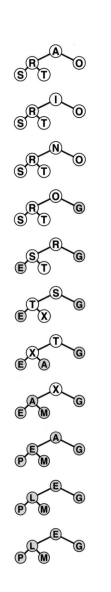

Figura 11.17
Selezione con sostituzione

Questa sequenza mostra il modo in cui riusciamo a produrre le due sequenze A I N O R S T X e A E E G L M P, di lunghezza rispettivamente 8 e 7, a partire dalla sequenza A S O R T I N G E X A M P L E, usando uno heap di dimensione 5.

```
A S O R T I N G A N D M E R G I N G E X A M P L E W I T H F O R T Y F I V E R E C O R D S • $

A O S • D M N • A E X • F H T • $
I R T • E G R • L M P • O R T • E R V • D R S • $
A G N • G I N • E I W • F I Y • C E O • • • $

A A G I N O R S T • D E G G I M N N R • A E E I L M P W X • F F H I O R T T Y • $
E R V • D R S • $
C E O • • • $

A A C E E G I N O O R R S T V • D D E G G I M N N R R S • $
A E E I L M P W X • F F H I O R T T Y • $
• $

D D E G G I M N N R R S • $
F F H I O R T T Y • $
A A A C E E E E G I I L M N O O P R R S T V W X • $

A A A C D D E E E E E F F G G G H I I I I L M M N N N O O O P R R R R R S S T T T V W X Y • $
```

approccio non è però più efficiente, poiché in realtà raddoppia il numero di passaggi per la distribuzione. Il merging bilanciato a più vie sembra richiedere troppi dispositivi esterni oppure troppe operazioni di copia. Sono stati suggeriti molti algoritmi intelligenti per mantenere occupati tutti i dispositivi esterni, cambiando il modo in cui i blocchi ordinati piccoli vengono fusi. Il più semplice di tali metodi è il cosiddetto *merging polifase*.

L'idea di base del merging polifase è quella di distribuire i blocchi ordinati prodotti dalla selezione con sostituzione in modo un po' disuguale fra i dispositivi a disposizione (e lasciandone uno vuoto), e quindi di applicare una strategia del tipo "fondi finché non è vuoto"; dato che i "nastri" da fondere hanno lunghezze diverse, uno di questi si svuoterà prima degli altri e, perciò, in tale momento potrà essere usato come output. In altre parole, scambiamo i ruoli del dispositivo di output (che contiene alcuni blocchi ordinati) col dispositivo di input attualmente vuoto, continuando il processo fino a quando non rimanga un solo blocco. La Figura II.18 illustra un esempio di tale metodo.

Questa strategia di "fusione fino allo svuotamento" può essere applicata, come indicato dalla Figura II.19, a un numero arbitrario di dispositivi. Il merging è suddiviso in fasi che non coinvolgono tutti i dati, ma non richiedono nemmeno di eseguire copie da un dispositivo a un altro. La Figura II.19 mostra come calcolare la distribuzione iniziale. Il numero di sequenze su ogni dispositivo è calcolato procedendo a ritroso.

Secondo l'esempio della Figura II.19, ragioniamo nel modo seguente. Vogliamo terminare il merging con una sola sequenza sul di-

Figura II.18
Esempio di merging polifase

Nella fase di distribuzione iniziale, a differenza di quanto abbiamo fatto nella Figura 11.15, scriviamo le sequenze in modo un po' sbilanciato sui dispositivi, seguendo uno schema preordinato. Quindi, eseguiamo un merging a tre vie a ogni fase fino al termine dell'ordinamento. Il numero di fasi è maggiore rispetto a quelle del merging bilanciato, ma queste non coinvolgono la totalità dei dati.

spositivo 0. Pertanto, appena prima dell'ultima fusione, vogliamo che il dispositivo 0 sia vuoto e che ciascuno dei dispositivi 1, 2 e 3 contenga una sequenza. Deduciamo la distribuzione delle sequenze di cui abbiamo bisogno appena prima della penultima fusione, in modo che quella fusione produca quella distribuzione. Uno dei dispositivi 1, 2 o 3 deve essere vuoto (in modo da poter fungere da output per la penultima fusione). Scegliamo, ad esempio, il dispositivo 3 (la scelta è arbitraria). Otteniamo che il penultimo merging fonde tre sequenze, una proveniente dal dispositivo 0, una dal dispositivo 1 e una dal dispositivo 2, ponendo il risultato nel dispositivo 3. Dato che il penultimo merging lascia il dispositivo 0 vuoto e una sequenza su ciascuno dei dispositivi 1 e 2, deve per forza aver iniziato con una sequenza nel dispositivo 0 e due sequenze su ciascuno dei dispositivi 1 e 2. Ragionando in modo simile, possiamo affermare che il merging ancora precedente deve per forza aver iniziato con 2 sequenze sul dispositivo 3, 3 sequenze sul dispositivo 0 e 4 sequenze sul dispositivo 1. Continuando così possiamo costruire la tabella delle distribuzioni delle sequenze: consideriamo il numero più grande di ciascuna riga, lo poniamo a 0 e lo sommiamo a ciascuno degli altri numeri per ottenere la riga precedente. Questo modo di operare corrisponde a definire per la riga precedente il merging di ordine più elevato che possa generare la riga corrente. Questa tecnica funziona per un qualsiasi numero di dispositivi (purché siano almeno 3): i valori che ne conseguono sono detti *numeri di Fibonacci generalizzati* e posseggono molte proprietà interessanti. Naturalmente, il numero di sequenze iniziali può non corrispondere esattamente a un numero di Fibonacci generalizzato, per cui è necessario aggiungere alcune sequenze fittizie in modo da rendere questo valore adeguato alla necessità. La difficoltà principale nell'implementare il merging polifase è quella di determinare il modo in cui distribuire le sequenze iniziali (si veda l'Esercizio 11.64).

Data la distribuzione delle sequenze, possiamo calcolare le loro lunghezze relative tenendo traccia delle lunghezze man mano prodotte dalle fusioni. Ad esempio, la prima fusione nell'esempio della Figura 11.19 produce 4 sequenze di lunghezza relativa 3 sul dispositivo 1, lasciando 2 sequenze di lunghezza 1 sul dispositivo 3 e 3 sequenze di lunghezza 1 sul dispositivo 0, e così via. Analogamente a quanto abbiamo fatto per il merging bilanciato a più vie, possiamo eseguire le moltiplicazioni indicate, sommare i risultati (escludendo l'ultima riga) e dividere per il numero di sequenze iniziali, per ottenere un costo pari a un multiplo del costo di esecuzione di una scansione completa su tutti i dati. Per semplicità includiamo nel calcolo del costo le sequenze fittizie. Otteniamo, quindi, un limite superiore al costo reale.

0	1	2	3
	17*1		
7*1		4*1	6*1
3*1	4*3		2*1
1*1	2*3	2*5	
	1*3	1*5	1*9
1*17			

**Figura 11.19
Distribuzione delle sequenze per il merging polifase a tre vie**

Abbiamo a che fare con un file grande 17 volte la capacità della memoria centrale. Nella distribuzione iniziale scriviamo 7 sequenze sul dispositivo 0, 4 sul dispositivo 2 e 6 sul dispositivo 3. Nella prima fase, effettuiamo delle fusioni finché il dispositivo 2 non si svuota, lasciando 3 sequenze di lunghezza relativa 1 sul dispositivo 0, 2 sequenze di lunghezza relativa 1 sul dispositivo 3, e creando 4 sequenze di lunghezza relativa 3 sul dispositivo 1. Se il file avesse dimensione 15 (invece che 17), metteremmo all'inizio due sequenze fittizie sul dispositivo 0 (si veda la Figura 11.18). Il numero totale di blocchi elaborati dall'intero merging è pari a 59, uno in meno rispetto all'esempio di merging bilanciato della Figura 11.16. Si noti, però, che il numero di dispositivi usati è 4 e non 6 (si veda anche l'Esercizio 11.60).

Proprietà 11.6 *Con tre dispositivi esterni e memoria centrale sufficiente a mantenere M record, un sort-merge basato su selezione con sostituzione seguita da un merging polifase a due vie richiede in media all'incirca* $1 + \lceil \log_\phi (N/2M) \rceil / \phi$ *passi effettivi.*

L'analisi generale del merging polifase, eseguita da Knuth e da altri ricercatori negli anni '60 e '70 risulta piuttosto lunga e complessa, e va al di là degli scopi di questo libro. Per $P = 3$ nell'algoritmo sono implicati i numeri di Fibonacci, e quindi si spiega la comparsa della base ϕ (rapporto aureo). Le costanti che appaiono per $P > 3$ sono diverse. Il fattore $1/\phi$ si deve al fatto che ogni fase coinvolge solo quella frazione dei dati. Contiamo il numero di "passi effettivi" come la quantità di dati letti diviso la quantità totale dei dati. Vi sono in questo contesto alcuni risultati analitici sorprendenti. Ad esempio, il modo ottimale per distribuire le sequenze fittizie sui dispositivi richiede fasi extra e più sequenze fittizie di quante ci si aspetti, poiché alcune sequenze sono coinvolte nel merging molto più frequentemente che altre (per approfondimenti rimandiamo ai riferimenti bibliografici). ∎

Se vogliamo, ad esempio, ordinare 1 miliardo di record usando tre dispositivi di memorizzazione esterna e memoria interna sufficiente a contenere 1 milione di record, possiamo eseguire un merging polifase a due vie che opera in $\lceil \log_\phi 500 \rceil / \phi = 8$ passaggi. Aggiungendo il passaggio di distribuzione iniziale, otteniamo un costo leggermente maggiore (di un passaggio) di quello del merging bilanciato che usa il doppio dei dispositivi. Quindi, possiamo pensare al merging polifase come a una tecnica che ci consente di eseguire lo stesso lavoro con circa la metà dell'hardware. Se il numero di dispositivi esterni è fissato, il merging polifase risulta sempre più efficiente del merging bilanciato. La Figura 11.20 ne illustra il confronto.

Come osservato all'inizio del Paragrafo 11.4, adottare un modello di macchina astratta con accesso sequenziale ai dispositivi esterni ci ha consentito di separare le questioni algoritmiche da quelle pratiche. Durante lo sviluppo di implementazioni concrete, sorge la necessità di verificare le nostre asserzioni di base e di controllare che esse rimangano valide. Ad esempio, i nostri algoritmi dipendono fortemente dall'efficienza delle funzioni di input-output di trasferimento dei dati fra processore e dispositivi esterni e da altre utilità di sistema.

Vale la pena di osservare che molti sistemi moderni forniscono ampie capacità di *memoria virtuale* (un modello astratto di accesso ai dispositivi di memorizzazione esterna più generale di quello che abbiamo adottato). In un sistema a memoria virtuale, il programmatore è in gra-

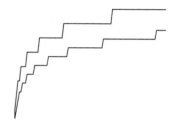

Figura 11.20
Confronto fra fusione bilanciata e polifase

Il numero di passaggi eseguiti dalla fusione bilanciata con 4 dispositivi (in alto) è sempre maggiore del numero di passaggi effettivi della fusione polifase con 3 dispositivi (in basso). Questi grafici sono tracciati a partire dalle funzioni nelle Proprietà 11.4 e 11.6, dove N/M va da 1 a 100. La presenza delle sequenze fittizie rende la prestazione reale della fusione polifase un po' più complicata di quanto è indicato da questa funzione a gradino.

do di indirizzare enormi quantità di dati, lasciando al sistema la responsabilità di occuparsi del loro trasferimento dalla memoria esterna a quella interna. Il sistema dà così l' "illusione" dell'accesso diretto anche alla memoria esterna. La strategia a memoria virtuale è conveniente in pratica, poiché si basa sul fatto che di norma i programmi accedono a locazioni di memoria relativamente vicine a quelle a cui si ha accesso recentemente. In tal caso, i trasferimenti effettivi da memoria esterna a memoria interna sono poco frequenti e le prestazioni del sistema saranno buone (ad esempio, i programmi che accedono ai dati in modo sequenziale appartengono a questa categoria). Se gli accessi alla memoria sono invece più sparpagliati, il sistema di memoria virtuale potrebbe anche impiegare tutto il suo tempo nell'accesso alla memoria esterna, con risultati chiaramente disastrosi.

La memoria virtuale non deve essere trascurata come possibile alternativa all'ordinamento di file di grandissime dimensioni. Potremmo implementare il sort-merge direttamente oppure, ancor più semplicemente, potremmo usare un metodo di ordinamento interno come il Quicksort o il Mergesort. Questi metodi interni meritano seria considerazione, se abbiamo a disposizione un buon sistema di memoria virtuale. Al contrario, metodi come lo Heapsort o l'ordinamento digitale, in cui i riferimenti sono sparpagliati, non sono verosimilmente adatti allo scopo.

È anche vero, però, che la gestione della memoria virtuale potrebbe richiedere un overhead eccessivo. Affidarsi a metodi che gestiscono in modo esplicito i trasferimenti di dati (come quelli che abbiamo esaminato fin qui), potrebbe essere il modo migliore per ottenere le prestazioni più elevate da dispositivi esterni veloci. Un modo di caratterizzare i metodi che abbiamo presentato è quello di vederli come uno sforzo per far sì che le componenti indipendenti di un calcolatore lavorino alla massima efficienza possibile, evitando tempi morti. Quando le componenti indipendenti sono esse stesse processori, entriamo nel regno della computazione parallela, che studieremo nel Paragrafo 11.6.

Esercizi

▷ **11.55** Fornite le sequenze prodotte dalla selezione con sostituzione che usa una coda con priorità di dimensione 4 sulle chiavi E A S Y Q U E S T I O N.

○ **11.56** Qual è l'effetto dell'uso della selezione con sostituzione su un file che è stato prodotto da una precedente selezione con sostituzione su un file dato?

● **11.57** Determinate empiricamente il numero medio di sequenze prodotte dalla selezione con sostituzione, che usa una coda con priorità di dimensione 1000 su file casuali di N chiavi, dove $N = 10^3, 10^4, 10^5, 10^6$.

11.58 Qual è il numero di sequenze prodotte nel caso peggiore dalla selezione con sostituzione, quando vogliamo ottenere sequenze iniziali in un file di N record usando una coda con priorità di dimensione $M < N$?

▷ **11.59** Mostrate il modo in cui le chiavi E A S Y Q U E S T I O N W I T H P L E N T Y O F K E Y S sono ordinate dal merging polifase, seguendo lo stile della Figura 11.18.

○ **11.60** Nell'esempio di merging polifase della Figura 11.18 poniamo due sequenze fittizie sul dispositivo con 7 sequenze. Considerate altri modi di distribuire le sequenze fittizie sui dispositivi e determinate quello che porta al merging con costo più basso.

11.61 Disegnate una tabella simile a quella della Figura 11.16 per determinare il più grande numero di sequenze che possono essere fuse tramite merging bilanciato a tre vie con 5 passaggi sui dati (usando 6 dispositivi).

11.62 Disegnate una tabella simile a quella della Figura 11.19 per determinare il più grande numero di sequenze che possono essere fuse tramite merging polifase a un costo equivalente a 5 passaggi sulla totalità dei dati (usando 6 dispositivi).

○ **11.63** Scrivete un programma che calcoli il numero di passaggi eseguiti dal merging a più vie e il numero di passaggi effettivi eseguiti dal merging polifase per un dato numero P di dispositivi e di blocchi iniziali N. Usate il vostro programma per stampare una tabella di questi costi per ciascun metodo, dove $P = 3, 4, 5, 10, 100$, ed $N = 10^3, 10^4, 10^5, 10^6$.

●● **11.64** Scrivete un programma che assegni in modo sequenziale le sequenze iniziali ai dispositivi per un merging polifase a P vie. Quando il numero di sequenze è un numero di Fibonacci generalizzato, queste devono essere assegnate ai dispositivi come richiesto dall'algoritmo. Il vostro scopo è quello di trovare un modo conveniente di distribuirle una dopo l'altra.

● **11.65** Implementate la selezione con sostituzione usando l'interfaccia definita dall'Esercizio 11.48.

●● **11.66** Combinate le soluzioni degli Esercizi 11.48 e 11.65 per realizzare un'implementazione del sort-merge. Usate il vostro programma per ordinare il più grande file che il vostro sistema consente. Se è possibile, determinate anche l'effetto sul tempo di esecuzione prodotto dall'aumento del numero dei dispositivi.

11.67 Come dovrebbero essere gestiti i file di piccole dimensioni da un Quicksort che viene eseguito su un file di grandissime dimensioni in un sistema a memoria virtuale?

● **11.68** Se il vostro calcolatore dispone di un adeguato sistema di memoria virtuale, confrontate il Quicksort, l'ordinamento digitale LSD, l'ordinamento digitale MSD e lo Heapsort su file di grandissime dimensioni. Usate il più grande file che il vostro sistema consente.

● **11.69** Sviluppate un'implementazione per un Mergesort ricorsivo a più vie che sia basato sul merging a k vie. La vostra implementazione dovrebbe poter ordinare file di grandissime dimensioni in sistemi a memoria virtuale (si veda l'Esercizio 8.11).

● **11.70** Se il vostro calcolatore dispone di un adeguato sistema di memoria virtuale, determinate empiricamente il valore di k che porta al minor tempo di calcolo per la vostra implementazione nell'Esercizio 11.69. Usate il più grande file che il vostro sistema consente.

11.6 Sort-merge parallelo

Come possiamo fare in modo che diversi processori indipendenti lavorino insieme sullo stesso problema di ordinamento? Che i processori siano controller di dispositivi di memorizzazione esterna o siano calcolatori veri e propri non importa, da questo punto di vista. La questione è di importanza fondamentale nella progettazione algoritmica di sistemi di elaborazione ad alte prestazioni. I problemi di computazione parallela sono stati oggetto di studi approfonditi in questi ultimi anni. Sono state elaborate tipologie di computer paralleli e diversi modelli astratti di calcolo parallelo. Il problema dell'ordinamento si può considerare un banco di prova tanto per le architetture parallele quanto per i modelli di calcolo parallelo.

Abbiamo già trattato il parallelismo a basso livello durante l'esposizione delle reti di ordinamento nel Paragrafo 11.2, osservando che tali reti effettuano diverse operazioni di confronto-scambio nello stesso momento. Vediamo adesso modelli paralleli ad alto livello, in cui disponiamo di un gran numero di processori paralleli general-purpose (invece dei semplici comparatori) che accedono agli stessi dati. Di nuovo, trascureremo molti dettagli pratici allo scopo di concentrarci sulle questioni algoritmiche.

Il modello astratto che usiamo per l'elaborazione parallela si basa sull'assunto che il file da ordinare sia distribuito fra P processori indipendenti. Supponiamo di avere:

● N record da ordinare
● P processori, ciascuno capace di gestire N/P record.

Numeriamo i processori da 0 a $P-1$ e assumiamo che il file si trovi nella memoria locale dei processori (cioè, che ogni processore abbia una frazione dei dati – N/P record). L'obiettivo è quello di riorganizzare i record in modo da porre gli N/P record più piccoli in modo ordinato nella memoria del processore 0, i secondi N/P record più piccoli in modo ordinato nella memoria del processore 1, e così via. Come vedremo, il tempo di calcolo totale dipenderà dal parametro P. Vogliamo quantificare tale dipendenza in modo da poter confrontare strategie differenti.

Questo modello è solo uno dei possibili per il calcolo parallelo, e condivide molti degli inconvenienti che il nostro modello di ordinamento esterno (Paragrafo 11.4) presentava circa le questioni di applicabilità pratica. Infatti, tale modello non affronta uno dei problemi principali che si incontrano nella computazione parallela: i vincoli di comunicazione fra i processori.

Assumeremo per semplicità che la comunicazione sia molto più costosa dei riferimenti alla memoria locale e che sia più efficientemente eseguita in modo sequenziale e per grandi blocchi di dati. In un certo senso, i processori trattano la memoria centrale degli altri processori come dispositivo di memorizzazione esterna. Di nuovo, quest'astrazione ad alto livello potrebbe dirsi insoddisfacente dal punto di vista pratico, perché semplifica eccessivamente, e insoddisfacente dal punto di vista teorico, poiché non è completamente specificata. Ciononostante, essa fornisce un contesto all'interno del quale sviluppare utili algoritmi.

In effetti, questo problema (con questi assunti) fornisce un esempio convincente del potere dei meccanismi di astrazione, poiché possiamo impiegare le stesse reti di ordinamento presentate nel Paragrafo 11.2, semplicemente modificando l'operazione astratta di confronto-scambio in modo che essa operi su blocchi di dati.

Definizione 11.2 *Un **comparatore a fusione** è un dispositivo che prende in input due file ordinati di dimensione M e produce in output due file ordinati: il primo contenente gli M elementi più piccoli dei 2M ingressi, e l'altro contenente i rimanenti M elementi più grandi.*

L'operazione precedente è facilmente implementabile: si fondono i due file di input e si restituiscono in uscita la prima metà e la seconda metà del risultato della fusione.

Proprietà 11.7 *È possibile ordinare un file di dimensione N dividendolo in N / M blocchi di dimensione M, ordinando ciascun blocco e usando, quindi, una rete di ordinamento con comparatori a fusione.*

Mostrare ciò a partire dal principio 0-1 è complicato (Esercizio 11.71). Ce ne possiamo, però, convincere esaminando un esempio, come quello della Figura 11.21. ∎

Chiameremo quello descritto dalla Proprietà 11.7 metodo dell'*ordinamento per blocchi*. Dobbiamo considerare un certo numero di parametri di progetto, prima di pensare di usare tale metodo su una par-

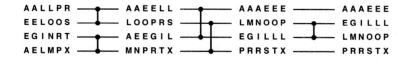

Figura 11.21
Esempio di ordinamento
per blocchi

Questa figura mostra l'utilizzo della rete della Figura 11.4 nell'ordinamento per blocchi di dati. I comparatori restituiscono nel filo di output in alto la metà delle chiavi piccole e nel filo di output in basso la metà delle chiavi grandi. Tre passi paralleli sono sufficienti.

ticolare macchina parallela. Il nostro interesse per tale metodo è legato alle prestazioni espresse dal seguente assunto.

Proprietà 11.8   *L'ordinamento per blocchi su P processori, effettuato tramite un ordinamento di Batcher che usa comparatori a fusione, impiega all'incirca $(\lg P)^2/2$ passi paralleli per ordinare N record.*

In questo contesto, per "passo parallelo" intendiamo un insieme di operazioni di comparazione a fusione disgiunte. La Proprietà 11.8 è una diretta conseguenza delle Proprietà 11.3 e 11.7. ∎

Per implementare un comparatore a fusione con due processori, dobbiamo fare in modo che essi si scambino copie dei loro blocchi di dati, eseguano il merging (in parallelo) e abbiano alla fine la metà delle chiavi (le più piccole in uno, le più grandi nell'altro). Se il trasferimento di blocchi è lento rispetto alla velocità dei processori, possiamo stimare il tempo totale richiesto dall'ordinamento, moltiplicando il costo di trasferimento di un blocco per $(\lg P)^2/2$. Questa stima racchiude in sé un gran numero di asserzioni. Ad esempio, ipotizza che i trasferimenti multipli di blocchi possano realizzarsi in parallelo senza alcun costo aggiuntivo. Ciò è abbastanza raro nei reali calcolatori paralleli. Comunque sia, essa costituisce un punto di partenza per comprendere ciò che possiamo ottenere dalle implementazioni concrete.

Se la velocità di trasferimento dei blocchi è confrontabile a quella dei processori (un altro obiettivo ideale che non è del tutto raggiungibile sulle macchine reali), allora dobbiamo tener conto del tempo impiegato per eseguire gli ordinamenti iniziali. Ciascuno dei processori esegue all'incirca $(N/P) \lg (N/P)$ confronti (in parallelo) per ordinare inizialmente i blocchi di N/P record e all'incirca $P^2(\lg P)/2$ fasi di merging (N/P) con (N/P). Se il costo di un confronto è pari ad α e il costo per record di una fusione è pari a β, allora il tempo totale di esecuzione è all'incirca

$$\alpha (N/P) \lg (N/P) + \beta (N/P) P^2 (\lg P)/2.$$

Per N molto grande e P piccolo, queste prestazioni sono le migliori che possiamo sperare di ottenere da un metodo di ordinamento parallelo basato su confronti, dato che il costo in quel caso è all'incirca $\alpha(N \lg N)/P$, che risulta essere ottimale. Infatti, l'ordinamento richiede $N \lg N$ confronti e il meglio che possiamo fare è eseguirne P in parallelo. Per valori di P più grandi, il secondo termine diventa dominante e il costo risulta all'incirca $\beta N (P \lg P)/2$, che è subottimale ma, forse, sempre competitivo. Ad esempio, nell'ordinare 1 miliardo di elementi con 64 processori, il secondo termine contribuisce al costo dell'ordinamento per circa $256 \beta N/P$, mentre il primo termine contribuisce per circa $32 \alpha N/P$.

Quando P è grande, la comunicazione fra i processori può creare un collo di bottiglia su alcune macchine. In tal caso, l'uso di uno shuffle perfetto (come quello della Figura 11.10) potrebbe offrire un modo per controllare tali costi. Proprio per queste ragioni, alcune macchine parallele possiedono, direttamente in hardware, interconnessioni a basso livello che consentono di implementare lo shuffle in modo efficiente.

Questo esempio mostra che, in alcune circostanze, è possibile far sì che un gran numero di processori lavorino efficientemente su uno stesso problema di ordinamento di grandissime dimensioni. Per trovare il modo migliore per realizzare ciò, dovremmo certo considerare molte altre alternative algoritmiche per questo tipo di macchina parallela, studiare diverse altre caratteristiche di una reale macchina parallela e considerare molte varianti del modello di macchina che stiamo adottando. Potrebbe anche essere opportuno considerare approcci completamente differenti al parallelismo. Comunque sia, l'idea che l'aumento del numero di processori faccia aumentare i costi di comunicazione fra essi è di fondamentale importanza per la computazione parallela e, come si è visto a basso livello nel Paragrafo 11.2 e ad alto livello nel presente paragrafo, le reti di Batcher forniscono un modo efficace per controllare tali costi.

I metodi di ordinamento descritti in questo capitolo hanno un'impostazione diversa da quella dei metodi nei Capitoli dal 6 al 10, poiché richiedono di gestire vincoli che di solito non consideriamo nella programmazione ordinaria. Nei Capitoli dal 6 al 10 alcune semplici asserzioni sulla natura dei dati sono state sufficienti a consentirci di confrontare un gran numero di metodi diversi applicati allo stesso problema di base. Per contro, in questo capitolo abbiamo messo a fuoco una serie di problemi e siamo stati in grado di discuterne solo alcune soluzioni. Questi esempi mostrano che, quando i vincoli sulle macchine reali cambiano, si apre la strada a tutta una serie di soluzioni algoritmiche. La parte critica di questo processo diventa, allora, quella di sviluppare adeguate formulazioni astratte dei problemi.

L'ordinamento sta alla base di molte applicazioni pratiche e il progetto di efficienti tecniche di ordinamento è spesso uno dei primi problemi da affrontare, quando ci si trova davanti a una nuova architettura o un nuovo ambiente di programmazione.

Le tecniche esposte in questo capitolo e nei Capitoli dal 6 al 10 sono importanti da conoscere, dato che i nuovi sviluppi tecnologici spesso si basano sull'esperienza acquisita. D'altro canto, il tipo di "pensiero astratto" che abbiamo impiegato qui ci pare utile anche nel caso dovessimo ideare metodi di ordinamento totalmente nuovi su macchine radicalmente diverse.

Esercizi

∘ **11.71** Usate il principio 0-1 (Proprietà 11.1) per dimostrare la Proprietà 11.7.

● **11.72** Implementate una versione sequenziale dell'ordinamento per blocchi tramite il merging odd-even di Batcher: (1) usate il Mergesort standard (Programmi 8.3 e 8.2) per ordinare i blocchi; (2) usate lo standard astratto per il merging sul posto (Programma 8.2), per implementare i comparatori a fusione; (3) usate il merging odd-even di Batcher bottom-up (Programma 11.3) per implementare l'ordinamento per blocchi.

11.73 Stimate il tempo di esecuzione del programma descritto nell'Esercizio 11.72, come funzione di N ed M, per N grande.

● **11.74** Ripetete gli Esercizi 11.72 e 11.73, sostituendo in entrambi i casi il merging odd-even di Batcher bottom-up (Programma 11.3) al Programma 8.2.

11.75 Calcolate i valori di P per cui $(N/P) \lg N = NP \lg P$, per $N = 10^3$, 10^6, 10^9, 10^{12}.

11.76 Fornite espressioni approssimate della forma $c_1 N \lg N + c_2 N$ per il numero di confronti fra i dati usati da un ordinamento per blocchi parallelo di Batcher, per $P = 1, 4, 16, 64, 256$.

11.77 Quanti passi paralleli sono richiesti per ordinare 10^{15} record distribuiti su 1000 dischi, usando 100 processori?

Riferimenti bibliografici per la Parte 3

Il riferimento principale di questa parte è il terzo volume della serie di Knuth su algoritmi di ordinamento e ricerca (*sorting and searching*). Informazioni aggiuntive su quasi tutti gli argomenti trattati possono trovarsi su tale testo. In particolare, i risultati esposti sulle prestazioni dei vari algoritmi sono sorretti in quella sede da un'analisi matematica completa.

La letteratura sull'ordinamento è vasta. La bibliografia di Knuth e Rivest del 1973 contiene centinaia di riferimenti ad articoli che forniscono le spiegazioni e le intuizioni alla base di molti dei metodi classici che abbiamo considerato. Un riferimento più aggiornato, con bibliografia estesa che comprende lavori più recenti, è il libro di Baeza-Yates e Gonnet. Una rassegna dello stato dell'arte sullo Shellsort può trovarsi nell'articolo di Sedgewick del 1996.

Per il Quicksort, il miglior riferimento è l'articolo originale di Hoare del 1962, che ne suggerisce tutte le importanti varianti, compresa l'applicazione alla selezione presentata nel Capitolo 7. Approfondimenti sull'analisi matematica e sugli effetti pratici di molte modifiche e miglioramenti, suggeriti man mano che l'algoritmo si diffondeva, sono contenuti nell'articolo di Sedgewick del 1978. Bentley e McIlroy forniscono una trattazione più moderna di questo argomento. Il materiale sul partizionamento a tre vie del Capitolo 7 e sul Quicksort digitale a tre vie del Capitolo 10 è tratto da quell'articolo e dall'articolo di Bentley e Sedgewick del 1997. Il primo algoritmo di ordinamento basato sul partizionamento (Quicksort binario, detto anche radix-exchange sort) è stato introdotto nel 1959 da Hildebrandt e Isbitz.

Le code binomiali di Vuillemin, implementate e analizzate da Brown, supportano tutte le operazioni delle code con priorità in modo elegante ed efficiente. I pairing heap descritti da Fredman, Sedgewick, Sleator e Tarjan sono un raffinamento ulteriore con rilevanza pratica.

L'articolo del 1993 di McIlroy, Bostic e McIlroy presenta lo stato dell'arte sull'implementazione degli algoritmi di ordinamento digitale.

Il libro di Stone fornisce alcune delle informazioni di base per implementare praticamente i metodi descritti nel Capitolo 11. Le idee illustrate da Stone e i metodi di base del Capitolo 11 possono intendersi solo come un'introduzione all'argomento, dato che il continuo incalzare di nuovi dispositivi e di nuovi metodi di memorizza-

502

zione e trasferimento dell'informazione rende l'intera materia piuttosto fluida.

R. Baeza-Yates, G. H. Gonnet, *Handbook of Algorithms and Data Structures*, seconda edizione, Addison-Wesley, Reading, MA, 1984.

J. L. Bentley, M. D. McIlroy, "Engineering a sort function", *Software-Practice and Experience* 23, 1, Gennaio 1993.

J. L. Bentley, R. Sedgewick, "Sorting and searching strings", Eighth Symposium on Discrete Algorithms, New Orleans, Gennaio 1997.

M. R. Brown, "Implementation and analysis of binomial queue algorithms", *SIAM Journal of Computing* 7, 3, Agosto 1978.

M. L. Fredman, R. Sedgewick, D. D. Sleator, R. E. Tarjan, "The pairing heap: a new form of self-adjusting heap," *Algorithmica* 1, 1, 1986.

P. Hildebrandt, H. Isbitz, "Radix exchange – an internal sorting method for digital computers", *Journal of the ACM*, 6, 2, 1959.

C. A. R. Hoare, "Quicksort", *Computer Journal*, 5, 1, 1962.

D. E. Knuth, *The Art of Computer Programming. Volume 3: Sorting and Searching*, seconda edizione, Addison-Wesley, Reading, MA, 1997.

P. M. McIlroy, K. Bostic, M. D. McIlroy, "Engineering radix sort", *Computing Systems* 6, 1, 1993.

R. L. Rivest, D. E. Knuth, "Bibliography 26: Computing Sorting", *Computing Reviews*, 13, 6, Giugno 1972.

R. Sedgewick, "Implementing quicksort programs", *Communications of the ACM*, 21, 10, Ottobre 1978.

R. Sedgewick, "Analysis of shellsort and related algorithms", Fourth European Symposium on Algorithms, Barcelona, Settembre 1996.

H. Stone, *High Performance Computer Architecture*, Addison-Wesley, Reading, MA, 1993.

J. Vuillemin, "A data structure for manipulating priority queues", *Communications of the ACM*, 21, 4, Aprile 1978.

PARTE QUARTA

Ricerca

CAPITOLO DODICI

Tabelle di simboli e alberi binari di ricerca

U N'OPERAZIONE FONDAMENTALE intrinsecamente richiesta in gran parte dei problemi e delle applicazioni è quella della *ricerca*, intesa come il ritrovamento di uno o più segmenti di informazione in un insieme di dati precedentemente memorizzati. Come per gli algoritmi di ordinamento dei Capitoli dal 6 all'11 e in particolare per le code con priorità del Capitolo 9, lavoriamo con informazioni suddivise in *record* o *elementi*, ciascuno dei quali contiene una chiave sulla quale effettuare la ricerca. Lo scopo di un algoritmo di ricerca consiste nel trovare tutti i record la cui chiave corrisponde a una data *chiave di ricerca*. Attraverso questo genere di operazioni, solitamente si vuole accedere alle informazioni contenute nei record (e non soltanto alle chiavi che li contraddistinguono), in modo da poterle elaborare.

L'applicazione dei metodi di ricerca è alquanto vasta e coinvolge un gran numero di operazioni diverse. Ad esempio, una banca ha la necessità di gestire il bilancio dei conti di ciascun cliente, analizzandolo per l'esecuzione delle diverse transazioni. Un altro esempio è quello di una compagnia aerea che deve registrare le prenotazioni dei posti su tutti i voli e scandire tali informazioni alla ricerca di posti vuoti o per cancellare o modificare le prenotazioni. Un terzo esempio è quello di un motore di ricerca su una rete, che deve recuperare tutti i documenti della rete che contengono una data parola chiave. Le necessità di tutte queste applicazioni sono simili da un certo punto di vista (tanto la banca quanto la compagnia aerea devono assicurare affidabilità e accuratezza) e diverse per altri aspetti (i dati bancari devono durare molto più a lungo). In tutti i casi, si devono eseguire algoritmi di ricerca.

Definizione 12.1   *Una **tabella di simboli** è una struttura dati formata da elementi con chiave, che supporta due operazioni di base: inserimento di un nuovo elemento e ricerca di un elemento avente una data chiave.*

Le tabelle di simboli sono talvolta chiamate *dizionari*, per analogia con l'onorato sistema che fornisce definizioni di parole, elencandole in ordine alfabetico. In un dizionario della lingua inglese le "chiavi" sono le parole, mentre gli "elementi" sono le informazioni associate alle parole, che includono la pronuncia, la definizione e altro ancora. Le persone usano algoritmi di ricerca per trovare informazioni in un dizionario, sfruttando di solito il fatto che le parole sono elencate in ordine alfabetico. Gli elenchi telefonici, le enciclopedie e così via, sono organizzati nello stesso modo e alcuni dei metodi di ricerca che presentiamo (ad esempio, la ricerca binaria dei Paragrafi 2.6 e 12.4), dipendono in modo essenziale dal fatto che gli elementi siano mantenuti in ordine.

Un vantaggio non trascurabile delle tabelle di simboli memorizzate su computer è la loro dinamicità, cioè la possibilità di essere modificate nel tempo. Molti dei metodi che studieremo costruiscono strutture dati che consentono non solo efficienti operazioni di ricerca, ma anche di inserimento, cancellazione, modifica, combinazione di due tabelle di simboli in una, ecc. In questo capitolo, rivisiteremo varie questioni legate a queste operazioni che abbiamo già avuto occasione di vagliare studiando le code con priorità (Capitolo 9). Lo sviluppo di strutture dati dinamiche che supportano operazioni di ricerca è uno dei più vecchi e più ampiamente studiati problemi dell'informatica, e ci terrà impegnati fino al Capitolo 16. Come vedremo, vi sono molti algoritmi ingegnosi ideati per l'implementazione delle tabelle di simboli.

Un vantaggio delle tabelle di simboli è che possiedono caratteristiche dinamiche sconosciute a dizionari ed elenchi telefonici. Infatti, vedremo che molti dei metodi illustrati permetteranno un'esecuzione efficiente non solo dell'operazione di ricerca ma anche dell'aggiunta, modifica o cancellazione di dati, così come dell'operazione di unione di due tabelle. Ecco spiegato il motivo per cui in questo capitolo saranno ripresi alcuni temi affrontati nel Capitolo 9, inerenti alle code con priorità. Lo sviluppo di strutture dati dinamiche che supportino l'operazione di ricerca è uno dei più datati e studiati tra i classici problemi dell'informatica: dedicheremo a esso la nostra attenzione in questo capitolo e nei Capitoli dal 13 al 16. Molti ingegnosi algoritmi sono stati ideati (e continuano a esserlo) per risolvere il problema dell'implementazione di tabelle di simboli.

Oltre alle applicazioni di base che abbiamo menzionato, le tabelle di simboli sono state studiate a fondo perché forniscono un indispensabile aiuto nell'organizzazione del software. Una tabella di simboli è il dizionario per un programma: le chiavi sono i nomi simbolici usati nel programma (ad esempio, nomi di variabili), mentre i record contengono informazioni che descrivono l'oggetto avente quel nome. Tanto agli albori dell'informatica, in cui le tabelle di simboli consentivano ai programmatori di sostituire agli indirizzi numerici del codice macchina quelli mnemonici del linguaggio assembler, quanto nelle applicazioni informatiche del nuovo millennio, in cui i nomi simbolici hanno un significato nel contesto di reti di calcolatori a diffusione mondiale, gli algoritmi di ricerca hanno giocato e giocheranno un ruolo essenziale nella computazione automatica.

Le tabelle di simboli si incontrano di frequente anche a un basso livello di astrazione, qualche volta perfino a livello hardware. Spesso, si usa il termine *memoria associativa* per descrivere tale concetto. In questo libro tratteremo implementazioni software, benché alcune delle tecniche considerate possano dirsi appropriate anche per implementazioni hardware.

Come è accaduto per il Capitolo 6, inizieremo il nostro studio dei metodi di ricerca considerando metodi elementari che possono dirsi utili solo per tabelle di modeste dimensioni e altre situazioni particolari. Tali metodi ci serviranno anche per illustrare le tecniche fondamentali su cui si basano i metodi più avanzati. Quindi, tratteremo gli *alberi binari di ricerca* (*BST*, *Binary Search Trees*), una struttura dati fondamentale e ampiamente utilizzata per supportare algoritmi di ricerca efficienti.

Nel Paragrafo 2.6 abbiamo presentato due algoritmi di ricerca al solo scopo di illustrare l'efficacia dell'analisi matematica nel suggerire algoritmi efficienti. Per completezza, in questo capitolo ripeteremo parte delle informazioni del Paragrafo 2.6 e ci riferiremo a esso per le dimostrazioni. Più avanti in questo capitolo, faremo riferimento anche alle proprietà di base degli alberi binari analizzate nei Paragrafi 5.4 e 5.5.

12.1 Tipo di dato astratto tabella di simboli

Come per le code con priorità, pensiamo agli algoritmi di ricerca come appartenenti a interfacce che dichiarano una varietà di operazioni generiche. Tali interfacce possono mantenersi separate dalle particolari implementazioni e, quindi, è possibile sostituire facilmente implementazioni alternative. Le operazioni che è interessante implementare includono:

- *inserimento* di un nuovo elemento
- *ricerca* di un elemento (o di elementi) aventi una data chiave
- *cancellazione* di uno specifico elemento
- *selezione* del *k*-esimo elemento più piccolo all'interno di una tabella di simboli
- *ordinamento* della tabella di simboli (attraversamento dell'intera tabella di simboli in ordine di chiave)
- *unione* di due tabelle di simboli.

Come per molti tipi di dati, potremmo aver bisogno di aggiungere altre operazioni standard a questo insieme, come un costruttore, "testa se vuoto" e magari anche un'operazione di copia (clonazione). In aggiunta, considereremo alcune varianti di quest'interfaccia di base. Ad esempio, un'operazione "cerca e inserisci" si rivela spesso un'utile alternativa in molte applicazioni in cui la ricerca di una chiave, anche se ha esito negativo, fornisce informazioni precise sul punto in cui il nuovo elemento con quella chiave dovrà essere inserito.

Usiamo comunemente il termine "algoritmo di ricerca" per significare "implementazione dell'ADT tabella di simboli", sebbene quest'ultima locuzione implichi la definizione e la costruzione di una struttura dati sottostante per la tabella di simboli e l'implementazione delle operazioni dell'ADT oltre alla ricerca. Le tabelle di simboli sono così importanti nelle applicazioni dei calcolatori da essere disponibili come astrazioni ad alto livello in molti ambienti di programmazione. Per esempio, Java possiede una classe di servizio standard chiamata `Dictionary`, e una classe `Hashtable` che la estende seguendo l'approccio che descriveremo nel Capitolo 14. Al solito, difficilmente un'implementazione general-purpose potrà ottenere le prestazioni richieste da tutte le applicazioni. Lo studio dell'implementazione del concetto astratto "tabella di simboli" costituirà il contesto che ci aiuterà a comprendere le caratteristiche di implementazioni preconfezionate e a scegliere fra queste e implementazioni ad hoc.

Così come abbiamo fatto per l'ordinamento nel Paragrafo 6.2, considereremo i metodi senza specificare i tipi degli elementi da elaborare. Volendo, però, enfatizzare i diversi ruoli giocati da elementi e chiavi nella ricerca, a differenza dell'approccio dei Capitoli dal 6 all'11, andremo a definire le astrazioni elemento e chiave in modo separato. Ad esempio, gli ADT `myItem` e `myKey` del Programma 12.1 definiscono le

Programma 12.1   ADT per elementi di una tabella di simboli

Queste interfacce di ADT illustrano il modo di definire elementi di una tabella di simboli, analogamente a quanto osservato a proposito di elementi da ordinare (Paragrafo 6.2). Qui, per enfatizzare la distinzione fra elementi e rispettive chiavi, manteniamo separata l'astrazione chiave.

Le nostre implementazioni di tabelle di simboli sono client di una classe KEY della quale utilizzano i metodi equals e less (per confrontare chiavi), e anche client di una classe ITEM della quale utilizzano il metodo key (per accedere alle chiavi degli elementi). Sono, quindi, in grado di lavorare con una qualsiasi implementazione di ITEM e KEY (si veda il testo). I metodi read, rand e toString sono a uso dei client.

```
class myItem implements ITEM // interfaccia di ADT
  { // implementazioni e membri privati nascosti
    public KEY key()
    void read()
    void rand()
    public String toString()
  }
class myKey implements KEY // ADT interface
  { // implementations and private members hidden
    public boolean less(myKey)
    public boolean equals(myKey)
    void read()
    void rand()
    public String toString()
  }
```

operazioni astratte di base che vogliamo effettuare. Tramite ADT come questi, abbiamo la possibilità di implementare e testare molte implementazioni di tabelle di simboli su vari tipi di elementi e chiavi relative. I metodi rand, read e toString del Programma 12.1 vengono usati dai programmi client della tabella di simboli, mentre i metodi key, less ed equals vengono utilizzati dalle implementazioni di tabelle di simboli.

Dal momento che client e implementazioni di una tabella di simboli hanno entrambi bisogno di classi come myItem e myKey, ci pare utile, come abbiamo peraltro già fatto nel Paragrafo 6.2, distinguere tali necessità tramite il meccanismo interface di Java. Definiamo, in particolare, l'interfaccia

---

Programma 12.2 Esempio di implementazione di chiave in una tabella di simboli

Questa classe implementa l'interfaccia del Programma 12.1 per elementi le cui chiavi hanno valori interi. Essa utilizza una costante M per specificare un limite superiore al valore delle chiavi. Il valore di M dipende dall'applicazione, ed è quindi omesso.

```
class myKey implements KEY
  {
    private int val;
    public boolean less(KEY w)
      { return val < ((myKey) w).val; }
    public boolean equals(KEY w)
      { return val == ((myKey) w).val; }
    public void read()
      { val = In.getInt(); }
    public void rand()
      { val = (int) (M * Math.random()); }
    public String toString()
      { return val + ""; }
  }
```

```
interface ITEM
  { KEY key(); }
```

in modo tale che le implementazioni dell'operazione di ricerca possano usare i tipi ITEM e il metodo key per accedere alle chiavi. Definiamo, ancora, l'interfaccia

```
interface KEY
  {
    boolean less(KEY v);
    boolean equals(KEY v);
  }
```

in modo tale che le implementazioni dell'operazione di ricerca possano usare i tipi KEY e i metodi less ed equals per effettuare confronti. Le nostre implementazioni di tabelle di simboli accederanno a elementi e chiavi *solo* attraverso questi metodi. Per farne uso dovremo semplicemente definire opportune classi che implementino ITEM e KEY.

Il Programma 12.2 è un esempio di implementazione per chiavi intere. Esso usa una costante M che ne indica il valore massimo. In pratica, si sceglierà un'interfaccia un po' più complessa per consentire ai client di specificare questo valore. Se, ad esempio, le chiavi sono un co-

Programma 12.3 Esempio di implementazione di elementi per tabelle di simboli

Questa classe implementa l'interfaccia myItem del Programma 12.1 per record la cui informazione associata è un numero in virgola mobile. Il tipo della chiave è determinato dall'implementazione di myKey (si veda, ad esempio, il Programma 12.2).

```
class myItem implements ITEM
  {
    private myKey val;
    private float info;
    myItem()
      { val = new myKey(); }
    public KEY key() { return val; }
    void read()
      { val.read(); info = In.getFloat(); }
    void rand()
      { val.rand(); info = (float) Math.random(); }
    public String toString()
      { return "(" + key() + " " + info + ")"; }
  }
```

dice a 9 cifre decimali, possiamo porre $M = 10^9$. Il Programma 12.3 è un esempio di implementazione per elementi che possono associare a un numero in virgola mobile un qualsiasi tipo di chiave. Chiaramente, possiamo anche usare un tipo oggetto, invece di uno predefinito per rappresentare l'informazione associata. Sviluppare implementazioni simili a questa per specifici tipi di elementi e chiavi è immediato. Per esempio, si potrebbero aggiornare le implementazioni del Paragrafo 6.2 per record e stringhe in modo da utilizzare myKey all'interno di myItem per il tipo delle chiavi, implementare key() e cambiare gli accessi al campo key in modo da invocare key(), implementando una classe myKey con opportuni metodi less ed equals.

Definiamo a parte i metodi less ed equals, poiché molti algoritmi di base vengono descritti in modo naturale nei termini di queste due primitive separate. In alcune nostre implementazioni, less ed equals vengono invocati in sequenza per la stessa coppia di chiavi. Ciò può risultare dispendioso, se i confronti sono costosi. In tali circostanze, può essere utile passare a un metodo di confronto a tre vie che restituisca −1 se la prima chiave è minore della seconda, 0 se sono ugua-

---

Programma 12.4 Elemento di tabella di simboli con chiave intera

Per evitare troppi livelli di indirezione, quando vogliamo usare chiavi di tipo predefinito sostituiamo KEY nel nostro codice con il nome del tipo appropriato. Il codice sotto ne è un'illustrazione.

```
class intkeyItem
  {
    private int val;
    private float info;
    public int key() { return val; }
    void read()
      { val = In.getInt(); info = In.getFloat(); }
    void rand()
      { val = (int) (M * Math.random());
        info = (float) Math.random(); }
    public String toString()
      { return "(" + key() + " " + info + ")"; }
  }
```

---

li e 1 se la prima è maggiore. Alcune altre implementazioni, invece, non fanno alcun uso di less ed equals. Per esempio, la prima implementazione di tabella di simboli che incontreremo (Paragrafo 12.2) sfrutta chiavi intere come indici di array, senza mai effettuare alcun confronto esplicito fra chiavi. Nei Capitoli 14 e 15 presenteremo algoritmi di ricerca basati sull'estrazione di porzioni di chiavi e sull'utilizzo delle operazioni digitali di base incontrate nel Capitolo 10. In tutti questi casi, ometteremo KEY e ITEM, oppure li modificheremo nel modo appropriato.

Al solito, definire classi per tutte le astrazioni porta a livelli di indirezione extra. Quindi, qualche volta risulterà utile evitare l'uso dell'interfaccia KEY o del tipo myKey, sostituendo nel nostro codice KEY con il tipo appropriato (si veda il Programma 12.4). Per tipi predefiniti possiamo usare gli operatori predefiniti < e == per confrontare chiavi. Come per gli algoritmi di ordinamento, le nostre implementazioni sono generalmente scritte nei termini di due metodi statici a due parametri less ed equals che confrontano chiavi. Quest'organizzazione del codice rende facile l'uso tanto di tipi predefiniti quanto di tipi classe per le chiavi. È possibile, poi, che in applicazioni particolari si debbano fare aggiustamenti ulteriori quando i dati sono di tipo predefinito.

Il Programma 12.5 è un'interfaccia che definisce le operazioni di base di una tabella di simboli (tranne l'operazione di unione), in fun-

---

Programma 12.5   Tipo di dato astratto tabella di simboli

Quest'interfaccia definisce le operazioni per una semplice tabella di simboli: inizializzazione, conteggio di elementi, ricerca di un elemento con una data chiave, inserimento di un nuovo elemento, cancellazione di un elemento con una data chiave, selezione del k-esimo elemento più piccolo, e calcolo di una rappresentazione stringa della lista degli elementi nella tabella.

```
class ST // interfaccia di ADT
  { // implementazioni e membri privati nascosti
    ST(int)
    int count()
    void insert(ITEM)
    ITEM search(KEY)
    void remove(KEY)
    ITEM select(int)
    public String toString()
  }
```

---

zione delle astrazioni elemento e chiave che abbiamo appena trattato. Useremo quest'interfaccia fra programmi client e implementazioni delle operazioni di ricerca, in questo come in molti capitoli a venire.

Potremmo definire (Esercizio 12.7) una versione dell'interfaccia del Programma 12.5 per gestire handle (riferimenti Object) agli elementi, in modo simile a quanto fatto per il Programma 9.8. In linea di principio, l'uso di handle dovrebbe eliminare la necessità di effettuare ricerche prima di una cancellazione, e quindi potrebbe portare ad algoritmi più efficienti. In pratica, le implementazioni tipiche non mantengono abbastanza informazioni per supportare cancellazioni valide. Ad esempio, alcune implementazioni sistemano record in liste concatenate (le liste dovrebbero essere concatenate doppie per supportare la cancellazione per riferimento). Per evitare di scrivere codice oltremodo complicato, utilizzeremo la cancellazione per chiave, lasciando quella per riferimento agli esercizi. L'interfaccia non specifica in quale modo determiniamo l'elemento da cancellare in presenza di chiavi duplicate. Una ragionevole interpretazione potrebbe essere "cancella tutti gli elementi aventi la chiave data". Al contrario, molte delle nostre implementazioni adottano l'interpretazione "cancella un elemento avente la chiave data", dove resta intesa anche la necessità di un'operazione di ricerca.

Alcuni algoritmi non assumono alcun ordinamento particolare delle chiavi, perciò usano solo `equals` per confrontare le chiavi (invece di `less`). La maggior parte degli algoritmi su tabelle di simboli, invece, sfruttano la relazione d'ordine fra le chiavi indotta da `less` per strutturare i dati e guidare la ricerca. Tra l'altro, le operazioni astratte di selezione e di ordinamento si riferiscono esplicitamente alla relazione d'ordine fra le chiavi. L'operazione di ordinamento è fatta come un metodo che invia tutti gli elementi in ordine sullo stream di output, senza necessariamente eseguire l'esplicito ordinamento. Non è difficile, generalizzando l'implementazione dell'operazione di ordinamento, scrivere un metodo che visiti gli elementi in ordine di chiave, magari applicando a ciascun nodo visitato un metodo all'interno di un oggetto passato come parametro. Solitamente, includiamo implementazioni di `toString` quando si tratta di mostrare il contenuto ordinato della tabella di simboli. Algoritmi che non fanno uso di `less` non richiedono che le chiavi siano confrontabili fra loro, e quindi non supportano necessariamente implementazioni efficienti delle operazioni di selezione e ordinamento. In tali casi, quindi, ometteremo le implementazioni di `select` e `toString`.

Come già osservato a proposito dell'operazione di cancellazione, il caso di chiavi duplicate merita particolare considerazione nelle implementazioni di una tabella di simboli. Alcune applicazioni vietano chiavi duplicate, e quindi le chiavi possono essere usate come handle. Un esempio di tale situazione è l'uso del numero di matricola degli studenti di una data università. Per altre applicazioni ci possono essere numerosi elementi con chiavi duplicate. Ad esempio, la ricerca di parole chiave in documenti testuali di un database solitamente termina con un gran numero di documenti contenenti le parole cercate.

Gli elementi con chiavi duplicate possono essere gestiti in modi diversi a seconda dell'applicazione. Un approccio è quello di insistere sul fatto che la struttura primaria di ricerca contenga esclusivamente elementi con chiavi differenti, e di mantenere per ciascuna chiave un link a una lista di elementi aventi la medesima chiave. In altre parole, nella nostra struttura dati primaria avremo elementi contenenti una chiave e un link, e senza chiavi duplicate. Questo può essere conveniente in alcune applicazioni, dal momento che con un'*unica* operazione di ricerca si possono conoscere tutti gli elementi aventi una data chiave. Dal punto di vista dell'implementazione, questa strutturazione è equivalente a demandare la gestione delle chiavi duplicate ai programmi client. L'interfaccia Java `Dictionary` utilizza questa convenzione. Una seconda possibilità è quella di permettere alla struttura dati di contenere più elementi con la stessa chiave e di fare in modo che una ricerca restituisca un qualunque elemento con quella chiave. Questa situazione è più semplice da gestire per le applicazioni che elaborano un elemento alla volta, nelle quali non è rilevante l'ordine secondo il quale vengono elaborati gli elementi con chiave uguale; ma, d'altra parte, potrebbe non essere conveniente per quel che concerne la progettazione dell'algoritmo che la deve gestire, poiché richiede che l'interfaccia sia estesa in modo da includere un meccanismo in grado di restituire tutti gli elementi con una data chiave o di invocare uno specifico metodo per ciascun elemento avente una data chiave. Una terza possibilità è quella di stabilire che ogni elemento contenga un identificatore univoco (oltre alla chiave) e di richiedere che un'operazione di ricerca trovi, data una chiave, l'elemento contenente il particolare identificatore. Qualche volta, potrà essere necessario applicare meccanismi anche più complicati. Queste considerazioni si applicano a tutte le operazioni delle tabelle di simboli in presenza di chiavi duplicate. Vogliamo cancellare tutti gli elementi con una data chiave oppure uno qualsiasi degli elementi con quella chiave, oppure ancora un elemento specifico? (In quest'ultimo caso, bisogna disporre di handle agli elementi). Durante la descrizione delle implementazioni di tabelle di simboli si farà riferimento, in via del tutto informale, al modo in cui è possibile accedere agli elementi contraddistinti dalla medesima chiave senza considerare necessariamente tutti i meccanismi per ogni implementazione.

Il Programma 12.6 è un programma client di esempio che illustra queste convenzioni circa le implementazioni delle tabelle di simboli. Il programma usa una tabella di simboli per determinare i valori distinti in una sequenza di chiavi (generate casualmente o lette da standard input), e quindi stampa tali valori distinti in modo ordinato.

Al solito, dobbiamo tener conto che implementazioni differenti hanno prestazioni differenti, e che le prestazioni possono dipendere dalla frequenza con cui le operazioni implementate vengono eseguite. Ad esempio, un'applicazione potrebbe usare l'inserimento molto di rado (magari, solo per costruire la tabella all'inizio) e, pertanto, eseguire una grandissima quantità di ricerche. Un'altra applicazione potrebbe eseguire inserimenti e cancellazioni un gran numero di volte su tabelle relativamente piccole, alternandole a operazioni di ricerca. Non tutte le implementazioni supportano tutte le operazioni che abbiamo menzionato e molte di esse potrebbero privilegiare l'efficienza di alcune a spese di altre, ipotizzando implicitamente che le operazioni costose vengano eseguite raramente. Tutte le operazioni di base dell'interfaccia della tabella di simboli hanno importanti applicazioni. So-

**Programma 12.6   Esempio di programma client
per una tabella di simboli**

Questo programma è un client dei nostri ADT elemento, chiave e
tabella di simboli (si vedano i Programmi 12.1 e 12.5). Esso usa una
tabella di simboli per evitare elementi con chiavi duplicate in una
sequenza generata casualmente o letta da standard input. Su ogni
elemento il programma usa search per controllare che la chiave associata non sia stata vista in precedenza. Se la chiave non è stata vista, il programma stampa l'elemento e lo inserisce nella tabella di
simboli.

```
class DeDup
  {
    public static void main(String[] args)
      { int i, N = Integer.parseInt(args[0]),
            sw = Integer.parseInt(args[1]);
        ST st = new ST(N);
        for(i = 0; i < N;i++)
          { myItem v = new myItem();
            if (sw == 1) v.rand(); else v.read();
            if (st.search(v.key()) == null)
              { st.insert(v); Out.println(v + ""); }
          }
        Out.print(N + " keys, ");
        Out.println(N-st.count() + " dups");
      }
  }
```

no molti gli approcci suggeriti per consentire l'implementazione efficiente delle varie combinazioni di operazioni. In questo capitolo e nei
capitoli successivi, tratteremo le implementazioni delle operazioni fondamentali di inizializzazione, inserimento e ricerca. Aggiungeremo, poi,
alcuni commenti sulle operazioni di cancellazione, selezione, ordinamento e unione. Le prestazioni degli algoritmi che andremo a considerare differiscono in funzione della combinazione delle operazioni
di base e anche, in qualche caso, in funzione dei vincoli sulle chiavi,
della dimensione degli elementi, o di altro ancora.

En questo capitolo, vedremo implementazioni in cui, mediamente, su chiavi casuali le operazioni di ricerca, inserimento, cancellazione e selezione richiedono un tempo proporzionale al logaritmo
del numero di elementi del dizionario, mentre l'operazione di ordinamento impiega tempo lineare. Nel Capitolo 13, esamineremo me-

todi per garantire queste prestazioni anche nel caso peggiore. Vedremo, inoltre, nel Paragrafo 12.2 e nei Capitoli 14 e 15 alcune implementazioni di queste operazioni che in talune circostanze hanno tempo costante.

Vi sono molte altre operazioni su tabelle di simboli studiate nel dettaglio. Esempi includono l'operazione di *finger search*, in cui un'operazione di ricerca inizia dal punto in cui una precedente ricerca ha terminato, *range search*, in cui vogliamo contare o mostrare tutti i nodi le cui chiavi cadono in un certo intervallo, *near-neighbor search*, in cui vogliamo trovare elementi le cui chiavi sono vicine a una chiave data (in base a un'opportuna funzione di distanza fra chiavi).

Esercizi

▷ **12.1** Scrivete l'implementazione di una classe myKey (simile al Programma 12.2) per consentire alle implementazioni di tabelle di simboli di elaborare elementi formati solo da chiavi string.

○ **12.2** Scrivete l'implementazione di una classe myItem che estenda la classe Record del Programma 6.9 in modo che i client possano costruire tre tabelle di simboli ed eseguire ricerche su ciascuna delle tre chiavi.

▷ **12.3** Usate l'ADT tabella di simboli definito dal Programma 12.5 per implementare gli ADT stack e coda.

▷ **12.4** Usate l'ADT tabella di simboli la cui interfaccia è definita nel Programma 12.5 per implementare un ADT coda con priorità che supporti sia l'operazione di cancellazione del massimo che quella di cancellazione del minimo.

12.5 Usate l'ADT tabella di simboli la cui interfaccia è definita nel Programma 12.5 per implementare un'operazione di ordinamento di un array che sia compatibile con quelle dei Capitoli dal 6 al 10.

▷ **12.6** Aggiungete un metodo clone al Programma 12.5 e rendetelo Cloneable (si veda il Paragrafo 4.9).

12.7 Definite un'interfaccia per un ADT tabella di simboli che consenta ai programmi client di cancellare specifici elementi tramite handle e di cambiare il valore delle chiavi (si veda il Paragrafo 9.5).

▷ **12.8** Scrivete un'implementazione delle interfacce myItem e myKey per elementi dotati di due campi: una chiave intera a 16 bit e un oggetto string contenente informazioni associate alla chiave.

12.9 Calcolate il numero medio di chiavi distinte che il nostro programma client pilota (Programma 12.6) troverà all'interno di N numeri positivi casuali minori di 1000, dove $N = 10, 10^2, 10^3, 10^4, 10^5$. Usate un metodo empirico, uno analitico o entrambi.

12.2 Ricerca indicizzata da chiave

Supponiamo che le chiavi siano numeri distinti abbastanza piccoli (come, ad esempio, nei Programmi 12.6 e 12.4). In questo caso, il più semplice algoritmo di ricerca è quello basato sulla memorizzazione degli elementi in un array indicizzato dalla chiave, come nell'implementazione del Programma 12.7. Il codice è immediato. L'operatore new[] inizializza tutte le componenti del vettore con null. Inseriamo un elemento con chiave k semplicemente ponendolo in st[k], e cerchiamo un elemento con chiave k leggendo il valore di st[k]. Per cancellare un elemento con chiave k, poniamo null in st[k]. Le implementazioni delle operazioni di selezione, di ordinamento e di conteggio (*count*) nel Programma 12.7 effettuano una scansione lineare dell'array, saltando gli elementi nulli. Quest'implementazione lascia al client il compito di gestire elementi con chiavi duplicate e di eseguire i controlli necessari, come ad esempio nel caso della cancellazione di un elemento che non si trova nella tabella. Quest'implementazione non implementa l'interfaccia del Programma 12.5 perché richiede che le chiavi siano intere (usa intkeyItem, e non ITEM e KEY). Iniziamo da essa perché è un semplice esempio di tutte le implementazioni di tabelle di simboli che presenteremo in questo capitolo e nei Capitoli dal 13 al 15.

L'operazione di indicizzazione sui cui si basa la ricerca indicizzata da chiave è la stessa di quella dell'ordinamento key-indexed counting trattato nel Paragrafo 6.10. Laddove può essere applicata, la ricerca indicizzata è senz'altro da preferire a tutti i metodi di ricerca. È, infatti, difficile pensare di poter implementare le operazioni di ricerca e di inserimento in modo più efficiente.

Se non ci sono elementi (ma solo chiavi), possiamo anche usare una tabella di bit. La tabella di simboli in questo caso viene chiamata *tabella di esistenza*, poiché possiamo considerare il k-esimo bit come indicatore del fatto che la chiave k sia o meno presente nella tabella (la classe Java BitSet implementa questa tabella di simboli). Ad esempio, usando una tabella di 313 parole su un computer a 32 bit, possiamo servirci di questo metodo per determinare velocemente se un dato numero di telefono interno a 4 cifre sia stato già assegnato (si veda l'Esercizio 12.15).

Proprietà 12.1 *Se le chiavi sono numeri positivi minori di M e gli elementi hanno chiavi distinte, allora il tipo di dato tabella di simboli può essere implementato tramite array indicizzati da chiavi, in modo tale che le operazioni di* **inserimento**, **ricerca** *e* **cancellazione** *richiedano tempo*

Programma 12.7 Tabella di simboli basata su array indicizzato da chiavi

Quest'implementazione usa interi come chiavi e assume in aggiunta che essi siano positivi e minori del valore del parametro passato al costruttore. In tal modo, le chiavi possono essere utilizzate come indici di array. I costi principali da considerare sono dati dalla quantità di spazio richiesta quando l'array è grande, insieme al tempo necessario a new per inizializzare le componenti dell'array a null quando il numero di chiavi nell'array è piccolo rispetto alla sua dimensione.

```
class ST
  {
    private intkeyItem[] st;
    ST(int M)
      { st = new intkeyItem[M]; }
    int count()
      { int N = 0;
        for (int i = 0; i < st.length; i++)
          if (st[i] != null) N++;
        return N;
      }
    void insert(intkeyItem x)
      { st[x.key()] = x; }
    void remove(int key)
      { st[key] = null; }
    intkeyItem search(int key)
      { return st[key]; }
    intkeyItem select(int k)
      {
        for (int i = 0; i < st.length; i++)
          if (st[i] != null && k-- == 0)
            return st[i];
        return null;
      }
    public String toString()
      { String s = "";
        for (int i = 0; i < st.length; i++)
          if (st[i] != null) s += st[i] + "\n";
        return s;
      }
  }
```

costante, e le operazioni di *inizializzazione*, *selezione* e *ordinamento* richiedano tempo proporzionale a M, quando tutte le operazioni sono eseguite su una tabella di N elementi.

L'asserzione si verifica immediatamente ispezionando il codice. Si noti che le condizioni sulle chiavi implicano $N \leq M$. ∎

Il Programma 12.7 non gestisce chiavi duplicate e assume che i valori delle chiavi stiano fra 0 e M-1. Potremmo usare liste concatenate o uno degli altri approcci menzionati nel Paragrafo 12.1 per memorizzare gli elementi con chiavi duplicate, ed eseguire semplici trasformazioni sulle chiavi, prima di usarle come indici (si veda l'Esercizio 12.14). Preferiamo, però, rimandare l'esame dettagliato di questi casi al Capitolo 14, quando studieremo i metodi di *hashing*, che fanno uso dello stesso approccio per implementare tabelle di simboli per chiavi generali, trasformando chiavi che appartengono a un range potenzialmente esteso in chiavi con range molto più limitato, e quindi adottando misure opportune per gestire la duplicazione di chiavi. Per il momento, assumiamo che un elemento vecchio avente la stessa chiave di un elemento da inserire possa essere ignorato (come nel Programma 12.7), o trattato come un errore.

L'implementazione dell'operazione di conteggio adotta un approccio *lazy* ("pigro"), in cui lavoriamo solo nel momento in cui il metodo count è invocato. Un approccio alternativo (*eager*, "impaziente") è quello di mantenere il contatore delle posizioni non vuote della tabella in una variabile locale e di incrementare la variabile dopo l'inserimento in una posizione che conteneva null, decrementandola dopo la cancellazione da una posizione della tabella che non contiene null (si veda l'Esercizio 12.11). L'approccio pigro è preferibile se l'operazione di conteggio è usata solo di rado e il numero di possibili valori delle chiavi è limitato, altrimenti l'approccio impaziente è preferibile. Per routine di libreria l'approccio impaziente è senz'altro migliore, poiché fornisce prestazioni ottimali nel caso peggiore, pagando solo un modesto fattore costante per inserimento e cancellazione. Per il ciclo interno di un'applicazione che esegue un grandissimo numero di inserimenti e cancellazioni, ma pochissime operazioni di conteggio, l'approccio pigro è senz'altro migliore, perché consente l'implementazione più rapida delle operazioni più comuni. Come abbiamo già osservato diverse volte, questo tipo di scelta è molto comune, quando si vogliono progettare ADT che devono supportare combinazioni variabili di operazioni.

Ci sono varie altre scelte progettuali da effettuare nello sviluppo di un'interfaccia general-purpose. Ad esempio: il range delle chiavi deve essere il medesimo per tutti gli oggetti o può essere diverso per oggetti diversi? Se scegliamo la seconda opzione, potrebbe essere necessario aggiungere parametri al costruttore e avere metodi che permettano ai programmi client di accedere al range delle chiavi.

Gli array indicizzati da chiavi sono utili in molte applicazioni, ma non possono essere usati quando le chiavi non abbiano un range limitato. Possiamo considerare il presente capitolo e vari capitoli successivi come lo studio di soluzioni per il caso in cui le chiavi abbiano un range così ampio da rendere l'utilizzo di una tabella grande quanto i possibili valori delle chiavi una soluzione del tutto impraticabile.

Esercizi

▷ **12.10** Modificate i Programmi 12.5 e 12.6 in modo che costituiscano un'interfaccia e un client corrispondenti all'implementazione del Programma 12.7.

▷ **12.11** Modificate l'implementazione del Programma 12.7 in modo da fornire un'implementazione impaziente di count (registrando il numero di posizioni non nulle).

12.12 Implementate un ADT tabella di simboli clonabile (si veda l'Esercizio 12.6) che usa array indicizzati da chiave.

12.13 Modificate la vostra implementazione dell'Esercizio 12.12 in modo da fornire un'implementazione impaziente di count (si veda l'Esercizio 12.11).

12.14 Sviluppate una versione del Programma 12.7 che assuma che KEY abbia un metodo h che converte le chiavi in numeri interi non negativi minori di M, evitando di mappare chiavi distinte sullo stesso numero intero. Questo miglioramento rende utile l'implementazione quando le chiavi hanno range limitato (che non parte necessariamente da 0), ma anche in vari altri semplici casi.

12.15 Sviluppate una versione del Programma 12.7 per il caso in cui gli elementi sono chiavi intere positive minori di M (senza informazione associata). Utilizzate nell'implementazione un array di circa M/32 interi.

12.16 Servitevi dell'implementazione dell'Esercizio 12.15 per eseguire esperimenti al fine di determinare media e deviazione standard del numero di interi distinti in una sequenza casuale di N interni non negativi minori di N, dove N è prossimo alla massima quantità di memoria centrale disponibile per un programma sul vostro calcolatore, espressa in numero di bit (si veda il Programma 12.6).

12.17 Sviluppate una soluzione all'Esercizio 12.15 che usi un array di boolean e confrontate le sue prestazioni con la vostra soluzione originale per il problema posto nell'Esercizio 12.16.

12.3 Ricerca sequenziale

Per valori generici delle chiavi, un approccio semplice all'implementazione di una tabella di simboli è quello di memorizzare gli elementi in modo contiguo e ordinato in un array. Quando un nuovo elemento deve essere inserito, spostiamo tutti gli elementi più grandi di una posizione (come abbiamo fatto per l'ordinamento per inserzione). Quando dobbiamo eseguire una ricerca, scandiamo l'array sequenzialmente. Dato che l'array è ordinato, possiamo arrestare la ricerca (e concludere che ha avuto esito negativo) non appena incontriamo una chiave più grande di quella cercata. Inoltre, per lo stesso motivo, tanto l'operazione di selezione quanto quella di ordinamento risultano banali da implementare. Il Programma 12.8 è un'implementazione di una tabella di simboli che segue questo approccio.

Ci pare utile, a questo punto, tornare sulla questione della rappresentazione di chiavi ed elementi che, sebbene inserita nel contesto di questa specifica implementazione, ricorre in molte altre implementazioni. Supponiamo, per fissare le idee, di avere una tabella di simboli i cui record sono composti da chiavi intere con associati numeri in virgola mobile (come nell'esempio del Programma 12.3). Quando usiamo l'ADT del Programma 12.1 abbiamo bisogno di due riferimenti per accedere alle chiavi (la situazione è illustrata nella parte bassa della Figura 12.1). Questi riferimenti potrebbero non dare alcun problema in applicazioni che hanno a che fare con migliaia di ricerche su migliaia di chiavi, ma possono senz'altro rappresentare un costo eccessivo in applicazioni che eseguono miliardi di ricerche su miliardi di chiavi. Come abbiamo già evidenziato nel Paragrafo 12.1, non è difficile usare tipi predefiniti al posto di KEY. Ciò fa risparmiare un riferimento a ogni record (Figura 12.1, al centro). Quando l'informazione associata è anch'essa di tipo predefinito (o è persino assente), possiamo impiegare array paralleli senza riferimenti (Figura 12.1, in alto). Questa sistemazione richiede la modifica delle nostre interfacce e delle nostre implementazioni per poter accettare parametri di tipo predefinito tanto per le chiavi quanto per l'informazione associata (Esercizio 12.20). Queste piccole modifiche possono produrre effetti importanti in applicazioni in cui le prestazioni sono fondamentali, e si applicano alla maggior parte delle implementazioni di tabelle di simboli che considereremo. Usiamo le astrazioni separate ITEM e KEY sia per descrivere i nostri algoritmi con maggiore precisione, sia perché queste ultime si rivelano piuttosto utili in situazioni pratiche, nelle quali sono frequenti record e chiavi complicate.

È possibile migliorare leggermente il ciclo interno nell'implementazione della ricerca nel Programma 12.8: basta utilizzare una sentinella per evitare il controllo sul fatto che l'indice vada oltre i limiti dell'array, quando non c'è alcun elemento con la chiave cercata (e questa ha un valore maggiore di quello di qualunque altra chiave incontrata). Più precisamente, possiamo riservare una posizione dopo la fine dell'array come sentinella, riempiendo il campo chiave di tale posizione con la chia-

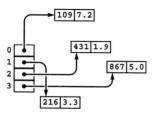

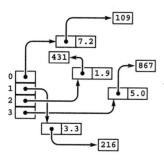

Figura 12.1
Rappresentazione di elementi e chiavi

Questo diagramma illustra le rappresentazioni Java di tabelle di simboli basate su array ordinati, dove i record sono composti da una chiave intera e da un numero in virgola mobile. Vengono indicate tre rappresentazioni per i record: array paralleli (in alto); una classe elemento con due campi di tipo predefinito (al centro); una classe elemento che usa una classe chiave (in basso). Una quarta opzione, in cui anche l'informazione associata è un tipo oggetto, non è illustrata.

Programma 12.8   Tabella di simboli basata su array (ordinato)

Come il Programma 12.7, quest'implementazione usa un array di elementi, ma non richiede che le chiavi siano interi piccoli. Manteniamo l'array ordinato dopo l'inserimento di un nuovo elemento, spostando gli elementi più grandi per far posto al nuovo arrivato, come nell'ordinamento per inserzione. Quindi, il metodo `search` può scandire l'array alla ricerca di un elemento con la chiave specificata, e restituire `null` non appena incontra un elemento con chiave maggiore. Il metodo `select` è banale, mentre le implementazioni di `remove` e `toString` sono lasciate come esercizio (Esercizio 12.18).

```
class ST
  {
    private boolean less(KEY v, KEY w)
      { return v.less(w); }
    private boolean equals(KEY v, KEY w)
      { return v.equals(w); }
    private ITEM[] st;
    private int N = 0;
    ST(int maxN)
      { st = new ITEM[maxN]; }
    int count()
      { return N; }
    void insert(ITEM x)
      { int i = N++; KEY v = x.key();
        while (i > 0 && less(v, st[i-1].key()))
          { st[i] = st[i-1]; i--; }
        st[i] = x;
      }
    ITEM search(KEY key)
      { int i = 0;
        for(; i < N;i++)
          if (!less(st[i].key(), key)) break;
        if (i == N) return null;
        if (equals(key, st[i].key())) return st[i];
        return null;
      }
    ITEM select(int k)
      { return st[k]; }
  }
```

ve cercata prima di effettuare la ricerca. Se la chiave cercata ha il valore più grande tra quelle presenti, la ricerca terminerà sempre con un elemento contenente la chiave cercata: possiamo determinare se tale chiave era o meno nella tabella, controllando la corrispondenza fra il record associato alla chiave e la sentinella.

In alternativa, possiamo sviluppare un'implementazione in cui non esigiamo che le chiavi siano mantenute in ordine nell'array. Quando un nuovo elemento deve essere inserito lo poniamo alla fine dell'array, mentre per eseguire una ricerca scandiamo l'array sequenzialmente. La proprietà caratteristica di questo approccio è che l'inserimento risulta veloce, mentre selezione e ricerca sono ben più onerose (richiedono entrambe uno dei metodi dei Capitoli dal 7 al 10). Possiamo cancellare un elemento avente una data chiave eseguendo una ricerca su quella chiave e, quindi, spostando l'ultimo elemento dell'array in quella posizione, decrementando la dimensione dell'array di uno. Possiamo, inoltre, cancellare tutti gli elementi aventi una data chiave, ripetendo più volte quest'ultima operazione. Se abbiamo a disposizione uno handle che fornisce l'indice di un elemento nell'array, la ricerca diventa superflua, mentre la cancellazione impiega tempo costante.

Un'altra semplice possibilità nell'implementare una tabella di simboli è quella di impiegare una lista concatenata. Di nuovo, possiamo scegliere di mantenere la lista ordinata per poter supportare un'efficiente operazione di ordinamento, oppure lasciarla non ordinata, in modo tale da velocizzare l'inserimento. Il Programma 12.9 è un'implementazione di quest'ultima opzione. Al solito, il vantaggio di usare liste concatenate al posto di array è quello di non dover sapere a priori la massima dimensione della tabella, mentre gli svantaggi sono quelli di dover usare spazio aggiuntivo per i link e di non poter implementare un'efficiente operazione di selezione.

Le implementazioni che si basano su array non ordinati e liste ordinate sono lasciate come esercizio (Esercizi 12.24 e 12.25). Queste quattro possibili implementazioni (array o lista, struttura dati ordinata o non ordinata) possono venir usate nelle applicazioni senza troppe difficoltà l'una al posto dell'altra. Le uniche differenze che ci aspettiamo di trovare stanno nei tempi di esecuzione e nella quantità di memoria richiesta. Avremo, comunque, modo di studiare numerosi approcci alternativi.

Mantenere gli elementi ordinati esprime l'idea generale che le implementazioni delle tabelle di simboli generalmente usino le chiavi per strutturare i dati in modo da consentire efficienti operazioni di ricerca. Tale strutturazione potrebbe anche consentire implementazioni efficienti di altre operazioni, ma potrebbe ben capitare che a controbilanciare questo guadagno vi siano i costi di mantenimento della struttura (che potrebbero rallentare altre operazioni). Presenteremo molti

---

Programma 12.9 Tabella di simboli basata su lista concatenata (non ordinata)

Quest'implementazione delle operazioni di costruzione, conteggio, ricerca e inserimento usa una lista concatenata semplice in cui ogni nodo contiene un elemento con una chiave e un link. Il metodo `insert` pone il nuovo elemento all'inizio della lista e richiede, quindi, tempo costante. Il metodo `search` sfrutta un metodo ricorsivo privato `searchR` per scandire la lista.

Il metodo privato `equals` è lo stesso di quello del Programma 12.8, ed è quindi omesso. Le implementazioni delle operazioni di selezione e ricerca sono anch'esse omesse perché questa struttura dati non supporta implementazioni efficienti di tali operazioni, mentre la cancellazione è lasciata come esercizio (Esercizio 12.22).

```
class ST
  {
    private class Node
      { ITEM item; Node next;
        Node(ITEM x, Node t) { item = x; next = t; }
      }
    private Node head;
    private int N;
    ST(int maxN) { head = null; N = 0; }
    int count() { return N; }
    void insert(ITEM x)
      { head = new Node(x, head); N++; }
    private ITEM searchR(Node t, KEY key)
      {
        if (t == null) return null;
        if (equals(t.item.key(), key))
          return t.item;
        return searchR(t.next, key);
      }
    ITEM search(KEY key)
      { return searchR(head, key); }
    public String toString()
      { Node h = head; String s = "";
        while (h != null)
          { s += h.item + "\n"; h = h.next; }
        return s;
      }
  }
```

di questi casi. Ad esempio, per un'applicazione in cui l'operazione di ordinamento è invocata frequentemente sceglieremo una struttura dati (array o lista) ordinata, poiché questa strutturazione della tabella rende l'implementazione dell'operazione di ordinamento piuttosto banale. Per applicazioni in cui ci aspettiamo che l'operazione di selezione venga eseguita spesso, sceglieremo un array ordinato, poiché tale strutturazione della tabella rende la selezione un'operazione a tempo costante. Su liste concatenate (anche ordinate) tale operazione richiede, invece, tempo lineare.

Per analizzare le prestazioni della ricerca sequenziale su chiavi casuali, iniziamo col considerare il costo dell'inserimento di nuove chiavi, separando i costi di ricerca con esito positivo e quelli con esito negativo. Chiameremo la prima *search hit* e la seconda *search miss*. Vogliamo quantificare i costi di entrambe nel caso medio e nel caso peggiore. Si potrebbe osservare che la nostra implementazione per array ordinati (Programma 12.8) usa due confronti per ogni elemento esaminato (un `equal` e un `less`). Ai fini dell'analisi, in questo come nei restanti capitoli, consideriamo una tale coppia come un confronto singolo, dato che normalmente li possiamo combinare efficacemente in un confronto a tre vie (si veda, ad esempio, il Programma 12.14).

Proprietà 12.2   *La ricerca sequenziale in una tabella di simboli di N elementi richiede all'incirca N/2 confronti nel caso medio per una search hit.*

Si veda la Proprietà 2.1. Quell'argomentazione si applica tanto ad array quanto a liste concatenate, siano esse ordinate o non ordinate. ∎

Proprietà 12.3   *La ricerca sequenziale in una tabella di simboli di N elementi non ordinati usa sempre un numero costante di passi per l'inserimento e sempre N confronti per una search miss.*

Ciò è vero tanto per array quanto per liste concatenate e si evince immediatamente dalle implementazioni (si veda l'Esercizio 12.24 e il Programma 12.9). ∎

Proprietà 12.4   *La ricerca sequenziale in una tabella di simboli di N elementi ordinati richiede nel caso medio all'incirca N/2 confronti per un inserimento, N/2 confronti per una search hit ed N/2 confronti per una search miss.*

Si veda la Proprietà 2.2. Ancora una volta, ciò è vero sia per array che per liste concatenate e segue immediatamente dalle implementazioni (si veda il Programma 12.8 e l'Esercizio 12.25). ∎

La costruzione di una tabella ordinata attraverso inserimenti successivi equivale essenzialmente a eseguire l'algoritmo di ordinamento per inserzione del Paragrafo 6.4. Il tempo totale di calcolo per costruire tale tabella è quadratico, e quindi non andrà usato per tabelle di grandi dimensioni. Se dobbiamo eseguire una grandissima quantità di ricerche su tabelle di piccole dimensioni, vale la pena mantenere gli elementi ordinati, poiché le Proprietà 12.3 e 12.4 affermano che possiamo guadagnare un fattore 2 per una search miss. Se gli elementi con chiavi duplicate non devono essere mantenuti nella tabella, il costo extra del mantenimento della tabella in ordine non è così oneroso come potrebbe sembrare, dato che un inserimento può capitare solo dopo una search miss, e quindi il tempo per l'inserimento risulta proporzionale al tempo per la ricerca. D'altro canto, se gli elementi con chiavi duplicate possono essere mantenuti nella tabella, possiamo realizzare un inserimento in tempo costante su tabelle non ordinate. L'uso di tabelle non ordinate è da preferirsi per applicazioni in cui vengono eseguite un gran numero di operazioni di inserimento e relativamente poche operazioni di ricerca.

Oltre a queste differenze, dobbiamo considerare il solito compromesso fra la memoria extra occupata dai link in una struttura concatenata e il fatto di dover conoscere a priori la dimensione massima della tabella per una struttura ad array, oppure anche il fatto che la tabella subisce una crescita "ammortizzata" (si veda il Paragrafo 14.5). Inoltre, come avremo modo di considerare nel Paragrafo 12.9, l'implementazione tramite lista concatenata è abbastanza flessibile da consentire in un ADT tabella di simboli l'implementazione efficiente di altre operazioni come la cancellazione e l'unione.

La Tabella 12.1 riassume questi risultati e li confronta con quelli ottenuti da altri algoritmi trattati più avanti in questo e nei Capitoli 13 e 14. Nel Paragrafo 12.4 consideriamo la ricerca binaria, che riduce il costo della ricerca a $\lg N$ ed è, quindi, ampiamente usata su tabelle statiche (in cui inserimenti e cancellazioni sono poco frequenti).

Nei Paragrafi dal 12.5 al 12.9 studieremo gli *alberi binari di ricerca*, che ammettono operazioni di ricerca e di inserimento in tempo proporzionale a $\lg N$, ma solo nel caso medio. Nel Capitolo 13, considereremo gli *alberi red-black* che garantiscono prestazioni logaritmiche nel caso peggiore, e gli *alberi binari di ricerca randomizzati* che garantiscono prestazioni logaritmiche con alta probabilità. Nel Capitolo 14, presenteremo i metodi di *hashing* che consentono ricerche e inserimenti in tempo mediamente costante, ma non supportano efficienti operazioni di ordinamento o di altro tipo. Nel Capitolo 15, considereremo i metodi di ricerca digitale, analoghi ai metodi di ordinamento digitale del Capitolo 10. Nel Capitolo 16, infine, studieremo metodi di ricerca esterni (in cui, cioè, i file sono memorizzati su dispositivi esterni).

Tabella 12.1 Costi delle operazioni di inserimento e ricerca in una tabella di simboli

Questa tabella indica i tempi di calcolo (a meno di un fattore costante) come funzione di N, il numero di elementi presenti nella tabella, ed M, la dimensione della tabella (se diversa da N) per implementazioni in cui possiamo trascurare chiavi duplicate. I metodi elementari (prime quattro righe) richiedono tempo costante per alcune operazioni e tempo lineare per altre. I metodi più sofisticati ottengono un tempo costante o logaritmico nel caso peggiore per tutte o quasi tutte le operazioni. I valori $N \lg N$ nella colonna della selezione rappresentano il costo dell'ordinamento delle chiavi. Una selezione in tempo lineare su un insieme non ordinato di record è possibile in teoria, ma non raccomandabile in pratica (si veda il Paragrafo 7.8). Gli asterischi indicano che la probabilità che si presenti un caso peggiore è estremamente bassa.

	caso peggiore			caso medio		
	inserimento	ricerca	selezione	inserimento	search hit	search miss
array indicizzato da chiavi	1	1	M	1	1	1
array ordinato	N	N	1	$N/2$	$N/2$	$N/2$
lista concatenata ordinata	N	N	N	$N/2$	$N/2$	$N/2$
lista concatenata non ordinata	1	N	$N \lg N$	1	$N/2$	N
ricerca binaria	N	$\lg N$	1	$N/2$	$\lg N$	$\lg N$
albero binario di ricerca	N	N	N	$\lg N$	$\lg N$	$\lg N$
albero red-black	$\lg N$	$\lg N$	$\lg N$	$\lg N$	$\lg N$	$\lg N$
albero randomizzato	N^*	N^*	N^*	$\lg N$	$\lg N$	$\lg N$
hashing	1	N^*	$N \lg N$	1	1	1

Esercizi

▷ **12.18** Completate la nostra implementazione di tabella di simboli basata su array ordinati (Programma 12.8), aggiungendo le implementazioni di remove e toString. Dato che la tabella è ordinata, toString può mettere gli elementi in ordine di chiave.

▷ **12.19** Aggiungete metodi searchinsert alle implementazioni di una tabella di simboli basate su liste (Programma 12.9) e basate su array (Programma 12.8). Tali metodi devono cercare nella tabella di simboli gli elementi aventi la stessa chiave di un elemento dato, e quindi inserire quest'ultimo elemento, se la ricerca ha avuto esito negativo.

12.20 Scrivete un'interfaccia per l'ADT tabella di simboli per un'applicazione che richieda di associare numeri in virgola mobile a chiavi intere.

12.21 Scrivete un'implementazione della vostra interfaccia dell'Esercizio 12.20 che usi due array (un array ordinato di int e un array parallelo di double), senza riferimenti.

12.22 Implementate un'operazione di cancellazione (per chiave) per la nostra implementazione di tabella di simboli basata su liste (Programma 12.9).

12.23 Calcolate il numero di confronti richiesti per porre le chiavi E A S Y Q U E S T I O N in una tabella inizialmente vuota, usando ADT implementati mediante i quattro approcci elementari presentati nel testo (array o liste ordinate o non ordinate). Ipotizzate che sia eseguita una ricerca per ogni chiave e quindi, come nell'Esercizio 12.19, che venga eseguito un inserimento per ciascuna search miss.

12.24 Implementate le operazioni di costruzione, ricerca, inserimento, selezione e ordinamento per l'interfaccia di una tabella di simboli del Programma 12.5, usando un array non ordinato per rappresentare la tabella. Il vostro programma dovrebbe avere le prestazioni indicate nella Tabella 12.1.

○ **12.25** Implementate le operazioni di costruzione, ricerca, inserimento, selezione e ordinamento per l'interfaccia di una tabella di simboli del Programma 12.5, usando una lista concatenata ordinata per rappresentare la tabella. Il vostro programma dovrebbe avere le prestazioni indicate nella Tabella 12.1.

○ **12.26** Modificate le nostre implementazioni basate su liste per tabelle di simboli (Programma 12.9) in modo da usare liste concatenate doppie e supportare handle dei programmi client agli elementi (si veda l'Esercizio 12.7). Aggiungete un'implementazione della clonazione (si veda l'Esercizio 12.6). Scrivete, infine, un programma pilota per testare interfaccia e implementazione.

12.27 Scrivete un programma pilota per vagliare le prestazioni che usi insert per riempire una tabella di simboli, e poi select e remove per svuotarla. Eseguite questa sequenza di operazioni molte volte su sequenze casuali di chiavi, facendo variare la lunghezza delle sequenze da valori modesti a valori elevati. Misurate il tempo di esecuzione e stampate o tracciate i tempi medi.

12.28 Scrivete un programma pilota per vagliare le prestazioni che usi `insert` per riempire una tabella di simboli e `search` in modo tale che il numero di search hit per ogni elemento sia mediamente pari a 10 e che vi sia approssimativamente lo stesso numero di search miss. Eseguite questa sequenza di operazioni molte volte su sequenze casuali di chiavi, facendo variare la lunghezza delle sequenze da valori modesti a valori elevati. Misurate il tempo di esecuzione e stampate o tracciate i tempi medi.

12.29 Scrivete un programma pilota che usi i metodi della nostra interfaccia del Programma 12.5 su casi difficili o patologici che si possono incontrare nelle applicazioni pratiche. Semplici esempi in tal senso includono file già ordinati, file in ordine inverso, file con tutte le chiavi uguali e file aventi solo due chiavi distinte.

○ **12.30** Quale implementazione di una tabella di simboli usereste in un'applicazione che esegue 10^2 operazioni di inserimento, 10^3 operazioni di ricerca e 10^4 operazioni di selezione, poste in ordine casuale? Motivate la vostra risposta.

○ **12.31** Rispondete all'Esercizio 12.30 per le altre 5 possibili combinazioni di frequenze d'utilizzo delle 3 operazioni indicate. (Quest'esercizio riunisce cinque esercizi in uno).

12.32 Un algoritmo di ricerca *auto-organizzante* dispone gli elementi in modo tale che quelli a cui si ha accesso più frequentemente siano trovati verosimilmente in modo più rapido. Modificate la vostra implementazione dell'operazione di ricerca dell'Esercizio 12.24 per eseguire l'azione seguente dopo ogni search hit: spostate l'elemento trovato all'inizio della lista, muovendo a destra di una posizione tutti gli elementi che si trovano fra l'inizio e la posizione rimasta vuota. Questa procedura si chiama euristica *move-to-front* ("sposta verso l'inizio").

▷ **12.33** Fornite l'ordine delle chiavi risultante dopo l'inserimento delle chiavi E A S Y Q U E S T I O N in una tabella vuota, attraverso operazioni di ricerca e di inserimento in caso di search miss. Usate l'euristica move-to-front dell'Esercizio 12.32.

12.34 Scrivete un programma pilota per metodi di ricerca auto-organizzanti che usi `insert` per riempire una tabella di simboli con N chiavi, e quindi esegua $10N$ ricerche per trovare elementi in base a una distribuzione di probabilità predeterminata.

12.35 Usate la soluzione all'Esercizio 12.34 per confrontare il tempo di calcolo della vostra implementazione nell'Esercizio 12.24 con l'implementazione nell'Esercizio 12.32, per N = 10, 100, 1000. Usate la distribuzione di probabilità per cui viene eseguita una ricerca dell'i-esima chiave più grande con probabilità $1/2^i$, per $1 \leq i \leq N$.

12.36 Ripetete l'Esercizio 12.35 con la distribuzione di probabilità per cui viene eseguita una ricerca dell'i-esima chiave più grande con probabilità $1/(iH_N)$, per $1 \leq i \leq N$. Questa distribuzione è chiamata *legge di Zipf*.

Figura 12.2
Ricerca binaria

La ricerca binaria esegue solo tre iterazioni per trovare la chiave di ricerca L *all'interno di questo file di esempio. Nella prima chiamata l'algoritmo confronta* L *con la chiave che si trova nel mezzo del file, cioè* G. *Poiché* L *è più grande, l'iterazione successiva si concentra sulla metà di destra del file. Quindi, dato che* L *è minore di* M *(la chiave di mezzo nella metà di destra), la terza iterazione riguarderà il sottofile di dimensione 3 contenente le chiavi* H, I, L. *Dopo un'altra iterazione, il sottofile avrà dimensione 1 e l'algoritmo troverà* L.

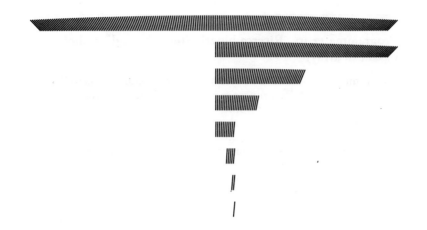

Figura 12.3
Ricerca binaria

Con la ricerca binaria abbiamo biso-gno di sole 7 iterazioni per localizza-re un record all'interno di un file di 200 elementi. Le dimensioni dei sot-tofile sono 200, 99, 49, 24, 11, 5, 2, 1. Ciascuna dimensione è legger-mente minore della metà della di-mensione precedente.

12.37 Confrontate l'euristica move-to-front con l'organizzazione ottima-le per le distribuzioni negli Esercizi 12.35 e 12.36, corrispondente a mante-nere le chiavi in ordine crescente (in ordine decrescente di frequenza atte-sa). In altre parole, usate il Programma 12.8 nell'Esercizio 12.24, invece del-la vostra soluzione all'Esercizio 12.35.

12.4 Ricerca binaria

Nell'implementazione della ricerca sequenziale tramite array è possibi-le ridurre in modo significativo il tempo totale di esecuzione, usando una procedura di ricerca improntata al paradigma standard *divide et im-pera* (si veda il Paragrafo 5.2): dividiamo in due parti l'insieme degli ele-menti, determiniamo a quale delle due parti la chiave cercata appartie-ne, e focalizziamo l'attenzione solo su quella parte. Un modo ragione-vole di dividere l'insieme di elementi è quello di mantenerli ordinati e di usare indici dell'array ordinato per delimitare la parte di array su cui si sta lavorando. Questa tecnica di ricerca si chiama *ricerca binaria*. Il Programma 12.10 è un'implementazione ricorsiva di questa strategia. Il Programma 2.2 ne era un'implementazione non ricorsiva. Non è ne-cessario alcuno stack, poiché la funzione ricorsiva del Programma 12.10 termina con una chiamata ricorsiva.

La Figura 12.2 mostra i file parziali esaminati da una ricerca bina-ria su una tabella di piccole dimensioni. La Figura 12.3 illustra un esem-pio di dimensioni maggiori. Ogni iterazione elimina poco più della metà degli elementi nella tabella corrente, quindi il numero di iterazioni ri-chieste è piuttosto piccolo.

Programma 12.10 Ricerca binaria (per tabella di simboli basata su array)

Quest'implementazione di search usa una procedura di ricerca binaria ricorsiva. Per determinare se una data chiave v sia presente in un array ordinato, essa confronta v con l'elemento nella posizione di mezzo. Se v è minore, si dovrà per forza trovare nella prima metà dell'array, mentre se v è maggiore, si troverà nella seconda metà.

L'array deve essere mantenuto ordinato. Questo metodo può sostituire search nel Programma 12.8 che mantiene l'ordine dinamicamente durante l'inserimento. Possiamo anche includere un costruttore di tabella di simboli che prenda un array come parametro, e quindi costruisca una tabella di simboli a partire dagli elementi di questo array, usando una routine di ordinamento standard per preparare l'array per le operazioni di ricerca (si veda il Programma 12.14).

```
private ITEM searchR(int l, int r, KEY v)
  {
    if (l > r) return null;
    int m = (l+r)/2;
    if (equals(v, st[m].key())) return st[m];
    if (less(v, st[m].key()))
         return searchR(l, m-1, v);
    else return searchR(m+1, r, v);
  }
ITEM search(KEY v)
  { return searchR(0, N-1, v); }
```

Proprietà 12.5 *La ricerca binaria non usa mai più di* $\lfloor \lg N \rfloor + 1$ *confronti per una search hit o una search miss.*

Si veda la Proprietà 2.3. È interessante osservare che il massimo numero di confronti eseguiti su una tabella di dimensione N è esattamente pari al numero di bit nella rappresentazione binaria di N. Infatti, l'operazione di scorrimento a destra di un bit trasforma la rappresentazione binaria di N nella rappresentazione binaria di $\lfloor N/2 \rfloor$ (si veda la Figura 2.6). ■

Mantenere la tabella ordinata come nell'ordinamento per inserzione porta a un tempo di calcolo quadratico nel numero di operazioni di inserimento. Questo costo potrebbe, però, essere più che sopportabile, se il numero di ricerche è estremamente grande in confronto agli inserimenti. Nella tipica situazione in cui tutti gli elementi (o anche solo una gran parte di essi) sono a disposizione prima che la ricerca abbia inizio, potremmo costruire la tabella di simboli avendo un costruttore che prende un array come parametro e che usa uno dei metodi di ordinamento standard dei Capitoli dal 6 al 10 per ordinare la tabella in fase di inizializzazione. Terminata questa fase preliminare, potremmo gestire in vari modi gli aggiornamenti alla tabella. Ad esempio, possiamo mantenere la tabella ordinata dopo un inserimento, come nel Programma 12.8 (si veda anche l'Esercizio 12.25), oppure possiamo raggruppare gli elementi via via inseriti, ordinarli e, quindi, eseguire un merging con la tabella iniziale, come proposto nell'Esercizio 8.1. Un aggiornamento potrebbe coinvolgere un elemento la cui chiave è più piccola di tutte le chiavi presenti nella tabella, e quindi in tal caso saremmo costretti a spostare tutti gli elementi della tabella per far posto al nuovo elemento. Questa potenziale onerosità nell'aggiornamento della tabella è il principale punto debole della ricerca binaria. Vi sono, d'altro canto, numerosissime applicazioni in cui una tabella statica può essere ordinata all'inizio e per la quale si può sfruttare la velocità di accesso di implementazioni come il Programma 12.10.

Se dobbiamo inserire elementi in modo dinamico, il ricorso a una struttura concatenata sembra inevitabile. In questo contesto, una lista concatenata semplice non può considerarsi un'implementazione efficiente: l'efficienza di una ricerca binaria dipende dalla capacità di accedere velocemente tramite indici all'elemento di mezzo del sottoarray corrente, mentre l'unico modo per arrivare nel mezzo di una lista concatenata è quello di seguire i link. Per combinare l'efficienza della ricerca binaria con la flessibilità delle strutture concatenate, abbiamo bisogno di strutture dati più complesse che esamineremo tra breve.

Se nella tabella vi sono chiavi duplicate, possiamo estendere la ricerca binaria in modo che la tabella di simboli supporti operazioni di conteggio del numero di elementi con una data chiave oppure operazioni che restituiscano tali elementi in gruppo. Elementi multipli con chiave uguale alla chiave di ricerca formano un blocco contiguo nella tabella (perché essa è ordinata), e una ricerca con esito positivo nel Programma 12.10 terminerà da qualche parte all'interno di questo blocco. Se un'applicazione necessita di accedere a tutti gli elementi del blocco, possiamo aggiungere codice per scandire in avanti e all'indietro, a partire dal punto in cui la ricerca ha avuto termine, e restituire quindi i due indici che delimitano il blocco. In questo caso, il tempo di calcolo della ricerca sarà proporzionale a $\lg N$ più il numero di elementi trovati. Un approccio simile risolve il più generale problema di *range search*, in cui si tratta di determinare tutti i record le cui chiavi cadono in un dato intervallo di valori.

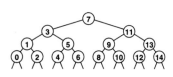

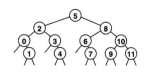

Figura 12.4
Sequenza di confronti
nella ricerca binaria

Questi alberi divide et impera raffi-gurano la sequenza degli indici asso-ciati ai confronti eseguiti da ricerche binarie. I valori dipendono solo dalla dimensione del file iniziale, piuttosto che dalle particolari chiavi. Essi sono leggermente differenti da quelli che si trovano negli alberi associati al Mergesort e ad algoritmi simili (Figu-re 5.6 e 8.3), in quanto l'elemento alla radice non viene incluso nei sot-toalberi.

Il diagramma in alto mostra la struttura di ricerca di un albero asso-ciato a un file di 15 elementi, indiciz-zati da 0 a 14. Leggiamo l'elemento di mezzo (indice 7), quindi (ricorsiva-mente) consideriamo il sottoalbero di sinistra se l'elemento cercato è mi-nore, e il sottoalbero di destra se l'e-lemento cercato è maggiore. Ogni ri-cerca corrisponde a un cammino dal-la radice al fondo dell'albero. Ad esempio, la ricerca di un elemento che cade fra 10 e 11 seguirà il cam-mino 7, 11, 9, 10. Per file la cui di-mensione non è pari a una potenza di 2 meno 1, la struttura non è così regolare: il diagramma in basso illu-stra il caso di un file di 12 elementi.

La sequenza di confronti eseguiti dall'algoritmo di ricerca binaria è predeterminato: la specifica sequenza utilizzata dipende dal valore del-la chiave di ricerca e dal valore di N. La struttura dei confronti può es-sere agevolmente descritta tramite un albero binario come quello illu-strato nella Figura 12.4. Questo albero è simile a quello usato nel Ca-pitolo 8 per descrivere le dimensioni dei file parziali determinati dal Mergesort (Figura 8.3). Nella ricerca binaria seguiamo un cammino in questo albero, mentre nel Mergesort consideravamo tutti i possibili cam-mini dell'albero. L'albero è statico ed è costruito solo implicitamente. Nel Paragrafo 12.6, presenteremo algoritmi che sfruttano una struttura ad albero dinamica, costruita esplicitamente per guidare la ricerca.

Un possibile miglioramento della ricerca binaria è quello di cer-care di prevedere dove cadrà la chiave di ricerca all'interno dell'inter-vallo corrente (invece che confrontare con l'elemento di mezzo a ogni passo). Questa strategia imita, in un certo senso, il modo in cui cer-chiamo un nome in un elenco telefonico o una parola in un vocabola-rio: se la chiave che stiamo cercando inizia con una delle prime lettere dell'alfabeto, andremo a guardare verso l'inizio del vocabolario, mentre se inizia con una delle ultime lettere, andremo a guardare verso la fine. Per implementare questo metodo, chiamato *ricerca per interpolazione*, modifichiamo il Programma 12.10 in modo da imitare questo proces-so. Allo scopo, osserviamo che $(l+r)/2$ usato nella ricerca binaria è un'ab-breviazione di $l + 1/2 \, (r - l)$: calcoliamo il punto di mezzo dell'inter-vallo, aggiungendo all'estremo sinistro metà dell'ampiezza dell'intervallo. La ricerca per interpolazione sostituisce 1/2 in questa formula con una stima del punto in cui la chiave potrebbe stare, in particolare con la quan-tità $(v - kl)/(kr - kl)$, dove kl e kr sono, rispettivamente, i valori di `a[l].key()` e `a[r].key()`. Quindi, per implementare la ricerca per in-terpolazione, sostituiamo l'istruzione

```
m = (l+r)/2;
```

nella ricerca binaria con

```
m = l+(v-a[l].key())*(r-l)/(a[r].key()-a[l].key());
```

Questo calcolo è basato sull'assunto che le chiavi abbiano valore nu-merico e siano distribuite in modo omogeneo.

Per file composti da chiavi casuali, è possibile dimostrare che la ri-cerca per interpolazione esegue meno di lg lg N + 1 confronti, sia in una search hit che in una search miss. La dimostrazione di ciò va al di là de-gli scopi di questo libro. La funzione lg lg N cresce molto lentamente, e può considerarsi costante a tutti gli effetti pratici. Ad esempio, se N è un miliardo, lg lg N è inferiore a 5. Quindi, possiamo trovare un qualsiasi elemento con pochissimi accessi (in media). Ciò costituisce un sostanziale miglioramento rispetto alla ricerca binaria. Per chiavi distribuite in modo più regolare (non casuale), le prestazioni della ricerca per interpolazione sono anche migliori. In effetti, il caso limite di questo metodo di ricerca è la ricerca indicizzata da chiave del Paragrafo 12.2.

La ricerca per interpolazione si basa in modo sostanziale sull'assunto che le chiavi siano ben distribuite nell'intervallo dei valori, e può essere in effetti resa piuttosto inefficiente da distribuzioni degeneri di chiavi che possono capitare nella pratica. Tra l'altro, essa richiede anche calcoli extra rispetto alla ricerca binaria. Quando N è piccolo, i due valori lg N e lg lg N sono sufficientemente vicini da rendere la ricerca binaria preferibile (si evita il costo dell'interpolazione). D'altro canto, la ricerca per interpolazione deve sicuramente essere considerata come metodo da utilizzare in file molto grandi, in applicazioni dove i confronti sono molto costosi e nei metodi di ricerca esterna (in cui i costi di accesso sono particolarmente elevati).

Esercizi

▷ **12.38** Fornite un'implementazione non ricorsiva del metodo di ricerca del Programma 12.10 (si veda il Programma 2.2).

12.39 Disegnate gli alberi che corrispondono alla Figura 12.4 per $N = 17$ ed $N = 24$.

○ **12.40** Trovate i valori di N per cui la ricerca binaria su una tabella di simboli di dimensione N diventa 10, 100, 1000 volte più veloce della ricerca sequenziale. Determinate i valori analiticamente e verificateli sperimentalmente.

12.41 Supponete che gli inserimenti in una tabella di simboli dinamica di dimensione N siano implementati come nell'ordinamento per inserzione, e che le ricerche siano realizzate tramite ricerca binaria. Assumete che le ricerche siano 1000 volte più frequenti degli inserimenti. Stimate la frazione del tempo totale dedicato agli inserimenti, quando $N = 10^3$, 10^4, 10^5, 10^6.

12.42 Sviluppate un'implementazione di una tabella di simboli che usi ricerca binaria e inserimento pigro e che supporti le operazioni di costruzione, conteggio, ricerca, inserimento e ordinamento. Usate la strategia seguente: mantenete un array ordinato piuttosto grande per la tabella di simboli principale e un array non ordinato per gli elementi inseriti di recente. Nel momento in cui search è invocata, ordinate gli elementi inseriti di recente (se ce ne sono), eseguite un merging dei due array e, quindi, eseguite una ricerca binaria.

12.43 Aggiungete una cancellazione pigra alla vostra implementazione dell'Esercizio 12.42.

12.44 Rispondete all'Esercizio 12.41 per la vostra implementazione dell'Esercizio 12.42.

○ **12.45** Implementate un metodo simile alla ricerca binaria (Programma 12.10) che restituisca il numero di record della tabella aventi chiave uguale a una chiave data.

12.46 Scrivete un programma che, dato in ingresso un valore N, produca una sequenza di N macroistruzioni, indicizzate da 0 a N-1, della forma compare(1, h) dove l'i-esima istruzione della lista significa "confronta la chiave di ricerca con il valore nell'indice i della tabella; termina con una search hit se sono uguali; esegui la l-esima istruzione, se la prima chiave è minore della seconda ed esegui la h-esima istruzione, se la prima chiave è maggiore della seconda" (usate l'indice 0 per indicare una search miss). La sequenza deve essere tale che ogni ricerca eseguirà gli stessi confronti della ricerca binaria sugli stessi dati.

● **12.47** Sviluppate un'espansione della macro dell'Esercizio 12.46 tale che il vostro programma produca codice macchina che possa effettuare una ricerca binaria su una tabella di dimensione N con il minor numero possibile di istruzioni macchina per confronto.

12.48 Supponete che a[i] == 10*i quando i è fra 1 ed N. Quante posizioni della tabella sono esaminate dalla ricerca per interpolazione durante una ricerca con esito negativo della chiave $2k - 1$?

● **12.49** Determinate i valori di N per cui la ricerca per interpolazione su una tabella di simboli di dimensione N diventa 1, 2, 10 volte più veloce della ricerca binaria, assumendo chiavi casuali. Stimate i valori in modo analitico e verificateli sperimentalmente.

12.5 Implementazione di indici con tabelle di simboli

Molte applicazioni richiedono una struttura di ricerca che permetta semplicemente di localizzare gli elementi della struttura, senza la necessità di spostarli. Ad esempio, si potrebbe avere un array di elementi con chiave e una routine di ricerca in grado di fornire la posizione nell'array di un particolare elemento; oppure si potrebbe avere la necessità di rimuovere dalla struttura di ricerca un elemento avente la chiave data, pur continuando a mantenere le informazioni memorizzate nell'array per un altro utilizzo. Una caratteristica importante di questo approccio è quella di consentire ai client di mantenere array aggiuntivi (con informazioni aggiuntive associate a ciascun nodo) senza che il codice della tabella di simboli venga in alcun modo modificato. Quando la routine di ricerca restituisce l'indice di un elemento, essa ci fornisce la manie-

---

Programma 12.11   ADT indice di stringhe

Questo ADT descrive una fondamentale operazione su stringhe: la costruzione di un indice (pre-elaborando una stringa di testo) in modo tale da poter ricercare una data stringa di query all'interno del testo. Di solito, specifichiamo che in caso di esito negativo la ricerca debba restituire −1, mentre in caso di esito positivo potrà restituire l'indice nel testo che rappresenta la posizione in cui la stringa è stata trovata.

```
class TI // interfaccia di ADT
  { // implementazioni e membri privati nascosti
    TI(String)
    int search(String)
  }
```

---

ra di accedere in modo immediato alle informazioni associate a quell'elemento tramite un indice di array.

Nel Paragrafo 9.6 abbiamo considerato i vantaggi dell'elaborazione di elementi indice nelle code con priorità, facendo riferimento ai dati contenuti nell'array di un client in modo indiretto. Per le tabelle di simboli, la stessa idea conduce alla familiare nozione di *indice* (ad esempio, l'indice di un libro): una struttura di ricerca esterna a un insieme di record, che fornisce accesso veloce ai record aventi una chiave data. Nel Capitolo 16 considereremo il caso in cui i record, e magari anche gli indici, si trovano su dispositivi di memorizzazione esterna. In questo paragrafo, presentiamo brevemente il caso in cui sia i record che gli indici risiedono nella memoria centrale.

È possibile adattare tutte le implementazioni di tabelle di simboli per costruire indici analogamente a quanto fatto per l'indirezione negli heap del Paragrafo 9.6: passiamo un array di elementi al costruttore e ridefiniamo less ed equals in modo che si riferiscano agli elementi attraverso i loro indici. Questa soluzione, molto utile, è di immediata implementazione e viene lasciata agli esercizi (Esercizi 12.50, 12.51 e 12.52).

Consideriamo invece un importante caso particolare, cioè quello dell'implementazione di un ADT che permetta la ricerca di parole chiave in una stringa di testo. Il Programma 12.11 ne specifica i dettagli. Data una stringa di testo, vogliamo poter eseguire interrogazioni (*query*) come "questa stringa si trova nel testo?". In questo paragrafo, assumiamo che il testo su cui cercare sia estremamente grande, ma che sia pos-

```
           0  1  2  3  4  5  6  7  8  9
index     27  0 42  8 46  5 37 31 16 21

   0  call me ishmael some...
   5  me ishmael some year...
   8  ishmael some years a...
  16  some years ago never...
  21  years ago never mind...
  27  ago never mind how l...
  31  never mind how long...
  37  mind how long...
  42  how long...
  46  long...
      ...
```

**Figura 12.5
Indice di una stringa
di testo**

*In questo esempio di indice di strin-
ghe definiamo una chiave stringa come una stringa che comincia dove
inizia una parola nel testo. Quindi,
costruiamo una tabella in cui gli indici appaiono nell'ordine di chiave che
essi referenziano. La prima componente, l'indice di stringa 27, si riferisce alla chiave stringa che inizia con
ago ...; la seconda componente
si riferisce a call ...; la terza a
how ..., e così via. Su questa tabella possiamo, quindi, usare una ricerca binaria. Ad esempio, per determinare se la frase never mind appare in questo testo, la confrontiamo con long ... nel mezzo (indice di stringa 46 in posizione 4 a
metà dell'array di indici), quindi troviamo una corrispondenza nel mezzo
della metà di destra (indice di stringa
31 in posizione 7 a metà della metà
di destra dell'array di indici). Assumiamo che l'inizio delle stringhe sia
in corrispondenza delle parole solo
per chiarezza; solitamente, nelle nostre implementazioni le stringhe cominciano da ciascun carattere. Le
chiavi sono arbitrariamente lunghe in
linea di principio, anche se in pratica
di esse vengono esaminati solo alcuni caratteri iniziali.*

sibile comunque spendere un po' di tempo per elaborazioni preventive
su di esso (nel costruttore), in modo da supportare query efficienti (si
veda la Figura 12.5).

Il Programma 12.12 è un esempio di client. Esso legge una stringa di testo da un file esterno, costruisce un indice, quindi legge una serie di stringhe di query da standard input, e usa operazioni di ricerca
per stampare la posizione nel testo delle occorrenze di ciascuna stringa
di query (oppure un messaggio che comunica che la stringa di query
non si trova nel testo).

Il primo passo per sviluppare un'implementazione è quello di considerare ogni posizione nel testo come l'inizio di una chiave stringa che
parte da quel punto e arriva fino alla fine del testo. In quest'impostazione astratta, le chiavi potrebbero sembrare di lunghezza proibitiva. Vedremo, però, che è possibile rappresentarle solo attraverso un indice e
che è possibile confrontarle solo analizzando un numero limitato di caratteri. Non esistono stringhe uguali (poiché, per esempio, hanno tutte lunghezze diverse), ma se consideriamo uguali due stringhe quando
una è il prefisso dell'altra, possiamo usare le nostre implementazioni
standard di tabelle di simboli per determinare se una data stringa compare nella stringa di testo.

Un approccio è quello di sviluppare implementazioni appropriate di myItem e myKey (si veda l'Esercizio 12.1). Il vantaggio di tale approccio è quello di consentire l'uso di una qualsiasi delle nostre implementazioni di tabelle di simboli, ma anche quello di poter gestire stringhe di testo multiple o di poter estendere l'ADT di base in molti modi. Lasciamo questo approccio agli esercizi, perché esso porta a un numero eccessivo di riferimenti quando la stringa di testo è molto lunga
(avendo un riferimento per chiave). Potremmo ridurne i costi indicizzando la stringa di testo non in corrispondenza di ciascun carattere ma,
per esempio, in corrispondenza dell'inizio di parole.

I Programmi 12.13 e 12.14 illustrano un'implementazione diretta basata su ricerca binaria. Costruiamo una tabella di simboli formata da
un array ordinato di chiavi. Nell'array, invece di mantenere le chiavi,
memorizziamo indici nel testo che puntano ai primi caratteri delle chiavi. Iniziamo con le chiavi nell'ordine in cui compaiono nel testo (l'*i*-
esima componente nell'indice uguale a *i*, la posizione nella stringa di
testo dell'*i*-esima chiave), e quindi le riordiniamo (con l'*i*-esima componente nell'indice pari alla posizione nel testo della *i*-esima chiave più
piccola). Come nel Paragrafo 11.3, il punto cardine dell'implementazione
sta nella definizione del metodo less. Nel confrontare la chiave i con
la chiave j vogliamo effettivamente solo confrontare la sottostringa del-

Programma 12.12   Client di un indice di stringhe

Questo programma client usa un indice per cercare all'interno di una stringa di testo una sequenza di stringhe letta da standard input. Il programma principale (`main`) legge la stringa di testo da un file specificato, la pone in una `string` (potenzialmente molto grande) e costruisce un indice delle stringhe definite a partire da ogni carattere della stringa di testo. Quindi, legge le stringhe di query da standard input e stampa la posizione in cui tali stringhe si trovano all'interno della stringa di testo (oppure stampa `not found`, non trovata). Un'implementazione immediata degli indici impiegherebbe tempo proporzionale alla lunghezza del testo; possiamo però sfruttare una tabella di simboli per rendere veloce la ricerca, anche su stringhe estremamente lunghe.

```
import java.io.*;
class TextSearch
  {
    public static void main(String[] args)
      throws IOException
    { FileReader f = new FileReader(args[0]);
      BufferedReader b = new BufferedReader(f);
      String text = "", line = "";
      while ((line = b.readLine()) != null)
        text += line + " ";
      TI ti = new TI(text);
      In.init(); String q; int i;
      while ((q = In.getString()) != null)
        if ((i = ti.search(q)) < 0)
            Out.println(q + " not found");
        else Out.println(q + " " + i );
    }
  }
```

la stringa di testo che inizia in posizione i con la sottostringa che inizia in posizione j. Se `less` è implementato in modo da realizzare questo confronto, possiamo astrattamente pensare che l'array contenga direttamente chiavi, invece degli indici. Per realizzare l'ordinamento possiamo usare una qualsiasi delle implementazioni trattate (purché gli elementi siano di tipo `int`).

Se la stringa di testo è una `String s`, potremmo confrontare la chiave i con la chiave j tramite il codice Java

```
s.substring(i).compareTo(s.substring(j))
```

**Programma 12.13 Implementazione di un indice
di stringhe (costruttore)**

Questo codice sfrutta una ricerca binaria per costruire un indice per
una stringa di testo usando un ordinamento indiretto. Il costruttore crea un array index, lo inizializza con index[i] = i, e usa il
Quicksort per riordinarne le componenti in modo tale che index[i]
rappresenti la posizione nel testo dell'*i*-esima sottostringa lessico-
graficamente più piccola. Non c'è bisogno di modificare in alcun
modo il codice del Quicksort per effettuare queste operazioni. È sufficiente definire less in modo che less(i,j) confronti la sottostringa del testo che inizia in posizione i con quella che inizia in
posizione j.

```
class TI
  {
    private String text;
    private int[] index;
    private int N;
    TI(String s)
      { text = s; N = text.length();
        index = new int[N+1]; index[N] = -1;
        for (int i = 0; i < N; i++)
          index[i] = i;
        quicksort(index, 0, N-1);
      }
    private char s(int i)
      { return text.charAt(i); }
    private boolean less(int v, int w)
      {
        if (v == w) return false;
        for (int i = 0; ; i++)
          if (w+i >= N) return false;
          else if (v+i >= N) return true;
          else if (s(v+i) < s(w+i)) return true;
          else if (s(v+i) > s(w+i)) return false;
      }
    private void exch(int[] a, int i, int j)
      { int t = a[i]; a[i] = a[j]; a[j] = t; }
    private void quicksort(int[] a, int l, int r)
      // Programma 7.1 con int come ITEM
    int search(String v)
      // Programma 12.14
  }
```

**Programma 12.14   Implementazione di un indice
di stringhe (ricerca)**

Per effettuare ricerche in un testo utilizzando l'array di indici costruito dal Programma 12.13, ridefiniamo nuovamente i metodi di
confronto in modo da riferirci alla stringa di testo tramite l'array di
indici. Dato che i confronti potrebbero essere costosi, evitiamo di
invocare a ogni passo entrambi i metodi less ed equals, usando
una versione modificata del Programma 12.10 basata su un confronto
a tre vie (si vedano le spiegazioni nel testo).

```
private int compare(String s, int v)
  { char[] key = s.toCharArray();
    int t = index[v];
    for (int i = 0; i < key.length; i++)
      if (t+i >= N) return 1;
      else if (key[i] > text(t+i)) return 1;
      else if (key[i] < text(t+i)) return -1;
    return 0;
  }
private int searchR(int l, int r, String v)
  { int m = (l+r)/2;
    if (l > r) return N;
    switch (compare(v, m))
      {
        case -1: return searchR(l, m-1, v);
        case 1: return searchR(m+1, r, v);
      }
    return m; // caso 0
  }
int search(String v)
  { return index[searchR(0, N-1, v)]; }
```

Tendiamo, tuttavia, a evitare tali metodi perché non ci danno garanzie sulle prestazioni. In particolare, substring potrebbe impiegare tempo e/o spazio proporzionale alla lunghezza della sottostringa, il che
potrebbe anche rivelarsi disastroso per tale applicazione. Stiamo assumendo che charAt sia un'operazione a tempo costante, il che potrebbe non essere vero per alcune implementazioni. Se ciò è vero, non
è difficile modificare i Programmi 12.13 e 12.14 in modo che utilizzino array di caratteri invece di String. (Paragrafo 3.6). Una considerazione aggiuntiva che va fatta è che compareTo è implementato in modo da fornire un ordinamento appropriato di stringhe Unicode; tale
caratteristica, tuttavia, non ha rilevanza per quest'applicazione, in cui

stiamo usando l'ordinamento solo per organizzare una ricerca efficiente di sottostringhe uguali.

Una volta costruito l'array ordinato di indici di chiavi, usare la ricerca binaria risulta piuttosto semplice. Di nuovo, bisogna implementare un metodo di confronto appropriato, come indicato nel Programma 12.14. Potremmo anche implementare i metodi less ed equals e sfruttare il codice della ricerca binaria del Programma 12.10 ma, come già osservato nel Paragrafo 12.1, un confronto a tre vie, come il metodo per stringhe compareTo di Java, risulta più efficiente e facile da usare, dato che la nostra implementazione della ricerca binaria invoca sempre equals dopo less su chiavi uguali. Il metodo compare del Programma 12.14 confronta una data stringa con una data sottostringa del testo e restituisce –1 se è minore, 0 se è uguale (l'intera sottostringa compare nel testo) e 1 se è maggiore.

Poiché la tabella di simboli è implementata tramite una ricerca binaria, ci aspettiamo (Proprietà 2.3) che la ricerca richieda all'incirca lg N confronti. Ad esempio, una volta costruito l'indice, potremmo trovare una frase in un testo di un milione di caratteri (come *Moby Dick*) con circa 20 confronti fra stringhe.

Vi sono altre questioni che vale la pena di considerare quando dobbiamo costruire indici in un'applicazione concreta. Molte di queste verranno prese in esame nel contesto di implementazioni particolari (si vedano, ad esempio, gli Esercizi 12.54 e 12.81). Come osserveremo nel Capitolo 15, poi, ci sono vari modi per sfruttare le proprietà delle chiavi stringa per velocizzare gli algoritmi.

Esercizi

▷ **12.50** Fornite un'interfaccia ADT simile al Programma 9.11 per costruire una tabella di simboli usando indici in array di programmi client. Dovete supportare tanto l'operazione di ricerca quanto quella di selezione.

○ **12.51** Fornite un'implementazione della vostra interfaccia dell'Esercizio 12.50 che usi la classe sort, in modo da poter usare una qualsiasi implementazione dell'ordinamento (si veda il Programma 6.3), e la ricerca binaria.

12.52 Scrivete un programma pilota che verifichi la vostra interfaccia dell'Esercizio 12.50 e le prestazioni della vostra implementazione dell'Esercizio 12.51.

12.53 Fornite l'array di indici costruito dal Programma 12.13 sulla stringa di testo abracadabra, e quindi i valori degli indici restituiti dal Programma 12.14 sulle stringhe di query cad, abra e a.

○ **12.54** Modificate l'interfaccia ADT del Programma 12.11 in modo tale che la ricerca restituisca un array con tutti gli indici di testo corrispondenti alle posizioni in cui la stringa di query è stata trovata. Modificate il Programma 12.14 per implementare quest'interfaccia.

○ **12.55** Fornite un esempio di stringa di testo in cui il numero di confronti fra caratteri eseguiti dalla parte del Programma 12.12 relativa alla costruzione degli indici sia quadratico nella lunghezza della stringa.

12.56 Modificate la nostra implementazione del Programma 12.12 in modo da usare solo chiavi che iniziano sugli estremi di parole per costruire gli indici (si veda la Figura 12.5). Per *Moby Dick* questa modifica riduce la dimensione degli indici di un fattore 5.

12.6 Alberi binari di ricerca (BST)

L'operazione di inserimento in liste ordinate e quella di ricerca in liste non ordinate sono entrambe costose. Quindi, nessuna delle due strutture dati si rivela utile quando siamo di fronte a un'applicazione che combina queste due operazioni. In questo paragrafo, tratteremo di come l'uso di una struttura ad albero esplicita come base per un'implementazione di una tabella di simboli ci consenta di sviluppare algoritmi con buone prestazioni nel caso medio per le operazioni di ricerca, inserimento, selezione e ordinamento. Si tratta di un metodo molto usato in pratica e, possiamo affermare, di fondamentale importanza per l'informatica tutta.

Abbiamo già avuto modo di analizzare gli alberi nel Capitolo 5. Un breve ripasso sulla terminologia sarà, comunque, utile. Lavoriamo con una struttura dati composta da nodi che contengono link che puntano verso altri nodi o verso *nodi esterni*, che non hanno link. In un *albero* con radice abbiamo il vincolo che ogni nodo sia puntato da esattamente un link. Il nodo che contiene tale link è chiamato nodo padre. In un *albero binario* abbiamo l'ulteriore vincolo che ogni nodo abbia esattamente due link, chiamati link sinistro e link destro. I nodi con due link vengono anche detti *nodi interni*. Per le operazioni di ricerca, ciascun nodo interno ha anche un dato con una chiave associata. Chiameremo i link ai nodi esterni *link nulli*. I valori delle chiavi nei nodi interni sono confrontati con la chiave di ricerca e servono a guidarne i passi.

Definizione 12.2 *Un **albero binario di ricerca** (BST, Binary Search Tree) è un albero binario con chiavi associate ai nodi interni, e con l'ulteriore proprietà che la chiave di ciascun nodo interno è maggiore o uguale alle chiavi di tutti i nodi del sottoalbero sinistro di quel nodo e minore o uguale alle chiavi di tutti i nodi del sottoalbero destro di quel nodo.*

Programma 12.15   Tabella di simboli basata su BST

I metodi `search` e `insert` di quest'implementazione usano i metodi ricorsivi privati `searchR` e `insertR` che rispecchiano direttamente la definizione ricorsiva di un BST. Il link `head` punta alla radice dell'albero. I metodi `less` ed `equals` sono gli stessi del Programma 12.8, e sono quindi omessi.

```
class ST
  {
    private class Node
      { ITEM item; Node l, r;
        Node(ITEM x) { item = x; }
      }
    private Node head;
    ST(int maxN)
      { head = null; }
    private Node insertR(Node h, ITEM x)
      {
        if (h == null)
            return new Node(x);
        if (less(x.key(), h.item.key()))
            h.l = insertR(h.l, x);
        else h.r = insertR(h.r, x);
        return h;
      }
    void insert(ITEM x)
      { head = insertR(head, x); }
    private ITEM searchR(Node h, KEY v)
      {
        if (h == null) return null;
        if (equals(v, h.item.key())) return h.item;
        if (less(v, h.item.key()))
            return searchR(h.l, v);
        else return searchR(h.r, v);
      }
    ITEM search(KEY key)
      { return searchR(head, key); }
```

Il Programma 12.15 usa un BST per implementare le operazioni di ricerca, inserimento e costruzione per una tabella di simboli. Esso definisce un nodo di un BST come contenente un elemento (con chiave), un link sinistro e un link destro. Il link sinistro punta a un BST i cui elementi hanno chiave minore o uguale, mentre il link destro punta a un BST i cui elementi hanno chiave maggiore o uguale.

Partendo da una struttura di questo tipo, un algoritmo di ricerca in un BST diventa immediato: se l'albero è vuoto, otteniamo una search miss; se la chiave di ricerca è uguale alla chiave della radice dell'albero, otteniamo una search hit; altrimenti, cerchiamo (ricorsivamente) nel sottoalbero appropriato. Il metodo searchR del Programma 12.15 implementa direttamente questo algoritmo. Invochiamo un metodo ricorsiva che prende un albero come primo parametro e una chiave come secondo parametro, inziando con la radice dell'albero e la chiave di ricerca. In questo modo, possiamo esser certi che a ogni passo la chiave cercata non possa che trovarsi nel sottoalbero corrente. Così come la dimensione dell'intervallo corrente in una ricerca binaria si riduce di un po' più della metà a ogni passo, anche il sottoalbero corrente in una ricerca su BST è più piccolo del precedente (idealmente, è di dimensione all'incirca dimezzata). La procedura si arresta o quando viene trovato il record avente la chiave di ricerca (search hit) o quando il sottoalbero corrente diventa vuoto (search miss).

Il diagramma in alto della Figura 12.6 illustra il processo di ricerca su un albero campione. Iniziando dalla radice, la procedura di ricerca esegue su ogni nodo una chiamata ricorsiva su uno dei suoi due figli, tracciando, quindi, nell'albero un cammino dall'alto verso il basso. Nel caso di search hit, il cammino termina nel nodo contenente la chiave cercata mentre, in caso di search miss, il cammino termina su un nodo esterno (diagramma di mezzo nella Figura 12.6).

Il Programma 12.15 usa link null per rappresentare nodi esterni, insieme a un membro privato head che è un link alla radice dell'albero. Per costruire un BST vuoto poniamo head a null. Possiamo anche utilizzare un nodo fittizio alla radice e un altro nodo per rappresentare tutti i nodi esterni, in combinazioni varie analoghe a quelle riportate nella Tabella 3.1 a proposito delle liste concatenate (si veda l'Esercizio 12.67).

Il metodo di ricerca del Programma 12.15 è semplice come una ricerca binaria. Una caratteristica essenziale di un BST è quella per cui l'operazione di inserimento è simile a quella di ricerca. Un metodo ricorsivo insertR che inserisce un nuovo record nel BST, segue gli stessi criteri presentati a proposito di searchR: se l'albero è vuoto, restituiamo un nuovo nodo contenente l'elemento inserito; se la chiave di ricerca è minore di quella alla radice, impostiamo il link sinistro al risultato dell'inserimento dell'elemento nel sottoalbero sinistro; se la chiave di ricerca è maggiore o uguale a quella alla radice impostiamo il link destro al risultato dell'inserimento dell'elemento nel sottoalbero destro. Per il semplice BST che stiamo considerando, di solito non è necessario modificare il link dopo la chiamata ricorsiva, poiché esso cambia solo se il sottoalbero

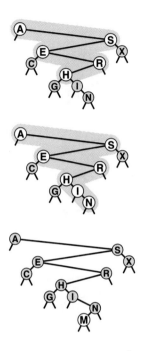

Figura 12.6
Ricerca e inserimento in un BST

In una ricerca con esito positivo della chiave H (diagramma in alto), ci muoviamo a destra della radice (poiché H è più grande di A), quindi a sinistra (poiché H è più piccola di S) e così via, scendendo fino a incontrare H. In una ricerca con esito negativo della chiave M (diagramma al centro), ci muoviamo a destra della radice (poiché M è più grande di A), quindi a sinistra (poiché M è più piccola di S) e così via, scendendo fino a incontrare un link esterno alla sinistra di N in fondo all'albero. Per inserire M a seguito di questa search miss, semplicemente, sostituiamo il link che terminava la ricerca con un link a M (diagramma in basso).

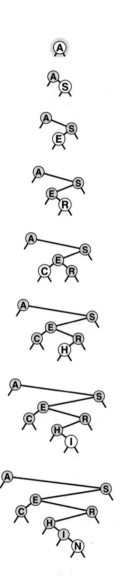

Figura 12.7
Costruzione di un BST

La sequenza mostra il risultato dell'inserimento delle chiavi A S E A R C H I N *in un albero inizialmente vuoto. Ogni inserimento segue una search miss in fondo all'albero.*

Programma 12.16 Conteggio di nodi e ordinamento in un BST

Un attraversamento in ordine simmetrico di un BST visita tutti gli elementi in ordine di chiave, e quindi può essere la base per implementare operazioni di conteggio e ordinamento, come accade per i metodi qui sotto. Quest'implementazione di conteggio pigro è adeguata solo quando i conteggi sono poco frequenti. Per implementare un conteggio impaziente possiamo mantenere un campo in ciascun nodo che indichi il numero di nodi nel suo sottoalbero (si veda l'Esercizio 12.60).

```
private int countR(Node h)
  { if (h == null) return 0;
    return 1 + countR(h.l) + countR(h.r);
  }
int count() { return countR(head); }
private String toStringR(Node h)
  { if (h == null) return "";
    String s = toStringR(h.l);
    s += h.item.toString() + "\n";
    s += toStringR(h.r);
    return s;
  }
public String toString()
  { return toStringR(head); }
```

risulta vuoto. È, però, facile aggiungere un test che decida se sia opportuno o meno modificare il link. Nel Paragrafo 12.8 e nel Capitolo 13 studieremo strutture ad albero più sofisticate, descritte in modo naturale tramite lo stesso schema ricorsivo, ma che modificano il link più di frequente.

Le Figure 12.7 e 12.8 mostrano come costruire un BST attraverso inserimenti successivi di chiavi a partire da un albero vuoto. I nuovi nodi sono appesi ai link nulli al fondo dell'albero. La struttura dell'albero non viene modificata in altro modo. Dato che i nodi hanno due link, l'albero tende a crescere in larghezza piuttosto che in profondità.

L'operazione di ordinamento è praticamente "gratuita" in un BST, dato che una struttura di questo tipo rappresenta un file ordinato, se la guardiamo dal giusto punto di vista. Nelle figure proposte, le chiavi appaiono ordinate, se si analizza la struttura dell'albero da sinistra verso destra (ignorando l'altezza dei nodi e i link). Anche se un programma ha a disposizione soltanto i puntatori con cui lavorare, un metodo di ordinamento può essere ricavato direttamente dalle proprietà che defi-

---

Programma 12.17   Inserimento in un BST (non ricorsivo)

L'inserimento di un elemento in un BST è equivalente a eseguire una ricerca con esito negativo su quell'elemento, e quindi ad appendere un nuovo nodo (che ospiterà tale elemento), modificando il link nullo su cui la ricerca termina. Per appendere il nuovo nodo dobbiamo tener traccia del padre p di x man mano che procediamo nell'albero verso il basso. Quando raggiungiamo il fondo, p punta al nodo il cui link deve essere modificato in modo da puntare al nodo inserito.

```
public void insert(ITEM x)
  { KEY key = x.key();
    if (head == null)
      { head = new Node(x); return; }
    Node p = head, q = p;
    while (q != null)
      if (less(key, q.item.key()))
          { p = q; q =q.l; }
      else { p = q; q =q.r; }
    if (less(key, p.item.key()))
        p.l = new Node(x);
    else p.r = new Node(x);
  }
```

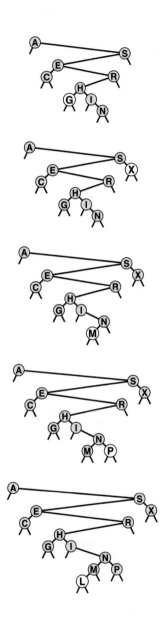

niscono un albero binario di ricerca: è sufficiente, infatti, un semplice attraversamento in ordine simmetrico (si veda l'implementazione ricorsiva del metodo toStringR del Programma 12.16): per mostrare i record di un BST in ordine di chiave, mostriamo prima gli elementi del sottoalbero di sinistra in ordine di chiave (ricorsivamente), quindi mostriamo la radice, e infine mostriamo gli elementi nel sottoalbero di destra in ordine di chiave (ricorsivamente). Come osservato nel Paragrafo 12.1, tratteremo qualche volta di una generica operazione di *visita* di una tabella di simboli, in cui vogliamo visitare in modo sistematico tutti gli elementi. Per i BST possiamo visitare gli elementi in ordine di chiave sostituendo "mostriamo" con "visitiamo" nella descrizione appena data, e magari riorganizzare il programma in modo da passare come parametro un oggetto avente un metodo di visita (si veda il Paragrafo 5.6).

Anche l'approccio non ricorsivo alle operazioni di ricerca e inserimento risulta istruttivo. In un'implementazione non ricorsiva, la ricerca è un semplice ciclo in cui confrontiamo la chiave di ricerca con quella alla radice, ci spostiamo a sinistra se la chiave di ricerca è inferiore e a destra altrimenti. L'inserimento è una ricerca con esito nega-

Figura 12.8
Costruzione di un BST (continuazione)

La sequenza mostra il risultato dell'inserimento delle chiavi G X M P L nell'albero iniziato nella Figura 12.7.

tivo (che termina in un link nullo), seguita dalla sostituzione del link nullo con un puntatore al nodo da inserire. Manipoliamo esplicitamente i link lungo il cammino verso il fondo dell'albero (si veda la Figura 12.6). In particolare, per poter inserire un nuovo nodo al fondo dell'albero, dobbiamo mantenere un link al padre del nodo corrente (come nell'implementazione del Programma 12.17). Come al solito, le due versioni, ricorsiva e non ricorsiva, sono essenzialmente equivalenti. Lo studio di entrambe, però, migliora la nostra comprensione generale dell'algoritmo e della struttura dati.

I metodi del Programma 12.15 non fanno controlli espliciti su chiavi duplicate. Quando dobbiamo inserire un nodo la cui chiave è già presente nel BST, esso verrà sistemato alla destra del nodo già presente nell'albero. Un effetto collaterale di questo modo di agire è che i nodi con chiavi duplicate non sono contigui all'interno del BST (si veda la Figura 12.9). In effetti, possiamo accedere a essi continuando la ricerca dal punto in cui search trova la prima chiave, fino a incontrare un link null.

I BST sono duali rispetto al Quicksort. Il nodo alla radice dell'albero corrisponde all'elemento di partizionamento del Quicksort (non vi sono chiavi maggiori a sinistra e chiavi minori a destra). Nel Paragrafo 12.6 considereremo come questa osservazione sia anche collegata alle proprietà analitiche dei BST.

Esercizi

▷ **12.57** Disegnate il BST che si ottiene inserendo la sequenza di chiavi E A S Y Q U T I O N (in quest'ordine) in un albero inizialmente vuoto.

▷ **12.58** Disegnate il BST che si ottiene inserendo la sequenza di chiavi E A S Y Q U E S T I O N (in quest'ordine) in un albero inizialmente vuoto.

▷ **12.59** Calcolate il numero di confronti richiesti per inserire le chiavi E A S Y Q U E S T I O N in una tabella di simboli inizialmente vuota che si basa su un BST. Assumete che, come nel Programma 12.6, venga eseguita un'operazione di ricerca per ogni chiave, seguita da un'operazione di inserimento in caso di search miss.

12.60 Aggiungete un campo intero N a Node e modificate il codice per BST dei Programmi 12.15 e 12.16 in modo da implementare un'operazione di conteggio impaziente che impieghi tempo costante.

○ **12.61** Anche l'inserimento delle chiavi nell'ordine A S E R H I N G C in un albero vuoto produce l'albero in alto della Figura 12.8. Determinate 10 altri ordinamenti di queste chiavi che producano lo stesso risultato.

○ **12.62** Scrivete un'implementazione della vostra interfaccia dell'Esercizio 12.20 che usi un BST con un campo int e un campo double in ciascun nodo.

▷ **12.63** Tracciate un diagramma come quelli della Figura 12.1 che illustri tre rappresentazioni del BST a 4 chiavi della Figura 12.7: una con campi pre-

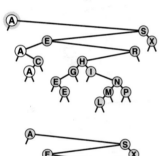
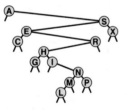

Figura 12.9
Chiavi duplicate in un BST

Quando un BST ha record con chiavi duplicate (in alto), esse appaiono sparpagliate su tutto l'albero (si vedano, ad esempio, le tre A in campo chiaro). Le chiavi duplicate appaiono tutte lungo il cammino di ricerca dalla radice fino a un nodo esterno, quindi possiamo facilmente avere accesso a esse. Per evitare descrizioni ambigue come "la chiave A sotto la chiave C", nei nostri esempi useremo sempre chiavi distinte (in basso).

definiti nei nodi (come nell'Esercizio 12.62), una con chiavi int e una con chiavi myKey.

12.64 Implementate un metodo searchinsert per BST (Programma 12.15). La funzione deve cercare nella tabella di simboli un elemento con la stessa chiave di quella di un dato elemento, e quindi procedere all'inserimento, se la ricerca ha dato esito negativo.

▷ **12.65** Scrivete un metodo che restituisca il numero di elementi di un BST la cui chiave sia uguale a una chiave data.

12.66 Supponete di conoscere a priori una stima della frequenza con cui si avrà accesso alle chiavi di ricerca in un BST. Le chiavi dovranno essere inserite in ordine di frequenza di accesso crescente o decrescente? Motivate la risposta.

○ **12.67** Semplificate il codice per le operazioni di ricerca e di inserimento nell'implementazione del Programma 12.15 usando due nodi fittizi: un nodo head che contiene un elemento con una chiave sentinella minore di tutte le altre e il cui link destro punta alla radice dell'albero; un nodo z che contiene un elemento con una chiave sentinella maggiore di tutte le altre e i cui link destro e sinistro puntino a se stesso. Questo nodo z rappresenta, in un certo senso, tutti i nodi esterni: i nodi esterni, cioè, sono link a z (si veda la Tabella 3.1).

12.68 Modificate l'implementazione del BST del Programma 12.15 in modo da mantenere gli elementi con chiavi duplicate in liste concatenate che pendono dai nodi dell'albero. Cambiate l'interfaccia in modo che l'operazione di ricerca operi come l'operazione di ordinamento (per tutti i record aventi la chiave di ricerca).

12.69 La procedura di inserimento non ricorsiva del Programma 12.17 usa un confronto ridondante per determinare quale link di p sostituire con il nuovo nodo. Fornite un'implementazione che eviti questo confronto di troppo.

12.7 Prestazioni dei BST

Il tempo di esecuzione degli algoritmi definiti sui BST è abbastanza dipendente dalla forma dell'albero. Nel caso migliore l'albero sarà perfettamente bilanciato, contenendo circa $\lg N$ nodi tra la radice e ciascun nodo esterno, mentre nel caso peggiore ci potrebbero essere N nodi lungo il cammino seguito da una ricerca.

Mediamente ci si può aspettare un tempo di ricerca logaritmico, poiché il primo elemento inserito diventa la radice dell'albero. Infatti, se si inseriscono N chiavi a caso, il primo elemento dividerà (in media) le restanti chiavi in due metà, e il tempo di ricerca risulterà logaritmico (applicando le stesse argomentazioni ai sottoalberi). Infatti, se non fosse per gli elementi con chiavi duplicate, potrebbe capitare di costruire un albero identico a quello utilizzato in precedenza per descrivere la struttura dei confronti effettuati dall'algoritmo di ricerca binaria (si veda l'Esercizio 12.72). Una situazione del genere rappresenterebbe il caso migliore per l'algoritmo qui descritto, e sarebbe in grado di garantire un tempo di esecuzione logaritmico per qualsiasi ricerca. In pratica, in una situazione realmente casuale, la radice ha la stessa probabilità di contenere una qualsiasi delle possibili chiavi, rendendo estremamente raro il caso di un albero perfettamente bilanciato. D'altro canto, se le chiavi inserite sono casuali anche la situazione opposta di alberi estremamente sbilanciati è molto infrequente. Quindi, su chiavi casuali gli alberi risultanti saranno abbastanza ben bilanciati. Vogliamo, in questo paragrafo, quantificare tale osservazione.

Nel dettaglio, la lunghezza del cammino e l'altezza di un albero binario (Paragrafo 5.5) sono direttamente legati al costo della ricerca in un BST. L'altezza rappresenta il costo di una ricerca nel caso peggiore, la lunghezza del cammino interno è connessa al costo di una search hit, mentre la lunghezza del cammino esterno è legata al costo di una search miss.

Proprietà 12.6 *In un BST costruito con N chiavi casuali, una search hit richiede all'incirca* $2 \ln N \approx 1.39 \lg N$ *confronti in media.*

Come si è detto nel Paragrafo 12.3, consideriamo operazioni `equals` e `less` successive alla stregua di un singolo confronto. Il numero di confronti eseguiti per una search hit che termina su un dato nodo è pari a 1 più la distanza di quel nodo dalla radice. Sommando queste distanze per tutti i nodi, si ottiene la lunghezza del cammino interno dell'albero. Quindi, la quantità che stiamo cercando è uguale a 1 più la lunghezza media del cammino interno del BST. Ciò può essere analizzato seguendo un'argomentazione ormai familiare: se C_N indica la lunghezza media del cammino interno di un BST di N nodi, vale la ricorrenza

$$C_N = N - 1 + 1 \frac{1}{N} \sum_{1 \le k \le N} (C_{k-1} + C_{N-k}),$$

dove $C_1 = 1$. Il termine $N - 1$ tiene conto del fatto che la radice contribuisce con 1 alla lunghezza del cammino di ciascuno degli altri $N - 1$ nodi dell'albero; il resto dell'espressione deriva dall'osservazione che la chiave della radice (la prima chiave inserita) ha, per ogni valore di k, la stessa probabilità di essere la k-esima più piccola, suddividendo l'albero in due sottoalberi di dimensione $k - 1$ ed $N - k$. Dato che questa ricorrenza è molto simile a quella presentata nel Capitolo 7 per il Quick-

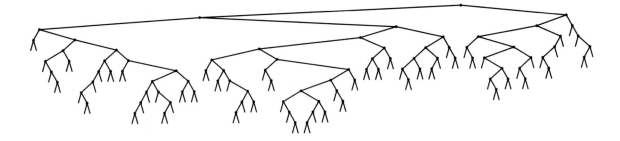

sort, può essere facilmente risolta nello stesso modo per ottenere il risultato enunciato. ∎

Proprietà 12.7   *In un BST costruito con N chiavi casuali, inserimenti e search miss richiedono all'incirca $2 \ln N \approx 1.39 \lg N$ confronti in media.*

Se cerchiamo una chiave casuale in un albero di N nodi (interni, quelli in cui sono presenti le chiavi), abbiamo la stessa probabilità di terminare in uno degli $N + 1$ nodi esterni, quando la ricerca ha esito negativo. Questa proprietà, unita al fatto che la differenza fra lunghezza di cammino esterno e lunghezza di cammino interno in un albero è pari a $2N$ (Proprietà 5.7), dimostra l'assunto. In un BST, il numero medio di confronti per un inserimento o una search miss è all'incirca pari a 1 più il numero medio di confronti per una search hit. ∎

La Proprietà 12.6 afferma che dobbiamo aspettarci che il costo della ricerca in un BST con chiavi casuali sia circa il 39 per cento più alto del costo della ricerca binaria, mentre la Proprietà 12.7 afferma che tale costo aggiuntivo è più che ragionevole dato che ci consente di inserire una nuova chiave con un costo simile a quello della ricerca. Questa è una caratteristica che, chiaramente, non è offerta dalla ricerca binaria. La Figura 12.10 mostra un BST costruito sulla base di una permutazione casuale piuttosto grande. Sebbene abbia alcuni cammini brevi e altri lunghi, possiamo affermare che tale albero è ben bilanciato. Una ricerca richiede nel caso peggiore meno di 12 confronti, il numero medio di confronti per una search hit è pari a 7.06, mentre quello per una ricerca binaria è uguale a 5.55.

Le Proprietà 12.6 e 12.7 presentano risultati validi nel caso medio e si basano sul fatto che le chiavi abbiano un vero ordine casuale. Se le chiavi non sono casuali, l'algoritmo può comportarsi piuttosto male.

**Figura 12.10
Esempio di BST**

In questo BST, costruito per inserimento di circa 200 chiavi casuali in un albero inizialmente vuoto, tutte le ricerche eseguiranno meno di 12 confronti. Il costo medio di una search hit è di circa 7 confronti.

Proprietà 12.8 *Nel caso peggiore, una ricerca in un BST con N chiavi richiede N confronti.*

Le Figure 12.11 e 12.12 illustrano due esempi di caso peggiore per un BST. Per questi alberi, la ricerca coincide essenzialmente con la ricerca sequenziale in liste concatenate semplici. ■

Quindi, le buone prestazioni offerte dall'implementazione di una tabella di simboli tramite un BST di base dipendono dal fatto che le chiavi siano abbastanza casuali da evitare che l'albero contenga molti cammini lunghi. Tra l'altro, il comportamento osservato nel caso peggiore non è improbabile nella pratica. Ad esempio, esso si realizza quando, tramite l'algoritmo di inserimento standard, inseriamo le chiavi in ordine o in ordine inverso in un albero inizialmente vuoto. Nel Capitolo 13, studieremo alcune tecniche per rendere questo caso peggiore estremamente poco probabile, o addirittura per evitarlo completamente, facendo sì che ogni albero costruito sia ben bilanciato con tutti i cammini di lunghezza logaritmica.

Nessuna delle altre implementazioni di tabelle di simboli che abbiamo fin qui esaminato può essere usata in pratica per inserire una grandissima quantità di chiavi casuali, eseguendo quindi ricerche per ciascuna di esse. In questa situazione, i tempi di calcolo dei metodi dei Paragrafi 12.3 e 12.4 diventano quadratici. La nostra analisi ci dice che la distanza media di un nodo dell'albero dalla radice è logaritmica nel numero di nodi dell'albero. Come potremo osservare, queste caratteristiche consentono di gestire efficientemente combinazioni di operazioni di ricerca, inserimento e altre operazioni dell'ADT tabella di simboli.

La Tabella 12.2 fornisce alcuni risultati empirici a supporto dell'analisi da noi effettuata: essa dimostra l'utilità dei BST nel caso di tabelle di simboli dinamiche con chiavi casuali.

Esercizi

▷ **12.70** Scrivete un programma ricorsivo che calcoli il massimo numero di confronti eseguiti da una ricerca in un dato BST (ciò corrisponde a calcolare l'altezza dell'albero).

▷ **12.71** Scrivete un programma ricorsivo che calcoli il numero medio di confronti eseguiti da una search hit in un dato BST (ciò corrisponde a calcolare la lunghezza del cammino interno diviso per N).

12.72 Fornite una sequenza di inserimenti delle chiavi E A S Y Q U E S T I O N in un BST inizialmente vuoto tale che l'albero prodotto sia equi-

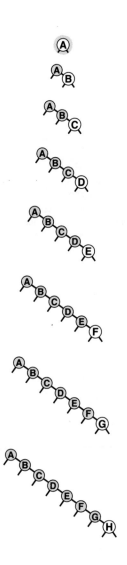

Figura 12.11
Un BST nel caso peggiore

Se le chiavi sono inserite in ordine crescente in un BST, esso degenera in una struttura lineare a lista concatenata semplice. Ciò conduce a un tempo di costruzione quadratico e a un tempo di ricerca lineare.

Tabella 12.2 Studio empirico su implementazioni di tabelle di simboli

Questa tabella fornisce i tempi relativi per la costruzione di una tabella di simboli, seguita da una ricerca di ciascuna chiave nella tabella. I BST offrono l'implementazione più veloce per la ricerca e l'inserimento. Tutti gli altri metodi richiedono tempo quadratico per una delle due operazioni. La ricerca binaria è generalmente più rapida di quella su BST, ed è il metodo da scegliere quando il numero di ricerche supera di gran lunga il numero di elementi. Il prezzo da pagare per una ricerca binaria è dato dall'ordinamento iniziale della tabella (e dal costo lineare di ciascuna operazione di inserimento), mentre quello di un BST è costituito dallo spazio per i link.

N	costruzione				search hit			
	A	L	B	T	A	L	B	T
1250	0	81	90	4	123	250	5	6
2500	0	291	356	8	457	977	9	11
5000	1	1260	1445	19	1853	4077	18	24
12500	2	10848	10684	53	12749	34723	54	69
25000				169				174
50000				407				431
100000				900				995
200000				2343				2453

Legenda:

A   Array non ordinato (Esercizio 12.24)
L   Lista concatenata ordinata (Esercizio 12.25)
B   Ricerca binaria (Programma 12.10)
T   BST standard (Programma 12.15)

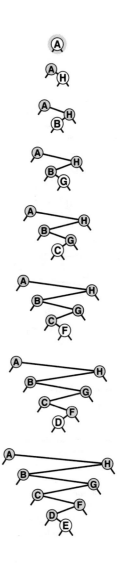

Figura 12.12
Un altro BST nel caso peggiore

Vi sono molti altri ordini in cui inserire le chiavi (come quello qui raffigurato), che producono BST degeneri. Ciononostante, un BST costruito a partire da chiavi ordinate casualmente tenderà a essere ben bilanciato.

valente alla ricerca binaria, nel senso che la sequenza di confronti eseguiti durante la ricerca di ogni chiave nel BST coincide con la sequenza di confronti eseguiti dalla ricerca binaria sulla stessa chiave.

○ **12.73** Scrivete un programma che inserisca un insieme di chiavi in un BST inizialmente vuoto in modo tale che l'albero prodotto sia equivalente alla ricerca binaria, nel senso dell'Esercizio 12.72.

12.74 Disegnate tutti i BST strutturalmente differenti che si ottengono per inserimento di N chiavi in un albero inizialmente vuoto, dove $2 \leq N \leq 5$.

● **12.75** Determinate la probabilità che ciascuno degli alberi dell'Esercizio 12.74 sia il risultato dell'inserimento di N chiavi casuali distinte in un albero inizialmente vuoto.

● **12.76** Quanti sono gli alberi binari di N nodi e altezza N? Quanti modi diversi ci sono di inserire N chiavi distinte in un albero inizialmente vuoto in modo da ottenere un BST di altezza N?

○ **12.77** Mostrate per induzione che la differenza fra lunghezza del cammino esterno e lunghezza del cammino interno di ogni albero binario è pari a $2N$ (si veda la Proprietà 5.7).

12.78 Eseguite uno studio empirico per calcolare media e deviazione standard del numero di confronti eseguiti da una search hit e da una search miss su un BST costruito inserendo N chiavi casuali in un albero inizialmente vuoto, dove $N = 10^3, 10^4, 10^5, 10^6$.

12.79 Scrivete un programma che costruisca t alberi binari di ricerca tramite inserimento di N chiavi casuali in un albero inizialmente vuoto, e che calcoli l'altezza massima di tali alberi (il massimo, fra i t alberi, del numero di confronti eseguiti da una search miss). Prendete come valori $N = 10^3, 10^4, 10^5, 10^6$ e $t = 10, 100, 1000$.

12.80 Supponete che gli elementi siano di tipo predefinito e che siano essi stessi chiavi di ricerca. Sviluppate un'implementazione che rappresenti un BST tramite tre array (preallocati e di lunghezza pari alla massima dimensione fornita al costruttore): il primo con le chiavi, il secondo con indici di array corrispondenti a link di sinistra e il terzo con indici di array corrispondenti a link di destra. Confrontate le prestazioni del vostro programma con l'implementazione standard usando uno dei programmi pilota degli Esercizi 12.27 o 12.28.

12.81 Modificate la nostra implementazione di BST (Programma 12.15) in modo da implementare la vostra interfaccia dell'Esercizio 12.50 che usa indici in array di programmi client (Esercizio 12.7). Confrontate le prestazioni del vostro programma con quelle dell'implementazione standard, usando uno dei programmi pilota degli Esercizi 12.27 o 12.28.

○ **12.82** Sviluppate un'implementazione per l'indice di una stringa di testo che usi BST con chiavi indice.

12.83 Confrontate il tempo di calcolo della vostra implementazione dell'Esercizio 12.82 con i Programmi 12.13 e 12.14 nella costruzione di un indice per una stringa di testo casuale di N caratteri, dove $N = 10^3, 10^4, 10^5, 10^6$, e nell'esecuzione di 100000 ricerche con esito negativo di chiavi casuali all'interno di ciascun indice.

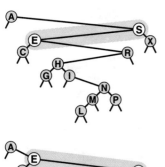

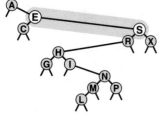

Figura 12.13
Rotazione a destra in un BST

Questo diagramma mostra il risultato (in basso) di una rotazione a destra rispetto a S in un BST di esempio (in alto). Il nodo contenente S si sposta in basso nell'albero, diventando il figlio destro di quello che era prima il suo figlio sinistro.

Realizziamo la rotazione prendendo il link alla nuova radice E dal link sinistro di S, copiando link destro di E nel link sinistro di S, ponendo a S il link destro di E, e facendo sì che il link da A a S punti a E.

L'effetto della rotazione è quello di spostare E e il suo sottoalbero sinistro di un livello verso l'alto, e di spostare S e il suo sottoalbero destro di un livello verso il basso. Il resto dell'albero non è coinvolto nella rotazione.

12.8 Inserimento alla radice in un BST

Nell'implementazione standard dei BST ogni nodo inserito viene posto al fondo dell'albero a rimpiazzare un nodo esterno. Questa situazione è una conseguenza della natura ricorsiva dell'algoritmo di inserimento e non è certo un'istanza imprescindibile. In questo paragrafo, consideriamo un metodo di inserimento alternativo in cui richiediamo che ogni nuovo record sia inserito alla radice dell'albero. Ciò fa sì che i nodi inseriti più di recente si sistemino nella parte alta dell'albero. Benché gli alberi costruiti in questo modo possiedano interessanti proprietà, il nostro scopo qui è solo quello di gettare le basi degli algoritmi su BST che studieremo nel Capitolo 13.

Si supponga che la chiave dell'elemento da inserire sia maggiore di quella alla radice. Potremmo iniziare a costruire un nuovo albero sistemando il nuovo elemento alla radice di questo, con la radice del vecchio albero che diventa sottoalbero di sinistra e con il sottoalbero destro della vecchia radice che diventa sottoalbero di destra. In realtà, il sottoalbero destro potrebbe contenere chiavi minori, e questo esigerà ulteriore lavoro per completare l'inserimento. In modo simile, se la chiave dell'elemento da inserire è minore della chiave alla radice e maggiore di tutte le chiavi del sottoalbero sinistro della radice, possiamo ancora costruire un nuovo albero con il nuovo elemento alla radice ma, di nuovo, dobbiamo gestire il caso in cui il sottoalbero sinistro contenga chiavi maggiori. Lo spostamento di tutti i nodi con chiave minore al sottoalbero di sinistra e di tutti i nodi con chiave maggiore al sottoalbero di destra sembra un'operazione complicata in generale, dato che i nodi da spostare potrebbero essere sparsi su tutto il cammino di ricerca relativo al nodo da inserire.

Fortunatamente, esiste una semplice soluzione ricorsiva a questo problema, che è basata sulla *rotazione*, una fondamentale operazione di trasformazione degli alberi. Essenzialmente, una rotazione consente di scambiare i ruoli giocati dalla radice di un albero e da uno dei suoi figli, preservando però l'ordinamento del BST fra i nodi. Una *rotazione a destra* coinvolge la radice e il figlio sinistro della radice (Figura 12.13). La rotazione pone la radice a destra, invertendo la direzione del link sinistro della radice: prima della rotazione tale link porta dalla radice al figlio sinistro, mentre dopo la rotazione esso porta dal vecchio figlio sinistro (la nuova radice) alla vecchia radice (il figlio destro della nuova radice). La parte essenziale, che consente alla rotazione di agire in modo corretto, è l'operazione con cui si copia il link destro del figlio sini-

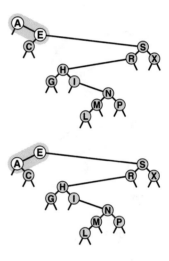

Figura 12.14
Rotazione a sinistra in un BST

Questo diagramma mostra il risultato (in basso) di una rotazione a sinistra rispetto a S in un BST di esempio (in alto). Il nodo contenente A si sposta in basso nell'albero, diventando il figlio sinistro di quello che era prima il suo figlio destro.

Realizziamo la rotazione prendendo il link alla nuova radice E dal link destro di A, copiando il link sinistro di E nel link destro di A, ponendo ad A il link sinistro di E, e facendo sì che il link ad A (il link testa dell'albero) punti a E.

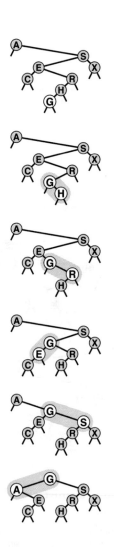

Figura 12.15
Inserimento alla radice in un BST

La sequenza mostra il risultato dell'inserimento alla radice della chiave G con rotazione (ricorsiva), dopo l'inserimento per far sì che il nodo inserito G si sistemi alla radice dell'albero. Questo processo è equivalente a inserire G, e quindi a eseguire una sequenza di rotazioni per far salire G alla radice.

Programma 12.18   Rotazioni su BST

Queste procedure gemelle eseguono l'operazione di rotazione su un BST. Una *rotazione a destra* fa sì che la vecchia radice diventi sottoalbero destro della nuova radice (il vecchio sottoalbero sinistro della radice). Una *rotazione a sinistra* fa sì che la vecchia radice diventi sottoalbero sinistro della nuova radice (il vecchio sottoalbero destro della radice). Per implementazioni che mantengono un campo con la dimensione del sottoalbero in ciascun nodo (ad esempio, per supportare l'operazione di selezione, come si vedrà nel Paragrafo 14.9, oppure per supportare un conteggio impaziente, Esercizio 12.60), dobbiamo aggiornare anche questi campi nei nodi coinvolti nella rotazione (si veda l'Esercizio 12.86).

```
private Node rotR(Node h)
  { Node x = h.l; h.l = x.r; x.r = h; return x; }
private Node rotL(Node h)
  { Node x = h.r; h.r = x.l; x.l = h; return x; }
```

stro in modo da diventare il link sinistro della vecchia radice. Questo link punta a tutti i nodi le cui chiavi stanno fra i due nodi coinvolti nella rotazione. Da ultimo, il link alla vecchia radice deve essere cambiato in modo da puntare alla nuova radice. Una *rotazione a sinistra* si ottiene, da quanto abbiamo appena descritto, scambiando dappertutto le parole "sinistra" e "destra" (Figura 12.14).

Una rotazione realizza una modifica locale dell'albero; coinvolge, infatti, solo tre link e due nodi, e ciò permette di effettuare spostamenti di nodi senza modificare le proprietà globali di ordinamento di un BST (si veda il Programma 12.18). Usiamo rotazioni per spostare nodi specifici attraverso l'albero e per evitare che esso si sbilanci. Nel Paragrafo 12.9 implementeremo le operazioni di cancellazione, unione e altre operazioni facendo ancora uso di rotazioni. Nel Capitolo 13 ne utilizzeremo parecchie nella costruzione di alberi che raggiungono prestazioni quasi ottimali.

Le operazioni di rotazione forniscono un'immediata implementazione ricorsiva dell'inserimento alla radice: inserire ricorsivamente il nuovo elemento nel sottoalbero appropriato (lasciandolo, alla fine dell'operazione, alla radice dell'albero), quindi eseguire una rotazione per farlo diventare la radice dell'albero principale. La Figura 12.15 illustra un esempio, mentre il Programma 12.19 è un'implementazione diretta del metodo. Il programma è di per sé un esempio convin-

---

Programma 12.19 Inserimento alla radice in un BST

Avendo a disposizione i metodi per la rotazione del Programma 12.18, possiamo scrivere immediatamente un metodo ricorsivo che inserisca un nodo alla radice. La funzione svolge le operazioni seguenti: inserisce il nuovo nodo alla radice del sottoalbero opportuno, quindi realizza la rotazione necessaria per portare tale nodo alla radice dell'albero principale.

```
private Node insertT(Node h, ITEM x)
  { if (h == null) return new Node(x);
    if (less(x.key(), h.item.key()))
        { h.l = insertT(h.l, x); h = rotR(h); }
    else { h.r = insertT(h.r, x); h = rotL(h); }
    return h;
  }
public void insert(ITEM x)
  { head = insertT(head, x); }
```

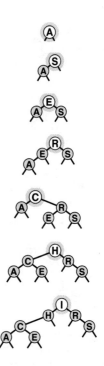

cente del potere della ricorsione. Incoraggiamo i lettori più scettici a eseguire l'Esercizio 12.87.

Le Figure 12.16 e 12.17 mostrano come costruire un BST per inserimento di una sequenza di chiavi in un albero inizialmente vuoto, usando il metodo dell'inserimento alla radice. Se la sequenza di chiavi è casuale, un BST costruito in questo modo presenta esattamente le stesse caratteristiche stocastiche dei BST costruiti tramite il metodo standard. Ad esempio, le Proprietà 12.6 e 12.7 continuano a valere per BST costruiti tramite inserimenti alla radice.

Un vantaggio pratico dell'inserimento alla radice è quello di avere nella parte alta dell'albero le chiavi inserite più di recente. Il costo di una search hit su chiavi inserite di recente è, quindi, verosimilmente inferiore a quello del metodo standard. Questo fatto è significativo, poiché molte applicazioni presentano esattamente questo tipo di combinazione di operazioni di ricerca e inserimento. Una tabella di simboli potrebbe contenere molti elementi, ma con una buona parte delle ricerche interessate solo a quelli inseriti recentemente. Ad esempio, in un sistema di elaborazione di transazioni commerciali, le transazioni attive potrebbero rimanere nei pressi della radice, e quindi essere elaborate più velocemente, senza però che la possibilità di accedere alle transazioni meno recenti venga perduta. Il metodo di inserimento alla radice conferisce alla struttura dati questa e altre caratteristiche simili in modo pressoché automatico.

Figura 12.16
Costruzione di un BST per inserimenti alla radice

Questa sequenza mostra il risultato dell'inserimento delle chiavi A S E R C H I in un BST inizialmente vuoto, tramite inserimento alla radice. Ogni nodo viene inserito alla radice e i link lungo il suo cammino di ricerca vengono modificati per ripristinare i vincoli del BST.

Se cambiamo anche il metodo di ricerca in modo che essa porti il nodo trovato alla radice, allora otteniamo un metodo di ricerca auto-organizzante (si veda l'Esercizio 12.32) che mantiene vicini alla radice i nodi a cui si accede più di frequente. Nel Capitolo 13, studieremo un'applicazione sistematica di quest'idea allo scopo di implementare una tabella di simboli dalle elevate prestazioni nel caso peggiore.

Come per molti altri metodi presentati in questo capitolo, è difficile fare precise asserzioni circa le prestazioni del metodo di inserimento alla radice relativamente a quello standard, nel contesto di applicazioni pratiche. Le prestazioni effettive dipendono, infatti, dalla combinazione delle operazioni in un modo difficilmente quantificabile analiticamente. La nostra difficoltà nell'analizzare questo algoritmo non ci deve dissuadere dall'impiegarlo, quando sappiamo per certo che la maggior parte delle operazioni di ricerca si riferiscono ai dati inseriti recentemente. La ricerca di prestazioni garantite nel caso peggiore rimane comunque uno dei nostri obiettivi primari. Nel Capitolo 13, analizzeremo un metodo per costruire BST per il quale queste garanzie possono essere fornite.

Esercizi

▷ **12.84** Disegnate il BST risultante dall'inserimento alla radice della sequenza di chiavi E A S Y Q U E S T I O N in un albero inizialmente vuoto.

12.85 Fornite una sequenza di 10 chiavi (usate le lettere dalla A alla J) che, quando inserite in un albero inizialmente vuoto tramite inserimento alla radice, massimizza il numero di confronti richiesti per la costruzione dell'albero. Calcolate anche questo numero massimo di confronti.

12.86 Supponete che il Programma 12.18 debba essere usato insieme a un'implementazione che mantiene un campo in ogni nodo con la dimensione del suo sottoalbero (Esercizio 12.60). Aggiungete il codice necessario per far sì che il Programma 12.18 mantenga in modo coerente questi campi.

○ **12.87** Sviluppate un'implementazione non ricorsiva dell'inserimento alla radice in un BST (Programma 12.19).

12.88 Eseguite studi empirici per calcolare media e deviazione standard del numero di confronti eseguiti da search hit e search miss in BST costruiti per inserimento di N chiavi casuali a partire da alberi vuoti. Eseguite una sequenza di N ricerche casuali sulle $N/10$ chiavi inserite più di recente, dove $N = 10^3$, 10^4, 10^5, 10^6. Eseguite i vostri esperimenti tanto con il metodo di inserimento standard che con quello di inserimento alla radice, quindi confrontate i risultati.

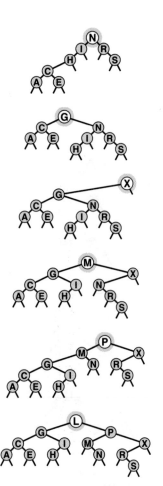

Figura 12.17
Costruzione di un BST per inserimenti alla radice (continuazione)

Questa sequenza mostra il risultato dell'inserimento delle chiavi N G X M P L *nel BST della Figura 12.16.*

12.9 Implementazione tramite BST di altre funzioni

Le implementazioni ricorsive considerate nel Paragrafo 12.5 per le operazioni di ricerca, inserimento e ordinamento per mezzo di alberi binari sono piuttosto immediate. In questo paragrafo, tratteremo implementazioni delle operazioni di selezione, unione e cancellazione. Una di queste, la selezione, presenta anche una naturale implementazione ricorsiva, mentre le altre sono meno semplici e possono avere prestazioni non brillanti. È importante studiare l'operazione di selezione, poiché è proprio la possibilità di supportare selezione e ordinamento efficienti che porta il programmatore a scegliere di usare BST piuttosto che altre strutture dati, in molti casi. Alcuni programmatori evitano i BST per non avere a che fare con l'operazione di cancellazione. In questo paragrafo, forniremo un'implementazione compatta che lega fra loro queste operazioni e fa uso della tecnica della rotazione presentata nel Paragrafo 12.8.

In genere, le operazioni richiedono di spostarsi verso il basso lungo un cammino dell'albero. Quindi, per BST casuali ci aspettiamo un costo logaritmico, anche se, in effetti, non possiamo dare per scontato che il BST rimanga "casuale" anche dopo molte operazioni che ne modificano la struttura. Torneremo sulla questione al termine di questo paragrafo.

Per implementare la selezione, possiamo usare una procedura ricorsiva analoga alla selezione basata sul Quicksort del Paragrafo 7.8. Come in quel paragrafo, anche qui usiamo indici che iniziano da 0. Quindi, per esempio, scegliamo $k = 3$ per accedere al record con la *quarta* chiave più piccola, dato che si troverebbe in a[3] se i record nell'array a fossero ordinati. Per trovare il record con la $(k+1)$-esima chiave più piccola in un BST, possiamo controllare il numero di nodi nel sottoalbero sinistro. Se esso è composto da k nodi, restituiamo l'elemento alla radice. Se il sottoalbero sinistro ha più di k nodi, cerchiamo (ricorsivamente) l'elemento con la $(k+1)$-esima chiave più piccola in tale sottoalbero. Infine, se il sottoalbero sinistro ha $t < k$ nodi, l'elemento con la $(k+1)$-esima chiave più piccola corrisponderà all'elemento con la $(k-t)$-esima chiave più piccola nel sottoalbero destro. Il Programma 12.20 è un'implementazione diretta di questo metodo. Come al solito, poiché ogni esecuzione del metodo termina con al più una chiamata ricorsiva, è possibile scrivere una versione non ricorsiva in modo abbastanza agevole (Esercizio 12.89).

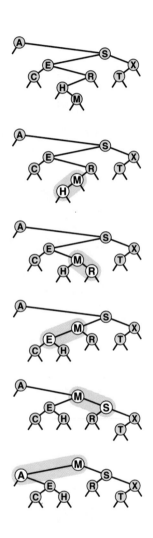

Figura 12.18
Partizionamento di un BST

Questa sequenza mostra il risultato (in basso) del partizionamento del BST (in alto) rispetto alla chiave mediana. Il partizionamento usa ricorsivamente rotazioni come per il metodo di inserimento alla radice.

Programma 12.20   Selezione in un BST

Questa procedura ricorsiva determina l'elemento con la $(k+1)$-esima chiave più piccola nel BST, assumendo un'implementazione impaziente del conteggio in cui la dimensione del sottoalbero è memorizzata in ogni nodo (Esercizio 12.60). Si confronti il programma con la selezione in array basata sul Quicksort (Programma 9.6).

```
private ITEM selectR(Node h, int k)
  { if (h == null) return null;
    int t = (h.l == null) ? 0 : h.l.N;
    if (t > k) return selectR(h.l, k);
    if (t < k) return selectR(h.r, k-t-1);
    return h.item;
  }
ITEM select(int k)
  { return selectR(head, k); }
```

La principale motivazione algoritmica per includere il campo contatore nei nodi del BST è quella di implementare un'operazione di selezione (Programma 12.20). Il contatore ci permette, inoltre, di supportare in maniera immediata l'operazione di conteggio (Esercizio 12.60). Un uso ulteriore verrà esaminato nel Capitolo 13. Gli svantaggi di avere un campo contatore nei nodi consistono nell'impiego di memoria extra e nella necessità di mantenere informazioni coerenti in tale campo: ogni metodo che modifica la struttura dell'albero dovrà anche occuparsi di modificare i contatori. In alcuni casi, il mantenimento di contatori associati a ciascun nodo potrebbe risultare eccessivamente pesante, specialmente quando inserimenti e ricerche sono le operazioni più frequenti. D'altro canto, se vogliamo supportare un'efficiente operazione di selezione su tabelle di simboli dinamiche, il mantenimento di queste informazioni aggiuntive è sicuramente utile.

Possiamo modificare quest'implementazione della selezione per ottenere un'operazione di partizionamento, la quale riorganizza l'albero ponendo il k-esimo elemento più piccolo alla radice, usando esattamente la stessa tecnica ricorsiva fornita nel Paragrafo 12.8 a proposito dell'inserimento alla radice: se poniamo (ricorsivamente) il nodo desiderato alla radice di uno dei sottoalberi, allora possiamo renderlo radice dell'intero albero tramite una singola rotazione. Il Programma 12.21 fornisce un'implementazione di questo metodo. Come la rotazione, il partizionamento non è un'operazione dell'ADT, poiché è un metodo che

Programma 12.21 Partizionamento di un BST

Se aggiungiamo rotazioni dopo le chiamate ricorsive, trasformiamo il metodo di selezione del Programma 12.20 in un metodo che pone l'elemento con la $(k+1)$-esima chiave più piccola alla radice dell'albero.

```
Node partR(Node h, int k)
  { int t = (h.l == null) ? 0 : h.l.N;
    if (t > k)
      { partR(h.l, k); h = rotR(h); }
    if (t < k)
      { partR(h.r, k-t-1); h = rotL(h); }
    return h;
  }
```

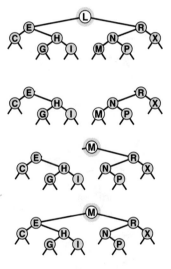

trasforma una particolare rappresentazione di una tabella di simboli e dovrebbe, quindi, essere invisibile ai programmi client. Si tratta piuttosto di una routine ausiliaria che possiamo sfruttare per rendere più efficienti le implementazioni delle operazioni dell'ADT. La Figura 12.18 raffigura un esempio che mostra come questo processo, analogamente a quanto accade nella Figura 12.15, sia equivalente a procedere verso il basso dalla radice al nodo desiderato nell'albero, e quindi a risalire verso l'alto eseguendo rotazioni per portare tale nodo alla radice.

Per cancellare un nodo con una data chiave, controlliamo per prima cosa se il nodo sia in uno dei sottoalberi. Se c'è, sostituiamo quel sottoalbero con il risultato della cancellazione (ricorsiva) del nodo all'interno di quest'ultimo. Se il nodo da cancellare è alla radice, sostituiamo l'albero con il risultato della combinazione dei due sottoalberi in un singolo albero. Vi sono vari modi di operare questa combinazione; uno di questi è indicato nella Figura 12.19, mentre una corrispondente implementazione è data nel Programma 12.22. Per combinare due BST per i quali tutte le chiavi del secondo sono maggiori di quelle del primo, applichiamo l'operazione di partizionamento al secondo BST, portando in tal modo l'elemento più piccolo di quell'albero alla radice. A questo punto, il sottoalbero sinistro della radice deve essere vuoto (altrimenti vi sarebbe un elemento più piccolo di quello alla radice), e possiamo così completare il lavoro sostituendo quel link con un link al primo BST. La Figura 12.20 mostra una serie di cancellazioni in un BST, illustrando alcune delle situazioni che possono verificarsi.

Figura 12.19
Cancellazione della radice in un BST

Questo diagramma mostra il risultato (in basso) della cancellazione della radice dal BST indicato in alto. Per prima cosa, rimuoviamo il nodo lasciando due sottoalberi (secondo diagramma dall'alto). Quindi, partizioniamo il sottoalbero destro per porre il suo elemento più piccolo alla radice (terzo diagramma dall'alto), lasciando un link sinistro nullo. Infine, sostituiamo questo link con un link al sottoalbero sinistro dell'albero originale (in basso).

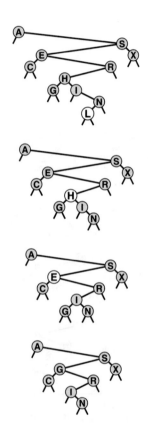

Figura 12.20
**Cancellazione di nodi
in un BST**

*Questa sequenza mostra il risultato
della cancellazione dei nodi con
chiavi L, H ed E dal BST in alto. L è
rimossa nel modo più semplice, poiché è in fondo all'albero. H è sostituita dal suo figlio destro (I), dato
che quest'ultima non ha figlio sinistro. E viene sostituita dal suo successore nell'albero, cioè G.*

Programma 12.22   Cancellazione di un nodo in un BST

Quest'implementazione dell'operazione di cancellazione rimuove il
primo nodo con chiave v incontrato nel BST. L'implementazione
lavora in modo top-down, eseguendo chiamate ricorsive sul sottoalbero opportuno finché il nodo da cancellare non compare alla
radice. Quindi, sostituisce il nodo con il risultato della combinazione dei suoi due sottoalberi: il più piccolo nodo del sottoalbero
destro diventa radice, e il suo link sinistro viene fatto puntare al sottoalbero sinistro.

```
private Node joinLR(Node a, Node b)
  { if (b == null) return a;
    b = partR(b, 0); b.l = a;
    return b;
  }
private Node removeR(Node h, KEY v)
  { if (h == null) return null;
    KEY w = h.item.key();
    if (less(v, w)) removeR(h.l, v);
    if (less(w, v)) removeR(h.r, v);
    if (equals(v, w)) h = joinLR(h.l, h.r);
    return h;
  }
void remove(KEY v)
  { removeR(head, v); }
```

Questo approccio sembra asimmetrico e piuttosto ad hoc: ad esempio, perché usare la chiave più piccola del secondo albero come radice
del nuovo albero, piuttosto che la chiave più grande del primo albero?
In altri termini, perché scegliamo di sostituire il nodo che stiamo cancellando con il successivo nodo nell'attraversamento in ordine simmetrico dell'albero, piuttosto che con il nodo precedente? Potremmo anche voler considerare altri approcci. Ad esempio, se il nodo da cancellare ha un link sinistro nullo, perché non rendere radice il suo figlio destro, piuttosto che usare il nodo con chiave minore nel sottoalbero destro? Sono state proposte in letteratura diverse varianti di questa strategia di base. Sfortunatamente, tutte queste varianti presentano il medesimo inconveniente: l'albero risultante dalla cancellazione non è più
"casuale", anche se lo era all'inizio. Inoltre, è stato dimostrato che quando l'albero è soggetto a un gran numero di inserimenti e cancellazioni
casuali il Programma 12.22 tende a lasciare l'albero leggermente sbilanciato (altezza media proporzionale a $\sqrt{N}$, si veda l'Esercizio 12.95).

Queste differenze potrebbero non essere rilevanti nelle applicazioni, a meno che N non sia estremamente grande. Comunque sia, questa combinazione fra un algoritmo poco elegante e prestazioni non soddisfacenti non è certo quello che vogliamo. Nel Capitolo 13, avremo occasione di esaminare due diversi modi di affrontare la questione.

In pratica, è abbastanza tipico degli algoritmi di ricerca richiedere un'implementazione significativamente più complicata per l'operazione di cancellazione: le chiavi stesse tendono a integrarsi con la struttura dati, per cui la rimozione di una chiave può richiedere modifiche piuttosto complesse. Spesso, un'alternativa appropriata è l'uso della cancellazione pigra, che consiste nel lasciare nella struttura dati un nodo cancellato, contrassegnandolo in modo che una successiva ricerca non lo tenga in considerazione. Nel Programma 12.15 quest'operazione può essere implementata aggiungendo un ulteriore controllo durante la ricerca. È necessario assicurarsi di non lasciare nella struttura dati un gran numero di nodi "cancellati" onde evitare un eccessivo spreco di tempo o di spazio, anche se va detto che se le cancellazioni sono poco frequenti tale spreco è sopportabile. In alternativa, è possibile procedere a una ricostruzione periodica della struttura che provveda a eliminare i nodi "cancellati", oppure anche a riutilizzare i nodi "cancellati" per futuri inserimenti (ciò risulta facile, ad esempio, per i nodi che si trovano al fondo dell'albero). Vogliamo far notare che queste considerazioni si applicano a tutte le strutture dati in cui sono eseguiti inserimenti e cancellazioni, non solo alle tabelle di simboli.

Concludiamo questo capitolo considerando l'implementazione dell'operazione di cancellazione con handle e di unione in un ADT tabella di simboli che usi BST. Assumiamo di disporre di handle sotto forma di link, omettendo qualsiasi altra considerazione sull'organizzazione del software, allo scopo di poterci concentrare sui soli aspetti algoritmici.

La principale difficoltà, quando si implementa una funzione per cancellare un nodo con un dato handle (link), è la stessa presentata a suo tempo per le liste concatenate: dobbiamo modificare il puntatore nella struttura che punta al nodo da cancellare. Ci sono almeno quattro modi di procedere. Il primo è quello di aggiungere un terzo link in ogni nodo dell'albero, che punti al padre. Lo svantaggio di questo approccio, come si è già notato più volte, è la complessità nel mantenimento di tutti i link. Il secondo modo è quello di usare la chiave del record per eseguire una ricerca nell'albero, arrestandosi non appena troviamo un puntatore coincidente con lo handle. Lo svantaggio di questo approccio è che in media la posizione di un nodo è prossima al fondo dell'albero, e quindi richiede un inutile viaggio attraverso l'albero.

Programma 12.23   Unione (join) di due BST

Se uno dei due sottoalberi è vuoto, il risultato dell'unione è l'altro sottoalbero. Altrimenti, combiniamo i due BST eleggendo (arbitrariamente) la radice del primo BST a radice dell'albero composto, inserendo alla radice nel secondo BST quella radice, e quindi combinando (ricorsivamente) la coppia di sottoalberi di sinistra e la coppia di sottoalberi di destra.

```
private Node joinR(Node a, Node b)
  { if (b == null) return a;
    if (a == null) return b;
    insertT(b, a.item);
    b.l = joinR(a.l, b.l);
    b.r = joinR(a.r, b.r);
    return b;
  }
public void join(ST b)
  { head = joinR(head, b.head); }
```

Il terzo modo, in un linguaggio a basso livello come il C, è quello di usare come handle un puntatore al puntatore al nodo. Si tratta di una soluzione ampiamente praticabile nel linguaggio C, ma difficilmente implementabile in modo diretto in Java. Il quarto modo è quello di adottare un approccio pigro, contrassegnando i nodi cancellati e ricostruendo periodicamente la struttura dati.

L'ultima operazione che dobbiamo analizzare è quella di unione (*join*). In un'implementazione per BST, ciò corrisponde a fondere due alberi. Ci sono vari modi immediati per realizzare la fusione. Ciascuno di essi, però, presenta alcuni svantaggi. Possiamo, ad esempio, attraversare il primo BST, inserendo ciascuno dei suoi nodi nel secondo BST. Questo algoritmo è banale da implementare: semplicemente si include insert nel secondo BST in un oggetto usato come parametro dell'attraversamento del primo BST. Questa soluzione non ha certo tempo lineare, dato che ogni inserimento di per sè può richiedere tempo lineare. Un'alternativa è quella di attraversare entrambi i BST, porre i record in un array, fondere gli array in un nuovo array, e quindi costruire un nuovo BST a partire dal nuovo array. Quest'operazione è realizzabile in tempo lineare, ma potrebbe dover usare notevole spazio aggiuntivo.

Il Programma 12.23 è una compatta implementazione ricorsiva dell'operazione di unione, che richiede tempo lineare. Per prima cosa, si inserisce la radice del primo BST nel secondo BST tramite "inserimento alla radice". Otteniamo due sottoalberi con chiavi minori di quelli di questa radice, e due sottoalberi con chiavi maggiori. Quindi, procediamo ricorsivamente combinando la prima coppia in modo che essa costituisca il sottoalbero di sinistra della radice e la seconda coppia in modo che costituisca il sottoalbero di destra. Ciascun nodo può assumere il ruolo di radice in una chiamata ricorsiva una volta al massimo, e quindi il tempo di esecuzione totale risulta essere lineare. Nella Figura 12.21 è mostrato un esempio di esecuzione. Come per la cancellazione, anche questo processo è asimmetrico, e può portare ad alberi non ben bilanciati. In realtà, come vedremo nel Capitolo 13, in questo caso la randomizzazione può risolvere in modo semplice il problema.

Si noti che il numero di confronti eseguiti per l'unione deve essere almeno lineare nel caso peggiore, altrimenti potremmo sviluppare un algoritmo di ordinamento che usa meno di $N \lg N$ confronti tramite merging bottom-up (si veda l'Esercizio 12.99).

Non abbiamo, qui, incluso il codice necessario a mantenere un campo contatore nei nodi dei BST durante le operazioni di unione e cancellazione. Tale codice è, di fatto, necessario in applicazioni in cui è richiesta anche la selezione (Programma 12.20). Si tratta di un compito concettualmente semplice, ma che richiede una qualche attenzione. Un modo sistematico di procedere è quello di implementare una piccola routine di utilità che imposta il contatore di un nodo con il valore dato dalla somma dei contatori dei figli del nodo più uno, invocando poi tale routine su tutti i nodi i cui link sono modificati. In particolare, possiamo operare in tal modo su ambo i nodi in rotL e rotR nel Programma 12.18, e ciò è sufficiente per le trasformazioni eseguite nei Programmi 12.19 e 12.21, dato che tali trasformazioni sono solo rotazioni. Per joinLR e removeR del Programma 12.22 e join del Programma 12.23, è sufficiente chiamare l'aggiornamento dei contatori solo sul nodo da restituire, appena prima dell'istruzione return.

Le operazioni fondamentali di ricerca, inserimento e ordinamento su BST sono facili da implementare e sono efficienti anche solo con una piccola quantità di casualità nella sequenza di operazioni; per tale ragione i BST vengono ampiamente usati per l'implementazione di tabelle di simboli dinamiche. I BST ammettono anche semplici soluzioni ricorsive per le altre operazioni, come si è visto in questo capitolo per la selezione, la cancellazione e l'unione, e come avremo modo di considerare più avanti nel libro.

Nonostante la loro utilità, i BST presentano due principali inconvenienti pratici. Il primo è che essi richiedono una sostanziosa quantità

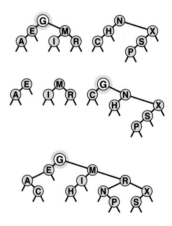

Figura 12.21
Unione (join) di due BST

Questo diagramma mostra il risultato (in basso) dell'unione dei due BST in alto. Per prima cosa, inseriamo la radice G del primo albero nel secondo albero, tramite inserimento alla radice (diagramma di mezzo). Otteniamo due sottoalberi con chiavi minori di G e due sottoalberi con chiavi maggiori di G. Combinando (ricorsivamente) entrambe le coppie si ottiene il risultato indicato nel diagramma in basso.

di memoria per ospitare i link. Spesso pensiamo ai link e alle chiavi come a oggetti aventi la stessa dimensione (diciamo, una parola di memoria del calcolatore). Se ciò è vero, allora vale la pena di osservare che un BST usa due terzi della memoria per i link e un terzo per le chiavi. Il nostro utilizzo degli oggetti `myKey` e `myItem` aggiunge due o tre riferimenti ulteriori per elemento (si veda l'Esercizio 12.63). Questo effetto è naturalmente meno evidente in applicazioni in cui i record hanno notevoli dimensioni e più evidente in ambienti di programmazione in cui i puntatori occupano abbastanza spazio. Se la memoria è una risorsa preziosa, magari potrebbe essere preferibile impiegare uno dei metodi di hashing del Capitolo 14, piuttosto che i BST. Il secondo inconveniente nell'uso di BST è la chiara possibilità che gli alberi si sbilancino durante la loro evoluzione e che, quindi, portino a prestazioni scadenti. Nel Capitolo 13, esamineremo numerosi approcci per garantire buone prestazioni nel caso peggiore. Se lo spazio per i link è disponibile, questi algoritmi, data la loro efficienza, rendono i BST una valida scelta nell'implementazione delle varie operazioni di una tabella di simboli.

Esercizi

▷ **12.89** Implementate una funzione di selezione non ricorsiva su BST (si veda il Programma 12.20).

▷ **12.90** Disegnate il BST che si ottiene dall'inserimento della sequenza di chiavi E A S Y Q U T I O N in un albero inizialmente vuoto, e dalla successiva cancellazione di Q.

▷ **12.91** Disegnate il BST che si ottiene dall'inserimento della sequenza di chiavi E A S Y in un albero inizialmente vuoto, dall'inserimento delle chiavi Q U E S T I O N in un altro albero inizialmente vuoto, e dall'unione dei due alberi.

12.92 Implementate una funzione di cancellazione non ricorsiva su BST (si veda il Programma 12.22).

12.93 Implementate una versione della cancellazione per BST (Programma 12.22) che cancelli tutti i nodi dell'albero aventi chiavi uguali a una chiave data.

○ **12.94** Modificate le nostre implementazioni di tabelle di simboli basate su BST in modo da supportare handle agli elementi dei programmi client (Esercizio 12.7). Aggiungete implementazioni di un metodo di clonazione (Esercizio 12.6). Scrivete, infine, un programma pilota per testare interfaccia e implementazione.

12.95 Si eseguano esperimenti per determinare la crescita dell'altezza di un BST quando viene eseguita una lunga sequenza casuale di inserimenti e cancellazioni alternate su un BST di N nodi, dove N = 10, 100, 1000, e dove il numero di coppie inserimento-cancellazione arriva fino a N^2 per ognuno dei valori di N indicati.

12.96 Implementate una versione di remove (si veda il Programma 12.22) che decida casualmente se sostituire il nodo da cancellare con il suo predecessore o con il suo successore. Eseguite gli esperimenti indicati nell'Esercizio 12.95 per questa versione della cancellazione.

○ **12.97** Implementate una versione di remove che usi un metodo ricorsivo per spostare il nodo da cancellare al fondo dell'albero tramite rotazioni successive, in modo analogo all'inserimento alla radice (Programma 12.19). Disegnate l'albero prodotto quando il vostro programma cancella la radice di un albero completo di 31 nodi.

○ **12.98** Eseguite esperimenti per determinare la crescita dell'altezza di un BST, durante l'inserimento ripetuto dell'elemento alla radice nell'albero risultante dalla combinazione dei sottoalberi della radice in un albero casuale a N nodi, dove $N = 10, 100, 1000$.

○ **12.99** Implementate una versione bottom-up del Mergesort basata sull'operazione di unione: iniziate col porre le chiavi in N alberi di un solo nodo, quindi combinate tali alberi in coppie, ottenendo $N/2$ alberi a due nodi, che combinati a loro volta fanno ottenere $N/4$ alberi a 4 nodi, ecc.

12.100 Implementate una versione di join (si veda il Programma 12.23) che decida casualmente se usare la radice del primo albero o quella del secondo albero come radice dell'albero risultante. Eseguite gli esperimenti indicati nell'Esercizio 12.98 per questa versione dell'unione.

Alberi bilanciati

G LI ALGORITMI SU ALBERI BINARI illustrati nel precedente
capitolo si comportano in modo soddisfacente in un gran numero di applicazioni diverse, anche se in presenza del caso peggiore forniscono prestazioni pessime. Per di più, come per il Quicksort, se chi utilizza gli algoritmi non presta particolare attenzione alla natura dei dati
in ingresso, il caso peggiore ha una buona probabilità di verificarsi nella pratica. File già ordinati, ordinati in senso inverso, che alternano chiavi grandi a chiavi piccole o che al loro interno presentano un grosso segmento avente una struttura semplice, possono condurre gli algoritmi di
ricerca su BST a tempi di esecuzione quadratici per la costruzione del-
l'albero e lineari per la ricerca.

La situazione ideale è quella illustrata nella Figura 13.1, in cui manteniamo un albero perfettamente bilanciato. Questa struttura corrisponde alla ricerca binaria e, quindi, ci assicura un costo di ricerca nel
caso peggiore inferiore a $\lg N + 1$ confronti. È, però, piuttosto oneroso mantenere tale struttura in modo dinamico, a seguito di inserimenti e cancellazioni. Le garanzie sulle prestazioni della ricerca valgono per
ogni BST per il quale tutti i nodi esterni sono al livello più basso del-
l'albero oppure sui due livelli più bassi. I BST di questo tipo sono molti e abbiamo perciò una qualche flessibilità nell'organizzare il bilanciamento del nostro albero. Se ci accontentiamo di alberi quasi ottimali,
allora la flessibilità aumenta. Ad esempio, il numero di BST con N chiavi di altezza $2 \lg N$ è molto elevato. Se possiamo garantire che i nostri
algoritmi mantengano BST di questo tipo, riusciamo anche a evitare
i casi degeneri che possono capitare nelle applicazioni pratiche durante
l'evoluzione di una struttura dati dinamica. L'ulteriore beneficio del
bilanciamento è quello di ottenere migliori prestazioni anche nel caso medio.

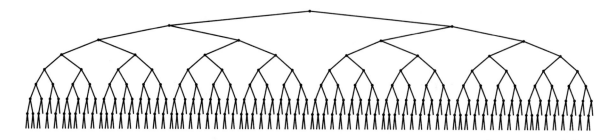

**Figura 13.1
Un BST perfettamente
bilanciato**

*I nodi esterni di questo BST cadono
tutti negli ultimi due livelli. Il numero
di confronti da eseguire in una ricerca è pari al numero di confronti che
eseguiremmo in una ricerca binaria
della stessa chiave (in un array ordinato). Lo scopo di un algoritmo per
alberi bilanciati è quello di mantenere il BST il più vicino possibile a questo bilanciamento perfetto, suppor-
tando al contempo efficienti operazioni di inserimento, cancellazione e
altre operazioni tipiche di un dizionario.*

Un possibile approccio nel produrre BST più bilanciati è quello
di ribilanciarli periodicamente in modo esplicito. Possiamo, infatti, ribilanciare completamente molti BST in tempo lineare, usando il metodo ricorsivo del Programma 13.1 (si veda anche l'Esercizio 13.4). Questo ribilanciamento migliorerà plausibilmente le prestazioni nel caso di
chiavi casuali, ma non fornirà garanzie contro prestazioni quadratiche
nel caso peggiore in una tabella di simboli dinamica. Da una parte, il
tempo di inserimento di una sequenza di chiavi fra due ribilanciamen-
ti successivi può diventare quadratico nella lunghezza della sequenza;
dall'altra, vorremmo evitare di ribilanciare con troppa frequenza alberi
estremamente grandi, dato che il ribilanciamento impiega tempo almeno
lineare nella dimensione dell'albero. Questo compromesso fra le due cose rende difficoltoso l'uso di un ribilanciamento globale di un BST al
fine di garantire buone prestazioni nel caso peggiore. Tutti gli algoritmi che studieremo eseguono, man mano che procedono lungo l'albero, modifiche incrementali e locali, che però nel loro complesso andranno
a migliorare il bilanciamento dell'intero albero, pur evitando di attra-
versarlo tutto (come fa il Programma 13.1).

Il problema di fornire garanzie sulle prestazioni nel caso peggiore
per tabelle di simboli basate su BST ci offre la possibilità di chiarire cosa intendiamo precisamente per prestazioni garantite. Analizzeremo soluzioni che sono istanze fondamentali di tre metodi generali per il problema di garantire prestazioni nella progettazione di algoritmi. I tre metodi in questione sono il metodo *randomizzato*, quello *ammortizzato* e
quello *ottimizzato*.

Un algoritmo *randomizzato* introduce decisioni casuali ("randomizzate", appunto) nell'algoritmo, allo scopo di ridurre notevolmente
la probabilità del caso peggiore (indipendentemente dall'input). Abbiamo già incontrato un esempio di questo metodo, scegliendo casualmente l'elemento di partizionamento nel Quicksort. Nei Paragrafi 13.1
e 13.5 esamineremo *BST randomizzati* e *skip list*, due semplici modi di

---

Programma 13.1 Bilanciamento di un BST

Questo metodo ricorsivo trasforma in tempo lineare un BST in un
albero perfettamente bilanciato, usando il metodo di partizionamento partR del Programma 12.21. Partizioniamo mettendo la mediana alla radice, e quindi (ricorsivamente) facciamo la stessa cosa
sui sottoalberi.

```
private Node balanceR(Node h)
  {
    if ((h == null) || (h.N == 1)) return h;
    h = partR(h, h.N/2);
    h.l = balanceR(h.l);
    h.r = balanceR(h.r);
    fixN(h.l); fixN(h.r); fixN(h);
    return h;
  }
```

---

usare la randomizzazione per velocizzare le implementazioni di tutte le
operazioni di una tabella di simboli. Si tratta di algoritmi tanto semplici quanto ampiamente applicabili. Per quanto siano semplici, essi tuttavia sono stati ideati non tantissimo tempo fa (si vedano i riferimenti
bibliografici). L'analisi che mostra formalmente l'efficacia di tali algoritmi non è elementare, ma gli algoritmi sono di per sé facili da comprendere, da implementare e da adattare alle situazioni pratiche.

Il metodo *ammortizzato* richiede di svolgere un po' più lavoro oggi per evitare un lavoro maggiore domani. In questo modo, le nostre
garanzie sulle prestazioni si riferiscono al costo medio per operazione
(il costo totale di tutte le operazioni diviso per il numero di operazioni). Nel Paragrafo 13.2 studieremo gli *splay BST* (BST "obliqui" o "storti"), una variante dei BST che ci consente di fornire questo tipo di garanzie sulle prestazioni. Lo sviluppo degli splay BST è stato uno dei principali impulsi allo sviluppo dell'analisi ammortizzata degli algoritmi (si
vedano i riferimenti bibliografici). Il metodo è un'immediata estensione del metodo di inserimento alla radice presentato nel Capitolo 12. Di
nuovo, però, l'analisi che mostra l'efficacia di tale metodo è tutt'altro
che elementare.

Il metodo *ottimizzato* è quello di cercare di fornire garanzie sulle
prestazioni di ogni operazione. Sono state sviluppate varie strategie in
questo senso, alcune delle quali risalenti agli anni '60. Tutte queste strategie richiedono che vengano mantenute alcune informazioni struttu-

rali sugli alberi, che possono rendere gli algoritmi risultanti di non facile implementazione. In questo capitolo, considereremo due semplici astrazioni che da un lato rendono immediata l'implementazione e dall'altro fanno ottenere costi quasi ottimali.

Dopo aver esaminato implementazioni dell'ADT tabella di simboli con prestazioni garantite, concluderemo il capitolo con uno studio comparativo di carattere sperimentale. Oltre alle differenze suggerite dalla diversa natura delle garanzie sulle prestazioni che possiamo ottenere, tutti questi metodi presentano costi aggiuntivi (sia pure modesti) di tempo o di spazio che essenzialmente si rendono necessari, affinché essi siano in grado di fornire effettivamente tali garanzie. Lo sviluppo di alberi di ricerca bilanciati veramente ottimali rimane a tutt'oggi un obiettivo irrisolto della ricerca informatica. Gli algoritmi che tratteremo costituiscono, a ogni buon conto, implementazioni importanti per efficienti operazioni di ricerca e inserimento (e per molte altre operazioni di una tabella di simboli) che possono tranquillamente applicarsi nella pratica.

Esercizi

○ **13.1** Implementate una funzione che ribilanci in modo efficiente un BST che non abbia un campo contatore nei nodi.

13.2 Modificate la funzione di inserimento in un BST del Programma 12.15, usando il Programma 13.1 per ribilanciare l'albero tutte le volte in cui il numero di record della tabella di simboli raggiunge una potenza di 2. Confrontate il tempo di calcolo del vostro programma con quello del Programma 12.15 sui seguenti problemi: (1) costruzione di un albero di N chiavi casuali; (2) ricerca di N chiavi casuali all'interno dell'albero risultante. Scegliete $N = 10^3$, 10^4, 10^5, 10^6.

13.3 Stimate il numero di confronti eseguiti dal programma dell'Esercizio 13.2 durante l'inserimento di una sequenza crescente di N chiavi.

●● **13.4** Mostrate che il Programma 13.1 ha tempo proporzionale a $N \log N$ su un albero degenere. Quindi, fornite la più debole condizione che l'albero deve soddisfare per garantire un tempo di esecuzione lineare.

13.5 Modificate la funzione di inserimento standard in un BST del Programma 12.15, eseguendo un partizionamento rispetto alla mediana di ogni nodo incontrato che possiede meno di un quarto dei suoi (sotto-)nodi in uno dei suoi sottoalberi. Confrontate il tempo di calcolo del vostro programma con quello del Programma 12.15 sui seguenti problemi: (1) costruzione di un albero di N chiavi casuali; (2) ricerca di N chiavi casuali all'interno dell'albero risultante, dove $N = 10^3$, 10^4, 10^5, 10^6.

13.6 Stimate il numero di confronti eseguiti dal programma dell'Esercizio 13.5 durante l'inserimento di una sequenza crescente di N chiavi.

● **13.7** Estendete la vostra implementazione dell'Esercizio 13.5 in modo da ribilanciare allo stesso modo, durante l'esecuzione di un'operazione di cancellazione. Eseguite esperimenti per determinare la crescita dell'altezza dell'albero durante l'esecuzione di una lunga sequenza casuale di inserimenti e cancellazioni alternate su alberi casuali di N nodi, dove $N = 10, 100, 1000$ e dove il numero di inserimenti-cancellazioni è pari a N^2, per ciascuno dei valori di N indicati.

13.1 BST randomizzati

Per analizzare le prestazioni dei BST nel caso medio abbiamo assunto che i record siano inseriti in ordine casuale (Paragrafo 12.7). La principale conseguenza di questa asserzione è che ciascun nodo dell'albero ha la stessa probabilità di essere radice, e la stessa proprietà vale anche per tutti i sottoalberi. È possibile, però, introdurre una certa casualità nelle scelte degli algoritmi su BST in modo tale che questa proprietà valga indipendentemente da qualsiasi assunto sull'ordine di inserimento dei record. L'idea è piuttosto semplice: quando inseriamo un nuovo nodo all'interno di un albero che ne contiene già N, il nuovo nodo deve avere probabilità $1 / (N + 1)$ di essere posto alla radice dell'albero risultante, quindi eseguiamo un inserimento alla radice con tale probabilità. Altrimenti, usiamo ricorsivamente il metodo di inserire il nuovo nodo nel sottoalbero sinistro, se la chiave è minore di quella alla radice, e nel sottoalbero destro, se la chiave è maggiore. Il Programma 13.2 è un'implementazione di questo metodo.

Visto in maniera non ricorsiva, l'inserimento randomizzato è equivalente all'esecuzione di una procedura di ricerca standard sulla chiave da inserire, effettuando a ogni passo una decisione casuale sul continuare la ricerca oppure arrestarla ed eseguire un inserimento alla radice in quel punto. Quindi, come illustrato dalla Figura 13.2, il nuovo nodo può essere inserito dovunque lungo il cammino di ricerca relativo a quella chiave. Questa semplice combinazione probabilistica fra l'algoritmo BST standard e quello di inserimento alla radice ci permette di garantire prestazioni in senso probabilistico.

Proprietà 13.1 *La costruzione di un BST randomizzato è equivalente alla costruzione di un BST standard a partire da una permutazione casuale delle chiavi. Ci vogliono all'incirca $2N \ln N$ confronti per costruire un BST randomizzato con N record (indipendentemente dall'ordine di inserimento delle chiavi), e all'incirca $2 \ln N$ confronti per un'operazione di ricerca.*

Ogni elemento ha la stessa probabilità di essere radice dell'albero, e ciò vale anche per tutti i sottoalberi. La prima parte dell'assunto è ve-

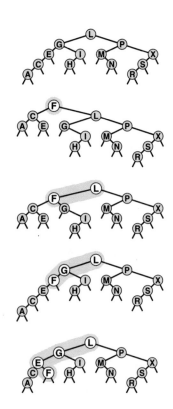

Figura 13.2
Inserimento in un BST randomizzato

La posizione finale di un nuovo record all'interno di un BST randomizzato può essere dovunque lungo il cammino di ricerca associato a quel record. Tale posizione è determinata dalle scelte casuali effettuate durante la ricerca. Questa figura mostra tutte le possibili posizioni di un record con chiave F, quando viene inserito nell'albero indicato in alto.

Programma 13.2   Inserimento in BST randomizzati

Questa funzione decide in modo casuale se effettuare un inserimento alla radice (Programma 12.19) o un inserimento standard (Programma 12.15). In un BST randomizzato ogni nodo si può trovare alla radice con la stessa probabilità. Quindi, otteniamo alberi casuali inserendo un nuovo nodo alla radice di un albero di dimensione N con probabilità $1/(N+1)$.

```
private Node insertR(Node h, ITEM x)
  { if (h == null) return new Node(x);
    if (Math.random()*h.N < 1.0)
      return insertT(h, x);
    if (less(x.key(), h.item.key()))
        h.l = insertR(h.l, x);
    else h.r = insertR(h.r, x);
    h.N++;
    return h;
  }
void insert(ITEM x)
  { head = insertR(head, x); }
```

ra per costruzione, anche se sarebbe necessaria un'attenta argomentazione probabilistica per mostrare che l'inserimento alla radice preserva la casualità anche in tutti i sottoalberi (si vedano i riferimenti bibliografici). ∎

La differenza nelle prestazioni nel caso medio fra BST randomizzati e BST standard è sottile ma importante. I costi medi sono gli stessi (pur con una costante di proporzionalità leggermente maggiore per i BST randomizzati), ma per i BST standard il risultato dipende dalle asserzioni fatte circa la casualità degli inserimenti (tutte le permutazioni delle chiavi da inserire hanno la stessa probabilità). Quest'ipotesi sugli inserimenti non vale in molte situazioni pratiche, e quindi l'utilità dell'algoritmo randomizzato è quella di fare a meno di tale asserzione e di affidarsi alle leggi probabilistiche e alle caratteristiche dei generatori di numeri casuali. Anche se i record venissero inseriti in ordine (crescente o decrescente) di chiave, oppure in qualsiasi altro ordine, il BST randomizzato rimarrebbe comunque "casuale". La Figura 13.3 illustra la costruzione di un albero randomizzato su un insieme di chiavi di esempio. Poiché le decisioni dell'algoritmo sono casuali, la sequenza di alberi costruiti sarà verosimilmente diversa a ogni esecuzione. La Figura

13.4 mostra che un albero randomizzato costruito a partire da un insieme di elementi con chiavi in ordine crescente tende ad avere le stesse proprietà di un BST standard costruito a partire da chiavi in ordine casuale (si confronti con la Figura 12.8).

C'è sempre la possibilità che il generatore di numeri casuali porti alla decisione "sbagliata" a ogni passo, e quindi a un albero scarsamente bilanciato. D'altro canto, è possibile analizzare matematicamente la probabilità che ciò accada, e concludere che essa è veramente molto piccola.

Proprietà 13.2 *La probabilità che il costo di costruzione di un BST randomizzato sia maggiore di α volte il costo medio è inferiore a $e^{-\alpha}$.*

Risultati come questi sono implicati dalla soluzione generale di relazioni probabilistiche di ricorrenza sviluppata da Karp nel 1995 (si veda il paragrafo sui riferimenti bibliografici). ∎

Ci vogliono, ad esempio, 2,3 milioni di confronti per costruire un BST randomizzato di 100.000 nodi, ma la probabilità che il numero di confronti sia maggiore di 23 milioni è di molto inferiore allo 0,01 per cento. Questo tipo di garanzia sui costi è più che adeguata agli scopi pratici per problemi di queste dimensioni. Se usiamo un BST standard, non possiamo assicurare tali garanzie. Siamo, per esempio, penalizzati quando i dati hanno un certo grado di ordine. Di nuovo, ciò è improbabile su dati casuali ma, per un buon numero di ragioni, non lo è affatto su dati reali.

Un risultato analogo alla Proprietà 13.2, dimostrabile con gli stessi ragionamenti, vale anche per il tempo di calcolo del Quicksort. Vogliamo, però, sottolineare che qui il risultato è di importanza maggiore, poiché esso implica anche che il costo della *ricerca* in un albero è prossimo al costo medio. Indipendentemente da qualsiasi costo aggiuntivo nella costruzione dell'albero, possiamo usare l'implementazione dei BST standard per eseguire operazioni di ricerca, con un costo che dipende unicamente dalla forma dell'albero, senza ulteriori costi di bilanciamento. Si tratta di una proprietà importante in alcune applicazioni tipiche, nelle quali le operazioni di ricerca sono in numero di gran lunga maggiore rispetto a tutte le altre operazioni. Per fare un esempio, il BST con 100000 nodi descritto poco sopra potrebbe contenere una directory telefonica, e quindi essere usato per milioni di ricerche. L'analisi ci garantisce che quasi certamente ciascuna ricerca non costerà molto più del costo medio di circa 23 confronti, e in pratica, al contrario dei BST standard, non dobbiamo curarci del

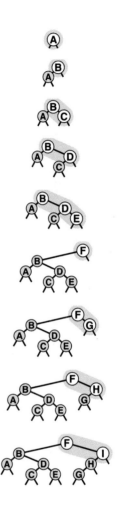

Figura 13.3
Costruzione di un BST randomizzato

La sequenza raffigura l'inserimento delle chiavi A B C D E F G H I in un BST inizialmente vuoto, usando l'inserimento randomizzato. L'albero ottenuto, indicato in basso, assomiglia a un albero costruito tramite l'algoritmo per BST standard, in cui le chiavi sono state inserite in ordine casuale.

Programma 13.3   Unione di BST randomizzati

Questo metodo usa lo stesso approccio del Programma 12.23, salvo effettuare una decisione casuale, piuttosto che arbitraria, circa il nodo da usare come radice dell'albero combinato. Il metodo fa sì che ogni nodo abbia la stessa probabilità di essere radice. Qui come altrove, nel codice per BST randomizzati, si assume che le implementazioni della rotazione (Programma 12.18) aggiornino anche i contatori nei nodi in modo tale che il campo N di ciascun nodo contenga il numero di nodi del suo sottoalbero (si veda l'Esercizio 12.86).

```
private Node joinR(Node a, Node b)
  { if (b == null) return a;
    if (a == null) return b;
    insertT(b, a.item);
    b.l = joinR(a.l, b.l);
    b.r = joinR(a.r, b.r);
    return b;
  }
public void join(ST b)
  { int N = head.N;
    if (Math.random()*(N+b.count()) < 1.0*N)
         head = joinR(head, b.head);
    else head = joinR(b.head, head);
  }
```

caso in cui vi possano essere molte ricerche che eseguono 100000 confronti o quasi.

Uno dei principali inconvenienti nell'inserimento randomizzato è il costo della generazione di numeri casuali a ogni passo dell'operazione di inserimento. Un sistema di generazione pseudo-casuale di alta qualità potrebbe impiegare un tempo significativo a ogni generazione e, quindi, la costruzione di un BST randomizzato potrebbe essere significativamente più onerosa di quella di un BST standard in alcuni casi pratici (ad esempio, quando l'ipotesi delle chiavi casuali è effettivamente valida). Come per il Quicksort, possiamo ridurre tali costi usando numeri non perfettamente casuali, ma facili da generare e dall'aspetto sufficientemente simile a quello dei numeri realmente casuali, e tali da scongiurare comunque il pericolo di casi degeneri nelle sequenze di inserimenti che possono ricorrere in pratica (si veda l'Esercizio 13.14).

Un altro potenziale inconveniente dei BST randomizzati è quello di aver bisogno di un campo in ogni nodo che indichi il numero di

Programma 13.4   Cancellazione in un BST randomizzato

Usiamo lo stesso metodo `remove` dei BST standard (Programma 12.22), ma sostituiamo la funzione `joinLR` con quella mostrata qui sotto, che effettua una scelta casuale, invece che arbitraria, sul fatto che il nodo cancellato debba essere sostituito dal predecessore o dal successore. Il metodo fa sì che ogni nodo dell'albero risultante abbia la stessa probabilità di essere radice.

```
private Node joinLR(Node a, Node b)
  { int N = a.N + b.N;
   if (a == null) return b;
   if (b == null) return a;
   if (Math.random()*N < 1.0*a.N)
        { a.r = joinLR(a.r, b); return a; }
   else { b.l = joinLR(a, b.l); return b; }
  }
```

nodi dell'albero sottostante. Lo spazio aggiuntivo richiesto può essere non trascurabile su alberi di grandi dimensioni. D'altra parte, come abbiamo osservato nel Paragrafo 12.9, la necessità di tale campo potrebbe derivare da altre ragioni: ad esempio, per supportare l'operazione di selezione o per fornire un controllo di integrità della struttura dati. In tali casi, i BST randomizzati non presentano istanze di spazio aggiuntivo e possono considerarsi una scelta conveniente.

Il principio guida fondamentale di preservare la casualità negli alberi ci porta anche a implementazioni efficienti delle operazioni di cancellazione, unione, e così via.

Per effettuare l'unione di un albero di N nodi con un albero di M nodi, seguiamo il metodo di base del Capitolo 12, salvo effettuare una scelta casuale della radice sulla base del fatto che la radice dell'albero combinato deve provenire dal primo albero con probabilità $N/(M+N)$ e dal secondo con probabilità complementare $M/(M+N)$. Il Programma 13.3 è un'implementazione di quest'operazione.

Allo stesso modo, sostituiamo la decisione (arbitraria) dell'algoritmo di cancellazione con una decisione randomizzata (Programma 13.4). Questo metodo corrisponde a un'opzione che non avevamo considerato nella cancellazione standard, poiché sembra che in assenza di randomizzazione essa conduca ad alberi sbilanciati (si veda l'Esercizio 13.21).

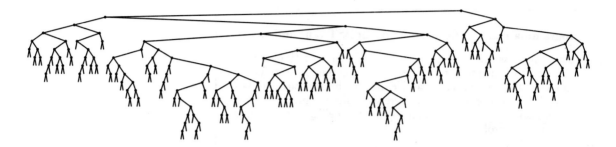

**Figura 13.4
Un BST randomizzato
più grande**

Questo BST è il risultato dell'inserimento di 200 chiavi in ordine crescente in un albero inizialmente vuoto, usando l'inserimento randomizzato. L'albero è simile a uno costruito con chiavi ordinate casualmente (si veda la Figura 12.8).

Proprietà 13.3 *Costruire un albero tramite una sequenza arbitraria di operazioni randomizzate di inserimento, cancellazione e unione è equivalente a realizzare un BST standard a partire da una permutazione casuale delle chiavi.*

Come per la Proprietà 13.1, anche qui è necessaria un'attenta analisi probabilistica (per la quale rimandiamo ai riferimenti bibliografici). ∎

Dimostrare asserti su algoritmi randomizzati richiede una buona capacità di manipolare concetti di teoria della probabilità. Riteniamo, tuttavia, che la comprensione di queste dimostrazioni non sia strettamente necessaria per i programmatori che fanno uso di questi algoritmi. Un programmatore accorto, non volendo avere problemi con gli algoritmi che usa, vaglierà asserzioni come la Proprietà 13.3 (per verificare, ad esempio, la validità del generatore di numeri casuali o altre proprietà dell'implementazione), ma disinteressandosi di come esse siano state dimostrate. I BST randomizzati sono, forse, il modo più semplice per implementare le operazioni dell'ADT tabella di simboli con prestazioni quasi ottimali, e rivestono quindi un'importanza pratica non trascurabile.

Esercizi

▷ **13.8** Disegnate il BST risultante dall'inserimento delle chiavi E A S Y Q U T I O N (in quest'ordine) in un albero inizialmente vuoto, assumendo di usare una (cattiva) funzione di randomizzazione, che darà luogo a un inserimento alla radice tutte le volte che la dimensione dell'albero è dispari.

13.9 Scrivete un programma pilota che esegua il seguente esperimento 1000 volte, per $N = 10$, 100; inserisca record con chiavi da 0 a $N - 1$ (in quest'ordine) in un BST randomizzato inizialmente vuoto, usando il Programma 13.2; quindi stampi, per ciascun N, la statistica χ^2 per l'ipotesi secondo cui ogni chiave compare alla radice con probabilità $1/N$ (si veda l'Esercizio 14.5).

○ **13.10** Calcolate la probabilità che F cada in ciascuna delle posizioni indicate nella Figura 13.2.

13.11 Scrivete un programma per calcolare la probabilità che un inserimento randomizzato finisca su uno dei nodi interni di un dato albero, per ciascuno dei nodi lungo il cammino di ricerca.

13.12 Scrivete un programma che calcoli la probabilità che un inserimento randomizzato finisca su uno dei nodi esterni di un dato albero.

○ **13.13** Implementate una versione non ricorsiva della funzione di inserimento randomizzato del Programma 13.2.

13.14 Disegnate il BST randomizzato risultante dall'inserimento delle chiavi E A S Y Q U T I O N (in quest'ordine) in un albero inizialmente vuoto, usando una versione del Programma 13.2 in cui l'espressione contenente `rand()` è sostituita dal test `(111 % h->N) == 3` per decidere se passare all'inserimento alla radice.

13.15 Ripetete l'Esercizio 13.9 per una versione del Programma 13.2 in cui l'espressione contenente `rand()` è sostituita dal test `(111 % h->N) == 3` per decidere se passare all'inserimento alla radice.

13.16 Mostrate la sequenza di decisioni casuali che farebbero costruire un albero degenere (chiavi in ordine, con link sinistri nulli) tramite inserimento della sequenza di chiavi E A S Y Q U T I O N. Qual è la probabilità di tale evento?

13.17 È vero che per ogni BST contenente le chiavi E A S Y Q U T I O N esiste una corrispondente sequenza di decisioni casuali per le quali l'inserimento randomizzato in quell'ordine di quelle chiavi dà luogo a quel BST? Argomentate la vostra risposta.

13.18 Eseguite studi empirici per calcolare media e deviazione standard del numero di confronti eseguiti da search hit e search miss in un BST randomizzato, costruito per inserimento di N chiavi casuali in un albero inizialmente vuoto, dove $N = 10^3$, 10^4, 10^5, 10^6.

▷ **13.19** Disegnate il BST risultante dall'utilizzo del Programma 13.4 per cancellare la Q dall'albero dell'Esercizio 13.14, facendo uso del test `(111 % (a.N + b.N)) < a.N` per decidere se unire due BST avendo a come radice.

13.20 Inserite le chiavi E A S Y in un primo albero inizialmente vuoto e le chiavi Q U E S T I O N in un altro albero inizialmente vuoto. Disegnate il BST risultante dalla combinazione dei due alberi tramite il Programma 13.3 e il test descritto nell'Esercizio 13.19.

13.21 Disegnate il BST risultante dall'inserimento delle chiavi E A S Y Q U T I O N (in quest'ordine) in un albero inizialmente vuoto, e quindi usando il Programma 13.4 per cancellare la Q, assumendo di usare una (cattiva) funzione di randomizzazione che restituisca sempre 0.

13.22 Eseguite esperimenti per determinare la crescita dell'altezza di un BST durante l'esecuzione di una lunga sequenza di inserimenti e cancellazioni alternate tramite i Programmi 13.2 e 13.3 su un albero di N nodi, dove $N = 10, 100, 1000$. Considerate un numero di coppie inserimento-cancellazione pari a N^2, per ciascuno dei valori di N indicati.

○ **13.23** Confrontate i risultati ottenuti dall'Esercizio 13.22 con quelli ottenuti dalla cancellazione e dal reinserimento della chiave più grande tramite i Programmi 13.2 e 13.3 in un albero casuale di N nodi, dove $N = 10$, 100, 1000. Considerate un numero di coppie inserimento-cancellazione pari a N^2, per ciascuno dei valori di N indicati.

13.24 Modificate il vostro programma dell'Esercizio 13.22 al fine di determinare il numero medio di chiamate rand( ), eseguite per ogni record cancellato.

13.2 Splay BST

Figura 13.5
Rotazione doppia in un BST (orientazioni differenti)

In questo albero di esempio (in alto), una rotazione a sinistra rispetto a G, seguita da una rotazione a destra rispetto a L, porta I alla radice. Queste rotazioni possono eseguirsi a completamento di un processo di inserimento alla radice tramite algoritmo standard o algoritmo splay.

Nel metodo di inserimento alla radice del Paragrafo 12.8, portavamo il nodo inserito alla radice dell'albero tramite rotazioni a destra e a sinistra. In questo paragrafo, esaminiamo una modifica del metodo di inserimento alla radice in modo tale che le rotazioni riescano anche, in un certo senso, a bilanciare l'albero.

Piuttosto che considerare (ricorsivamente) la singola rotazione che porta il nodo inserito in cima all'albero, ne consideriamo due che promuovono il nodo da nipote (figlio del figlio) della radice a radice. Eseguiamo prima una rotazione per far sì che il nodo diventi figlio della radice, e quindi una seconda rotazione per far sì che il medesimo nodo diventi radice. Dobbiamo considerare due casi fondamentalmente differenti, che dipendono dal fatto che i due link dalla radice al nodo inserito siano orientati nello stesso modo oppure abbiano orientazioni differenti. La Figura 13.5 mostra il caso in cui le orientazioni sono differenti, mentre la parte sinistra della Figura 13.6 mostra il caso in cui sono coincidenti. Gli splay BST sono basati sull'osservazione di poter procedere in modo alternativo, quando i link dalla radice al nodo da inserire sono orientati nello stesso modo: semplicemente, come mostrato nella parte destra della Figura 13.6, si eseguono due rotazioni rispetto alla radice.

L'*inserimento splay* porta i nodi inseriti alla radice, usando le trasformazioni mostrate nella Figura 13.5 (inserimento alla radice standard, quando i link dalla radice al nipote, lungo il cammino di ricerca, hanno orientazione differente) e nella parte destra della Figura 13.6 (due rotazioni rispetto alla radice, quando i link dalla radice al nipote, lungo il cammino di ricerca, hanno la medesima orientazione). I BST costruiti in questo modo si dicono *splay BST* (BST "obliqui" o "storti"). Il Programma 13.5 è un'implementazione ricorsiva dell'inserimento splay, la Figura 13.7 illustra un esempio di inserimento singolo, mentre la Figura 13.8 mostra un esempio di processo di costruzione di un albero. An-

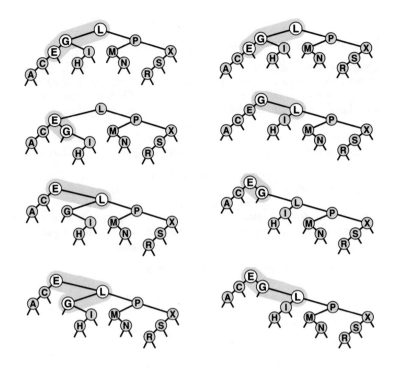

Figura 13.6
Rotazione doppia in un BST (orientazioni uguali)

Quando i link in una rotazione doppia sono orientati nello stesso modo, abbiamo due possibilità. Con il metodo standard di inserimento alla radice eseguiamo prima la rotazione in basso (a sinistra), mentre con l'inserimento splay eseguiamo prima la rotazione in alto (a destra).

che se non sembra, la differenza fra inserimento splay e inserimento alla radice standard risulta essere piuttosto significativa, poiché l'operazione splay riesce a eliminare il caso peggiore quadratico, che costituisce il principale punto debole dei BST standard.

Proprietà 13.4 *Il numero di confronti eseguiti durante la costruzione di uno splay BST a partire da un albero vuoto è* $O(N \lg N)$.

Questa proprietà è una conseguenza della Proprietà 13.5 che considereremo fra breve. ∎

La costante nascosta dalla notazione O grande è pari a 3. Ad esempio, ci vogliono (sempre) meno di 5 milioni di confronti per costruire un BST di 100000 nodi tramite inserimento splay. Si noti che tale risultato non garantisce che l'albero di ricerca ottenuto sia ben bilanciato, e nemmeno che le operazioni di ricerca su questo albero siano *sempre* efficienti. La garanzia sul tempo di esecuzione totale è comunque significativa e risulterà anche plausibilmente inferiore nella pratica.

Quando inseriamo un nodo in un BST tramite inserimento splay, l'effetto prodotto non è solo quello di portare quel nodo alla radice, ma

Programma 13.5   Inserimento splay in BST

Questa funzione differisce dall'algoritmo di inserimento alla radice del Programma 12.12 in un solo essenziale dettaglio: se il cammino di ricerca è nella direzione sinistra-sinistra o destra-destra, allora il nodo è portato alla radice con una rotazione doppia dall'alto invece che dal basso (si veda la Figura 13.6).

Il programma controlla quattro possibilità per due passi di ricerca dalla radice verso il fondo ed esegue le opportune rotazioni:

sinistra-sinistra: ruota due volte a destra rispetto alla radice;
sinistra-destra: ruota a sinistra rispetto al figlio sinistro, e quindi a destra rispetto alla radice;
destra-destra: ruota due volte a sinistra rispetto alla radice;
destra-sinistra: ruota a destra rispetto al figlio destro, e quindi a sinistra rispetto alla radice.

```
private Node splay(Node h, ITEM x)
  {
    if (h == null) return new Node(x);
    if (less(x.key(), h.item.key()))
      {
        if (h.l == null)
          { h.l = new Node(x); return rotR(h); }
        if (less(x.key(), h.l.item.key()))
          { h.l.l = splay(h.l.l, x); h = rotR(h); }
        else
          { h.l.r = splay(h.l.r, x); h.l = rotL(h.l);}
        return rotR(h);
      }
    else
      {
        if (h.r == null)
          { h.r = new Node(x); return rotL(h); }
        if (less(h.r.item.key(), x.key()))
          { h.r.r = splay(h.r.r, x); h = rotL(h); }
        else
          { h.r.l = splay(h.r.l, x); h.r = rotR(h.r);}
        return rotL(h);
      }
  }
void insert(ITEM x)
  { head = splay(head, x); }
```

anche di portare gli altri nodi incontrati (lungo il cammino di ricerca) più vicini alla radice. Per essere più precisi, le rotazioni eseguite dimezzano la distanza dalla radice di ogni nodo incontrato. Questa proprietà vale anche se implementiamo l'operazione di ricerca in modo che essa esegua trasformazioni splay mentre procede. Alcuni cammini nell'albero diventeranno più lunghi ma, se non accediamo ai nodi lungo questi cammini, tale fenomeno non sortirà alcuna conseguenza di rilievo per i nostri scopi. Se, invece, accediamo ai nodi sui cammini lunghi, la loro lunghezza dopo l'accesso verrà dimezzata. Quindi, possiamo concludere che non esisteranno cammini estremamente onerosi.

Proprietà 13.5 *Il numero di confronti richiesti da un'arbitraria sequenza di M operazioni di inserimento o ricerca in uno splay BST di N nodi è* $O((N + M) \lg (N + M))$.

Questo risultato, dimostrato da Sleator e Tarjan nel 1985, è un classico esempio di analisi ammortizzata degli algoritmi (si veda il paragrafo dei riferimenti bibliografici). ∎

La Proprietà 13.5 fornisce una garanzia sulle prestazioni ammortizzate: non si garantisce che ogni operazione sia efficiente ma piuttosto che il costo *medio* della sequenza di operazioni sia efficiente. Questa media non è da intendersi in senso probabilistico, ma in senso aritmetico (sommiamo il costo totale e dividiamo per il numero di operazioni). È su tale costo che stiamo garantendo un limite superiore. Per molte applicazioni questo tipo di asserzioni è sufficiente, per altre potrebbe non essere adeguato. Non possiamo fornire garanzie sui tempi di risposta di ogni operazione, se usiamo splay BST, perché alcune di esse potrebbero impiegare tempo lineare; ma se una di queste operazioni effettivamente richiede tempo lineare, possiamo garantire l'esistenza di altre operazioni molto più veloci. Ciò, tuttavia, potrebbe non bastare a consolare chi debba aspettare la conclusione di un'operazione "lenta" ...

Il limite superiore espresso dalla Proprietà 13.5 è un limite sul costo totale di tutte le operazioni nel caso peggiore. Come tipicamente accade per le limitazioni valide nel caso peggiore, essa potrebbe rivelarsi molto più alta dei costi reali. Le operazioni splay fanno sì che gli elementi a cui più recentemente si ha accesso siano trasportati verso la cima dell'albero. Quindi, il metodo può dirsi utile in operazioni di ricerca con accessi non uniformi, specialmente in applicazioni in cui vi sia un ristretto insieme di chiavi (che varia di poco nel tempo) con elevata frequenza di accesso.

La Figura 13.9 fornisce due esempi che mostrano l'utilità dell'operazione di rotazione splay nel bilanciamento degli alberi. Nella figura, un albero degenere (costruito per inserimenti ordinati per chiave) è trasformato in un albero relativamente ben bilanciato, dopo poche operazioni di ricerca.

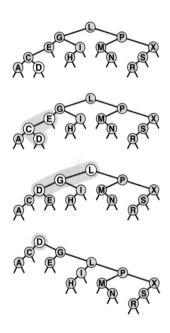

Figura 13.7
Inserimento splay

Questa figura illustra il risultato (in basso) dell'inserimento di un record con chiave D nell'albero di esempio indicato in alto, usando l'inserimento splay alla radice. In questo caso, il processo di inserimento comporta una rotazione doppia sinistra-destra seguita da una rotazione doppia destra-destra (dall'alto verso il basso nella figura).

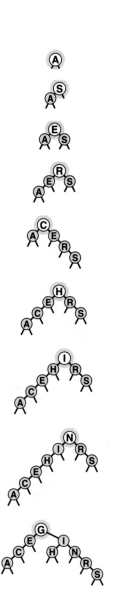

Figura 13.8
Costruzione di uno splay BST

Questa sequenza mostra l'inserimento di record con chiavi A S E R C H I N G in un albero inizialmente vuoto, usando l'inserimento splay.

Se vengono inserite chiavi duplicate, l'operazione splay non garantisce dove cadrà (se a destra o a sinistra) la chiave duplicata inserita rispetto a quella già presente nell'albero (si veda l'Esercizio 13.38). Quest'osservazione ci dice che non possiamo recuperare tutti i record con una data chiave semplicemente continuando la procedura di ricerca, come avevamo fatto per i BST standard. Dobbiamo, invece, controllare i duplicati in entrambi i sottoalberi, oppure usare metodi alternativi per gestire chiavi duplicate (si veda l'analisi proposta nel Capitolo 12).

Esercizi

▷ **13.25** Disegnate lo splay BST risultante dall'inserimento della sequenza di chiavi E A S Y Q U T I O N (in quest'ordine) in un albero inizialmente vuoto, usando l'inserimento splay.

▷ **13.26** Quanti link dell'albero devono essere cambiati in una rotazione doppia? Quanti sono effettivamente cambiati in ciascuna delle rotazioni doppie del Programma 13.5?

13.27 Aggiungete l'implementazione dell'operazione di ricerca splay al Programma 13.5.

○ **13.28** Implementate una versione non ricorsiva dell'inserimento splay del Programma 13.5.

13.29 Usate il programma pilota dell'Esercizio 12.33 per determinare l'efficacia degli splay BST come struttura di ricerca auto-organizzante, confrontandoli con i BST standard per le distribuzioni di chiavi di ricerca definite negli Esercizi 12.34 e 12.35.

○ **13.30** Disegnate tutti i BST strutturalmente differenti che possono risultare dall'inserimento di N chiavi in un albero inizialmente vuoto tramite inserimento splay, dove $2 \leq N \leq 7$.

● **13.31** Determinate la probabilità che ciascuno degli alberi dell'Esercizio 13.30 sia il risultato dell'inserimento di N chiavi casuali distinte in un albero inizialmente vuoto.

○ **13.32** Eseguite studi empirici per calcolare media e deviazione standard del numero di confronti eseguiti da search hit e search miss in BST costruiti per inserimento (splay) di N chiavi casuali in un albero inizialmente vuoto, dove $N = 10^3, 10^4, 10^5, 10^6$. Non avrete bisogno di eseguire alcuna operazione di ricerca: semplicemente, costruite gli alberi e calcolate le loro lunghezze di cammino (interno ed esterno). Gli splay BST sono più o meno bilanciati dei BST randomizzati?

13.33 Estendete il programma dell'Esercizio 13.32 per eseguire N ricerche casuali splay (saranno, verosimilmente, search miss). In quale misura l'operare in modo "splay" influenza il numero medio di confronti di ciascuna search miss?

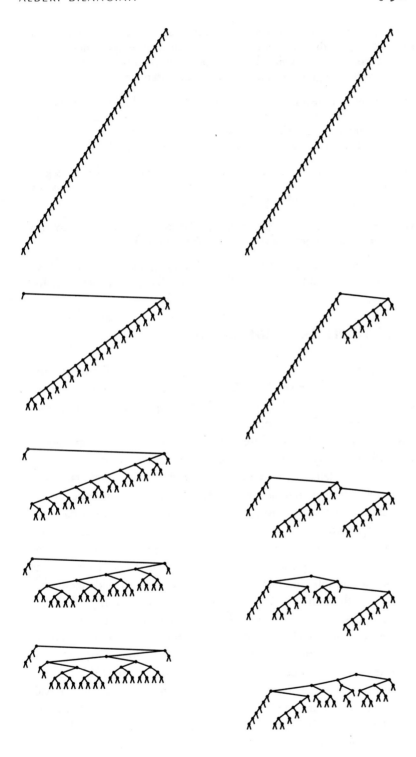

Figura 13.9
Bilanciamento di uno splay BST (caso peggiore) tramite ricerche

L'inserimento di chiavi in modo ordinato in un albero inizialmente vuoto tramite inserimento splay impiega solo un numero costante di passi per ciascun inserimento, ma lascia l'albero sbilanciato, come mostrato in alto (sia a destra che a sinistra). La sequenza nella parte sinistra mostra il risultato della ricerca splay della chiave più piccola, della seconda chiave più piccola, della terza chiave più piccola e della quarta chiave più piccola. Ciascuna ricerca dimezza la lunghezza del cammino dalla radice alla chiave cercata (e anche alla maggior parte delle altre chiavi). La sequenza nella parte destra mostra lo stesso albero di caso peggiore bilanciato da una sequenza di search hit casuali. Ogni ricerca dimezza il numero di nodi lungo il suo cammino, riducendo anche la lunghezza dei cammini di ricerca per molte altre chiavi. Nell'insieme, possiamo concludere che un piccolo numero di operazioni di ricerca è in grado di migliorare in modo sostanziale il bilanciamento dell'albero.

13.34 Fate in modo che i vostri programmi degli Esercizi 13.32 e 13.33 misurino il tempo di esecuzione, invece che calcolare semplicemente il numero di confronti. Eseguite gli stessi esperimenti. Fornite una spiegazione tutte le volte che giungete a una conclusione differente.

13.35 Confrontate gli splay BST con i BST standard sul problema di costruire un indice a partire da una porzione di un testo reale, avente circa 1 milione di caratteri. Misurate il tempo impiegato per la costruzione dell'indice e le lunghezze medie dei cammini dei BST.

13.36 Determinate empiricamente il numero medio di confronti eseguiti da una search hit in splay BST costruiti per inserimento di N chiavi casuali, dove $N = 10^3$, 10^4, 10^5, 10^6.

13.37 Eseguite studi empirici per valutare l'idea di usare l'inserimento splay in luogo dell'inserimento alla radice in BST randomizzati.

▷ **13.38** Disegnate lo splay BST risultante dall'inserimento di dati con chiavi 0 0 0 0 0 0 0 0 0 0 0 1 (in quest'ordine), in un albero inizialmente vuoto.

13.3 Alberi 2-3-4 top-down

Nonostante le garanzie sulle prestazioni che abbiamo rilevato, tanto i BST randomizzati che gli splay BST ammettono la possibilità che una particolare operazione di ricerca impieghi tempo lineare. Essi, quindi, non risolvono la fondamentale questione relativa agli alberi bilanciati: esiste un tipo di BST per il quale possiamo garantire che ogni operazione di inserimento e ricerca impieghi sempre tempo logaritmico nella dimensione dell'albero? In questo paragrafo e nel Paragrafo 13.4, considereremo una generalizzazione dei BST e una corrispondente rappresentazione, che rispondono a questa domanda in modo affermativo.

Per garantire che i nostri BST siano ben bilanciati è necessario avere a disposizione una struttura dati che sia in qualche modo flessibile. Supponiamo, perciò, che i nodi dell'albero in questione siano in grado di contenere più di una chiave. Più specificatamente, considereremo nodi in grado di contenere 2 o 3 chiavi, e li chiameremo, rispettivamente *3-nodi* e *4-nodi*. Un 3-nodo contiene 3 link uscenti, uno per il sottoalbero contenente chiavi minori di entrambe le chiavi in esso contenute, uno per il sottoalbero le cui chiavi hanno valore compreso tra le sue due chiavi e uno per il sottoalbero contenente chiavi maggiori. In modo analogo, un 4-nodo ha 4 link uscenti, uno per ciascun intervallo definito dai valori delle 3 chiavi in esso contenute. I nodi di un BST tradizionale potrebbero essere definiti come *2-nodi*: una chiave, due link. Vedremo, in seguito, alcuni modi per implementare e definire in ma-

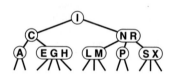

Figura 13.10
Un albero 2-3-4

Questa figura mostra un albero 2-3-4 contenente le chiavi A S R C H I N G E X M P L. In questo albero, possiamo trovare una chiave confrontando la chiave cercata con quelle alla radice, trovando il giusto link da seguire, e quindi continuando ricorsivamente. Ad esempio, per trovare P, seguiamo il link destro della radice (poiché P è maggiore di I), quindi il link di mezzo del figlio destro della radice (poiché P si trova fra N ed R). La ricerca termina con esito positivo al 2-nodo contenente P.

niera efficiente le operazioni di base per questa estensione dei nodi. Per ora, si assuma di essere in grado di manipolare questi elementi in modo conveniente, focalizzando l'attenzione su come essi possono essere impiegati per costruire alberi.

Definizione 13.1   *Un **albero di ricerca 2-3-4** è un albero vuoto oppure è un albero che contiene tre tipi di nodi: **2-nodi**, aventi una chiave, un link sinistro a un albero contenente chiavi minori e un link destro a un albero contenente chiavi maggiori; **3-nodi** aventi due chiavi, un link sinistro a un albero contenente chiavi minori, un link di mezzo a un albero contenente chiavi i cui valori stanno fra le due chiavi, e un link destro a un albero contenente chiavi maggiori; **4-nodi**, aventi 3 chiavi e 4 link ad alberi contenenti chiavi i cui valori stanno negli intervalli di valori definiti dalle 3 chiavi.*

Definizione 13.2   *Un **albero di ricerca 2-3-4 bilanciato** è un albero di ricerca 2-3-4, in cui tutti i link nulli appartengono a nodi che hanno uguale distanza dalla radice.*

In questo capitolo, useremo il termine *albero 2-3-4* per riferirci agli alberi di ricerca 2-3-4 bilanciati (si tratta di un termine che denota una struttura più generale in altri contesti). La Figura 13.10 illustra un esempio di albero 2-3-4. L'algoritmo di ricerca di chiavi in questi alberi è una generalizzazione dell'algoritmo di ricerca su BST. Per determinare se una data chiave è nell'albero, la confrontiamo con le chiavi che si trovano nella radice. Se essa è pari a una di queste, otteniamo una search hit, altrimenti seguiamo il link al sottoalbero corrispondente all'intervallo di valori delle chiavi contenente la chiave cercata, proseguendo ricorsivamente in quel sottoalbero. Ci sono vari modi per rappresentare 2-nodi, 3-nodi e 4-nodi, così come per mettere a punto il meccanismo della scelta del link giusto. Torneremo a evidenziare questi aspetti nel Paragrafo 13.4, allorquando proporremo un modo di operare particolarmente conveniente.

   Per inserire un nuovo nodo in un albero di questo tipo si potrebbe, come per i BST, eseguire una ricerca infruttuosa dell'elemento e agganciare il nuovo nodo nel punto in cui questa termina, ottenendo così un albero non più perfettamente bilanciato. Gli alberi 2-3-4 permettono invece di effettuare inserimenti, mantenendo in ogni caso un perfetto bilanciamento. Si può facilmente osservare che, se la ricerca termina in un 2-nodo, è sufficiente trasformarlo in un 3-nodo. In maniera del tutto analoga, è immediato trasformare un 3-nodo in un 4-nodo. Il problema sorge quando la ricerca termina in un 4-nodo. La so-

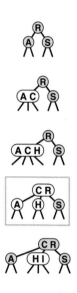

Figura 13.11
Inserimento in un albero 2-3-4

Un albero 2-3-4 contenente solo 2-nodi equivale a un BST (in alto). Possiamo inserire C trasformando in 3-nodo il 2-nodo in cui termina la ricerca di C (secondo albero dall'alto). Similmente, possiamo inserire H trasformando in 4-nodo il 3-nodo in cui termina la ricerca di H (terzo albero dall'alto). Dobbiamo eseguire lavoro ulteriore nell'inserimento di I, poiché la ricerca termina in un 4-nodo: scomponiamo il 4-nodo, trasferiamo la sua chiave di mezzo al padre e trasformiamo il nodo in un 3-nodo (quarto albero dall'alto, nel rettangolo). Questa trasformazione fa ottenere un albero 2-3-4 valido e con spazio per contenere I al fondo. Possiamo inserire I nel 2-nodo nel quale termina la ricerca, trasformandolo in un 3-nodo (in basso).

luzione è quella di far spazio alla nuova chiave, mantenendo il bilanciamento dell'albero, scomponendo per prima cosa il 4-nodo in due 2-nodi e passando la chiave di mezzo del 4-nodo al suo nodo padre. La Figura 13.11 illustra questi casi.

Come si risolve, a questo punto, la situazione che si presenta quando anche il padre di un 4-nodo da scomporre è un 4-nodo? Un metodo potrebbe essere quello di scomporre il padre a sua volta. Il problema però resta, dato che anche il nonno potrebbe avere la stessa caratteristica, così come il padre del nonno, ecc. In pratica, potrebbe essere necessario scomporre tutti i nodi fino alla radice. Un approccio più semplice consiste nel fare in modo che il cammino di ricerca non termini su un 4-nodo, scomponendo ogni 4-nodo che incontriamo durante la *discesa* dell'albero.

In particolare, come viene mostrato dalla Figura 13.12, ogni volta che incontriamo un 2-nodo connesso a un 4-nodo trasformiamo la coppia in un 3-nodo connesso a due 2-nodi, mentre tutte le volte che incontriamo un 3-nodo connesso a un 4-nodo, trasformiamo la coppia in un 4-nodo connesso a due 2-nodi. La scomposizione di 4-nodi è resa possibile dalla capacità di spostare tanto chiavi quanto link. Due 2-nodi hanno lo stesso numero di link (quattro) di un 4-nodo, quindi possiamo eseguire la scomposizione senza dover propagare alcuna modifica verso il basso (o verso l'alto). Un 3-nodo non è cambiato in 4-nodo solo per aggiunta di una chiave: abbiamo bisogno anche di un altro puntatore (in questo caso, il link extra fornito dalla scomposizione). Il punto cruciale è che queste trasformazioni sono puramente locali: non ci sono parti dell'albero che necessitano di essere esaminate o modificate oltre a quella mostrata nella Figura 13.12. Ciascuna di queste trasformazioni sposta verso l'alto una delle chiavi da un 4-nodo al padre di quel nodo, ristrutturando i link in modo conseguente.

Si può notare che durante la discesa dell'albero non è necessario preoccuparsi esplicitamente del fatto che il genitore sia un 4-nodo, poiché le nostre trasformazioni assicurano che, attraversando i nodi dell'albero, quando usciamo da un nodo questo non può essere un 4-nodo. In particolare, raggiungendo il fondo dell'albero non ci si trova in un 4-nodo, per cui si ha la possibilità di inserire il nuovo nodo direttamente trasformando o un 2-nodo in un 3-nodo o un 3-nodo in un 4-nodo. In pratica, è conveniente trattare l'inserimento come la scomposizione di un 4-nodo immaginario posto al fondo dell'albero, il quale passa al livello superiore la chiave da inserire.

Un ultimo dettaglio: ogniqualvolta la radice dell'albero diventa un 4-nodo è sufficiente scomporla in tre 2-nodi, come è stato fatto per il

Figura 13.12
**Scomposizione di 4-nodi
in un albero 2-3-4**

In un albero 2-3-4, possiamo scomporre un 4-nodo che non sia figlio di un 4-nodo ottenendo due 2-nodi, passando l'elemento di mezzo al padre. Un 2-nodo con appeso un 4-nodo (in alto a sinistra) diventa un 3-nodo con appesi due 2-nodi (in alto a destra), mentre un 3-nodo con appeso un 4-nodo (in basso a sinistra) diventa un 4-nodo con appesi due 2-nodi (in basso a destra).

primo nodo nell'esempio precedente. Questo metodo si rivela leggermente più conveniente dell'alternativa consistente nel posticipare la scomposizione all'inserimento successivo, perché in questo caso non è necessario preoccuparsi del padre della radice. La scomposizione della radice è l'unica operazione in grado di far aumentare di uno l'altezza dell'albero.

La Figura 13.13 illustra la costruzione di un albero 2-3-4 per un insieme di chiavi di esempio. Al contrario dei BST standard, che crescono verso il basso, questi alberi crescono verso l'alto. Poiché i 4-nodi sono scomposti durante la discesa dell'albero, questi alberi vengono chiamati alberi 2-3-4 *top-down* ("dall'alto verso il basso"). L'algoritmo è interessante perché produce alberi di ricerca perfettamente bilanciati, nonostante esegua solo poche trasformazioni locali lungo il cammino.

Proprietà 13.6 *Una ricerca in un albero 2-3-4 di N nodi non visita mai più di* lg *N* + 1 *nodi.*

La distanza tra la radice e un qualsiasi nodo esterno è la stessa: le trasformazioni operate non hanno effetto sulla distanza di un qualsiasi nodo dalla radice, con la sola eccezione di quando si scompone la radice: in questo caso, la distanza della radice da un qualsiasi altro nodo viene incrementata di uno. Se tutti i nodi fossero 2-nodi, il risultato sarebbe valido, in quanto l'albero risultante sarebbe un albero binario completo; con l'introduzione di 3-nodi e 4-nodi l'altezza dell'albero può solo diminuire. ∎

Proprietà 13.7 *Un inserimento in un albero 2-3-4 di N nodi richiede nel caso peggiore meno di* lg *N* + 1 *scomposizioni e sembra richiedere in media meno di una scomposizione.*

La situazione peggiore che può verificarsi è che tutti i nodi lungo il percorso dell'inserimento siano 4-nodi e, quindi, debbano essere scomposti. Diversamente, in un albero costruito a partire da una permutazione casuale di *N* elementi, non solo è altamente improbabile che si presenti una situazione del genere, bensì sembra che siano necessarie poche scomposizioni dato il basso numero di 4-nodi. Ad esempio, nella Figura 13.14 è illustrato un albero abbastanza grande in cui tutti i 4-nodi, tranne due, sono all'ultimo livello. Finora gli esperti non sono stati in grado di formalizzare alcun risultato analitico relativo alle prestazioni nel caso medio in un albero 2-3-4, anche se alcuni studi empirici hanno mostrato in modo evidente la necessità di un numero estremamente basso di scomposizioni. Il caso peggiore è lg *N*, e tale caso peggiore non si verifica mai nelle situazioni reali. ∎

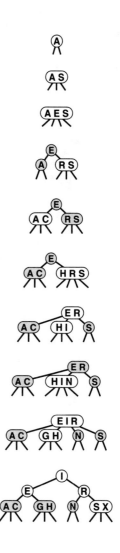

**Figura 13.13
Costruzione di un albero 2-3-4**

Questa sequenza mostra il risultato dell'inserimento della sequenza di chiavi A S E R C H I N G X in un albero 2-3-4 inizialmente vuoto. Scomponiamo ciascun 4-nodo incontrato durante il cammino di ricerca, assicurando così spazio per il nuovo elemento sul fondo dell'albero.

Figura 13.14
Un albero 2-3-4 più grande

Questo albero 2-3-4 è il risultato di 200 inserimenti casuali in un albero inizialmente vuoto. Tutti i cammini di ricerca hanno al più 6 nodi.

La precedente descrizione è sufficiente a definire un algoritmo di ricerca per gli alberi 2-3-4, in grado di garantire ottime prestazioni nel caso peggiore. Comunque, siamo solo a metà nel processo atto a definire un'implementazione reale. Nonostante sia possibile scrivere algoritmi in grado di eseguire trasformazioni riguardanti tipi di dati diversi che rappresentano 2-, 3- e 4-nodi, la maggior parte delle operazioni richieste non è facilmente realizzabile sfruttando in maniera diretta questa rappresentazione. Come per gli splay BST, il costo di gestione necessario per la più complessa struttura del nodo, probabilmente, rende questi algoritmi più lenti di quelli definiti per un BST standard. Lo scopo principale del bilanciamento consiste nel fornire un' "assicurazione" contro il verificarsi di situazioni spiacevoli che potrebbero far decadere in modo esagerato le prestazioni degli algoritmi di ricerca, sebbene non si veda la necessità di pagare lo scotto di tale assicurazione a ogni esecuzione di questi algoritmi. Fortunatamente, come vedremo nel Paragrafo 13.4, esiste una rappresentazione piuttosto semplice dei 2-, 3- e 4-nodi, che consente di effettuare le trasformazioni richieste in maniera uniforme, con un costo aggiuntivo piccolo rispetto a quello richiesto da un BST standard.

L'algoritmo che abbiamo descritto è solo uno dei possibili modi di mantenere il bilanciamento in un albero di ricerca 2-3-4. Sono state sviluppate diverse altre modalità per ottenere lo stesso risultato.

Ad esempio, possiamo bilanciare dal basso verso l'alto (*bottom-up*). Per prima cosa, eseguiamo una ricerca nell'albero per trovare il nodo sul fondo dell'albero in cui inserire il dato. Se quel nodo è un 2-nodo o un 3-nodo lo facciamo diventare, rispettivamente, un 3-nodo o un 4-nodo, proprio come prima. Se invece è un 4-nodo, lo scomponiamo come prima (inserendo il nuovo dato in uno dei 2-nodi risultanti al fondo), e inseriamo il dato di mezzo nel nodo padre, purché il padre sia un 2-nodo o un 3-nodo. Se il padre è un 4-nodo, scomponiamo il padre (inserendo il nodo di mezzo proveniente dal basso nel 2-nodo opportuno) e inseriamo il dato di mezzo nel suo nodo padre, purché quest'ultimo sia un 2-nodo o un 3-nodo. Se anche il nonno (padre del padre), è un 4-nodo procediamo verso l'alto nello stesso modo, scomponendo 4-nodi fino a incontrare lungo il cammino un 2-nodo o un 3-nodo.

Possiamo eseguire questo tipo di bilanciamento bottom-up anche in alberi che hanno solo 2-nodi e 3-nodi (ma non 4-nodi). Si tratta di un approccio che porta a un numero di scomposizioni maggiore durante l'esecuzione dell'algoritmo, ma anche a un'implementazione più agevole, dato che vi sono meno casi da considerare. Un altro approccio ancora è quello di tentare di ridurre il numero di scomposizioni di nodi, cercando nei nodi fratelli che non siano 4-nodi, quando ci troviamo a dover scomporre un 4-nodo.

Come si potrà considerare nel Paragrafo 13.4, l'implementazione di tutti questi metodi richiede le stesse tecniche ricorsive di base. Avremo anche modo di trattare, nel Capitolo 16, alcune generalizzazioni. Il vantaggio principale dell'approccio basato sull'inserimento top-down rispetto ad altri approcci è quello di poter ottenere il bilanciamento tramite un solo passaggio top-down sull'albero.

Esercizi

▷ **13.39** Disegnate l'albero di ricerca 2-3-4 bilanciato risultante dall'inserimento della sequenza di chiavi E A S Y Q U T I O N (in quest'ordine) in un albero inizialmente vuoto, usando il metodo di inserimento top-down.

▷ **13.40** Disegnate l'albero di ricerca 2-3-4 bilanciato risultante dall'inserimento della sequenza di chiavi E A S Y Q U T I O N (in quest'ordine) in un albero inizialmente vuoto, usando il metodo di inserimento bottom-up.

○ **13.41** Quali sono la minima e la massima altezza possibili di alberi 2-3-4 bilanciati di N nodi?

○ **13.42** Quali sono la minima e la massima altezza possibili di BST 2-3-4 bilanciati di N nodi?

○ **13.43** Disegnate tutti i BST 2-3-4 bilanciati con N chiavi che siano strutturalmente differenti, dove $2 \le N \le 12$.

● **13.44** Determinate la probabilità che ciascuno degli alberi dell'Esercizio 13.43 sia il risultato dell'inserimento di N chiavi casuali distinte in un albero inizialmente vuoto.

13.45 Costruite una tabella che mostri, per ogni valore di N, il numero di alberi dell'Esercizio 13.43 che sono isomorfi, nel senso, cioè, che possono essere ottenuti gli uni dagli altri scambiando i sottoalberi nei nodi.

▷ **13.46** Descrivete algoritmi per operazioni di ricerca e inserimento in alberi di ricerca 2-3-4-5-6 bilanciati.

▷ **13.47** Disegnate l'albero di ricerca 2-3-4 *non* bilanciato risultante dall'inserimento delle chiavi E A S Y Q U T I O N (in quest'ordine) in un albero inizialmente vuoto, usando il metodo seguente: se la ricerca termina in un 2-nodo o un 3-nodo, trasformatelo (come nell'algoritmo bilanciato) in un 3-nodo o un 4-nodo; se la ricerca termina in un 4-nodo, sostituite il link opportuno nel 4-nodo con un nuovo 2-nodo.

13.4 Alberi red-black

L'algoritmo di inserimento top-down su alberi 2-3-4 del paragrafo precedente è facile da comprendere, ma la sua implementazione diretta è resa difficile dalla profusione di casi particolari che si devono considerare. Dobbiamo gestire tre tipi di nodi, confrontare la chiave di ricerca con ciascuna delle chiavi dei nodi, copiare link e altre informazioni da un nodo di un tipo a un nodo di un altro tipo, creare e cancellare nodi, e così via. In questo paragrafo, esaminiamo una semplice rappresentazione astratta degli alberi 2-3-4 che ci porta verso una naturale implementazione degli algoritmi per tabelle di simboli con prestazioni quasi ottimali garantite nel caso peggiore.

L'idea di fondo è quella di rappresentare gli alberi 2-3-4 come BST standard (cioè, con i soli 2-nodi), ma aggiungendo a ciascun nodo un ulteriore bit di informazione per codificare 3-nodi e 4-nodi. Pensiamo ai link come se fossero di due possibili tipi differenti: link *rossi* (*red*), che connettono fra loro piccoli alberi binari che formano 3-nodi e 4-nodi, e link *neri* (*black*) che servono a connettere l'intero albero 2-3-4. In particolare (Figura 13.15), rappresentiamo 4-nodi come tre 2-nodi connessi da link rossi e 3-nodi come due 2-nodi connessi da un singolo link rosso. Il link rosso di un 3-nodo può essere tanto un link sinistro quanto un link destro, quindi esistono due modi di rappresentare un 3-nodo.

Ogni nodo di un albero è referenziato da un solo link, quindi colorare i link è equivalente a colorare i nodi. Di conseguenza, usiamo un bit aggiuntivo per nodo per memorizzare il colore del link che punta a quel nodo. Chiameremo gli alberi 2-3-4 rappresentati in questo modo *alberi red-black*, o anche *BST red-black*. L'orientazione di ciascun 3-nodo è determinata dalla dinamica dell'algoritmo che andremo a descrivere. È, in realtà, possibile fare in modo che tutti i 3-nodi siano inclinati dalla stessa parte, ma non vediamo alcuna ragione pratica per farlo. La Figura 13.16 mostra un esempio di albero red-black. Se eliminiamo i link rossi e facciamo collassare i nodi connessi da tali link, il risultato che otteniamo è l'albero 2-3-4 della Figura 13.10.

Gli alberi red-black hanno due importanti proprietà: (1) la procedura di ricerca standard su BST funziona sugli alberi red-black senza alcuna modifica; (2) gli alberi red-black corrispondono in modo diretto agli alberi 2-3-4, quindi possiamo implementare gli algoritmi per alberi 2-3-4 bilanciati mantenendo questa corrispondenza. In effetti, siamo in grado di combinare i vantaggi di entrambi: la semplicità della procedura di ricerca dei BST e quella della procedura di inserimento con bilanciamento degli alberi 2-3-4.

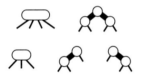

**Figura 13.15
3-nodi e 4-nodi in alberi red-black**

L'uso di due tipi di link fornisce un modo efficiente di rappresentare 3-nodi e 4-nodi in alberi 2-3-4. Usiamo link rossi (indicati come linee in grassetto), per le connessioni all'interno di un nodo e link neri (indicate con linee sottili), per i link dell'albero 2-3-4. Un 4-nodo (in alto a sinistra) è rappresentato come un sottoalbero bilanciato di tre 2-nodi connessi da link rossi (in alto a destra). Entrambi hanno tre chiavi e quattro link neri. Un 3-nodo (in basso a sinistra) è rappresentato da un 2-nodo connesso (a destra o a sinistra) a un altro 2-nodo tramite un unico link rosso (in basso a destra). Tutti e tre hanno due chiavi e tre link neri.

La procedura di ricerca non esamina mai il campo che rappresenta il colore del nodo, quindi è chiaro che il meccanismo di bilanciamento non comporta costi aggiuntivi di tempo per l'operazione di ricerca. Dato che ogni chiave è inserita una sola volta, ma può essere ricercata molte volte in un'applicazione tipica, il risultato finale che otteniamo è una più rapida operazione di ricerca (grazie al bilanciamento dell'albero) a un costo aggiuntivo modesto (per il fatto che non viene eseguito alcun lavoro di bilanciamento durante una ricerca). Inoltre, anche l'overhead per l'operazione di inserimento risulta limitato. Dobbiamo, infatti, bilanciare solo quando incontriamo 4-nodi, ma il loro numero è reso modesto dal fatto che le operazioni di gestione dell'albero tendono sempre a scomporli in nodi più piccoli. Il ciclo interno della procedura di inserimento è il codice che percorre l'albero verso il basso (lo stesso delle operazioni di ricerca o ricerca e inserimento dei BST standard), a cui abbiamo aggiunto un test ulteriore: se un nodo ha due figli rossi, esso è parte di un 4-nodo. È questo overhead contenuto il principale motivo di efficienza degli alberi red-black.

Consideriamo ora la rappresentazione red-black per le due trasformazioni che dobbiamo (eventualmente) eseguire, quando incontriamo un 4-nodo: se abbiamo un 2-nodo connesso a un 4-nodo, dobbiamo trasformare la coppia di nodi in un 3-nodo connesso a due 2-nodi, mentre se abbiamo un 3-nodo connesso a un 4-nodo, dobbiamo trasformare la coppia in un 4-nodo connesso a due 2-nodi. Quando inseriamo un nuovo nodo sul fondo, pensiamo a esso come a un 4-nodo che deve essere scomposto, facendo passare il nodo di mezzo nel nodo di fondo in cui la ricerca termina (che deve essere per forza un 2-nodo o un 3-nodo, per come è fatto il processo top-down). La trasformazione da effettuare quando incontriamo un 2-nodo connesso a un 4-nodo è piuttosto facile, e funziona anche se abbiamo a che fare con un 3-nodo connesso nel modo "giusto" a un 4-nodo (si vedano i primi due casi della Figura 13.17).

Ci rimangono, quindi, gli altri due casi che possono verificarsi quando incontriamo un 3-nodo connesso a un 4-nodo (ultimi due casi della Figura 13.17). Si noti che, in realtà, le situazioni sono quattro, poiché le immagini speculari di questi due casi si possono presentare anche per 3-nodi con orientazione diversa. In questi casi, la semplice scomposizione di un 4-nodo genera una situazione non consentita, rappresentata dalla presenza di due link rossi consecutivi, che non rappresenta più un albero 2-3-4 in base alle nostre convenzioni. Si tratta, però, di una situazione facilmente gestibile, poiché abbiamo tre nodi connessi da link rossi: tutto ciò che dobbiamo fare è trasformare

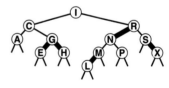

Figura 13.16
Un albero red-black

Questa figura mostra un albero red-black contenente le chiavi A S R C H I N G E X M P L. Possiamo trovare una chiave in questo albero tramite l'operazione standard di ricerca in un BST. Ogni cammino dalla radice a un nodo esterno in questo albero possiede 3 link neri. Se facciamo collassare i nodi connessi dai link rossi, otteniamo l'albero 2-3-4 della Figura 13.10.

Figura 13.17
Scomposizione di 4-nodi in un albero red-black

In un albero red-black, implementiamo l'operazione di scomposizione di un 4-nodo che non sia figlio di un 4-nodo cambiando i colori dei tre nodi inclusi nel 4-nodo, e quindi, eventualmente, eseguendo una o due rotazioni. Se il padre è un 2-nodo (in alto) o un 3-nodo con giusta orientazione (seconda dall'alto), non sono necessarie rotazioni. Se il 4-nodo è nel link di mezzo del 3-nodo (in basso), abbiamo bisogno di una rotazione doppia, altrimenti sarà sufficiente una rotazione singola (terza dall'alto).

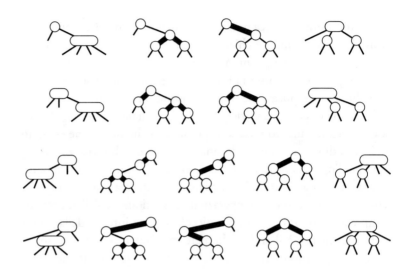

l'albero in modo tale che i link rossi puntino in basso partendo dallo stesso nodo.

Fortunatamente, le operazioni di rotazione che abbiamo già presentato sono esattamente ciò di cui abbiamo bisogno. Iniziamo con il più facile dei due casi rimanenti, cioè il terzo caso della Figura 13.17, in cui scomponiamo un 4-nodo connesso a un 3-nodo, lasciando due link rossi consecutivi orientati nello stesso modo. La situazione non si sarebbe verificata, se il 3-nodo fosse stato orientato nell'altro senso. Quindi, andiamo a ristrutturare l'albero in modo da invertire l'orientazione del 3-nodo, e riducendo di conseguenza questo caso all'altro, in cui la semplice scomposizione del 4-nodo è sufficiente. Invertire l'orientazione del 3-nodo è realizzabile con una rotazione singola, a cui si aggiunge lo scambio dei colori dei due nodi.

Infine, per gestire il caso in cui un 4-nodo connesso a un 3-nodo è stato scomposto lasciando due link rossi consecutivi orientati diversamente, eseguiamo una rotazione per ridurci immediatamente al caso in cui i link sono orientati nello stesso modo. Operiamo, poi, come descritto prima. Questa trasformazione comporta le stesse operazioni delle rotazioni doppie sinistra-destra e destra-sinistra, usate per gli splay BST nel Paragrafo 13.2, sebbene si debba eseguire un qualche lavoro aggiuntivo per mantenere la consistenza dei colori. Le Figure 13.18 e 13.19 illustrano esempi di operazioni di inserimento red-black.

Il Programma 13.6 è un'implementazione dell'operazione di inserimento su alberi red-black che esegue le trasformazioni sintetizzate nel-

Programma 13.6 Inserimento in BST red-black

Questo metodo implementa l'inserimento in alberi 2-3-4 rappresentati tramite alberi red-black. Aggiungiamo un campo booleano cbit alla classe Node (estendendo conseguentemente il costruttore), per rappresentare il colore, adottando la convenzione che true significa che il nodo è rosso e false che il nodo è nero.

Scendendo nell'albero (prima della chiamata ricorsiva), controlliamo i 4-nodi e li scomponiamo, scambiando i bit di colore in tutti e tre i nodi. Quando raggiungiamo il fondo, creiamo un nuovo nodo rosso per l'elemento da inserire, restituendo un puntatore a esso.

Risalendo l'albero (dopo la chiamata ricorsiva), controlliamo se è necessaria una rotazione. Se il cammino di ricerca ha due link rossi con la stessa orientazione, eseguiamo una rotazione singola rispetto al nodo di sopra, quindi scambiamo i bit di colore per ottenere un 4-nodo legale. Se il cammino di ricerca ha due link rossi con orientazione differente, eseguiamo una rotazione singola rispetto al nodo di sotto, riducendoci all'altro caso, da affrontare al successivo passo in salita.

```
private static final boolean R = true;
private static final boolean B = false;
private boolean red(Node x)
  { if (x == null) return false; return x.cbit; }
private Node insertR(Node h, ITEM x, boolean sw)
  {
    if (h == null) { return new Node(x, R); }
    if (red(h.l) && red(h.r))
      { h.cbit = R; h.l.cbit = B; h.r.cbit = B; }
    if (less(x.key(), h.item.key()))
      {
        h.l = insertR(h.l, x, false);
        if (red(h) && red(h.l) && sw) h = rotR(h);
        if (red(h.l) && red(h.l.l))
          { h = rotR(h); h.cbit = B; h.r.cbit = R; }
      }
    else
      {
        h.r = insertR(h.r, x, true);
        if (red(h) && red(h.r) && !sw) h = rotL(h);
        if (red(h.r) && red(h.r.r))
          { h = rotL(h); h.cbit = B; h.l.cbit = R; }
      }
    return h;
  }
void insert(ITEM x)
  { head = insertR(head, x, B); head.cbit = B; }
```

la Figura 13.17. L'implementazione ricorsiva rende possibile eseguire lo scambio di colori dei 4-nodi mentre si percorre l'albero verso il basso (prima delle chiamate ricorsive), e quindi di eseguire le rotazioni mentre si percorre l'albero verso l'alto (dopo le chiamate ricorsive). Il programma risulterebbe difficile da comprendere senza i due livelli di astrazione che abbiamo sviluppato prima di implementarlo. Vale la pena di soffermarsi a controllare che l'impianto ricorsivo che abbiamo usato implementi le rotazioni indicate nella Figura 13.17, e che il programma di per sé implementi il nostro algoritmo ad alto livello su alberi 2-3-4 (scomponendo i 4-nodi mentre si scende e inserendo il nuovo record nel 2-nodo o nel 3-nodo in cui la ricerca termina sul fondo dell'albero).

La Figura 13.20, che può essere intesa come una versione più approfondita della Figura 13.13, mostra come il Programma 13.6 costruisca alberi red-black che rappresentano alberi 2-3-4 bilanciati man mano che vengono inserite chiavi. La Figura 13.21 mostra un esempio di albero più grande: il numero medio di nodi visitati durante la ricerca di una chiave casuale in quest'albero è solo 5.81, in confronto ai 7.00 per la ricerca nell'albero costruito con le stesse chiavi nel Capitolo 12, e ai 5.74, che rappresenta il valore ottimale ottenuto da un albero perfettamente bilanciato. Al costo di alcune rotazioni, otteniamo un albero molto più bilanciato di quelli ottenuti sulle stesse chiavi da tutti gli altri metodi di questo capitolo. Il Programma 13.6 rappresenta un algoritmo efficiente e abbastanza compatto per l'inserimento in una struttura ad albero binario con garanzia di tempi logaritmici per tutte le ricerche e tutti gli inserimenti. Si tratta di una delle poche implementazioni di una tabella di simboli avente queste proprietà, e il suo uso è ampiamente giustificato come funzione di libreria, caso in cui le proprietà della sequenza di chiavi da elaborare sono difficilmente caratterizzabili.

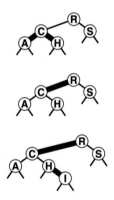

Figura 13.18
Inserimento in un albero red-black

Questa figura illustra il risultato (indicato in basso) dell'inserimento di un record con chiave I nell'albero red-black indicato in alto. In questo caso, il processo di inserimento richiede di scomporre il 4-nodo con "radice" C, con un'inversione di colore (al centro), e quindi di aggiungere il nuovo nodo sul fondo dell'albero, trasformando il nodo contenente H da 2-nodo a 3-nodo.

Proprietà 13.8 *Una ricerca in un albero red-black con N nodi richiede meno di* $2 \lg N + 2$ *confronti.*

Solo le scomposizioni che corrispondono a un 3-nodo connesso a un 4-nodo richiedono una rotazione, quindi questa proprietà deriva dalla Proprietà 13.7. Il caso peggiore si verifica quando il cammino fino al punto di inserimento è formato da 3-nodi e 4-nodi alternati. ∎

Il Programma 13.6 presenta un overhead piuttosto ridotto per il bilanciamento, mentre gli alberi che esso produce sono quasi ottimali. Quindi, possiamo anche considerarlo un efficiente metodo di ricerca general-purpose.

Proprietà 13.9 *Una ricerca in un albero red-black di N nodi costruito tramite chiavi casuali esegue mediamente circa* 1.002 lg *N confronti.*

La costante 1.002, confermata da analisi parziali e simulazioni (si vedano i riferimenti bibliografici) è sufficientemente bassa da poter considerare gli alberi red-black praticamente ottimali. Il fatto che gli alberi red-black siano realmente ottimali dal punto di vista asintotico (quella costante è uguale a 1?) rimane un problema aperto. ∎

Dato che l'implementazione ricorsiva del Programma 13.6 esegue una parte del lavoro prima delle chiamate ricorsive e una parte dopo, essa modifica l'albero tanto in discesa quanto in salita. Quindi, il bilanciamento non è realizzato in un solo passaggio top-down. Il fatto produce in sé poche conseguenze in molte applicazioni, poiché la profondità della ricorsione è, comunque, logaritmica. Invece, in applicazioni che eseguono processi multipli indipendenti con accesso al medesimo albero, potrebbe servire un'implementazione non ricorsiva che operi attivamente solo su un numero costante di nodi a ogni istante (si veda l'Esercizio 13.66).

Per applicazioni che mantengono altre informazioni negli alberi, le operazioni di rotazione potrebbero risultare costose, richiedendo magari l'aggiornamento di tali informazioni in tutti i nodi dei sottoalberi coinvolti nella rotazione. In tali casi, possiamo assicurare che ogni inserimento esegua al più una rotazione, usando alberi red-black per implementare gli alberi 2-3-4 bottom-up descritti alla fine del Paragrafo 13.3. Un inserimento in questi alberi comporta la scomposizione dei 4-nodi lungo il cammino di ricerca (che nella rappresentazione per alberi red-black richiede scambi di colori, ma non rotazioni), seguita da una rotazione singola o doppia (uno dei casi della Figura 13.17), quando incontriamo il primo 2-nodo o un 3-nodo in salita lungo il cammino di ricerca (si veda l'Esercizio 13.59).

Come per gli splay BST, se ammettiamo la presenza di più chiavi uguali, dobbiamo consentire che le chiavi inserite, che risultano uguali a quella di un dato nodo, possano cadere tanto a sinistra quanto a destra di quel nodo, altrimenti potremmo causare gravi sbilanciamenti. Di nuovo, quest'osservazione ci dice che recuperare tutti i record dell'albero aventi una data chiave è un'operazione che necessita di codice apposito.

Come abbiamo osservato alla fine del Paragrafo 13.3, la rappresentazione per alberi red-black degli alberi 2-3-4 è solo una delle possibili strategie di bilanciamento degli alberi binari che sono state proposte in letteratura (si vedano i riferimenti bibliografici). Come abbia-

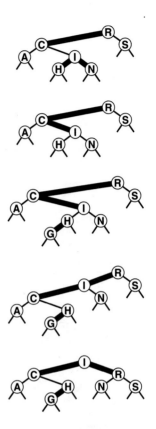

**Figura 13.19
Inserimento in un albero red-black con rotazioni**

La figura mostra il risultato (indicato in basso) dell'inserimento di un record con chiave G nell'albero red-black indicato in alto. In questo caso, il processo di inserimento richiede di scomporre il 4-nodo con "radice" I con un'inversione di colore (secondo albero dall'alto), di aggiungere il nuovo nodo sul fondo dell'albero (terzo dall'alto), quindi (ritornando al nodo corrente lungo il cammino di ricerca nel codice, appena dopo le chiamate ricorsive) di eseguire una rotazione a sinistra rispetto a C e una rotazione a destra rispetto a R per completare il processo di scomposizione del 4-nodo.

mo detto, è l'operazione di rotazione che esegue il bilanciamento: ciò che abbiamo fatto è stato interpretare gli alberi in modo tale da aiutare a capire quando effettuare la rotazione. Interpretazioni differenti degli alberi conducono ad algoritmi differenti.

La più vecchia e più conosciuta struttura dati in grado di supportare alberi bilanciati è l'albero *bilanciato in altezza*, o *albero AVL*, introdotto nel 1962 da Adel'son-Vel'skii e Landis. Questo albero ha la proprietà secondo la quale le altezze dei due sottoalberi di un qualsiasi nodo possono differire al più di uno. Se l'inserimento di un nuovo nodo viola questa condizione, essa può essere ristabilita eseguendo una rotazione singola o doppia. L'algoritmo che risulta da quest'osservazione è simile al metodo di bilanciamento bottom-up degli alberi 2-3-4. L'algoritmo cerca in modo ricorsivo la chiave da inserire e quindi, dopo la chiamata ricorsiva, controlla la condizione di bilanciamento effettuando, eventualmente, una rotazione singola o doppia di correzione (si veda l'Esercizio 13.61). La decisione su quale rotazione eseguire richiede di conoscere se un nodo ha altezza minore di 1, uguale o maggiore di 1 rispetto all'altezza dei suoi fratelli. Questa verifica, se implementata in modo immediato, richiede l'aggiunta di due bit, benché esista il modo di gestirla con un solo bit per nodo, sfruttando una struttura red-black (Esercizi 13.62 e 13.65).

Dato che i 4-nodi non giocano alcun ruolo particolare nell'algoritmo 2-3-4 bottom-up, è possibile costruire alberi bilanciati usando solo 2-nodi e 3-nodi. Gli alberi costruiti in questo modo si chiamano *alberi 2-3* e sono stati introdotti da Hopcroft nel 1970. Gli alberi 2-3 non hanno abbastanza flessibilità per ammettere un conveniente algoritmo di inserimento top-down. Di nuovo, un'interpretazione red-black può semplificare l'implementazione, anche se gli alberi 2-3 bottom-up non presentano particolari vantaggi rispetto agli alberi bottom-up 2-3-4, poiché sono comunque necessarie tanto rotazioni singole quanto rotazioni doppie per mantenere il bilanciamento. Gli alberi 2-3-4 bottom-up presentano caratteristiche di bilanciamento leggermente migliori e hanno il vantaggio di usare al massimo una rotazione a ogni inserimento.

Nel Capitolo 16, verrà esaminato un importante tipo di albero bilanciato, chiamato *B-albero* (o *B-tree*), che generalizza l'albero 2-3-4, consentendo la presenza di M chiavi per nodo, dove M è un numero abbastanza grande. Queste strutture dati sono diffusamente impiegate per applicazioni di ricerca operanti su file estremamente grandi.

Abbiamo definito gli alberi red-black attraverso una corrispondenza con gli alberi 2-3-4. Ci pare interessante formulare anche una definizione strutturale più diretta.

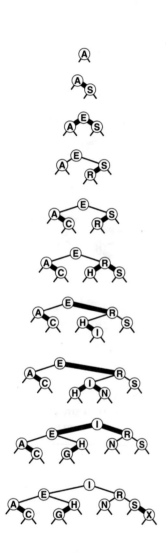

Figura 13.20
Costruzione di un albero red-black

Questa sequenza mostra il risultato dell'inserimento della serie di chiavi A S E R C H I N G X in un albero red-black inizialmente vuoto.

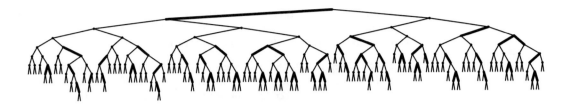

Definizione 13.3 *Un **BST red-black** è un BST in cui ciascun nodo è contrassegnato come **rosso** o **nero**, e con l'ulteriore restrizione che non vi siano due nodi rossi consecutivi in un qualsiasi cammino da un link esterno alla radice.*

Definizione 13.4 *Un **BST red-black bilanciato** è un BST red-black in cui tutti i cammini da link esterni alla radice hanno esattamente lo stesso numero di nodi neri.*

Un modo alternativo per sviluppare un algoritmo di bilanciamento è quello di ignorare totalmente l'interpretazione per alberi 2-3-4 e di formulare un algoritmo di inserimento che preservi tramite rotazioni le proprietà che definiscono un BST red-black bilanciato. Ad esempio, usare l'algoritmo bottom-up corrisponde ad appendere il nuovo nodo sul fondo del cammino di ricerca tramite un link rosso, e quindi procedere verso l'alto lungo tale cammino, eseguendo rotazioni e scambi di colori, come per i casi della Figura 13.17, al fine di scomporre ogni coppia di link rossi consecutivi incontrati.

Le operazioni fondamentali eseguite sono le stesse del Programma 13.6 e della sua controparte bottom-up, con alcune sottili differenze: dato che i 3-nodi possono avere entrambe le orientazioni, le operazioni possono essere eseguite con ordine diverso, e con rotazioni scelte in modo opportuno.

Per riassumere: l'uso di alberi red-black per implementare alberi 2-3-4 ci consente di sviluppare una tabella di simboli in cui, ad esempio, le operazioni di ricerca su un file di 1 milione di elementi, possono essere completate con circa 20 confronti. Nel caso peggiore, non saranno necessari più di 40 confronti. Inoltre, l'overhead associato a ogni confronto è modesto, e quindi riusciamo ad assicurare veloci operazioni di ricerca anche su file estremamente grandi.

Esercizi

▷ **13.48** Disegnate il BST red-black risultante dall'inserimento della sequenza di chiavi E A S Y Q U T I O N (in quest'ordine) in un albero inizialmente vuoto, usando il metodo di inserimento top-down.

Figura 13.21
Un BST red-black più grande

Questo BST red-black è il risultato dell'inserimento di 200 chiavi casualmente ordinate in un albero inizialmente vuoto. Tutte le search miss dell'albero eseguono da 6 a 12 confronti.

▷ **13.49** Disegnate il BST red-black risultante dall'inserimento della sequenza di chiavi E A S Y Q U T I O N (in quest'ordine) in un albero inizialmente vuoto, usando il metodo di inserimento bottom-up.

○ **13.50** Disegnate il BST red-black risultante dall'inserimento delle lettere dalla A alla K (in quest'ordine) in un albero inizialmente vuoto, e quindi descrivete ciò che succede, in generale, quando gli alberi sono costruiti per inserimento di chiavi in ordine crescente.

13.51 Fornite la sequenza di inserimenti che costruisce l'albero red-black mostrato nella Figura 13.16.

13.52 Generate due alberi red-black casuali di 32 nodi, disegnateli (a mano o con un programma) e confrontateli con il BST (non bilanciato) costruito tramite le stesse chiavi.

13.53 Quanti sono gli alberi red-black differenti che corrispondono a un albero 2-3-4 avente un numero di 3-nodi pari a t?

○ **13.54** Disegnate tutti gli alberi red-black strutturalmente differenti con N chiavi, per $2 \leq N \leq 12$.

● **13.55** Determinate le probabilità che ciascuno degli alberi dell'Esercizio 13.54 sia il risultato dell'inserimento di N chiavi casuali distinte in un albero inizialmente vuoto.

13.56 Costruite una tabella che mostri, in funzione di N, il numero di alberi dell'Esercizio 13.54 che sono isomorfi tra loro, nel senso che possono essere ottenuti gli uni dagli altri, scambiando i sottoalberi dei nodi.

●● **13.57** Mostrate che, nel caso peggiore, quasi tutti i cammini dalla radice ai nodi esterni in un albero red-black di N nodi hanno lunghezza $2 \lg N$.

13.58 Quante rotazioni sono necessarie nel caso peggiore per un inserimento in un albero red-black di N nodi?

○ **13.59** Implementate le operazioni di costruzione, ricerca e inserimento per tabelle di simboli, avendo alberi 2-3-4 bottom-up bilanciati come struttura dati sottostante. Usate la rappresentazione per alberi red-black e lo stesso approccio ricorsivo del Programma 13.6. *Suggerimento*: il vostro codice deve risultare simile a quello del Programma 13.6, ma dovrebbe eseguire le operazioni secondo un ordine differente.

13.60 Implementate le operazioni di costruzione, ricerca e inserimento per tabelle di simboli, avendo alberi 2-3 bottom-up bilanciati come struttura dati sottostante. Usate la rappresentazione per alberi red-black e lo stesso approccio ricorsivo del Programma 13.6.

13.61 Implementate le operazioni di costruzione, ricerca e inserimento per tabelle di simboli avendo alberi bilanciati in altezza (AVL) come struttura dati sottostante. Usate lo stesso approccio ricorsivo del Programma 13.6.

● **13.62** Modificate la vostra implementazione dell'Esercizio 13.61, usando alberi red-black e codificando le informazioni di bilanciamento con un solo bit per nodo.

● **13.63** Implementate alberi 2-3-4 bilanciati, usando la rappresentazione per alberi red-black in cui i 3-nodi sono sempre inclinati verso destra. *Nota*: questa modifica consente di rimuovere dal ciclo interno dell'inserimento uno dei test sui bit.

● **13.64** Il Programma 13.6 esegue rotazioni per mantenere i 4-nodi bilanciati. Sviluppate un'implementazione per alberi 2-3-4 bilanciati, usando la rappresentazione per alberi red-black in cui i 4-nodi possono essere rappresentati come terna di nodi (qualsiasi) connessi da due link rossi (perfettamente bilanciati o meno).

○ **13.65** Implementate le operazioni di costruzione, ricerca e inserimento per alberi red-black senza memorizzare alcun bit di colore aggiuntivo. Si usi la seguente strategia. Per colorare un nodo di rosso scambiamo i suoi due link, mentre per testare se il nodo è rosso, verifichiamo se il figlio sinistro è maggiore del figlio destro. Si devono modificare i confronti in modo da gestire l'eventuale scambio di puntatori. Questo trucco sostituisce il confronto di bit con il confronto di chiavi (che, presumibilmente, è più oneroso), ma serve a mostrare che, volendo, i bit nei nodi possono essere eliminati.

● **13.66** Implementate un metodo non ricorsivo di inserimento in BST red-black (si veda il Programma 13.6) che corrisponda a un inserimento in un albero 2-3-4 bilanciato tramite un singolo passaggio top-down. *Suggerimento*: utilizzate link gg, g e p che puntano, rispettivamente, al bisnonno, al nonno e al padre del nodo corrente. Tutti questi link potrebbero essere necessari per una rotazione doppia.

13.67 Scrivete un programma che calcoli la percentuale di nodi neri in un dato albero red-black. Testate il programma, inserendo N chiavi casuali in un albero inizialmente vuoto, dove $N = 10^3$, 10^4, 10^5, 10^6.

13.68 Scrivete un programma che calcoli la percentuale di elementi contenuti in 3-nodi o in 4-nodi di un dato albero 2-3-4. Testate il programma, inserendo N chiavi casuali in un albero inizialmente vuoto, dove $N = 10^3$, 10^4, 10^5, 10^6.

▷ **13.69** Con un bit di colore per nodo possiamo rappresentare 2-nodi, 3-nodi e 4-nodi. Quanti bit per nodo sono necessari per rappresentare 5-nodi, 6-nodi, 7-nodi e 8-nodi tramite un albero binario?

13.70 Eseguite uno studio empirico per calcolare media e deviazione standard del numero di confronti eseguiti da search hit e search miss in alberi red-black costruiti per inserimento di N chiavi casuali in un albero inizialmente vuoto, dove $N = 10^3$, 10^4, 10^5, 10^6.

13.71 Fornite il vostro programma dell'Esercizio 13.70 per calcolare il numero di rotazioni e di scomposizioni di nodi eseguite durante la costruzione degli alberi. Discutete i risultati ottenuti.

13.72 Usate il programma pilota dell'Esercizio 12.33 per confrontare gli aspetti di auto-organizzazione dell'operazione di ricerca negli splay BST con la garanzia fornita dai BST red-black nel caso peggiore e con i BST standard. Usate le distribuzioni di chiavi di ricerca definite negli Esercizi 12.34 e 12.35 (si veda anche l'Esercizio 13.29).

Figura 13.22
**Una lista concatenata
a due livelli**

*In questa lista, un nodo ogni tre ha
un secondo link, quindi possiamo
percorrere la lista a una velocità quasi tre volte maggiore di quella che si
ottiene seguendo i link del livello più
basso. Ad esempio, possiamo accedere al dodicesimo nodo della lista,
P, partendo dall'inizio e seguendo
solo 5 link: i link di secondo livello
verso C, G, L ed N, e quindi il link di
primo livello da N a P.*

- **13.73** Implementate un metodo di ricerca per alberi red-black che esegua rotazioni e modifiche di colori dei nodi lungo la discesa dell'albero, per assicurare che il nodo che si trova alla fine del cammino di ricerca non sia un 2-nodo.

- **13.74** Usate la vostra soluzione all'Esercizio 13.73 per implementare un metodo di cancellazione per alberi red-black. Trovate il nodo da cancellare, continuate la ricerca fino a un 3-nodo o un 4-nodo in fondo all'albero, e quindi spostate il successore dal fondo, in modo da rimpiazzare il nodo cancellato.

13.5 Skip list

In questo paragrafo, studiamo un approccio all'implementazione di tabelle di simboli, legato ai metodi basati su alberi, anche se è apparentemente molto diverso da essi. Si tratta di un metodo basato su una struttura dati randomizzata che garantisce con alta probabilità prestazioni quasi ottimali per tutte le operazioni di base dell'ADT tabella di simboli che abbiamo presentato. La struttura dati sottostante, sviluppata da Pugh nel 1990 (si vedano i riferimenti bibliografici), è chiamata *skip list* (che potremmo tradurre come "lista di salti"), e usa link aggiuntivi nei nodi di una lista concatenata per poter saltare parte dei nodi durante la ricerca.

La Figura 13.22 fornisce un semplice esempio in cui un nodo ogni 3 in una lista concatenata ordinata contiene un link in più che consente di saltare 3 nodi nella lista. Possiamo usare i link aggiuntivi per velocizzare la ricerca: scandiamo la lista superiore fino a trovare la chiave cercata o un nodo con chiave minore avente un link a un nodo con chiave maggiore, quindi usiamo i link più in basso per controllare i due nodi intermedi. Questo metodo ci fa guadagnare circa un fattore 3 nella ricerca, poiché esaminiamo solo $k/3$ nodi circa, in una ricerca con esito positivo della k-esima chiave della lista.

Possiamo iterare questo tipo di costruzione e utilizzare un secondo link aggiuntivo, per poter scandire in modo più veloce la lista dei nodi con un solo link aggiuntivo, e così via. Possiamo, inoltre, generalizzare la costruzione per poter saltare con ogni link un numero variabile di nodi.

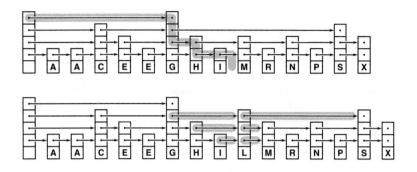

Definizione 13.5 *Una skip list è una lista concatenata ordinata in cui ogni nodo contiene un numero variabile di link, dove gli i-esimi link dei nodi implementano liste concatenate semplici che saltano i nodi con meno di i link.*

La Figura 13.23 mostra una skip list e un esempio di ricerca con inserimento di un nuovo nodo. Per eseguire una ricerca, scandiamo la lista superiore fino a trovare la chiave cercata oppure un nodo con chiave minore contenente un link a un nodo con chiave maggiore. Quindi, ci spostiamo alla seconda lista dall'alto e ripetiamo il procedimento, fino a quando la chiave viene trovata o si ottiene una search miss nella lista più in basso. Per eseguire un inserimento, facciamo prima una ricerca, connettendo il nuovo nodo nel punto in cui ci spostiamo dal livello k al livello $k-1$, se il nuovo nodo ha almeno k link extra.

La rappresentazione interna dei nodi è immediata. Sostituiamo il link semplice in una lista concatenata semplice con un array di link e un intero contenente il numero di link nel nodo. La gestione della memoria è, forse, l'aspetto più delicato di una skip list; vedremo le dichiarazioni di tipo e il codice per allocare nuovi nodi fra breve, quando esamineremo l'operazione di inserimento. Per il momento, ci è sufficiente osservare che possiamo accedere al nodo che segue un nodo t nel $(k+1)$-esimo livello della skip list tramite `t.next[k]`. L'implementazione ricorsiva del Programma 13.7 mostra che la ricerca in una skip list non è solo un'immediata generalizzazione della ricerca in liste concatenate semplici, ma è anche simile alla ricerca binaria o a quella su BST. Controlliamo se il nodo corrente contiene la chiave cercata. In caso negativo, eseguiamo una chiamata ricorsiva, se la chiave del nodo corrente è maggiore della chiave cercata, e una differente chiamata ricorsiva in caso contrario.

Figura 13.23
Ricerca e inserimento in una skip list

Aggiungendo più livelli alla struttura della Figura 13.22 e facendo in modo che i link possano saltare un numero variabile di nodi, otteniamo un esempio di skip list generale. Per eseguire la ricerca di una chiave, iniziamo al livello più alto, spostandoci al livello sottostante non appena incontriamo una chiave più grande della chiave cercata. In questo caso (in alto), troviamo L iniziando al livello 3, seguendo il primo link di quel livello, scendendo di un livello a G (trattiamo il link nullo come un link a una sentinella) e, dato che S è maggiore di L, seguendo il link di G relativo al livello 1. Giunti in H, dato che il link di livello 1 porta a M, si scende di un ulteriore livello (0) seguendo il link che ci porta a I, dove ci fermiamo (il nodo successivo M è maggiore di L e non ci sono livelli sottostanti). Per inserire un nodo contenente L e tre link, connettiamo il nodo alle tre liste esattamente nei punti in cui durante la ricerca si sono trovati i link che puntavano a chiavi maggiori.

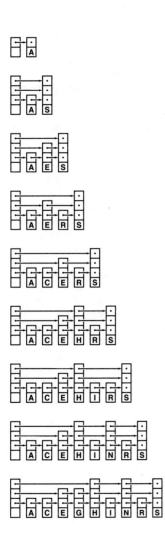

Figura 13.24
Costruzione di una skip list

Questa sequenza mostra il risultato dell'inserimento di elementi con chiavi A S E R C H I N G in una skip list inizialmente vuota. I nodi hanno $j+1$ link con probabilità $1/2^{j}$.

Programma 13.7 Ricerca in una skip list

Quando k è uguale a 0, questo codice è equivalente al Programma 12.6 per la ricerca in liste concatenate semplici. Per valori di k generici, ci spostiamo al nodo successivo della lista al livello k, se la sua chiave è minore della chiave cercata, e scendiamo al livello k-1, se la sua chiave è maggiore.

```
private ITEM searchR(Node t, KEY v, int k)
  {
    if (t == null) return null;
    if (t != head)
      if (equals(t.item.key(), v)) return t.item;
    if (k >= t.sz) k = t.sz-1;
    if (t.next[k] != null)
      if (!less(v, t.next[k].item.key()))
        return searchR(t.next[k], v, k);
    return (k == 0) ? null : searchR(t, v, k-1);
  }
ITEM search(KEY v)
  { return searchR(head, v, lgN - 1); }
```

Il primo problema che dobbiamo affrontare quando vogliamo inserire un nuovo nodo in una skip list è quello di determinare quanti link vogliamo che quel nodo contenga. Tutti i nodi hanno almeno un link e, seguendo l'intuizione della Figura 13.22, possiamo saltare t nodi per volta al secondo livello, se un nodo ogni t possiede almeno due link. Iterando, arriviamo alla conclusione che un nodo ogni t^{j} debba avere almeno $j+1$ link.

Per costruire nodi con questa proprietà eseguiamo una randomizzazione, usando una funzione che restituisca $j+1$ con probabilità $1/t^{j}$. Dato il valore j, creiamo un nuovo nodo con j link e lo inseriamo nella skip list, usando lo stesso schema ricorsivo dell'operazione di ricerca (Figura 13.23). Dopo aver raggiunto il livello j, connettiamo il nuovo nodo non appena scendiamo di un livello. A quel punto, abbiamo stabilito che la chiave nel nodo corrente è minore della chiave cercata e abbiamo fissato connessioni (al livello j) a un nodo la cui chiave non è minore della chiave cercata.

Per inizializzare una skip list, costruiamo un nodo testa con il massimo numero di livelli consentiti nella lista, i cui link in tutti i livelli sono nulli. I Programmi 13.8 e 13.9 implementano le operazioni di inizializzazione e inserimento.

La Figura 13.24 mostra la costruzione di una skip list per inserimento in ordine casuale di un insieme di chiavi, la Figura 13.25 mostra la costruzione a partire dalle stesse chiavi ma inserite in ordine crescente, mentre la Figura 13.26 mostra un esempio più grande. Come per i BST randomizzati, le proprietà statistiche delle skip list non dipendono dall'ordine in cui le chiavi sono inserite.

Proprietà 13.10 *Le operazioni di ricerca e inserimento in una skip list randomizzata con parametro t richiedono mediamente all'incirca* $(t \log_t N)/2 = (t/(2 \lg t)) \lg N$ *confronti.*

Ci aspettiamo che la skip list abbia all'incirca $\log_t N$ livelli, poiché $\log_t N$ è prossimo al più piccolo j per cui $t^j \geq N$. A ogni livello, ci aspettiamo che vi siano all'incirca t nodi saltati al livello precedente, e che si debbano esaminare mediamente circa la metà di essi, prima di passare al livello successivo. Il numero di livelli è modesto, come è chiarito dall'esempio della Figura 13.26, anche se un'analisi che sancisca in modo preciso questa conclusione non è elementare (rimandiamo al paragrafo dei riferimenti bibliografici). ∎

Programma 13.8 Struttura dati skip list e costruttore

I nodi di una skip list contengono un array di link. Di conseguenza, il costruttore dei nodi deve allocare l'array e impostare tutti i link a null. La costante L rappresenta il massimo numero di livelli consentiti nella lista: potrebbe essere fissata al logaritmo del numero di elementi che ci si aspetta di trovare nella lista. La variabile N contiene, come al solito, il numero di elementi nella lista, mentre lgN è il numero di livelli. Una lista vuota è composta da un nodo testa con L link a 0, con N e lgN entrambi pari a 0.

```
private class Node
  { ITEM item; Node[] next; int sz;
    Node(ITEM x, int k)
      { item = x; sz = k; next = new Node[sz]; }
  }
private static final int L = 50;
private Node head;
private int N, lgN;
ST(int maxN)
  { N = 0; lgN=0;head = new Node(null, L); }
```

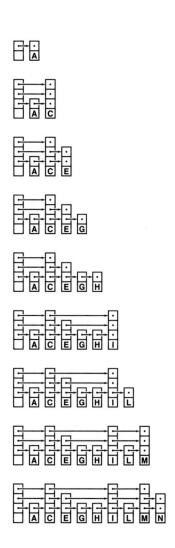

Figura 13.25
Costruzione di una skip list con chiavi in ordine

Questa sequenza mostra il risultato dell'inserimento di record con chiavi A C E G H I N R S in una skip list inizialmente vuota. Le proprietà statistiche della lista non dipendono dall'ordine in cui le chiavi sono inserite.

Programma 13.9 Inserimento in una skip list

Generiamo con probabilità $1/2^j$ un nodo con j link, quindi seguiamo il cammino di ricerca esattamente come nel Programma 13.7, avendo però cura di collegare il nuovo nodo alle liste dei j livelli sotto, man mano che scendiamo.

```
private int randX()
  { int i, j; double t = Math.random();
    for(i = 1, j = 2; i < L;i++, j += j)
      if (t*j > 1.0) break;
    if (i > lgN) lgN = i;
    return i;
  }
private void insertR(Node t, Node x, int k)
  { KEY v = x.item.key();
    Node tk = t.next[k];
    if ((tk == null) || less(v, tk.item.key()))
      {
        if (k < x.sz)
          { x.next[k] = tk; t.next[k] = x; }
        if (k == 0) return;
        insertR(t, x, k-1); return;
      }
    insertR(tk, x, k);
  }
void insert(ITEM v)
  { insertR(head, new Node(v, randX()), lgN); N++; }
```

Proprietà 13.11 *Una skip list ha mediamente $(t/(t-1))$ N link.*

Ci sono N link sul fondo, N/t link al primo livello, circa N/t^2 link al secondo livello, e così via, per un totale di circa

$$N(1 + 1/t + 1/t^2 + 1/t^3 \ldots) = N/(1 - 1/t)$$

link nell'intera lista. ∎

La scelta di un valore di t appropriato è un problema di bilanciamento fra tempo e spazio. Quando $t = 2$, le skip list richiedono mediamente all'incirca lg N confronti e $2N$ link, prestazioni paragonabili a quanto di meglio abbiamo visto per i BST. Per valori di t più grandi, il tempo delle operazioni di ricerca e inserimento si allunga, ma lo spazio aggiuntivo per i link si riduce. Differenziando l'espressione che compare nell'enunciato della Proprietà 13.10, troviamo che la scelta $t = e$ mi-

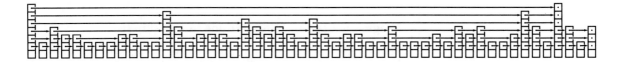

nimizza il numero atteso di confronti della ricerca in una skip list. La seguente tabella fornisce il valore del coefficiente di $N \lg N$ nel calcolo del numero dei confronti da effettuare nella costruzione di una tabella di N elementi:

t	2	e	3	4	8	16
$\lg t$	1.00	1.44	1.58	2.00	3.00	4.00
$t/\lg t$	2.00	1.88	1.89	2.00	2.67	4.00

Se eseguire confronti, seguire i link e spostarsi verso il basso con la ricorsione hanno costi che differiscono in modo sostanziale, è consigliabile eseguire calcoli un po' più raffinati (si veda l'Esercizio 13.83).

Dato che il tempo di ricerca è logaritmico, possiamo ridurre l'overhead di spazio aumentando il valore di t, portandolo vicino a quello per le liste concatenate semplici. Le stime precise del tempo di calcolo dipendono dalla valutazione dei costi relativi delle chiamate ricorsive e dell'accesso ai link. Torneremo su questo problema di bilanciamento tempo-spazio nel Capitolo 16, quando affronteremo il problema dell'indicizzazione di file di grandissime dimensioni.

Con una skip list alcune operazioni di una tabella di simboli sono immediate da implementare. Ad esempio, il Programma 13.10 fornisce un'implementazione dell'operazione di cancellazione che usa lo stesso schema ricorsivo della funzione di inserimento del Programma 13.9. Per cancellare un nodo, lo scolleghiamo dalle liste dei vari livelli (alle quali lo avevamo connesso con l'inserimento) e lo rilasciamo appena dopo averlo scollegato dalla lista più in basso (per l'inserimento, prima si creava il nodo e, poi, si scandiva la lista). Per implementare l'operazione di unione, fondiamo le liste (si veda l'Esercizio 13.78). Per implementare la selezione, aggiungiamo un campo a ogni nodo che indichi il numero di nodi saltati dal link al livello più alto che punta a esso (si veda l'Esercizio 13.77).

Sebbene le skip list siano facili da interpretare come un modo sistematico di spostarsi rapidamente in una lista concatenata, è importante comprendere che la struttura dati sottostante non è altro che una rappresentazione alternativa di un albero bilanciato. Ad esempio,

Figura 13.26
Una skip list più grande

Questa skip list è il risultato dell'inserimento di 50 chiavi casualmente ordinate in una lista inizialmente vuota. L'accesso a ogni nodo non richiede di seguire più di 8 link.

Programma 13.10 Cancellazione in una skip list

Per cancellare un nodo con una data chiave da una skip list, scolleghiamo il nodo a ogni livello nel quale troviamo un link a esso, e quindi lo rilasciamo non appena abbiamo raggiunto il livello più basso.

```
private void removeR(Node t, KEY v, int k)
  { Node x = t.next[k];
    if (!less(x.item.key(), v))
      {
if (equals(v, x.item.key()))
        { t.next[k] = x.next[k]; }
      if (k == 0) return;
      removeR(t, v, k-1); return;
    }
    removeR(t.next[k], v, k);
  }
void remove(ITEM x)
  { removeR(head, x.key(), lgN); N--; }
```

---

la Figura 13.27 mostra la rappresentazione tramite skip list dell'albero 2-3-4 bilanciato della Figura 13.10. Possiamo implementare algoritmi per alberi 2-3-4 bilanciati usando l'astrazione delle skip list, piuttosto che quella degli alberi red-black. Il codice risultante è un po' più complesso di quello delle implementazioni considerate (Esercizio 13.80). Torneremo sui legami fra skip list e alberi bilanciati nel Capitolo 16.

Analogamente a quanto accadeva per la ricerca binaria in array ordinati, la skip list ideale illustrata nella Figura 13.22 è una struttura rigida non facile da mantenere durante gli inserimenti. Gli inserimenti, infatti, comportano il cambiamento di tutti i link dei nodi che seguono quello inserito. Un modo per rilassare la struttura è quello di costruire liste in cui ciascun link salti 1, 2 o 3 link del livello sottostante: questa strutturazione corrisponde in effetti agli alberi 2-3-4 (Figura 13.27). L'algoritmo randomizzato presentato in questo paragrafo rappresenta un modo alternativo ed efficace di rilassare la struttura. Ulteriori alternative saranno descritte nel Capitolo 16.

Esercizi

13.75 Disegnate la skip list che si ottiene dall'inserimento delle chiavi E A S Y Q U T I O N (in quest'ordine) in una lista inizialmente vuota, assumendo che randX restituisca la sequenza di valori 1, 3, 1, 1, 2, 2, 1, 4, 1, 1.

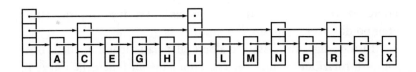

Figura 13.27
Rappresentazione di alberi
2-3-4 tramite skip list

Questa skip list è una rappresentazione dell'albero 2-3-4 mostrato nella Figura 13.10. In generale, le skip list corrispondono ad alberi bilanciati a più vie con uno o più link per nodo (gli 1-nodi, un link e zero chiavi, sono consentiti). Per costruire la skip list corrispondente a un albero, diamo a ciascun nodo un numero di link pari alla sua altezza nell'albero, e quindi connettiamo i nodi orizzontalmente. Per costruire l'albero corrispondente a una skip list, partiamo dal livello più alto, raggruppiamo i nodi saltati a quel livello e, ricorsivamente, li colleghiamo ai nodi del livello successivo.

Nell'esempio, la radice I si trova al livello 2, i nodi saltati A, C, E, G, H compariranno nel sottoalbero sinistro, mentre L, M, N, P, R, S, X compariranno nel sottoalbero destro. Scendendo al livello 1 troviamo il figlio sinistro della radice (C) e il figlio destro (un 3-nodo con i valori N ed R) e così via.

▷ **13.76** Disegnate la skip list che si ottiene dall'inserimento delle chiavi A E I N O Q S T U Y (in quest'ordine) in una lista inizialmente vuota, assumendo che `randX` restituisca la stessa sequenza di valori dell'Esercizio 13.75.

13.77 Implementate l'operazione di selezione in una tabella di simboli basata su skip list.

● **13.78** Implementate l'operazione di unione in una tabella di simboli basata su skip list.

▷ **13.79** Modificate le implementazioni delle operazioni di ricerca e inserimento date nei Programmi 13.7 e 13.9 in modo da terminare le liste con un nodo sentinella, invece che con `null`.

○ **13.80** Usate skip list per implementare le operazioni di costruzione, ricerca e inserimento per tabelle di simboli che usano l'astrazione degli alberi 2-3-4 bilanciati.

○ **13.81** Quanti numeri casuali sono necessari, in media, per costruire una skip list con parametro t, usando il metodo `randX` nel Programma 13.9?

○ **13.82** Modificate il Programma 13.9 eliminando il ciclo `for` in `randX` quando $t = 2$. *Suggerimento*: i j bit finali nella rappresentazione binaria di un numero `t` assumono una sequenza di specifici valori con probabilità $1/2^j$.

13.83 Scegliete il valore di t che minimizza il costo della ricerca nel caso in cui seguire un link sia α volte più costoso che eseguire un confronto, e scendere di un livello nella ricorsione sia β volte più costoso che eseguire un confronto.

○ **13.84** Sviluppate un'implementazione di una skip list che abbia i riferimenti contenuti nei nodi invece di un riferimento a un array di riferimenti (come abbiamo fatto nei Programmi dal 13.7 al 13.10).

13.6 Studio delle prestazioni

Secondo quale criterio dobbiamo scegliere fra BST randomizzati, splay BST, BST red-black e skip list in una data applicazione? Ci siamo concentrati sulla diversa natura delle garanzie che questi algoritmi riescono ad assicurare sulle prestazioni. Il tempo di calcolo e lo spazio di memoria occupato sono sempre di primaria importanza, ma bisogna anche considerare un certo numero di altri fattori. In questo paragrafo, tratteremo brevemente questioni implementative, studi empirici, stime di tempo di calcolo e spazio di memoria.

Tutti gli algoritmi basati su alberi bilanciati dipendono dalle operazioni di rotazione, quindi per essi l'implementazione delle rotazioni lungo il cammino di ricerca è di importanza essenziale. Abbiamo adottato implementazioni ricorsive che memorizzano implicitamente riferimenti ai nodi lungo il cammino di ricerca in variabili locali allocate sullo stack. In realtà, come abbiamo già osservato, ciascuno di questi algoritmi può essere riscritto in termini non ricorsivi, con procedure che operano su un numero costante di nodi e che eseguono un numero costante di operazioni sui link di ciascun nodo, durante un singolo passaggio top-down nell'albero.

I BST randomizzati sono i più semplici da implementare fra gli algoritmi basati su alberi. Il primo requisito è quello di disporre di un veloce e affidabile generatore di numeri casuali. Gli splay BST sono leggermente più complicati, ma sono in effetti un'immediata generalizzazione dell'algoritmo standard di inserimento alla radice. Gli alberi red-black richiedono codice ulteriore per controllare e manipolare i colori dei nodi. Un vantaggio degli alberi red-black rispetto alle altre due strutture dati è quello di poter utilizzare i bit di colore, sia per controllare la coerenza della struttura dati in fase di debugging che per garantire una ricerca efficiente in ogni caso. Non c'è modo di sapere, esaminando uno splay BST, se il codice che lo ha prodotto abbia o meno effettuato tutte le trasformazioni richieste. Un errore, in questo caso, può produrre solo un insidioso problema di efficienza. Similmente, un errore nel generatore di numeri casuali usato per implementare BST randomizzati o skip list può solo dar luogo a inefficienze nella struttura dati risultante, senza alcuna possibilità che questo errore venga rilevato in altro modo.

Le skip list sono di facile implementazione e particolarmente utili nel caso in cui si vogliano supportare tutte o quasi tutte le operazioni tipiche di una tabella di simboli, dato che ricerca, inserimento, cancellazione, unione, selezione e ordinamento hanno tutte una naturale implementazione facilmente formulabile con questa struttura dati. Il ciclo interno dell'operazione di ricerca in una skip list è più lungo di quello per alberi (richiede un indice aggiuntivo nell'array di link o una chiamata ricorsiva aggiuntiva per scendere di un livello), e quindi la ricerca e l'inserimento risulteranno leggermente meno efficienti. In aggiunta, le skip list mettono il programmatore nelle mani del generatore di numeri casuali, e chiaramente mettere a punto un programma il cui comportamento è casuale è tutt'altro che facile. Alcuni programmatori, in effetti, considerano particolarmente scomodo dover lavorare con nodi aventi un numero casuale di puntatori.

La Tabella 13.1 fornisce alcuni dati sperimentali sulle prestazioni dei quattro metodi presentati in questo capitolo e dei BST standard del Capitolo 12. Le chiavi sono interi casuali di 32 bit. Le informazioni contenute in questa tabella confermano ciò che l'analisi teorica ci suggerisce. Per chiavi casuali, gli alberi red-black risultano molto più veloci degli altri metodi. I cammini negli alberi red-black sono il 35 per cento più corti di quelli dei BST randomizzati o degli splay BST, e inoltre compiono meno lavoro nel ciclo interno. I BST randomizzati e le skip list richiedono la generazione di almeno un nuovo numero casuale a ogni inserimento, mentre gli splay BST richiedono una rotazione per ogni nodo in ogni inserimento e in ogni ricerca. Per contro, l'overhead degli alberi red-black è costituito dal solo controllo del valore di 2 bit per ogni nodo durante una ricerca e da una occasionale rotazione. Per accessi non uniformi alle chiavi gli splay BST possono avere cammini più brevi, anche se questo risparmio sarà tendenzialmente controbilanciato dal fatto che nel ciclo interno tanto la ricerca quanto l'inserimento eseguono, salvo che in casi estremi, una rotazione a ogni nodo.

Gli splay BST non richiedono spazio aggiuntivo per informazioni utili per il bilanciamento, gli alberi red-black usano un 1 bit per ogni nodo, mentre i BST randomizzati usano un campo contatore per ogni nodo. In molte applicazioni, il campo contatore è mantenuto per ragioni diverse, e quindi potrebbe non costituire un costo aggiuntivo per i BST randomizzati. In effetti, potrebbe essere opportuno aggiungere questo campo anche se usiamo splay BST, alberi red-black o skip list. È possibile, volendo, rendere lo spazio occupato dagli alberi red-black uguale a quello usato dagli splay BST eliminando i bit di colore (si veda l'Esercizio 13.65). Anche se nelle applicazioni moderne la memoria occupata dai programmi è un fattore meno critico di quanto non fosse in passato, è pur sempre opportuno prestare attenzione per evitare sprechi. Ad esempio, dobbiamo tener conto che alcuni sistemi utilizzano in ciascun nodo un'intera parola di 32 bit per ospitare un piccolo campo contatore o un semplice bit di colore, e che altri sistemi tendono a compattare i campi in memoria e, quindi, a richiedere tempo ulteriore per il loro successivo accesso. Se lo spazio di memoria rappresenta un vincolo importante, una skip list con parametro t abbastanza grande può ridurre di quasi la metà lo spazio per i link, a costo di ottenere una ricerca leggermente più lenta (pur logaritmica). Con qualche sforzo di programmazione è, in realtà, possibile anche implemen-

Tabella 13.1 Studio empirico di implementazioni di alberi bilanciati

La tabella indica i tempi relativi per la costruzione e la ricerca in BST ottenuti a partire da sequenze casuali di N interi a 32 bit, per diversi valori di N. Si può notare come tutti i metodi presentino buone prestazioni, anche per tabelle di simboli estremamente grandi. D'altra parte, gli alberi red-black si dimostrano significativamente più efficienti degli altri metodi. Tutti i metodi usano l'operazione di ricerca standard su BST, tranne gli splay BST, in cui eseguiamo durante la ricerca operazioni splay per portare le chiavi a cui si ha frequentemente accesso nella parte alta dell'albero, e le skip list, che usano essenzialmente lo stesso algoritmo ma con una differente struttura dati sottostante.

| | costruzione | | | | | | search miss | | | | | |
N	B	T	T*	S	R	L	B	T	T*	S	R	L
1250	20	28	28	10	14	15	11	10	10	10	10	16
2500	10	36	40	24	25	21	15	12	11	12	11	19
5000	22	33	65	145	42	35	26	26	26	27	19	46
12500	90	128	197	267	92	145	75	74	86	80	60	145
25000	167	569	492	215	181	385	175	180	212	195	158	355
50000	381	648	1105	1125	430	892	420	415	505	433	359	878
100000	1004	2593	2656	1148	1190	3257	1047	1041	1357	1113	861	2094
200000	2628	6121	6341	2784	2936	7493	2553	2573	2893	2649	2114	5109

Legenda:

B   BST standard (Programma 12.15)
T   BST costruito per inserimento alla radice (Programma 12.19)
T* BST randomizzato (Programma 13.2)
S   Splay BST (Esercizio 13.33 e Programma 13.5)
R   BST red-black (Programma 13.6)
L   Skip list (Programmi 13.7 e 13.9)

tare metodi basati su alberi che usano un solo link per nodo (si veda l'Esercizio 12.68).

Per sintetizzare, tutti i metodi presentati in questo capitolo forniscono buone prestazioni per le applicazioni tipiche; ciascuno di essi ha i suoi pregi specifici nell'implementazione di una tabella di simboli. Gli splay BST offrono buone prestazioni come metodo di ricerca auto-or-ganizzante, particolarmente quando si debbano effettuare accessi fre-quenti a un ristretto insieme di chiavi; i BST randomizzati sono vero-similmente più veloci e più facili da implementare; le skip list sono fa-cili da capire e forniscono prestazioni logaritmiche per la ricerca, usan-do meno spazio degli altri metodi; gli alberi red-black sono un'opzio-ne utile per implementare funzioni di libreria, poiché offrono presta-zioni garantite nel caso peggiore e risultano più veloci degli altri meto-di per inserimenti e ricerche con dati casuali.

Oltre al loro uso nelle applicazioni, quest'insieme di metodi si ri-vela importante perché illustra una serie di approcci fondamentali alla progettazione algoritmica che possiamo estendere alla soluzione di al-tri problemi. Nella nostra costante ricerca di algoritmi semplici e otti-mali ci imbattiamo spesso in algoritmi che sono quasi ottimali, ma pur sempre molto utili. Quanto abbiamo esposto in questo capitolo è un esempio in tal senso. Inoltre, come si è detto per il problema dell'ordi-namento, gli algoritmi basati su confronti sono solo la parte iniziale di una storia che proseguirà nei Capitoli 14 e 15, dove analizzeremo me-todi ancor più veloci che sfruttano le proprietà delle chiavi, scendendo quindi a un livello di astrazione inferiore.

Esercizi

13.85 Sviluppate un'implementazione di una tabella di simboli, usando BST randomizzati, che includa un'implementazione di `clone` e che suppor-ti operazioni di costruzione, conteggio, ricerca, inserimento, cancellazio-ne, e unione. Tutto questo per un ADT tabella di simboli che offra handle ai client (si vedano gli Esercizi 12.6 e 12.7).

13.86 Sviluppate un'implementazione di una tabella di simboli, usando skip list, che includa un'implementazione di `clone` e che supporti le operazio-ni di costruzione, conteggio, ricerca, inserimento, cancellazione, unione, selezione e ordinamento per un ADT in cui i programmi client hanno handle ai record (si vedano gli Esercizi 12.4 e 12.5).

CAPITOLO QUATTORDICI

Hashing

G LI ALGORITMI DI RICERCA che abbiamo considerato fin qui sono basati sull'operazione astratta di confronto. Un'eccezione significativa è quella del metodo di ricerca indicizzata da chiave del Paragrafo 12.2, per il quale memorizziamo gli elementi con chiave i nella posizione i di una tabella, consentendo quindi un accesso immediato. Invece di operare confronti, la ricerca indicizzata da chiave usa i valori delle chiavi come indici di array e dipende in modo essenziale dal fatto che le chiavi siano interi distinti aventi lo stesso range degli indici della tabella. In questo capitolo consideriamo i metodi di *hashing*, un'estensione della ricerca indicizzata da chiavi che gestisce problemi di ricerca più tipici, nei quali le chiavi di ricerca non presentano queste proprietà. Una ricerca basata su hashing è completamente diversa da una basata su confronti: invece che spostarci nella struttura dati in funzione dell'esito dei confronti fra chiavi, cerchiamo di accedere agli elementi nella tabella in modo diretto tramite operazioni aritmetiche che trasformano le chiavi in indirizzi della tabella.

Il primo passo per realizzare algoritmi di ricerca tramite hashing è quello di determinare la *funzione di hash* utilizzata per trasformare una chiave di ricerca in un indirizzo della tabella. Idealmente, chiavi diverse dovrebbero essere trasformate in indirizzi differenti, ma poiché non esiste la funzione di hash perfetta, è possibile che due o più chiavi diverse siano convertite nello stesso indirizzo. Il secondo passo per realizzare una ricerca tramite hashing è, quindi, un processo di risoluzione delle *collisioni* in grado di gestire tali situazioni. Uno dei metodi che studieremo per risolvere le collisioni, utilizza liste concatenate ed è adatto a situazioni estremamente dinamiche, dove il numero di chiavi da inserire non può essere stabilito in anticipo. Gli altri due metodi di gestione delle collisioni che analizzeremo consentono di ottenere tempi di ricerca veloci memorizzando gli elementi in array di dimensione fissa. Presenteremo anche un modo per migliorare questi metodi nel caso in cui non sia possibile conoscere a priori la dimensione della tabella.

L'hashing è un buon esempio di compromesso spazio-temporale: se non ci fossero limitazioni alla dimensione della memoria, sarebbe possibile effettuare qualsiasi ricerca attraverso un solo accesso in memoria semplicemente impiegando la chiave di ricerca come indirizzo, come per la ricerca indicizzata da chiave. Questa situazione ideale è difficilmente ottenibile nella maggior parte dei casi, poiché la memoria richiesta risulta troppo grande quando le chiavi sono lunghe. D'altra parte, se non ci fossero limitazioni temporali, si potrebbe sfruttare una quantità di memoria limitata e utilizzare un metodo di ricerca sequenziale: l'hashing consente di impiegare una quantità ragionevole di memoria e una quantità ragionevole di tempo, operando un compromesso tra questi due casi estremi. Possiamo, infatti, scegliere il compromesso che più ci aggrada, semplicemente ridimensionando la tabella hash, senza dover toccare il codice o addirittura scegliere algoritmi diversi.

L'hashing è un problema classico nell'informatica; molti algoritmi sono stati proposti, studiati a fondo e impiegati in pratica. In seguito vedremo che, con ipotesi favorevoli, è possibile affermare che l'hashing supporta operazioni di ricerca e inserimento in tempo costante, indipendentemente dalla dimensione della tabella.

Si tratta naturalmente di ciò che di meglio possiamo aspettarci per un'implementazione di una tabella di simboli, anche se va detto che l'hashing non è una panacea. In effetti, il tempo di calcolo dipende dalla lunghezza delle chiavi, cosa che può rivelarsi un problema nelle applicazioni in cui le chiavi sono lunghe. Inoltre, l'hashing non consente implementazioni efficienti delle altre operazioni di una tabella di simboli, come ad esempio, la selezione e l'ordinamento. In questo capitolo, analizzeremo a fondo queste e altre questioni.

14.1 Funzioni di hash

Il primo problema da affrontare è la definizione della funzione di hash, con il compito di trasformare le chiavi di ricerca in indirizzi. Il problema si riduce a un semplice calcolo aritmetico che, però, richiede una qualche attenzione. Se abbiamo una tabella che può contenere M elementi, è necessaria una funzione in grado di trasformare una chiave in intero appartenente all'intervallo $[0, M-1]$. Una funzione di hash ideale è facilmente calcolabile e approssima una funzione "casuale": per ogni valore di input, i possibili valori di output dovrebbero essere in qualche senso "equiprobabili".

La funzione di hash dipende dal tipo delle chiavi. In teoria, abbiamo bisogno di una funzione di hash diversa per ogni tipo di chiave. Per motivi di efficienza, cerchiamo di evitare conversioni di tipo esplicite, adottando di nuovo l'interpretazione delle chiavi come sequenza di cifre binarie da intendersi come numeri interi che possono essere trattati con operazioni aritmetiche. I metodi di hashing sono storicamente precedenti ai linguaggi ad alto livello: nei primi calcolatori si interpretavano comunemente i valori tanto come chiavi stringa quanto come numeri interi. Alcuni linguaggi ad alto livello rendono difficoltosa la scrittura di programmi che dipendono dal modo in cui le chiavi sono rappresentate su una particolare macchina, poiché tali programmi, per loro natura, dipendono fortemente dalla macchina per i quali sono scritti e, quindi, risulta difficile trasportarli su macchine differenti. Le funzioni di hash sono generalmente dipendenti dal modo in cui le chiavi sono trasformate in interi, quindi indipendenza dalla macchina ed efficienza sono qualche volta difficili da ottenere simultaneamente nelle implementazioni hash. Possiamo trattare con una singola operazione macchina semplici chiavi intere o in virgola mobile, mentre le chiavi costituite da stringhe e altri tipi di chiavi composte necessitano di maggiore attenzione verso l'efficienza.

Il modo più adatto a implementare una funzione di hash nell'interfaccia dell'ADT tabella di simboli che abbiamo usato è quello di un metodo nella classe Key. Potremmo anche includerlo nell'interfaccia KEY, il che richiede che tutte le implementazioni di Key abbiano un'implementazione di una funzione di hash (in tale contesto, il linguaggio Java si spinge anche un passo più in là e richiede che tutti gli Object abbiamo un metodo hashCode). Per motivi di chiarezza, semplicità e flessibilità trattiamo le primitive di hashing nello stesso modo in cui abbiamo trattato la primitiva di confronto less: assumiamo che tutte le implementazioni di Key abbiano un metodo hash, ma nella nostra implementazione di tabella di simboli utilizziamo un metodo hash statico che accetta un parametro KEY. Questo ci consente, ad esempio, di cambiare KEY in tipo predefinito senza modifiche ulteriori al codice. Nel seguito di questo paragrafo considereremo implementazioni di metodi di hash per vari tipi di chiavi.

Forse la situazione più semplice è quella in cui le chiavi sono numeri in virgola mobile di range fissato. Ad esempio, se le chiavi sono numeri maggiori di 0 e minori di 1, possiamo semplicemente moltiplicare per M e arrotondare all'intero più vicino per ottenere un indirizzo tra 0 ed $M - 1$; la Figura 14.1 ne illustra un esempio. Se le chiavi

.513870656	51
.175725579	17
.308633685	30
.534531713	53
.947630227	94
.171727657	17
.702230930	70
.226416826	22
.494766086	49
.124698631	12
.083895385	8
.389629811	38
.277230144	27
.368053228	36
.983458996	98
.535386205	53
.765678883	76
.646473587	64
.767143786	76
.780236185	78
.822962105	82
.151921138	15
.625476837	62
.314676344	31
.346903890	34

**Figura 14.1
Funzione di hash moltiplicativa per chiavi in virgola mobile**

Per trasformare numeri in virgola mobile fra 0 e 1 in indici di una tabella di dimensione 97, moltiplichiamo semplicemente per 97. In questo esempio ci sono tre collisioni: nelle posizioni 17, 53 e 76. I bit più significativi delle chiavi determinano i valori di hash, mentre quelli meno significativi diventano irrilevanti. Uno degli obiettivi più importanti quando si predispone una funzione di hash è quello di evitare questo sbilanciamento, facendo in modo che tutti i bit delle chiavi giochino un ruolo nella computazione.

16838	57	38	6
5758	35	58	58
10113	25	13	50
17515	55	15	24
31051	11	51	90
5627	1	27	77
23010	21	10	20
7419	47	19	85
16212	13	12	19
4086	12	86	25
2749	33	49	98
12767	60	67	90
9084	63	84	14
12060	32	60	53
32225	21	25	16
17543	83	43	42
25089	63	89	5
21183	37	83	91
25137	14	37	35
25566	55	66	0
26966	0	66	65
4978	31	78	76
20495	28	95	66
10311	29	11	72
11367	18	67	25

Figura 14.2
Funzioni di hash modulari
per chiavi intere

*Le tre colonne più a destra mostrano
il risultato dell'hashing delle chiavi a
16 bit indicate sulla sinistra tramite
le seguenti funzioni:*

v % 97 *(a sinistra)*
v % 100 *(al centro)*
(int) (a * v) % 100 *(a destra)*

dove a = .618033. *Le dimensioni
delle tabelle per queste funzioni sono, rispettivamente, 97, 100 e 100.
I valori sembrano casuali (poiché le
chiavi lo sono). La seconda delle tre
funzioni (*v % 100*) usa solo le due
cifre più a destra delle chiavi, ed è
perciò suscettibile di prestazioni me-
diocri per chiavi non casuali.*

sono maggiori di s e minori di t, per s e t fissati, per ottenere valori compresi tra 0 e 1 possiamo sottrarre s e dividere per $t - s$, moltiplicando infine per M per avere un indirizzo della tabella.

Se le chiavi sono interi di w bit, possiamo trasformarle in numeri in virgola mobile dividendo poi per 2^w per ottenere un numero fra 0 e 1, e quindi moltiplicando per M come nel caso precedente. Se le operazioni in virgola mobile sono costose e i numeri non sono così grandi da poter causare overflow, possiamo raggiungere lo stesso risultato tramite operazioni aritmetiche fra interi: moltiplichiamo la chiave per M, quindi eseguiamo un'operazione di scorrimento a destra di w bit per dividere per 2^w (oppure se la moltiplicazione può dare overflow, prima eseguiamo lo scorrimento e dopo moltiplichiamo). Queste funzioni non sono utili per l'hashing, a meno che le chiavi non siano uniformemente distribuite nel loro range, dato che i valori di hash così ottenuti sono determinati solo dalle prime cifre delle chiavi.

Un metodo più semplice e più efficiente per interi di w bit (che è forse quello più usato per l'hashing) è quello di scegliere come dimensione M della tabella un numero primo e, per ogni chiave intera k, calcolare il resto della divisione di k per M, ovvero considerare la funzione $h(k) = k \bmod M$. Tale funzione si dice funzione di hash *modulare*; è facile da calcolare (nel linguaggio Java è semplicemente k % M) ed è piuttosto efficace nel distribuire i valori delle chiavi in modo uniforme nell'insieme di valori interi minori di M. La Figura 14.2 fornisce un piccolo esempio.

Possiamo anche usare una funzione di hash modulare per chiavi in virgola mobile. Se le chiavi cadono in un intervallo limitato, possiamo scalare di nuovo e trasformarle in numeri fra 0 e 1, quindi moltiplicare per 2^w ottenendo un intero a w bit e infine, usare la funzione di hash modulare di prima. Un'alternativa è quella di far uso della rappresentazione binaria della chiave come argomento della funzione di hash.

L'hashing modulare si applica tutte le volte in cui abbiamo accesso ai bit delle chiavi, siano esse interi rappresentati tramite parole del calcolatore, sequenze di caratteri, o altro. Una sequenza di caratteri casuali memorizzati in modo condensato (*packed*) in una parola del calcolatore non è uguale a una chiave casuale intera, poiché alcuni bit sono usati per la codifica, ma possiamo fare in modo che entrambi i casi (e così anche ogni altro tipo di chiave codificata in modo da poter stare in una parola del calcolatore) portino a indici casuali di una tabella di piccole dimensioni.

La Figura 14.3 illustra la ragione principale per cui nell'hashing modulare scegliamo la dimensione M della tabella hash come numero primo. In questo esempio, usando una codifica dei caratteri a 7 bit, trattiamo la chiave come un numero in base 128 (una cifra per ciascun carattere della chiave). La parola now corrisponde al numero 1816567, che può essere anche scritto

$$110 \cdot 128^2 + 111 \cdot 128^1 + 119 \cdot 128^0,$$

poiché le codifiche ASCII di n, o e w sono, rispettivamente, $156_8 = 110$, $157_8 = 111$ e $167_8 = 119$. Ora, la scelta $M = 64$ non è molto felice per questo tipo di chiavi, poiché il valore $x \bmod 64$ non è influenzato dall'aggiunta a x di multipli di 64 o di 128 (la funzione di hash restituisce sempre il valore degli ultimi 6 bit della chiave). Una buona funzione di hash tiene conto di tutti i bit delle chiavi, specialmente per chiavi fatte di caratteri. Effetti simili si producono quando M ha come fattore una potenza di 2. Il modo più semplice di evitare questi effetti indesiderati è di scegliere M primo.

L'hashing modulare è del tutto banale da implementare, salvo per il fatto di rendere la dimensione della tabella un numero primo. Per alcune applicazioni può bastare un numero primo piccolo, oppure si può cercare in una lista di numeri primi quello che più si avvicina alla dimensione desiderata. Ad esempio, numeri della forma $2^t - 1$ sono primi per $t = 2, 3, 5, 7, 13, 17, 19, 31$ (e nessun altro $t < 31$): sono i famosi *numeri primi di Mersenne*. Per allocare dinamicamente una tabella di una certa dimensione, dovremmo calcolare un numero primo vicino a un certo valore. Questo calcolo non è banale. Quindi, in pratica, una soluzione comunemente adottata è quella di usare una tabella precalcolata (Figura 14.4). Scegliere come dimensione di tabella un numero primo non serve solo all'hashing modulare; ne vedremo un'altra ragione nel Paragrafo 14.4.

Un'altra alternativa per chiavi intere è quella di combinare il metodo moltiplicativo con quello modulare: moltiplichiamo la chiave per una costante fra 0 e 1, e quindi la riduciamo modulo M, cioè usiamo la funzione $h(k) = \lfloor k\alpha \rfloor \bmod M$. Esiste una relazione tra i valori di α, M e l'effettiva radice della chiave: vi sono combinazioni di valori che possono portare a comportamenti anomali, benché usando un valore di α arbitrario difficilmente incontreremo problemi in un'applicazione reale. Una scelta comune per α è il rapporto aureo $\phi = 0.618033\ldots$ Sono state studiate diverse variazioni sul tema, specialmente funzioni di hash implementabili con istruzioni macchina efficienti come scorrimento e mascheramento (*masking*). Rimandiamo il lettore al paragrafo sui riferimenti bibliografici.

now	6733767	1816567	55	29
for	6333762	1685490	50	20
tip	7232360	1914096	48	1
ilk	6473153	1734251	43	18
dim	6232355	1651949	45	21
tag	7230347	1913063	39	22
jot	6533764	1751028	52	24
sob	7173742	1898466	34	26
nob	6733742	1816546	34	8
sky	7172771	1897977	57	2
hut	6435364	1719028	52	16
ace	6070745	1602021	37	3
bet	6131364	1618676	52	11
men	6671356	1798894	46	26
egg	6271747	1668071	39	23
few	6331367	1684215	55	16
jay	6530371	1749241	57	4
owl	6775754	1833964	44	4
joy	6533771	1751033	57	29
rap	7130360	1880304	48	30
gig	6372347	1701095	39	1
wee	7371345	1962725	37	22
was	7370363	1962227	51	20
cab	6170342	1634530	34	24
wad	7370344	1962212	36	5

Figura 14.3
Funzioni di hash modulari per caratteri codificati

Ogni riga di questa tabella mostra una parola di 3 caratteri, la sua codifica ASCII come numero di 21 bit in ottale e in decimale, e i valori di due funzioni di hash modulari standard per tabelle di dimensione, rispettivamente, 64 e 31 (le due colonne più a destra). La dimensione 64 fa ottenere risultati indesiderati, poiché solo i bit più a destra nelle chiavi contribuiscono al valore del hash, e i caratteri nelle parole del linguaggio naturale non sono certo distribuiti uniformemente. Ad esempio, tutte le parole che terminano con y sono trasformate nel valore 57. Per contro, il valore 31 (numero primo) conduce a un numero di collisioni inferiori su una tabella che ha meno della metà degli indirizzi.

La situazione più comune in molte applicazioni è quella in cui si ha a che fare con chiavi non numeriche e non necessariamente brevi, ma composte da stringhe alfanumeriche anche piuttosto lunghe. Come possiamo applicare una funzione di hash a una stringa del tipo

averylongkey?

Nella codifica ASCII a 7 bit questa parola corrisponde al seguente numero di 84 bit

$$97 \cdot 128^{11} + 118 \cdot 128^{10} + 101 \cdot 128^9 + 114 \cdot 128^8 + 121 \cdot 128^7$$
$$+ 108 \cdot 128^6 + 111 \cdot 128^5 + 110 \cdot 128^4 + 103 \cdot 128^3$$
$$+ 107 \cdot 128^2 + 101 \cdot 128^1 + 121 \cdot 128^0,$$

che è troppo grande per poter essere rappresentato in forma numerica sulla maggior parte degli elaboratori (nonostante sia necessario poter gestire chiavi anche più lunghe). In una situazione del genere, è ancora possibile utilizzare una funzione di hash modulare come quella precedente, semplicemente trasformando le chiavi un pezzo alla volta. È possibile sfruttare le proprietà aritmetiche dell'operazione di modulo e usare l'algoritmo di Horner (Paragrafo 4.10), che è basato su un diverso modo di scrivere il numero corrispondente a una chiave alfanumerica. Per il nostro esempio, possiamo scrivere l'espressione

$$(((((((((((97 \cdot 128 + 118) \cdot 128 + 101) \cdot 128 + 114) \cdot 128 + 121) \cdot 128$$
$$+ 108) \cdot 128 + 111) \cdot 128 + 110) \cdot 128 + 103) \cdot 128$$
$$+ 107) \cdot 128 + 101) \cdot 128 + 121.$$

Perciò, possiamo calcolare il numero decimale corrispondente alla codifica per carattere di una stringa procedendo da sinistra a destra, moltiplicando il valore accumulato per 128, e quindi sommando il valore codificato del carattere successivo. Questo calcolo porterà prima o poi a un numero maggiore di quelli rappresentabili nella macchina; non siamo in realtà interessati al calcolo del numero, vogliamo solo ottenere il suo resto quando tale numero è diviso per M, che sarà ragionevolmente piccolo. Possiamo ottenere il risultato cercato senza neanche dover accumulare un numero molto grande, poiché è possibile eliminare in ogni momento i multipli di M (tutte le volte che eseguiamo una moltiplicazione e una somma dobbiamo solo ricordarci il resto modulo M), ottenendo lo stesso risultato che avremmo se potessimo calcolare il numero tutto intero e dividessimo per M alla fine (Esercizio 14.10). Quest'osservazione porta a un metodo aritmetico diretto per calcolare funzioni di hash modulari per stringhe lunghe (Programma 14.1). Il programma fa uso di un'ultima modifica: il

n	δ_n	$2^n - \delta_n$
8	5	251
9	3	509
10	3	1021
11	9	2039
12	3	4093
13	1	8191
14	3	16381
15	19	32749
16	15	65521
17	1	131071
18	5	262139
19	1	524287
20	3	1048573
21	9	2097143
22	3	4194301
23	15	8388593
24	3	16777213
25	39	33554393
26	5	67108859
27	39	134217689
28	57	268435399
29	3	536870909
30	35	1073741789
31	1	2147483647

Figura 14.4
Numeri primi per tabelle hash

Questa tabella contiene i più grandi numeri primi minori di 2^n dove $8 \le n \le 32$. Questi valori possono essere usati per allocare dinamicamente una tabella hash, quando vogliamo che la sua dimensione sia un numero primo. Per ogni dato numero positivo nell'intervallo indicato, possiamo usare i valori nella lista qui sopra per ottenere un numero primo entro un fattore 2 dal numero dato.

Programma 14.1 Funzione hash per chiavi stringa

Quest'implementazione di una funzione di hash per chiavi stringa comporta una moltiplicazione e un'addizione per ciascun carattere della chiave. Se sostituissimo la costante 127 con 128, il programma calcolerebbe semplicemente il resto ottenuto quando il numero corrispondente alla rappresentazione ASCII a 7 bit della chiave è diviso per la dimensione della tabella, usando il metodo di Horner. La base prima 127 ci consente di evitare anomalie quando la tabella è una potenza di 2 o un multiplo di 2.

```
static int hash(String s, int M)
  {
    int h = 0, a = 127;
    for (int i = 0; i < s.length(); i++)
      h = (a*h + s.charAt(i)) % M;
    return h;
  }
```

---

numero primo 127 in luogo della base 128. La ragione di questa modifica verrà ora spiegata.

Ci sono molti modi di calcolare funzioni di hash a un costo approssimativamente pari a quello per calcolare l'hashing modulare tramite il metodo di Horner (una o due operazioni aritmetiche per ciascun carattere della chiave). Per chiavi casuali i vari metodi si equivalgono, ma è ben difficile che le chiavi reali siano veramente casuali. La possibilità di fare in modo che le chiavi reali assomiglino a chiavi casuali ci porta a considerare algoritmi di hashing randomizzati, cioè a funzioni che producano indici casuali della tabella, indipendentemente dalle chiavi.

La randomizzazione non è difficile da ottenere: non dobbiamo certo prendere alla lettera la definizione di hashing modulare; ciò che vogliamo è semplicemente un metodo che tenga conto di tutti i bit delle chiavi per calcolare un intero minore di M. Il Programma 14.1 mostra un possibile modo di operare. Usiamo come base un numero primo, invece della potenza di 2 richiesta nella definizione di intero corrispondente alla rappresentazione ASCII della stringa. La Figura 14.5 illustra come questa modifica distribuisca abbastanza uniformemente chiavi stringa tipiche. I valori di hash prodotti dal Programma 14.1 potrebbero in teoria essere inadeguati per dimensioni di tabelle che sono multipli di 127 (anche se questi effetti tendono a essere trascurabili in pratica). Possiamo scegliere il valore moltiplicatore a caso in modo da ottenere un algoritmo randomizzato. Un modo ancor più efficace è quel-

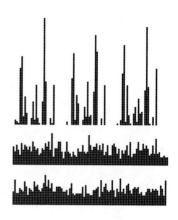

Figura 14.5
Funzioni di hash per stringhe di caratteri

Questi diagrammi mostrano la dispersione per un insieme di parole inglesi (le prime 1000 parole distinte del romanzo Moby Dick) usando il Programma 14.1 con:

```
M = 96 e a = 128 (in alto);
M = 97 e a = 128 (al centro);
M = 96 e a = 127 (in basso).
```

La cattiva dispersione del diagramma in alto è il risultato della combinazione fra uso non uniforme delle lettere e presenza del fattor comune 32 fra dimensione della tabella e moltiplicatore, che preserva la non uniformità. Gli altri due diagrammi sembrano casuali, poiché dimensione della tabella e moltiplicatore sono numeri primi fra loro.

Programma 14.2 Funzione di hash universale (per chiavi stringa)

Il programma esegue gli stessi calcoli del Programma 14.1, usando però coefficienti pseudocasuali, invece di una radice fissata, per approssimare la situazione ideale di una collisione fra due chiavi diverse con probabilità $1/M$. Usiamo un generatore di numeri casuali piuttosto grezzo, per evitare di spendere troppo tempo nel calcolo della funzione di hash.

```
static int hashU(String s, int M)
  {
    int h = 0, a =31415, b = 27183;
    for (int i = 0; i < s.length(); i++)
      {
        h = (a*h + s.charAt(i)) % M;
        a = a*b % (M-1);
      }
    return h;
  }
```

---

lo di usare valori casuali per i coefficienti, e un valore casuale diverso per ogni cifra nella chiave. Questo approccio dà luogo a un algoritmo randomizzato chiamato *hashing universale*.

Una funzione di hash universale ideale fa sì che la probabilità di collisione fra chiavi distinte in una tabella di dimensione M sia precisamente pari a $1/M$. È possibile dimostrare che usando una sequenza di numeri casuali distinti per il coefficiente a del Programma 14.1, invece di un valore arbitrario fissato, si trasforma l'hashing modulare in un'hashing universale. Piuttosto che mantenere un array con un diverso numero casuale per ogni carattere nella chiave, approssimiamo l'hashing universale come indicato dal Programma 14.2, che illustra un compromesso che funziona bene in pratica: cambiamo i coefficienti, generando una semplice sequenza pseudocasuale.

In sintesi, per usare l'hashing nell'implementare una tabella di simboli, il primo passo è quello di estendere l'interfaccia del tipo astratto in modo da includere un'operazione hash che trasformi le chiavi in interi non negativi minori di M, la dimensione della tabella. L'implementazione diretta

```
static int hash(double v, int M)
  { return (int) M*(v-s)/(t-s); }
```

esegue tale compito nel caso di chiavi in virgola mobile i cui valori cadono fra s e t. Per chiavi intere, possiamo semplicemente restituire v % M. Se M non è primo, la funzione di hash può restituire

```
(int) (.616161 * (double) v) % M
```

o il risultato di una computazione simile come, ad esempio

```
(16161 * v) % M.
```

Tutte queste funzioni, incluso il Programma 14.1 per chiavi stringa, sono funzioni gloriose che sono state usate dai programmatori per anni. Il metodo universale del Programma 14.2 rappresenta un miglioramento netto su chiavi stringa che fornisce valori di hashing casuali a costi aggiuntivi contenuti. È anche possibile mettere a punto metodi randomizzati simili per chiavi intere (Esercizio 14.1).

In alcune applicazioni, l'hashing universale può rivelarsi molto più lento dei metodi più semplici, poiché eseguire due operazioni aritmetiche per ogni carattere della chiave potrebbe essere troppo oneroso quando le chiavi sono lunghe. Per ovviare all'inconveniente possiamo elaborare le chiavi in parti più grandi, per esempio dividendole in parti che possano essere memorizzate in una parola della macchina. Come si è osservato in precedenza, un'operazione di questo tipo potrebbe rivelarsi difficoltosa oppure richiedere uno speciale trattamento in alcuni linguaggi ad alto livello fortemente tipizzati, mentre potrebbe essere abbastanza economica in Java, se usiamo il casting fra gli opportuni formati dei dati. Questi fattori sono importanti in molte situazioni, poiché il calcolo della funzione di hash potrebbe trovarsi in un ciclo interno, e quindi velocizzare il calcolo della funzione di hash potrebbe velocizzare l'intera computazione.

Nonostante l'evidente vantaggio di questi metodi, dobbiamo sempre prestare attenzione alla loro implementazione. Per prima cosa, dobbiamo stare attenti a evitare errori nelle conversioni di tipo e nell'uso di funzioni aritmetiche su calcolatori diversi che adottano rappresentazioni differenti delle chiavi. Queste operazioni sono ben note fonti di errore, specialmente quando un programma è trasportato da una macchina vecchia a una nuova, con un diverso numero di bit per parola o una differente precisione nella rappresentazione dei numeri. Inoltre, in molte applicazioni il calcolo della funzione di hash verrà verosimilmente effettuato nel ciclo più interno, quindi il suo tempo di calcolo potrebbe influenzare in modo vistoso il tempo totale. In questi casi, è importante essere sicuri che esso venga tradotto in codice macchina efficiente. L'uso eccessivo di conversioni di tipo e di operazioni aritmetiche è notoriamente fonte di inefficienze. Ad esempio, la differenza di tempo fra il metodo modulare semplice e quello in cui moltiplichiamo prima per 0.61616 può essere sorprendente su una macchina con hardware o software lento per le operazioni in virgola mobile. Il metodo più veloce su molte macchine è quello di scegliere M come potenza di 2 e di usare la funzione hash

```
static int hash(int v, int M)
  { return v & (M-1); }
```

Questo metodo usa solo gli $\lg M - 1$ bit meno significativi delle chiavi, ma l'operazione di *and* logico bit a bit può rivelarsi così veloce rispetto alla divisione intera da annullare qualsiasi effetto negativo derivante da una modesta distribuzione delle chiavi.

Un errore che tipicamente ricorre nelle implementazioni di hashing è quello in cui il metodo di hash restituisce sempre lo stesso valore, magari per un'errata conversione di tipo. Un tale errore è da qualificare come *errore di prestazione* (*performance bug*), poiché il programma che usasse una tale funzione probabilmente verrebbe eseguito in modo corretto, anche se sarebbe notevolmente lento (essendo stato progettato per essere efficiente solo quando i valori di hash sono ben distribuiti). Le implementazioni di questi metodi sono così facili da verificare da rendere consigliabile un controllo del loro comportamento sui tipi di chiavi sulle quali dovranno essere applicate.

Possiamo usare una statistica χ^2 per verificare l'ipotesi secondo cui la funzione di hash produce valori uniformemente distribuiti (Esercizio 14.5), anche se questa potrebbe essere una richiesta eccessiva. Probabilmente, ci basterebbe una funzione di hash che restituisca ogni valore lo stesso numero di volte su una sequenza abbastanza lunga. Ciò farebbe ottenere una statistica χ^2 con valore nullo, decisamente non casuale. Cionondimeno, quando otteniamo valori di χ^2 molto grandi siamo inclini a pensare che qualcosa non funzioni nel metodo di hash. In pratica, è spesso sufficiente usare un test per vagliare che i valori prodotti siano abbastanza ben distribuiti e che non vi sia un valore decisamente più frequente degli altri (Esercizio 14.15). Allo stesso modo, è opportuno che un'implementazione ben organizzata di una tabella di simboli basata su hashing universale controlli di tanto in tanto di non produrre valori mal distribuiti. I programmi client potrebbero essere informati del fatto che si è verificato un evento improbabile, oppure del fatto che ci possa essere un errore nel metodo di hash. Questi tipi di controlli sono da considerarsi una saggia aggiunta a ogni algoritmo randomizzato di utilità pratica.

Esercizi

▷ **14.1** Usando l'astrazione `digit` del Capitolo 10 per trattare le parole della macchina come sequenze di byte, implementate una funzione hash randomizzata per chiavi rappresentate come bit nelle parole della macchina.

14.2 Controllate, nel vostro ambiente di programmazione, se siano presenti eventuali overhead di tempo nel trasformare una chiave a 4 byte in un intero a 32 bit.

○ **14.3** Sviluppate una funzione di hash per chiavi stringa basata sull'idea di caricare 4 byte per volta, e quindi di eseguire operazioni aritmetiche su numeri di 32 bit. Confrontate il tempo richiesto da questa funzione con i tempi del Programma 14.1, per chiavi di 4, 8, 16 e 32 bit.

14.4 Scrivete un programma per determinare i valori di a ed M, con M più piccolo possibile, tali che la funzione di hash `a*x % M` produca valori distinti (cioè, senza collisioni) per le chiavi della Figura 14.2. Il risultato è un esempio di funzione di hash perfetta.

○ **14.5** Scrivete un programma per calcolare la statistica χ^2 per i valori di hash di N chiavi in una tabella di dimensione M. La statistica è definita dall'equazione

$$\chi^2 = \frac{M}{N} \sum_{0 \leq i < M} \left(f_i - \frac{N}{M} \right)^2,$$

dove f_i è il numero di chiavi con valore di hash pari a i. Se i valori di hash sono casuali ed $N > cM$, questa statistica dovrebbe pari a $M \pm \sqrt{M}$ con probabilità $1 - 1/c$.

14.6 Usate il vostro programma dell'Esercizio 14.5 per valutare la funzione di hash `618033*x % 10000` per chiavi casuali che sono interi positivi minori di 10^6.

14.7 Usate il vostro programma dell'Esercizio 14.5 per valutare la funzione di hash del Programma 14.1 su chiavi stringa distinte, tratte da un file di grandi dimensioni presente nel vostro sistema, come ad esempio, un dizionario.

● **14.8** Supponete che le chiavi siano interi a t bit. Mostrate che con una funzione di hash modulare, con un valore di M primo, ogni bit delle chiavi è tale che esistono due chiavi che differiscono solo per quel bit e che hanno valori di hash distinti.

14.9 Considerate la possibilità di implementare l'hashing modulare per chiavi intere con il codice `(a*x) % M`, dove a è un numero primo fissato e arbitrario. Questa modifica riesce a mescolare i bit in modo sufficiente da evitare di scegliere anche M primo?

14.10 Dimostrate che $(((ax) \bmod M) + b) \bmod M = (ax + b) \bmod M$, assumendo che a, b, x, M siano interi non negativi.

▷ **14.11** Usando le parole di un file di testo (ad esempio, un libro) nell'Esercizio 14.7 è difficile ottenere una buona statistica χ^2. Spiegate la ragione per cui questa asserzione è vera.

14.12 Usate il programma scritto per l'Esercizio 14.5 per valutare la funzione di hash `97*x % M` per tutte le dimensioni di tabella comprese fra 100 e 200, usando come chiavi 10^3 interi positivi casuali minori di 10^6.

14.13 Usate il programma scritto per l'Esercizio 14.5 per valutare la funzione di hash `97*x % M` per tutte le dimensioni di tabella comprese fra 100 e 200, usando come chiavi gli interi fra 10^2 e 10^3.

14.14 Usate il programma scritto per l'Esercizio 14.5 per valutare la funzione di hash `100*x % M` per tutte le dimensioni di tabella comprese fra 100 e 200, usando come chiavi 10^3 interi positivi casuali minori di 10^6.

14.15 Ripetete gli Esercizi 14.12 e 14.14, adottando però il più semplice criterio di rifiutare le funzioni di hash che producono un qualche valore più di 3 N/M volte.

14.2 Concatenazioni separate

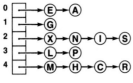

**Figura 14.6
Hashing con concatenazioni separate**

Questo diagramma mostra il risultato dell'inserimento delle chiavi A S E R C H I N G X M P L in una tabella inizialmente vuota che usa concatenazioni separate di liste non ordinate, con i valori di hash indicati sopra. A va nella lista 0, S va nella lista 2, E nella lista 0 (in testa, per mantenere il tempo di inserimento costante), R va nella lista 4, e così via.

Le funzioni di hash presentate nel Paragrafo 14.1 trasformano chiavi in indirizzi della tabella. La seconda componente di un algoritmo di hashing è quella che decide come gestire il caso in cui due chiavi vengano mappate nello stesso indirizzo. Il metodo più immediato è quello di costruire una lista concatenata per ciascun indirizzo della tabella, contenente gli elementi le cui chiavi sono state trasformate in quell'indirizzo. Questo approccio porta a una diretta generalizzazione del metodo di ricerca su liste (Capitolo 12), implementato nel Programma 14.3. Invece di gestire una singola lista, ne gestiamo M separate.

Questo metodo è tradizionalmente chiamato metodo delle *concatenazioni separate*, poiché gli elementi che collidono sono concatenati in una lista esterna. Un esempio è illustrato nella Figura 14.6. Come per la ricerca sequenziale elementare, possiamo scegliere se mantenere le liste in modo ordinato o non ordinato. Abbiamo lo stesso compromesso trattato a suo tempo nel Paragrafo 12.3, anche se qui il risparmio di tempo è meno evidente (dato che le liste sono più corte), mentre è più significativo l'utilizzo di spazio (dato che ci sono molte liste).

Potremmo usare un nodo testa per semplificare il codice per l'inserimento in una lista ordinata, anche se usare M nodi testa, uno per ciascuna delle M possibili liste, non è forse quello che vorremmo. In effetti, per elementi di tipo predefinito, possiamo anche eliminare gli M link alle liste facendo in modo che il primo nodo di ciascuna lista sia contenuto direttamente nella tabella (Esercizio 14.20).

Per una search miss, possiamo assumere che la funzione di hash sparpagli i valori delle chiavi in modo abbastanza uniforme da far sì che

---

Programma 14.3 Hashing con concatenazioni separate

Quest'implementazione di una tabella di simboli si basa sulla sostituzione dei metodi ST (costruttore), search, insert nella tabella di simboli basata su liste concatenate del Programma 12.9 con i metodi dati, e sostituendo il link head con un array di link heads. Usiamo le stesse procedure ricorsive di ricerca e cancellazione del Programma 12.9, ma manteniamo M liste con link in testa contenuti in heads, usando una funzione di hash per scegliere fra le liste. Il costruttore imposta M in modo tale che ci possano ragionevolmente essere 5 elementi in ciascuna lista. Le altre operazioni, di conseguenza, richiederanno solo alcuni sondaggi.

```
private Node[] heads;
private int N, M;
ST(int maxN)
   { N = 0; M = maxN/5; heads = new Node[M]; }
ITEM search(KEY key)
   { return searchR(heads[hash(key, M)], key); }
void insert(ITEM x)
   { int i = hash(x.key(), M);
     heads[i] = new Node(x, heads[i]); N++; }
```

---

a ciascuna lista si abbia accesso con pari probabilità. In tal caso, possiamo pensare di applicare a ciascuna lista le considerazioni legate alle prestazioni che abbiamo trattato nel Paragrafo 12.3.

Proprietà 14.1 *Il metodo delle concatenazioni separate riduce il numero dei confronti di una ricerca sequenziale mediamente di un fattore M, utilizzando uno spazio aggiuntivo necessario alla memorizzazione di M puntatori.*

Se N, il numero di chiavi contenute nella tabella, è molto più grande di M, una buona approssimazione della lunghezza media della lista è data da N/M. Infatti, ciascuno degli M valori di hash è "equiprobabile", per come è stata progettata la funzione di hash. Come accadeva nel Capitolo 12, una search hit si arresterà mediamente a metà di una delle liste, mentre una search miss arriverà fino alla fine, nel caso di liste non ordinate, o circa a metà nel caso di liste ordinate. ■

Usare liste non ordinate per implementare le concatenazioni esterne è più agevole ed efficiente, poiché l'operazione di inserimento impiega tempo costante, mentre quella di ricerca ha tempo proporzionale a N/M. Se in una data applicazione ci aspettiamo un gran numero di search miss, possiamo anche velocizzare il tempo medio di ricerca di un fattore 2, mantenendo le liste ordinate (al costo, però, di un inserimento più lento).

Nella forma in cui è stata espressa, la Proprietà 14.1 è un risultato piuttosto banale, dato che la lunghezza media delle liste è N/M, indipendentemente da come gli elementi sono distribuiti fra le liste. Per esempio, se tutti gli elementi capitano nella prima lista, la lunghezza media delle liste è ancora pari a $(N+0+0+\ldots+0)/M = N/M$. La ragione principale per cui l'hashing è utile, in pratica, risiede nel fatto che con altissima probabilità ciascuna lista ha circa N/M elementi.

Proprietà 14.2   *In una tabella hash con M liste concatenate separate ed N chiavi, la probabilità che il numero di chiavi in ciascuna lista sia prossimo a N/M (a meno di una piccola costante moltiplicativa) è molto vicina a* 1.

Consideriamo brevemente questa classica analisi, per i lettori che abbiano familiarità con gli strumenti di base della teoria della probabilità. Un'argomentazione elementare ci suggerisce che la probabilità che una data lista contenga k elementi è pari a

$$\binom{N}{k} \left(\frac{1}{M}\right)^k \left(1 - \frac{1}{M}\right)^{N-k}.$$

Scegliamo k fra N elementi: questi k elementi sono trasformati nel valore corrispondente alla lista data, ciascuno con probabilità $1/M$. I restanti $N - k$ record non vengono trasformati in quel valore con probabilità $1 - (1/M)$. In termini di $\alpha = N/M$, possiamo riscrivere quest'espressione come

$$\binom{N}{k} \left(\frac{\alpha}{N}\right)^k \left(1 - \frac{\alpha}{N}\right)^{N-k},$$

che, per la classica approssimazione di Poisson, risulta minore di

$$\frac{\alpha^k e^{-\alpha}}{k!}.$$

Da questo risultato segue che la probabilità che una lista abbia più di $t\alpha$ elementi è minore di

$$\left(\frac{\alpha e}{t}\right)^t e^{-\alpha}.$$

Si tratta di un valore estremamente piccolo agli scopi pratici. Ad esempio, se la lunghezza media delle liste è 20, la probabilità che una qualche lista abbia più di 40 elementi è minore di $(20e/2)^2 e^{-20} \approx 0.0000016$. ∎

L'analisi precedente è un esempio del classico *problema di occupazione*, in cui consideriamo N palline da inserire casualmente in M urne e analizziamo la distribuzione delle palline all'interno delle urne. Risultati classici nell'analisi di questi problemi conducono a molte altre considerazioni di rilievo per lo studio degli algoritmi di hashing. Ad esempio, l'approssimazione di Poisson ci dice che il numero di liste vuote è circa $e^{-\alpha}$. Un risultato più interessante è quello che stabilisce che il numero medio di elementi inseriti prima che si verifichi la prima collisione è circa pari a $\sqrt{\pi M/2} \approx 1.25\sqrt{M}$. Si tratta di un risultato che origina dalla soluzione del classico *problema del compleanno*. La stessa analisi, per esempio, ci dice che, per $M = 365$, il numero medio di persone che dobbiamo incontrare prima di trovarne due nate nello stesso giorno dell'anno è circa pari a 24. Un secondo risultato classico ci dice che il numero medio di elementi inseriti prima che ciascuna lista ne contenga almeno uno è circa pari a $M H_M$. Questo risultato è la soluzione del classico *problema della raccolta di figurine (coupon collector problem)*. Di nuovo, la stessa analisi ci dice, per esempio, che quando $M = 1280$, ci aspettiamo di dover raccogliere mediamente 9898 figurine prima di averne una per ognuno dei 40 giocatori delle 32 squadre di baseball di serie A.

Questi risultati sono indicativi delle proprietà dei metodi di hashing che abbiamo esaminato. In pratica, essi mostrano che possiamo usare le concatenazioni separate con fiducia, purché la funzione di hash produca valori approssimativamente casuali (per informazioni più dettagliate rimandiamo il lettore ai riferimenti bibliografici).

In un'implementazione del metodo delle concatenazioni separate conviene scegliere un valore di M relativamente piccolo, in modo da evitare di sprecare grandi aree contigue di memoria con link nulli. D'altra parte, abbiamo anche l'esigenza opposta di scegliere un M sufficientemente grande da mantenere liste abbastanza corte, in modo da rendere la ricerca sequenziale il metodo di ricerca più efficiente per le liste. L'impiego di metodi "ibridi" (usare un albero binario al posto di una lista concatenata) forse non ripagherebbe in modo adeguato gli sforzi profusi. Una buona regola empirica consiste nello scegliere M pari a un quinto o a un decimo del numero di chiavi che si prevede di inserire nella tabella, così che ciascuna lista contenga circa 5 o 10 elementi. Uno dei pregi di questo metodo è il fatto che tale decisione non è, in effetti, critica: se dovessero arrivare più chiavi del previsto, la loro ricerca richiederà un po' più di tempo; se il numero di chiavi dovesse essere minore, si utilizzerà spazio superfluo. Nei casi in cui la memoria non sia una risorsa critica, scegliendo un valore di M sufficientemente grande si ottiene essenzialmente un tempo di ricerca costante. Viceversa, quando la memoria è una risorsa critica possiamo sempre ottenere un fattore M di miglioramento nelle prestazioni scegliendo per M il valore più grande consentito.

Le osservazioni precedenti si riferiscono al tempo di calcolo della ricerca. In pratica, per le concatenazioni separate si usano liste non ordinate. La ragione è duplice. Per prima cosa, come abbiamo già detto, l'inserimento risulta estremamente rapido: calcoliamo la funzione di hash, allochiamo memoria per il nodo e lo colleghiamo all'inizio della lista giusta. In molte applicazioni, il passo di allocazione della memoria non è neanche necessario (poiché gli elementi inseriti nella tabella di simboli possono essere record già esistenti con campi puntatore a disposizione), e quindi l'inserimento può essere eseguito in 3 o 4 istruzioni macchina. Il secondo importante vantaggio di usare liste non ordinate risiede nel fatto che le liste funzionano da stack, e quindi possiamo facilmente rimuovere gli elementi inseriti di recente (che si trovano nelle prime posizioni della lista, come nell'Esercizio 14.21). Si tratta di un'operazione importante quando dobbiamo implementare una tabella di simboli con regole di visibilità (*scope*) annidate, come ad esempio le tabelle di simboli dei compilatori.

Come per molte altre implementazioni, offriamo implicitamente ai programmi client la scelta su come gestire chiavi duplicate. Un client come il Programma 12.12 può controllare chiavi duplicate prima di ogni inserimento, assicurando che la tabella non ne contenga. Un altro client potrebbe, invece, evitare il costo della ricerca lasciando i duplicati nella tabella, velocizzando così gli inserimenti.

In genere, l'hashing non è adatto ad applicazioni in cui sono necessarie operazioni ulteriori come la selezione e l'ordinamento. I metodi di hashing sono molto usati, invece, nelle situazioni tipiche in cui dobbiamo eseguire un gran numero di operazioni di ricerca, inserimento e cancellazione, e quindi stampare i record in ordine di chiave una sola volta alla fine. Un esempio di tale applicazione è la tabella di simboli creata da un compilatore; un altro esempio è un programma che serve a rimuovere duplicati (come il Programma 12.12). Per gestire questa situazione tramite concatenazioni separate di liste non ordinate dovremmo usare uno dei metodi di ordinamento dei Capitoli dal 6 al 10, mentre nel caso di liste ordinate lo stesso ordinamento può essere realizzato in tempo proporzionale a $N \lg M$ con il Mergesort su liste (Esercizio 14.23).

Esercizi

▷ **14.16** Quanto tempo potrebbe richiedere, nel caso peggiore, l'inserimento di N chiavi in una tabella inizialmente vuota, usando concatenazioni separate con liste non ordinate e con liste ordinate?

▷ **14.17** Fornite il contenuto della tabella hash risultante dall'inserimento degli elementi con chiavi E A S Y Q U T I O N (in quest'ordine) in una tabella inizialmente vuota di $M = 5$ liste non ordinate concatenate separatamente. Usate la funzione di hash $11k \bmod M$ per trasformare la k-esima lettera dell'alfabeto in un indice della tabella.

▷ **14.18** Rispondete all'Esercizio 14.17 usando liste ordinate. La vostra risposta dipende dall'ordine in cui i record sono inseriti?

○ **14.19** Scrivete un programma che inserisca N interi casuali in una tabella di dimensione $N/100$ usando concatenazioni separate, e che poi determini la lunghezza della lista più corta e di quella più lunga. Assumete i valori $N = 10^3, 10^4, 10^5, 10^6$.

14.20 Supponete che gli elementi siano chiavi double (senza alcuna informazione associata). Modificate il Programma 14.3 in modo da eliminare i link in testa, rappresentando la tabella di simboli come un array di nodi (ogni componente della tabella è il primo nodo della lista corrispondente).

14.21 Modificate il Programma 14.3 in modo da includere un campo intero in ogni elemento, rappresentante il numero di elementi contenuti nella tabella nel momento in cui esso è inserito. Implementate, quindi, una funzione che cancelli tutti gli elementi il cui campo è maggiore di un dato intero N.

14.22 Modificate l'implementazione di search del Programma 14.3 in modo da mostrare tutti gli elementi con chiave uguale a una chiave data, nello stesso modo di show.

14.23 Implementate una tabella di simboli usando concatenazioni separate con liste ordinate che includa un'implementazione di clone, e supporti operazioni di costruzione, conteggio, ricerca, cancellazione, unione, selezione e ordinamento per un ADT tabella di simboli che offra handle ai programmi client (si vedano gli Esercizi 12.6 e 12.7).

14.3 Scansione lineare

Nei casi in cui è possibile stimare in anticipo il numero di elementi da inserire nella tabella hash, e sapendo di avere a disposizione una quantità di memoria contigua sufficiente a contenere tutte le chiavi più un po' di spazio aggiuntivo, può non essere conveniente inserire nella tabella puntatori a liste concatenate. Sono stati escogitati molti metodi che memorizzano N elementi in una tabella di dimensione $M > N$, contando sul fatto di possedere spazio libero per gestire le collisioni; questi metodi sono chiamati metodi di hashing a *indirizzamento aperto*.

Il più semplice metodo a indirizzamento aperto prende il nome di *scansione lineare*. Quando si verifica una collisione (conseguenza della trasformazione di una chiave in un indirizzo già occupato da un elemento con chiave differente da quella in questione) è sufficiente sondare (*probe*) la successiva posizione della tabella, e cioè confrontare la chiave dell'elemento in essa contenuto con la chiave di ricerca. Quest'operazione può fornire tre risultati diversi: se le chiavi coincidono, la ricerca termina con successo (search hit): se la posizione non è occupata da alcun elemento, la ricerca è stata infruttuosa (search miss); altrimenti (se la tabella in quella posizione contiene un elemento con chiave diversa dalla chiave di ricerca), si sonda la posizione successiva, proseguendo (e ritornando alla posizione iniziale se siamo giunti alla fine) fino a quando non si verifica una delle due condizioni precedenti. Se dopo una search miss si vuole inserire il record contenente la chiave in questione, basta mettere il nuovo elemento nella posizione libera che pone fine alla ricerca. Il Programma 14.4 è un'implementazione dell'ADT tabella di simboli attraverso questo metodo. Un esempio di costruzione di una tabella hash tramite scansione lineare è mostrato nella Figura 14.7.

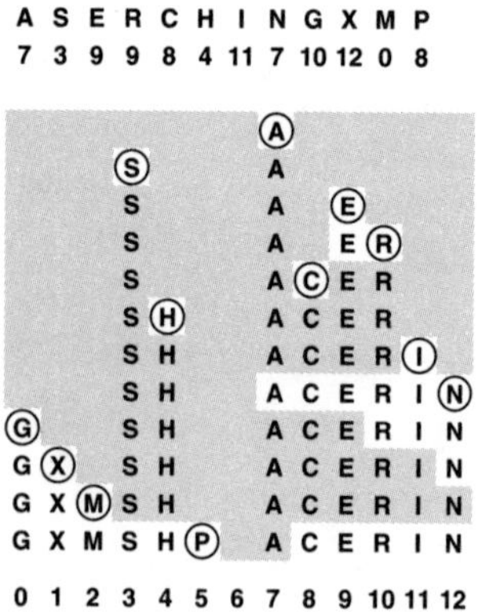

Come per le concatenazioni separate, le prestazioni dei metodi di indirizzamento aperto dipendono dal rapporto $\alpha = N/M$, anche se esso va interpretato diversamente. Per le concatenazioni separate α è il numero medio di elementi per lista ed è generalmente maggiore di 1. Per l'indirizzamento aperto α è la frazione delle posizioni occupate nella tabella, e quindi sarà al più pari a 1. Chiameremo, qualche volta, α il *fattore di carico* della tabella hash.

Per una tabella sparsa (con α piccolo) ci aspettiamo che la maggior parte delle ricerche trovino posizioni vuote dopo solo alcuni sondaggi. Per una tabella quasi piena (α prossimo a 1), una ricerca potrebbe richiedere una gran quantità di sondaggi, arrivando addirittura a trasformarsi in un ciclo infinito quando la tabella è completamente piena. Dobbiamo, di solito, evitare che la tabella si riempia troppo per evitare tempi eccessivi di ricerca. Invece di usare memoria aggiuntiva per i link, usiamo spazi liberi nella tabella al fine di ridurre la lunghezza delle scansioni. La dimensione della tabella per una scansione lineare è solitamente maggiore di quella di una tabella che usa concatenazioni separate, poiché dobbiamo avere $M > N$, anche se lo spazio di memoria complessivamente utilizzato potrebbe essere inferiore, dato che non vengono usati link. Confronteremo in dettaglio varie questioni di uso di

Figura 14.7
Hashing con scansione lineare

Questo diagramma mostra il processo di inserimento delle chiavi A S E R C H I N G X M P in una tabella hash inizialmente vuota di dimensione 13 con indirizzamento aperto. Sono stati usati i valori di hash indicati in alto, mentre le collisioni sono state risolte tramite scansione lineare. A va nella posizione 7, S va nella posizione 3, E in posizione 9, quindi R in posizione 10, dopo una collisione in posizione 9, ecc. Le sequenze di sondaggi che vanno fuori dalla parte destra della tabella continuano nella parte sinistra: ad esempio, l'ultima chiave inserita, P, viene trasformata nell'indirizzo 8, quindi finisce in posizione 5 dopo una sequenza di collisioni nelle posizioni dalla 8 alla 12 e dalla 0 alla 5. Le posizioni non sondate sono ombreggiate.

Programma 14.4   Scansione lineare

Quest'implementazione di una tabella di simboli mantiene riferimenti agli elementi in una tabella di dimensione doppia rispetto al numero massimo di elementi che ci si aspetta siano presenti.

Per inserire un nuovo elemento lo mappiamo in una posizione della tabella e scandiamo a destra per trovare una posizione occupata, usando componenti nulle come sentinelle in posizioni vacanti, esattamente come si è fatto per la ricerca indicizzata da chiave (Programma 12.7). Per cercare un elemento con una data chiave andiamo alla posizione hash della chiave e scandiamo per cercare una corrispondenza, arrestandoci non appena incontriamo una posizione libera.

Il costruttore imposta M in modo tale che la tabella sia verosimilmente piena al più per metà. Le altre operazioni, di conseguenza, richiederanno solo alcuni sondaggi, purché la funzione di hashing produca valori sufficientemente vicini a quelli casuali.

```
private ITEM[] st;
private int N, M;
ST(int maxN)
  { N = 0; M = 2*maxN; st = new ITEM[M]; }
void insert(ITEM x)
  { int i = hash(x.key(), M);
    while (st[i] != null) i = (i+1) % M;
    st[i] = x; N++;
  }
ITEM search(KEY key)
  { int i = hash(key, M);
    while (st[i] != null)
      if (equals(key, st[i].key())) return st[i];
      else i = (i+1) % M;
    return null;
  }
```

spazio nel Paragrafo 14.5. Per il momento, ci limitiamo ad analizzare il tempo di calcolo della scansione lineare come funzione di α.

Il costo medio della scansione lineare dipende dal modo in cui gli elementi si raggruppano in gruppi contigui all'interno della tabella quando vengono inseriti. Questi gruppi vengono solitamente chiamati *cluster* ("gruppo" o "mucchio"). Si considerino i due seguenti casi estremi per una tabella piena a metà ($M = 2N$): il caso migliore, ad esempio, è quello in cui le posizioni della tabella di indice pari sono libere e quelle di indice dispari sono occupate; il caso peggiore è quello in cui la prima metà delle posizioni sono libere mentre quelle della seconda metà sono occupate. Il numero di sondaggi per una search miss è pari a 1 (tutte le ricerche eseguono almeno 1 sondaggio) più

$$(0 + 1 + 0 + 1 + \ldots)/(2N) = 1/2$$

nel caso migliore, e 1 più

$$(N + (N - 1) + (N - 2) + \ldots)/(2N) \approx N/4$$

nel caso peggiore.

Generalizzando, troviamo che il numero medio di sondaggi di una search miss è proporzionale al quadrato delle lunghezze dei cluster. Otteniamo la media calcolando il costo di una search miss che inizia a ogni posizione della tabella, e dividendo il totale per M. Tutte le search miss richiedono almeno un sondaggio, quindi contiamo solo il numero di sondaggi dopo il primo. Se un cluster ha lunghezza t, l'espressione

$$(t + (t - 1) + \ldots + 2 + 1)/M = t(t + 1)/(2M)$$

esprime il contributo di quel cluster al totale. La somma delle lunghezze dei cluster è N, quindi, sommando questo costo per tutte le celle della tabella, troviamo che il costo medio totale di una search miss è pari a $1 + N/(2M)$ più la somma dei quadrati delle lunghezze dei cluster divisa per $2M$. Data una tabella, possiamo facilmente calcolare il costo medio di una search miss in quella tabella (si veda l'Esercizio 14.28), ma dal punto di vista analitico la formazione dei cluster segue un complicato processo dinamico (l'algoritmo di scansione lineare, appunto) che è difficilmente caratterizzabile.

Nonostante la forma relativamente semplice dei risultati, l'analisi precisa dell'algoritmo di scansione lineare è un problema complesso. La soluzione data da Knuth nel 1962 costituisce una pietra miliare nei metodi di analisi algoritmica (si vedano i riferimenti bibliografici).

Proprietà 14.3 *Quando le collisioni sono risolte tramite scansione lineare, il numero medio di sondaggi richiesti da una ricerca all'interno di una tabella di dimensione M contenente $N = \alpha M$ chiavi è circa pari a*

$$\frac{1}{2}\left(1 + \frac{1}{1 - \alpha}\right)$$

per una search hit, e a

$$\frac{1}{2}\left(1 + \frac{1}{(1 - \alpha)^2}\right)$$

per una search miss.

Queste stime perdono di accuratezza quando α è vicino a 1, ma in tal caso non dovremmo comunque usare una scansione lineare. Per valori di α distanti da 1 le formule sono, invece, sufficientemente accurate. La tabella seguente sintetizza il numero atteso di sondaggi effettuati da una scansione lineare per search hit e search miss.

fattore di carico	1/2	2/3	3/4	9/10
search hit	1.5	2.0	3.0	5.5
search miss	2.5	5.0	8.5	55.5

Una search miss è sempre più costosa di una search hit. Entrambe, però, richiedono in media solo alcuni sondaggi su tabelle piene per metà. ∎

Come per le concatenazioni separate, lasciamo al programma client la scelta di mantenere o meno nella tabella elementi con chiavi duplicate. Dobbiamo, però, osservare che questi elementi non appaiono necessariamente in posizioni contigue, se usiamo la scansione lineare.

Per sua natura, il processo di costruzione di una tabella per scansione lineare inserisce chiavi in ordine casuale. Le operazioni di ordinamento e selezione richiedono, quindi, di ripartire daccapo con uno dei metodi descritti nei Capitoli dal 6 al 10. La scansione lineare non è perciò adeguata per applicazioni in cui queste operazioni sono eseguite frequentemente.

Come facciamo a cancellare una chiave da una tabella costruita tramite scansione lineare? Non possiamo semplicemente rimuoverla, poiché gli elementi che sono stati inseriti dopo di essa potrebbero essere passati per quella posizione, e ciò potrebbe far arrestare prematuramente in quella posizione le operazioni di ricerca di tali elementi. Una soluzione è quella di calcolare un nuovo valore di hashing per tutti gli elementi per i quali questo problema potrebbe sorgere (quelli che si trovano fra l'elemento cancellato e la prima posizione libera dopo di esso). La Figura 14.8 mostra un esempio di questo processo, mentre il Programma 14.5 ne è un'implementazione. In una tabella sparsa, questo meccanismo di ripristino richiederà il calcolo solo di alcuni valori di hashing. Un altro modo di implementare la cancellazione è quello di sostituire la chiave cancellata con una chiave sentinella che serva da segnaposto per le ricerche, ma che possa essere identificata e riutilizzata per gli inserimenti (si veda l'Esercizio 14.33).

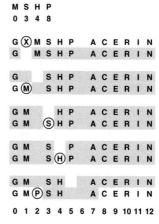

**Figura 14.8
Cancellazione da una tabella hash con scansione lineare**

Questo diagramma mostra il processo di cancellazione di X dalla tabella della Figura 14.7. La seconda riga mostra il risultato che si ottiene semplicemente togliendo X dalla tabella. Si tratta di un risultato inaccettabile di per sé, perché M e P sono tagliate fuori dalle loro posizioni di hash dalla posizione lasciata vuota da X. Quindi reinseriamo, nell'ordine, M, S, H e P (le chiavi alla destra di X nello stesso cluster) usando i valori di hash indicati in cima e risolvendo le collisioni per scansione lineare. M riempie il buco lasciato da X, S e H vengono inserite senza collisioni, P finisce in posizione 2.

Programma 14.5   Cancellazione da una tabella hash che usa scansione lineare

Per cancellare un elemento con una chiave data lo cerchiamo e lo sostituiamo con null. Quindi, dobbiamo correggere il caso in cui qualche elemento alla destra della posizione rimasta libera sia stato inizialmente trasformato in quella posizione o in una posizione alla sua sinistra, poiché in tal caso il buco farebbe terminare anzitempo la ricerca di quell'elemento. Reinseriamo, perciò, tutti gli elementi nello stesso cluster di quello cancellato e alla sua destra. Poiché la tabella è piena per meno di metà, il numero di elementi reinseriti sarà mediamente modesto.

```
public void remove(ITEM x)
  { int i = hash(x.key(), M);
    while (st[i] != null)
      if (equals(x.key(), st[i].key())) break;
      else i = (i+1) % M;
    if (st[i] == null) return;
    st[i] = null; N--;
    for (int j = i+1; st[j] != null; j = (j+1) % M)
      { x = st[j]; st[j] = null; insert(x); N--; }
  }
```

Esercizi

▷ **14.24** Quanto tempo può essere necessario, nel caso peggiore, per inserire N chiavi in una tabella inizialmente vuota usando la scansione lineare?

▷ **14.25** Date il contenuto della tabella hash risultante dall'inserimento delle chiavi E A S Y Q U T I O N (in quest'ordine) in una tabella inizialmente vuota di dimensione $M = 16$, tramite scansione lineare. Fate uso della funzione di hash $11k \bmod M$ per trasformare la k-esima lettera dell'alfabeto in un indice della tabella.

14.26 Ripetete l'Esercizio 14.25 per $M = 10$.

○ **14.27** Scrivete un programma che inserisca 10^5 interi non negativi casuali minori di 10^6 in una tabella di dimensione 10^5 usando la scansione lineare. Tracciate, quindi, il numero totale di sondaggi per ciascuna sequenza di 10^3 inserimenti consecutivi.

14.28 Scrivete un programma per inserire $N/2$ interi casuali in una tabella di dimensione N usando la scansione lineare. Calcolate, poi, il costo medio di una search miss nella tabella risultante a partire dalle lunghezze dei cluster. Usate i valori $N = 10^3$, 10^4, 10^5, 10^6.

14.29 Scrivete un programma per inserire $N/2$ interi casuali in una tabella di dimensione N usando la scansione lineare. Calcolate, quindi, il costo medio di una search hit nella tabella risultante. Usate $N = 10^3$, 10^4, 10^5, 10^6. Non eseguite una ricerca di tutte le chiavi alla fine, ma registrate il costo della costruzione della tabella.

• **14.30** Eseguite esperimenti per determinare, usando i Programmi 14.4 e 14.5, se il costo medio di una search hit o di una search miss cambi effettuando una lunga sequenza di inserimenti e cancellazioni casuali alternate in una tabella hash di dimensione $2N$ con N chiavi, dove $N = 10$, 100, 1000 e dove il numero di coppie inserimento-cancellazione è pari a N^2, per ciascuno dei valori di N indicati.

14.4 Hashing doppio

La scansione lineare (così come un qualsiasi metodo di hashing) funziona in considerazione del fatto che, cercando una chiave particolare, si controllano tutte le chiavi che la funzione di hash trasforma nello stesso indirizzo nel quale è stata trasformata la chiave di ricerca (in particolare, la chiave stessa, se questa si trova nella tabella). Sfortunatamente, nel precedente metodo vengono esaminate anche altre chiavi, specialmente quando la tavola di hash comincia a riempirsi. Nell'esempio indicato nella Figura 14.7 la ricerca della chiave N comporta di dover controllare la C, la E, la R e la I, e nessuna di queste ha lo stesso valore di hash. La cosa peggiore è data dal fatto che l'inserimento di una chiave con un dato valore di hash può far incrementare drasticamente il tempo di ricerca di chiavi con altri valori di hash: nella Figura 14.7 l'inserimento della M fa aumentare i tempi di ricerca per le posizioni 7-12 e 0-1. Questo fenomeno, chiamato *clustering* ("raggruppamento") può fare in modo che il metodo di scansione lineare abbia tempi di ricerca estremamente elevati con tabelle quasi piene.

Fortunatamente, esiste un semplice metodo che virtualmente elimina il problema del clustering: l'*hashing doppio*. La strategia di base è la solita; l'unica differenza consiste nel fatto che, invece di esaminare gli elementi che seguono la posizione in cui si è verificata la collisione, si impiega una seconda funzione di hash per ottenere un incremento fisso da utilizzare nella sequenza dei sondaggi. Il Programma 14.6 ne offre un'implementazione.

' La seconda funzione di hash deve essere scelta con particolare cura, altrimenti il programma potrebbe non funzionare affatto. Per prima cosa deve essere evitata la situazione in cui la seconda funzione di

```
A S E R C H I N G X M P L
7 3 9 9 8 4 11 7 10 12 0 8 6
1 3 1 5 5 5 3 3 2 3 5 4 2
```

```
              Ⓐ
      Ⓢ       A
      S        A    Ⓔ
  Ⓡ   S        A    E
  R    S        AⒸE
  R    Ⓢ        A C E
  R    S  Ⓗ     A C E    Ⓘ
  R    S  H     A C EⓃI
  R    S  H     A C E N IⒼ
  RⓍS  H     A C E N I G
ⓂR X S  H     A C E N I G
M R X S  H  ⓅA C E N I G
M R X S  HⓁP A C E N I G
```

```
0  1  2  3  4  5  6  7  8  9 10 11 12
```

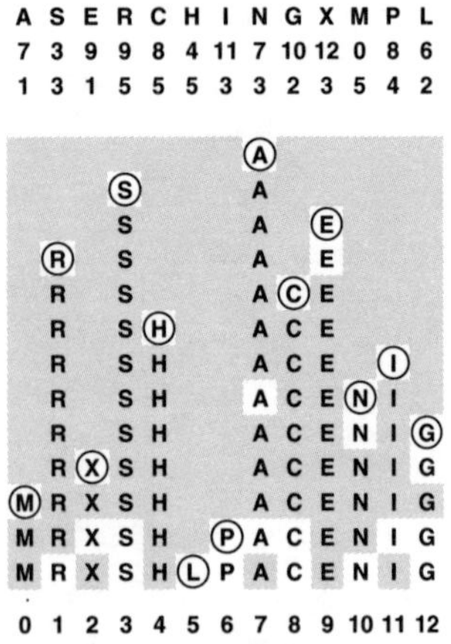

Figura 14.9
Hashing doppio

Questo diagramma mostra il processo di inserimento delle chiavi A S E R C H I N G X M P L in una tabella inizialmente vuota che usa l'indirizzamento aperto con i valori di hash indicati in alto e con risoluzione delle collisioni tramite hashing doppio. I due valori di hash di ciascuna chiave appaiono nelle due righe sotto di essa. Come nella Figura 14.7, le posizioni sondate della tabella sono in sfondo chiaro. Similmente a quanto mostrato nella Figura 14.7, A va in posizione 7, S va in posizione 3, E va in posizione 9, ma R in posizione 1 dopo una collisione in posizione 9, usando il secondo valore di hash 5 per l'incremento dopo la collisione. Analogamente, P va in posizione 6 dopo collisioni alle posizioni 8, 12, 3, 7, 11, 2 usando il suo secondo valore di hash 4 come incremento.

Programma 14.6   Hashing doppio

L'hashing doppio è simile alla scansione lineare, tranne che per l'uso di una seconda funzione di hash per determinare l'incremento da usare nella ricerca dopo ogni collisione. L'incremento deve essere maggiore di 0 e deve essere primo rispetto alla dimensione della tabella. Il metodo remove per la scansione lineare (Programma 14.5) non funziona con l'hashing doppio, perché ogni chiave potrebbe trovarsi in diverse sequenze di sondaggi.

```
void insert(ITEM x)
  { KEY key = x.key();
    int i = hash(key, M); int k = hashtwo(key);
    while (st[i] != null) i = (i+k) % M;
    st[i] = x; N++;
  }
ITEM search(KEY key)
  { int i = hash(key, M); int k = hashtwo(key);
    while (st[i] != null)
      if (equals(key, st[i].key())) return st[i];
      else i = (i+k) % M;
    return null;
  }
```

hash restituisca 0, onde evitare di entrare in un ciclo infinito a seguito di una qualsiasi collisione. Poi, è importante che il valore della seconda funzione di hash e la dimensione della tabella siano numeri primi fra loro, per evitare di generare sequenze troppo corte (basti considerare il caso in cui la dimensione della tabella è pari al doppio del valore fornito dalla seconda funzione di hash). Questa condizione può essere facilmente soddisfatta prendendo M primo e scegliendo una seconda funzione di hash che restituisca sempre un valore minore di M. Una scelta semplice e pratica per la seconda funzione di hash, quando la tabella non è piccola, è la seguente:

```
static int hashtwo(int v) { return (v % 97) + 1; }
```

Inoltre, nella pratica, ogni perdita di efficienza dovuta a questa semplificazione sarà verosimilmente irrilevante. Se abbiamo a che fare con tabelle molto grandi e sparse, la loro dimensione non deve necessariamente essere un numero primo, poiché saranno sufficienti solo alcuni sondaggi in ogni ricerca (anche se potrebbe essere conveniente controllare ed, even-

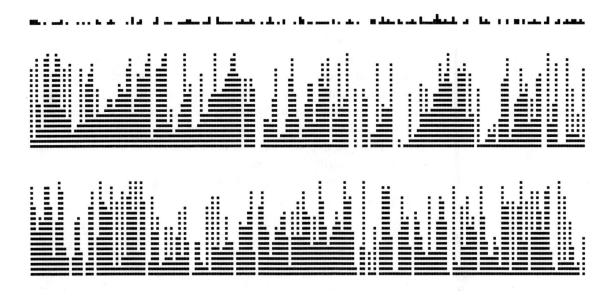

tualmente, interrompere ricerche molto lunghe per evitare cicli infiniti come nell'Esercizio 14.38).

La Figura 14.9 mostra il processo di costruzione di una tabella di piccole dimensioni con hashing doppio, mentre la Figura 14.10 mostra che l'hashing doppio fa ottenere molti più cluster (che sono perciò molto più piccoli) di quelli ottenuti dalla scansione lineare.

Proprietà 14.4 *Quando le collisioni sono risolte con hashing doppio, il numero medio di scansioni richieste da una ricerca in una tabella hash di dimensione M contenente N = αM chiavi è pari a*

$$\frac{1}{\alpha} \ln\left(\frac{1}{1-\alpha}\right)$$

per una search hit e a

$$\frac{1}{1-\alpha}$$

per una search miss.

Queste formule sono il risultato di una complessa analisi matematica portata a termine da Guibas e Szemeredi (si vedano i riferimenti bibliografici). La dimostrazione si basa sul fatto che l'hashing doppio è quasi equivalente a un algoritmo di *hashing randomizzato* più complesso in cui viene usata una sequenza di sondaggi dipendente dalle chiavi, e

**Figura 14.10
Clustering**

Questi diagrammi mostrano la disposizione dei record durante il loro inserimento in una tabella hash usando scansione lineare (al centro) e hashing doppio (in basso) con la distribuzione dei valori delle chiavi mostrata in alto. Ogni riga mostra il risultato dell'inserimento di 10 record. Man mano che la tabella si riempie, i record tendono a raggrupparsi in sequenze separate da posizioni vuote. Cluster di grandi dimensioni sono indesiderabili, poiché il costo medio della ricerca della chiave in un cluster è proporzionale alla dimensione del cluster. Con la scansione lineare i cluster grandi sono quelli che più verosimilmente cresceranno di dimensione, quindi verranno a formarsi tendenzialmente pochi cluster di grandi dimensioni. Con l'hashing doppio questo effetto è meno pronunciato e i cluster rimangono relativamente piccoli.

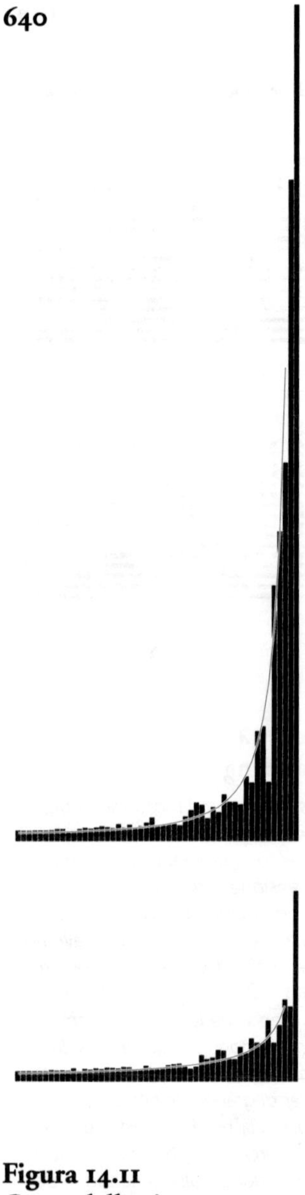

dove ciascun sondaggio ha pari probabilità di passare su ciascuna delle posizioni. Questo algoritmo, per varie ragioni, è solo un'approssimazione dell'hashing doppio. Ad esempio, nell'hashing doppio cerchiamo di assicurare di sondare ogni posizione della tabella una volta, mentre questo hashing randomizzato potrebbe esaminare più volte la stessa posizione. Comunque sia, per tabelle sparse le probabilità di collisione dei due metodi sono simili. Siamo, in realtà, interessati a entrambi i metodi: l'hashing doppio è facile da implementare, mentre l'hashing randomizzato è facile da analizzare.

Il costo medio di una search miss per l'algoritmo di hashing randomizzato è dato dall'equazione

$$1 + \frac{N}{M} + \left(\frac{N}{M}\right)^2 + \left(\frac{N}{M}\right)^3 + \ldots = \frac{1}{1 - (N/M)} = \frac{1}{1 - \alpha}.$$

L'espressione sulla sinistra è la somma della probabilità che la search miss usi più di k sondaggi, per $k = 0, 1, 2, \ldots$ (ed è uguale alla media della teoria elementare della probabilità). Una ricerca esegue sempre almeno un sondaggio, esegue un secondo sondaggio con probabilità N/M, un terzo sondaggio con probabilità $(N/M)^2$, ecc. Possiamo impiegare questa formula anche per calcolare la seguente approssimazione del costo medio di una search hit in una tabella con N chiavi:

$$\frac{1}{N}\left(1 + \frac{1}{1 - (1/M)} + \frac{1}{1 - (2/M)} + \ldots + \frac{1}{1 - ((N-1)/M)}\right).$$

Ogni chiave nella tabella ha la stessa probabilità di essere esaminata; il costo della ricerca con esito positivo di una chiave è lo stesso di quello del suo inserimento, e il costo dell'inserimento della j-esima chiave è pari a quello di una ricerca con esito negativo in una tabella di $j-1$ chiavi. Quindi, la formula sopra rappresenta la media di questi costi. Ora, possiamo semplificare la somma moltiplicando numeratore e denominatore di ciascuna frazione per M:

$$\frac{1}{N}\left(1 + \frac{M}{M-1} + \frac{M}{M-2} + \ldots + \frac{M}{M-N+1}\right).$$

Semplificando ulteriormente otteniamo

$$\frac{M}{N}(H_M - H_{M-N}) \approx \frac{1}{\alpha}\ln\left(\frac{1}{1-\alpha}\right),$$

dato che $H_M \approx \ln M$. ∎

La relazione dimostrata da Guibas e Szemeredi fra le prestazioni dell'hashing doppio e quelle dell'hashing randomizzato è di tipo asin-

---

Figura 14.11
Costo della ricerca con indirizzamento aperto

Questi diagrammi mostrano i costi della costruzione di una tabella hash di dimensione 1000 per inserimento di chiavi in una tabella inizialmente vuota che usa scansione lineare (in alto) e hashing doppio (in basso). Ogni barra rappresenta il costo di 20 chiavi. Le curve grigie rappresentano il costo previsto dall'analisi teorica (Proprietà 14.3 e 14.4).

totico, e non è necessariamente rilevante per tabelle di dimensione fissata. Inoltre, tale risultato si basa sull'asserzione che la funzione di hash restituisca valori casuali. Comunque sia, le formule asintotiche della Proprietà 14.4 risultano essere predittori accurati delle prestazioni pratiche dell'hashing doppio, anche quando usiamo una seconda funzione di hash facile da calcolare, come ad esempio (v % 97)+1. Come per le corrispondenti formule della scansione lineare, queste formule divergono quando α tende a 1, anche se in questo caso la velocità di crescita è molto più lenta.

Il confronto fra scansione lineare e hashing doppio è illustrato chiaramente nella Figura 14.11. Le prestazioni dei due metodi sono simili nel caso di tabelle sparse, anche se per l'hashing doppio possiamo gestire convenientemente anche tabelle con fattori di carico elevati. La tabella seguente indica il numero medio di sondaggi effettuati da search hit e search miss usando l'hashing doppio:

fattore di carico (α)	1/2	2/3	3/4	9/10
search hit	1.4	1.6	1.8	2.6
search miss	1.5	2.0	3.0	5.5

Le search miss sono sempre più costose delle search hit. Entrambe richiedono mediamente solo alcuni sondaggi, anche su tabelle piene al 90 per cento.

Guardando gli stessi risultati da una prospettiva diversa, l'hashing doppio ci consente, a parità di tempi medi di ricerca, di usare tabelle più piccole di quelle usate dalla scansione lineare.

Proprietà 14.5 *Possiamo garantire che il costo medio delle ricerche sia minore di t sondaggi se manteniamo il fattore di carico minore di $1 - 1/\sqrt{t}$ per la scansione lineare, e minore di $1 - 1/t$ per l'hashing doppio.*

Per ottenere queste formule basta eguagliare a t le espressioni per le search miss delle Proprietà 14.3 e 14.4 e risolvere rispetto ad α. ∎

Ad esempio, per assicurare che il numero medio di sondaggi di una ricerca sia minore di 10, basta mantenere la tabella almeno il 32 per cento vuota per la scansione lineare e almeno il 10 per cento vuota per l'hashing doppio. Se dobbiamo elaborare 10^5 elementi e vogliamo essere in grado di eseguire search miss con meno di 10 sondaggi, abbiamo bisogno di spazio per soli 10^4 elementi ulteriori. Per contro, il metodo delle concatenazioni separate richiede più di 10^5 link, mentre i BST ne richiederebbero addirittura il doppio.

Il metodo adottato nel Programma 14.5 per implementare l'operazione di cancellazione (ricalcolare i valori di hash delle chiavi che possono avere un cammino di ricerca contenente l'elemento da cancellare) non funziona più per l'hashing doppio, poiché la chiave cancellata potrebbe trovarsi in diverse sequenze di sondaggi relative a chiavi diverse. Dobbiamo, quindi, affidarci all'altro metodo considerato alla fine del Paragrafo 12.3: sostituiamo l'elemento cancellato con una sentinella che segna la posizione come occupata ma senza corrispondere ad alcuna chiave (Esercizio 14.33).

Come per la scansione lineare, l'hashing doppio non rappresenta una base adeguata per implementare l'intero insieme di operazioni dell'ADT tabella di simboli, insieme che include anche selezione e ordinamento.

Esercizi

▷ **14.31** Date il contenuto della tabella hash risultante dall'inserimento delle chiavi E A S Y Q U T I O N (in quest'ordine) in una tabella inizialmente vuota di dimensione $M = 16$ usando l'hashing doppio. Considerate la funzione di hash $11k \bmod M$ per il sondaggio iniziale e $(k \bmod 3) + 1$ come seconda funzione di hash per l'incremento (qui la chiave è la k-esima lettera dell'alfabeto).

▷ **14.32** Rispondete all'Esercizio 14.31 con $M = 10$.

14.33 Implementate l'operazione di cancellazione per l'hashing doppio, usando una chiave sentinella.

14.34 Modificate la vostra soluzione all'Esercizio 14.27 in modo da usare l'hashing doppio.

14.35 Modificate la vostra soluzione all'Esercizio 14.28 in modo da usare l'hashing doppio.

14.36 Modificate la vostra soluzione all'Esercizio 14.29 in modo da usare l'hashing doppio.

○ **14.37** Implementate un algoritmo che approssimi l'hashing randomizzato dando la chiave come seme di un generatore di numeri casuali in-line (come per il Programma 14.2).

14.38 Supponente che una tabella di dimensione 10^6 sia mezza piena e che le posizioni occupate siano state scelte in modo casuale. Stimate la probabilità che tutte le posizioni con indice divisibile per 100 siano occupate.

▷ **14.39** Supponete che il vostro codice dell'hashing doppio abbia un errore per cui una o entrambe le funzioni di hash restituiscano sempre lo stesso valore (diverso da 0). Descrivete ciò che succede in ciascuna delle seguenti situazioni: (1) la prima delle due funzioni è errata; (2) la seconda delle due funzioni è errata; (3) entrambe le funzioni sono errate.

14.5 Tabelle hash dinamiche

Quando il numero di chiavi nella tabella cresce, le prestazioni delle ricerche tendono a peggiorare. Con le concatenazioni separate il tempo di ricerca cresce gradualmente (quando il numero di chiavi nella tabella raddoppia, il tempo di ricerca tende a raddoppiare). Lo stesso vale per i metodi di indirizzamento aperto, come la scansione lineare e l'hashing doppio su tabelle sparse, anche se il costo qui tende a crescere molto più rapidamente man mano che la tabella si riempie. Nel caso estremo, raggiungiamo addirittura un punto in cui non è più possibile eseguire inserimenti. La situazione è in netto contrasto con ciò che accade con gli alberi di ricerca, che sono in grado di gestire in modo naturale la crescita della tabella. Ad esempio, in un albero red-black, il co-

---

Programma 14.7 Inserimento in tabelle hash dinamiche (con scansione lineare)

Quest'implementazione di insert per scansione lineare (si veda il Programma 14.4) gestisce un numero arbitrario di chiavi raddoppiando la dimensione della tabella tutte le volte che essa diventa mezza piena (lo stesso approccio può essere adottato per l'hashing doppio o nel caso di concatenazioni separate). Il raddoppio richiede di allocare memoria per la nuova tabella, ricalcolando i valori di hashing per tutte le chiavi contenute nella tabella vecchia.

```
private ITEM[] st;
private int N, M;
ST(int maxN)
   { N = 0; M = 4; st = newITEM[M]; }
private void expand()
   {
    ITEM[] t = st;
    N = 0; M = M+M; st = new ITEM[M];
    for (int i = 0; i < M/2; i++)
      if (t[i] != null) insert(t[i]);
   }
void insert(ITEM x)
   { int i = hash(x.key(), M);
     while (st[i] != null) i = (i+1) % M;
     st[i] = x;
     if (N++ >= M/2) expand();
   }
```

**Figura 14.12
Espansione di una tabella
hash dinamica**

Questo diagramma mostra il processo di inserimento delle chiavi A S E R C H I N G X M P L in una tabella hash dinamica che si espande raddoppiando la dimensione, usando i valori di hash indicati in alto e risolvendo le collisioni per scansione lineare. Le quattro righe sotto le chiavi forniscono i valori di hash quando la dimensione della tabella è 4, 8, 16, 32. La tabella inizia con la dimensione 4, raddoppia a 8 per E, a 16 per C e a 32 per G. Tutte le chiavi sono reinserite con nuovi valori di hash quando la dimensione raddoppia. Tutti gli inserimenti vengono effettuati su tabelle sparse (piene per meno di un quarto per il reinserimento, fra un quarto e un mezzo altrimenti). Quindi, il numero di collisioni è modesto.

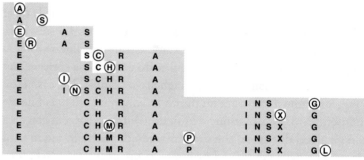

sto della ricerca aumenta solo di un confronto quando il numero di nodi dell'albero raddoppia.

Un modo per realizzare la crescita di una tabella hash è quella di raddoppiare la sua dimensione quando la tabella inizia a riempirsi. Raddoppiare la tabella è un'operazione costosa, poiché tutti gli elementi della tabella devono essere reinseriti, anche se si tratta di un'operazione poco frequente. Il Programma 14.7 è un'implementazione della crescita per raddoppio nel caso di scansione lineare. Un esempio è illustrato nella Figura 14.12. La stessa soluzione funziona anche per l'hashing doppio, e la stessa idea di base si applica anche alle concatenazioni separate (Esercizio 14.46). Ogni volta che la tabella si riempie per almeno metà ne raddoppiamo la dimensione. Dopo la prima espansione, la tabella avrà un fattore di carico fra un quarto e un mezzo, quindi il costo medio della ricerca è inferiore a tre sondaggi. Inoltre, sebbene l'operazione di ricostruzione della tabella sia costosa, essa deve essere effettuata così di rado da rappresentare solo una frazione costante del costo totale della costruzione della tabella.

Un altro modo per esprimere questo concetto è dire che il costo medio *per inserimento* è minore di 4 sondaggi. Questa asserzione non equivale a dire che ogni inserimento richiede in media meno di 4 sondaggi. Sappiamo, infatti, che quegli inserimenti che causano il raddoppio delle dimensioni della tabella richiedono molti più sondaggi. Quest'argomentazione è un semplice esempio di *analisi ammortizzata*. Non possiamo garantire che tutte le operazioni siano veloci per questo algoritmo, ma solo che il costo medio per operazione sarà basso.

Anche se il costo totale è contenuto, l'andamento delle prestazioni per l'operazione di inserimento è piuttosto irregolare: molte operazioni sono estremamente veloci, ma alcune di esse, eseguite di rado, richiederanno tempo simile a quello totale di costruzione della tabella fino a quel punto. Durante la crescita della tabella da mille chiavi a un milione di chiavi, queste operazioni costose capitano solo 10 volte. Questo tipo di prestazioni è accettabile in molte applicazioni, ma potrebbe non essere adeguato quando sono necessarie garanzie sulle prestazioni assolute. Ad esempio, mentre una banca o una compagnia aerea potrebbero sopportare le conseguenze di tenere un cliente in attesa per così tanto tempo, se ciò capita 10 volte su 1 milione, lo stesso andamento dei tempi di attesa sarebbe catastrofico in un sistema di elaborazione on-line di transazioni finanziarie o in un sistema di controllo del traffico aereo.

Se supportiamo l'operazione di cancellazione, potrebbe anche essere utile far sì che la tabella possa ridursi di dimensione (Esercizio 14.44). Bisogna però prestare attenzione al fatto di tenere separate le soglie per la modifica della dimensione (quella relativa alla riduzione da quella relativa all'aumento), poiché altrimenti un modesto numero di inserimenti e cancellazioni potrebbe causare sequenze di raddoppi e dimezzamenti, anche per tabelle di grandi dimensioni.

Proprietà 14.6 *Una sequenza di t operazioni fra ricerche, inserimenti e cancellazioni, può essere eseguita in tempo proporzionale a t e usando sempre una quantità di memoria al più pari a una costante moltiplicata per il numero di chiavi nella tabella.*

Usiamo la scansione lineare con crescita per raddoppio tutte le volte che un inserimento fa in modo che il numero di chiavi sia la metà della dimensione della tabella, dimezzando la tabella tutte le volte che una cancellazione fa sì che il numero delle chiavi sia al più 1/8 della dimensione della tabella. In entrambi i casi, dopo che la tabella si trova ad avere dimensione N, avrà anche $N/4$ chiavi. Quindi, dovranno essere eseguite $N/4$ operazioni di inserimento prima che la tabella raddoppi nuovamente (per reinserimento di $N/2$ chiavi in una tabella di dimensione $2N$), e $N/8$ operazioni di cancellazione prima che la tabella venga dimezzata di nuovo (per reinserimento di $N/8$ chiavi in una tabella di dimensione $N/2$). In entrambi i casi, il numero di chiavi reinserite è al più pari al doppio del numero di operazioni eseguite per portare la tabella al punto in cui deve essere ricostruita, quindi il costo totale è lineare. Inoltre, la tabella risulta avere un fattore di carico fra 1/8 e 1/4 (si veda la Figura 14.13), quindi, in base alla Proprietà 14.4, il numero medio di sondaggi per operazione è minore di 3. ∎

**Figura 14.13
Hashing dinamico**

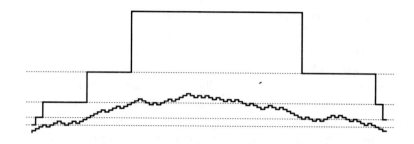

Questo diagramma mostra il numero di chiavi nella tabella (in basso) e la dimensione della tabella (in alto) quando inseriamo e cancelliamo chiavi da una tabella hash dinamica, utilizzando un algoritmo che raddoppia la tabella quando un inserimento la rende mezza piena e la dimezza quando una cancellazione la rende piena per un ottavo. La dimensione della tabella è inizializzata a 4 ed è sempre pari a una potenza di 2 (le linee punteggiate indicano le potenze di 2). La dimensione della tabella cambia quando la curva indicante il numero di chiavi incrocia una linea punteggiata per la prima volta dopo aver incrociato una linea punteggiata differente. Il fattore di carico della tabella è sempre compreso fra un ottavo e un mezzo.

Questo metodo è adatto come implementazione di una tabella di simboli per una libreria di uso generale (in cui non si hanno informazioni sull'uso fatto della tabella), dato che il metodo è in grado di gestire tabelle di tutte le dimensioni in modo ragionevole. Il principale inconveniente è rappresentato dal costo della ridistribuzione degli elementi nella nuova tabella e da quello relativo all'allocazione di memoria (quando la tabella varia in dimensione). Nei casi tipici, in cui le operazioni di ricerca sono dominanti, la garanzia sul fatto che la tabella sia sparsa fa ottenere prestazioni eccellenti. Nel Capitolo 16, considereremo un approccio alternativo che evita di dover calcolare nuovi valori di hash e che si dimostra adeguato per tabelle di grandissime dimensioni allocate su dispositivi esterni.

Esercizi

▷ **14.40** Fornite il contenuto della tabella hash risultante dall'inserimento delle chiavi E A S Y Q U T I O N (in quest'ordine) in una tabella inizialmente vuota di dimensione $M = 4$ che si espande raddoppiando la dimensione quando è mezza piena e dove le collisioni sono risolte per scansione lineare. Usate la funzione di hash $11k \bmod M$ per trasformare la k-esima lettera dell'alfabeto in un indice della tabella.

14.41 È più efficiente espandere una tabella hash triplicando (invece che raddoppiando) la dimensione quando è mezza piena?

14.42 È più efficiente espandere una tabella hash triplicando la dimensione quando è piena per un terzo (invece che raddoppiarla quando è mezza piena)?

14.43 È più efficiente espandere una tabella hash raddoppiando la dimensione quando è piena per tre quarti (invece che piena per metà)?

14.44 Aggiungete al Programma 14.7 un metodo che cancelli un elemento come nel Programma 14.4, ma che contragga la tabella anche dimezzandola, se la cancellazione lascia la tabella vuota per 7/8.

○ **14.45** Implementate una versione del Programma 14.7 per il metodo delle concatenazioni separate che aumenti la dimensione della tabella di un fattore 10 tutte le volte che la lunghezza media delle liste è uguale a 10.

14.46 Modificate il Programma 14.7 e la vostra implementazione per l'Esercizio 14.44 in modo da usare l'hashing doppio con cancellazione pigra (si veda l'Esercizio 14.33). Fate in modo che il vostro programma tenga conto del numero di elementi fittizi, così come del numero di posizioni libere, per decidere se espandere o contrarre la tabella.

14.47 Sviluppate un'implementazione di una tabella di simboli usando tabelle dinamiche con scansione lineare. L'implementazione deve includere un metodo `clone` e supportare operazioni di costruzione, conteggio, ricerca, inserimento, cancellazione e unione per un ADT tabella di simboli che consenta handle dei programmi client (si vedano gli Esercizi 12.6 e 12.7).

14.6 Prospettive

Come abbiamo osservato, la scelta del metodo di hashing adatto alla particolare applicazione dipende da diversi fattori. Tutti i metodi sono in grado di ridurre la ricerca e l'inserimento in una tabella di simboli a operazioni in tempo costante, e tutti sono utili per un'ampia varietà di applicazioni. In modo approssimativo, possiamo caratterizzare i tre metodi principali (scansione lineare, hashing doppio e concatenazioni separate) come segue: la scansione lineare è il più rapido dei tre (se abbiamo abbastanza memoria per assicurare che la tabella sia sparsa), l'hashing doppio fa un uso più efficiente della memoria (ma richiede tempo ulteriore per calcolare la seconda funzione di hash), le concatenazioni separate sono il metodo più semplice da implementare (purché si abbia a disposizione un buon allocatore di memoria). La Tabella 14.1 presenta rilievi empirici e commenti relativi alle prestazioni di vari algoritmi di hashing.

La scelta fra scansione lineare e hashing doppio dipende principalmente dal costo del calcolo della funzione di hash e dal fattore di carico della tabella. Per tabelle sparse (α piccolo), entrambi i metodi usano solo alcune scansioni, ma l'hashing doppio potrebbe impiegare tempo maggiore perché deve calcolare due funzioni di hash, magari su chiavi lunghe. Quando invece α è prossimo a 1, l'hashing doppio supera di gran lunga la scansione lineare (Figura 14.11).

Il confronto tra scansione lineare e hashing doppio con il metodo delle concatenazioni separate è più complicato, poiché dobbiamo tener conto in modo preciso dell'uso della memoria. Le concatenazioni

Tabella 14.1 Studio empirico di implementazioni di tabelle hash

La tabella indica i tempi relativi per la costruzione e la ricerca in tabelle di simboli con chiavi casuali intere a 32 bit. I tempi confermano che i metodi di hashing sono significativamente più rapidi degli alberi di ricerca quando le chiavi sono facilmente trasformabili in indirizzi di tabella. Fra i metodi di hashing, l'hashing doppio è più lento delle concatenazioni separate e della scansione lineare su tabelle sparse (a causa del costo dovuto al calcolo della seconda funzione di hash), ma è molto più rapido della scansione lineare quando la tabella tende a riempirsi, e tra l'altro è l'unico dei tre metodi che offre ricerche veloci usando solo una modesta quantità di memoria aggiuntiva. Le tabelle hash dinamiche costruite per scansione lineare ed espanse raddoppiando la dimensione sono più costose di altre tabelle per l'inefficienza introdotta dal meccanismo di allocazione di memoria e per il calcolo di nuovi valori di hash, ma conducono certamente a tempi di ricerca più contenuti. Le tabelle dinamiche sono senz'altro il metodo da scegliere quando le operazioni di ricerca predominano e il numero di chiavi non è prevedibile con precisione.

	costruzione					search miss				
N	R	H	P	D	P*	R	H	P	D	P*
1250	7	13	19	11	2	3	2	1	1	1
2500	13	16	18	16	3	8	2	1	2	1
5000	22	16	25	10	5	19	7	3	3	3
12500	100	29	35	16	14	58	10	8	8	7
25000	201	41	31	29	45	145	25	18	19	17
50000	836	82	69	53	90	365	81	39	42	41
100000	1137	183	64	76	195	811	261	100	107	91
150000		303	110	166	385		591	248	216	135
160000		316	123	180	393		651	320	252	145
170000		325	143	190	386		773	455	298	157
180000		329	210	164	403		857	652	375	171
190000		429	259	187	424		948	1337	492	183
200000	2614	457			442	2058	997			196

Legenda:

R BST red-black (Programmi 12.5 e 13.6)
H Concatenazioni separate (Programma 14.3 con dimensione di tabella 20000)
P Scansione lineare (Programma 14.4 con dimensione di tabella 200000)
D Hashing doppio (Programma 14.6 con dimensione di tabella 200000)
P* Scansione lineare con espansione per raddoppio della tabella (Programma 14.7)

separate usano memoria extra per i link, mentre i metodi di indirizzamento aperto usano memoria extra in modo implicito all'interno della tabella per arrestare le sequenze di sondaggi. Il seguente esempio concreto servirà a illustrare la situazione. Si supponga di avere una tabella di M liste concatenate, che la lunghezza media delle liste sia 4, e che gli elementi e i link occupino entrambi una parola della macchina (quest'ultima ipotesi è giustificata, in molti casi, perché se gli elementi fossero molto più grandi li sostituiremmo con puntatori a record). Con queste assunzioni la tabella usa $9M$ parole della macchina ($4M$ per i record e $5M$ per i link) e fa ottenere un tempo medio di ricerca di 2 sondaggi. La scansione lineare su $4M$ elementi in una tabella di dimensione $9M$ richiede solo $(1 + 1/(1 - 4/9))/2 = 1.4$ sondaggi per una search hit, il 30 per cento meno di quanto ottenuto con le concatenazioni separate usando la stessa quantità di memoria. La scansione lineare su $4M$ elementi in una tabella di dimensione $6M$ richiede in media 2 sondaggi per una search hit, e quindi usa il 33 per cento della memoria in meno delle concatenazioni separate per ottenere le stesse prestazioni di tempo. Inoltre, possiamo usare un metodo dinamico, come il Programma 14.7, per assicurare che la tabella cresca rimanendo sparsa.

Quest'argomentazione indica che di solito non è giustificato scegliere il metodo delle concatenazioni separate rispetto ai metodi di indirizzamento aperto sulla base delle prestazioni. In effetti, però, il metodo delle concatenazioni separate con M fissato viene spesso scelto per un insieme di altre ragioni: è facile da implementare (in particolare la cancellazione); richiede poca memoria extra per gli elementi che hanno campi preallocati per i link da usare in tabelle di simboli e altri ADT; sebbene le prestazioni vadano peggiorando man mano che il numero di elementi della tabella cresce, questo peggioramento è progressivo e ha luogo in un modo che difficilmente potrà nuocere all'applicazione, poiché è sempre più veloce della ricerca sequenziale di un fattore M.

Molti altri metodi di hashing sono stati sviluppati per applicazioni in situazioni particolari. Non li trattiamo approfonditamente, ma facciamo una rapida menzione di tre di essi, al solo scopo di illustrare la natura dei metodi di hashing speciali.

Certi metodi spostano alcuni elementi durante l'inserimento in un hashing doppio, in modo da migliorare le prestazioni delle successive ricerche. In effetti, esiste un metodo, sviluppato da R. P. Brent (si vedano i riferimenti bibliografici), per il quale il tempo medio associato a una ricerca con successo può essere limitato da una costante, anche per tabelle piene, fornendo un procedimento estremamente utile in applicazioni in cui le search hit sono dominanti.

Un altro metodo, chiamato *hashing ordinato*, sfrutta l'ordinamento presente in una tabella a indirizzamento aperto per rendere il costo di una ricerca infruttuosa vicino a quello di una ricerca con successo. Nella scansione lineare standard la ricerca termina una volta trovati o una posizione libera nella tabella o un elemento con chiave uguale a quella di ricerca. Nell'hashing ordinato, la ricerca si interrompe quando troviamo una chiave maggiore o uguale a quella di ricerca (la tabella deve essere costruita in modo da far funzionare questo ragionamento). In tal modo, il tempo per una search hit risulta essere ridotto (rimandiamo il lettore ai riferimenti bibliografici). Tale procedimento è utile in applicazioni con frequenti ricerche con esito negativo. Si tratta di un miglioramento che potrebbe essere assimilato a quello che si consegue mantenendo liste ordinate nello schema a concatenazioni separate.

Una tabella di simboli con search miss veloci e search hit più lente può, ad esempio, essere impiegata per implementare un dizionario delle eccezioni. Un sistema di elaborazione di testi potrebbe avere un algoritmo per la sillabazione che funziona bene nella maggior parte dei casi, ma non in casi bizzarri. La situazione potrebbe essere gestita confrontando tutte le parole del testo con quelle contenute in un dizionario delle eccezioni relativamente piccolo e da organizzare in un modo speciale, per il quale la maggior parte delle ricerche risulterebbe infruttuosa.

Questi sono solo alcuni esempi scelti tra un gran numero di miglioramenti che sono stati suggeriti per l'hashing. Molti di questi sono interessanti e hanno importanti applicazioni. A ogni modo, si dovrebbe usare la solita cautela prima di lanciarsi nell'utilizzo di metodi avanzati, a meno di non essere particolarmente esperti o di avere a che fare con applicazioni estremamente importanti. Gli algoritmi presentati in questo capitolo (concatenazioni separate, scansione lineare, hashing doppio) sono infatti semplici, efficienti e adeguati alla maggior parte dei casi.

Il problema di implementare un dizionario delle eccezioni è un esempio di applicazione in cui possiamo riscrivere il nostro algoritmo in modo da ottimizzare le prestazioni dell'operazione più frequente (una search miss, in questo caso). Supponiamo, ad esempio, di avere un dizionario delle eccezioni con 1000 elementi, di dover effettuare 1 milione di ricerche nel dizionario, e di aspettarci che quasi tutte le ricerche abbiano esito negativo. Questa è una situazione che potrebbe capitare quando gli elementi rappresentano parole inglesi poco comuni o interi casuali a 32 bit. Un modo di procedere è quello di trasformare tutte le parole in valori di hash a 15 bit (tabella di dimensione circa pari a 2^{16}). Le 1000 eccezioni occupano 1/64 della tabella, e la maggior parte delle ricerche termina immediatamente con esito negativo, trovando una posizione libera al primo sondaggio. D'altra parte, se la tabella contiene parole di 32 bit, possiamo fare molto meglio, trasformandola in una tabella di "eccezioni di bit" e usando valori di hash di 20 bit ciascuno. Se abbiamo una search miss (come accade la maggior parte delle volte), terminiamo la ricerca con il test di un bit. Una search hit richiederà un test secondario in una tabella più piccola. Le eccezioni occupano 1/1000 della tabella, le search miss sono le operazioni di gran lunga più frequenti, e completiamo le operazioni con 1 milione di test di bit. Questa soluzione sfrutta l'idea di base secondo la quale una funzione di hash produce un breve "certificato" rappresentante la chiave, un concetto essenziale che si rivela utile anche in applicazioni diverse dalle implementazioni delle tabelle di simboli.

In molte applicazioni, si preferisce utilizzare una tecnica di hashing piuttosto che ricorrere a una delle strutture basate su alberi binari introdotte nei Capitoli 12 e 13, in quanto è una tecnica piuttosto semplice che consente di ottenere tempi di ricerca ottimali (costanti), purché le chiavi siano di tipo standard o siano sufficientemente semplici da potersi fidare delle funzioni di hash che siamo in grado di predisporre per esse. Gli alberi binari hanno il vantaggio di essere dinamici (non è necessario conoscere a priori alcuna informazione sul numero di elementi da inserire), sono in grado di garantire buone prestazioni anche nel caso peggiore (persino il migliore algoritmo di hashing potrebbe finire per trasformare tutte le chiavi nello stesso indirizzo) e supportano un gran numero di operazioni (le più importanti sono quelle di selezione e di ordinamento). Quando questi fattori non sono importanti, l'hashing è certamente il metodo di ricerca da scegliere. Se però le chiavi di ricerca sono stringhe abbastanza lunghe, possiamo fare anche di meglio, come vedremo nel Capitolo 15.

Esercizi

▷ **14.48** Avendo 1 milione di chiavi intere, calcolate la dimensione della tabella hash che fa sì che ciascuno dei tre metodi di hashing (concatenazioni separate, scansione lineare e hashing doppio) esegua in media lo stesso numero di confronti di chiavi di quello eseguito su un BST per una search miss. Contate il calcolo della funzione di hash come un confronto.

▷ **14.49** Avendo 1 milione di chiavi intere, calcolate il numero medio di confronti eseguiti da ciascuno dei tre metodi di hashing (concatenazioni separate, scansione lineare e hashing doppio) per una search miss, quando tali metodi possono usare un totale di 3 milioni di parole di memoria (la quantità di memoria occupata da un BST in questa situazione).

▷ **14.50** Implementate un ADT tabella di simboli con search miss veloci (come descritto nel testo), usando il metodo delle concatenazioni separate per il test secondario.

14.51 Eseguite studi empirici producendo una tabella, come la Tabella 14.1, che confronti la scansione lineare con crescita per raddoppio con la classe Java `Hashtable`.

CAPITOLO QUINDICI

Ricerca digitale

N UMEROSI METODI DI RICERCA procedono esaminando le
chiavi di ricerca un piccolo pezzo alla volta, piuttosto che usare
confronti completi tra le chiavi a ogni passo. Questi metodi, chiamati
metodi di *ricerca digitale*, operano in modo del tutto analogo ai metodi di ordinamento digitale che abbiamo trattato nel Capitolo 10. Sono
utili quando le singole componenti delle chiavi di ricerca sono facilmente
accessibili e possono dare soluzioni efficienti a una vasta gamma di problemi pratici di ricerca.

Facciamo riferimento allo stesso modello astratto che abbiamo usato nel Capitolo 10: a seconda del contesto, una *chiave* può essere una *parola* (una sequenza di byte di lunghezza fissa) o una *stringa* (una sequenza di byte di lunghezza variabile). Trattiamo le chiavi, che sono parole,
come numeri rappresentati in un sistema di numerazione in base *R*, per
vari valori di *R* (la *radice*), e lavoriamo con le singole cifre dei numeri.
Possiamo vedere le stringhe come numeri di lunghezza variabile che terminano con un simbolo speciale in modo che, sia per chiavi a lunghezza fissa che variabile, possiamo basare tutti i nostri algoritmi sull'operazione astratta "estrarre l' *i*-esima cifra da una chiave" (convenendo di trattare opportunamente il caso in cui la chiave abbia meno di *i* cifre).

Di conseguenza, tutte le nostre implementazioni sono basate sul
metodo statico a due parametri `digit` del Capitolo 10, che implementa quest'operazione. Per chiarezza, usiamo il nome `bit` quando *R* è uguale a 2.

Questo assunto ci consente di gestire chiavi ed elementi complessi
definendo classi appropriate, ma anche di gestire chiavi semplici definendo in modo opportuno in metodi `digit` e `bit` per tipi predefiniti.
Ad esempio, per chiavi intere potremmo sostituire `KEY` con `int` nel codice e aggiungere a tutte le classi il codice seguente

Prográmma 15.1　Tipo chiave binaria

Questo codice estende una classe chiave come quella del Programma 12.2 (che definisce chiavi a valori interi) per fornire metodi digitali (*radix*) con accesso ai bit delle chiavi. Esso fornisce un metodo `bit` che restituisce il bit indicato della chiave (un intero che vale 0 o 1), le costanti `bitsword` ed `R`, e un metodo `toString` che restituisce una rappresentazione della chiave come stringa di bit.

```
class bitsKey extends myKey
  {
    public final static int bitsword = 31;
    public final static int R = 2;
    public int bit(int B)
      { return (val >> (bitsword-B-1)) & 1; }
    public String toString()
      { String s = "";
        for (int i = 0; i < bitsword; i++)
          s = s + bit(i);
        return s;
      }
  }
```

```
private final static int bitsword = 31;
private final static int R = 2;
private int bit(int val, int B)
  { return (val >> (bitsword-B-1)) & 1; }
```

Il Programma 15.1 illustra il modo di ottenere lo stesso effetto per tipi chiave tramite estensione di una classe chiave con la definizione del metodo bit (insieme a B, bitsword, e toString). In questo caso, aggiungeremmo a ciascuna classe il codice

```
private final static int R = bitsKey.R;
private int bit(KEY v, int B)
  { return ((bitsKey) v).bit(B); }
```

Lo stesso approccio si può adottare per implementare `digit`, usando le tecniche del Paragrafo 10.1. Il Programma 15.9 nel Paragrafo 15.4 è un esempio di classe di tal fatta.

I vantaggi principali dei metodi di ricerca digitale sono che questi metodi forniscono una ragionevole prestazione nel caso peggiore senza la complicazione degli alberi bilanciati; costituiscono un modo semplice per trattare chiavi di lunghezza variabile; alcuni di essi permettono di risparmiare spazio, memorizzando parte della chiave all'interno della struttura di ricerca; infine, possono fornire un accesso veloce ai dati che risulta competitivo sia rispetto agli alberi di ricerca binari che ai metodi di hashing. Gli svantaggi sono che alcuni di questi metodi possono usare lo spazio in modo inefficiente e che, come con l'ordinamento digitale, le prestazioni possono risentirne, se non è disponibile un accesso efficiente ai byte delle chiavi.

Innanzitutto, analizzeremo i diversi metodi di ricerca che procedono esaminando le chiavi di ricerca 1 bit alla volta, usandoli per attraversare strutture ad albero binario. Esamineremo una serie di metodi, ciascuno dei quali corregge un problema relativo a quello precedente, culminando in un metodo ingegnoso, utile per molte applicazioni di ricerca.

In seguito, presenteremo le generalizzazioni degli alberi a R vie. Anche in questo caso, considereremo una serie di metodi, per individuarne uno flessibile ed efficiente che possa supportare un'implementazione di base per una tabella di simboli con numerose estensioni.

Nella ricerca digitale, di solito, si esaminano per prime le cifre più significative delle chiavi. Molti metodi corrispondono direttamente ai metodi di ordinamento digitale MSD, nello stesso modo in cui la ricerca basata su BST corrisponde al Quicksort. In particolare, presenteremo l'analogo degli ordinamenti in tempo lineare del Capitolo 10 (metodi di ricerca in tempo costante basati sullo stesso principio).

Considereremo anche l'applicazione specifica di strutture di ricerca digitale per costruire indici per grandi stringhe di testo. I metodi trattati forniscono soluzioni naturali per quest'applicazione.

15.1 Alberi di ricerca digitale

Il metodo di ricerca digitale più semplice è basato sull'uso di *alberi di ricerca digitale* (*Digital Search Trees, DST*). Gli algoritmi di ricerca e di inserimento sono identici alla ricerca su alberi binari eccetto che per una differenza: scegliamo la strada da prendere nell'albero non in base al risultato del confronto tra le chiavi intere, ma piuttosto in funzione dei bit selezionati della chiave. Al primo livello viene usato il bit principale, al secondo livello il secondo bit e così via fino a che non viene incontrato un nodo esterno. Il Programma 15.2 è un'implementazione dell'operazione di ricerca; l'implementazione dell'in-

A 00001
S 10011
E 00101
R 10010
C 00011
H 01000
I 01001
N 01110
G 00111
X 11000
M 01101
P 10000
L 01100

Figura 15.1
Rappresentazione binaria di chiavi a un solo carattere

Analogamente al Capitolo 10, usiamo la rappresentazione binaria a 5 bit di i per identificare la i-esima lettera nell'alfabeto, come mostrato qui per diverse chiavi che ricorrono in alcuni esempi delle figure di questo capitolo. Assumiamo che i bit siano numerati da 0 a 4, da sinistra a destra.

serimento è simile. Piuttosto che usare `less` per confrontare le chiavi, assumiamo che la funzione `digit` sia disponibile per accedere ai singoli bit delle chiavi. Questo codice è virtualmente uguale al codice per la ricerca su alberi binari (vedi Programma 12.15) ma, come vedremo, possiede caratteristiche di prestazione sostanzialmente differenti.

Abbiamo osservato nel Capitolo 10 che nell'ordinamento digitale è necessario fare particolare attenzione alle chiavi uguali; lo stesso vale anche per la ricerca digitale. In generale, in questo capitolo assumiamo che tutti i valori delle chiavi che appariranno nella tabella di simboli siano distinti. Possiamo fare ciò senza perdita di generalità, poiché possiamo usare uno dei metodi presentati nel Paragrafo 12.1 per supportare applicazioni che hanno record con chiavi duplicate. Nella ricerca digitale è importante sottolineare la presenza di valori distinti delle chiavi, perché tali valori sono componenti intrinseche di numerose strutture di dati che considereremo.

La Figura 15.1 illustra la rappresentazione binaria nel caso di chiavi a una lettera usate in altre figure del capitolo. La Figura 15.2 dà un esempio di inserimento in un DST; la Figura 15.3 mostra il processo di inserimento delle chiavi in un albero inizialmente vuoto.

I bit delle chiavi controllano l'inserimento e la ricerca, ma bisogna notare che i DST non hanno la proprietà di ordinamento che caratterizza i BST. Cioè, *non* è necessariamente vero che nodi alla sinistra di un certo nodo abbiano chiavi più piccole o che nodi alla destra abbiano chiavi più grandi, come sarebbe in un BST con chiavi distinte. È vero che le chiavi alla sinistra di un certo nodo sono più piccole delle chiavi alla sua destra (se il nodo è al livello k, esse hanno i primi k bit uguali, mentre il bit successivo è 0 per le chiavi sulla sinistra e 1 per le chiavi sulla destra), ma la chiave del nodo potrebbe essere essa stessa la più piccola, la più grande, o qualunque altro valore intermedio tra tutte le chiavi nel sottoalbero di quel nodo.

I DST sono caratterizzati dalla proprietà che ciascuna chiave si trova da *qualche parte* lungo il cammino specificato dai bit della chiave (in ordine da sinistra a destra). Questa proprietà è sufficiente affinché le implementazioni della ricerca e dell'inserimento nel Programma 15.2 operino correttamente.

Supponiamo che le chiavi siano parole di lunghezza fissa, costituite tutte da w bit. La nostra richiesta che le chiavi siano distinte implica che $N \leq 2^w$. Normalmente assumiamo che N sia significativamente più piccolo di 2^w, altrimenti la ricerca indicizzata da chiave (Paragrafo 12.2) sarebbe l'algoritmo appropriato da usare. Molti proble-

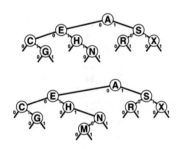

Figura 15.2
Alberi di ricerca digitale e inserimento

Durante la ricerca infruttuosa di M = 01101 in questo albero di ricerca digitale (sopra), ci spostiamo a sinistra della radice (poiché il primo bit nella rappresentazione della chiave è 0), quindi a destra (poiché il secondo bit è 1), di nuovo a destra, poi a sinistra per terminare nel link nullo a sinistra sotto N. Per inserire M (sotto), rimpiazziamo il link nullo dove la ricerca è terminata, con un link a un nuovo nodo, come nell'inserimento in un BST.

Programma 15.2 Albero di ricerca digitale binario

Per effettuare l'implementazione di una tabella di simboli usando i
DST, modifichiamo l'implementazione della ricerca e dell'inserimento in quella del BST standard (vedi il Programma 12.15), come
mostrato qua sotto nel codice per l'operazione di ricerca. Invece di
eseguire un confronto completo della chiave, decidiamo se muoverci
a sinistra o a destra sulla base del controllo di un singolo bit (il bit
principale) della chiave. Le invocazioni al metodo ricorsivo hanno
un terzo argomento in modo che, man mano che ci si sposta in
profondità nell'albero, possiamo spostare a destra la posizione del
bit che deve essere controllato. Per verificare i bit usiamo il metodo privato e statico bit (come nel testo). Le stesse modifiche si applicano all'implementazione dell'inserimento, altrimenti usiamo l'intero codice del Programma 12.15.

```
private ITEM searchR(Node h, KEY v, int i)
  {
    if (h == null) return null;
    if (equals(v, h.item.key())) return h.item;
    if (bit(v, i) == 0)
          return searchR(h.l, v, i+1);
    else return searchR(h.r, v, i+1);
  }
ITEM search(KEY key)
  { return searchR(head, key, 0); }
```

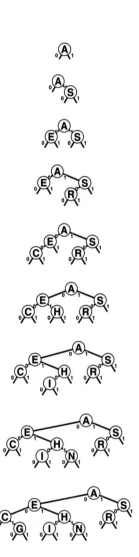

mi pratici ricadono all'interno di questa gamma. Per esempio, i DST
sono appropriati per una tabella di simboli che contiene fino a 10^5
record con chiavi a 32 bit (ma forse non fino a 10^6 record) o per qualunque quantità di chiavi a 64 bit. La ricerca su alberi digitali funziona anche per chiavi di lunghezza variabile.

Il caso peggiore per gli alberi costruiti con ricerca digitale è molto migliore di quello per gli alberi con ricerca binaria, se il numero di
chiavi è ampio e le lunghezze delle chiavi sono relativamente piccole
rispetto al numero di chiavi. La lunghezza del più lungo cammino in
un albero di ricerca digitale è, probabilmente, relativamente breve per
molte applicazioni (per esempio, se le chiavi comprendono bit casuali).
In particolare, il percorso più lungo è certamente limitato dalla lunghezza della chiave più lunga; inoltre, se le chiavi sono di una lunghezza fissata, il tempo di ricerca è limitato da tale lunghezza. Ciò è
illustrato nella Figura 15.4.

Figura 15.3
**Costruzione di un albero
di ricerca digitale**

*Questa sequenza illustra il risultato
dell'inserimento delle chiavi A S E A
R C H I N G in un albero di ricerca
digitale inizialmente vuoto.*

Proprietà 15.1 *Una ricerca o inserimento in un albero di ricerca digitale costituito da N chiavi casuali richiede all'incirca* lg *N confronti in media e all'incirca* 2 lg *N confronti nel caso peggiore. Il numero di confronti non è mai maggiore del numero di bit nella chiave di ricerca.*

Possiamo avvalorare i risultati ottenuti nel caso medio e nel caso peggiore per chiavi casuali con un'argomentazione simile a quella che verrà proposta nel prossimo paragrafo per un problema più naturale, lasciando questa dimostrazione per l'Esercizio 15.31. La semplice nozione intuitiva di base è che la porzione non vista di una chiave casuale dovrebbe avere la stessa probabilità di iniziare con un bit 0 o con un bit 1, in modo tale che metà delle chiavi dovrebbe posizionarsi in ciascuna parte di ogni nodo. Ogni volta che ci spostiamo in profondità nell'albero usiamo al più un bit della chiave, così nessuna ricerca in un albero di ricerca digitale può richiedere più confronti di quanti bit ci sono nella chiave di ricerca. Per la situazione tipica in cui abbiamo parole con w bit e il numero di chiavi N è di gran lunga inferiore al numero totale possibile di chiavi 2^w, le lunghezze dei cammini sono prossime a lg N, così il numero di confronti è molto inferiore al numero di bit nelle chiavi per chiavi casuali. ∎

La Figura 15.5 mostra un albero di ricerca digitale abbastanza grande costruito con chiavi di 7 bit casuali. Questo albero è quasi perfettamente bilanciato. I DST sono rilevanti per molte applicazioni pratiche perché forniscono, con piccoli sforzi implementativi, una prestazione quasi ottimale anche per problemi di grandi dimensioni. Per esempio, un albero di ricerca digitale costituito da chiavi a 32 bit (oppure 4 caratteri da 8 bit) richiede meno di 32 confronti e un albero di ricerca digitale costituito da chiavi a 64 bit (oppure 8 caratteri da 8 bit) richiede meno di 64 confronti, anche se vi sono miliardi di chiavi. Per valori grandi di N queste garanzie sono paragonabili a quelle fornite dagli alberi red-black, ma vengono ottenute con uno sforzo implementativo simile a quello richiesto per i BST standard (che possono promettere solo prestazioni garantite proporzionali a N^2). Questa caratteristica fa sì che l'uso di alberi di ricerca digitale sia un'interessante alternativa pratica all'uso di alberi bilanciati per l'implementazione delle operazioni di ricerca e inserimento in tabelle di simboli, a condizione che sia disponibile un accesso efficiente ai bit della chiave.

Esercizi

▷ **15.1**   Disegnate il DST che si ottiene quando si inseriscono i record con le chiavi E A S Y Q U T I O N (in quest'ordine) in un albero inizialmente vuoto, usando la codifica binaria data nella Figura 15.1.

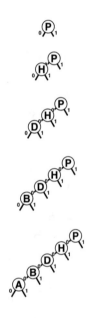

Figura 15.4
Albero di ricerca digitale, caso peggiore

Questa sequenza illustra il risultato dell'inserimento delle chiavi P = 10000, H = 01000, D = 00100, B = 00010 e A = 00001 in un albero di ricerca digitale inizialmente vuoto. La sequenza di alberi sembra degenerare, ma la lunghezza del cammino è limitata dalla lunghezza della rappresentazione binaria delle chiavi. Salvo che per 00000, nessun'altra chiave di 5 bit incrementerà ulteriormente l'altezza dell'albero.

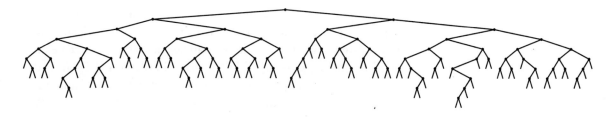

15.2 Fornite una sequenza di inserimento per le chiavi A B C D E F G che produca un DST perfettamente bilanciato che sia anche un valido BST.

15.3 Fornite una sequenza di inserimento per le chiavi A B C D E F G che produca un DST perfettamente bilanciato con la proprietà che ogni nodo abbia una chiave più piccola di quelle di tutti i nodi nel suo sottoalbero.

▷ 15.4 Disegnate il DST che si ottiene quando si inseriscono i record con chiavi 01010011 00000111 00100001 01010001 11101100 00100001 10010101 01001010 (in quest'ordine) in un albero inizialmente vuoto.

15.5 Possiamo mantenere record con chiavi duplicate in un DST nello stesso modo in cui lo facciamo per un BST? Motivate la risposta.

15.6 Eseguite studi empirici per confrontare l'altezza e la lunghezza del cammino interno di un DST, ottenuto mediante inserimento di N chiavi casuali a 32 bit in un albero inizialmente vuoto, con le stesse grandezze relative a un albero di ricerca binario standard e a un albero red-black (Capitolo 13), ottenuti con le stesse chiavi per $N = 10^3$, 10^4, 10^5 e 10^6.

○ 15.7 Fornite una caratterizzazione completa, nel caso peggiore, della lunghezza del cammino interno di un DST con N chiavi distinte a w-bit.

● 15.8 Implementate l'operazione di cancellazione per una tabella di simboli basata su DST.

● 15.9 Implementate l'operazione di selezione per una tabella di simboli basata su DST.

○ 15.10 Descrivete come si possa calcolare in tempo lineare l'altezza di un DST costituito da un dato insieme di chiavi (senza costruire il DST).

Figura 15.5
Esempio di albero di ricerca digitale

Questo albero di ricerca digitale, costruito mediante l'inserimento di circa 200 chiavi casuali, è ben bilanciato come i suoi analoghi del Capitolo 13.

15.2 Trie

In questo paragrafo, consideriamo un albero di ricerca che consente di usare i bit delle chiavi per guidare la ricerca, allo stesso modo in cui fanno i DST, ma che mantiene in ordine le chiavi nell'albero, in modo che possiamo dare implementazioni ricorsive dell'ordinamento e di altre operazioni proprie di una tabella di simboli, come abbiamo fatto per i BST. L'idea è di memorizzare le chiavi solo alla base dell'albero, nei nodi foglia. La struttura dati che risulta ha un certo numero di utili proprietà e serve come base per diversi algoritmi di ricerca efficienti. Il primo a scoprirla fu de la Briandais nel 1959 e, poiché è utile per il recupero (*retrieval*) di informazioni, Fredkin nel 1960 diede a essa il nome di *trie*. Nella conversazione di solito pronunciamo questo nome "try-ee" o semplicemente "try" per distinguerlo da "tree". Per conformità alla nomenclatura fin qui usata, dovremmo forse usare il nome "trie di ricerca binaria", ma il termine trie è universalmente utilizzato e compreso. Consideriamo in questo paragrafo la versione binaria di base, un'importante variante nel Paragrafo 15.3 e altre varianti nei Paragrafi 15.4 e 15.5.

Possiamo usare trie per chiavi che siano formate da un numero fissato di bit o da stringhe di bit di lunghezza variabile. Per semplificare la trattazione iniziamo assumendo che nessuna chiave di ricerca sia prefisso di un'altra. Per esempio, questa condizione è soddisfatta quando le chiavi sono di lunghezza fissa e sono distinte.

In un trie manteniamo le chiavi nelle *foglie* di un albero binario. Ricordiamo dal Paragrafo 5.4 che una foglia in un albero è un nodo senza figli, distinto da un nodo esterno che interpretiamo come figlio nullo. In un albero binario, una foglia è un nodo interno i cui link destro e sinistro sono entrambi nulli. Tenere le chiavi nelle foglie anziché nei nodi interni ci permette di usare i bit delle chiavi per guidare la ricerca, come abbiamo fatto con i DST nel Paragrafo 15.1, mantenendo ancora l'invariante di base per ogni nodo che tutte le chiavi il cui bit corrente è 0 appartengono al sottoalbero sinistro e che tutte le chiavi il cui bit corrente è 1 appartengono al sottoalbero destro.

Definizione 15.1 *Un **trie** è un albero binario che ha le chiavi associate a ciascuna foglia, definito ricorsivamente come segue: il trie per un insieme vuoto di chiavi è un link nullo; il trie per una singola chiave è una foglia contenente quella chiave; il trie per un insieme di chiavi di cardinalità maggiore di uno è un nodo interno con il link sinistro riferito al trie per le chiavi il cui bit iniziale è 0 e il link destro riferito al trie per le chiavi il cui bit iniziale è 1, con il bit principale da rimuovere ai fini della costruzione dei sottoalberi.*

Ogni chiave nel trie è memorizzata in una foglia sul cammino individuato dalla sequenza dei bit della chiave. Al contrario, ogni foglia contiene l'unica chiave nel trie che inizia con i bit definiti dal cammino che dalla radice conduce a quella foglia. I link nulli nei nodi che non sono foglie corrispondono a sequenze di bit che non appaiono in alcuna chiave nel trie. Pertanto, per cercare una chiave in un trie

Programma 15.3 Ricerca in un trie

Questa funzione usa i bit della chiave per controllare la discesa nel trie, allo stesso modo del Programma 15.2 per i DST. Si hanno tre possibili risultati: se la ricerca raggiunge una foglia (con entrambi i link nulli), allora c'è un unico nodo nel trie che potrebbe contenere il record con la chiave *v*, così è possibile verificare se quel nodo realmente contiene *v* (search hit) o qualche altra chiave i cui bit principali corrispondono a quelli di *v* (search miss). Se la ricerca raggiunge un link nullo, allora l'altro link del genitore non deve essere nullo, quindi c'è qualche altra chiave nel trie che differisce dalla chiave di ricerca nel bit corrispondente; in questo modo abbiamo un fallimento. In questo codice si assume che le chiavi siano distinte e (qualora le chiavi fossero di differente lunghezza) che nessuna chiave sia il prefisso di un'altra. Il membro item non viene usato nei nodi che non sono foglie.

```
private ITEM searchR(Node h, KEY v, int d)
  {
    if (h == null) return null;
    if (h.l == null && h.r == null)
      { if (equals(v, h.item.key()))
          return h.item; else return null; }
    if (bit(v, d) == 0)
        return searchR(h.l, v, d+1);
    else return searchR(h.r, v, d+1);
  }
ITEM search(KEY key)
  { return searchR(head, key, 0); }
```

scegliamo il percorso a seconda dei suoi bit, come abbiamo fatto con i DST ma non facciamo confronti sui nodi interni. Iniziamo leggendo da sinistra la chiave, partendo dalla cima del trie e prendiamo il link sinistro se il bit corrente è 0 o il link destro se il bit corrente è 1, muovendoci di un solo bit verso destra nella chiave. Una ricerca che termina su un link nullo è una search miss; una ricerca che termina su una foglia può essere completata con un singolo confronto tra chiavi, poiché il nodo contiene l'unica chiave nel trie che potrebbe essere uguale alla chiave di ricerca. Il Programma 15.3 è un'implementazione di questo processo.

Per inserire una chiave in un trie, per prima cosa, eseguiamo una ricerca come sempre. Se la ricerca termina su un link nullo, sostituiamo questo link con un link a una nuova foglia che contiene la chiave, co-

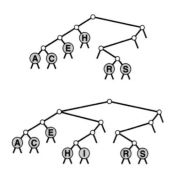

Figura 15.6
Ricerca e inserimento
in un trie

Le chiavi in un trie sono memorizzate nelle foglie (nodi con entrambi i link nulli); i link nulli nei nodi che non sono foglie corrispondono a sequenze di bit non trovate in nessuna chiave del trie.

In una ricerca con successo della chiave H = 01000, in questo esempio di trie (sopra), ci spostiamo a sinistra della radice (poiché il primo bit della rappresentazione binaria della chiave è 0), poi a destra (poiché il secondo è 1) dove troviamo H, che è la sola chiave nell'albero che inizia con 01. Nessuna delle chiavi presenti nel trie inizia con 101 o 11; queste sequenze di bit portano a due link nulli del trie che non sono nodi foglia.

Per inserire I (sotto), abbiamo bisogno di aggiungere tre nodi non foglia: uno corrispondente a 01, con un link nullo corrispondente a 011; uno corrispondente a 010, con un link nullo corrispondente a 0101; e uno corrispondente a 0100 con H = 01000 in una foglia alla sua sinistra e I = 01001 in una foglia alla sua destra.

Programma 15.4 Inserimento in un trie

Per inserire un nuovo nodo in un trie, eseguiamo la ricerca come sempre, poi distinguiamo i due casi che possono presentarsi, se si verifica una search miss. Se il fallimento nella ricerca non è su una foglia, allora rimpiazziamo il link nullo che ha fatto fallire la ricerca con un link a un nuovo nodo, come al solito. Viceversa, se siamo in una foglia, usiamo il metodo split per inserire un nuovo nodo interno per ogni posizione dei bit in cui la chiave di ricerca e quella trovata concordano, terminando con un nodo interno per la posizione del bit più a sinistra dove le due chiavi differiscono. L'istruzione switch in split converte i due bit che sta verificando in un numero per trattare i quattro possibili casi. Se i bit sono uguali (caso $00_2 = 0$ o $11_2 = 3$), continuiamo la suddivisione; se i bit sono diversi (caso $01_2 = 1$ or $10_2 = 2$), interrompiamo la suddivisione.

```
Node split(Node p, Node q, int d)
  { Node t = new Node(null);
    KEY v = p.item.key(), w = q.item.key();
    switch(bit(v, d)*2 + bit(w, d))
      { case 0: t.l = split(p, q, d+1); break;
        case 1: t.l = p; t.r = q; break;
        case 2: t.r = p; t.l = q; break;
        case 3: t.r = split(p, q, d+1); break;
      }
    return t;
  }
private Node insertR(Node h, ITEM x, int d)
  {
    if (h == null)
      return new Node(x);
    if (h.l == null && h.r == null)
      return split(new Node(x), h, d);
    if (bit(x.key(), d) == 0)
        h.l = insertR(h.l, x, d+1);
    else h.r = insertR(h.r, x, d+1);
    return h;
  }
void insert(ITEM x)
  { head = insertR(head, x, 0); }
```

me al solito. Ma se la ricerca termina su una foglia abbiamo bisogno di continuare in profondità nell'albero, aggiungendo un nodo interno per ciascun bit su cui la chiave di ricerca e la chiave trovata concordano, terminando con entrambe le chiavi posizionate nelle foglie figlie del nodo interno corrispondente alla posizione del primo bit dove differiscono. La Figura 15.6 mostra un esempio di ricerca e inserimento su trie. La Figura 15.7 mostra il processo di costruzione di un trie mediante l'inserimento di chiavi in un trie inizialmente vuoto. Il Programma 15.4 è una completa implementazione dell'algoritmo di inserimento.

Non accediamo ai link nulli nelle foglie e non memorizziamo elementi in nodi non foglia, così possiamo risparmiare spazio usando una coppia di classi derivate per definire i nodi come fossero uno di questi due tipi (vedi Esercizio 15.22). Per il momento prenderemo la via più semplice usando il tipo di nodo singolo che abbiamo adoperato per i BST, i DST e altre strutture basate su alberi binari, con nodi interni caratterizzati da chiavi nulle e foglie caratterizzate da link nulli, tenendo presente che, se lo volessimo, potremmo recuperare lo spazio sprecato da questa semplificazione. Nel Paragrafo 15.3 presenteremo un miglioramento algoritmico che evita la necessità di più tipi di nodi.

Prendiamo, ora, in considerazione un certo numero di proprietà basilari dei trie che risultano evidenti dalla definizione e da questi esempi.

Proprietà 15.2 *La struttura di un trie è indipendente dall'ordine di inserimento delle chiavi: c'è un unico trie per ogni dato insieme di chiavi distinte.*

Questo fatto fondamentale, che può essere provato per induzione sui sottoalberi, è una caratteristica particolare dei trie: per tutte le altre strutture di ricerca ad albero che abbiamo considerato, l'albero che costruiamo dipende *sia* dall'insieme delle chiavi *che* dall'ordine nel quale inseriamo quelle chiavi. ∎

Il sottoalbero sinistro di un trie ha tutte le chiavi che hanno 0 come bit principale, il sottoalbero destro ha tutte le chiavi che hanno 1 come bit principale. Questa proprietà dei trie ha una corrispondenza immediata con l'ordinamento digitale: la ricerca con trie binario ripartisce il file nello stesso modo esatto in cui lo fa il Quicksort binario (vedi il Paragrafo 10.3). Questa corrispondenza è evidente se confrontiamo il trie nella Figura 15.6 con la Figura 10.4, il diagramma di partizionamento del Quicksort binario (notando che le chiavi sono leggermente diverse); è una corrispondenza analoga a quella tra la ricerca su alberi binari e il Quicksort che abbiamo trattato nel Capitolo 12.

In particolare, a differenza dei DST, i trie *hanno* la proprietà che le chiavi si presentano in ordine, così possiamo implementare in modo

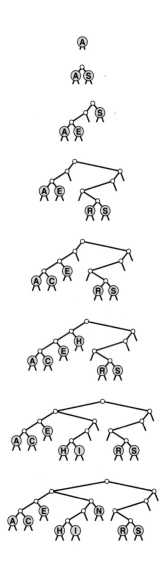

Figura 15.7
Costruzione di un trie

La sequenza illustra il risultato dell'inserimento delle chiavi A S E R C H I N in un trie inizialmente vuoto.

diretto le operazioni di ordinamento e selezione in una tabella di simboli (vedi Esercizi 15.19 e 15.20). Inoltre, i trie sono ben bilanciati come i DST.

Proprietà 15.3 *L'inserimento o la ricerca di una chiave casuale in un trie costituito da N stringhe casuali e distinte di bit richiede, in media, all'incirca* lg *N confronti di bit. Il numero di confronti tra bit nel caso peggiore è limitato solo dal numero di bit nella chiave di ricerca.*

Dobbiamo essere cauti nell'analisi dei trie. Ciò perché insistiamo sul fatto che le chiavi siano distinte o, più in generale, sul fatto che nessuna chiave sia il prefisso di un'altra. Un semplice modello che soddisfi quest'asserzione richiede che le chiavi siano una sequenza casuale infinita di bit (prendiamo i bit che ci occorrono per costruire il trie).

Il risultato nel caso medio deriva, poi, dalla seguente argomentazione a carattere probabilistico. La probabilità che ciascuna delle N chiavi in un trie casuale sia differente da una chiave di ricerca casuale in almeno uno dei t bit principali è

$$\left(1 - \frac{1}{2^t}\right)^N.$$

Sottraendo questa quantità da 1, abbiamo la probabilità che una delle chiavi nel trie corrisponda alla chiave di ricerca in tutti i t bit principali. In altre parole,

$$1 - \left(1 - \frac{1}{2^t}\right)^N$$

è la probabilità che la ricerca richieda più di t confronti tra bit. Da un'elementare analisi delle probabilità si deriva che la somma per $t \geq 0$ delle probabilità che una variabile casuale sia $> t$ è il valore medio della variabile casuale. Per tale motivo, il costo medio della ricerca è dato da

$$\sum_{t \geq 0} \left(1 - \left(1 - \frac{1}{2^t}\right)^N\right).$$

Usando l'approssimazione elementare $(1 - 1/x)^x \sim e^{-1}$, concludiamo che il costo della ricerca è approssimativamente

$$\sum_{t \geq 0} \left(1 - e^{-N/2^t}\right).$$

Il termine della somma è molto vicino a 1 per circa lg N termini, con 2^t molto più piccolo di N; è molto vicino a 0 per tutti i termini con 2^t molto più grande di N; è compreso tra 0 e 1 per i pochi termini con $2^t N$. Così il totale complessivo è circa lg N. Per ottenere una stima più precisa di questa quantità occorrono metodi matematici estremamente sofisticati (si veda il paragrafo sui riferimenti bibliografici). In quest'analisi, si assume che w sia sufficientemente grande da non esaurire mai i bit durante una ricerca, ma tenere conto del valore reale di w ridurrà soltanto il costo.

Nel caso peggiore potremmo avere due chiavi che hanno un elevato numero di bit uguali ma questo accade con una probabilità estremamente bassa. La probabilità che si verifichi il caso peggiore citato nella Proprietà 15.3 è esponenzialmente piccola (vedi l'Esercizio 15.30). ∎

Un altro approccio per analizzare i trie è quello di generalizzare il metodo che abbiamo usato per analizzare i BST (vedi Proprietà 12.6). La probabilità che k chiavi inizino con il bit 0 e $N - k$ chiavi inizino con 1 è $\binom{N}{k} / 2^N$, quindi la lunghezza del percorso esterno è descritta dalla ricorrenza

$$C_N = N + \frac{1}{2^N} \sum_k \left(\binom{N}{k} (C_k + C_{N-k}) \right).$$

Questa ricorrenza è simile a quella del Quicksort che abbiamo risolto nel Paragrafo 7.2, ma è molto più difficile da risolvere. In particolare, la soluzione è precisamente N volte l'espressione per il costo medio della ricerca che abbiamo derivato per la Proprietà 15.3 (vedi Esercizio 15.27). Studiando la ricorrenza, vediamo che essa stessa ci spiega perché i trie hanno un miglior bilanciamento rispetto ai BST: c'è una probabilità molto più alta che la divisione si trovi vicino alla metà piuttosto che in qualunque altro punto, quindi la ricorrenza è più simile a quella del Mergesort (soluzione approssimata N lg N) che alla ricorrenza del Quicksort (soluzione approssimata $2N \ln N$).

Una caratteristica negativa dei trie, che li contraddistingue dagli altri tipi di alberi di ricerca che abbiamo considerato, è la "ramificazione a una sola via" (cioè, un percorso obbligato) che è necessaria quando le chiavi hanno bit in comune. Per esempio, chiavi che differiscono solo nel bit finale richiedono sempre un percorso di lunghezza uguale alla lunghezza della chiave, indipendentemente da quante chiavi ci sono nell'albero, come illustrato nella Figura 15.8. Il numero dei nodi interni può essere in qualche misura più grande del numero delle chiavi.

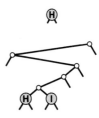

Figura 15.8
Caso peggiore in trie binari

Questa sequenza illustra il risultato dell'inserimento delle chiavi H = 01000 e I = 01001 in un trie binario inizialmente vuoto. Come per i DST (vedi Figura 15.4), la lunghezza del cammino è limitata dalla lunghezza della rappresentazione binaria delle chiavi; come mostrato in questo esempio, comunque, i cammini possono essere così lunghi anche con solo due chiavi nel trie.

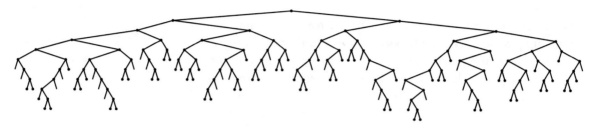

Figura 15.9
Esempio di trie

Questo trie, costruito mediante l'inserimento di circa 200 chiavi casuali, è ben bilanciato ma, per la presenza di ramificazioni a una sola via, ha il 44 per cento di nodi in più del necessario. I link nulli sulle foglie non sono mostrati.

Proprietà 15.4 *Un albero costituito da N chiavi casuali a w bit ha in media circa N/ln 2 ≈ 1.44 N nodi.*

Modificando il ragionamento usato per la Proprietà 15.3, possiamo scrivere l'espressione

$$\sum_{t \geq 0} \left(2^t \left(1 - \left(1 - \frac{1}{2^t}\right)^N \right) - N \left(1 - \frac{1}{2^t}\right)^{N-1} \right)$$

per il numero medio di nodi in un trie con N chiavi (vedi l'Esercizio 15.28). L'analisi matematica che porta al valore approssimato affermato sopra per questa somma è molto più difficile della spiegazione che abbiamo dato per la Proprietà 15.3, perché molti termini contribuiscono alla somma con valori che non sono 0 o 1 (si vedano i riferimenti bibliografici). ∎

Possiamo verificare questi risultati empiricamente. Per esempio, la Figura 15.9 mostra un trie abbastanza grande che ha il 44 per cento in più di nodi rispetto al BST o al DST costituiti dallo stesso insieme di chiavi, ma tuttavia è ben bilanciato e ha un costo di ricerca quasi ottimale. Il nostro primo pensiero potrebbe essere che i nodi in più innalzino di molto il costo medio della ricerca, ma questo sospetto è, effettivamente, infondato: innalzeremmo il costo medio della ricerca solo di 1 anche se raddoppiassimo il numero di nodi in un albero bilanciato.

Per praticità di implementazione, nei Programmi 15.3 e 15.4 abbiamo assunto che le chiavi siano di lunghezza fissa e distinte, in modo da essere certi che le chiavi possano alla fine distinguersi tra loro e che i programmi possano elaborare 1 bit alla volta e non esaurire mai i bit delle chiavi. Per praticità nell'analisi delle Proprietà 15.2 e 15.3, abbiamo assunto implicitamente che le chiavi abbiano un numero arbitrario di bit e che si possano distinguere a meno di una probabilità piccola, esponenzialmente decrescente. Una diretta conseguenza di queste asserzioni è che sia i programmi che le analisi si applicano quando le chiavi sono stringhe di bit di lunghezza variabile, pur con una qualche cautela.

Per usare i programmi così come sono per chiavi di lunghezza variabile, dobbiamo estendere la nostra limitazione che le chiavi siano distinte e dire che nessuna chiave deve essere il prefisso di un'altra. Questa restrizione si presenta naturalmente in alcune applicazioni, come osserveremo nel Paragrafo 15.5. In alternativa, potremmo trattare queste chiavi mantenendo le informazioni nei nodi interni, perché ogni prefisso che potrebbe capitare di trattare corrisponde a un qualche nodo interno nel trie (vedi l'Esercizio 15.32).

Per chiavi sufficientemente lunghe che comprendono bit casuali, valgono ancora i risultati delle Proprietà 15.2 e 15.3 relativi al caso medio. Nel caso peggiore, l'altezza di un trie è ancora limitata dal numero di bit nelle chiavi più lunghe. Questo costo potrebbe essere eccessivo, se le chiavi sono molto grandi e hanno una qualche uniformità, come può accadere in dati testuali codificati. Nei prossimi due paragrafi, prenderemo in considerazione i metodi per ridurre i costi del trie nel caso di chiavi lunghe. Un primo modo per abbreviare i cammini nei trie è quello di far "collassare" i cammini obbligati in un unico link, così come illustrato nel Paragrafo 15.3. Una seconda tecnica è, invece, quella che permette l'uso di più di due link per nodo (Paragrafo 15.4).

Esercizi

▷ **15.11** Disegnate il trie che si ottiene inserendo elementi con chiavi E A S Y Q U T I O N (in quest'ordine) in un albero inizialmente vuoto.

15.12 Cosa accade quando si usa il Programma 15.4 per inserire un elemento la cui chiave è uguale a qualche chiave già presente nel trie?

15.13 Disegnate il trie che si ottiene quando si inseriscono gli elementi con chiavi 01010011 00000111 00100001 01010001 11101100 00100001 10010101 01001010 (in quest'ordine) in un albero inizialmente vuoto.

15.14 Eseguite studi empirici per confrontare l'altezza, il numero di nodi e la lunghezza del cammino interno di un trie, ottenuto mediante inserimento di N chiavi casuali a 32 bit in un trie inizialmente vuoto, con le stesse grandezze relative a un albero di ricerca binario standard e a un albero red-black (Capitolo 13), ottenuti con le stesse chiavi per $N = 10^3$, 10^4, 10^5 e 10^6 (vedi l'Esercizio 15.6).

15.15 Fornite una caratterizzazione completa, nel caso peggiore, della lunghezza del cammino interno di un trie con N chiavi distinte a w bit.

15.16 Implementate un'operazione di conteggio pigro per la tabella di simboli basata su trie la cui implementazione è nei Programmi 15.3 e 15.4.

15.17 Aggiungete un campo intero N a Node e modificate il codice nei Programmi 15.3 e 15.4 in modo da implementare un'operazione di conteggio impaziente che impieghi tempo costante.

● **15.18** Implementate l'operazione di cancellazione per la tabella di simboli basata su trie la cui implementazione è nei Programmi 15.3 e 15.4.

○ **15.19** Implementate l'operazione di selezione per la tabella di simboli basata su trie la cui implementazione è nei Programmi 15.3 e 15.4.

15.20 Implementate l'operazione di ordinamento per la tabella di simboli basata su trie la cui implementazione è nei Programmi 15.3 e 15.4.

▷ **15.21** Scrivete un programma che stampi tutte le chiavi di un trie che hanno gli stessi t bit iniziali di una data chiave di ricerca.

○ **15.22** Servitevi di una coppia di classi derivate per sviluppare le implementazioni di ricerca e inserimento, usando trie con nodi non foglia che contengono link ma non dati e con foglie che contengono dati ma non link.

15.23 Modificate i Programmi 15.4 e 15.3 in modo da mantenere la chiave di ricerca in un registro della macchina e da traslare di un bit per accedere al bit successivo durante la discesa nel trie.

15.24 Modificate i Programmi 15.4 e 15.3 facendo in modo da mantenere una tabella di 2^r trie, per una costante fissata r, e in modo da usare i primi r bit della chiave per indicizzare la tabella, utilizzando gli algoritmi standard sulla parte restante della chiave. Questa modifica consente un risparmio di circa r passi, a meno che la tabella abbia un numero significativo di elementi nulli.

15.25 Quale valore dovremmo scegliere per r nell'Esercizio 15.24, se abbiamo N chiavi casuali (che siano sufficientemente lunghe per assumere che siano distinte)?

15.26 Scrivete un programma che calcoli il numero di nodi nel trie corrispondenti a un dato insieme di chiavi distinte di lunghezza fissata, ordinandole e confrontando chiavi adiacenti nella lista ordinata.

● **15.27** Dimostrate per induzione che $N \sum_{t \geq 0} (1 - (1 - 2^{-t})N$ è la soluzione alla ricorrenza analoga a quella del Quicksort riportata dopo la Proprietà 15.3 per la lunghezza del cammino esterno in un trie casuale.

● **15.28** Derivate l'espressione data nella Proprietà 15.4 per il numero medio di nodi in un trie casuale.

● **15.29** Scrivete un programma per calcolare il numero medio di nodi in un trie casuale di N nodi e stampate il valore esatto, con accuratezza 10^{-3}, per $N = 10^3$, 10^4, 10^5 e 10^6.

●● **15.30** Dimostrate che l'altezza di un trie costituito da N stringhe di bit casuali è circa 2 lg N. *Suggerimento*: si consideri il problema del compleanno (vedi Proprietà 14.2).

● **15.31** Provare che il costo medio di una ricerca in un DST costituito da chiavi casuali è asintoticamente lg N (vedi Proprietà 15.1 e 15.2).

15.32 Modificate i Programmi 15.3 e 15.4 per trattare stringhe di bit di lunghezza variabile con la sola restrizione che gli elementi con chiavi duplicate non siano mantenuti nella struttura dati. In particolare, stabilite una convenzione circa il valore di ritorno di `bit(v,d)` nel caso in cui `d` sia maggiore della lunghezza di `v`.

15.33 Sviluppate una classe basata su trie che implementi un ADT tabella di esistenza per interi di w bit. La vostra classe deve includere le operazioni di costruzione, inserimento e ricerca, dove inserimento e ricerca hanno parametri interi e la ricerca restituisce `false` quando fallisce e `true` quando ha successo (si veda il Programma 15.10).

15.3 Trie patricia

La ricerca basata su trie descritta nel Paragrafo 15.2 ha due inconvenienti. Il primo, la ramificazione a una sola via crea nel trie nodi in più che non sembrano necessari. Il secondo è che ci sono due tipi di nodi differenti nel trie e ciò, in qualche modo, complica le cose (si veda l'Esercizio 15.22). Nel 1968 Morrison scoprì un modo per evitare entrambi

---

Programma 15.5 Implementazione di tabelle di simboli basata su trie patricia

I nodi di un trie patricia contengono un campo che indica la posizione del bit che distingue le chiavi sulla destra da quelle sulla sinistra. Usiamo un nodo fittizio `head` in cima al trie che corrisponde al risultato della ricerca della chiave nulla (fatta da una sequenza di 0). La radice del trie si trova in `head.l`, mentre il link `head.r` non è utilizzato.

```
class ST
  {
    private class Node
      { ITEM item; Node l, r; int bit;
        Node(ITEM x, int i) { item = x; bit = i; }
      }
    private Node head;
    ST(int maxN)
      { head = new Node(null, -1); head.l = head; }
    ITEM search(KEY key)
      // Vedi Programma 15.6
    void insert(ITEM x)
      // Vedi Programma 15.7
    public String toString()
      // Vedi Programma 15.8
  }
```

questi problemi con un metodo che chiamò *patricia* (*practical algorithm to retrieve information coded in alphanumeric* ovvero "algoritmo pratico per il reperimento di informazioni alfanumeriche codificate"). Morrison sviluppò il suo algoritmo nel contesto delle applicazioni con indicizzazioni tramite stringhe, del tipo di quelle che considereremo nel Paragrafo 15.5; tuttavia esso è ugualmente efficace come implementazione di tabelle di simboli. Come i DST, i trie patricia permettono la ricerca per N chiavi in un albero con solo N nodi; come i trie essi richiedono solo circa lg N confronti tra bit e un confronto completo della chiave per ogni ricerca, e supportano altre operazioni su ADT. Inoltre, queste prestazioni sono indipendenti dalla lunghezza della chiave e la struttura dati è adatta a chiavi di lunghezza variabile.

Iniziando con la struttura dati standard del trie, possiamo evitare la ramificazione a una sola via in modo semplice: mettiamo in ogni nodo l'indice del bit da verificare per decidere quale percorso intraprendere da quel nodo. Così saltiamo direttamente al bit dove deve essere presa una decisione significativa, evitando tutti i confronti di bit nei nodi in cui tutte le chiavi nel sottoalbero hanno lo stesso valore di bit. In aggiunta, riusciamo a fare a meno dei nodi esterni in modo altrettanto semplice: memorizziamo i dati nei nodi interni e sostituiamo i link nei nodi esterni con altri che puntano verso l'alto al nodo interno corretto nel trie. Questi due accorgimenti ci permettono di rappresentare i trie come alberi binari formati da nodi con una chiave e due link (più un campo addizionale per l'indice) che chiamiamo *trie patricia*. Con i trie patricia si memorizzano le chiavi nei nodi come per i DST e si attraversa l'albero a seconda dei bit della chiave di ricerca, ma non si usano le chiavi dei nodi nei livelli sottostanti dell'albero per controllare la ricerca; semplicemente, li si memorizza qui per possibili riferimenti successivi, quando si è raggiunta la parte inferiore dell'albero.

Come si è accennato nel paragrafo precedente è più facile seguire il funzionamento dell'algoritmo, se subito notiamo che possiamo vedere i trie standard e i trie patricia come differenti rappresentazioni della stessa struttura astratta di trie. Per esempio i trie nella Figura 15.10 e in alto nella Figura 15.11, che illustrano la ricerca e l'inserimento per i trie patricia, rappresentano la stessa struttura astratta rappresentata dai trie nella Figura 15.6. Gli algoritmi di ricerca e inserimento per i trie patricia utilizzano, costruiscono e mantengono una rappresentazione concreta della struttura dati astratta del trie diversa dagli algoritmi di ricerca e inserimento trattati nel Paragrafo 15.2, ma l'astrazione del trie sottostante è la stessa.

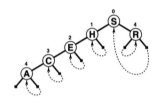

Figura 15.10
Ricerca in un trie patricia

In una ricerca con successo per R = 10010 in questo esempio di trie patricia, ci spostiamo a destra (poiché il bit di posto 0 è 1), poi a sinistra (poiché il bit di posto 4 è 0), raggiungendo così R (la sola chiave dell'albero che inizia con 1***0). Scendendo nell'albero, controlliamo solo i bit delle chiavi indicati dai numeri posti sopra i nodi (e ignoriamo le chiavi nei nodi). Quando raggiungiamo per la prima volta un link che punta verso l'alto, confrontiamo la chiave di ricerca con la chiave nel nodo puntato da tale link. Quella è, in effetti, la sola chiave dell'albero che potrebbe essere uguale alla chiave di ricerca.

In una ricerca priva di successo per I = 01001, ci spostiamo a sinistra della radice (poiché il bit di posto 0 della chiave è 0), quindi ci muoviamo sul link di destra (poiché il bit di posto 1 è 1) e troviamo che H (la sola chiave nel trie che inizia con 01) non è uguale a I.

Programma 15.6 **Ricerca in un trie patricia**

Il metodo ricorsivo `searchR` restituisce l'unico nodo che potrebbe contenere il record con chiave v. Attraversa il trie, usando i bit dell'albero per controllare la ricerca, ma verifica solo 1 bit per nodo incontrato, quello indicato nel campo `bit`. Essa termina la ricerca quando incontra un link esterno o uno che punta verso l'alto nell'albero. Il metodo di ricerca `search` chiama `searchR`, quindi analizza la chiave in quel nodo per determinare se la ricerca ha avuto successo o è fallita.

```
private ITEM searchR(Node h, KEY v, int i)
  {
    if (h.bit <= i) return h.item;
    if (bit(v, h.bit) == 0)
        return searchR(h.l, v, h.bit);
    else return searchR(h.r, v, h.bit);
  }
ITEM search(KEY key)
  { ITEM t = searchR(head.l, key, -1);
    if (t == null) return null;
    if (equals(t.key(), key)) return t;
    return null;
  }
```

Il Programma 15.6 è un'implementazione dell'algoritmo di ricerca sul trie patricia. Il metodo si differenzia dalla ricerca su trie in tre modi: non ci sono link nulli espliciti, si controlla il bit indicato nella chiave invece che il bit successivo e si termina con un confronto della chiave di ricerca al punto in cui seguiamo un link verso l'alto nell'albero. È facile verificare se un link punta verso l'alto, perché gli indici dei bit nei nodi (per definizione) crescono man mano che ci si sposta verso il basso nell'albero. Per la ricerca si parte dalla radice e si procede verso il basso usando l'indice presente in ciascun nodo per sapere quale bit esaminare nella chiave di ricerca (andiamo a destra se il bit è 1, a sinistra se è 0). Le chiavi nei nodi non vengono affatto esaminate lungo il percorso verso il basso dell'albero. Prima o poi si incontra un link verso l'alto: tutti i link verso l'alto puntano all'unica chiave nell'albero che ha i bit che spingono una ricerca a seguire quel link. Così, se la chiave nel nodo a cui puntava il primo link incontrato verso l'alto è uguale alla chiave di ricerca allora la ricerca ha successo, altrimenti è fallita.

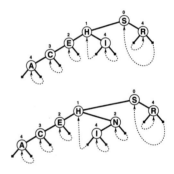

Figura 15.11
Inserimento in un trie patricia

Per inserire I nel trie patricia della Figura 15.10, abbiamo aggiunto un nuovo nodo per controllare il bit di posto 4, poiché H = 01000 e I = 01001 differiscono solo per quel bit (sopra). In una successiva ricerca nel trie che arriva al nuovo nodo, vogliamo controllare H (link sinistro), se il bit di posto 4 della chiave di ricerca è 0; se il bit è 1 (link destro), la chiave da controllare è I.

Per inserire N = 01110 (sotto), aggiungiamo un nuovo nodo tra H e I per controllare il bit di posto 2, poiché quel bit distingue N da H e da I.

La Figura 15.10 illustra la ricerca in un trie patricia. A fronte di un fallimento dovuto al fatto che la ricerca in un trie ha seguito un link nullo, la corrispondente ricerca sul trie patricia inizierà un percorso diverso da quello della ricerca su trie standard, perché i bit che corrispondono alla ramificazione a una sola via non vengono verificati nel percorso verso il basso nell'albero. Per una ricerca che si conclude in una foglia in un trie, la ricerca su trie patricia si conclude confrontandosi con la stessa chiave della ricerca su trie, ma senza esaminare i bit corrispondenti alla ramificazione a una sola via nel trie.

L'implementazione dell'inserimento per i trie patricia rispecchia i due casi che si verificano nell'inserimento per i trie (Figura 15.11). Come al solito, da una search miss otteniamo informazioni su dove cade una nuova chiave. Per i trie il fallimento può verificarsi o a causa di un link nullo o per la mancata corrispondenza di una chiave a una foglia. Nel caso dei trie patricia dobbiamo lavorare di più per decidere quale tipo di inserimento è necessario, perché abbiamo saltato i bit corrispondenti alla ramificazione a una sola via durante la ricerca. Una ricerca su trie patricia termina sempre con un confronto di chiave e questa chiave porta le informazioni che ci servono. Troviamo la posizione del bit più a sinistra dove la chiave di ricerca e la chiave che ha terminato la ricerca sono diverse, poi cerchiamo di nuovo nell'albero confrontando tale posizione con le posizioni dei bit nei nodi sul cammino della ricerca. Se arriviamo a un nodo che individua una posizione del bit più alta di quella che distingue la chiave cercata dalla chiave trovata, allora capiamo che nella ricerca sul trie patricia abbiamo saltato un bit che avrebbe portato a un link nullo nella corrispondente ricerca su trie, e quindi aggiungiamo un nuovo nodo per verificare quel bit. Se non giungiamo mai a un nodo che individua una posizione del bit più alta di quella che distingue la chiave cercata e la chiave trovata, allora la ricerca sul trie patricia corrisponde a una ricerca su trie standard che termina in una foglia; in tal caso, aggiungiamo un nuovo nodo che distingua la chiave di ricerca dalla chiave che ha terminato la ricerca. Si aggiunge sempre solo un nodo che si riferisce al bit più a sinistra che distingue le chiavi, mentre l'inserimento su un trie standard potrebbe far aggiungere più nodi con ramificazione a una sola via prima di raggiungere quel bit. Il nuovo nodo, oltre a fornire la discriminazione fra bit che ci serve, sarà anche il nodo che useremo per memorizzare il nuovo elemento.

Adottiamo la convenzione secondo la quale il link più a sinistra (quello che corrisponde a una chiave fatta di bit tutti a 0) non punta ad alcun nodo interno. Si tratta di una convenzione utile, poiché in ogni albero binario il numero di link esterni è esattamente pari al numero di nodi interni più uno. Per fare in modo che non vi siano ricerche che seguono quel link, facciamo l'ulteriore ipotesi per cui solo la chiave nulla ha tutti i bit a 0. Si tratta di un'ipotesi non difficile da far rispettare: basta implementare bit in modo da restituire sempre 0 per la chiave nulla e 1 se ha esaurito tutti i bit di una qualsiasi chiave non nulla (si veda l'Esercizio 15.34). La Figura 15.12 mostra le fasi iniziali della costruzione di un trie di esempio, in cui sono illustrate anche le convenzioni appena presentate.

Il Programma 15.7 è un'implementazione dell'algoritmo di inserimento su trie patricia. Il codice segue direttamente dalla descrizione precedente, con l'osservazione aggiuntiva che intendiamo i link ai nodi con indici di bit che non sono più grandi dell'indice di bit corrente come link a nodi esterni. Il codice di inserimento semplicemente verifica questa proprietà dei link, ma non sposta chiavi o link. I link verso l'alto nei trie patricia all'inizio sembrano misteriosi, ma le decisioni su quale link usare quando ciascun nodo viene inserito sono sorprendentemente immediate. Il risultato finale è che, usando un solo tipo di nodo invece di due, si semplifica di molto il codice.

Per costruzione, tutti i nodi esterni al di sotto di un nodo con indice di bit k iniziano con gli stessi k bit (altrimenti, avremmo creato un nodo con indice di bit minore di k per distinguere due di essi). Pertanto, possiamo convertire un trie patricia in un trie standard creando i nodi interni appropriati tra i nodi dove i bit sono saltati e sostituendo i link che puntano in alto nell'albero con link verso i nodi esterni (vedi l'Esercizio 15.52). Tuttavia, la Proprietà 15.2 non vale per i trie patricia, perché l'assegnazione delle chiavi ai nodi interni dipende dall'ordine in cui le chiavi sono inserite. La struttura dei nodi interni è indipendente dall'ordine di inserimento della chiave, ma i link esterni e la collocazione della chiave non lo sono.

Un'importante conseguenza del fatto che un trie patricia rappresenta la struttura di un trie standard sottostante è che si può utilizzare un attraversamento ricorsivo in ordine simmetrico per visitare i nodi in ordine, come dimostrato nell'implementazione data nel Programma 15.8. Visitiamo solo i nodi esterni che identifichiamo, cercando indici di bit non crescenti.

I trie patricia sono la quintessenza dei metodi di ricerca digitali: riescono a identificare i bit che distinguono le chiavi di ricerca e a costruire una struttura dati (senza nodi in eccedenza) che porta velocemente da una qualunque chiave di ricerca all'unica chiave nella struttura di dati che può essere uguale alla chiave di ricerca. La Figura 15.3

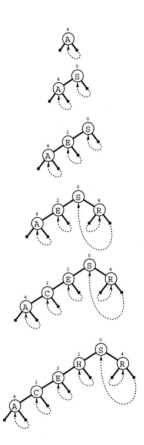

Figura 15.12
Costruzione di un trie patricia

Questa sequenza illustra il risultato dell'inserimento delle chiavi A S E R C H in un trie patricia inizialmente vuoto. La Figura 15.11 illustra il risultato dell'inserimento di I e N nell'albero in basso.

Programma 15.7 Inserimento in un trie patricia

Per inserire una chiave in un trie patricia, iniziamo con una ricerca. Il metodo searchR del Programma 15.6 ci fornisce una chiave unica dell'albero che deve essere distinta dalla chiave che deve essere inserita. Determiniamo, poi, la posizione del bit più a sinistra in cui questa chiave e la chiave di ricerca differiscono, quindi usiamo il metodo ricorsivo insertR per attraversare l'albero e inserire un nuovo nodo contenente v in quel punto.

In insertR ci sono due casi, corrispondenti a quelli illustrati nella Figura 15.11. Il nuovo nodo potrebbe rimpiazzare un link interno (se la chiave di ricerca differisce dalla chiave trovata in una posizione di un bit precedentemente saltata), o un link esterno (se il bit che distingue la chiave di ricerca da quella trovata non era necessario per distinguere la chiave trovata da tutte le altre chiavi presenti nel trie).

Questo codice assume che KEY sia un tipo classe e dipende dal fatto che bit sia implementato in modo che null sia l'unica chiave fatta di soli 0 (si veda il testo).

```
private Node insertR(Node h, ITEM x, int i, Node p)
  { KEY v = x.key();
    if ((h.bit >= i) || (h.bit <= p.bit))
      {
        Node t = new Node(x, i);
        t.l = bit(v, t.bit) == 0 ? t : h;
        t.r = bit(v, t.bit) == 0 ? h : t;
        return t;
      }
    if (bit(v, h.bit) == 0)
         h.l = insertR(h.l, x, i, h);
    else h.r = insertR(h.r, x, i, h);
    return h;
  }
void insert(ITEM x)
  { int i = 0;
    KEY v = x.key();
    ITEM t = searchR(head.l, v, -1);
    KEY w = (t ==null) ? null : t.key();
    if (v == w) return;
    while (bit(v, i) == bit(w, i)) i++;
    head.l = insertR(head.l, x, i, head);
  }
```

mostra il trie patricia per le stesse chiavi usate per costruire il trie della Figura 15.9. Il trie patricia ha il 44 per cento di nodi in meno rispetto al trie standard ed è anche quasi perfettamente bilanciato.

Programma 15.8   Ordinamento in un trie patricia

Questa procedura ricorsiva visita i record in un trie patricia secondo l'ordine delle loro chiavi. Immaginiamo che i dati si trovino nei nodi esterni (virtuali) che possiamo identificare controllando quando l'indice del bit del nodo corrente non è maggiore dell'indice del bit del suo genitore. A parte questo il programma è un attraversamento in ordine simmetrico standard.

```
private String toStringR(Node h, int i)
  {
    if (h == head) return "";
    if (h.bit <= i) return h.item + "\n";
    return  toStringR(h.l, h.bit) +
            toStringR(h.r, h.bit);
  }
public String toString()
  { return toStringR(head.l, -1); }
```

Proprietà 15.5   *L'inserimento o la ricerca di una chiave casuale in un trie patricia costituito da N stringhe di bit casuali richiede in media all'incirca* $\lg N$ *confronti di bit e all'incirca* $2 \lg N$ *confronti di bit nel caso peggiore. Il numero di confronti di bit non è mai maggiore della lunghezza della chiave.*

Ciò è un'immediata conseguenza della Proprietà 15.3, giacché i cammini nei trie patricia non sono più lunghi dei cammini nel trie corrispondente. L'analisi precisa del caso medio è difficile; da quest'analisi risulta che un trie patricia richiede in media un confronto in meno di quanto non richieda un trie standard (si vedano i riferimenti bibliografici). ∎

La Tabella 15.1 riporta i dati empirici in supporto alla conclusione che i DST, i trie standard binari e i trie patricia danno prestazioni confrontabili (e che prevedono tempi di ricerca confrontabili o inferiori ai metodi per alberi bilanciati del Capitolo 13) quando le chiavi sono numeri interi, e certamente dovrebbero essere tenuti in considerazione per implementazioni di tabelle di simboli anche con chiavi che possono essere rappresentate come brevi stringhe di bit, tenendo conto anche dei compromessi sulle prestazioni che abbiamo evidenziato.

Si noti che il costo della ricerca dato nella Proprietà 15.5 non cresce con la lunghezza della chiave. Per confronto, il costo della ricerca in un trie standard solitamente dipende dalla lunghezza delle chiavi (la

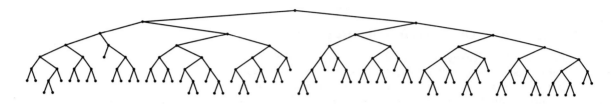

Figura 15.13
Esempio di trie patricia

Questo trie patricia, costruito mediante l'inserimento di circa 200 chiavi casuali, è equivalente al trie di Figura 15.9 con l'eliminazione delle ramificazioni a una sola via. L'albero risultante è quasi perfettamente bilanciato.

posizione del primo bit che differisce in due chiavi date potrebbe essere arbitrariamente lontana nella chiave). Anche tutti i metodi di ricerca basati sul confronto che abbiamo considerato dipendono dalla lunghezza della chiave: se due chiavi differiscono solo nel bit all'estrema destra, confrontarle richiede un tempo proporzionale alla loro lunghezza. Inoltre, i metodi di hashing per una ricerca richiedono sempre un tempo proporzionale alla lunghezza della chiave per calcolare la funzione di hash. Invece, un trie patricia conduce immediatamente ai bit che sono fondamentali e, di solito, prevede di doverne controllare un numero inferiore a lg N. Questo effetto rende i trie patricia (o la ricerca su trie senza ramificazioni a una sola via) il metodo di ricerca più conveniente quando le chiavi di ricerca sono lunghe.

Per esempio, supponiamo di avere un computer che può accedere in modo efficiente a byte di 8 bit e di dover cercare tra milioni di chiavi di 1000 bit. In un'operazione di ricerca con un trie patricia è richiesto l'accesso a solo 20 byte circa della chiave di ricerca, più un unico confronto di uguaglianza di 125 byte, mentre l'hashing richiede di accedere a tutti i 125 byte della chiave di ricerca per calcolare la funzione di hash, più alcuni confronti di uguaglianza. I metodi basati sul confronto richiedono da 20 a 30 confronti delle chiavi intere. Vero è che i confronti delle chiavi, in particolare nei primi stadi di una ricerca, richiedono il confronto di pochi byte soltanto, ma gli stadi successivi coinvolgono di solito molti byte in più. Nel Paragrafo 15.5 considereremo ancora il confronto fra le prestazioni di vari metodi per la ricerca con chiavi lunghe.

Per i trie patricia non c'è bisogno, però, di avere alcun limite di lunghezza nelle chiavi di ricerca. Un trie patricia è particolarmente efficace nelle applicazioni con chiavi di lunghezza variabile potenzialmente grandi, come quelle che vedremo nel Paragrafo 15.5, potendo generalmente aspettarci che il numero di controlli di bit richiesti per una ricerca su N record sia all'incirca proporzionale a lg N (anche con chiavi estremamente grandi).

Tabella 15.1 Studio empirico delle implementazioni di trie

Questi tempi relativi per la costruzione e la ricerca in tabelle di simboli con sequenze casuali di interi di 32 bit confermano che i metodi digitali sono competitivi con quelli basati su alberi bilanciati, anche per chiavi che sono bit casuali. Le differenze nelle prestazioni sono notevoli quando le chiavi sono lunghe e non necessariamente casuali (vedi Tabella 15.2), o quando viene posta molta attenzione per mantenere efficiente il codice per accedere ai singoli bit delle chiavi (vedi Esercizio 15.23).

	costruzione				search hit			
N	R	D	T	P	R	D	T	P
1250	25	14	14	16	5	3	4	3
2500	43	23	29	29	9	7	6	5
5000	70	43	43	60	19	15	12	11
12500	116	96	100	102	59	47	36	3?
25000	298	204	251	305	147	115	87	8(
50000	1120	464	476	604	356	290	198	18
100000	2476	1189	1172	1411	853	665	456	42
200000	3591	4487	2505	3240	1884	1579	1012	9?

Legenda:

R BST red-black (Programmi 12.15 e 13.6)
D DST (Programma 15.2)
T Trie (Programmi 15.3 e 15.4)
P Trie patricia (Programmi 15.6 e 15.7)

Esercizi

15.34 Modificate l'implementazione del metodo a due parametri bit del testo (dopo il Programma 15.1) in modo che restituisca 1, se il suo secondo parametro non è minore di bitsword, e sempre 0, se il suo primo parametro è null.

15.35 Cosa succede quando si usa il Programma 15.7 per inserire un record la cui chiave è uguale a qualche chiave che si trova già nel trie?

▷ **15.36** Disegnate il trie patricia risultante dall'inserimento delle chiavi E A S Y Q U T I O N in quest'ordine a partire da un trie vuoto.

▷ **15.37** Disegnate il trie patricia risultante dall'inserimento delle chiavi 01010011 00000111 00100001 01010001 11101100 00100001 10010101 01001010 (in quest'ordine) in un trie inizialmente vuoto.

○ **15.38** Disegnate il trie patricia risultante dall'inserimento delle chiavi 01001010 10010101 00100001 11101100 01010001 00100001 00000111 01010011 (in quest'ordine) in un trie inizialmente vuoto.

15.39 Eseguite studi empirici per confrontare l'altezza, il numero di nodi e la lunghezza del cammino interno di un trie patricia, ottenuto mediante inserimento di N chiavi casuali a 32 bit in un trie inizialmente vuoto, con le stesse grandezze relative a un albero di ricerca binario standard e a un albero red-black (Capitolo 13), ottenuti con le stesse chiavi per $N = 10^3$, 10^4, 10^5 e 10^6 (vedi gli Esercizi 15.6 e 15.14).

15.40 Fornite una caratterizzazione completa, nel caso peggiore, della lunghezza del cammino interno di un trie patricia con N chiavi distinte a w bit.

15.41 Implementate un'operazione di conteggio pigro per la tabella di simboli basata su trie patricia la cui implementazione si trova nei Programmi 15.5, 15.6 e 15.7.

15.42 Aggiungete un campo intero N a Node e modificate il codice nei Programmi 15.5, 15.6 e 15.7 in modo da implementare un'operazione di conteggio impaziente che impieghi tempo costante.

▷ **15.43** Implementate l'operazione di selezione per una tabella di simboli basata su trie patricia.

● **15.44** Implementate l'operazione di cancellazione per una tabella di simboli basata su trie patricia.

● **15.45** Implementate l'operazione di unione (join) per una tabella di simboli basata su trie patricia.

○ **15.46** Scrivete un programma che stampi tutte le chiavi di un trie patricia che hanno gli stessi t bit iniziali di una data chiave di ricerca.

15.47 Modificate i Programmi 15.3 e 15.4 per eliminare la ramificazione a una sola via allo stesso modo dei trie patricia. Se avete fatto l'Esercizio 15.22, iniziate pure da quel programma.

15.48 Modificate la ricerca e l'inserimento patricia (Programmi 15.6 e 15.7) in modo da mantenere una tabella di 2^r trie, come descritto nell'Esercizio 15.24.

15.49 Mostrate che ogni chiave di un trie patricia si trova sul cammino di ricerca di se stessa e, quindi, è incontrata durante la discesa dell'albero relativa a un'operazione di ricerca come se fosse alla fine.

15.50 Modificate la ricerca patricia (Programma 15.6) in modo da confrontare le chiavi lungo la discesa nell'albero allo scopo di migliorare le prestazioni della search hit. Eseguite studi empirici per valutare l'efficacia di queste modifiche (si veda l'Esercizio 15.49).

15.51 Usate un trie patricia per costruire una struttura dati che supporti un ADT tabella di esistenza per interi a w bit (si veda l'Esercizio 15.33).

● **15.52** Scrivete programmi per convertire trie patricia in trie standard con le stesse chiavi e viceversa.

15.4 Trie a più vie e TST

Per l'ordinamento digitale, abbiamo scoperto la possibilità di ottenere un significativo miglioramento nella velocità considerando più di 1 bit alla volta. Lo stesso vale per la ricerca digitale: esaminando r bit alla volta, possiamo accelerare la ricerca di un fattore r. Tuttavia, c'è un ostacolo che ci deve mettere in guardia nell'applicazione di questo concetto più di quanto non fosse necessario per l'ordinamento digitale. Il problema è che considerare r bit alla volta corrisponde a usare nodi di alberi con $R = 2^r$ link e questo può portare a una considerevole quantità di spazio sprecato per i link non utilizzati.

Il Programma 15.9 è un esempio di implementazione di un tipo chiave che fornisce accesso alle cifre delle chiavi. Come per `bit`, se vogliamo usare questo tipo di chiave, basta aggiungere a ciascuna classe il codice

```
private final static int R = radixKey.R;
private int digit(KEY v, int i)
  { return ((radixKey) v).digit(i); }
```

Programma 15.9 Esempio di tipo chiave digitale

Questo codice è un esempio di estensione di una classe chiave come il Programma 12.2, che definisce chiavi a valori interi, allo scopo di consentire ai metodi digitali di accedere alle cifre delle chiavi. Esso offre un metodo `digit` che restituisce la cifra indicata a partire dalla rappresentazione decimale della chiave (un intero fra 0 e 9), insieme alle costanti R ed END. I numeri di tipo `int` hanno solo dieci cifre decimali. Restituiamo END, se un client richiede una cifra che va al di là della fine del numero.

```
class radixKey extends myKey
  {
    public final static int R = 10;
    public final static int END = -1;
    private int[] p =
      { 1000000000, 100000000, 10000000,
        1000000, 100000, 10000, 1000, 100, 10, 1 };
    public int digit(int B)
      { int v = val;
        if (B > 9) return END;
        return (v/p[B]) % 10;
      }
  }
```

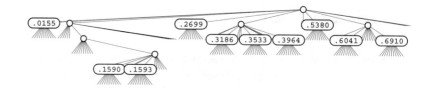

Figura 15.14
Trie a R vie per numeri in base 10

Questa figura illustra il trie che distingue l'insieme di numeri

```
.396465048
.353336658
.318693642
.015583409
.159369371
.691004885
.899854354
.159072306
.604144269
.269971047
.538069659
```

(vedi Figura 12.1). Ogni nodo ha 10 link (uno per ogni possibile cifra). Alla radice, il link 0 punta al trie per le chiavi aventi 0 come prima cifra (ce n'è una sola); il link 1 punta al trie per le chiavi aventi ·1 come prima cifra (ce ne sono due), e così via. Nessuno di questi numeri ha come prima cifra 4, 7, 8 o 9, così quei link sono nulli. C'è solo un numero avente come prima cifra 0, 2 e 5, e quindi c'è una foglia contenente il numero appropriato per ciascuna di queste cifre. Il resto della struttura viene costruito ricorsivamente, muovendosi a destra di una sola cifra.

Ciò ci consente la flessibilità per sostituire un'implementazione diretta delle chiavi che sono tipi predefiniti (si veda l'Esercizio 15.53).

Nei trie binari del Paragrafo 15.2 i nodi corrispondenti ai bit della chiave hanno due link: uno per il caso in cui il bit della chiave sia 0 e l'altro per il caso in cui il bit della chiave sia 1. La generalizzazione appropriata considera trie a R vie nei quali abbiamo nodi con R link corrispondenti a cifre della chiave, uno per ciascun possibile valore della cifra. Le chiavi sono memorizzate nelle foglie (nodi con tutti i link nulli). Per eseguire una ricerca in un trie a R vie partiamo dalla radice e dalla cifra della chiave all'estrema sinistra e usiamo le cifre della chiave per guidare la discesa nell'albero. Discendiamo l'albero seguendo l'i-esimo link (spostandoci alla cifra successiva), se il valore della cifra è pari a i. Se raggiungiamo una foglia, essa contiene la sola chiave del trie con cifre iniziali corrispondenti al cammino seguito, quindi possiamo confrontare quella chiave con la chiave di ricerca per determinare se abbiamo ottenuto una search hit o una search miss. Se arriviamo a un link nullo, sappiamo di aver ottenuto una search miss, dato che quel link corrisponde a una sequenza di cifre iniziali che non è stata riscontrata in alcuna chiave del trie. La Figura 15.14 mostra un trie a 10 vie che rappresenta un insieme di numeri decimali. Come abbiamo osservato nel Capitolo 10, i numeri che si incontrano in pratica si riescono a distinguere con pochi nodi del trie. Questa stessa circostanza per tipi di chiavi più generali sta alla base di un certo numero di efficienti algoritmi di ricerca.

Prima di realizzare una completa implementazione di una tabella di simboli utilizzando diversi tipi di nodi e così via, iniziamo il nostro studio dei trie a più vie concentrandoci sul problema delle tabelle di esistenza, in cui abbiamo solo chiavi (senza record e altra informazione associata) e vogliamo sviluppare algoritmi per inserire chiavi e per eseguire ricerche nella struttura dati che ci dicano se una data chiave sia stata o meno inserita. Il Programma 15.10 definisce un ADT per tabelle di esistenza. L'implementazione di tabella di esistenza che andiamo ora a considerare illustra chiaramente la struttura di trie a più vie. Essa, oltre a essere utile di per sé, spiana la strada all'uso di trie in un'implementazione dell'ADT tabella di simboli standard.

> **Programma 15.10   ADT tabella di esistenza**
>
> Quest'interfaccia definisce la più semplice tipologia di tabella di simboli, in cui abbiamo chiavi senza informazione associata. I programmi client possono eseguire operazioni di inserimento e ricerca di chiavi.
>
> ```
> class ET // interfaccia di ADT
>   { // implementazioni e membri privati nascosti
>     ET()
>     boolean search(KEY)
>     void insert(KEY)
>   }
> ```

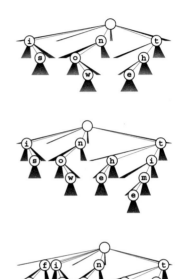

Definizione 15.2   *Il **trie di esistenza** corrispondente a un insieme di chiavi è definito ricorsivamente come segue: il trie per un insieme vuoto di chiavi corrisponde a un link nullo; il trie corrispondente a un insieme non vuoto di chiavi è costituito da un nodo interno con link che puntano ai trie relativi a ogni possibile valore delle cifre, in cui la cifra iniziale è da rimuovere quando si costruiscono i sottoalberi.*

Per semplicità, assumiamo in questa definizione che non esistano chiavi che sono prefissi di altre chiavi. Questa restrizione si garantisce solitamente facendo in modo che le chiavi siano distinte e abbiano una lunghezza fissa oppure un carattere di terminazione di valore END, una sentinella usata solo per questo scopo. Il punto importante di questa definizione è poter usare trie di esistenza per implementare tabelle di esistenza, senza dover memorizzare informazioni all'interno dell'albero. Tutta l'informazione è definita implicitamente dalla struttura stessa dell'albero. Ogni nodo ha $R + 1$ link (uno per ciascun valore dei caratteri più uno per il carattere terminale END) e niente altro. Per eseguire una ricerca usiamo le cifre della chiave per guidare la discesa nel trie. Se raggiungiamo il link a END quando abbiamo esaurito le cifre della chiave, abbiamo ottenuto una search hit; altrimenti, abbiamo una search miss. Per inserire una chiave eseguiamo una ricerca fino a trovare un link nullo, e quindi aggiungiamo nodi per ciascuno dei caratteri rimanenti della chiave. La Figura 15.15 è un esempio di trie a 27 vie, mentre il Programma 15.11 è un'implementazione delle procedure di base di inserimento e ricerca in un trie di esistenza a più vie.

Se le chiavi sono di lunghezza fissa e sono distinte possiamo evitare il link al carattere di terminazione e arrestare le ricerche quando

**Figura 15.15
Ricerca e inserimento in un trie di esistenza a R vie**

Il trie a 26 vie per le parole now, is *e* the *(in alto) ha nove nodi: la radice più un nodo per ogni lettera. In questi diagrammi i nodi sono etichettati anche se non usiamo etichette esplicite dei nodi nella struttura dati, poiché l'etichetta di ogni nodo può essere ottenuta dalla posizione del link al nodo stesso nell'array di link del padre. Per inserire la chiave* time, *ramifichiamo il nodo esistente per* t *e aggiungiamo nuovi nodi per* i, m ed e *(al centro); per inserire la chiave* for, *ramifichiamo la radice e aggiungiamo nuovi nodi per* f, o e r.*

Programma 15.11 Ricerca e inserimento in un trie di esistenza

Quest'implementazione delle operazioni di ricerca e inserimento per l'ADT tabella di esistenza basato su trie a più vie memorizza implicitamente le chiavi nella struttura del trie. Ogni nodo contiene R link al successivo livello sottostante del trie. Si segue l'i-esimo link al livello t, quando la t-esima cifra della chiave è i.

```
private boolean searchR(Node h, KEY v, int d)
  { int i = digit(v, d);
    if (h == null) return false;
    if (i < 0) return true;
    return searchR(h.next[i], v, d+1);
  }
boolean search(KEY key)
  { return searchR(head, key, 0); }
private Node insertR(Node h, KEY v, int d)
  { int i = digit(v, d);
    if (h == null) h = new Node();
    if (i < 0) return h;
    h.next[i] = insertR(h.next[i], v, d+1);
    return h;
  }
void insert(KEY v)
  { head = insertR(head, v, 0); }
```

raggiungiamo la lunghezza della chiave (si veda l'Esercizio 15.60). Abbiamo già esaminato un esempio di questo tipo di trie quando li abbiamo utilizzati per descrivere l'ordinamento digitale MSD per chiavi di lunghezza fissa (Figura 10.10).

In un certo senso, questa rappresentazione puramente astratta della struttura del trie è ottimale, poiché essa può supportare l'operazione di ricerca in tempo proporzionale alla lunghezza della chiave e spazio proporzionale al numero totale di caratteri della chiave (nel caso peggiore). In effetti, però, lo spazio totale utilizzato potrebbe essere di quasi R link per carattere, e quindi è opportuno cercare implementazioni più soddisfacenti. Come si è detto per i trie binari, è utile considerare questa struttura trie pura come una particolare rappresentazione della struttura astratta sottostante, che è una rappresentazione ben definita del nostro insieme di chiavi, cercando, quindi, altre possibili rappresentazioni della stessa struttura astratta che possano dar luogo a prestazioni migliori.

Definizione 15.3 *Un **trie a più vie** è un albero a più vie con chiavi associate alle foglie, definito ricorsivamente come segue: il trie per un insieme vuoto di chiavi è un link nullo; il trie per una chiave singola è una foglia contenente quella chiave; il trie per un insieme di chiavi di cardinalità maggiore di uno è un nodo interno con link che puntano a trie corrispondenti a insiemi di chiavi con ogni possibile valore delle cifre, dove la cifra iniziale deve essere rimossa quando si costruiscono i sottoalberi.*

Supponiamo che le chiavi nella struttura dati siano distinte e che non vi siano chiavi che sono prefissi di altre chiavi. Per eseguire una ricerca in un trie standard a più vie usiamo le cifre della chiave per guidare la discesa nell'albero. Si hanno tre possibili esiti: se raggiungiamo un link nullo, abbiamo una search miss; se raggiungiamo una foglia contenente la chiave di ricerca, abbiamo una search hit; se raggiungiamo una foglia contenente una chiave diversa, abbiamo ancora una search miss. Tutte le foglie hanno R link nulli. Quando implementiamo una tabella di simboli possiamo porre gli elementi nelle foglie (come abbiamo fatto per gli alberi binari), quindi, come già osservato nel Paragrafo 15.2, è opportuno avere rappresentazioni diverse per nodi che sono foglie e nodi che non lo sono. Consideriamo quest'implementazione nel Capitolo 16, mentre un approccio implementativo un po' diverso verrà presentato più avanti in questo capitolo. In ogni caso, i risultati analitici del Paragrafo 15.3 si generalizzano in modo diretto e forniscono utili informazioni circa le prestazioni di trie standard a più vie.

Proprietà 15.6 *La ricerca o l'inserimento in un trie standard a R vie costruito tramite N stringhe casuali di byte richiede mediamente all'incirca $\log_R N$ confronti. Il numero di link in un trie a R vie costruito con N chiavi casuali è all'incirca $RN/\ln R$. Il numero di confronti di byte per ricerche o inserimenti non è mai maggiore del numero di byte della chiave di ricerca.*

Questi risultati generalizzano quelli delle Proprietà 15.3 e 15.4. Possiamo ottenerli sostituendo 2 con R nelle dimostrazioni di quelle proprietà. Come già osservato, invece, l'analisi precisa di queste quantità richiede strumenti matematici piuttosto sofisticati. ■

Le prestazioni indicate nella Proprietà 15.6 rappresentano un esempio estremo di compromesso spazio-temporale. Da una parte, vi è una gran quantità di link nulli non utilizzati (solo pochi nodi vicino alla radice usano molti link), dall'altra, l'altezza dell'albero è piccola. Ad esempio, supponiamo di prendere il tipico valore $R = 256$ e di avere N chiavi casuali a 64 bit. La Proprietà 15.6 ci dice che una ricerca impiegherà (lg N)/8 confronti di caratteri (al più 8) e che useremo meno di $47N$ link. Se disponiamo di una gran quantità di spazio di memoria, questo metodo ci offre un'alternativa estremamente efficiente. Possiamo abbattere il costo della ricerca a 4 confronti in questo esempio prendendo $R = 65536$, ma avremmo anche bisogno di più di $5900N$ link.

Nelle applicazioni pratiche, il costo in termini di spazio sarà verosimilmente ancora maggiore, poiché nella pratica insiemi reali di chiavi tendono ad avere parecchie chiavi con lunghe sottosequenze in comune. Il trie risultante avrà molti nodi con $R - 1$ link nulli.

Quest'analisi mostra, in particolare, come sia imprudente usare trie per stringhe Java Unicode, dato che la quantità di spazio da esse occupato quando $R = 65536$ è realmente eccessivo. Un modo per migliorare la situazione è quello di implementare `digit` in maniera tale da spezzare i caratteri e, per esempio, limitarsi all'ASCII (in modo da usare solo metà carattere, si veda l'Esercizio 15.63). Considereremo in seguito un approccio algoritmico ancor più efficace.

I *trie di ricerca ternari* (*Ternary Search Tries, TST*) sono una rappresentazione alternativa dei trie a più vie che ci aiuta a risparmiare spazio. In un TST ogni nodo ha un carattere e tre link, corrispondenti alle chiavi le cui cifre correnti sono minori, uguali o maggiori del carattere del nodo. Usare questo sistema equivale a implementare i nodi del trie come alberi binari di ricerca che utilizzano come chiavi i caratteri corrispondenti a link non nulli. Nel trie di esistenza standard del Programma 15.11 i nodi sono rappresentati con $R + 1$ link e possiamo inferire il carattere rappresentato da ciascun link non nullo tramite il suo indice. Nel TST di esistenza corrispondente tutti i caratteri che corrispondono a link non nulli appaiono in modo esplicito nei nodi (troviamo i caratteri corrispondenti a chiavi solo quando attraversiamo i link di mezzo). Un esempio di TST è illustrato nella Figura 15.16.

L'algoritmo di ricerca su TST di esistenza è del tutto immediato; quello di inserimento è appena più complicato, ma rispecchia direttamente l'inserimento in un trie di esistenza. Per eseguire una ricerca confrontiamo il primo carattere della chiave con il carattere alla radice. Se è minore seguiamo il link sinistro, se è maggiore seguiamo quello destro, se è uguale seguiamo il link di mezzo e ci spostiamo al successivo carattere della chiave. In tutti i casi, applichiamo l'algoritmo in modo ricorsivo. Terminiamo con una search miss, se incontriamo un link nullo o la fine della chiave di ricerca prima di aver incontrato END nell'albero. Terminiamo con una search hit, se attraversiamo il link di mezzo in un nodo il cui carattere è END. Per inserire una nuova chiave, eseguiamo una ricerca e, quindi, aggiungiamo nodi nuovi per i caratteri

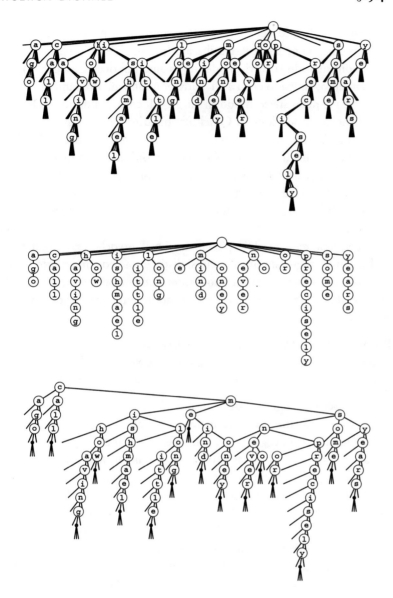

**Figura 15.16
Strutture di trie di esistenza**

Queste figure mostrano tre differenti rappresentazioni per trie di esistenza per le 16 parole call me ish-mael some years ago never mind how long precisely having little or no money: *il trie di esistenza a 26 vie (in alto); il trie astratto con i link nulli eliminati (al centro); la rappresentazione TST (in basso). Il trie di esistenza a 26 vie ha troppi link, mentre il TST è una rappresentazione efficiente del trie astratto.*

I due trie in alto assumono che nessuna delle chiavi sia il prefisso di un'altra. Per esempio, aggiungendo la chiave not *facciamo sì che essa non vada perduta. Possiamo aggiungere un carattere nullo alla fine di ogni chiave per correggere questo problema, come illustrato nel TST in basso.*

che stanno in coda alla chiave, proprio come abbiamo fatto per i trie.

Il Programma 15.12 fornisce i dettagli implementativi di questi algoritmi, mentre la Figura 15.17 contiene i TST che corrispondono ai trie della Figura 15.15. Dato che una delle applicazioni più importanti e naturali dei trie a più vie è quella dell'elaborazione di stringhe, il Programma 15.12 è codificato come implementazione dell'interfaccia dell'ADT tabella di esistenza del Programma 15.10 per chiavi String; è immediato modificarlo per usare `digit` e, quindi, implementare l'interfaccia per il tipo generale `KEY` utilizzato fin qui (Esercizio 15.62).

Continuando la corrispondenza fra alberi di ricerca e algoritmi di ordinamento, vediamo che i TST corrispondono all'ordinamento digitale a tre vie nello stesso modo in cui i BST corrispondono al Quicksort, i trie corrispondono al Quicksort binario, e i trie a M vie corrispondono all'ordinamento digitale a M vie. La Figura 10.12, che descrive la struttura delle chiamate ricorsive per un ordinamento digitale a tre vie, è un TST per quell'insieme di chiavi. Il problema dei link nulli per i trie corrisponde al problema dei bin vuoti per l'ordinamento digitale. La ramificazione a tre vie fornisce una soluzione efficace a entrambi i problemi.

Possiamo rendere i TST più efficienti nell'uso dello spazio ponendo le chiavi nelle foglie al punto in cui si distinguono ed eliminando la ramificazione a una sola via fra i nodi interni, come per i trie patricia. Al termine di questo paragrafo esamineremo un'implementazione basata su quest'ultima modifica.

Proprietà 15.7 *Una ricerca o un inserimento in un TST richiede tempo proporzionale alla lunghezza della chiave. Il numero di link in un TST è al più pari a tre volte il numero di caratteri totali nelle chiavi.*

Nel caso peggiore ogni carattere di una chiave corrisponde a un nodo R-ario pieno, sbilanciato e allungato come una lista concatenata semplice. Questo caso peggiore è estremamente improbabile in un albero casuale. Più tipicamente, ci aspettiamo di eseguire ln R o meno confronti fra byte al primo livello (dato che la radice si comporta come un BST sugli R valori distinti dei byte), e forse anche in alcuni livelli successivi (se esistono chiavi con prefissi comuni e al più R valori di byte differenti nel carattere che segue il prefisso), e di eseguire solo alcuni confronti fra byte per la maggior parte dei caratteri (dato che molti nodi del trie hanno pochi link non nulli). Le search miss coinvolgono verosimilmente solo alcuni confronti fra byte, e terminano a un link nullo in alto nell'albero. Le search hit coinvolgono solo circa un confronto fra byte per ciascun carattere della chiave di ricerca, dato che la maggior parte di essi si trova in nodi con ramificazione a una sola via sul fondo del trie.

Lo spazio utilizzato, in pratica, è generalmente minore del limite superiore di tre link per carattere, dato che le chiavi condividono nodi ai livelli alti dell'albero. Ci asteniamo dall'eseguire un'analisi precisa per il caso medio, poiché i TST sono più utili nelle situazioni pratiche in cui le chiavi non sono né casuali né sono derivate da bizzarre costruzioni di caso peggiore. ∎

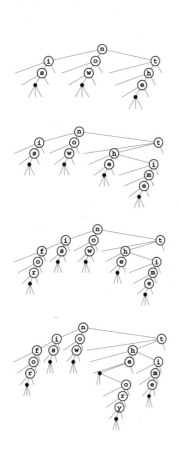

Figura 15.17
TST di esistenza

Un TST di esistenza ha un nodo per ogni lettera, ma solo 3 figli per nodo, invece che 26. I tre alberi in alto in questa figura sono RST corrispondenti all'esempio di inserimento nella Figura 15.15, con la modifica addizionale che un carattere di terminazione è appeso al termine di ogni chiave. Possiamo, quindi, eliminare la restrizione che nessuna chiave possa essere prefisso di un'altra, rendendo così possibile, per esempio, l'inserimento della chiave `theory` *(in basso).*

Programma 15.12   Ricerca e inserimento in un TST di esistenza

Questo codice implementa l'ADT tabella di esistenza per chiavi stringa. Ogni nodo contiene una cifra e tre link: uno per ciascuno dei tre insiemi di chiavi la cui cifra successiva è minore, uguale o maggiore rispetto alla corrispondente cifra nella chiave di ricerca.

Il carattere END è usato nel TST come marcatore di fine stringa (questo codice usa 0, come nelle stringhe del linguaggio C), ma le stringhe non devono necessariamente terminare con END.

```
class StringET
  {
    private final static int END = 0;
    private class Node
      { char c; Node l, m, r; }
    private Node head;
    StringET()
      { head = null; }
    private Node insertR(Node h, char[] s, int i)
      { char ch = (i < s.length) ? s[i] : END;
        if (h == null) { h = new Node(); h.c = ch; }
        if (ch == END && h.c == END) return h;
        if (s[i] < h.c) h.l = insertR(h.l, s, i);
        if (s[i] == h.c) h.m = insertR(h.m, s, i+1);
        if (s[i] > h.c) h.r = insertR(h.r, s, i);
        return h;
      }
    void insert(String s)
      { head = insertR(head, s.toCharArray(), 0); }
    private boolean searchR(Node h, char[] s, int i)
      {
        if (h == null) return false;
        if (i == s.length) return h.c == END;
        if (s[i] < h.c) return searchR(h.l, s, i);
        if (s[i] > h.c) return searchR(h.r, s, i);
        return searchR(h.m, s, i+1); // s[i] == h.c
      }
    boolean search(String s)
      { return searchR(head, s.toCharArray(), 0); }
  }
```

Il principale vantaggio nell'uso di TST è quello che essi si adattano gradualmente alle irregolarità nelle chiavi di ricerca che ricorrono in applicazioni pratiche. Possiamo considerare due effetti principali. Primo, nelle applicazioni pratiche le chiavi provengono da insiemi di caratteri piuttosto estesi, e l'uso dei caratteri nell'insieme è ben lontano dall'essere uniforme. Un particolare insieme di stringhe userà solitamente un ristretto sottoinsieme dei possibili caratteri. Con i TST possiamo usare codifiche a 256 caratteri ASCII o 65536 caratteri Unicode senza doverci preoccupare dei costi eccessivi di nodi a 256 o 65536 vie, e senza dover determinare quali insiemi di caratteri siano rilevanti. Le stringhe Unicode su alfabeti non latini possono avere migliaia di caratteri: i TST sono particolarmente adatti a chiavi String di Java formate da caratteri di questo tipo. Secondo, le stringhe in applicazioni reali hanno spesso un formato strutturato, che cambia da applicazione ad applicazione e che, magari, usa solo lettere in una parte delle chiavi, solo cifre in un'altra parte e caratteri speciali come delimitatori (si veda l'Esercizio 15.79). Ad esempio, nella Figura 15.18 è rappresentata una sequenza di codici di biblioteca provenienti da un database online. Per tali chiavi alcuni nodi dei trie possono essere rappresentati come nodi unari nel TST (per i posti in cui tutte le chiavi hanno delimitatori), alcuni altri nodi possono essere rappresentati come 10-nodi di un BST (per i posti in cui tutte le chiavi hanno cifre), e altri ancora possono essere rappresentati come 26-nodi di un BST (per i posti in cui tutte le chiavi hanno lettere). Questa struttura si sviluppa in modo automatico, senza alcun bisogno di speciali analisi delle chiavi.

Un secondo vantaggio pratico della ricerca basata su TST rispetto a molti altri algoritmi è quello per cui le search miss sono verosimilmente molto efficienti, anche quando le chiavi sono lunghe. Spesso, gli algoritmi usano solo alcuni confronti di byte (e seguono solo pochi puntatori) per giungere a una search miss. Come osservato nel Paragrafo 15.3, una search miss in una tabella hash con N chiavi richiede tempo proporzionale alla lunghezza della chiave (per calcolare la funzione di hash) e almeno lg N confronti fra chiavi in un albero di ricerca. Anche un trie patricia richiede lg N confronti fra bit per search miss casuali.

La Tabella 15.2 fornisce evidenze empiriche in supporto a queste osservazioni.

Un terzo motivo per cui i TST sono convenienti è quello che essi supportano operazioni più generali di quelle che abbiamo considerato per una tabella di simboli. Ad esempio, il Programma 15.13 fornisce un modo che consente a caratteri particolari nella chiave di ricerca di rimanere non specificati, e stampa tutte le chiavi della struttura dati che corrispondono (*match*) alle cifre specificate della chiave di ricerca. Un esempio è mostrato nella Figura 15.19. Ovviamente, con una leggera modifica possiamo adattare questo programma in modo da visitare (piuttosto che stampare solamente) tutte le chiavi che hanno corri-

```
LDS___361_H_4
LDS___485_N_4_H_317
LDS___625_D_73_1986
LJN___679_N_48_1985
LQP___425_M_56_1991
LTK___6015_P_63_1988
LVM___455_M_67_1974
WAFR_____5054____33
WKG_____6875
WLSOC_____2542____30
WPHIL_____4060____2___55
WPHYS_____39_____1___30
WROM_____5350___65____5
WUS_____10706_____7___10
WUS_____12692_____4___27
```

Figura 15.18
Esempi di chiavi stringa (codici di una biblioteca)

Queste chiavi prese da un database online di una biblioteca, illustrano la variabilità che si può riscontrare in pratica nella struttura delle chiavi. Alcuni dei caratteri possono essere propriamente modellati come lettere casuali, alcuni possono essere modellati come cifre casuali, e altri ancora hanno valore o struttura fissati.

Tabella 15.2 Studio empirico della ricerca con chiavi stringa

Questi tempi relativi per la costruzione e la ricerca in tabelle di simboli con chiavi stringa, come i codici dei testi di una biblioteca riportati nella Figura 15.18, confermano che i TST, sebbene leggermente più costosi da costruire, sono i più veloci nei casi in cui la ricerca, basata su chiavi stringa, fallisca, principalmente perché la ricerca non richiede l'esame di tutti i caratteri della chiave.

N	costruzione				search miss			
	B	H	T	T*	B	H	T	T*
1250	6	5	15	7	6	5	4	4
2500	11	9	23	12	13	11	8	7
5000	29	18	48	39	31	22	17	1:
12500	78	64	264	145	99	66	51	4!
25000	223	93	509	251	253	151	119	10
50000	558	189	1234	495	608	322	275	24
100000	1328	516	2917	1008	1507	690	640	5€

Legenda:

B   BST standard (Programma 12.15)
H   Hashing con concatenazioni separate ($M = N/5$) (Programma 14.3)
T   TST (Programma 15.12)
T* TST con R^2 vie alla radice (Programmi 15.15 e 15.16)

spondenza, analogamente a quanto si è fatto per l'ordinamento (Esercizio 15.65).

Molti altri problemi simili possono agevolmente essere risolti tramite TST. Ad esempio, possiamo visitare tutte le chiavi nella struttura dati che differiscono dalla chiave di ricerca in al più una cifra (Esercizio 15.66). Operazioni di questo tipo sono costose o addirittura impossibili con altre implementazioni di tabelle di simboli.

Un trie patricia presenta molti degli stessi vantaggi. Il principale vantaggio pratico dei TST rispetto ai trie patricia è quello che i primi accedono ai byte o caratteri delle chiavi invece che ai bit. Una ragione per cui questa differenza rappresenta un vantaggio non indifferente è

> ### Programma 15.13 Ricerca con matching parziale in un TST
>
> Con un uso cauto delle chiamate ricorsive multiple, possiamo trovare corrispondenze approssimate in un TST, come mostrato in questo programma che stampa tutte le stringhe nella struttura dati che corrispondono a una data stringa con qualche carattere non specificato (identificato da asterischi).
>
> ```
> private char[] w;
> private void matchR(Node h, char[] s, int i)
>   {
>     if (h == null) return;
>     if (i == s.length && h.c == END)
>       Out.println(w + "");
>     if (i == s.length) return;
>     if ((s[i] == '*') || (s[i] == h.c))
>       { w[i] = h.c; matchR(h.m, s, i+1); }
>     if ((s[i] == '*') || (s[i] < h.c))
>       matchR(h.l, s, i);
>     if ((s[i] == '*') || (s[i] > h.c))
>       matchR(h.r, s, i);
>   }
> void match(String s)
>   { w = new char[s.length()];
>     matchR(head, s.toCharArray(), 0); }
> ```

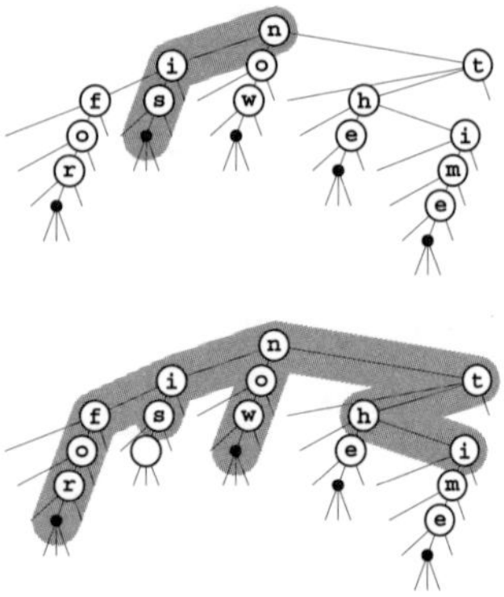

**Figura 15.19
Ricerca con matching parziale basata su TST**

Per trovare tutte le chiavi in un TST che corrispondono al pattern i (in alto), cerchiamo i nel BST per il primo carattere. In questo esempio, troviamo is (la sola parola che corrisponde al pattern), dopo due ramificazioni a una sola via. Per un pattern meno restrittivo come *o* (in basso), visitiamo tutti i nodi nel BST per il primo carattere, ma solo quelli corrispondenti a o per il secondo carattere, trovando, infine, for e now.*

quella che le operazioni macchina adatte allo scopo si trovano già implementate in molte architetture. Java fornisce accesso diretto ai byte e ai caratteri tramite array o charAt applicato a stringhe. Un'altra ragione è che in alcune applicazioni lavorare con byte nella struttura dati riflette in modo più naturale l'orientamento al byte dei dati stessi, come capita, ad esempio, nel problema di ricerca con matching parziale menzionato sopra.

Per eliminare ramificazioni a un sola via nei TST notiamo che la maggior parte di queste ramificazioni compaiono in coda alle chiavi, e non appaiono se passiamo a un'implementazione in cui manteniamo i record nelle foglie che sono sistemate nel livello più alto del trie che distingue le chiavi. Possiamo anche mantenere un indice di byte, analogamente ai trie patricia (Esercizio 15.72), ma ometteremo questa modifica per semplicità. La combinazione fra ramificazione a più vie e rappresentazione tramite TST è di per sé piuttosto efficace in molte ap-

Programma 15.14 Implementazione di tabella di simboli basata su TST ibridi

Quest'implementazione basata su TST del nostro ADT tabella di simboli standard usa una ramificazione alla radice a R vie: la radice è un array heads di R link, indicizzato dalla prima cifra delle chiavi. Ogni link punta a un TST costruito a partire da tutte le chiavi che iniziano con la cifra corrispondente. Questa struttura ibrida combina i benefici dei trie (ricerca veloce per indicizzazione alla radice) e quelli dei TST (uso efficiente dello spazio con un nodo per carattere, tranne che alla radice).

```
class ST
  {
    private class Node
      { int d; ITEM item; Node l, m, r;
        Node(ITEM x) { item = x; d = END; }
        Node(int k) { d = k; }
        Node(Node h, int k) { d = k; m = h; }
        boolean internal()
          { return l!=null || m!=null || r!=null; }
      }
    private Node[] heads;
    ST(int maxN)
      { heads = new Node[R]; }
    void insert(ITEM x)
      // Vedi Programma 15.15
    ITEM search(KEY v)
      // Vedi Programma 15.16
```

plicazioni, anche se il modo in cui è possibile far collassare le ramificazioni a una sola via (come nei trie patricia) migliorerà ulteriormente le prestazioni quando le chiavi hanno lunghe sequenze in comune (si veda l'Esercizio 15.79).

Un altro semplice miglioramento della ricerca basata su TST è quello di usare un esplicito nodo a più vie come radice. Il modo più semplice di procedere è quello di mantenere una tabella di R TST: uno per ciascuno dei possibili valori della prima lettera della chiave. Se R non è grande, possiamo usare le prime due lettere della chiave (e una tabella di dimensione R^2). Affinché questo metodo sia efficace le cifre iniziali delle chiavi devono essere ben distribuite. L'algoritmo di ricerca risultante è un ibrido che corrisponde al modo in cui un essere umano cerca un nome in un elenco del telefono. Il primo passo

Programma 15.15 Inserimento in TST ibridi per ADT tabella di simboli

Quest'implementazione dell'inserimento per il Programma 15.15 usa un TST mantenendo elementi nelle foglie (generalizzando il Programma 15.4) per tutte le parole che iniziano con ciascuno dei caratteri. Se la ricerca termina su un link nullo, viene creato un nodo foglia necessario per contenere il dato. Se la ricerca termina in una foglia, creiamo i nodi interni necessari a distinguere la chiave trovata da quella cercata.

```
private Node split(Node p, Node q, int d)
  { int pd = digit(p.item.key(), d),
        qd = digit(q.item.key(), d);
    Node t = new Node(qd);
    if (pd < qd) { t.m = q; t.l = new Node(p, pd); }
    if (pd == qd) { t.m = split(p, q, d+1); }
    if (pd > qd) { t.m = q; t.r = new Node(p, pd); }
    return t;
  }
private Node insertR(Node h, ITEM x, int d)
  { int i = digit(x.key(), d);
    if (h == null)
      return new Node(new Node(x), i);
    if ((h.d == END) && (i == END)) return h;
    if (!h.internal())
      return split(new Node(x), h, d);
    if (i < h.d) h.l = insertR(h.l, x, d);
    if (i == h.d) h.m = insertR(h.m, x, d+1);
    if (i > h.d) h.r = insertR(h.r, x, d);
    return h;
  }
void insert(ITEM x)
  { int i = digit(x.key(), 0);
    heads[i] = insertR(heads[i], x, 1); }
```

è una decisione a più vie ("Vediamo, inizia per A..."), seguito magari da alcune decisioni a due vie ("È prima di Andrews, ma dopo Aitken..."), seguito da un matching sequenziale di caratteri ("Algonquin, ... No, Algorithms non è in lista perché niente comincia con Algor!").

I Programmi dal 15.14 al 15.16 sono implementazioni basate su TST delle operazioni di ricerca e inserimento in una tabella di simboli: essi usano ramificazioni a *R* vie alla radice e mantengono chiavi nelle foglie (e, quindi, non ci sono ramificazioni a una sola via a partire dal punto

---

Programma 15.16   Ricerca in TST ibridi per ADT tabella di simboli

Quest'implementazione dell'operazione di ricerca per TST (insieme al Programma 15.15) è come la ricerca su trie a più vie, ma usa solo tre link per nodo piuttosto che R (tranne che alla radice). Si utilizzano le cifre della chiave per attraversare l'albero, terminando o in un link nullo (search miss) o in una foglia che ha una chiave, che è uguale alla chiave di ricerca (search hit) o diversa (search miss).

```
private ITEM searchR(Node h, KEY v, int d)
  {
    if (h == null) return null;
    if (h.internal())
      { int i = digit(v, d);
        if (i < h.d) return searchR(h.l, v, d);
        if (i == h.d) return searchR(h.m, v, d+1);
        if (i > h.d) return searchR(h.r, v, d);
      }
    if (equals(v, h.item.key())) return h.item;
    return null;
  }
ITEM search(KEY v)
  { return searchR(heads[digit(v, 0)], v, 1); }
```

---

in cui le chiavi sono distinte). Questi programmi sono sicuramente fra i più veloci a disposizione per eseguire ricerche di chiavi stringa o di chiavi digitali lunghe. La struttura TST sottostante può, inoltre, supportare un certo numero di altre operazioni.

In una tabella di simboli che diventa molto grande è opportuno adattare il fattore di ramificazione alla dimensione della tabella. Nel Capitolo 16 vedremo un modo sistematico di far crescere un trie a più vie in modo da poter sfruttare i metodi di ricerca digitale a più vie su file di dimensioni arbitrarie.

Proprietà 15.8   *Una ricerca o un inserimento in un TST con elemento nelle foglie (senza ramificazioni a una sola via sul fondo) e ramificazioni a R^t vie alla radice richiedono più o meno* $\ln N - t \ln R$ *accessi a byte per N chiavi casuali costituite da stringhe di byte. Il numero di link richiesti è pari a R^t (per il nodo radice) più una piccola costante moltiplicata per N.*

Queste stime grossolane seguono immediatamente dalla Proprietà 15.6. Per calcolare i tempi assumiamo che tutti i nodi nel cammino di ricerca (tranne al più un numero costante di essi posizionati in cima) agiscano come un BST casuale su R valori dei caratteri, e quindi moltiplichiamo il tempo per ln R. Per calcolare lo spazio di memoria assumiamo che i nodi dei primi livelli siano completamente pieni (R valori di caratteri), e che i nodi dei livelli più bassi abbiano solo un numero costante di valori di caratteri. ∎

Per esempio, se abbiamo un miliardo di chiavi casuali composte da sequenze di byte con $R = 256$, e usiamo una tabella di dimensione $R^2 = 65536$ in cima, allora una ricerca tipica richiederà circa ln $10^9 - 2$ ln $256 \approx 20.7 - 11.1 = 9.6$ confronti fra byte. L'uso di una tabella in cima taglia i costi della ricerca di un fattore 2. Se abbiamo chiavi realmente casuali, possiamo ottenere queste prestazioni tramite algoritmi più diretti che sfruttano i byte iniziali delle chiavi e una tabella di esistenza (Paragrafo 14.6). Con i TST possiamo ottenere lo stesso tipo di prestazioni anche con chiavi un po' più strutturate (cioè, meno casuali).

È utile confrontare su chiavi casuali i TST senza ramificazione a più vie alla radice con i BST standard. La Proprietà 15.8 ci dice che la ricerca TST richiede all'incirca ln N confronti fra *byte*, mentre quella su BST standard richiede all'incirca ln N confronti fra *chiavi*. In cima al BST il confronto fra chiavi può essere realizzato tramite un solo confronto fra byte, ma verso il fondo saranno necessari confronti multipli. Queste differenze di prestazioni non sono poi così marcate. Le ragioni per cui i TST sono da preferire ai BST standard su chiavi stringa riguardano piuttosto il fatto che i primi offrono prestazioni migliori sulle search miss, si adattano direttamente alla ramificazione a più vie alla radice e, soprattutto, si adattano bene al caso di stringhe di byte non casuali, facendo sì che in un TST una ricerca non impieghi più della lunghezza della chiave cercata.

Alcune applicazioni potrebbero non necessitare della ramificazione a R vie alla radice. Ad esempio, le chiavi corrispondenti ai codici della biblioteca della Figura 15.18 iniziano tutte con L o W. Altre applicazioni potrebbero, invece, richiedere un livello di ramificazione alla radice ancora maggiore. Ad esempio, se le chiavi fossero interi casuali, potremmo usare una tabella molto grande. Le caratteristiche specifiche dell'applicazione possono essere tenute in conto per mettere a punto l'algoritmo e ottenere da esso prestazioni di picco, anche se non va trascurato che una delle proprietà principali dei TST è proprio la capacità di svincolarci da tali caratteristiche specifiche, offrendo buone prestazioni senza alcun particolare sforzo di messa a punto.

Forse, la proprietà più importante dei trie e dei TST con record nelle foglie è quella per cui le loro prestazioni sono indipendenti dalla lunghezza delle chiavi. Quindi, possiamo impiegarli per chiavi arbitrariamente lunghe. Nel Paragrafo 15.5 presenteremo un'applicazione di tal fatta particolarmente efficace.

Esercizi

▷ **15.53** Scrivete un metodo `digit` che corrisponda al Programma 15.9 per chiavi di tipo `int`.

▷ **15.54** Disegnate il trie di esistenza che risulta dall'inserimento delle parole `now is the time for all good people to come the aid of their party` in un trie inizialmente vuoto. Usate la ramificazione a 27 vie.

▷ **15.55** Disegnate il trie di esistenza che risulta dall'inserimento delle parole `now is the time for all good people to come the aid of their party` in un TST inizialmente vuoto.

▷ **15.56** Disegnate il trie a 4 vie risultante dall'inserimento di elementi con chiavi `01010011 00000111 00100001 01010001 11101100 00100001 10010101 01001010` in un trie inizialmente vuoto, usando byte a 2 bit.

▷ **15.57** Disegnate il TST risultante dall'inserimento di elementi con chiavi `01010011 00000111 00100001 01010001 11101100 00100001 10010101 01001010` in un TST inizialmente vuoto, usando byte a 2 bit.

▷ **15.58** Disegnate il TST risultante dall'inserimento di elementi con chiavi `01010011 00000111 00100001 01010001 11101100 00100001 10010101 01001010` in un TST inizialmente vuoto, usando byte a 4 bit.

○ **15.59** Disegnate il TST risultante dall'inserimento di elementi aventi come chiavi i codici di biblioteca della Figura 15.18 in un TST inizialmente vuoto.

○ **15.60** Modificate la nostra implementazione della ricerca e dell'inserimento in un trie a più vie (Programma 15.11) in modo da lavorare ipotizzando che le chiavi siano parole di esattamente w byte, senza necessità, quindi, di carattere di terminazione.

○ **15.61** Modificate la nostra implementazione della ricerca e dell'inserimento in un TST (Programma 15.12) in modo da lavorare ipotizzando che le chiavi siano parole di esattamente w byte, senza necessità, quindi, di carattere di terminazione.

15.62 Sviluppate un'implementazione basata su TST del Programma 15.10, modificando il Programma 15.12 in modo da servirsi di parametri di tipo `KEY` per ricerca e inserimento, usando `digit` al posto dell'indicizzazione di array per accedere ai caratteri.

15.63 Modificate il Programma 15.11 in modo da implementare una tabella di esistenza per chiavi `string` (come il Programma 15.12), usando parametri di tipo `string` per ricerca e inserimento, ricorrendo all'indicizzazione di array al posto di digit per accedere ai caratteri. Assumete che le stringhe siano ASCII per poter utilizzare array di byte invece che array di caratteri.

15.64 Eseguite studi empirici per confrontare tempo e spazio richiesto da un trie a 8 vie costruito con interi casuali (con byte di 3 bit), da un trie a 4 vie costruito con interi casuali (con byte di 2 bit), e da un trie binario costruito con le stesse chiavi. Considerate come numero di chiavi $N = 10^3$, 10^4, 10^5, 10^6 (si veda l'Esercizio 15.14).

15.65 Modificate il Programma 15.13 in modo che esso, invece della stampa delle stringhe, invochi un metodo all'interno di un oggetto passato come parametro. Il metodo ha, a sua volta, come parametro le stringhe su cui si è trovata una corrispondenza.

○ **15.66** Scrivete un metodo che stampi tutte le chiavi di un TST che differiscono dalla chiave di ricerca in al più k posizioni, dove k è un intero dato in ingresso.

● **15.67** Fornite una caratterizzazione completa della lunghezza del cammino interno (nel caso peggiore) di un trie a R vie avente N chiavi distinte a w bit.

● **15.68** Sviluppate un'implementazione per una tabella di simboli che usi trie a più vie. Includete un'implementazione di clone e supportate le operazioni di costruzione, conteggio, ricerca, inserimento, cancellazione e unione per un ADT tabella di simboli che consenta handle dei programmi client (si vedano gli Esercizi 12.6 e 12.7).

● **15.69** Sviluppate un'implementazione per una tabella di simboli che usi TST. Includete un'implementazione di clone e supportate le operazioni di costruzione, conteggio, ricerca, inserimento, cancellazione e unione per un ADT tabella di simboli che consenta handle dei programmi client (si vedano gli Esercizi 12.6 e 12.7).

▷ **15.70** Scrivete un programma che stampi tutte le chiavi di un trie a R vie che hanno gli stessi t byte iniziali di quelli di una data chiave.

● **15.71** Modificate la nostra implementazione della ricerca e dell'inserimento in un trie a più vie (Programma 15.11) in maniera da eliminare le ramificazioni a una sola via, nel modo in cui si è fatto per i trie patricia.

● **15.72** Modificate la nostra implementazione della ricerca e dell'inserimento in un TST (Programma 15.12) in maniera da eliminare le ramificazioni a una sola via, nel modo in cui si è fatto per i trie patricia.

15.73 Scrivete un programma per bilanciare i BST che rappresentano i nodi interni di un TST (riorganizzateli in modo tale che tutti i loro nodi esterni si trovino su due possibili livelli).

15.74 Scrivete una versione dell'inserimento in un TST che mantenga una rappresentazione ad albero bilanciato di tutti i nodi interni (si veda l'Esercizio 15.73).

● **15.75** Fornite una caratterizzazione completa della lunghezza del cammino interno (nel caso peggiore) di un TST avente N chiavi distinte a w bit.

15.76 Scrivete un'implementazione di `radixKey` per chiavi che sono stringhe ASCII di 80 byte (si veda l'Esercizio 10.23). Scrivete, quindi, un programma client che usi il Programma 15.11 per costruire un trie a 256 vie con N chiavi casuali, dove $N = 10^3$, 10^4, 10^5, 10^6, usando ricerca e, poi, inserimento su search miss. Fate in modo che il vostro programma stampi il numero totale dei nodi di ogni trie e la quantità totale di tempo (e di spazio) impiegata per costruire ciascun trie. Confrontate queste statistiche con le corrispondenti statistiche ottenute per un client che usa chiavi `string` (si veda l'Esercizio 15.63).

15.77 Rispondete all'Esercizio 15.76 per i TST. Confrontate le prestazioni risultanti con quelle ottenute per i trie (si vedano il Programma 15.12 e l'Esercizio 15.62).

15.78 Scrivete un'implementazione di `radixKey` che generi chiavi casuali eseguendo lo shuffle di una sequenza di 80 byte di caratteri ASCII (si veda l'Esercizio 10.25). Usate questo generatore di chiavi per costruire un trie a 256 vie con N chiavi casuali, dove $N = 10^3$, 10^4, 10^5, 10^6, usando ricerca e, poi, inserimento su search miss. Confrontate le prestazioni risultanti con quelle ottenute nell'Esercizio 15.76.

○ **15.79** Scrivete un'implementazione di `radixKey` che generi stringhe casuali di 30 byte composte da quattro campi: un campo da 4 byte contenente una fra 10 date stringhe ASCII; un campo da 10 byte contenente una fra 50 date stringhe ASCII; un campo da 1 byte contenente uno di due possibili valori dati; un campo da 15 byte con stringhe di lettere ASCII casuali allineate a sinistra, la cui lunghezza, da 4 a 15 byte, è distribuita uniformemente (si veda l'Esercizio 10.27). Usate questo generatore di chiavi per costruire un trie a 256 vie con N chiavi casuali, dove $N = 10^3$, 10^4, 10^5, 10^6, usando ricerca e, quindi, inserimento su search miss. Fate in modo che il vostro programma stampi il numero totale dei nodi di ogni trie e la quantità totale di tempo impiegata per costruire ciascun trie. Confrontate le prestazioni risultanti con quelle ottenute nell'Esercizio 15.76.

15.80 Rispondete all'Esercizio 15.79 per i TST. Confrontate le prestazioni risultanti con quelle ottenute per i trie.

15.81 Sviluppate un'implementazione delle operazioni di ricerca e inserimento nel caso di chiavi fatte da stringhe di byte, usando alberi di ricerca digitale a più vie.

▷ **15.82** Disegnate il DST a 27 vie (si veda l'Esercizio 15.81) risultante dall'inserimento di record con chiavi `now is the time for all good people to come the aid of their party` in un DST inizialmente vuoto.

● **15.83** Sviluppate un'implementazione delle operazioni di ricerca e inserimento in un trie a più vie, usando liste concatenate per rappresentare nodi del trie (invece della rappresentazione per BST usata nei TST). Eseguite studi empirici per determinare se sia più conveniente impiegare liste ordinate o non ordinate. Confrontate le vostre implementazioni con quelle basate su TST.

15.5 Algoritmi per indici di stringhe di testo

Nel Paragrafo 12.5, abbiamo considerato il processo di costruzione di un indice di stringhe e abbiamo usato la ricerca binaria su una tabella di indici per poter effettuare ricerche su testi di grandi dimensioni. In questo paragrafo, vedremo algoritmi più sofisticati che sfruttano trie a più vie, ma che partono dalle stesse premesse. Come nel Paragrafo 12.5, consideriamo ogni posizione nel testo come l'inizio di una chiave stringa che inizia in quella posizione e termina alla fine del testo, e costruiamo una tabella di simboli sulla base di queste chiavi, utilizzando indici nel testo medesimo. Le chiavi risulteranno tutte distinte (perché hanno lunghezza diversa) e piuttosto lunghe. L'obiettivo di una ricerca è quello di determinare se una data chiave stringa sia il prefisso di una qualche chiave nell'indice di stringhe così costruito. Ciò è equivalente a determinare se la chiave di ricerca appaia o meno da qualche parte nella stringa di testo.

Un albero di ricerca costruito a partire da chiavi definite come indici in una stringa di testo viene detto *albero dei suffissi* (*suffix tree*). Possiamo usare un qualunque algoritmo che ammetta chiavi a lunghezza variabile. I metodi basati su trie sono particolarmente appropriati in tale situazione perché, se escludiamo quelli che eseguono ramificazioni a una sola via in coda alle chiavi, il loro tempo di calcolo non dipende dalla lunghezza delle chiavi, ma piuttosto solo dal numero di cifre necessarie a distinguere le chiavi fra loro. Questa caratteristica è in netto contrasto, per esempio, con quella dei metodi di hashing, che non si applicano in modo diretto a questo problema, dato che il loro tempo di calcolo è, in effetti, proporzionale alla lunghezza delle chiavi.

La Figura 15.20 fornisce un esempio di indici di stringhe costruiti con BST, trie patricia e TST (con foglie). Questi indici usano solo le chiavi che cominciano all'inizio delle parole del testo. Un indice basato su caratteri invece che su parole sarebbe senza dubbio più completo, ma richiederebbe anche molto più spazio.

In effetti, se anche la stringa di testo è casuale, non verranno prodotte chiavi casuali nell'indice risultante (poiché le chiavi non sono indipendenti fra loro). In pratica, si lavora con testi casuali piuttosto di rado e questa discrepanza analitica non ci impedisce di certo di sfruttare i metodi digitali. Ci asterremo dall'approfondire le prestazioni dei vari algoritmi nella costruzione di un indice di stringhe, dato che è sempre possibile anche in questa situazione barattare tempo di calcolo per spazio di memoria.

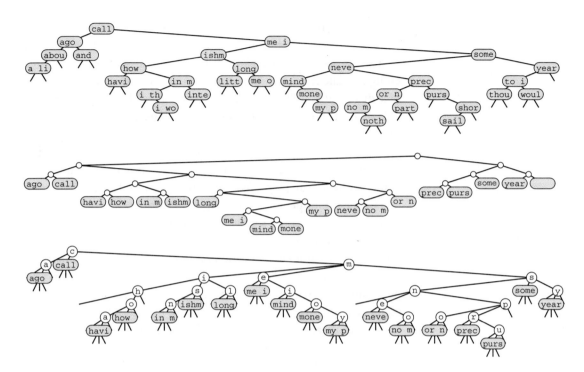

Figura 15.20
Esempi di indice per una stringa di testo

Questi diagrammi mostrano gli indici ottenuti per la stringa di testo call me ishmael some years ago never mind how long precisely ... *utilizzando rispettivamente un BST (in alto), un trie patricia (al centro) e un TST (in basso). I nodi con puntatori a stringa sono disegnati con i primi 4 caratteri relativi al punto individuato dal puntatore.*

Per un tipico testo, i BST standard sono la prima scelta che ci viene in mente: essi sono semplici da implementare (Esercizio 12.82) e forniranno verosimilmente buone prestazioni. Una conseguenza dell'interdipendenza delle chiavi (specialmente quando stiamo costruendo un indice di stringhe basato su caratteri, invece che su parole) è il fatto che il tempo di calcolo relativo al caso peggiore non ci deve preoccupare quando il testo è molto grande, dato che BST sbilanciati si ottengono solo da costruzioni piuttosto artificiose.

I trie patricia furono inizialmente progettati per applicazioni su indici di stringhe. Per usare i Programmi 15.7 e 15.6 abbiamo bisogno solo di fornire un'implementazione di bit che, dato un puntatore a una stringa e un intero i, restituisca l'i-esimo bit di quella stringa (Esercizio 15.89). In pratica, l'altezza di un trie patricia che implementa un indice di stringhe sarà logaritmico. Inoltre, un trie patricia fornirà implementazioni efficienti delle search miss, poiché non vi è necessità di esaminare tutti i byte della chiave.

I TST presentano molti vantaggi rispetto ai trie patricia in termini di prestazioni, sono facili da implementare e sfruttano operazioni di accesso ai byte disponibili sulla gran parte dei calcolatori. I TST consentono, inoltre, di implementare facilmente (si veda, ad esempio, il Programma 15.13) operazioni di ricerca più articolate, come il matching parziale fra chiavi. Per usare un TST nella costruzione di un indice di stringhe, dobbiamo cancellare il codice che gestisce la parte finale delle chiavi nella struttura dati: non essendovi stringhe che sono prefissi di altre stringhe, non abbiamo bisogno di confrontare stringhe fino alla fine. Questa modifica richiede di dover anche cambiare la definizione di equals, in modo da considerare due stringhe uguali anche quando una è prefisso dell'altra, come abbiamo fatto nel Paragrafo 12.5. Ciò perché solitamente confrontiamo una stringa corta (la chiave di ricerca) con una stringa lunga (l'intero testo), iniziando in una qualche posizione all'interno del testo. Un'altra conveniente modifica è quella di mantenere indici a stringa in ciascun nodo, piuttosto che caratteri, in modo tale che ogni nodo dell'albero punti a una posizione nella stringa di testo (precisamente la posizione nel testo che segue la prima occorrenza della stringa di caratteri definita dai caratteri su ramificazioni uguali dalla radice a quel nodo). Implementare queste modifiche è un esercizio utile e interessante che conduce a una soluzione flessibile ed efficiente al problema degli indici di stringhe di testo (si veda l'Esercizio 15.88).

Nonostante tutti i vantaggi che abbiamo esaminato, è importante ricordare che per una tipica applicazione di indicizzazione di testi, il testo di per sé è solitamente fissato a priori, quindi non abbiamo bisogno di strutture dati che supportino operazioni dinamiche, come l'inserimento o la cancellazione. In altre parole, di solito costruiamo l'indice una volta sola all'inizio, e poi lo usiamo per un gran numero di ricerche, senza modificarlo. Strutture dati dinamiche come BST, trie patricia o TST potrebbero, quindi, non essere necessarie. L'algoritmo di base più adatto per questa situazione è quello della ricerca binaria (Paragrafo 12.5). Il vantaggio principale di usare la ricerca binaria rispetto alle strutture dati dinamiche è il risparmio di spazio. Per indicizzare una stringa di testo in N posizioni usando la ricerca binaria, abbiamo bisogno di soli N indici a stringa. Per contro, per fare la stessa cosa usando metodi basati su alberi, sono necessari almeno $2N$ riferimenti (almeno due link per nodo), oltre agli N indici. Gli indici di testo sono tipicamente molto grandi, e quindi la ricerca binaria, potrebbe essere preferibile, dato che fornisce garanzie logaritmiche sui tempi di ricerca usando meno di un terzo dello spazio richiesto da una soluzione basata su alberi. Se abbiamo a disposizione molta memoria, però, i TST o i trie sono da preferire, dato che consentono in molte applicazioni ricerche più rapide: gli algoritmi di ricerca TST o trie si spostano lungo le chiavi senza tornare indietro, ciò invece non accade nella ricerca binaria.

Esercizi

▷ **15.84** Disegnate il DST a 26 vie risultante dalla costruzione di un indice di stringhe di testo con le parole now is the time for all good people to come the aid of their party.

▷ **15.85** Disegnate il trie a 26 vie risultante dalla costruzione di un indice di stringhe di testo con le parole now is the time for all good people to come the aid of their party.

▷ **15.86** Disegnate il TST risultante dalla costruzione di un indice di stringhe di testo con le parole now is the time for all good people to come the aid of their party, seguendo lo stile grafico della Figura 15.20.

▷ **15.87** Disegnate il TST risultante dalla costruzione di un indice di stringhe di testo con le parole now is the time for all good people to come the aid of their party, usando l'implementazione descritta nel testo, in cui il TST contiene puntatori a stringa in ciascun nodo.

○ **15.88** Modificate le implementazioni di ricerca e inserimento in un TST dei Programmi 15.15 e 15.16 in modo da fornire un indice di stringhe basato su TST.

○ **15.89** Implementate un'interfaccia che consenta ai trie patricia di elaborare chiavi string come se fossero stringhe di bit.

○ **15.90** Disegnate il trie patricia risultante dalla costruzione dell'indice di stringhe di testo con le parole now is the time for all good people to come the aid of their party, usando una codifica binaria a 5 bit in cui la i-esima lettera dell'alfabeto è rappresentata tramite la rappresentazione binaria di i.

15.91 Recuperate dal disco del vostro computer un file di testo abbastanza grande (almeno 10^6 byte) e confrontate l'altezza e la lunghezza del cammino interno di BST standard, trie patricia e TST, quando usate questi metodi per costruire un indice di quel file.

15.92 Eseguite studi empirici per confrontare l'altezza e la lunghezza del cammino interno di BST standard, trie patricia e TST quando usate tali metodi per costruire un indice di stringhe di testo a partire da N caratteri casuali presi da un alfabeto di 32 caratteri, dove $N = 10^3$, 10^4, 10^5, 10^6.

○ **15.93** Scrivete un programma efficiente per determinare la sequenza ripetuta più lunga, in una stringa di testo molto grande.

○ **15.94** Scrivete un programma efficiente per determinare la sequenza di 10 caratteri che ricorre più di frequente in una stringa di testo molto grande.

● **15.95** Costruite un indice di stringhe di testo che supporti un'operazione che restituisca il numero di occorrenze del suo parametro nella stringa di testo, e che supporti un'operazione di ricerca, che invoca un metodo in un oggetto fornito da un client su tutte le posizioni all'interno del testo che hanno corrispondenza con la chiave di ricerca.

○ **15.96** Descrivete una stringa di testo di N caratteri per la quale un indice di stringhe basato su TST si comporta particolarmente male. Stimate il costo della costruzione dell'indice per la stessa stringa usando un BST.

15.97 Supponete di voler costruire un indice per una stringa casuale di N bit per posizioni che sono multipli di 16. Eseguite uno studio empirico per determinare quale fra le dimensioni di byte 1, 2, 4, 8 o 16 porta al tempo di calcolo minore nella costruzione di un indice basato su TST. Considerate $N = 10^3$, 10^4, 10^5, 10^6.

CAPITOLO SEDICI

Ricerca esterna

G LI ALGORITMI DI RICERCA adatti per accedere a elementi di file di grandi dimensioni rivestono un'enorme importanza pratica. La ricerca è l'operazione fondamentale su insiemi di dati di grandi dimensioni, ed essa impiega certamente una porzione significativa delle risorse usate in molti sistemi di elaborazione. Con la diffusione della rete in tutto il mondo, siamo in grado di raccogliere quasi tutte le informazioni in qualche modo rilevanti per un certo scopo: il nostro obiettivo è quello di cercare all'interno di esse in maniera efficiente. In questo capitolo, presentiamo un meccanismo fondamentale in grado di supportare efficientemente la ricerca in tabelle di simboli arbitrariamente grandi.

Analogamente a quelli trattati nel Capitolo 11, gli algoritmi che consideriamo qui sono rilevanti per una vasta gamma di ambienti hardware e software. Di conseguenza, tendiamo a pensare agli algoritmi a un livello più astratto di quello dei programmi Java che abbiamo considerato finora. Tuttavia, gli algoritmi che considereremo generalizzano direttamente metodi di ricerca familiari, e sono opportunamente espressi come programmi Java utili in molte situazioni. Procederemo in modo differente da quanto fatto nel Capitolo 11: approfondiremo specifiche implementazioni, considereremo le loro essenziali caratteristiche legate alle prestazioni e, quindi, esamineremo i modi secondo i quali gli algoritmi basilari possono rivelarsi utili in situazioni pratiche. Preso letteralmente, il titolo di questo capitolo è sbagliato, visto che presenteremo gli algoritmi come programmi Java, sostituibili con le altre implementazioni di tabelle di simboli considerate nei Capitoli dal 12 al 15. Tali algoritmi non sono affatto metodi "esterni". Tuttavia, sono costruiti secondo un modello astratto semplice che fa sì che essi siano precise specifiche di come costruire metodi di ricerca per specifici dispositivi esterni.

I modelli astratti dettagliati sono, qui, meno utili di quanto non lo fossero per l'ordinamento, perché i costi per molte applicazioni importanti sono veramente bassi. Ci occuperemo principalmente di metodi di ricerca su file molto grandi memorizzati su qualche supporto esterno nel quale abbiamo un accesso veloce a blocchi arbitrari di dati, come ad esempio un disco. Per dispositivi simili ai nastri, dove è possibile solo un accesso sequenziale (si tratta del modello considerato nel Capitolo 11), la ricerca si riduce al più banale (e lento) metodo che consiste nell'iniziare dal principio e leggere fino a ricerca completata. Per dispositivi tipo disco, possiamo fare molto meglio: i metodi che studieremo possono supportare operazioni di ricerca e inserimento in tabelle di simboli contenenti miliardi o migliaia di miliardi di oggetti, usando solo tre o quattro riferimenti a blocchi di dati su disco. Parametri di sistema quali la dimensione del blocco e il rapporto tra costo di accesso a un nuovo blocco e costo di accesso agli oggetti all'interno di un blocco, influenzano le prestazioni, anche se i metodi sono relativamente indifferenti ai valori di questi parametri (all'interno della gamma di valori che siamo soliti avere nella pratica). Inoltre, i passi più importanti che dobbiamo fare per adattare i metodi a particolari situazioni pratiche sono abbastanza semplici.

La ricerca è un'operazione fondamentale per dispositivi quali i dischi. Solitamente, i file sono organizzati per sfruttare le caratteristiche di un particolare dispositivo in modo da rendere più efficiente possibile l'accesso all'informazione. In breve, si assume con certezza che i dispositivi che usiamo per memorizzare grandi quantità di informazioni siano costruiti per supportare implementazioni efficienti dell'operazione di ricerca. In questo capitolo, considereremo algoritmi progettati a un livello di astrazione leggermente superiore a quello delle operazioni di base effettuate dall'hardware del disco, livello che può supportare l'inserimento e altre operazioni su tabelle di simboli dinamiche. Questi metodi offrono gli stessi tipi di vantaggi rispetto ai metodi semplici di quelli che offrono i BST e le tabelle hash rispetto alla ricerca binaria e alla ricerca sequenziale.

In molti ambienti di programmazione possiamo indirizzare direttamente una gran quantità di *memoria virtuale* e contare sul sistema per trovare modi efficienti di trattare le richieste di dati di ogni programma. Gli algoritmi che consideriamo possono anche costituire soluzioni efficaci al problema dell'implementazione delle tabelle di simboli in tali ambienti.

Una collezione di informazioni che deve essere elaborata tramite un calcolatore è chiamata *base di dati* o *database*. Molti studi sono stati dedicati ai metodi di costruzione, mantenimento e utilizzo dei database. Molto di questo lavoro ha riguardato lo sviluppo di modelli astratti e di implementazioni per supportare le operazioni di ricerca con criteri più complessi rispetto al semplice criterio "trova una singola chiave" che abbiamo considerato. In un database, le ricerche devono essere basate su criteri di corrispondenza parziali, magari includendo chiavi multiple, e ci si può aspettare che restituiscano una grande quantità di elementi. Le richieste di ricerca generali sono abbastanza complicate e non è raro fare una ricerca sequenziale sull'intero database, controllando ogni elemento per vedere se soddisfa i criteri. Comunque sia, la ricerca efficiente di piccole quantità di dati che corrispondano a criteri specifici in un file di grandi dimensioni è una caratteristica essenziale di ogni base di dati, e sono molti i database moderni che vengono costruiti tramite i meccanismi che descriviamo in questo capitolo.

16.1 Regole del gioco

Come abbiamo fatto nel Capitolo 11, assumiamo innanzitutto che l'accesso sequenziale ai dati sia di gran lunga meno dispendioso dell'accesso non sequenziale. Il nostro modello sarà ipotizzare che, qualunque sia il meccanismo di memorizzazione usato per implementare la tabella di simboli, la memoria sia ripartita in *pagine,* cioè in blocchi contigui di informazione a cui si può accedere efficientemente mediante l'hardware del disco. Ogni pagina conterrà molti elementi; il nostro compito è organizzare gli elementi all'interno delle pagine in modo che si possa accedere a ognuno di essi leggendo solo poche pagine. Assumiamo che il tempo di input-output richiesto per la lettura completa di una pagina sia di molto superiore al tempo richiesto per accedere a singoli elementi o per compiere ogni altro calcolo che riguardi quella pagina. Questo modello è, in effetti, per vari motivi una semplificazione. Pensiamo, tuttavia, che esso esprima in modo sufficiente alcune caratteristiche di fondo dei dispositivi di memorizzazione esterna tali da permetterci di considerare i metodi fondamentali.

Definizione 16.1   *Una **pagina** è un blocco contiguo di dati. Un **sondaggio** è il primo accesso alla pagina.*

Ci interessano implementazioni di tabelle di simboli che utilizzano una piccola quantità di sondaggi. Tralasciamo di fare asserzioni specifiche circa la dimensione della pagina e il rapporto tra il tempo richiesto da un sondaggio e il tempo richiesto conseguentemente per accedere agli oggetti all'interno del blocco. Presumiamo che questi valori siano nell'ordine di 100 o 1000, senza bisogno di essere più precisi perché gli algoritmi non sono molto sensibili a questi valori.

Questo modello è interessante, per esempio, in un file system nel quale i file sono costituiti da blocchi con identificatori unici e nel quale lo scopo sia quello di supportare efficientemente l'accesso, l'inserimento e l'eliminazione basate su tale identificatore. Un blocco può contenere un certo numero di oggetti e il costo della loro elaborazione è insignificante, se confrontato con il costo della lettura del blocco.

Questo modello è interessante anche in un sistema con memoria virtuale, dove abbiamo accesso direttamente a una grande quantità di memoria e ci affidiamo al sistema per mantenere le informazioni che usiamo più spesso in una memoria veloce (come la memoria interna) e quelle che usiamo raramente nella memoria lenta (come un disco). Molti sistemi di elaborazione dispongono di sofisticati meccanismi di paginazione che implementano la memoria virtuale, mantenendo le pagine usate di recente in una *cache* alla quale si possa accedere velocemente. I sistemi di paginazione sono basati sulla medesima astrazione che stiamo considerando: dividono il disco in blocchi e assumono che il costo di accesso iniziale a un blocco sia di gran lunga maggiore del costo di accesso ai dati all'interno del blocco.

La nostra nozione astratta di pagina, solitamente, corrisponde in modo preciso a un blocco in un file system o a una pagina in un sistema con memoria virtuale. Per semplicità, quando consideriamo gli algoritmi assumiamo generalmente questa corrispondenza. Per applicazioni specifiche, potremmo avere più pagine per blocco o più blocchi per pagina per ragioni dipendenti dal sistema o dall'applicazione; tali dettagli non diminuiscono l'efficacia degli algoritmi e sottolineano allo stesso tempo l'utilità di lavorare a un livello astratto.

In seguito, manipoleremo pagine, riferimenti a pagine ed elementi con chiavi. Per un database di grandi dimensioni, il problema più importante da considerare adesso è quello di mantenere un *indice* per i dati. Cioè, come trattato brevemente nel Paragrafo 12.5, assumiamo che gli elementi che costituiscono la nostra tabella di simboli siano memorizzati in forma statica in qualche luogo e che il nostro compito sia quello di costruire una struttura di dati con chiavi e riferimenti agli elementi che ci permetta di produrre velocemente un riferimento a un dato elemento. Per esempio, una compagnia telefonica potrebbe avere le informazioni sui clienti memorizzate in un database statico molto grande, con numerosi indici nel database che usano, magari, chiavi diverse per la fatturazione mensile, i calcoli relativi alle transazioni giornaliere, le sollecitazioni periodiche e così via. Gli indici rivestono un'enorme importanza per insiemi di dati di grandi dimensioni: generalmente, non si fanno copie dei dati basilari, non solo perché potremmo non essere in grado di gestire lo spazio in più, ma anche perché desideriamo evitare i problemi connessi al mantenimento dell'integrità dei dati, qualora si abbiano copie multiple.

Di conseguenza, assumiamo generalmente che ogni elemento sia un *riferimento* al dato reale, che può essere l'indirizzo di una pagina o una più complessa interfaccia a un database. Per semplicità non teniamo copie degli elementi nelle nostre strutture dati, ma teniamo copie delle chiavi, cosa che solitamente si rivela pratica. Inoltre, per semplificare la descrizione degli algoritmi, invece di usare un'interfaccia astratta per gli elementi e i riferimenti alle pagine, usiamo solo riferimenti a oggetti Item. Così possiamo usare le nostre implementazioni direttamente in un ambiente con memoria virtuale, ma dobbiamo convertire i riferimenti e l'accesso agli oggetti in meccanismi più complessi per farle diventare veri metodi di ordinamento esterno.

Considereremo algoritmi che, per un'ampia gamma di valori dei due parametri principali (dimensioni del blocco e tempo di accesso relativo) implementano la ricerca, l'inserimento e altre operazioni di una tabella di simboli dinamica, usando solo pochi sondaggi per operazione. Nel caso tipico in cui realizziamo un gran numero di operazioni, un attenta messa a punto potrà essere efficace. Per esempio, se riusciamo a ridurre il costo tipico della ricerca da tre a due sondaggi, potremmo migliorare la prestazione del sistema del 50 per cento! Tuttavia, non considereremo in questa sede tale messa a punto; la sua efficacia dipende largamente dal sistema e dall'applicazione.

Sulle vecchie macchine i dispositivi di memoria esterna erano complessi congegni che non solo erano grandi e lenti, ma per di più non contenevano molte informazioni. Il superamento dei loro limiti fu un lavoro importante. Gli albori della programmazione sono pieni di racconti di programmi con accesso esterno ai file, perfettamente temporizzati per prendere dati da un disco rotante o da un tamburo oppure per minimizzare la quantità di movimenti fisici richiesti per accedere ai dati; ma sono anche costellati dai racconti di spettacolari fallimenti in tentativi di questo tipo, in cui lievi errori di calcolo rendevano il processo molto più lento di quello che si sarebbe ottenuto con un'implementazione più immediata. In confronto, i dispositivi di memoria moderni non solo sono molto piccoli ed estremamente veloci, ma contengono anche un gran numero di informazioni; quindi, solitamente non abbiamo necessità di affrontare problemi di questo genere. In verità, negli ambienti di programmazione moderni si tende a evitare la dipendenza dalle caratteristiche specifiche dei dispositivi fisici: di solito, è più importante che i programmi siano efficaci su molti tipi di macchine (incluse quelle che verranno sviluppate in futuro), piuttosto che ottenere da essi prestazioni di picco per un particolare dispositivo.

Per database di lunga durata nel tempo ci sono numerose importanti questioni implementative circa gli obiettivi generali per mantenere l'integrità dei dati e per fornire un accesso flessibile e affidabile. Non ci interesseremo di tali istanze in questa sede. Per tali applicazioni, possiamo considerare i metodi che presenteremo come gli algoritmi sottostanti che, in ultima analisi, assicureranno buone prestazioni e come punto di partenza per la progettazione di sistemi.

16.2 Accesso sequenziale indicizzato

Un approccio immediato alla costruzione di un indice è quello di mantenere un array di chiavi e riferimenti a elementi ordinato per chiave, e poi usare una ricerca binaria (si veda il Paragrafo 12.4) per implementare l'operazione di ricerca. Per N elementi, questo metodo richiederà lg N sondaggi, anche per un file molto grande. Il nostro modello di base ci porta immediatamente a considerare due modifiche a questo semplice metodo. La prima è la seguente: l'indice stesso è molto grande e, in genere, non starà in una sola pagina. Dal momento che possiamo accedere alle pagine soltanto attraverso i riferimenti a esse, possiamo invece costruire un esplicito albero binario completamente bilanciato con chiavi e puntatori a pagina nei nodi interni e con chiavi e puntatori a elementi nei nodi esterni. La seconda modifica è questa: il costo di accesso a M elementi della tabella è uguale al costo di accesso a 2 elementi, quindi possiamo usare un albero M-ario con all'incirca lo stesso costo per nodo del costo per nodo di un albero binario. Questo miglioramento riduce il numero di sondaggi fino a farlo diventare proporzionale a circa lg$_M$ N. Come abbiamo visto nei Capitoli 10 e 15, per finalità pratiche possiamo considerare questa quantità come una costante. Per esempio, se M è 1000, lg$_M$ N è meno di 5 quando N è minore di mille miliardi.

La Figura 16.1 mostra un insieme di chiavi esemplificativo e la Figura 16.2 rappresenta un esempio di una struttura ad albero per quelle chiavi. È necessario usare valori di M ed N relativamente piccoli per rendere i nostri esempi trattabili; tuttavia, essi aiutano a illustrare che gli alberi ottenuti quando M è grande sono più piatti.

706	111000110
176	001111110
601	110000001
153	001101011
513	101001011
773	111111011
742	111100010
373	011111011
524	101010100
766	111110110
275	010111101
737	111011111
574	101111100
434	100011100
641	110100001
207	010000111
001	000000001
277	010111111
061	000110001
736	111011110
526	101010110
562	101110010
017	000001111
107	001000111
147	001100111

**Figura 16.1
Rappresentazione binaria di chiavi ottali**

Le chiavi (a sinistra) che usiamo negli esempi di questo capitolo sono numeri ottali di 3 cifre, che possiamo anche interpretare come valori binari di 9 bit (a destra).

L'albero rappresentato nella Figura 16.2 è una rappresentazione astratta (e indipendente dal dispositivo di memorizzazione) di un indice simile a molte altre strutture di dati che abbiamo considerato in questo libro. Si noti che, in effetti, non è lontano da indici dipendenti dai dispositivi che si potrebbero trovare in un software di basso livello che gestisca gli accessi a disco. Per esempio, alcuni dei primi sistemi di questo tipo usavano uno schema a due livelli, nel quale il livello inferiore corrispondeva agli elementi nelle pagine per un disco particolare, e il secondo livello corrispondeva a un indice principale indicante i singoli dispositivi. In sistemi del genere, l'indice principale veniva conservato nella memoria principale, e quindi l'accesso a un elemento con un tale indice richiedeva due accessi a disco: uno per raggiungere l'indice e uno per raggiungere la pagina che conteneva l'elemento. Con la crescita della capacità del disco, sono cresciute anche le dimensioni dell'indice e, quindi, sono servite numerose pagine per memorizzarlo, portando a uno schema gerarchico come quello raffigurato nella Figura 16.2. Continueremo a lavorare con una rappresentazione astratta, sapendo però che essa può essere implementata direttamente con un usuale sistema hardware e software di basso livello.

Molti sistemi moderni usano una simile struttura ad albero per organizzare file di grandi dimensioni come una sequenza di pagine su disco. Alberi di questo tipo non contengono chiavi, ma sono in grado si supportare efficacemente le operazioni comunemente usate per accedere al file in ordine sequenziale e per trovare la pagina contenente il k-esimo elemento nel file, se ciascun nodo contiene un contatore relativo alla dimensione del proprio albero.

Il metodo di indicizzazione illustrato nella Figura 16.2 è chiamato *accesso sequenziale indicizzato* perché combina un'organizzazione a chiave sequenziale con un accesso indicizzato. È il metodo più adatto per applicazioni in cui sono rari i cambiamenti nel database. A volte, ci riferiamo all'indice stesso come a una *directory*. Lo svantaggio di usare l'accesso sequenziale indicizzato è che la modifica della directory è un'operazione dispendiosa. Per esempio, l'aggiunta di una singola chiave può richiedere la virtuale ricostruzione dell'intero database con nuove posizioni per molte delle chiavi e nuovi valori per gli indici. Per ovviare a questo inconveniente e consentire un certo grado di crescita, i primi sistemi fornivano pagine di overflow sui dischi e spazio di overflow nelle pagine. Tecniche di questo tipo si sono, però, dimostrate alla fine poco efficaci in situazioni altamente dinamiche (si veda l'Esercizio 16.3). I metodi che considereremo nei Paragrafi 16.3 e 16.4 propongono alternative sistematiche ed efficienti a tali schemi ad hoc.

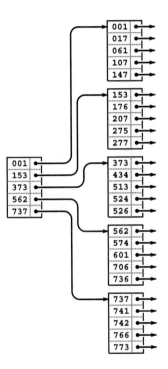

Figura 16.2
Struttura di file sequenziale indicizzato

In un indice sequenziale, manteniamo le chiavi in ordine sequenziale in pagine complete (a destra), con un indice che ci dirige alla più piccola chiave in ogni pagina (a sinistra). Per aggiungere una chiave, abbiamo bisogno di ricostruire la struttura dati.

Proprietà 16.1 *Una ricerca in un file sequenziale indicizzato richiede solo un numero costante di sondaggi, ma un inserimento può richiedere la ricostruzione dell'intero indice.*

Usiamo liberamente il termine "costante" qui (e in questo capitolo) per riferirci a una quantità proporzionale a $\log_M N$ per M grande. Come abbiamo osservato, questo utilizzo è giustificato per dimensioni reali di file. La Figura 16.3 fornisce ulteriori esempi. Anche se abbiamo una chiave di ricerca di 128 bit, in grado di specificare l'impossibile numero di 2^{128} elementi diversi, potremmo trovare un elemento con una data chiave in 13 sondaggi, con una ramificazione a 1000 vie. ∎

Non prenderemo in considerazione implementazioni che costruiscono ed eseguono ricerche su indici di questo tipo, perché essi sono casi speciali di quei metodi più generali che considereremo nel Paragrafo 16.3 (si veda l'Esercizio 16.17 e il Programma 16.2).

Esercizi

▷ **16.1** Tabulate i valori di $\log_M N$, per $M = 10, 100, 1000$ ed $N = 10^3, 10^4, 10^5, 10^6$.

▷ **16.2** Disegnate la struttura del file sequenziale indicizzato per le chiavi 516, 177, 143, 632, 572, 161, 774, 470, 411, 706, 461, 612, 761, 474, 774, 635, 343, 461, 351, 430, 664, 127, 345, 171, e 357, per $M = 5$ ed $M = 6$.

○ **16.3** Supponiamo di costruire la struttura di un file sequenziale indicizzato per N elementi in pagine di capacità M, lasciando k spazi vuoti in ogni pagina per le espansioni. Fornite una formula per il numero di sondaggi necessari a una ricerca, come funzione di N, M, e k. Usate tale formula per determinare il numero di sondaggi necessari per una ricerca quando $k = M/10$, $M = 10, 100, 1000$ ed $N = 10^3, 10^4, 10^5, 10^6$.

○ **16.4** Supponete che il costo di un sondaggio sia circa α unità di tempo e che il costo medio per ritrovare un elemento in una pagina sia circa βM unità di tempo. Trovate il valore di M che minimizza il costo di una ricerca in una struttura di file sequenziale indicizzato, per $\alpha/\beta = 10, 100$, e 1000 ed $N = 10^3, 10^4, 10^5, 10^6$.

16.3 B alberi

Per costruire strutture di ricerca che possano risultare efficaci in situazioni dinamiche, costruiamo alberi a più vie, venendo meno alla restrizione che ogni nodo debba avere esattamente M elementi. Invece, insistiamo sul fatto che ogni nodo possa avere *al più* M elementi in modo da poter stare su una pagina, pur consentendo nodi con un numero di elementi

10^5	parole in un dizionario
10^6	parole in *Moby Dick*
10^9	numeri di Sicurezza Sociale (USA)
10^{12}	numeri di telefono nel mondo
10^{15}	persone vissute
10^{20}	granelli di sabbia sulla spiaggia di Coney Island
10^{25}	bit di memoria costruiti
10^{79}	elettroni nell'universo

Figura 16.3
Esempi di dimensioni di insiemi di dati

Questi generosi limiti superiori indicano che possiamo assumere con sicurezza, per scopi pratici, di non avere mai una tabella di simboli con più di 10^{30} elementi. Anche nel caso di un database estremamente grande non realistico, possiamo trovare un elemento con una data chiave in meno di 10 tentativi, se abbiamo adottato una ramificazione a 1000 vie. Anche se trovassimo il modo di memorizzare le informazioni su ogni elettrone nell'universo, le ramificazioni a 1000 vie garantirebbero l'accesso a qualsiasi elemento particolare in meno di 27 tentativi.

inferiore. Per assicurare che i nodi abbiano un numero sufficiente di elementi in modo da poter fornire la ramificazione necessaria a mantenere brevi i cammini di ricerca, richiediamo anche che tutti i nodi debbano avere almeno (per esempio) $M/2$ elementi, eccezion fatta per la radice che può averne anche uno solo (e, quindi, due soli link). La ragione di questa eccezione per la radice diverrà chiara quando vedremo gli algoritmi nel dettaglio. Questi alberi furono chiamati *B alberi* da Bayer e McCreight, che, nel 1970, furono i primi ricercatori a considerare l'uso di alberi bilanciati a più vie per operazioni di ricerca esterna. Molti ricercatori usano il termine *B albero* per descrivere la struttura dati esatta costruita dall'algoritmo suggerito da Bayer e McCreight; noi lo usiamo come termine generico per riferirci a una famiglia di algoritmi a essa relativi.

Abbiamo già visto l'implementazione di un B albero: nelle Definizioni 13.1 e 13.2 abbiamo osservato che i B alberi di ordine 4, dove ogni nodo ha un massimo di quattro link e un minimo di due, non sono altro che gli alberi bilanciati 2-3-4 esposti nel Capitolo 13. Infatti, l'astrazione sottostante consente di generalizzare in modo semplice, permettendoci di implementare i B alberi, generalizzando l'implementazione degli alberi 2-3-4 top-down mostrata nel Paragrafo 13.4. Comunque, le differenze tra ricerca esterna e interna che abbiamo trattato nel Paragrafo 16.1 ci conducono a svariate decisioni implementative. In questo paragrafo, consideriamo un'implementazione che:

- generalizza gli alberi 2-3-4 ad alberi con un numero di nodi compreso tra $M/2$ ed M
- rappresenta nodi a più vie mediante un array di elementi e link
- implementa un indice invece di una struttura di ricerca contenente gli elementi
- esegue scomposizioni dal basso verso l'alto
- separa l'indice dagli elementi.

Le due proprietà finali nel precedente elenco non sono essenziali, ma sono utili in molte situazioni e si trovano normalmente nelle implementazioni di B alberi.

La Figura 16.4 illustra un albero astratto 4-5-6-7-8, che generalizza l'albero 2-3-4 proposto nel Paragrafo 13.3. La generalizzazione è semplice: i 4-nodi hanno tre chiavi e quattro link, i 5-nodi hanno quattro chia-

**Figura 16.4
Un albero 4-5-6-7-8**

Questa figura illustra una generalizzazione degli alberi 2-3-4 ottenuta considerando nodi aventi da 4 a 8 link (e, rispettivamente, da 3 a 7 chiavi). Come con gli alberi 2-3-4, manteniamo l'altezza costante scomponendo gli 8-nodi quando li incontriamo, sia con algoritmi di inserimento top-down che bottom-up. Ad esempio, per inserire un'altra J in questo albero, dividiamo l'8-nodo in due 4-nodi, quindi inseriamo M nella radice convertendola in un 6-nodo. Quando si scompone la radice, non c'è altra scelta che creare un 2-nodo come nuova radice; così, il nodo radice è l'unico che non deve possedere almeno 4 link.

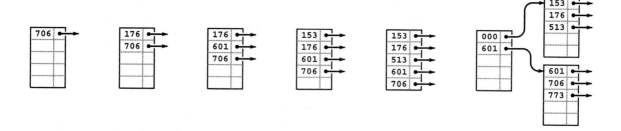

Figura 16.5
Costruzione di un B albero, parte 1

Questo esempio mostra sei inserimenti in un B albero inizialmente vuoto costituito da pagine che possono contenere cinque chiavi e link, con chiavi che sono numeri ottali di 3 cifre (numeri binari di 9 bit). Manteniamo queste chiavi ordinate nelle pagine. Il sesto inserimento causa una divisione in due nodi esterni con tre chiavi ognuno e un nodo interno che serve come indice: il suo primo puntatore punta alla pagina contenente tutte le chiavi maggiori o uguali a 000 ma minori di 601, e il suo secondo puntatore punta alla pagina contenente tutte le chiavi maggiori o uguali a 601.

vi e cinque link, e così via, con un link per ogni possibile intervallo tra chiavi. Per eseguire una ricerca, partiamo dalla radice e ci spostiamo da un nodo al successivo, cercando l'intervallo corretto per la chiave di ricerca nel nodo corrente, e quindi seguendo il link corrispondente per arrivare a tale nodo. Terminiamo la ricerca con successo, se troviamo la chiave di ricerca in uno dei nodi visitati; terminiamo con insuccesso, se raggiungiamo il fondo dell'albero senza aver trovato la chiave di ricerca. Come per gli alberi 2-3-4 top-down, possiamo inserire una nuova chiave nel fondo dell'albero dopo una ricerca se, lungo l'albero, scomponiamo i nodi che sono pieni: se la radice è un 8-nodo, la scomponiamo in un 2-nodo connesso a due 4-nodi, poi, ogni volta che vediamo un k-nodo collegato a un 8-nodo, lo rimpiazziamo con un $(k + 1)$-nodo collegato a due 4-nodi. Questa politica garantisce di avere spazio per l'inserimento di un nuovo nodo quando raggiungiamo il fondo.

In alternativa, come proposto per gli alberi 2-3-4 nel Paragrafo 13.3, possiamo effettuare le scomposizioni dal basso verso all'alto: inseriamo mediante ricerca e poniamo la nuova chiave nel nodo sul fondo, a meno che il nodo sia un 8-nodo, nel qual caso lo scomponiamo in due 4-nodi inserendo la chiave di mezzo e i link ai due nuovi nodi nel nodo padre, risalendo l'albero finché non si incontra un antenato che non sia un 8-nodo.

Rimpiazzando 4 con $M/2$ e 8 con M nella descrizione data appena sopra, otteniamo descrizioni per le operazioni di ricerca e inserimento per alberi $M/2$-...-M per ogni intero positivo pari, 2 compreso (si veda l'Esercizio 16.9).

Definizione 16.2 *Un **B albero** di ordine M è un albero vuoto oppure è composto da **k-nodi** con k − 1 chiavi e k link ad alberi (ciascuno dei quali rappresenta uno dei k intervalli delimitati dalle chiavi), e con le seguenti proprietà strutturali: k deve essere compreso tra 2 ed M per la radice e tra M/2 ed M per ogni altro nodo; tutti i link ad alberi vuoti devono essere alla stessa distanza dalla radice.*

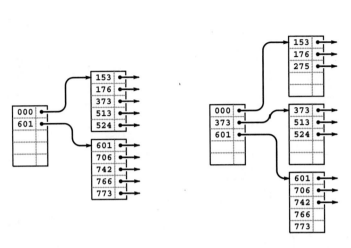

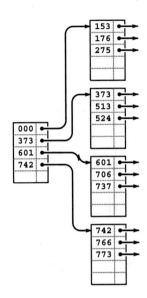

Gli algoritmi su B alberi sono progettati sulla base di questo insieme di astrazioni. Come nel Capitolo 13, abbiamo una vasta scelta di rappresentazioni concrete per tali alberi. Per esempio, possiamo usare una rappresentazione red-black estesa (si veda l'Esercizio 13.69). Per la ricerca esterna, useremo la molto più semplice rappresentazione di array ordinato, considerando M sufficientemente grande, tale che gli M-nodi riempiano una pagina. Il fattore di ramificazione è almeno $M/2$, così il numero di sondaggi per ogni ricerca o inserimento è effettivamente costante, come derivato dalla Proprietà 16.1.

Invece di implementare il metodo appena descritto, consideriamo una variante che generalizza l'indice standard proposto nel Paragrafo 16.1. Manteniamo le chiavi con i riferimenti agli elementi in pagine esterne (un M-nodo corrisponde a una pagina) nella parte inferiore dell'albero, e copie delle chiavi con riferimenti alle pagine in pagine interne. Inseriamo nuovi elementi in fondo all'albero e, quindi, usiamo l'astrazione basilare di albero $M/2$-...-M. Quando una pagina ha M elementi, la scomponiamo in due pagine, ciascuna con $M/2$ riferimenti a pagina, inserendo quindi un riferimento alla nuova pagina nel nodo padre. Quando la radice viene divisa, introduciamo una nuova radice con due figli, aumentando pertanto l'altezza dell'albero di 1.

Le Figure dalla 16.5 alla 16.7 mostrano il B albero che abbiamo costruito mediante l'inserimento delle chiavi elencate nella Figura 16.1 (nell'ordine dato) in un albero inizialmente vuoto, con $M = 5$. Eseguire inserimenti implica semplicemente aggiungere un elemento a una

Figura 16.6
Costruzione di un B albero, parte 2

Dopo aver inserito le quattro chiavi 742, 373, 524, 766 nel B albero più a destra della Figura 16.5, entrambe le pagine esterne sono complete (figura a sinistra). Perciò, quando inseriamo 275, la prima pagina si divide, inviando un link alla nuova pagina (insieme alla sua chiave più piccola 373) in alto nell'indice (figura centrale); quando poi inseriamo 373, la pagina in basso si divide, inviando di nuovo un link alla pagina appena creata in alto nell'indice (figura a destra).

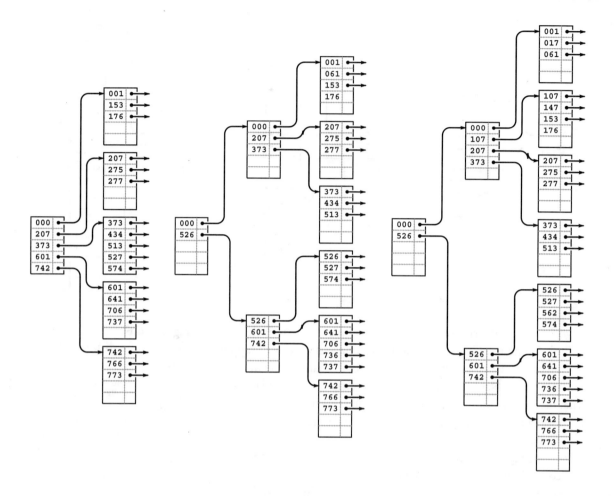

Figura 16.7
Costruzione di un B albero,
parte 3

Continuando il nostro esempio, inseriamo le 13 chiavi 574, 434, 641, 207, 001, 277, 061, 736, 526, 562, 017, 107, 147 nel B albero più a destra della Figura 16.6. Si osservano scomposizioni di nodi quando inseriamo 277 (figura a sinistra), 526 (figura centrale) e 107 (figura a destra). La scomposizione causata dall'inserimento di 526 produce anche la scomposizione della pagina dell'indice e incrementa l'altezza dell'albero di uno.

pagina, ma possiamo controllare la struttura finale dell'albero per determinare gli eventi significativi occorsi durante la sua costruzione. Esso ha sette pagine esterne, quindi devono esserci state sei scomposizioni di nodi esterni, e risulta di altezza 3, quindi la radice dell'albero è stata scomposta due volte. Questi eventi sono descritti nella didascalia delle figure.

Il Programma 16.1 delinea la nostra implementazione di tabelle di simboli basata su B alberi. Non specifichiamo la struttura dei nodi così dettagliatamente come sarebbe necessario a una reale implementazione, perché ciò implica di dover parlare di riferimenti a pagine di disco. Per chiarezza usiamo un solo tipo di nodo. Ogni nodo è formato da un array, ciascuna delle componenti di questo array contiene un elemento, una chiave e un link. Ciascun nodo contiene anche un contatore che for-

Programma 16.1 Implementazione di una tabella di simboli tramite B alberi

Ogni nodo in un B albero contiene un array e un contatore del numero di componenti attive nell'array. Ogni componente dell'array è una chiave, un elemento e un riferimento a un nodo. Nei nodi interni usiamo solo chiavi e riferimenti, mentre nei nodi esterni usiamo solo chiavi ed elementi.

```
class ST
  {
    private class entry
      { KEY key; ITEM item; Node next;
        entry(KEY v, ITEM x) { key = v; item = x; }
        entry(KEY v, Node u) { key = v; next = u; }
      }
    private class Node
      { int m; entry[] b;
        Node(int k) { b = new entry[M]; m = k; }
      }
    private Node head;
    private int HT;
    ST(int maxN)
      { HT = 0; head = new Node(0); }
    ITEM search(KEY key)
      // Vedi Programma 16.2
    void insert(ITEM x)
      // Vedi Programma 16.3
  }
```

nisce il numero di componenti attive. Non ci saranno riferimenti agli elementi dei nodi interni, né ai link dei nodi esterni, né alle chiavi all'interno degli elementi dell'albero. La struttura dati effettiva che si potrebbe scegliere nelle applicazioni, potrebbe risparmiare spazio per mezzo di classi derivate. Si potrebbe anche scegliere un compromesso fra spazio e tempo usando dappertutto nell'albero link a elementi, invece di chiavi. Queste decisioni di progetto comportano modifiche piuttosto immediate al codice, e dipendono dalla natura specifica delle chiavi, degli elementi e dei link.

Con queste definizioni e gli alberi di esempio che abbiamo considerato, il codice per l'operazione di ricerca, riportato nel Programma 16.2, risulta essere piuttosto semplice. Per i nodi esterni, scandiamo l'array dei nodi per cercare una chiave che corrisponda alla chiave di ricerca, restituendo l'elemento associato in caso di successo e NUL-

Programma 16.2　Ricerca in B alberi

Quest'implementazione dell'operazione di ricerca in B alberi è basata, come sempre, su un metodo ricorsivo. Per i nodi interni (altezza positiva), facciamo una scansione per trovare la prima chiave che risulti più grande della chiave di ricerca ed eseguiamo una chiamata ricorsiva sul sottoalbero puntato dal link precedente. Per i nodi esterni (altezza 0), facciamo una scansione per vedere se vi è o meno un elemento con chiave uguale a quella di ricerca.

```
private ITEM searchR(Node h, KEY v, int ht)
  {
    if (ht == 0)
      for (int j = 0; j < h.m; j++)
        { entry e = h.b[j];
          if (equals(v, e.key)) return e.item; }
    else
      for (int j = 0; j < h.m; j++)
        if ((j+1 == h.m) || less(v, h.b[j+1].key))
          return searchR(h.b[j].next, v, ht-1);
    return null;
  }
ITEM search(KEY key)
  { return searchR(head, key, HT); }
```

Litem in caso di insuccesso. Per i nodi interni, scandiamo l'array dei nodi per cercare il link all'unico sottoalbero che può contenere la chiave di ricerca.

Il Programma 16.3 è un'implementazione dell'operazione di inserimento nei B alberi; anch'essa usa l'approccio ricorsivo che abbiamo considerato per numerose altre implementazioni di ricerca su alberi nei Capitoli 13 e 15. È un'implementazione bottom-up perché controlliamo per l'eventuale la scomposizione del nodo *dopo* la chiamata ricorsiva, quindi la prima scomposizione di un nodo riguarda un nodo esterno. La scomposizione richiede che passiamo in alto un nuovo link al padre del nodo scomposto, il quale a sua volta può necessitare di essere scomposto e di passare in alto un link a suo padre, e così via, eventualmente fino alla radice dell'albero (quando la radice si scompone, creiamo una nuova radice con due figli). Al contrario, l'implementazione dell'albero 2-3-4 del Programma 13.6 controlla la scomposizione *prima* della chiamata ricorsiva, e quindi la scomposizione dei nodi avviene verso il basso. Possiamo usare un approccio top-down anche per

---

Programma 16.3   Inserimento in B alberi

Inseriamo un nuovo elemento invocando ricorsivamente `insertR` per il nodo nella componente con la più grande chiave minore della chiave dell'elemento.

Al livello più basso (quando `ht` è 0), spostiamo gli elementi più grandi a destra di una posizione, come nell'ordinamento per inserzione.

Se l'inserimento fa traboccare il nodo, chiamiamo `split` (si veda il Programma 16.4) per scomporre il nodo in due metà e, quindi, inseriamo il link al nuovo nodo nel nodo interno padre. Quest'ultimo potrebbe anche scomporsi, propagando eventualmente l'inserimento per tutto il cammino fino alla radice.

Per scomporre la radice creiamo un nuovo nodo testa con due componenti, una per la vecchia testa e una per il nuovo riferimento generato dalla scomposizione. Il nodo alla radice è l'unico dell'albero che può avere meno di $M/2$ componenti.

```
private Node insertR(Node h, ITEM x, int ht)
  { int i, j; KEY v = x.key(); Node u;
    entry t = new entry(v, x);
    if (ht == 0)
      for (j = 0; j < h.m; j++)
        { if (less(v, (h.b[j]).key)) break; }
    else
      for (j = 0; j < h.m; j++)
        if ((j+1 == h.m) || less(v, (h.b[j+1]).key))
          { u = insertR(h.b[j++].next, x, ht-1);
            if (u == null) return null;
            t.key = (u.b[0]).key; t.next = u; break;
          }
    for (i = h.m; i > j; i--) h.b[i] = h.b[i-1];
    h.b[j] = t; h.m++;
    if (h.m < M) return null; else return split(h);
  }
void insert(ITEM x)
  { Node u = insertR(head, x, HT);
    if (u == null) return;
    Node t = new Node(2);
    t.b[0] = new entry((head.b[0]).key, head);
    t.b[1] = new entry((u.b[0]).key, u);
    head = t; HT++;
  }
```

Programma 16.4 Scomposizione dei nodi in un B albero

Per scomporre un nodo in un B albero, creiamo un nuovo nodo, spostiamo la metà delle chiavi più grandi nel nuovo nodo. Questo codice assume che M sia pari e usa una posizione aggiuntiva in ogni nodo per l'elemento che causa la scomposizione. Cioè, il massimo numero di chiavi in un nodo è M-1 e, quando un nodo arriva a M chiavi, lo scomponiamo in due nodi con M/2 chiavi ciascuno.

```
private Node split(Node h)
  { Node t = new Node(M/2); h.m = M/2;
    for (int j = 0; j < M/2; j++)
      t.b[j] = h.b[M/2+j];
    return t;
  }
```

---

i B alberi (si veda l'Esercizio 16.10). Questa distinzione tra approccio top-down e bottom-up è irrilevante in molte applicazioni sui B alberi, perché gli alberi sono spesso piatti.

Il codice per effettuare la scomposizione di un nodo è dato nel Programma 16.4. In tale codice impieghiamo un valore pari per la variabile M e consentiamo che ogni nodo dell'albero abbia solo $M-1$ elementi. Questa politica ci permette di inserire l'M-esimo elemento in un nodo prima di scomporre quel nodo e semplifica considerevolmente il codice senza avere molte conseguenze sui costi (Esercizi 16.20 e 16.21). Per semplicità, ai fini dei risultati analitici presentati più avanti in questo paragrafo, definiamo un limite superiore di M elementi per nodo; le differenze reali sono poco significative. Nell'implementazione top-down, non dobbiamo ricorrere a questa tecnica, poiché si ha automaticamente la certezza che in ogni nodo ci sia sempre spazio per inserire una nuova chiave.

Proprietà 16.2 *Una ricerca o un inserimento in un B albero di ordine M contenente N elementi richiede un numero di sondaggi compreso tra $\log_M N$ e $\log_{M/2} N$ (un numero costante per tutti gli scopi pratici).*

Questa proprietà deriva dall'osservazione che tutti i nodi all'interno del B albero (nodi che non sono né la radice né esterni) hanno un numero di link compreso tra $M/2$ ed M, poiché sono ottenuti da una scomposizione di un nodo completo con M chiavi e possono solamente crescere in ampiezza (quando i nodi inferiori vengono scomposti). Nel migliore dei casi, questi nodi formano un albero completo di grado M, che richiama immediatamente i limiti già affermati (Proprietà 16.1). Nel caso peggiore, abbiamo un albero completo di grado $M/2$. ■

Quando M è 1000, l'altezza dell'albero è inferiore a tre per N minore di 125 milioni. In situazioni tipiche, possiamo ridurre il costo a due sondaggi mantenendo il nodo radice nella memoria interna. Per un'implementazione della ricerca su disco, possiamo eseguire questo passo esplicitamente prima di intraprendere applicazioni che implicano un elevato numero di ricerche; in una memoria virtuale con cashing, il nodo radice sarà uno dei più probabili a trovarsi nella memoria veloce, poiché è il nodo a cui abbiamo accesso più frequentemente.

È difficile pensare di poter avere un'implementazione per la quale si possa garantire un costo inferiore a due accessi per la ricerca e per l'inserimento in un file di grandissime dimensioni. I B alberi sono ampiamente usati poiché ci consentono di raggiungere questa situazione ideale. Il prezzo di questa velocità e flessibilità è lo spazio vuoto all'interno dei nodi, che potrebbe essere un inconveniente per file estremamente grandi.

Proprietà 16.3 *Un B albero di ordine M contenente N elementi casuali ha mediamente $1.44N/M$ pagine all'incirca.*

Quest'asserzione è stata dimostrata da Yao nel 1979, impiegando tecniche matematiche sofisticate che vanno al di là degli scopi di questo libro (si vedano i riferimenti bibliografici). L'idea di base è fondata sull'analisi di un semplice modello probabilistico che descrive la crescita dell'albero. Dopo che i primi $M/2$ nodi sono stati inseriti, ci sono, a ogni dato istante di tempo, t_i pagine esterne con i elementi, per $M/2 \le i \le M$, con $t_{M/2} + \ldots + t_M = N$. Poiché ogni intervallo tra nodi ha la stessa probabilità di ricevere una chiave casuale, la probabilità che un nodo con i elementi sia raggiunto è t_i/N. Specificamente, per $i < M$, questa quantità è la probabilità che il numero di pagine esterne con i elementi diminuisca di 1 e il numero di pagine interne con $i + 1$ elementi cresca di 1; per $i = M$, questa quantità è la probabilità che il numero di pagine esterne con M elementi diminuisca di 1 e il numero di pagine esterne con $M/2$ elementi cresca di 2. Tale processo stocastico è chiamato *catena di Markov*. Il risultato di Yao è basato sull'analisi delle proprietà asintotiche della catena. ■

Possiamo anche verificare la Proprietà 16.3 scrivendo un programma che simuli il processo stocastico (si veda l'Esercizio 16.11 e le Figure 16.8 e 16.9). Naturalmente, potremmo anche costruire soltanto B alberi ca-

Figura 16.8
Crescita di un B albero
di grandi dimensioni

In questa simulazione, inseriamo elementi con chiavi casuali in un B albero inizialmente vuoto, con pagine che possono contenere nove chiavi e link. Ogni linea mostra i nodi esterni, ognuno dei quali è disegnato come un segmento di linea di lunghezza proporzionale al numero di chiavi in quel nodo. Molti inserimenti finiscono in un nodo esterno che non è pieno, incrementando l'ampiezza di quel nodo di 1. Quando un inserimento finisce in un nodo esterno pieno, il nodo si divide in due nodi di dimensione pari alla metà.

suali e misurarne le proprietà strutturali. La simulazione probabilistica è più semplice da fare dell'analisi matematica o dell'implementazione completa e rappresenta un importante strumento da utilizzare nello studio e nel confronto tra varianti dell'algoritmo (si veda, per esempio, l'Esercizio 16.16).

Le implementazioni di altre operazioni di una tabella di simboli sono simili a quelle esaminate per altre rappresentazioni basate su alberi e sono lasciate come esercizio (Esercizi dal 16.22 al 16.25). In particolare, le implementazioni della selezione e dell'ordinamento sono elementari ma, come sempre, l'implementazione corretta dell'operazione di cancellazione è più complessa. Come per l'inserimento, molte cancellazioni sono una semplice questione di rimozione di un elemento da una pagina esterna, con relativo decremento del contatore; ma cosa succede quando dobbiamo rimuovere un elemento da un nodo che ne ha solo $M/2$? L'approccio naturale è cercare un elemento per riempire lo spazio tra i nodi fratelli (magari, riducendo di uno il numero di nodi), anche se l'implementazione diventa complicata perché dobbiamo tenere traccia delle chiavi associate a ogni elemento che spostiamo tra i nodi. In situazioni pratiche, possiamo solitamente adottare il più semplice approccio di consentire ai nodi esterni di diventare incompleti, senza una significativa diminuzione delle prestazioni (si veda l'Esercizio 16.25).

Sono molte le varianti dei B alberi di base che si possono ideare. Alcune di queste consentono di risparmiare tempo impacchettando nei nodi interni quanti più riferimenti a pagina possibili, incrementando con ciò il fattore di ramificazione e appiattendo l'albero. Come detto in precedenza, i benefici ottenuti da tali modifiche sono marginali nei sistemi moderni, poiché i valori standard dei parametri ci permettono di implementare ricerche e inserimenti con due soli sondaggi, un'efficienza che può essere difficilmente migliorata. Un'altra classe di varianti migliora l'efficienza della memorizzazione, combinando i nodi con i fratelli prima della scomposizione. Gli Esercizi dal 16.13 al 16.16 si riferiscono a tale metodo. Esso riduce la memoria aggiuntiva usata dal 44 al 23 per cento su chiavi casuali. Come sempre, la scelta adatta tra le diverse varianti dipende dalle proprietà dell'applicazione. Data l'ampia varietà di differenti situazioni dove i B alberi sono applicabili, non considereremo tale questione nel dettaglio. Non siamo neppure in grado di considerare i particolari delle implementazioni, poiché vi sono tante questioni dipendenti dai dispositivi e dai sistemi da tenere in conto. Come al solito, investigare a fondo tali implementazioni è un affare rischioso e rifuggiamo da questi codici non portabili e fragili nei sistemi

**Figura 16.9
Crescita di un B albero
di grandi dimensioni, con
occupazione di pagine
evidenziata**

*Questa versione della Figura 16.8
mostra come le pagine si riempiono
durante il processo di crescita. Ancora una volta, molti inserimenti
finiscono in una pagina che non è
completa, incrementandone l'occupazione di 1. Quando un inserimento finisce in una pagina
completa, la pagina si divide
in due pagine piene per metà.*

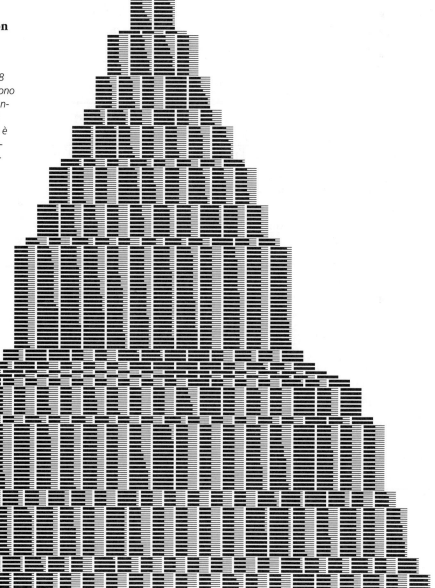

moderni, particolarmente quando gli algoritmi base hanno delle così buone prestazioni.

Esercizi

▷ **16.5** Fornite il contenuto dell'albero 3-4-5-6 che si ottiene quando inseriamo le chiavi E A S Y Q U E S T I O N W I T H P L E N T Y O F K E Y S (in quest'ordine) in un albero inizialmente vuoto.

○ **16.6** Disegnate le figure corrispondenti alle Figure dalla 16.5 alla 16.7, per illustrare il processo di inserimento delle chiavi 516, 177, 143, 632, 572, 161, 774, 470, 411, 706, 461, 612, 761, 474, 774, 635, 343, 461, 351, 430, 664, 127, 345, 171, e 357 (in quest'ordine) in un albero inizialmente vuoto, per $M = 5$.

○ **16.7** Fornite l'altezza dei B alberi che si ottengono quando si inseriscono le chiavi dell'Esercizio 16.6 (in quell'ordine) in un albero inizialmente vuoto, per ogni valore di $M > 2$.

16.8 Disegnate il B albero che si ottiene quando si inseriscono 16 chiavi uguali in un albero inizialmente vuoto con $M = 4$.

● **16.9** Disegnate l'albero 1-2 che si ottiene quando inseriamo le chiavi E A S Y Q U E S T I O N in un albero inizialmente vuoto. Spiegate perché gli alberi 1-2 non sono di interesse pratico come alberi bilanciati.

● **16.10** Modificate l'implementazione dell'inserimento su B alberi del Programma 16.3 per operare la scomposizione durante la discesa dell'albero, in modo simile alla nostra implementazione dell'inserimento su alberi 2-3-4 (Programma 13.6).

● **16.11** Scrivete un programma che calcoli il numero medio di pagine esterne per un B albero di ordine M costruito inserendo N chiavi casuali in un albero inizialmente vuoto, usando il processo stocastico descritto dopo la Proprietà 16.1. Eseguite il programma per $M = 10, 100, 1000$ ed $N = 10^3$, 10^4, 10^5, 10^6.

○ **16.12** Supponete che in un albero di 3 livelli sia possibile tenere a link nella memoria interna, un numero di link compreso tra b e $2b$ in pagine rappresentanti nodi interni e tra c e $2c$ elementi in pagine rappresentanti nodi esterni. Qual è il massimo numero di elementi che possiamo mantenere in tale albero in funzione di a, b e c?

○ **16.13** Si consideri la seguente euristica per B alberi, chiamata *sibling split* (o *albero B**): quando è il momento di scomporre un nodo perché contiene M elementi, combiniamo il nodo con un suo fratello. Se il fratello ha k elementi, con $k < M - 1$, riallochiamo gli elementi, dandone sia al fratello che al nodo pieno circa $(M + k)/2$. Altrimenti, creiamo un nuovo nodo e diamo a ognuno dei 3 nodi (nodo pieno, fratello e nodo nuovo) circa $2M/3$ elementi. In aggiunta, consentiamo alla radice di crescere fino a contenere circa $4M/3$ elementi, scomponendola e creando un nuovo nodo radice con due elementi, quando raggiunge questo limite. Enunciate limiti sul numero di sondaggi effettuati per una ricerca o un inserimento in un albero B* di ordine M con N elementi. Confrontate i limiti trovati con quelli corrispondenti per i B alberi (si veda la Proprietà 16.2), per $M = 10$, 100, 1000 ed $N = 10^3$, 10^4, 10^5, 10^6.

●● **16.14** Sviluppate l'implementazione dell'inserimento in un albero B* (basata sull'euristica sibling-split).

● **16.15** Create una figura simile alla Figura 16.8 per l'euristica sibling-split.

● **16.16** Eseguite una simulazione stocastica (si veda l'Esercizio 16.11) per determinare il numero medio di pagine usate, adottando l'euristica sibling-split, quando si costruisce un albero B* di ordine M, inserendo nodi casuali in un albero inizialmente vuoto, per $M = 10$, 100, 1000 ed $N = 10^3$, 10^4, 10^5, 10^6.

● **16.17** Scrivete un programma che costruisca un indice con B albero in modo bottom-up, partendo con un array di puntatori alle pagine contenenti un numero di elementi compreso tra M e $2M$ e sistemati in modo ordinato.

● **16.18** Potrebbe un indice con pagine tutte piene, come nella Figura 16.2, essere stato costruito dall'algoritmo di inserimento in un B albero considerato nel testo (Programma 16.3)? Motivate la risposta.

16.19 Supponiamo che diversi calcolatori abbiano accesso allo stesso indice e che, quindi, diversi programmi possano tentare di inserire un nuovo nodo nello stesso B albero all'incirca nello stesso istante. Spiegate perché, in questa situazione, sia preferibile l'uso di B alberi top-down invece di quelli bottom-up. Assumete che ogni programma faccia ritardare gli altri nelle operazioni di modifica dei nodi che legge e che potrebbe successivamente modificare.

● **16.20** Modificate l'implementazione dei B alberi dei Programmi dal 16.1 al 16.3 consentendo l'esistenza di M elementi per nodo nell'albero.

▷ **16.21** Mostrate graficamente la differenza tra $\log_{999} N$ e $\log_{1000} N$, per $N = 10^3$, 10^4, 10^5, 10^6.

▷ **16.22** Implementate l'operazione di ordinamento per una tabella di simboli basata su B alberi.

○ **16.23** Implementate l'operazione di selezione per una tabella di simboli basata su B alberi.

●● **16.24** Implementate l'operazione di cancellazione per una tabella di simboli basata su B alberi.

○ **16.25** Implementate l'operazione di cancellazione per una tabella di simboli basata su B alberi, usando un semplice metodo dove si cancella l'elemento indicato dalla sua pagina esterna (magari, facendo sì che il numero di elementi nella pagina possa essere inferiore a $M/2$), ma senza propagare la modifica in alto attraverso l'albero, salvo aggiustare in qualche modo i valori delle chiavi nel caso in cui l'elemento cancellato risulti essere il più piccolo nella pagina.

● **16.26** Modificate i Programmi 16.2 e 16.3 per usare la ricerca binaria (Programma 12.10) all'interno dei nodi. Determinate il valore di M per minimizzare il tempo che il programma impiega per costruire una tabella di simboli, inserendo N elementi con chiavi casuali in una tabella inizialmente vuota, per $N = 10^3$, 10^4, 10^5, 10^6. Confrontate i tempi ottenuti con quelli corrispondenti per alberi red-black (Programma 13.6).

16.4 Hashing estendibile

Un'alternativa ai B alberi che estende gli algoritmi di ricerca digitali da applicare alla ricerca esterna fu sviluppata nel 1978 da Fagin, Nievergelt, Pippenger e Strong. Il loro metodo, chiamato *hashing estendibile*, porta a un'implementazione dell'operazione di ricerca che richiede solitamente solo uno o due sondaggi. Anche la corrispondente implementazione dell'inserimento richiede (quasi sempre) solamente uno o due sondaggi.

L'hashing estendibile combina caratteristiche dell'hashing, degli algoritmi per trie a più vie e dei metodi di accesso sequenziale. Come per i metodi di hashing del Capitolo 14, l'hashing estendibile è un algoritmo randomizzato, il cui primo passo è quello di definire una funzione di hash che trasforma le chiavi in interi (si veda il Paragrafo 14.1). Per semplicità, in questo paragrafo consideriamo chiavi casuali formate da stringhe di bit di lunghezza fissata. In analogia agli algoritmi per trie a più vie del Capitolo 15, l'hashing estendibile inizia una ricerca usando i bit principali della chiave per indicizzare una tabella la cui ampiezza è una potenza di 2. Come per gli algoritmi su B alberi, l'hashing estendibile memorizza gli elementi in pagine che sono divise in due parti quando sono complete. Come per i metodi di accesso sequenziale indicizzato, l'hashing estendibile mantiene una directory che dice dove trovare la pagina contenente gli elementi che corrispondono alla chiave di ricerca. La miscela di queste caratteristiche familiari in un solo algoritmo rende l'hashing estendibile un'adatta conclusione per i nostri studi sugli algoritmi di ricerca.

Supponiamo che il numero di pagine su disco che abbiamo a disposizione sia una potenza di 2, diciamo 2^d. In tal caso, possiamo mantenere una directory dei 2^d differenti riferimenti a pagine, usando d bit delle chiavi come indice nella directory, e mantenendo nella stessa pagina tutte le chiavi che coincidono nei primi k bit, come mostrato nel-

Figura 16.10
Indici di directory
di pagine

Con una directory di otto compo-
nenti, possiamo immagazzinare fino
a 40 chiavi memorizzando nella stes-
sa pagina tutti i record i cui primi 3
bit corrispondono. Possiamo accede-
re a essi mediante un riferimento
memorizzato nella directory (figura a
sinistra). La componente 0 della di-
rectory contiene un puntatore alla
pagina che contiene tutte le chiavi
che iniziano con 000; la componente
1 della tabella contiene un puntatore
alla pagina che contiene tutte le
chiavi che iniziano con 001; la com-
ponente 2 della tabella contiene un
puntatore alla pagina che contiene
tutte le chiavi che iniziano con 010,
e così via. Se alcune pagine non so-
no complete, possiamo ridurre il nu-
mero di pagine richieste facendo in
modo che nella directory compaiano
più riferimenti a una stessa pagina.
In questo esempio (figura a sinistra)
373 è nella stessa pagina delle chiavi
che iniziano con 2; questa pagina è
definita come quella che contiene gli
elementi con chiavi i cui primi 2 bit
sono 01.

Se raddoppiamo l'ampiezza della
directory e duplichiamo ogni riferi-
mento, otteniamo una struttura tra-
mite la quale siamo in grado di indi-
cizzare con i primi 4 bit della chiave
di ricerca (figura a destra). Per esem-
pio, l'ultima pagina è ancora definita
come quella che contiene elementi
con chiavi i cui primi tre bit sono
111, *e a essa si avrà accesso attra-*
verso la directory, se i primi 4 bit del-
la chiave di ricerca sono 1110 *o*
1111. *Questa più ampia directory*
può consentire alla tabella di cresce-
re.

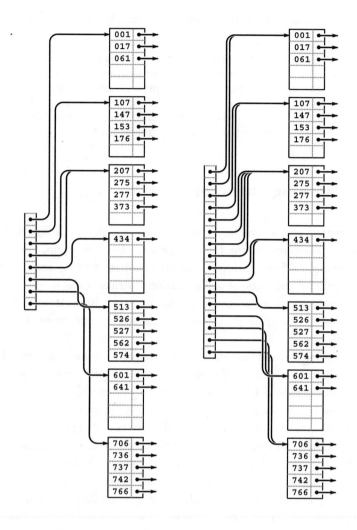

la Figura 16.10. Come per i B alberi, manteniamo gli elementi in ordine nelle pagine ed effettuiamo una ricerca sequenziale una volta che raggiungiamo la pagina corrispondente a un elemento con una data chiave di ricerca.

La Figura 16.10 illustra i due concetti basilari che stanno dietro l'hashing estendibile. Primo, non abbiamo necessariamente bisogno di mantenere 2^d pagine. Cioè, possiamo fare in modo che diverse componenti della directory si riferiscano alla stessa pagina, senza intaccare la nostra capacità di eseguire ricerche veloci, combinando nella stessa pagina chiavi con differenti valori per i d bit principali e mantenendo ancora la capacità di trovare la pagina che contiene una data chiave, usan-

Programma 16.5   Implementazione di una tabella di simboli estendibile

Una tabella hash estendibile è una directory di riferimenti a pagine (come i nodi esterni nei B alberi) che contiene fino a $2M$ elementi. Ogni pagina contiene anche un contatore (m) del numero di elementi nella pagina e un intero (k) che specifica il numero di bit principali che sappiamo coincidere nelle chiavi degli elementi. Come sempre, N specifica il numero di elementi nella tabella. La variabile d specifica il numero di bit che usiamo per indicizzare la directory e D il numero di componenti nella directory, quindi $D = 2^d$. La tabella inizialmente corrisponde a una directory di dimensione 1 che punta a una pagina vuota.

```
class ST
  {
    private class Node
      { int m; ITEM[] b; int k;
        Node() { b = new ITEM[M]; m = 0; k = 0; }
      }
    private Node[] dir;
    private int d, D;
    ST(int maxN)
      {
        d = 0; D = 1;
        dir = new Node[D];
        dir[0] = new Node();
      }
    ITEM search(KEY v)
      // Vedi Programma 16.6
    void insert(ITEM x)
      // Vedi Programma 16.7
  }
```

do i bit principali della chiave per indicizzare la directory. Secondo, possiamo raddoppiare la dimensione della directory per accrescere la capacità della tabella.

Nello specifico, la struttura dati che usiamo per l'hashing estendibile è molto più semplice di quella che abbiamo usato per i B alberi. Consiste in pagine che contengono fino a M elementi e una directory di 2^d riferimenti alle pagine (si veda il Programma 16.5). Il riferimento che si trova nella locazione x della directory si riferisce alla pagina che contiene tutti gli elementi i cui bit principali sono uguali a x. La tabella è costruita con d sufficientemente grande, in modo tale da avere la

---

Programma 16.6   Ricerca hash estendibile

La ricerca in una tabella hash estendibile non fa altro che usare i bit principali della chiave per indicizzare la directory, per poi eseguire una ricerca sequenziale nella pagina specificata di un elemento con chiave uguale a quella di ricerca. L'unico vincolo è che ogni componente della directory si riferisca a una pagina che sappiamo per certo contenere tutti gli elementi della tabella di simboli che iniziano con i bit specificati.

```
private ITEM search(Node h, KEY v)
   {
     for (int j = 0; j < h.m; j++)
       if (equals(v, h.b[j].key())) return h.b[j];
     return null;
   }
ITEM search(KEY v)
   { return search(dir[bits(v, 0, d)], v); }
```

---

garanzia che ci siano meno di M elementi su ciascuna pagina. L'implementazione della ricerca è semplice: usiamo i d bit principali della chiave per l'indicizzazione nella directory, ottenendo così la pagina che contiene tutti gli elementi con le chiavi corrispondenti, poi effettuiamo la ricerca sequenziale dell'elemento desiderato in quella pagina (si veda il Programma 16.6).

La struttura dati dovrà diventare leggermente più complessa per supportare l'inserimento, ma una delle sue caratteristiche essenziali è che questo algoritmo di ricerca lavora bene senza alcuna modifica. Per supportare l'inserimento, abbiamo bisogno di rispondere alle seguenti domande:

- Che cosa facciamo quando il numero di elementi che appartengono a una pagina è superiore alla capienza di quella pagina?
- Che dimensione di directory dobbiamo usare?

Per esempio, non potremmo usare $d = 2$ nell'esempio della Figura 16.10, perché alcune pagine traboccherebbero e non potremmo usare $d = 5$, perché troppe pagine rimarrebbero vuote. Come al solito, siamo più interessati a supportare l'operazione di inserimento per l'ADT tabella di simboli in modo che la struttura possa crescere gradualmente man mano che compiamo una serie di operazioni alternate di ricerca e di inserimento. Adottare questo punto di vista corrisponde a perfezionare la nostra prima domanda:

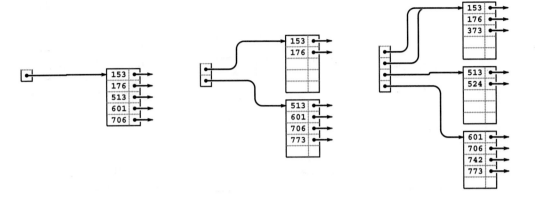

- Che cosa dobbiamo fare quando bisogna inserire un elemento in una pagina piena?

Si noti, ad esempio, che non possiamo inserire un elemento la cui chiave inizia con un 5 o un 7 nell'esempio della Figura 16.10, perché le pagine corrispondenti sono piene.

Definizione 16.3 *Una **tabella hash estendibile** di ordine d è una directory di 2^d riferimenti a pagine che contengono fino a M elementi con chiavi. Gli elementi che si trovano in una stessa pagina hanno i primi k bit identici e la directory contiene 2^{d-k} puntatori alla pagina, a iniziare dalla locazione specificata dai k bit principali delle chiavi nella pagina.*

Alcune sequenze di d bit potrebbero non apparire in alcuna chiave. Nella Definizione 16.3 si lasciano non specificati i corrispondenti puntatori nella directory, sebbene ci sia un modo naturale di organizzare i puntatori a pagine nulle; lo esamineremo fra non molto.

Per mantenere queste caratteristiche quando la tabella cresce, usiamo due operazioni fondamentali: una *scomposizione di pagina*, con cui distribuiamo alcune chiavi da una pagina completa a un'altra; e una *scomposizione di directory*, con cui raddoppiamo la dimensione della directory e accresciamo d di 1. Specificamente, quando una pagina si riempie, la scomponiamo in due pagine usando la posizione più a sinistra del bit per cui le chiavi differiscono per decidere quali elementi andranno nella nuova pagina. Quando si divide una pagina sistemeremo i puntatori della directory in modo appropriato, raddoppiando la dimensione della directory se è necessario.

Come al solito, il modo migliore per capire l'algoritmo è seguire le sue operazioni quando inseriamo un insieme di chiavi in una tabella inizialmente vuota. Ciascuna delle situazioni che l'algoritmo deve af-

Figura 16.11
Costruzione di una tabella hash estendibile, parte 1

Come per i B alberi, i primi cinque inserimenti in una tabella hash estendibile vanno in una pagina singola (figura a sinistra). Poi, quando inseriamo 773, scomponiamo la pagina in due (una con tutte le chiavi che iniziano con il bit 0 e una con tutte le chiavi che iniziano con il bit 1) e raddoppiamo la dimensione della directory per contenere un riferimento per ciascuna pagina (figura centrale). Inseriamo 742 nella pagina in basso (perché inizia con il bit 1) e 373 nella pagina in alto (perché inizia con il bit 0), ma poi abbiamo bisogno di scomporre la pagina in basso per inserire 524. Per fare questa scomposizione, mettiamo tutti gli elementi con chiavi che iniziano con 10 in una pagina e tutti gli elementi con chiavi che iniziano con 11 nell'altra, e raddoppiamo ancora la dimensione della directory per inserire i riferimenti a entrambe le pagine (figura a destra). La directory contiene due riferimenti alla pagina contenente elementi con chiavi che iniziano con il bit 0: uno per le chiavi che iniziano con 00 e l'altro per le chiavi che iniziano con 01.

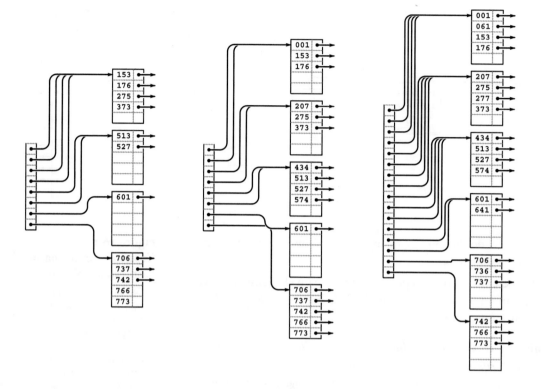

Figura 16.12
Costruzione di una tabella
hash estendibile, parte 2

Inseriamo le chiavi 766 e 275 nel B albero più a destra della Figura 16.11, senza alcuna scomposizione di nodi. Poi, quando inseriamo 737, la pagina in basso viene scomposta, causando una divisione della directory perché c'è un solo link alla pagina in basso (figura a sinistra). In seguito, inseriamo le chiavi 574, 434, 641 e 207 prima che 001 causi una scomposizione della pagina in alto (figura al centro). Quindi, aggiungiamo 277, 061 e 736 (il che fa sì che la pagina in basso sia scomposta, figura a destra).

frontare si verifica inizialmente nel processo in forma semplice; in tal modo, giungiamo a capire i principi basilari dell'algoritmo. Le Figure dalla 16.11 alla 16.13 mostrano la costruzione di una tabella hash estendibile per l'insieme campione di 25 chiavi ottali che abbiamo considerato in questo capitolo. Come accade nei B alberi, gran parte degli inserimenti non provocano niente: semplicemente, aggiungono una chiave a una pagina. Dal momento che iniziamo con una pagina e terminiamo con otto, possiamo dedurre che sette degli inserimenti hanno provocato una scomposizione di pagina; dal momento che iniziamo con una directory di dimensione 1 e terminiamo con una directory di dimensione 16, desumiamo che quattro degli inserimenti hanno provocato una scomposizione di directory.

Proprietà 16.4 *La tabella hash estendibile costituita da un insieme di chiavi dipende soltanto dai valori di quelle chiavi e non dall'ordine in cui le chiavi vengono inserite.*

Si consideri il trie corrispondente alle chiavi (si veda la Proprietà 15.2) con ogni nodo interno contrassegnato dal numero di elementi nel suo

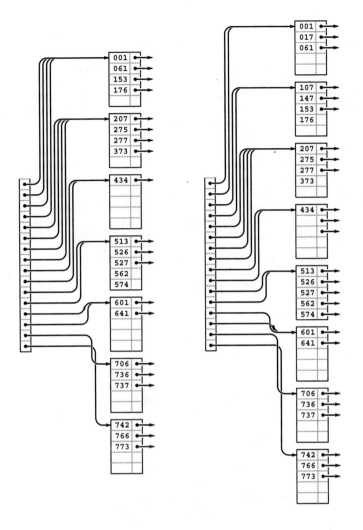

Figura 16.13
Costruzione di una tabella hash estendibile, parte 3

Continuando l'esempio riportato nelle Figure 16.11 e 16.12, inseriamo le 5 chiavi 526, 562, 017, 107, 147 nel B albero più a destra della Figura 16.12. La scomposizione di un nodo si verifica quando inseriamo 526 (figura a sinistra) e 107 (figura a destra).

sottoalbero. Un nodo interno corrisponde a una pagina nella tabella hash estendibile se e solo se la sua etichetta è inferiore a M e l'etichetta del suo nodo padre non è inferiore a M. Tutti gli elementi al di sotto del nodo vanno su quella pagina. Se un nodo è a livello k, esso corrisponde a una sequenza di k bit derivata dal cammino del trie in modo normale, e tutte le componenti nella directory della tabella hash estendibile con indici che iniziano con quella sequenza di k bit contengono puntatori alla pagina corrispondente. La dimensione della directory è determinata dal livello più profondo tra tutti i nodi interni nel trie che corrispondono a pagine. Così, possiamo convertire un trie in una tabella hash estendibile senza considerare l'ordine in cui vengono inse-

Programma 16.7 Inserimento hash estendibile

Per inserire un elemento in una tabella hash estendibile prima eseguiamo la ricerca, poi inseriamo l'elemento nella pagina specificata, infine scomponiamo la pagina, se l'inserimento ha causato un overflow. Lo schema generale è lo stesso dei B alberi, ma gli algoritmi di ricerca e scomposizione sono diversi.

Il metodo di scomposizione crea un nuovo nodo, quindi esamina il k-esimo bit (contando da sinistra) di ogni chiave: se il bit è 0, l'elemento rimane nel vecchio nodo; se è 1, va in quello nuovo. Dopo la scomposizione, il valore $k + 1$ viene assegnato al campo "numero di bit principali identici" in entrambi i nodi. Se questo processo non dà luogo ad almeno una chiave per ogni nodo, scomponiamo ancora, fino a che gli elementi non risultino separati in tal senso. Alla fine, inseriamo nella directory il puntatore con il nuovo nodo.

```java
private void insertDIR(Node t, int k)
  // See Program 16.8
private void split(Node h)
  { Node t = new Node();
    while (h.m == 0 || h.m == M)
      {
        h.m = t.m = 0;
        for (int j = 0; j < M; j++)
          if (bits(h.b[j].key(), h.k, 1) == 0)
               h.b[h.m++] = h.b[j];
          else t.b[t.m++] = h.b[j];
        h.k += 1; t.k = h.k;
      }
    insertDIR(t, t.k);
  }
private void insert(Node h, ITEM x)
  { int j; KEY v = x.key();
    for (j = 0; j < h.m; j++)
      if (less(v, h.b[j].key())) break;
    for (int i = h.m; i > j; i--)
      h.b[i] = h.b[i-1];
    h.b[j] = x; h.m += 1;
    if (h.m == M) split(h);
  }
void insert(ITEM x)
  { insert(dir[bits(x.key(), 0, d)], x); }
```

riti gli elementi, e questa proprietà vale come conseguenza della Proprietà 15.2. ∎

Il Programma 16.7 è un'implementazione dell'operazione di inserimento per una tabella hash estendibile. Innanzitutto, possiamo accedere alla pagina che potrebbe contenere la chiave di ricerca con un singolo riferimento alla directory, come abbiamo fatto per la ricerca. Poi, inseriamo qui il nuovo elemento come abbiamo fatto per i nodi esterni nei B alberi (si veda il Programma 16.2). Se questo inserimento lascia M elementi nel nodo, invochiamo la funzione di scomposizione, come fatto per i B alberi, pur essendo tale funzione più complicata in questo caso. Ogni pagina contiene il numero k di bit principali che sappiamo essere gli stessi nelle chiavi di tutti gli elementi della pagina e, poiché numeriamo i bit a partire dalla posizione 0 a sinistra, k specifica anche l'indice del bit che intendiamo controllare per determinare come dividere gli elementi.

Pertanto, per dividere una pagina creiamo una nuova pagina, quindi lasciamo nella vecchia pagina tutti gli elementi per i quali quel bit è 0, mettendo nella nuova pagina tutti gli elementi il cui bit è 1, e ponendo a $k + 1$ il contatore di bit in entrambe le pagine. Ora, potrebbe essere il caso che tutte le chiavi abbiano lo stesso valore per il bit k, cosa che potrebbe lasciarci ancora un nodo pieno. Se così è, semplicemente andiamo avanti al prossimo bit, continuando finché non abbiamo almeno un elemento in ciascuna pagina. Il processo deve terminare, prima o poi, a *meno che non si abbiano M valori della stessa chiave*. Tratteremo questo caso fra poco.

Come per i B alberi, lasciamo spazio per un elemento extra in ogni pagina per consentire la scomposizione dopo l'inserimento, semplificando così il codice. Di nuovo, questa tecnica ha effetti pratici modesti che possiamo ignorare nell'analisi.

Quando creiamo una nuova pagina, dobbiamo inserire un riferimento a essa nella directory. Il codice che realizza questo inserimento è dato nel Programma 16.8. Il caso più semplice da considerare è quello in cui la directory, prima dell'inserimento, abbia esattamente due riferimenti alla pagina che deve essere divisa. In questo caso, abbiamo bisogno di sistemare il secondo riferimento in modo che esso si riferisca alla nuova pagina. Se il numero di bit k di cui abbiamo bisogno per distinguere le chiavi nella nuova pagina è maggiore del numero di bit d che abbiamo per accedere alla directory, allora dobbiamo incrementare la capacità della directory per alloggiare la nuova componente. Infine, aggiorneremo in modo opportuno le componenti della directory.

Programma 16.8   Inserimento hash estendibile nella directory

Questo codice apparentemente semplice è il cuore del processo di hashing estendibile. Ci viene dato un link t a un nodo che contiene elementi che coincidono per i primi *k* bit, che deve essere inserito nella directory. Nel caso più banale, dove d e k sono uguali, semplicemente mettiamo t in d[x], dove x è il valore dei primi d bit di t->b[0] (e di tutti gli altri elementi nella pagina). Se k è maggiore di d, dobbiamo raddoppiare la dimensione della directory fino a ridurci al caso in cui d e k sono uguali. Se k è minore di d, dobbiamo impostare più di una componente di directory. Il primo ciclo for calcola il numero di componenti che dobbiamo modificare (2^{d-k}), mentre il secondo ciclo for esegue il lavoro.

```
private void insertDIR(Node t, int k)
  { int i, m;
    KEY v = t.b[0].key(); int x = bits(v, 0, k);
    while (d < k)
      { Node[] old = dir;
        d += 1; D += D;
        dir = new Node[D];
        for(i = 0; i < D;i++) dir[i] = old[i/2];
        for (i = 0; i < D/2; i++) old[i] = null;
        if (d < k) dir[bits(v, 0, d)^1] = new Node();
      }
    for(m = 1; k < d;k++) m *= 2;
    for(i = 0; i < m;i++) dir[x*m+i] = t;
  }
```

Se più di *M* elementi hanno chiavi duplicate, la tabella va in overflow e il codice del Programma 16.7 entra in un ciclo infinito, nel tentativo di distinguere le chiavi. Un problema connesso è che la directory può divenire eccessivamente grande senza reale necessità, se le chiavi hanno un numero eccessivo di bit principali uguali. Questa situazione è simile a quella determinata dal tempo eccessivo richiesto dall'ordinamento digitale MSD, per file che hanno un gran numero di chiavi duplicate o lunghe sequenze di bit in cui queste coincidono. La possibilità di evitare questi problemi dipende dalla randomizzazione fornita dalla funzione di hash (si veda l'Esercizio 16.42). Anche con l'hashing, alcune misure straordinarie devono essere prese se vi sono molte chiavi duplicate, poiché le funzioni di hash trasformano chiavi uguali in valori di hash uguali. Le chiavi duplicate possono rendere la directory artificiosamente ampia e l'algoritmo si bloccherà completamente, se vi sono più chiavi uguali di quelle che possono stare in una pagina. Pertanto, è necessario aggiungere alcuni controlli per queste condizioni prima di usare questo codice (si veda l'Esercizio 16.34).

I parametri di prestazione che ci interessano sono il numero di pagine usate (come per i B alberi) e l'ampiezza della directory. La randomizzazione di questo algoritmo è fornita dalle funzioni di hash, quindi i risultati sulle prestazioni nel caso medio si applicano a qualsiasi sequenza di N inserimenti distinti.

Proprietà 16.5 *Con pagine che possono contenere M elementi, l'hashing estendibile richiede, in media, circa* $1.44(N/M)$ *pagine per un file di N elementi. Il numero atteso di componenti nella directory è circa* $3.92(N^{1/M})(N/M)$.

Questo risultato (piuttosto profondo) estende l'analisi dei trie che abbiamo trattato brevemente nel precedente capitolo (si vedano i riferimenti bibliografici). Le costanti esatte sono $\lg e = 1/\ln 2$ per il numero di pagine ed $e \lg e = e/\ln 2$ per l'ampiezza della directory, anche se i valori esatti delle quantità oscillano attorno a questi valori medi. Non siamo sorpresi da questo fenomeno perché, per esempio, l'ampiezza della directory deve essere una potenza di 2, un fatto di cui si deve tenere conto per il risultato. ∎

Si noti che il tasso di crescita dell'ampiezza della directory è più che lineare in N, particolarmente per valori piccoli di M. Comunque, per N ed M nei range di interesse pratico, $N^{1/M}$ è abbastanza vicino a 1, quindi possiamo aspettarci che la directory abbia circa $4(N/M)$ componenti in pratica.

Abbiamo visto le directory come un singolo array di riferimenti. Possiamo mantenere la directory nella memoria, oppure, se troppo grande, possiamo mantenere il nodo radice nella memoria per informarci dove sono le pagine della directory, usando lo stesso schema di indicizzazione. In alternativa, possiamo aggiungere un altro livello, indicizzando il primo livello sui primi 10 bit (ad esempio) e il secondo livello sul resto dei bit (si veda l'Esercizio 16.35).

Come abbiamo fatto per i B alberi, lasciamo le implementazioni di tutte le altre operazioni di una tabella di simboli come esercizio (si vedano gli Esercizi 16.37 e 16.40). Inoltre, come per i B alberi, una corretta implementazione dell'operazione di cancellazione è piuttosto complessa, anche se consentire pagine sottodimensionate rappresenta una semplice alternativa efficace in molte situazioni reali.

Esercizi

▷ **16.27** Quante pagine vuote dovremmo avere, se usassimo una directory di ampiezza 32 nella Figura 16.10?

16.28 Disegnate le figure corrispondenti alle Figure dalla 16.11 alla 16.13, per illustrare il processo di inserimento delle chiavi 562, 221, 240, 771, 274, 233, 401, 273 e 201 (nel presente ordine) in un albero inizialmente vuoto, con $M = 5$.

○ **16.29** Assumete di avere un array di elementi ordinati. Descrivete come si possa determinare l'ampiezza della directory della tabella hash estendibile corrispondente a quell'insieme di elementi.

● **16.30** Scrivete un programma che costruisca una tabella hash estendibile a partire da un array di elementi ordinati, facendo due passaggi sugli elementi: uno per determinare l'ampiezza della directory (Esercizio 16.29) e uno per allocare gli elementi nelle pagine e compilare la directory.

○ **16.31** Fornite un insieme di chiavi per le quali la corrispondente tabella hash estendibile abbia un'ampiezza della directory di 16, con otto riferimenti a una singola pagina.

●● **16.32** Create una figura simile alla Figura 16.8 per l'hashing estendibile.

● **16.33** Scrivete un programma che calcoli il numero medio di pagine esterne e l'ampiezza media della directory per una tabella hash estendibile costruita mediante N inserimenti casuali in una tabella inizialmente vuota, dove la capacità della pagina è M.

16.34 Aggiungete opportuni controlli al Programma 16.7 per proteggerlo da cattivi malfunzionamenti nel caso in cui troppe chiavi duplicate o chiavi con troppi bit principali uguali vengano inserite nella tabella.

● **16.35** Modificate l'implementazione dell'hashing estendibile dei Programmi dal 16.5 al 16.7 usando directory a due livelli, con non più di M riferimenti per nodo di directory. Decidete con particolare attenzione cosa fare quando la directory passa dal primo al secondo livello.

● **16.36** Modificate l'implementazione dell'hashing estendibile dei Programmi dal 16.5 al 16.7 per consentire l'esistenza di M elementi per pagina nella struttura dati.

○ **16.37** Implementate l'operazione di ordinamento per una tabella hash estendibile.

○ **16.38** Implementate l'operazione di selezione per una tabella hash estendibile.

●● **16.39** Implementate l'operazione di cancellazione per una tabella hash estendibile.

○ **16.40** Implementate l'operazione di cancellazione per una tabella hash estendibile, usando il metodo indicato nell'Esercizio 16.25.

●● **16.41** Sviluppate una versione dell'hashing estendibile che scomponga le pagine quando scompone la directory, così che ogni componente nella directory punti a una pagina distinta. Eseguite esperimenti per confrontare le prestazioni della vostra implementazione con quelle dell'implementazione standard.

○ **16.42** Eseguite studi empirici per determinare quanti numeri casuali dobbiamo aspettarci di generare prima di trovare più di M numeri con gli stessi d bit iniziali, per $M = 10, 100, 1000$, e $1 \leq d \leq 20$.

● **16.43** Modificate l'hashing con concatenazioni separate (Programma 14.3) in modo da usare una tabella hash di dimensione $2M$, mantenendo gli elementi in pagine di dimensione $2M$. Cioè, quando una pagina è completa, collegatela a una nuova pagina vuota, in modo tale che ogni elemento della tabella hash punti a una lista concatenata di pagine. Determinate empiricamente il numero medio di sondaggi richiesto per una ricerca, dopo aver costruito una tabella con N elementi aventi chiavi casuali, per $M = 10, 100, 1000$ ed $N = 10^3, 10^4, 10^5, 10^6$.

○ **16.44** Modificate l'hashing doppio (Programma 14.6) in modo da usare pagine di dimensione $2M$, trattando gli accessi a pagine complete come collisioni. Determinate empiricamente il numero medio di sondaggi richiesto per una ricerca, dopo aver costruito una tabella con N elementi aventi chiavi casuali, per $M = 10, 100, 1000$ ed $N = 10^3, 10^4, 10^5, 10^6$, usando una tabella di dimensione iniziale $3N/2M$.

16.5 Prospettive

L'applicazione più importante dei metodi presentati in questo capitolo è la costruzione di indici per *database* molto grandi mantenuti su memoria esterna, per esempio, in file su disco. Sebbene gli algoritmi sottostanti di cui abbiamo parlato siano potenti, lo sviluppo di un'implementazione di un file-system basata su B alberi o su tecniche di hashing estendibile è un compito piuttosto complesso. Innanzitutto, non possiamo usare i programmi Java di questo paragrafo direttamente, poiché essi devono essere modificati per poter leggere e referenziare file su disco. In secondo luogo, dobbiamo essere sicuri che i parametri degli algoritmi (per esempio, dimensione della pagina e della directory) siano ben adattati alle caratteristiche del particolare hardware che stiamo usando. In terzo luogo, dobbiamo fare attenzione all'affidabilità e all'individuazione e correzione degli errori. Per esempio, dobbiamo essere in grado di verificare che la struttura dati si trovi in uno stato coerente e di sapere come procedere per correggere gli errori che potrebbero presentarsi. Considerazioni di questo tipo sono di importanza critica in un file-system e vanno oltre gli scopi di questo libro.

D'altra parte, se abbiamo un sistema di programmazione che supporta la memoria virtuale, possiamo mettere direttamente in pratica le implementazioni Java che abbiamo qui considerato, in una situazione in cui abbiamo un elevato numero di operazioni di tabelle di simboli da compiere su tabelle di grandissime dimensioni. Approssimativamente, ogni volta che accediamo a una pagina, un sistema di questo tipo metterà quella pagina in una memoria *cache* in cui i riferimenti ai dati su di essa sono trattati in modo efficiente. Se ci riferiamo a una pagina che non è nella cache, il sistema deve leggere la pagina dalla memoria esterna, quindi possiamo pensare alle search miss nella cache come più o meno equivalenti al costo di un sondaggio che abbiamo adottato fin qui.

Per i B alberi tutte le ricerche o gli inserimenti accedono alla radice, quindi la radice sarà sempre nella cache. Altrimenti, per *M* sufficientemente grande, le tipiche operazioni di ricerca e inserimento provocheranno al massimo due search miss di cache. Per cache grandi, c'è una buona probabilità che la prima pagina (il figlio della radice) a cui si accede per la ricerca si trovi già nella cache, quindi probabilmente il costo medio per ricerca sarà significativamente inferiore a due sondaggi.

Per l'hashing estendibile è inverosimile che l'intera directory si trovi nella cache, quindi ci aspettiamo che sia l'accesso alla directory che l'accesso alla pagina possano provocare search miss di cache (questo è il caso peggiore). Cioè, saranno necessari due sondaggi per la ricerca su una tabella di grandi dimensioni, uno per accedere alla parte giusta della directory e uno per accedere alla pagina giusta.

Questi algoritmi rappresentano un tema adatto con cui concludere la nostra trattazione dei metodi di ricerca, perché per usarli in modo efficace dobbiamo comprendere le proprietà fondamentali della ricerca binaria, dei BST, degli alberi bilanciati, delle tecniche di hashing e dei trie, che rappresentano i basilari algoritmi di ricerca studiati nei Capitoli dal 12 al 15. Considerati nel loro complesso, essi forniscono soluzioni al problema dell'implementazione di una tabella di simboli in un gran numero di situazioni: rappresentano un esempio eclatante del potere della tecnologia degli algoritmi.

Esercizi

- **16.45** Sviluppate un'implementazione per una tabella di simboli che usi B alberi. Includete un'implementazione di clone e supportate le operazioni di costruzione, conteggio, ricerca, inserimento, cancellazione e unione per un ADT tabella di simboli che consenta handle dei programmi client (si vedano gli Esercizi 12.6 e 12.7).

- **16.46** Sviluppate un'implementazione per una tabella di simboli che usi l'hashing estendibile. Includete un'implementazione di clone e supportate le operazioni di costruzione, conteggio, ricerca, inserimento, cancellazione e unione per un ADT tabella di simboli che consenta handle dei programmi client (si vedano gli Esercizi 12.6 e 12.7).

16.47 Modificate l'implementazione di B alberi del Paragrafo 16.3 (Programmi dal 16.1 al 16.3) per usare un ADT nei riferimenti alle pagine.

16.48 Modificate l'implementazione dell'hashing estendibile del Paragrafo 16.4 (Programmi dal 16.5 al 16.8) per usare un ADT nei riferimenti alle pagine.

16.49 Stimate il numero medio di sondaggi per ricerca in un B albero per S ricerche casuali, in un tipico sistema a cache in cui sono memorizzate le T pagine a cui si ha accesso più di recente (e, quindi, non contano ai fini del numero di sondaggi). Assumete che S sia molto più grande di T.

16.50 Stimate il numero medio di sondaggi per ricerca in una tabella hash estendibile, adottando il modello di cache descritto nell'Esercizio 16.49.

○ **16.51** Se il vostro sistema supporta la memoria virtuale, progettate e svolgete esperimenti per confrontare la prestazione di B alberi con quella della ricerca binaria per ricerche casuali in una tabella di simboli di grandi dimensioni.

16.52 Implementate un ADT coda con priorità che supporti l'operazione di costruzione per un elevato numero di elementi, seguita da un elevato numero di inserimenti e di cancellazioni del massimo (si veda il Capitolo 9).

16.53 Sviluppate un ADT tabella di simboli basato su una rappresentazione tramite skip-list dei B alberi (si veda l'Esercizio 13.80).

● **16.54** Se il vostro sistema è dotato di una memoria virtuale, fate esperimenti per stabilire il valore di M che determina i migliori tempi di ricerca per l'implementazione di un B albero che supporta operazioni di ricerca casuale in una tabella di simboli molto grande. (Può essere utile conoscere le fondamentali proprietà del vostro sistema prima di condurre questo tipo di esperimenti, che possono essere anche piuttosto lunghi).

●● **16.55** Modificate l'implementazione dei B alberi del Paragrafo 16.3 (Programmi dal 16.1 al 16.3) per operare in un ambiente in cui la tabella si trova in un dispositivo di memoria esterna. Se il vostro sistema permette l'accesso non sequenziale ai file, mettete l'intera tabella in un singolo file (grande) e usate meccanismi di spiazzamento (*offset*) all'interno del file invece dei puntatori nella struttura di dati. Se il vostro sistema permette di accedere direttamente alle pagine sulle periferiche esterne, usate gli indirizzi delle pagine invece dei puntatori nella struttura dati. Se il vostro sistema permette entrambi gli accessi, scegliete l'approccio che ritenete più ragionevole per implementare una tabella di simboli di grandissime dimensioni.

●● **16.56** Modificate l'implementazione dell'hashing estendibile del Paragrafo 16.4 (Programmi dal 16.5 al 16.8) per operare in un ambiente in cui la tabella si trova su un dispositivo di memoria esterna. Illustrate le ragioni dell'approccio che adottate per allocare la directory e le pagine nei file (si veda Esercizio 16.55).

Riferimenti bibliografici per la Parte 4

I riferimenti principali per questa sezione sono i testi di Knuth; Baeza-Yates e Gonnet; Mehlhorn; Cormen, Leiserson e Rivest. Molti degli algoritmi qui inclusi vengono approfonditi in questi libri con analisi teoriche e suggerimenti per le applicazioni pratiche. I metodi classici sono esaurientemente esposti da Knuth; i metodi più recenti sono descritti negli altri libri, e contengono ulteriori riferimenti alla letteratura. Queste quattro fonti, insieme al libro di Sedgewick e Flajolet descrivono pressoché tutto il materiale classificato "oltre gli scopi di questo libro", a cui ci siamo spesso riferiti.

Il materiale del Capitolo 13 proviene dall'articolo del 1996 di Roura e Martinez, dall'articolo del 1985 di Sleator e Tarjan e da quello del 1978 di Guibas e Sedgewick. Come suggerito dalle date di questi articoli, gli alberi bilanciati sono un tema di ricerca sempre attuale. I libri sopra citati contengono dimostrazioni dettagliate relative agli alberi red-black e a strutture simili, con riferimenti anche all'attività di ricerca più recente.

La trattazione sui trie del Capitolo 15 è abbastanza classica (anche se le implementazioni complete si trovano raramente in letteratura). Il materiale sui TST proviene dall'articolo del 1997 di Bentley e Sedgewick.

L'articolo del 1972 di Bayer e McCreight introduce i B alberi, mentre il metodo di hashing estendibile presentato nel Capitolo 16 proviene dall'articolo di Fagin, Nievergelt, Pippenger, Strong del 1979. I risultati analitici sull'hashing estendibile sono stati ottenuti da Flajolet nel 1983. Questi articoli sono di lettura obbligatoria per chiunque desideri ulteriori informazioni sui metodi di ricerca esterna. Le applicazioni pratiche di questi metodi sono, solitamente, quelle sui *database*. Un'introduzione a questo argomento viene fornita, ad esempio, nel libro di Date.

R. Baeza-Yates e G. H. Gonnet, *Handbook of Algorithms and Data Structures*, seconda edizione, Addison-Wesley, Reading, MA, 1984.

R. Bayer e E. M. McCreight, "Organization and maintenance of large ordered indexes", *Acta Informatica*, 1, 1972.

J. L. Bentley e R. Sedgewick, "Sorting and searching strings", Eighth Symposium on Discrete Algorithms, New Orleans, January, 1997.

T. H. Cormen, C. E. Leiserson, R. L. Rivest, *Introduction to Algorithms*, seconda edizione, MIT Press/McGraw-Hill, Cambridge, MA, 2002.

C. J. Date, *An Introduction to Database Systems*, settima edizione, Addison-Wesley, Boston, MA, 2002.

R. Fagin, J. Nievergelt, N. Pippenger, H. R. Strong, "Extendible hashing – a fast access method for dynamic files", *ACM Transactions on Database Systems*, 4, 1979.

P. Flajolet, "On the performance analysis of extendible hashing and trie search", *Acta Informatica*, 20, 1983.

L. Guibas e R. Sedgewick, "A dichromatic framework for balanced trees", 19th Annual Symposium on Foundations of Computer Science, IEEE, 1978. Anche in *A Decade of Progress 1970-1980*, Xerox PARC, Palo Alto, CA.

D. E. Knuth, *The Art of Computer Programming. Volume 3: Sorting and Searching*, seconda edizione, Addison-Wesley, Reading, MA, 1997.

K. Mehlhorn, *Data Structures and Algorithms 1: Sorting and Searching*, Springer-Verlag, Berlin, 1984.

S. Roura e C. Martinez, "Randomization of search trees by subtree size," Fourth European Symposium on Algorithms, Barcelona, settembre 1996.

R. Sedgewick e P. Flajolet, *An Introduction to the Analysis of Algorithms*, Addison-Wesley, Reading, MA, 1996.

D. Sleator e R. E. Tarjan, "Self-adjusting binary search trees", *Journal of the ACM*, 32, 1985.

Appendice

I N QUESTO LIBRO, per motivi di flessibilità e di semplicità descrittiva, abbiamo usato l'input/output piuttosto di rado. La maggior parte dei nostri programmi sono implementazioni di ADT destinate a essere utilizzate da client di vario tipo. Abbiamo altresì mostrato alcuni programmi pilota per eseguire e testare tali programmi su dati diversi dai nostri. I Programmi 1.1, 6.1 e 12.6 ne sono tipici esempi. In questi programmi pilota:

- sfruttiamo la riga di comando per leggere i valori dei parametri
- riceviamo dati di ingresso dallo stream di input standard
- stampiamo i risultati sullo stream di output standard.

In Java, esistono convenzioni standard per leggere i valori dei parametri. Il meccanismo è descritto nel Paragrafo 3.7. In quest'appendice, presentiamo le classi che utilizziamo per le operazioni di input/output.

Piuttosto che utilizzare le classi di libreria Java relative all'input e all'output, utilizziamo le classi adattatrici In e Out.

Il codice per Out è banale, poiché i metodi che usiamo sono esattamente i metodi che stampano una stringa (eventualmente, seguita da un carattere di newline) provenienti dalla classe Java System.out:

```java
public class Out
  {
    public static void print(String s)
      { System.out.print(s); }
    public static void println(String s)
      { System.out.println(s); }
  }
```

Ci sono due modi per far uso dei programmi di questo libro in cui compare la classe Out: porre questo codice in un file chiamato Out.Java, oppure sostituire Out con System.out nel codice dei programmi. La classe System.out effettua l'overloading di print e println al fine di accettare parametri di tipo predefinito. Non operiamo in tal senso perché il nostro codice client solitamente stampa stringhe, e può altrimenti sfruttare la conversione di tipo in modo agevole.

Il codice per In è più complesso perché deve poter leggere diversi tipi di dati (la conversione per l'output è immediata, grazie alle convenzioni di Java secondo cui ogni tipo di dato possiede un metodo toString per trasformarlo in una stringa). L'implementazione di In che segue, usa la classe Java System.in per definire metodi per inizializzarsi, per leggere numeri interi, numeri in virgola mobile e stringhe, e per testare se lo stream di input sia vuoto o meno.

```java
import java.io.*;
public class In
  { private static int c;
    private static boolean blank()
      { return Character.isWhitespace((char) c); }
    private static void readC()
      {
        try
          { c = System.in.read(); }
        catch (IOException e)
          { c = -1; }
      }
    public static void init()
      { readC(); }
    public static boolean empty()
      { return c == -1; }
    public static String getString()
      {
        String s = "";
        while (!(empty() | blank()));
          { s += (char) c; readC(); }
        while (!empty() && blank()) readC();
        return s;
      }
    public static int getInt()
      { return Integer.parseInt(getString()); }
    public static double getDouble()
      { return Double.parseDouble(getString()); }
  }
```

Per usare i programmi di questo libro in cui compare la classe In, è sufficiente porre questo codice in un file chiamato In.java.

I nostri programmi pilota sono stati concepiti per essere usati nel testare algoritmi su dati a noi noti. Quindi, di solito, sappiamo che i dati di ingresso hanno un certo formato (perché strutturiamo programmi e dati in modo che corrispondano). Non abbiamo perciò bisogno di includere test di errore in In. I nostri programmi inizializzano esplicitamente lo stream di input chiamando In.init e verificano se lo stream di input è vuoto invocando In.empty, spesso semplicemente tramite il costrutto

```
for( In.init(); !In.empty(); )
```

con chiamate a uno o più dei metodi get nel corpo del ciclo. I metodi get restituiscono 0 o null piuttosto che lanciare un'eccezione quando cerchiamo di leggere da stream di input vuoto, anche se i nostri programmi pilota non sfruttano tali valori di ritorno.

L'uso di queste classi adattatrici ci fornisce la possibilità di cambiare il modo in cui effettuiamo l'input/output senza toccare il codice di questo libro. Sebbene le implementazioni date qui siano utili in molti contesti di programmazione Java, è possibile che in situazioni particolari ne siano necessarie altre. Se il lettore di questo libro possiede classi di input/output su cui si trova maggiormente a suo agio, non troverà per nulla difficile implementare opportune classi adattatrici In e Out in sostituzione di quelle riportate qui. Tra l'altro ci aspettiamo che, man mano che acquisisce esperienza con lo sviluppo e il test degli algoritmi di questo libro (ad esempio, risolvendo gli esercizi che richiedono di implementare programmi pilota più sofisticati), il lettore si spinga anche a sviluppare implementazioni più complesse di queste classi, ma sicuramente più adatte ai suoi scopi.

Esercizi

- **A.1** Scrivete una versione di In che stampi un messaggio di errore sul formato dell'input, per ogni tipo di eccezione che possa verificarsi.

- **A.2** Scrivete una classe che estenda Applet e che fornisca implementazioni di In e Out in modo da poter accettare input e fornire output attraverso una finestra di applet. Il vostro obiettivo è quello di far sì che un codice come quello del Programma 1.1 possa essere utilizzato con la minor quantità possibile di modifiche.

Indice